Un temps d'exubérance

Les arts décoratifs

sous Louis XIII et Anne d'Autriche

Paris, Galeries nationales du Grand Palais

9 avril – 8 juillet 2002

Réunion
des Musées
Nationaux

Cette exposition est organisée
par la Réunion des musées nationaux
et le musée du Louvre, Paris

Coordination au département des Expositions
de la Réunion des musées nationaux
Vincent David
avec, pour le mouvement des œuvres,
Isabelle Mancarella

La présentation a été conçue par
Margo Renisio et Jean-Paul Boulanger, agence Pylône,
et réalisée avec le concours des équipes des Galeries
nationales du Grand Palais

Couverture :

Tapis de table, attribué à la manufacture de la
Savonnerie, Chaillot, vers 1640-1650, laine et lin

Cadran solaire polyédrique, signé *Pierre Seuin*
A Paris, 1662, cuivre

Coupe sur piédouche « à la façon de Venise »,
France, première moitié du XVIIe siècle, verre soufflé

Gobelet dit d'Anne d'Autriche, Paris, milieu du
XVIIe siècle, or repoussé, ciselé et gravé

Aiguière, Pierre Delabarre, Paris, vers 1630-1635,
sardoine, or émaillé, rubis, diamants, émeraudes et
opales

Montre ronde, Grégoire Gamot, Paris, vers 1650, or,
laiton et émail

Coffre dit d'Anne d'Autriche, Paris, vers 1660, or
repoussé, ciselé et filigrané sur âme de bois

Amphitrite d'après Michel Anguier, Paris, XVIIe siècle,
bronze

Miroir, Paris, vers 1630-1635, cristal de roche,
sardoine, agate, camées, émeraudes, rubis, diamants,
or émaillé

Gourde, Nevers, milieu du XVIIe siècle, faïence

Cabinet, Paris, vers 1645, placage d'ébène

Paris, musée du Louvre, département des Objets d'art

Photo : RMN/Gilles Berizzi

© Réunion des musées nationaux, 2002
49, rue Étienne-Marcel
75001 Paris

ISBN : 2-7118-4390-4

COMITÉ SCIENTIFIQUE

Remerciements

Cette exposition n'aurait pu avoir lieu sans
la générosité de nombreux prêteurs particuliers :

M. Philippe Boucaud
Mme Cordier
M. Pierre Jourdan-Barry
M. et Mme Henry Kravis
Le marquis de Lastic
M. et Mme Georges Lefebvre
M. et Mme Bernard Steinitz
Mme Barbara Wirth
La collection R.E.I.

À tous, ainsi qu'à celles et ceux qui ont préféré garder
l'anonymat, nous voulons dire notre très profonde gratitude.

Nous tenons également à remercier chaleureusement les responsables des collections publiques suivantes,
qui ont eu à cœur de participer à cette exposition par des prêts également très généreux :

ÉTATS-UNIS
Corning, New York
The Corning Museum of Glass
New York
The Metropolitan Museum of Art

FRANCE
Autun
Musée Rolin
Beaugency
Ville de Beaugency
Bordeaux
Musée des Arts décoratifs
Bruère-Allichamps (Cher)
Conseil général du Cher, abbaye
de Noirlac
Chambord
Château de Chambord – Centre des
Monuments nationaux
Écouen
Musée national de la Renaissance –
Château d'Écouen
Fontainebleau
Musée national du château
de Fontainebleau
Limoges
Musée national de la Porcelaine –
Adrien Dubouché
Musée municipal de l'Évêché

Lyon
Musée des Arts décoratifs
Musée des Tissus
Maincy
Château de Vaux-le-Vicomte
Maisons-Laffitte
Château de Maisons – Centre des
Monuments nationaux
Nevers
Musée municipal Frédéric Blandin
Paris
Académie française
Bibliothèque d'art et d'archéologie Jacques Doucet
Bibliothèque Mazarine
Bibliothèque nationale de France, département
des Estampes
Bibliothèque nationale de France, département
des Manuscrits
Bibliothèque nationale de France, département
des Monnaies, Médailles et Antiques
Bibliothèque nationale de France, Réserve des
livres rares et précieux

remerciements

Bibliothèque nationale de France, bibliothèque de l'Arsenal
Cathédrale Notre-Dame
École nationale supérieure des beaux-arts
Hôtel de Sully – Centre des Monuments nationaux
Médiathèque de l'Architecture et du Patrimoine
Ministère de la Culture et de la Communication, direction de l'Architecture et du Patrimoine
Mobilier national
Musée de l'Armée
Musée des Arts décoratifs
Musée Carnavalet, Histoire de Paris
Musée Jacquemart-André – Institut de France
Musée du Louvre, département des Arts graphiques
Musée du Louvre, département des Objets d'art
Musée du Louvre, département des Sculptures
Musée national du Moyen Âge – Thermes de Cluny
Musée du Petit Palais - Musée des Beaux-Arts de la Ville de Paris
Sénat de la République française
Ville de Paris, collections municipales

GRANDE-BRETAGNE
Londres
Victoria and Albert Museum

ITALIE
Pise
Museo dell'Opera del Duomo

RUSSIE
Moscou
Musée-conservatoire national de Culture et d'Histoire – Kremlin, Moscou

SUÈDE
Stockholm
Livrustkammaren (The Royal Armoury)
Nationalmuseum

Pontoise
Carmel
Reims
Cathédrale Notre-Dame
Palais du Tau – Centre des Monuments nationaux
Richelieu
Musée municipal
Rouen
Musée départemental des Antiquités
Musée de la Céramique
Service régional d'Archéologie – Direction régionale des Affaires culturelles de Haute-Normandie
Saint-Denis
Musée d'Art et d'Histoire
Saumur
Château-musée de Saumur
Sèvres
Musée national de Céramique
Strasbourg
Fabrique de la cathédrale Notre-Dame
Toulouse
Musée Paul Dupuy
Troyes
Cathédrale Saints-Pierre-et-Paul
Ville de Troyes, église Saint-Martin-ès-Vignes
Musée des Beaux-Arts
Valenciennes
Musée des Beaux-Arts

remerciements

Les commissaires de l'exposition adressent leurs plus chaleureux remerciements :

à Mme Francine Mariani-Ducray, directrice des musées de France, qui a bien voulu autoriser l'organisation de cette exposition,
à Mme Claude Dulong, membre de l'Institut,
à leurs collègues qui ont accepté avec enthousiasme de faire partie du comité scientifique et de rédiger textes et notices,
à la Réunion des musées nationaux :
à M. Philippe Durey, Mme Bénédicte Boissonnas, Mme Béatrice Foulon, M. Vincent David,
Mlle Sophie Laporte, Mme Isabelle Mancarella, M. Alain Madeleine-Perdrillat, M. Gilles Romillat,
ainsi qu'à Mme Irène Bizot,
à la direction du musée du Louvre :
à M. Henri Loyrette, directeur du musée du Louvre, à M. Joël Courtemanche et ses collaborateurs,
à M. Pascal Périnel,
au Grand Palais :
à M. David Guillet, Mme Martine Guichard-Kirschleger et leurs collaborateurs,
au département des Objets d'art :
à Mmes Danielle Gaborit-Chopin, Anne Dion-Tenenbaum, Élisabeth Taburet-Delahaye et M. Jannic Durand,
à Mmes Fabienne Néguiral et Isabelle Balandre, et plus spécialement à Mlles Anne-Gabrielle Durand,
Danièle Kriser, Marie-Hélène de Ribou, Sylphide de Sonis, Mmes Anne Gautier et Kristina Ulemek-Paunac,
aux restaurateurs :
MM. Gérard Albeza, Claude Aubert, Frédéric Beauprêtre, José Ferreira, Roland Février, Philippe Guérin,
Lionel Huck, Frédéric Leblanc, Sylvain Molfessis, Joël Orgiazzi, Marc-André Paulin, Claude Penot,
Jean-Pierre Pisselet, Emmanuel Plé, Mmes Isabelle Bedat, Béatrice Beillard, Stéphanie Courtier, Patricia Dal Pra,
Marie-Jeanne Dubois, Juliette Lévy,
aux photographes : Mme Martine Beck-Coppola, M. Gilles Berizzi.

Les commissaires de l'exposition et les auteurs du catalogue souhaitent exprimer leur profonde gratitude à l'égard des innombrables personnalités qui les ont aidés :
Mmes Irene R. Aitken, Magali Alibert, Cynthia Amneus, Christine Aribaud, Véronique Ayrolles, Cécile Barra,
Laurence Berton, M.-P. Besle, le comte Pierre de Bizemont, MM. Guy Blazy, Daniel Bontemps, Marc Botlan,
Mmes Chantal Bouchon, Bernadette de Boysson, Annie Broca, MM. David Brouzet, Tom Campbell, Yves Carlier,
Mmes Marie-Jo de Chaignon, Évelyne Chevalier, Nicole Chevalier, MM. Vincent Cochet, Dominique Cordellier,
Mmes Odile Cortet, Violaine Courtin, M. Thierry Crépin-Leblond, Mme Dominique Delapierre, MM. Calin
Demetrescu, Luca Donati, Bernard Dragesco, Vincent Droguet, Mmes Sylvie Dubois, Marie-Thérèse Dubrulle,
M. Guy du Chazaud, Mmes Dominique Dumas, Christine Duvauchelle, Rebecka Enhorning, Antoinette Faÿ-Hallé,
M. Michel Fleury (†), Mmes Élisabeth Floret, Aimée Fontaine, M. Patrice Forget, M. et Mme Daniel Fruman,
MM. Peter Fuhring, Olivier Gabet, Mme Catherine de Gabory, M. Alexandre Gady, Mme Bénédicte Gady,
MM. Christophe Galinon, Jean-Jacques Gautier, Mme Laurence Goux, MM. l'abbé Jean Goy, Bernard de Grammont,
Mme Françoise Hau-Balignac, MM. Patrick Heiderscheid, Roberto Innocenti, François-Charles James,
M. et Mme Keith King, MM. Alexis et Nicolas Kugel, Mme Jacqueline de Lacroix-Vaubois, M. Gilles de Langsdorff,
Mme Pascale Le Cacheux, M. Jean-Paul Leclercq, Mme Odile Leconte, MM. Amaury Lefébure, Georges Lefebvre,
Claude Lemaître, Mmes Marie-France Lemoine, Nicole Lemoine, MM. André Leprat, Guy-Michel Leproux, Roland
de L'Espée, L L. A A. le prince et la princesse Jean-Charles de Ligne-La Trémoille, Mmes Violaine Lion, Catherine
Loisel, MM. Vincent Maroteaux, Guy Massin Le Goff, Mmes Chantal Meslin-Perrier, Magali Metge, MM. Paul
Mironneau, Éric Moinet, Mmes Jacqueline Mongellaz, Anne Olimpio, MM. Christian Olivereau, Jean-Luc Olivié,
Mme Jutta Page, M. Philippe Palasi, Mmes Béatrice Pannequin, Gun Patou, MM. Gérard Picaud, Alexandre Pradère,
Maxime Préaud, Alain Prévet, Mmes Laurence Quinchon-Adam, Lena Rangstrom, Françoise Reginster, Anne-Marie
Roger, MM. Bertrand Rondot, Jean-Marie Rossi, Julien de Rothschild, Nicolas Sainte Fare Garnot, Jean-Pierre
Samoyault, Thierry Sarmant, Philippe Saverys (†), Mme Geneviève Sennequier, MM. Arnaud Tellier, Pascal Torres-
Guardiola, Mme Marjory Trusted, M. Daniel Vannier (†), Mmes Françoise Viatte, Melinda Watt, Barbara Wirth,
Louise Woodford, M. Maximilien de Zarobe.

Les textes et les notices du catalogue ont été rédigés par :

M. Daniel Alcouffe (D. A.)

Mme Véronique Alemany-Dessaint (V. A.-D.)

Mme Sophie Baratte (S. B.)

M. Richard Beresford, Senior curator of European Art pre-1900, Art Gallery of New South Wales, Sidney

Mme Michèle Bimbenet-Privat (M. B.-P.)

Mme Geneviève Bresc-Bautier (G. B.-B.)

Mme Emmanuelle Brugerolles (E. B.)

Mme Catherine Cardinal (C. C.)

M. Yves Carlier (Y. C.), conservateur au musée national du château de Fontainebleau

M. Jean-Marc Chatelain (J.-M. C.)

Mme Isabelle de Conihout (I. C.), conservateur en chef à la bibliothèque Mazarine

M. Emmanuel Coquery (E. C.)

Mme Béatrice Coullaré (B. C.)

Mme Claude Dulong, membre de l'Institut

M. Pierre Ennès (P. E.)

Mme Camille Frémontier-Murphy (C. F.-M.)

Mme Catherine Gougeon (C. G.)

M. Gilles Grandjean (G. G.)

M. David Langeois (D. L.)

Mme Fabienne Le Bars (F. L. B.), conservateur à la Bibliothèque nationale de France, Réserve des livres rares

Mme Anne le Pas de Sécheval, maître de conférences à l'université de Paris X-Nanterre

M. Gérard Mabille (G. M.)

M. Philippe Malgouyres (Ph. M.)

M. Patrick Michel, maître de conférences à l'université de Bordeaux III

M. Yannick Nexon, conservateur en chef à la bibliothèque municipale de Rennes

Mme Caroline Piel (C. P.), conservateur en chef des Monuments historiques

Mme Françoise Perrot (F. P.)

Mme Nicole de Reyniès (N. R.), conservateur général à la direction des Musées de France

M. Jean-Pierre Reverseau (J.-P. R.)

Mme Marie-Laure de Rochebrune (M.-L. R.)

M. Bertrand Rondot (B. R.), conservateur au musée des Arts décoratifs

Mme Colombe Samoyault-Verlet (C. S.-V.)

Mme Sylvie de Turckheim-Pey (S. T.-P.)

Mme Danièle Véron-Denise (D. V.-D.)

M. Jean Vittet (J. V.)

M. Moana Weil-Curiel, docteur en histoire de l'art

Sommaire

INTRODUCTION

Le public méconnaît l'importance des arts décoratifs ; trop rares en effet sont les expositions qui leur sont consacrées. Les arts décoratifs français de la Renaissance, de l'époque d'Henri IV et de celle de Louis XIV ont cependant bénéficié d'expositions déjà anciennes, *l'École de Fontainebleau*, au Grand Palais, en 1973, *Henri IV*, aux Archives nationales, en 1989-1990, *Louis XIV, faste et décors*, au musée des Arts décoratifs, en 1960, et ont également suscité des études.

En revanche, la période intermédiaire, de 1610 à 1661, qui, dans le domaine de la peinture, est de plus en plus explorée, de plus en plus célébrée, reste encore mystérieuse dans nos disciplines, sauf en ce qui concerne la tapisserie, à laquelle Jean Coural rendit un inoubliable hommage à Versailles, en 1967. Cette époque est pourtant particulièrement féconde sur le plan des arts décoratifs grâce à la présence de mécènes hors du commun (Marie de Médicis, Anne d'Autriche, Richelieu, Mazarin, Foucquet…), à l'acclimatation en France d'artistes, d'artisans et de techniques d'origine étrangère et à la diversité des courants stylistiques, qui mêlent la fin du maniérisme, le pré-classicisme et le naturalisme, en évoluant différemment d'une technique à l'autre.

Grâce à des lissiers flamands et à de grands peintres décorateurs, comme Vouet, la « tapisserie de Paris » incarne l'aspect le plus inventif et le plus séduisant de l'histoire de la tapisserie française. Parallèlement les premières savonneries apparaissent.

Dans l'histoire du mobilier, la première moitié du XVIIe siècle est capitale car elle correspond à la naissance de l'ébénisterie en France. Les magnifiques cabinets d'ébène dus aux premiers ébénistes parisiens, bien que moins fameux que les meubles de Boulle ou ceux du XVIIIe siècle, ornent les musées du monde entier.

L'orfèvrerie produit des pièces spectaculaires, tels l'aiguière et le bassin de Moscou (cat. 146), ou des créations d'un luxe exceptionnel, comme les montures en or émaillé des vases en pierres dures de la collection de Louis XIV.

En matière de céramique, la France se libère à Nevers de l'influence italienne pour créer des objets profondément originaux dus à des innovations techniques.

L'horlogerie connaît un âge d'or grâce à la peinture sur émail, qui rend célèbres les horlogers et les émailleurs de Blois. Quant à la qualité du travail des arquebusiers français, elle est symbolisée par « le cabinet d'armes » rassemblé par Louis XIII.

Nous avons voulu illustrer cette époque au moyen d'objets significatifs, datés si possible. Beaucoup manquent : dans le domaine du mobilier, par exemple, où ils sont trop éloignés, trop volumineux ou trop fragiles, dans celui de l'orfèvrerie, où ils n'existent qu'en petit nombre, dans celui des tissus, disparus ou peu faciles à distinguer avec certitude de la production italienne.

Souhaitons que la confrontation de ces objets à la fois si beaux et si peu connus provoque l'intérêt du public et ouvre de nouvelles voies aux chercheurs.

Daniel Alcouffe
Conservateur général chargé du département
des Objets d'art, musée du Louvre

Liste des abréviations

AAÉ	Archives des Affaires étrangères
AMN	Archives du Mobilier national
AN	Archives nationales
BAA	Bibliothèque d'Art et d'Archéologie
BnF	Bibliothèque nationale de France
BSHAF	Bulletin de la Société d'histoire de l'art français
C.	capacité
cal.	calibre
cat.	catalogue
dir.	direction
éd., rééd.	édition, réédition
Ép.	épaisseur
exp.	exposition
fasc.	Fascicule
H.	hauteur
IFF	Inventaire du fonds français du département des Estampes de la Bibliothèque nationale de France
L.	largeur
l.	longueur
livr.	livraison
MC	Minutier central des notaires parisiens
NAAF	Nouvelles Archives de l'art français
P.	poids
Pr.	Profondeur
ssq.	suivants, suivantes
trad.	traduction

Note de l'éditeur :
Les numéros de catalogue précédés d'un astérisque désignent les œuvres non exposées.
Les dimensions sont exprimées en mètres, sauf pour les bijoux, les montres et les médailles.

Catalogue

CHAPITRE I

Hommes et décors

Aperçu historique

Claude Dulong, membre de l'Institut

De la mort d'Henri IV au début du règne personnel de Louis XIV, dans ce premier XVIIᵉ siècle, qui va de 1610 à 1661, il n'y eut pas une année où la France ait pu connaître une paix totale, à l'extérieur comme à l'intérieur du royaume. Henri IV avait mis fin aux guerres de religion, mais les troubles civils n'étaient pas apaisés pour autant et le royaume avait tant souffert qu'il n'était plus, selon le mot célèbre d'Étienne Pasquier, « *qu'un cadavre de France* ». Deux régences, celle de Marie de Médicis pendant la minorité de Louis XIII, celle d'Anne d'Autriche pendant la minorité de Louis XIV, ne facilitèrent pas le retour à l'ordre ni la restauration de l'autorité royale, les régences étant nécessairement des périodes de pouvoir faible.

La guerre étrangère, à partir de 1635, accrut dramatiquement les besoins financiers du royaume. Mais, sauf à laisser la France devenir un « satellite » de la maison d'Autriche, il fallait bien desserrer l'étau dans lequel les deux souverains Habsbourg, Empereur et roi d'Espagne, par l'étendue de leurs possessions et de leurs zones d'influence en Europe, tenaient toutes nos frontières terrestres.

En 1634, année préparatoire à la guerre, les dépenses de la France triplèrent ; l'année suivante, elles quintuplèrent. Elles se situèrent ensuite aux alentours de cent millions de livres par an. D'où accroissement et extension de la pression fiscale, qui, par divers biais, en vint à toucher jusqu'aux privilégiés, traditionnellement exemptés de l'impôt direct ; d'où durcissement des méthodes de collecte, d'où recours à l'emprunt, qui aggravait la dette publique, et, en conséquence de tout cela, regain de mécontentements dans à peu près toutes les catégories sociales. La Fronde, de 1648 à 1653, en fut l'expression la plus sanglante et la plus dangereuse pour le pouvoir.

On pourrait croire que dans un tel climat politique, moral, économique, la vie intellectuelle et artistique de la France avait atteint son plus bas étiage. C'est le contraire qui se produisit et cela tient sans doute à la vitalité profonde du pays, à sa démographie malgré tout florissante, au fait que toutes les provinces ne furent pas également touchées par la guerre et les troubles civils, que Paris, capitale culturelle du royaume, ne fut jamais assiégée ni conquise. Mais cela tient aussi à la personnalité des protagonistes du jeu politique, c'est-à-dire essentiellement des deux cardinaux-ministres qui se succédèrent au pouvoir de 1624 à 1661, Richelieu et Mazarin, sans oublier cependant que ni l'un ni l'autre n'auraient pu agir s'ils n'avaient été soutenus par leurs souverains : Louis XIII pour l'un, Anne d'Autriche pour l'autre.

La démarche intellectuelle de ces deux hommes d'État aux prises avec les difficultés de la conjoncture n'est pas le phénomène le moins intéressant de ce moment d'histoire.

Quand Richelieu eut pris la décision capitale de lancer la France dans la guerre contre la maison d'Autriche, s'opposant ainsi aux efforts de l'empereur Ferdinand II pour unifier l'Allemagne au nom du catholicisme, on lui reprocha de vouloir empêcher la victoire de la Contre-Réforme, d'exploiter le schisme qui divisait l'Église. Non. Prêtre et cardinal, Richelieu était un sincère catholique. À l'heure de sa mort, il dira n'avoir eu « *d'autre intention que le bien de la religion et de l'État* ». Toute la question est de savoir si le bien de la religion et celui de l'État peuvent coïncider. Richelieu répond par un distinguo percutant : « *L'homme est immortel et son salut est dans l'autre vie. Les États n'ont pas de subsistance après ce monde ; leur salut est présent ou nul.* » Dès lors, le devoir temporel d'un chef de gouvernement, fut-il cardinal, est impérativement tracé. Au reste, les efforts de l'Empereur ou du roi d'Espagne en faveur du catholicisme n'étaient-ils pas le masque de leurs ambitions terrestres ? Si Dieu avait donné aux hommes la raison, c'était pour qu'ils pussent reconnaître de telles réalités, discerner, au-delà des apparences, la cause et la nature cachée des phénomènes, et agir en conséquence pour le bien de l'État. Richelieu conciliait ainsi sa foi et son pragmatisme. De la raison, donnée par Dieu, il faisait découler la raison d'État. Or, la raison d'État exigeait que la France contrecarrât les aspirations des Habsbourg à la monarchie universelle. Et en quelque sorte par tous les moyens.

C'est ainsi que la France en venait à aider à l'extérieur de ses frontières les « hérétiques » qu'elle combattait chez elle. Bien entendu, c'est pour un seul et même motif – l'indépendance et l'unité de la France – que Richelieu a combattu les protestants à l'intérieur du royaume et s'est allié avec eux à l'extérieur. La raison d'État le voulait ainsi. Car il ne faut pas juger selon nos critères. En cette époque de foi, l'intolérance régnait partout. Les protestants français constituaient alors un parti politique; ils ne considéraient pas comme une trahison de recourir aux armes contre leur souverain et de faire appel à des princes étrangers de leur confession.

Politique intérieure et politique extérieure sont étroitement liées dans l'esprit de Richelieu. Bien peu de ses contemporains le comprirent. La Rochefoucauld pourtant, quoique opposant, a bien vu que la « *ruine des grandes maisons du royaume* », comme celle du parti protestant, s'inscrivait dans la politique étrangère de Richelieu. Car la lutte contre la maison d'Autriche impliquait un État fort; il ne fallait pas que l'action de la France à l'extérieur fût entravée périodiquement par des rébellions en tout genre à l'intérieur (fig. 1).

Rien ne devait donc échapper, sinon à la surveillance, du moins à l'attention de Richelieu, et surtout pas le monde de l'esprit: les lettres, les lettrés et ce qu'on n'appelait pas encore la presse. Le monopole de la toute nouvelle *Gazette de France* fut réservé à Théophraste Renaudot, un fidèle du cardinal, et celui-ci, comme Louis XIII lui-même, y donna des articles que Renaudot n'eut qu'à retoucher.

Dès 1624, Richelieu avait rassemblé autour de lui une « académie de campagne ». Il ne faudrait tout de même pas voir dans la fondation de l'Académie française, dix ans plus tard (25 janvier 1635), une simple opération de police! Richelieu aimait les lettres et, comme chacun sait, il était auteur lui-même et se voulait dramaturge (ce qui n'était pas le domaine où il réussissait le mieux...).

Ses détracteurs lui ont refusé le goût des arts aussi bien que celui des lettres. Un seul motif, à leurs yeux, expliquait les entreprises culturelles du ministre, quelles qu'elles fussent: « *sa soif insatiable de gloire* »; il ne s'inquiétait nullement, disaient-ils, de savoir comment concilier les richesses avec l'humilité, les arts et les sciences avec la piété: « *Il sait bien que ces choses différentes dans leurs qualités, dans leurs opérations et dans leur fin, concourent toutes à inspirer de l'estime et de la vénération pour celui qui les possède; c'est pourquoi, sans se travailler pour acquérir tant d'habitudes incompatibles, son unique but est de rassembler sur sa personne l'éclat qu'elles produisent chacune en particulier*[1]. »

Ce qui reste vrai est que le goût de Richelieu pour les arts et pour les lettres n'était pas pur de tout alliage. S'y ajoutaient deux éléments extrinsèques que l'on peut qualifier de politiques: le souci de donner l'exemple, de s'entourer de cette magnificence inhérente à la qualité de prince de l'Église et dont les cardinaux italiens donnaient le modèle. Mais cet « éclat » qu'on lui reprochait, Richelieu l'a voulu pour la France, au moins autant que pour lui. Il le fallait bien, puisque, laissé à lui-même, Louis XIII, Roi austère, hypocondriaque et fort ménager des deniers de l'État, n'aurait sans doute pas joué les mécènes, protégé les arts et les lettres (c'est la Reine, non pas lui, qui eut l'idée d'anoblir Corneille après *le Cid*), ni même encouragé aucune de ces dépenses somptuaires que requiert la vie de cour et qui, à travers les fêtes aussi, éphémères créations artistiques, témoignent du prestige du souverain et donc de sa grandeur.

On sait comment, recommandé par Richelieu à Louis XIII, puis, après la mort de Richelieu, par Louis XIII à son épouse Anne d'Autriche, Mazarin parvint au pouvoir en mai 1643. Il comprit, lui, étranger, où était le véritable intérêt de la France et il eut le courage de braver l'impopularité pour poursuivre la lutte contre la maison d'Autriche. Sa plus grande habileté fut de rallier à ses vues la régente elle-même, cette Anne d'Autriche, sœur du roi d'Espagne, cousine de l'Empereur, et qui jusque-là n'avait souhaité que la paix, presque à n'importe quel prix. Il est vrai que Mazarin sut parler au cœur aussi bien qu'à l'esprit de la Reine, mais pas seulement pour les raisons que l'on croit; son atout maître, dont il joua sans cesse, c'était l'amour maternel que vouait cette femme de quarante-deux ans à son fils de quatre ans, Louis XIV. Pour elle, désormais veuve et régente, le roi de France n'était plus son mari qu'elle n'avait pas aimé, mais cet enfant qu'elle adorait. Elle avait attendu vingt-trois ans sa naissance, elle se faisait un devoir sacré d'assurer sa puissance et sa gloire.

1. Cité par Fumaroli, 1985, p. 217.

Fig. 1. Jacques Stella, *Triomphe de Louis XIII sur les ennemis de la religion*, peinture sur lapis-lazuli. Versailles, musée national du château.

Politiquement, l'œuvre de Mazarin est capitale. Malgré les troubles de la Fronde, il a sauvé le trône de Louis XIV et formé le jeune Roi ; il est l'auteur des deux grands traités internationaux (Westphalie, Pyrénées), qui non seulement firent de la France ce qu'on appelle l'Hexagone, mais rétablirent la paix en Europe. Pendant un temps, il est vrai, mais qui aurait pu se prolonger si le destin avait accordé au pacificateur une moins brève existence (cinquante-neuf ans) et si son élève Louis XIV avait continué à écouter ses conseils.

S'agissant du personnage, de ses méthodes et de ses manières, rien ne pouvait être plus différent de Richelieu que ce second cardinal-ministre. « *L'on voyait sur les degrés du trône d'où l'âpre et redoutable Richelieu avait foudroyé plutôt que gouverné les humains, un successeur doux, bénin, qui ne voulait rien, qui était au désespoir que sa dignité de cardinal ne lui permettait pas de s'humilier autant qu'il l'aurait voulu devant tout le monde, qui marchait dans les rues avec deux petits laquais derrière son carrosse*[2]. » Trompeuses apparences. Une fois bien établi au pouvoir, Mazarin sut se faire obéir et même parfois manier la foudre.

En ce qui concerne ses rapports avec les arts, il y a moins de questions à se poser que dans le cas de Richelieu. Mazarin était par tempérament un amateur passionné, et, ministre ou pas, il le serait resté. Dès sa prime jeunesse, pourtant impécunieuse, il avait commencé à collectionner statues, tableaux et objets d'art ; il continua, mettant à profit, et sans trop de scrupules, tous les moyens que lui donnait le pouvoir pour enrichir sa galerie.

Mazarin était aussi un décorateur né. Ses lettres sont pleines de notations à ce sujet, que l'on chercherait en vain dans la correspondance de Richelieu ; les socles de ses statues, les cadres de ses tableaux, les montures de ses gemmes, les reliures de ses livres, tout était l'objet de ses soins constants. Même pendant l'exil auquel la Fronde le contraignit, en 1651, il s'inquiétait du travail qu'accomplissaient ses tapissiers dans son palais, qu'il n'était pourtant pas sûr de jamais retrouver ! Et l'on découvre dans l'inventaire d'un de ses familiers qu'il avait imaginé un nouveau type d'assiette, dit assiette mazarini, dont malheureusement nous ne connaissons pas les caractéristiques[3].

D'autres étudieront au cours de ces pages ses collections et sa politique artistique. Deux réflexions seulement. On a peut-être trop insisté sur le rôle de « *militant de l'art baroque* » qu'il aurait joué. Il était bien trop subtil pour militer ouvertement pour une forme d'art qui pouvait effaroucher les Français et qu'on lui aurait reproché de propager dans le royaume, comme on lui reprochait d'y faire représenter des « *comédies en musique* » à l'italienne. Fort sagement, il procéda par étapes et, tout en appelant en France des artistes italiens, ne cessa jamais de passer commande à des artistes français.

2. Retz, 1984, p. 178.
3. *Inventaire après décès de Barthélémy Hervart,* bibliothèque municipale de Versailles, ms. 2845 (L 114), f⁰ 294.

Si l'on y songe, sa plus grande réussite dans le domaine de l'art, c'est sans doute d'avoir fait de Louis XIV un roi collectionneur. Il n'y en avait pas eu en France depuis François Ier. Une anecdote est significative et touchante. Au début de 1660, après la conclusion de la paix des Pyrénées et en attendant le mariage du Roi avec l'Infante, qui ne pouvait avoir lieu qu'au printemps, la cour s'était rendue en Provence. Il s'agissait de réduire une bonne fois la trop frondeuse province et de lui tirer de l'argent. Mazarin, épuisé, déjà très atteint par la maladie qui allait l'emporter, prit quand même le temps, à Marseille, de se rendre dans l'atelier d'un peintre de marines. Et il dit au jeune Roi, qu'il avait amené avec lui : « *Commandez-lui une toile.* » Ce qui fut fait.

Que Louis, plus tard, ait dit avoir acquis sans aide ni incitation le goût de la peinture, n'en croyons pas un mot. Il disait également avoir appris tout seul l'art de gouverner, lui qu'on avait fait assister au Conseil dès l'âge de onze ans. Ce sont coquetteries de grand homme qui ne veut rien devoir à personne.

On peut regretter que Mazarin n'ait pas porté aux lettres la même attention qu'aux arts. Ses origines italiennes sont ici peut-être en cause. Il parlait bien le français, mais ce n'était pas sa langue maternelle et il ne pouvait prendre à notre littérature le même plaisir qu'un Richelieu. Peut-être aussi, convaincu du pouvoir de la parole dont il usait si bien, l'était-il moins du pouvoir de l'écrit. Il mit du temps à comprendre l'usage qu'il pouvait en faire et à s'entourer, comme son prédécesseur, d'une équipe d'auteurs à sa solde. De cette négligence il fut la première victime, laissant prospérer sans réponse ces pamphlets dits mazarinades qui ont trop longtemps dénaturé sa véritable personnalité et obscurci ses mérites aux yeux de l'opinion et même des historiens.

Marie de Médicis

(Florence, 1573 – Cologne, 1642)

Gérard Mabille

P rincesse de Toscane élevée dans le culte des arts, puis reine de France, dont on s'accorde à blâmer sans indulgence le rôle politique, Marie de Médicis (fig. 1) offre sans aucun doute l'une des figures les plus contrastées et les plus déconcertantes de l'histoire.

Seul doit être évoqué ici le mécénat, qu'en digne héritière des Médicis, Marie exerça de la façon la plus brillante et la plus fastueuse.

Née à Florence en 1573, elle y vécut jusqu'en 1600, date de son mariage avec Henri IV. Son père, le grand-duc François Ier, s'était soucié de lui donner une excellente éducation, dont les sciences et les arts constituaient la meilleure part.

Le goût pour les arts que manifesta Marie de Médicis, devenue reine de France, a été depuis longtemps souligné ; il a été apprécié néanmoins de manières très diverses. Louis Batiffol porta sur son action artistique un jugement fort sévère : « *Un peu épaisse de nature et sans finesse intellectuelle, elle a manifesté pour les arts ce goût très large de princesse aimant la magnificence et s'entourant sans compter d'objets confusément riches, plutôt que l'attrait délicat d'une femme distinguée qui choisit* [...]. *Trop peu douée pour imprimer une direction, elle a été la femme riche qui commande et paie ce qu'on lui donne*[1]. »

Plus récemment, Jean-François Dubost remarqua fort judicieusement combien « *l'image négative attachée au rôle politique de Marie a contaminé celle que nous avons de son action dans le domaine artistique et littéraire*[2]. »

Pour sa part, Marc Smith exprime une opinion largement positive : « *Le caractère médicéen de ses goûts apparaît moins dans le choix d'un style formel que dans l'utilisation politique explicite et systématique de l'art et du faste comme instrument de prestige, à travers des thèmes bien définis. C'est d'abord la peinture historique et biographique*[3]. »

Quel jugement, à notre tour, devons-nous porter sur une personnalité si ambiguë ? La Reine qui sut faire appel à Salomon de Brosse, à Rubens, à Philippe de Champaigne et à Simon Vouet ne doit-elle pas, en définitive, et de façon légitime, être comptée parmi les grands mécènes de son temps ?

Des travaux exécutés pour la Reine dans les résidences royales rien n'a survécu, si ce n'est quelques épaves privées de leur contexte.

À Fontainebleau, le cabinet de la Reine ou de Clorinde, créé dès 1606, est sans doute le premier décor reflétant le goût de sa destinataire. Ses boiseries, prototype du lambris à la française, s'accompagnaient du célèbre cycle peint par Dubois, illustrant *la Jérusalem délivrée,* du Tasse ; selon le père Mathieu, c'était le premier livre que la Reine avait lu en français.

Au Louvre, Marie s'était installée à son arrivée, en 1601, dans l'appartement des Reines, au premier étage de l'aile méridionale. Ces pièces au décor d'un autre siècle furent-elles remaniées pour elle ? Nous l'ignorons. Selon Batiffol[4], on y voyait un ameublement d'une grande richesse, dans lequel l'orfèvrerie occupait une large place : chandeliers de vermeil et chenets d'argent dans le cabinet, balustrade, plaques et porte-flambeaux d'argent dans la chambre. En 1613, l'arrivée de la jeune reine Anne d'Autriche obligea Marie de Médicis à quitter cet appartement pour s'installer au rez-de-chaussée. Dans ce second appartement, de nouveaux et magnifiques décors furent créés[5] ; de la chambre Dorée, terminée vers 1620, Sauval nous a laissé une description évocatrice : « *La plus riche et la plus noble de son temps* [...], *ornée d'un lambris et d'un plafond, on y employa un peu d'or et de peinture ; Dubois, Fréminet, Evrard, le père Bunel*

1. Batiffol, 1881, II, p. 84-85.
2. Dubost, cat. exp. Paris, 1991, p. 147.
3. Smith, *ibid., op. cit.,* p. 70.
4. Batiffol, *s.d.,* p. 70-75.
5. Voir Erlande-Brandenburg, 1965, p. 105-113.

Fig. 1. Frans Pourbus, *Marie de Médicis,
reine de France,* 1573-1642.
Versailles, musée national
du château.

déployèrent tout leur art [...] *Evrard peignit les plafonds, les autres travaillèrent aux tableaux qui règnent
au-dessus des lambris dorés dont la chambre est environnée, et quelques peintres florentins firent, d'après
nature, les portraits des héros de Médicis qu'on voit entre ces tableaux*[6]. » Au Louvre même, un battant de
porte orné d'un lis au naturel et du chiffre M[7], deux panneaux sculptés, dorés et peints[8], ornés de griffons
et de couronnes toscanes pourraient provenir de cet appartement, remanié pour Anne d'Autriche puis
détruit au XIXe siècle.

　　Le goût de Marie de Médicis pour les bâtiments est bien connu et se manifesta principalement dans
ses résidences privées. Dès 1601, Henri IV avait offert à la jeune Reine le château de Montceaux-en-Brie,
ancienne résidence de Catherine de Médicis puis de Gabrielle d'Estrées, pour laquelle il avait été reconstruit par Jacques II Androuet du Cerceau. Toutefois, ce n'est guère avant 1608 que Marie demanda à
Salomon de Brosse de le reconstruire une nouvelle fois. En 1610, elle pouvait écrire à la reine Marguerite :
« *Vous trouverez à Montceaux tant de changements depuis que vous n'y êtes venue que vous ne le recognois-
trez plus*[9]. » Les travaux, qui durèrent jusqu'en 1620, firent de Montceaux l'une des œuvres majeures de
l'architecture française du début du XVIIe siècle, hélas, en grande partie détruite aujourd'hui. Chaînon
essentiel, Montceaux, tout en restant fidèle à certains grands projets de Du Cerceau, contemporains des
derniers Valois, tels Charleval ou Verneuil, témoignait des progrès du classicisme et annonçait directement le Luxembourg ou Richelieu.

　　C'est à Paris, au palais du Luxembourg, que la Reine confia à son architecte Salomon de Brosse la
tâche de construire une résidence parfaitement conforme à ses goûts[10]. Le chantier débuta en 1615 ; le
gros œuvre était achevé en 1622 ; les aménagements intérieurs, quoique bien avancés en 1630, restèrent
inachevés au moment où la souveraine quitta définitivement la France. La référence au palais Pitti, où
Marie avait passé son enfance, fait figure de lieu commun ; souvent contestée et incomprise, elle n'en est
pas moins réelle et profonde, surtout dans les élévations et, sans doute, les jardins, comme l'a démontré
récemment Marie-Noëlle Baudoin-Matuszek. Toutefois, il est clair que le modèle florentin se trouve
puissamment contrebalancé par le caractère purement français du plan d'ensemble et de la distribution ;
ainsi s'opère une intime fusion des deux tendances.

　　Dans les appartements, décorés entre 1622 et 1630, la place octroyée à la peinture allégorique
témoigne d'une conception toute médicéenne. Dans le cabinet des Mariages, dix tableaux en majorité
italiens, enchâssés dans le lambris à la française, célébraient les brillantes alliances des Médicis ; au cabinet
des Muses, dix toiles de Baglione offertes par Ferdinand de Gonzague montraient Apollon parmi les
Muses. En revanche, le décor de la chapelle de la Reine fut confié aux Français Champaigne et Mosnier.
Enfin, la place de choix accordée à Rubens, chargé du décor des deux galeries, consacre le triomphe de

6. Sauval, 1724, II, p. 34.
7. Louvre, département des Objets d'art,
cat. 73.
8. Remontés au XIXe siècle, dans l'embrasure
de l'entrée sud des salles de la Colonnade,
au musée du Louvre.
9. Batiffol, s.d., p. 104.
10. Voir Baudouin-Matuszek, cat. exp. Paris,
1991, p. 261-262.

la peinture flamande et donne la mesure de l'éclectisme du chantier. En définitive, en tant que bâtisseur, la Reine laissa une œuvre aussi considérable que remarquable, sur laquelle nous ne manquons pas d'informations.

En revanche, il est un point sur lequel nous restons presque totalement ignorants : son œuvre de collectionneur. Marie aima indiscutablement les objets précieux, à commencer par les diamants et les bijoux : nous savons qu'elle possédait parmi ses joyaux personnels le *Beau* ou *Petit Sancy,* dont elle orna sa couronne. Selon Richelieu lui-même, qui s'en souvint en 1642, à la mort de la Reine, celle-ci possédait (ou avait possédé) « *quantité de cristaux* » dignes de rejoindre la collection royale ; rien ne s'en retrouve aujourd'hui[11]. En orfèvrerie, elle effectua sans doute de nombreux achats, particulièrement à son orfèvre et valet de chambre Nicolas Roger[12]. Du mobilier de la Reine, malheureusement nous ne savons rien ; tout au plus devons-nous rappeler que les tapisseries tinrent une grande place dans ses divers appartements, au Louvre, à Montceaux ou au Luxembourg. En 1642, lors du décès de Marie de Médicis, fut dressé un état de ses biens meubles revenant à son fils[13] ; le court inventaire révèle l'existence de quelques bijoux, gemmes et pièces d'orfèvrerie, de dix pièces de tapisserie de Bruxelles représentant Scipion, ainsi que d'étoffes précieuses, dont un riche lit « *à la romaine* », tendu de damas blanc de Chine, à crépine d'or et d'argent, sans doute le lit mortuaire de la malheureuse souveraine exilée depuis douze ans à Cologne.

11. Voir Schnapper, 1994, p. 286.
12. Batiffol, s.d., p. 97.
13. Bibliothèque de l'Institut, ms. Godefroy 317, f°s 177-179. Voir cat. exp. Paris 1991, p. 261-262.

Louis XIII

(Fontainebleau, 1601 – Saint-Germain-en-Laye, 1643)

Anne le Pas de Sécheval

Louis XIII devait rester célèbre dans la mémoire collective non pour son goût du faste, mais pour sa retenue en matière de patronage et de collections[1]. « *Louis n'a point esté sujet à l'Orgueil des Roys,* affirme l'une de ses oraisons funèbres, *il n'a point esté amateur de la Pompe du Siècle* [...] *L'accusera-t-on d'avoir épuisé les finances, à faire un prodigieux amas de choses superflues, qui s'appellent d'un terme plus innocent, & plus doux, des Raretez ? A-t-il esté coupable de ces Vanitez monstrueuses, ausquelles l'opinion, & la flatterie donnent le nom de Magnificence, & de grandeur ?* » L'idéal du prince chrétien, ménager des deniers publics et méfiant envers les séductions d'objets coûteux, définissait un parfait repoussoir à la pratique de Richelieu et, plus tard, de Mazarin.

Quoique très lacunaires, les données documentaires dont nous disposons confirment le portrait posthume. Le fils d'Henri IV et de Marie de Médicis ne fut ni un commanditaire ambitieux ni un collectionneur ardent. Plus que les œuvres d'art, le Roi apprécia durablement des objets qui satisfaisaient son goût pour les activités manuelles ou sa passion pour la chasse, comme les horloges et les armes[2]. Pourtant, le journal de son médecin Héroard signale avec insistance l'intérêt du Dauphin pour le dessin et la peinture, sa curiosité pour le travail de Martin Fréminet à la chapelle de la Trinité du château de Fontainebleau, et Félibien confirme que le Roi s'adonna toujours à la pratique du portrait, notamment au pastel sous la direction de Simon Vouet et d'Henri Beaubrun.

1. Le Pas de Sécheval, 1992.
2. Voir les notices du catalogue.

Fig. 1. Simon Vouet, *Allégorie de la Vertu,* huile sur toile. Paris, musée du Louvre, département des Peintures.

De Fontainebleau au Louvre, la poursuite des chantiers commencés sous Henri IV dut longtemps plus à la continuité des services royaux qu'à une volonté personnelle du Roi. En 1627, une étape essentielle fut marquée cependant par le retour à Paris de Simon Vouet, appelé à abandonner une belle carrière romaine pour venir servir le roi de France. Vouet et son atelier travaillèrent surtout au château de Saint-Germain-en-Laye, qui fut apparemment la résidence favorite de Louis XIII. Dans le Château Neuf, les sources signalent divers décors (fig. 1), comme le plafond de la chambre de la Reine, décoré vers 1637-1638 sur le thème des vertus cardinales (fig. 2). La chapelle du Château Vieux reçut des peintures de Simon et de son frère, Aubin, complétées en 1641 par un retable de Poussin, et des sculptures de Sarazin. En revanche, le modeste château de Versailles, création personnelle de Louis XIII, ne paraît avoir accueilli ni décors ni œuvres d'art de quelque importance.

Comme tous ses contemporains, Louis XIII semble avoir aimé les tapisseries. Dès 1628, Simon Vouet fut chargé de fournir des cartons pour une tenture de l'*Ancien Testament,* tissée dans l'atelier du Louvre. Toutefois, si l'on se fie aux inventaires de la Couronne, la tenture ne comporta jamais que deux pièces. Le probable inachèvement de cette tenture de prestige[3] donne la mesure de l'indolence du patronage de Louis XIII avant 1638. Sa relative indifférence à l'acquisition d'œuvres d'art apparaît dans le sort réservé à la tenture de l'*Histoire de Constantin,* d'après Rubens, commandée en 1622 par le Roi lui-même ou, plus directement, par la manufacture du faubourg Saint-Marcel : en mai 1625, le Roi céda sept pièces de la tenture encore inachevée au cardinal Francesco Barberini, légat du pape Urbain VIII. Les cadeaux diplomatiques destinés à la cour de France offrent des enseignements comparables. Alors que Gaston d'Orléans recevait des médailles, et que Marie de Médicis, Richelieu et Mazarin se voyaient offrir des tableaux de maître, Louis XIII ne recevait que des « bagatelles » ou des objets de dévotion. Le Roi ne succomba jamais au virus de la collection qui se répandait dans les cercles dirigeants des cours d'Europe, et les efforts conjugués de Richelieu et de Sublet de Noyers à partir de 1638 pour doter la Couronne d'une collection servant son prestige ne purent effacer des années d'indifférence[4]. Il devait revenir à Colbert d'assumer l'héritage de cette ambition, pour la plus grande gloire de Louis XIV.

3. Lavalle, cat. exp. Paris, 1990-1991, p. 504-511, et cat. exp. Chambord, 1996-1997, p. 143-154 ; Denis, cat. exp. Chambord, *op. cit.,* p. 159, note 13 ; notices du présent catalogue.
4. Schnapper, 1994, p. 285-296.

Fig. 2. Simon Vouet, *Allégorie de la Tempérance,* huile sur toile. Versailles, musée national du château, salon de Mars.

Anne d'Autriche

(Valladolid, 1601 – Paris, 1666)

Gérard Mabille

Fille de Philippe III d'Espagne et de Marguerite d'Autriche, Anne naquit à Valladolid le 22 septembre 1601, soit exactement cinq jours avant le dauphin Louis, son futur époux. Le mariage, célébré à Bordeaux le 25 novembre 1615, fit de la jeune Infante la reine de France (fig. 1); sa présence sur le trône consacrait la politique espagnole dont Marie de Médicis avait été l'ardente instigatrice.

Toutefois, ce ne fut qu'après la mort de Louis XIII, survenue le 14 mai 1643, que la Reine put enfin jouer un rôle de premier plan, tant dans le domaine de la politique que dans celui des arts, en tant que régente de France, du 18 mai 1643 au 7 septembre 1651; son rôle resta en outre capital durant le ministère de Mazarin, jusqu'en 1661.

Contrairement à Marie de Médicis, Anne d'Autriche n'entreprit la construction d'aucune nouvelle résidence personnelle. Sur le plan architectural, seul l'interminable chantier du Val-de-Grâce lui tint à cœur. En élevant un vaste couvent, dans lequel elle s'était réservé un appartement particulier, Anne d'Autriche montra pleinement combien, infante d'Espagne, elle restait pieusement fidèle à l'exemple de son grand-père Philippe II; cet appartement, quoique restreint, n'en fut pas moins décoré, de manière significative, par Philippe de Champaigne.

Le mécénat d'Anne d'Autriche se manifesta avec éclat dans trois domaines: le décor intérieur, le mobilier et l'orfèvrerie, à laquelle elle accorda une place très importante.

L'histoire des résidences royales permet d'évoquer avec assez de précision les ensembles décoratifs réalisés pour elle. Par ailleurs, son inventaire après décès, rédigé en 1666, livre une image saisissante des collections d'objets d'art et du luxe dont elle s'était entourée[1].

Louis XIII mourut à Saint-Germain; la Régente décida aussitôt de réinstaller la cour et son jeune souverain à Paris; non pas au Louvre, cependant, que son état d'éternel chantier rendait triste et inconfortable, mais dans l'ancien Palais-Cardinal, devenu Palais-Royal, selon les dernières volontés de Richelieu. C'est là qu'Anne d'Autriche vint loger avec ses deux fils, attirée sans doute par l'agrément et la commodité de cette demeure que Lemercier avait rendue spacieuse, moderne et que prolongeaient de vastes jardins. Pour la première fois de son existence, la Régente put exprimer un goût véritablement personnel, dans son propre appartement, auquel elle fit immédiatement travailler, dans l'aile nord-est, au-dessus de la galerie des Proues. Sauval en laissa une description éblouie: « *Cette longue suite de salles, de chambres, de cabinets* […] *font croire que dans toute l'Europe il ne se peut rien voir de plus ample, de si accompli, ni de si majestueux*[2]. » La Reine avait confié à Simon Vouet, alors au sommet de sa gloire, le soin de décorer les trois pièces les plus importantes: la chambre, l'oratoire et la galerie[3]. Pour le plafond et les lambris de la chambre, dite chambre Grise, Vouet peignit diverses compositions célébrant les vertus et les bienfaits de la régence. Venait ensuite la « *chambre du miroir où la reine se coiffe ordinairement* », dont le plafond, de stuc, et les lambris montraient un riche décor blanc, bleu et or. Éclairé « *de grands carreaux de cristal montés dans de l'argent* », l'oratoire était orné de tableaux de Champaigne, Vouet, Bourdon, Stella, La Hyre, Corneille, Dorigny et Poerson relatifs à l'histoire de la Vierge[4]. Plus loin se trouvait le cabinet des bains, « *petit mais fort enjoué, de toute part ce ne sont que fleurs, ornements, chiffres, paysages couchés sur fond d'or et entassés les uns sur les autres avec beaucoup d'art et de caprice*[5] »; des gravures de Dorigny nous conservent l'image des grotesques qui ornaient les lambris. Enfin venait la Petite Galerie de la

1. Voir Cordey, 1930, p. 209-275.
2. Sauval, 1724, II, p. 168.
3. Voir Weigert, 1951, p. 101-105 ; Sauval, 1968, p. 65-79.
4. Sauval, *op. cit.*, p. 169.
5. Idem, *op. cit.*, p. 168.

Les   grands   amateurs

Fig. 1. Frans Pourbus, *Anne d'Autriche,
reine de France,* vers 1615-1620.
Modène, Galleria Estense

Reine, au plafond « *doré d'or bruni et d'or mat* […], *les fonds mélangés de diverses couleurs* », où Vouet peignit en trois compositions la *Volonté,* l'*Intellect* et la *Mémoire,* accompagnés de nombreux autres ornements et compartiments ; aux murs, selon le désir de la Reine, devaient prendre place des tapisseries de haute lice rehaussées d'or ; à ce riche décor répondait un précieux parquet marqueté réalisé par Jean Macé[6]. Tel était le premier appartement entièrement décoré de neuf pour Anne d'Autriche, selon une esthétique très marquée par un goût raffiné et féerique, si caractéristique de l'art parisien de la Régence.

C'est au Palais-Royal que résidait la cour lorsque éclata la Fronde, en août 1648 ; c'est de là que, ne se sentant plus en sûreté dans une maison sans fossés ni gardes, la Régente s'enfuit avec le jeune Roi, le 6 janvier 1649, pour Saint-Germain. Le calme revenu, le Roi, de retour à Paris, le 21 octobre 1652, « *logea,* selon Madame de Motteville, *au Louvre pour ne plus le quitter, ayant éprouvé par les fâcheuses aventures qu'il avait eues au Palais-Royal que les maisons particulières et sans fossés ne sont pas propres pour le loger* ».

Anne d'Autriche, prévoyant le mariage de son fils, jugea plus à propos de s'installer immédiatement dans l'appartement des Reines mères, au rez-de-chaussée. L'appartement, déjà remanié pour Marie de Médicis, fut alors redécoré. Anne d'Autriche conserva-t-elle quelques éléments déjà en place ? Nous l'ignorons. La richesse que présentaient ces salles lors de la mort de la Reine, en janvier 1666, nous est bien connue, grâce aux diverses descriptions que nous en conservons mais aussi grâce à son inventaire après décès. C'est là que s'exprima pleinement le goût d'Anne d'Autriche pour la profusion décorative la plus audacieuse alliée à la richesse des matériaux les plus rares et les plus divers. Dans le Grand Cabinet, dont la tenture était de cuir doré à fleurs et fruits sur fond noir, on remarquait surtout les chenets, l'écran, le brasier, les girandoles, les plaques et le grand miroir d'argent. Le Petit Cabinet, tendu de cuir doré, enrichi de paysages peints par les Patel, agrémenté d'un parquet de marqueterie, était meublé d'un cabinet de cornaline et d'agate, ainsi que d'un mobilier de brocart dont les bois étaient peints de fleurs polychromes sur fond bleu. Puis venait la chambre, au plafond de laquelle Le Sueur avait peint l'histoire de Junon, et dont l'essentiel du mobilier, balustrade, flambeaux, lustre, chenets, table, miroir et guéridons étaient en argent ; le lit, les deux fauteuils et les six pliants étaient garnis de velours bleu à ramages ; sur la cheminée, la Reine avait disposé sa collection de filigranes. Ouvrant sur l'alcôve, l'oratoire, pour lequel Le Brun avait peint le *Crucifix aux anges,* regorgeait d'objets précieux : aux vingt-huit reliquaires répondait le lustre de cristal de roche et d'argent. Enfin venait l'appartement ou chambre des bains. Créé en 1653-1655 par Lemercier, dont ce fut l'un des derniers ouvrages, cet appartement des bains constituait le point d'orgue de l'enfilade ; Sauval nous en a laissé une description enchanteresse : « *L'or y a été répandu avec une espèce de profusion ; ses lambris sont ornés de paniers de fruits, de relief, rehaussés d'or, d'émail, et de peintures avec tant d'art, qu'ils imposent aux yeux et aux mains de ceux qui les considèrent…* » Six colonnes

6. Alcouffe, 1971, p. 64.

de marbre blanc veiné de noir isolaient une sorte d'alcôve dont le plafond, peint par Poerson et Le Sueur, en camaïeu bleu et or, racontait l'histoire de Psyché. Tel était l'appartement de la Reine mère, bientôt dénommé appartement d'Hiver.

Dès 1655, en effet, Anne d'Autriche, jugeant cet appartement trop chaud durant la belle saison, décida de s'en faire aménager un nouveau, plus frais, sous la Petite Galerie, à l'ouest du jardin. Ainsi fut créé de toutes pièces l'appartement d'Été, dont le magnifique décor, en partie conservé, représente un jalon essentiel dans l'évolution de l'art français. L'influence italienne y triomphe en effet, sans doute sous l'impulsion de Mazarin ; Gian Francesco Romanelli fut vraisemblablement recommandé par ce dernier, qui l'avait déjà employé en son propre palais parisien, dès 1644. Les fresques de Romanelli, associées aux stucs de Michel Anguier, constituent, selon le modèle italien, un décor homogène, au programme icono-graphique cohérent, puisé dans la mythologie, l'histoire romaine et l'allégorie. Le décor mural, hélas disparu, se composait de lambris sculptés et dorés. Seuls nous sont parvenus, remontés au palais du Luxembourg, quelques vestiges du Petit Cabinet ou cabinet sur l'eau, dernière pièce de l'enfilade, ayant vue sur le fleuve ; des pilastres peints d'arabesques sur fond d'or par Errard et Coypel alternaient avec sept compositions de Romanelli illustrant l'histoire de Moïse. À la richesse du décor mural et plafonnant de cet appartement, certainement le plus riche et le plus parfait jamais aménagé pour la Reine, répondait sans aucun doute celle du mobilier, malheureusement incomplet lorsque celle-ci mourut ; nous savons toutefois que l'antichambre était meublée de quatre cabinets, deux bahuts et deux grands coffrets « *de la Chine* », tandis que dans le cabinet sur l'eau étaient placés vingt-quatre flambeaux de vermeil, des filigranes et autres pièces d'orfèvrerie ; dans la chambre se voyaient aussi deux précieux cabinets de « *miniature* », enrichis de pierres dures.

De grands travaux furent effectués pour Anne d'Autriche à Fontainebleau. Dès 1644, un magni-fique plafond de bois sculpté et doré fut créé pour la chambre de la Reine, puis un nouvel appartement fut réalisé pour la Reine mère dans le pavillon des Poêles, entre 1654 et 1659. Le décor de la chambre, conservé, est attribué à Jean Cotelle de Meaux ; on y retrouve, tel qu'il s'était manifesté dix ans plus tôt au Palais-Royal, le goût de la Reine pour une abondante, riche et rare ornementation, alliant la sculpture et la dorure à la vive polychromie des arabesques et des grotesques. Lors de la mort de la Reine, le mobilier se composait d'un lit et de sièges recouverts de drap d'or. Pour son Grand Cabinet, dont le plafond avait aussi été peint d'ornements par Cotelle, Anne d'Autriche avait commandé à Mauperché dix paysages repré-sentant des scènes de l'Ancien Testament ; les sièges y étaient garnis de toile d'or à fleurs d'argent. Nous mesurons à quel point cet appartement bellifontain témoignait du goût très vif de la Reine pour la richesse et la somptuosité.

Il en fut de même dans le dernier appartement aménagé pour elle, à Vincennes, au premier étage de l'aile dite de la Reine, construite par Le Vau à partir de 1658. Remonté au Louvre depuis le XIXe siècle, le plafond de la chambre de parade, ou du Conseil, se composait de compartiments de menuiserie riche-ment sculptée et dorée, renfermant des peintures de Dorigny. En 1666, un meuble comprenant un lit de velours noir « *chamarré de passement or et argent* », et quatre fauteuils garnis de même, appartenant à la Reine défunte, se trouvaient à Vincennes, soit dans cette pièce, soit dans la petite chambre qui lui faisait suite, au plafond de laquelle Dorigny avait représenté les trois vertus théologales.

La comparaison des différents appartements aménagés pour Anne d'Autriche à partir de la Régence se révèle donc fort instructive sur ses goûts.

Bien qu'espagnole de naissance, Anne d'Autriche ne chercha pas à implanter en France les tradi-tions décoratives de sa patrie d'origine ; seuls quelques thèmes isolés en constituent peut-être comme un souvenir, tels les meubles d'argent ; surtout, la Reine accorda volontiers une place de choix, dans les décors peints, à l'histoire religieuse ou aux allégories propres à célébrer les vertus qu'elle incarnait. Autour de la personnalité de la Reine se mit en place un art de cour profondément renouvelé, résolument affran-chi de l'art de la deuxième école de Fontainebleau. Sensible au raffinement du classicisme parisien, que dominèrent Vouet puis Le Sueur, Anne d'Autriche, sans doute influencée par Mazarin, fit appel à Romanelli et adopta les modes italiennes. De telles préoccupations semblent avoir répondu à deux néces-sités : d'une part, satisfaire l'agrément personnel de la souveraine, et, d'autre part, rehausser le prestige de la monarchie, dont elle incarnait, de manière temporaire, la continuité.

Tout cela donne une idée de l'influence qu'elle put exercer à son tour sur son fils.

Gaston d'Orléans

(Fontainebleau, 1608 – Blois, 1660)

Anne le Pas de Sécheval

Gaston d'Orléans, frère de Louis XIII, ne semble pas avoir été un commanditaire de tableaux, sculptures et objets d'art aussi actif que ses parents, Henri IV et Marie de Médicis. Il protégea certes le portraitiste Daniel du Monstier et le peintre italien Giulio Donnabella, mais son prestige reste surtout attaché à un bijou architectural, l'aile neuve du château de Blois, où il s'installa à la fin de l'année 1634.

À Jacques Lemercier, architecte favori du cardinal de Richelieu et bientôt en charge des nouvelles constructions royales au Louvre, Monsieur préféra François Mansart, qui s'entoura d'une équipe comptant dans ses rangs les sculpteurs Simon Guillain, Michel Anguier et Jacques Sarazin. En novembre 1638, le chantier fut abandonné alors que le corps neuf était loin d'être achevé. La principale raison de cet abandon fut la naissance du Dauphin, le 5 septembre 1638, qui priva Gaston de son crédit d'héritier présomptif. Après la Fronde, Monsieur résida plus fréquemment à Blois, faisant cependant des séjours réguliers au palais du Luxembourg, dont il avait hérité à la mort de sa mère, en 1642.

Faute de renseignements sur le décor intérieur de ses résidences, il est difficile de préciser les goûts de Gaston en la matière. Nous sommes un peu mieux informés sur ses collections, qui relevaient essen-

Fig. 1. Antoine Van Dyck, *Gaston de France, duc d'Orléans,* huile sur toile, 1634. Chantilly, musée Condé.

tiellement du domaine de la curiosité. Lié à de nombreux savants et antiquaires, tels Peiresc et le père Mersenne, Gaston nourrit un goût très vif pour les médailles, les pierres gravées et les petites antiquités, ainsi que pour les coquilles et autres curiosités naturelles. Il fit exécuter par Nicolas Robert des miniatures sur vélin représentant les plus beaux spécimens du jardin botanique et de la volière de Blois[1]. Son activité de curieux de fleurs et de plantes et de collectionneur de médailles, majoritairement antiques, le plaça au premier rang en Europe.

Les diverses composantes de sa collection attestent un penchant d'érudit, plus porté à l'étude de l'histoire et des sciences de la nature qu'à la jouissance esthétique de l'amateur. Les frontières ne sont pas hermétiques néanmoins entre collections artistiques et scientifiques, comme en témoigne la présence de petits bronzes, habituellement associés aux médailles. En 1630, Gaston fit venir de Rome par l'entremise du peintre Claude Vignon une série de caisses contenant tableaux, dessins, gravures, et surtout têtes, figures et bas-reliefs antiques et modernes. Aucun achat d'envergure n'est connu toutefois après cette date. Une partie au moins des sculptures de grande taille furent utilisées à des fins décoratives, comme celles qui furent signalées dans la galerie des Cerfs à Blois, entre le jardin haut et le jardin bas. L'exemple de Gaston illustre ainsi la permanence de la tradition italo-française de la Renaissance faisant des statues antiques un ornement traditionnel des jardins princiers[2].

À sa mort, en 1660, Monsieur légua ses collections à Louis XIV, en particulier « *ses figures, bustes et scabellons de marbre et de bronze et aultres curiosités.* » Toutes ces œuvres vinrent se fondre dans la collection royale, dont les inventaires ne précisent malheureusement pas l'origine des pièces. Dans cet ensemble figuraient notamment de petits bronzes. En 1687, le père Claude du Molinet écrivait en effet que le prince « *avoit dans son testament prié S. M. d'agréer sa bibliothèque et tout ce que sa curiosité avoit mis dans son cabinet qui consistoit en cinq choses, en agathes, en médailles, en coquilles, en figures de bronze et en livres d'oiseaux et de plantes*[3]. » On ignore toutefois si ces bronzes étaient antiques ou modernes, quel était leur nombre et ce qu'ils représentaient.

1. Voir Caldicott, 1983.
2. Schnapper, 1988, p. 193.
3. Cité par Schnapper, *op. cit.*, p. 326. Voir aussi cat. exp. Paris, 1999(2), p. 43.

Le cardinal de Richelieu et les arts décoratifs

(Paris, 1585 – Paris, 1642)

Patrick Michel

Secrétaire d'État aux Affaires étrangères, Armand-Jean du Plessis de Richelieu (fig. 1) fut promu cardinal en 1622, puis chef du Conseil du Roi, principal ministre de Louis XIII, en 1624. Cette brillante carrière politique ne saurait faire oublier qu'il régna également sur « le Monde de l'Esprit » et son rôle, important, dans le domaine artistique. Grand bâtisseur, il n'eut de cesse de « *transformer, de construire, de décorer*[1] » ses nombreuses résidences. Mécène, il passa des commandes ou acheta des œuvres à tous les peintres français alors réputés : Champaigne, auquel son nom est durablement attaché, Prévost, Stella, Vouet, Poussin, La Hyre, Le Brun… sans oublier les sculpteurs, comme Berthelot, qu'il fit travailler dans son château poitevin, Pierre II Biard, Blasset, Tremblay, Jacquet, ou bien encore Warin, à qui il commanda son buste, et bien évidemment le Bernin. On ne saurait oublier, enfin, que « *le plus grand ministre de la France fut aussi le plus illustre de ses amateurs*[2] ». Il rassembla des œuvres aussi prestigieuses que les *Esclaves* de Michel-Ange, les tableaux de Mantegna provenant du studiolo d'Isabelle d'Este, et les *Bacchanales* de Poussin, ce qui suffirait à le considérer comme tel. Aussi, l'activité du collectionneur a-t-elle suscité de nombreux travaux depuis le XIXe siècle. Ces études ont permis de mieux cerner le goût de Richelieu pour la peinture, sa passion pour les antiques et les petits bronzes, notamment ceux de Jean Bologne. Il s'agit là en effet des grandes tendances de ses collections, orientations qui l'apparentent aux grands amateurs de son temps. Ces collections étaient réparties dans ses nombreuses résidences, principalement à Paris, au Palais-Cardinal, et dans son château de Richelieu, en Poitou, lieux où était concentré l'essentiel des collections d'antiques. Il restait à considérer le cardinal « *dans ses meubles* », aspect ayant peu retenu l'attention jusqu'ici. Quel fut son cadre de vie et peut-on décliner son goût en matière de mobilier ? Celui-ci nous est partiellement connu par l'inventaire dressé après sa mort, survenue le 4 décembre 1642[3]. Ce document (collection particulière), publié en 1985 par le Dr Honor Levi, permet de restituer l'ameublement de quelques-unes des demeures du cardinal-duc[4].

La modestie relative et l'austérité du mobilier du château du val de Rueil, acquis par Richelieu en 1633, peuvent surprendre lorsque l'on considère la place que cette demeure occupait dans son cœur. Mais n'oublions pas qu'il s'agissait d'une résidence des champs, d'un lieu de villégiature, habité par intermittence en raison des travaux incessants que le cardinal y fit réaliser. De plus, au moment où l'inventaire en fut dressé, le château étant inhabité, les effets les plus précieux avaient sans doute été retirés et transportés à Paris au Palais-Cardinal[5]. C'est donc l'inventaire de cette résidence qu'il nous faut consulter pour avoir une idée du goût cardinalice en matière d'ameublement. Celui-ci révèle que les objets de collection (sculptures et peintures) et le mobilier le plus précieux étaient regroupés dans certains espaces privilégiés du palais, formant ce qu'Antoine Schnapper appelle des « *zones musée* ».

Dans le décor de la demeure française de la première moitié du siècle, la tapisserie joue un rôle très important. On ne saurait donc s'étonner de trouver dans ce palais parisien treize tentures, soit cent huit tapisseries. Un tel nombre de pièces permettait assurément un renouvellement fréquent des décors du palais et des autres résidences du cardinal. L'origine des tentures de tapisserie atteste la suprématie incontestable des manufactures bruxelloises (*Histoire de Pompée, Histoire de Joseph, Histoire de Tobie*, « Verdure et bestiaux », « à potz à bouquetz », « grotesques et paysages ») ; toutefois, la présence de trois tentures déclarées fabrique « *de Paris* », l'une de l'*Histoire de Diane* « *façon des Gobelins* », sans doute la tenture des ateliers du faubourg Saint-Marcel d'après Toussaint Dubreuil, la deuxième des *Métamorphoses d'Ovide*

1. Thuillier, 1985, p. 39.
2. Bonnaffé, 1883.
3. Cet inventaire après décès débuta le 29 janvier 1643.
4. Connaissance partielle en effet, car l'inventaire du château de Richelieu n'a pas été retrouvé.
5. Levi, 1985, p. 10.

Fig. 1. École française du XVIIᵉ siècle,
Portrait du cardinal de Richelieu,
huile sur toile. Chaalis,
Abbaye royale.

et une *Histoire de Lucrèce,* montre que Richelieu se tourna volontiers vers les manufactures françaises, alors en plein essor.

Dans les inventaires du temps, les ameublements de tissu, particulièrement les lits, occupent une large place ; ils constituaient, il est vrai, l'un des domaines les plus luxueux du décor intérieur. À une époque où le mobilier de tissu l'emporte encore sur le meuble d'ébénisterie, les brodeurs parisiens ont façonné de véritables chefs-d'œuvre. Chez Richelieu, la pièce majeure en ce domaine était incontestablement un somptueux lit d'apparat, principal ornement de la grande chambre de l'appartement vert. Celui-ci était « *tout en broderye par histoires auquel est représenté les histoires de l'Exode, le tout en broderye d'or faict en grains d'orge avec plusieurs emblesmes, devises et festons de fruicts* ». Ce précieux monument de l'art textile était prisé 45 000 livres tournois, une somme considérable[6].

Richelieu partagea le goût de ses contemporains pour les « *curiosités de la Chine* », privilégiant la porcelaine, dont il réunit 386 pièces – ensemble exceptionnel dans le contexte français –, rassemblées dans un « *cabinet des porcelaynes*[7] ». Dans la chambre et le cabinet de l'appartement vert, nous trouvons d'autres témoignages du goût « chinois » du cardinal sous la forme de coffres et de cabinets « *de la Chine* ». Dans une autre pièce du même appartement, nous rencontrons un « *lict de la Chine sur du taffetas blanc* », ainsi que plusieurs tapis « *de la Chine* ». Mais il ne s'agit là que de quelques témoignages d'un goût encore naissant à cette date, qui triomphera un peu plus tard chez Mazarin.

Le goût précoce de Richelieu pour les ouvrages de pierres dures fut encouragé par les envois de « galanteries » à la cour de France par les soins du cardinal Antonio Barberini. Il reçut à l'occasion de la naissance du Dauphin, en plus de quelques antiques, deux tables d'ébène et de *pietre commesse,* ainsi qu'un cabinet de pierres dures à décors de volatiles, vraisemblablement d'origine florentine[8]. En 1634, Mazarin, toujours désireux de lui plaire, lui adressa de la part du même Antonio Barberini, de petites tables *(tavolini),* pièces de mobilier qui furent l'objet de l'admiration générale, car, dit-on, « *on n'avait rien vu de semblable en France*[9] ». Au Palais-Cardinal, nous retrouvons quelques-uns de ces meubles dans l'appartement vert, qui séparait la galerie des œuvres d'art connue également sous le nom de Petite Galerie et la galerie des Hommes illustres, célèbre pour son décor de portraits. Dans cet espace où était regroupé l'essentiel des collections du cardinal avaient trouvé place des ouvrages d'ébénisterie jugés alors relativement nouveaux, tels que « *deux tables d'escailles de tortue* » ou bien encore un cabinet d'ébène « *enrichy*

6. Levi, 1985, p. 34, nº 418.
7. Schnapper, 1994, p. 146.
8. *Note distinte di tutte le robbe inviate di ordine dell'Em.mo Sr Card.l Padrone* […] *per presentare da parte di S. Em.za nella corte di Francia,* cité par Laurain-Portemer, 1975, p. 86.
9. Lettre de Mazarin au cardinal Antonio Barberini, 16 décembre 1634, citée dans Laurain-Portemer, *op. cit.,* p. 91, note 18.

Fig. 2. *Vue du château de Richelieu.* Paris,
        Bibliothèque nationale de France,
        département des Estampes.

de petitz camoyeux, escallez de mer, incrustations de lappis, jaspes et agates », avec des colonnes « *de Alemaigne garnyes de filletz d'argent »*. Dans le « *cabinet aux bronzes »*, qui rassemblait la collection de petits bronzes de Richelieu, la pièce majeure était un cabinet d'ébène tout « *marqueté d'argent »*. Dans une autre chambre de l'appartement vert, nous trouvons « *un cabinet d'esbeyne façon de Flandre*[10] » à façade et couvercle orné de peintures. Mais à côté de ces meubles aux riches effets chromatiques et de matières précieuses, vraisemblablement d'origine étrangère, on rencontre un mobilier typiquement parisien (ou supposé tel), à l'austérité tout apparente, sous la forme de grands cabinets plaqués d'ébène à deux vantaux sculptés de scènes en bas-relief. L'un de ces meubles, à décor gravé de fleurs, masques, figures, frise de monstres marins et représentation « *d'amphion sur un dauphin »* sur ses vantaux, portant les armoiries de Richelieu, passa chez Mazarin après le décès du cardinal-duc[11].

Au Palais-Cardinal étaient rassemblées tout naturellement les « *valeurs »*. Dans le domaine de l'orfèvrerie, les pièces qualifiées d'« *argent d'Allemagne »* voisinaient avec celles d'argent vermeil doré « *poinsson de Paris »*. Nous relèverons plus particulièrement parmi une abondante et riche vaisselle d'usage et de nombreuses pièces de buffet d'ostentation, la présence de quelques « *meubles d'argent »* tels « *deux gueridons d'argent ciselez »*, embryon cette fois encore d'un goût à venir. Richelieu y avait aussi réuni une collection de cristaux de roche. En revanche, il n'est nulle part question de vases en pierres de couleur.

Quant au château de Richelieu (fig. 2), en Poitou, faute d'inventaire, nous sommes malheureusement mal renseignés sur son ameublement, les seuls documents dont nous disposons étant bien trop tardifs (1788)[12] pour refléter l'état des lieux à l'époque du cardinal. Quant aux visiteurs du temps, ils se bornent, dans le meilleur des cas, à quelques généralités ; Mademoiselle de Montpensier fait allusion aux « *meubles* [qui] *y sont beaux et riches au delà de ce qu'on peut dire »*, alors que Mathieu de Morgues parle « *des lits mollets et riches tapisseries de Richelieu*[13] ». La plupart des visiteurs réservent leurs réflexions aux statues antiques, ornement dominant des lieux, ou à l'évocation des somptueux décors fixes du château. C'est dans cette résidence que l'on signale plus tard l'extraordinaire table en mosaïque de pierres dures d'origine romaine exposée aujourd'hui dans la galerie d'Apollon au musée du Louvre. Son exceptionnelle beauté séduisit La Fontaine, qui la vante comme « *le principal ornement du château de Richelieu*[14] ». Par ailleurs, Vignier lui consacre une description louangeuse dans son ouvrage intitulé *le Chasteau de Richelieu ou l'Histoire des Dieux et Héros de l'Antiquité avec des Réflexions morales*, publié en 1676.

Si elle provient bien du cardinal, elle donne une certaine idée du luxe dont il aimait à s'entourer, notamment au Palais-Cardinal. Mais, en dépit de sa magnificence, celui-ci n'était, de l'avis autorisé de Sauval, « *que l'ébauche »* du palais Mazarin[15].

10. Levi, 1985, nº 847.
11. Aumale, 1861, p. 261.
12. Inventaire après décès du maréchal de Richelieu, publié par Labbé, 1901, p. 477-565.
13. Morgues, « La très humble remontrance au Roi », dans *Diverses pièces...*, p. 88, cité par Batiffol, 1937, p. 185-186, note 2.
14. La Fontaine, 1892, IX, p. 273, lettre à sa femme, 12 septembre 1663 : « *Elle avait six pieds de longueur sur 4 de large et présentait une très riche mosaïque de pierres précieuses avec une magnifique agate au centre, le tout formant fleurs et fleurons, feuillages sertis dans des veines d'or sur un fond de marbre noir avec albâtre dans les vides.* »
15. Sauval, 1724, II, p. 172.

Mazarin collectionneur et les arts du décor mobilier

(Pescina, 1602 – Vincennes, 1661)

Patrick Michel

La mise en parallèle des deux cardinaux-ministres qui se succédèrent au gouvernement de la France durant la première moitié du XVIIᵉ siècle s'impose en bien des points : Richelieu et Mazarin eurent en effet les mêmes ambitions politiques, le même désir d'ascension sociale ; enfin, tous deux eurent à combattre l'hostilité de la cour. Incontestablement, si Richelieu doit être considéré comme le modèle politique de Mazarin, il fut également l'un de ses modèles sur le plan artistique. La prodigieuse fortune politique de Mazarin (fig. 1), élevé au cardinalat en décembre 1641 et nommé premier ministre du roi de France en décembre 1642, n'a d'égale que la rapidité avec laquelle il fit de son palais parisien (l'ancienne Bibliothèque nationale) l'un des hauts lieux de la curiosité européenne. Sauval recourt au parallèle entre les résidences de nos deux cardinaux-ministres et proclame la supériorité du palais Mazarin : « *La France et l'Italie sont*, dit-il, *les seules parties de l'Europe ayant contribué à l'ornement de la Maison du Cardinal de Richelieu ; mais pour achever le Palais Mazarin, la Hollande, la Flandre, l'Angleterre, l'Allemagne, l'Italie, la Grèce, la Perse, la Chine, l'Asie, ou plutôt en un mot, le monde entier s'est comme dépouillé de ses richesses, de ses curiosités, de ses plus beaux meubles, de ses meilleurs livres, de ses plus rares manuscrits, de ses peintures, et de ses figures les plus excellentes[1].* »

Bien avant la Fronde, fort de l'exemple du cardinal-duc et de ses *padroni* romains, particulièrement de celui des Barberini, Mazarin entreprit d'édifier à Paris, non pas un palais à la romaine, mais de « *transporter Rome à Paris* », en réunissant des collections dont l'ampleur, la richesse et la variété n'avaient rien à envier à celles qui faisaient la renommée des palais et des villas de la Ville éternelle. Elles dépassaient tout ce que l'on avait pu voir jusque-là en France. D'après Sauval, « … *Jamais un tel amas de choses curieuses et mieux choisies n'a été fait depuis que les grands Seigneurs ont cette belle passion qui fait éclater la Splendeur de leur fortune[2]…* » Il suffit de parcourir l'*Inventaire de tous les meubles du cardinal Mazarin, dressé en 1653[3]*, et son inventaire après décès (1661), deux sources majeures et d'une grande précision pour se replonger en pensée dans ce qui constitua, sans nul doute, l'un des décors mobiliers les plus riches que l'on ait connu en France jusqu'à cette date. Ces documents restituent, certes, l'image d'un grand collectionneur, mais davantage encore celle d'un amateur du beau, du rare et du raffiné, ce qui nous intéresse ici. Ces inventaires, qui enregistrent les mutations du goût cardinalice, font ressortir les dominantes de celui-ci : ornements textiles, mobilier de pierres dures, gemmes et chinoiseries. C'est avec l'enthousiasme d'un véritable amateur, les connaissances et les exigences d'un professionnel que Mazarin présida, en personne, à l'ameublement de son palais. Cela est particulièrement vrai dans deux domaines, ceux de l'art textile et du mobilier d'ébénisterie, qui, plus que tous autres, appartiennent aux arts du décor.

Chez Mazarin comme chez les « *grands* », ses contemporains, c'est encore le mobilier de tissu qui domine durant la période qui précède la Fronde. Le cardinal chercha toujours à obtenir ce qu'il y avait de plus rare ; il acheta à l'encan de somptueuses parures de lit ayant des provenances prestigieuses (Guise, Marie de Médicis, Richelieu), et fit venir à grands frais du taffetas ou du damas de la Chine ou tel « *lict de broderie toute plane à l'Indienne, le fonds d'or d'herbe, avec broderie de soie d'animaux, fleurs et ramages…* » Toutes les matières et toutes les origines sont représentées chez Mazarin : brocart de Florence « *à fonds d'or* », velours de Gênes, de Milan, damas jaune « *façon de Lucques* », « *serge de soie de plusieurs couleurs, façon de la Chine, faite à Paris* », « *soie façon de Perse* ». En l'absence d'un inventaire topographique, la précision des descriptions permet de recomposer en pensée les harmonies colorées qui devaient

1. Sauval, 1724, II, p. 172.
2. Idem, *op. cit., loc. cit.*, p. 173.
3. Aumale, 1861.

Fig. 1. École française du XVIIᵉ siècle,
Portrait du cardinal Mazarin,
huile sur toile. Versailles,
musée national du château.

régner au palais Mazarin. Pourtant, ces *parati* ou autres ornements textiles n'étaient rien en comparaison de la richesse exceptionnelle du garde-meuble cardinalice en tentures de tapisserie. Mazarin, incontestablement le plus grand amateur de son temps en France, disposait, dès 1653, de trente-huit tentures de haute et basse lisse des manufactures des Flandres, d'Angleterre ou de Paris, pour renouveler à volonté les décors de son palais. En 1661, son garde-meuble, riche de cinquante-neuf tentures, se distinguait particulièrement par un remarquable ensemble de tentures de l'âge d'or de la tapisserie flamande, dont les fleurons étaient la *Tenture de Scipion* et les *Chasses de Maximilien*. Notons aussi que le cardinal appréciait particulièrement les productions de la manufacture anglaise de Mortlake, sans délaisser pour autant les ouvrages des ateliers français, qu'il sut encourager par des commandes.

En dépit de l'importance du mobilier de tissu, les meubles d'ébénisterie occupaient une très large place chez Mazarin, et les inventaires précités témoignent du changement intervenu vers le milieu du siècle. Au palais Mazarin, le cabinet d'ébène parisien, peu représenté, cède la place au meuble en placage d'écaille de tortue souligné de filets d'ébène et d'ivoire, d'origine flamande ou parisienne – comme l'a établi Th. H. Lunsingh Scheurleer –, ainsi qu'au cabinet « *d'architecture* » à décor de « *pierres de Florence* » ou de Rome. Bien qu'il n'en soit pas l'initiateur en France, ce goût précoce de Mazarin pour les ouvrages en marqueterie de pierres dures se préciscra à partir de 1640, avec l'acquisition régulière à Florence et à Rome de plusieurs cabinets somptueux dont certains « *à programmes iconographiques* » : cabinet « *de la Rome triomphante* » orné de figures allégoriques en bronze de la Force et de la Tempérance, cabinets de César et de Pompée, et enfin de la Guerre et de la Paix, meubles destinés à initier une mode à la cour de France. Il apprécia également les cabinets à « *miniatures* », particulièrement ceux qui étaient enrichis de petites peintures de l'Alsacien Johann Wilhelm Baur. Le nombre (cinquante-huit) et la variété des cabinets rassemblés par Mazarin dans son palais au moment de son décès attestent sa passion pour ce meuble si caractéristique du siècle. Ajoutons à ceux-ci un exceptionnel ensemble de tables en *pietre commesse*, d'origine florentine ou romaine. Le plus remarquable exemple conservé en est la table monumentale aujourd'hui à Paris, au Muséum d'histoire naturelle. Ces tables fascinèrent les contemporains, à commencer par les Frondeurs qui dressèrent l'*Inventaire des merveilles du monde trouvées dans le palais du cardinal Mazarin*, en 1649. Cette mazarinade, bien que peu encline à l'indulgence, de par sa nature, est sans doute l'un des hommages les plus vibrants, autant qu'inattendu, que l'on ait rendu aux arts décoratifs durant cette période, et particulièrement à l'art des lapidaires. L'auteur anonyme de ce texte célèbre s'attarde à contempler les tables en marqueterie de pierres dures et notamment l'une d'elles, qu'il compare à « *un beau Parterre semé de fleurs* », mettant ainsi en parallèle l'art du jardinier et celui du lapidaire[4].

Il est un autre domaine auquel le cardinal apporta une inflexion déterminante, celui des « *chinoiseries* ». Sans doute ne l'avait-on pas attendu pour introduire en France et apprécier les meubles dans le goût chinois, devenus à la mode à Paris dès le début du XVIIe siècle[5]. Néanmoins, il en fut l'un des plus grands divulgateurs, leur consacrant même un espace spécialisé dans l'appartement haut de son palais, « *la galerie des raretez des Indes* », où étaient rassemblés la plupart des trente et un cabinets et des vingt-six coffres « *de la Chine* » qu'il possédait au moment de son décès.

Il faut imaginer ce mobilier d'étoffe, d'ébénisterie et de laque aux riches effets de matières et de couleurs côtoyant un nombre considérable d'objets tout aussi précieux, tels que pièces d'orfèvrerie de diverses origines, collection de gemmes, d'émaux, etc. À défaut de toutes ces merveilles aujourd'hui dispersées, il nous faut considérer l'héritage laissé par Mazarin dans le domaine du mobilier. Celui-ci est d'importance ; il est bon de rappeler ici, même si le fait est bien connu, qu'on lui doit d'avoir préfiguré les Gobelins. Dès 1645, et peut-être même avant cette date, Mazarin avait cherché à s'émanciper des ateliers florentins et romains, en introduisant la technique des *commesse di pietre dure* en France. Il dut malheureusement y renoncer faute d'avoir pu convaincre des *pietrari* italiens de venir travailler en France. On lui doit aussi, après Richelieu, d'avoir préfiguré le « *Premier goût du Roi*[6]. »

Alors qu'il privilégia les œuvres du passé dans les domaines traditionnels de la collection, la sculpture et la peinture, voire dans celui de la tapisserie, Mazarin manifesta une réelle ouverture à la modernité en matière d'ameublement. C'est par la médiation de l'objet et du mobilier qu'il joua un rôle primordial dans la diffusion des modes ultramontaines. Le cardinal aimait la nouveauté, la subtilité des accords colorés, l'éclat des matières rares et montra en cela son attachement durable à ses origines. Par l'entremise de ses collections et de l'ameublement du palais Mazarin, il transposa à Paris l'ambiance et le « climat » romain (Michel, 1993, 1999, 1999[2]).

4. Publié dans Moreau, 1853, I, p. 143.
5. Belevitch-Stankevitch, 1910.
6. Expression que nous empruntons à Saule, 1992, p. 137-148.

Le chancelier Séguier

(Paris, 1588 – Saint-Germain-en-Laye, 1672)

Yannick Nexon

Pierre Séguier était issu d'une famille de la noblesse de robe parisienne, pourvue de charges au Parlement depuis deux générations. Il poursuivait la même carrière quand Richelieu lui confia les Sceaux en 1633. Sa docilité lui valut la charge inamovible de chancelier en 1635. Dès lors, pendant près de quarante ans, malgré les crises politiques et une perte momentanée des Sceaux en 1651-1656, il fut le premier personnage de la hiérarchie administrative du royaume car il représentait le Roi lui-même. Il disposa, outre d'une fortune personnelle, des revenus considérables de sa charge, dont il fit un usage où l'intérêt public et l'intérêt personnel se chevauchèrent aisément.

Mécène plus que collectionneur, il fut bibliophile avant tout et rechercha dans l'Europe entière manuscrits et éditions rares (fig. 1). En acquérant l'hôtel de Bellegarde à Paris, en 1634, il mit au goût du jour sa demeure par des travaux incessants et aménagea des appartements non pas « *tant pour l'usage que pour la magnificence et la pompe* ». Dans cet esprit, il fit peindre des décors par les artistes en vogue et collectionna les tableaux, élément notable de faste. L'hôtel Séguier, qui abritait l'audience du Sceau et le Conseil des finances, fut aussi le théâtre de fêtes et réceptions, où les collections les plus précieuses étaient exposées pour la plus grande gloire du chancelier.

Séguier, qui dépensa beaucoup lors de sa longue vie, acquit certains biens pour leur valeur d'investissement financier : tapisseries, bijoux (croix de rubis d'Orient à quatre diamants estimée 5 000 livres),

Fig. 1. École française du XVIIᵉ siècle,
le Chancelier Pierre Séguier.
Localisation actuelle inconnue.

monnaies et médailles, mobilier d'argent et particulièrement vaisselle de vermeil, « *dont toutes les pièces étaient d'une grandeur et d'un travail tout à fait extraordinaire* ».

Les inventaires après décès de 1672 et de 1683 nous font connaître ces collections et leur mode de présentation, malgré les aléas du genre (sous-estimation des prisées en 1672, désordre de l'inventaire complémentaire de 1683, lacunes inexplicables).

Le rez-de-chaussée de l'hôtel constitue la partie publique, destinée aux réceptions. À la suite des salles du corps de logis central, à main droite avant la galerie basse, s'ouvre un appartement d'hiver avec le « *cabinet des émaux* » : bassins, coupes, vases, portraits disposés sur trois tables de chêne à drap vert font le tour de la pièce. Dans la suivante, se trouvent des faïences de Hollande. Le cabinet de travail du chancelier contient de petits bustes d'empereur, des porcelaines du Japon et de Chine, de la faïence de Saint-Cloud, des figurines de bronze et des montres précieuses. La galerie basse, au plafond peint par Simon Vouet, renferme « *un grand nombre de porcelaines, qui régnaient tout autour sur la corniche* ». En bout de galerie, plusieurs chambres et cabinets, où sont tendues de belles tapisseries (*Didon et Énée*, prisée 5 500 livres, *Histoire de Marc-Aurèle*, 1 800 livres, *Histoire de Méduse*, 4 000 livres), présentent pour l'une 59 pièces de porcelaine, pour l'autre des meubles précieux (« *grand cabinet d'ébène noire de marqueterie à tiroirs, portiques garnis de pierres de jaspe, améthystes et lapis, colonnes de cristal de roche et chapiteau garni de dix agates en relief, monté sur un pied* » estimé 600 livres) et des pièces d'orfèvrerie remarquables. Enfin, y est exposé le fameux portrait du chancelier, dans un cadre d'argent estimé 4 077 livres.

De nombreux objets d'art décorent aussi les appartements du chancelier à l'étage (marqueterie d'écaille de tortue, cabinets d'ébène ou du Japon, chandelier d'argent prisé 769 livres), et les armoires renferment la vaisselle précieuse. À l'entrée de la bibliothèque, un *Musaeum* abrite les miniatures, les cartes et les manuscrits en langues rares.

Mme Séguier s'est constitué un cabinet de cristaux « *des plus curieusement taillés, avec un grand nombre de montres et d'horloges enrichies de pierreries* » (120 pièces estimées 12 600 livres). Après la mort de son mari, elle présente aux visiteurs des collections dans la partie basse. À cette époque, la galerie basse, qui a pris le nom de galerie des Porcelaines, contient 245 pièces et le cabinet du même nom 205 autres (Nexon, 1976, 1982, 1983).

François Sublet de Noyers

(Le Mans, 1589 – Dangu, 1645)

Anne le Pas de Sécheval

François Sublet de Noyers (fig. 1), « créature » de Richelieu, accéda à la surintendance des Bâtiments du Roi en septembre 1638[1]. Coïncidant avec la naissance du Dauphin, cet événement marqua le point de départ d'une ambition nouvelle dans la protection accordée par Louis XIII à l'activité artistique[2].

Sublet se préoccupa d'abord de la reprise des chantiers royaux. La priorité fut donnée au Louvre : Lemercier entreprit le quadruplement de la cour Carrée, tandis que, en vue de la décoration de la Grande Galerie, on faisait appel aux plus prestigieux artistes d'Italie, renouant ainsi avec l'époque de François Ier. Des négociations furent entamées avec Guerchin, Pierre de Cortone, Andrea Sacchi et François Duquesnoy. Si cette entreprise de séduction n'eut de résultat qu'avec Nicolas Poussin, contraint de séjourner à Paris de 1640 à 1642, elle devait marquer les esprits et préparer le triomphe de Colbert, obtenant la venue du Bernin au service de Louis XIV, en 1665.

Sublet exprima dans le même temps une autre ambition, que Colbert allait aussi revendiquer : « faire en sorte d'avoir en France tout ce qu'il y a de plus beau en Italie ». Il chargea les frères Chantelou, ses cousins, de faire exécuter à Rome des moulages des plus célèbres antiques[3], ainsi que des copies de maîtres italiens. Moulages et fontes devaient servir à la décoration du Louvre, résidence appelée à actualiser le modèle primitif que constituait Fontainebleau. Sublet dessina également l'institutionnalisation

1. Michaud, 1969.
2. Le Pas de Sécheval, 1992.
3. Idem, 1991.

François Sublet S. des Noyers.

Fig. 1. Charles Errard, *François Sublet de Noyers,* sanguine. Albi, musée Toulouse-Lautrec.

des arts sous la protection royale. Il n'eut pas le temps de s'intéresser aux manufactures de tapisseries, mais il apporta un encouragement décisif à la modernisation de la Monnaie royale et fut le fondateur de l'Imprimerie royale, qui bénéficia des procédés techniques les plus perfectionnés et du talent des artistes les plus réputés. Les deux ateliers furent symboliquement regroupés dans l'enceinte du Louvre. Peut-être caressa-t-il enfin l'idée de créer une Académie royale de peinture et de sculpture, en pendant de l'Académie française, fondée par Richelieu en 1635[4].

Derrière le personnage officiel, entreprenant et visionnaire, le personnage privé cultiva la discrétion et l'austérité. Sublet de Noyers ne consentit à donner de l'éclat qu'à l'appui qu'il accorda aux jésuites : il contribua au financement de leur église du noviciat à Paris, édifiée à partir de 1630, puis en commanda en 1641-1642 les retables à Poussin, Simon Vouet et Jacques Stella. En revanche, il ne semble pas avoir été un collectionneur, et sa demeure parisienne resta toujours modeste, même s'il la fit décorer d'une perspective peinte par un spécialiste du genre, Jean Lemaire. Son château de Dangu, près de Gisors, fit l'objet d'aménagements plus considérables. En 1642, le surintendant demanda à Louis Le Vau et à Adam Philippon des projets pour l'intérieur de la chapelle, sur lesquels il sollicita l'avis de Poussin. À la mort du Roi, il tomba en disgrâce et se retira à Dangu, où Charles Errard, depuis longtemps son protégé, peignit « *une galerie, et travaillant à des dessins qui devaient être exécutés en tapisserie, et qui représentaient l'histoire de Tobie, fit un tableau où l'on voyait le même Tobie donner la sépulture aux corps des juifs que le roi Sennachérib avait fait égorger*[5] », œuvres dont nous ignorons tout. Dans le même temps, une entreprise intellectuelle d'envergure mobilisa l'intérêt du cénacle réuni autour de Sublet : c'est à Dangu que Roland Fréart de Chambray posa les fondements de la théorie classique française, en rédigeant à l'instigation du surintendant déchu son *Parallèle de l'architecture antique avec la moderne*, qu'il publia en 1650.

4. Thuillier, 1962, p. 183.
5. *Mémoires inédits*, I, 1854, p. 75.

Antoine de Ratabon

(?, 1617 – Paris, 1670)

Emmanuel Coquery

La figure de Ratabon, chevalier, seigneur de Tremcmont surintendant des Bâtiments de 1653 à 1664, apparaît curieusement négligée, un peu écrasée sans doute par celles de son mentor, François Sublet de Noyers, et de son successeur, Colbert, à qui il dut vendre son office. Pourtant, l'homme, qui fut aussi le protecteur de l'Académie de peinture et de sculpture, joua un rôle essentiel dans les chantiers d'aménagement des maisons royales durant la Régence. Son portrait par Pierre Rabon, identifié par Christophe Hardouin, le montre avant tout comme un bâtisseur du Louvre, dont on voit à l'arrière-plan la rotonde construite par Le Vau (fig. 1). De fait, l'extension et la décoration du Louvre semblent avoir été l'affaire de sa vie. Mais les sources imprimées sont peu loquaces, et Ratabon paraît avoir goûté la discrétion de mise dans le clan de Sublet.

L'une des très rares dédicaces d'ouvrage à Ratabon figure dans un recueil d'ornement, fort important, publié par Claudine et Françoise Bouzonnet-Stella, avec une épître dans laquelle il est question de « *tant d'obligations que notre famille* [vous] *a* ». Plus que la protection des Stella, les *Mémoires pour servir à l'histoire de l'académie,* que l'on peut attribuer à son secrétaire, Henri Testelin, font ressortir celle dont Ratabon gratifia Charles Errard, recommandé sans doute par Sublet[1]. Errard, qui avait signé son contrat de mariage dans la propre maison de Ratabon, obtint de grandes responsabilités dans le corps académique, et surtout, nombre de travaux au Louvre dans les appartements de la Reine mère, du Roi et de Mazarin,

1. Montaiglon, 1853.

Fig. 1. Pierre Rabon, *Portrait d'Antoine de Ratabon,* huile sur toile. Versailles, musée national du château.

dont il subsiste quelques fragments. Une lettre de décembre 1659, envoyée par Ratabon au peintre à Rennes pour le faire revenir à Paris afin de l'y faire reprendre la direction des travaux de l'appartement de la nouvelle Reine, nous conserve encore une trace de cette « affection très particulière » : « Sa Majesté a, comme vous savez, un amour tout particulier pour les ouvrages du Louvre que votre génie incomparable a mis au-delà de tout ce qui s'est jamais vu de riche et de beau[2]. » Dans toutes les querelles, mi-artistiques, mi-politiques, qui traversèrent la Surintendance, Ratabon prit le parti d'Errard contre Le Brun ou Vigarini[3], et il est probable qu'il acquiesça à contrecœur à l'engagement d'Italiens comme Romanelli, voulu par Mazarin. Tant à travers Errard que Le Vau, dont il contresigna un projet pour la chambre du Roi[4], il favorisait un style nourri de références antiques et raphaélesques. Cette fidélité à un homme en qui Le Brun voyait un rival lui coûta certainement un peu de sa place. Mais la dureté de ces querelles semble devoir être nuancée, dans la mesure où l'inventaire de Le Brun signale dans sa maison de Montmorency « le portrait de M. de Ratabon [...] de la main dudit deffunt sr Le Brun ».

Richard Beresford a retrouvé l'inventaire après décès de sa femme, Marie Sanguin, daté mars 1680 (1994, p. 618 ; AN, MC, XCVI, 117), qui nous restitue sans doute sans trop d'altérations le décor parisien du surintendant, décédé dix ans plus tôt – un décor riche sans être somptueux, et sans tenture de prix notamment –, ainsi que sa maison au Chesnay, « près de Versailles », assez modestement meublée. Ratabon avait fait construire par Pierre Le Muet, en 1664, son hôtel de la rue de Richelieu[5]. Le cabinet de la chambre de la défunte, tapissé de brocatelle de soie bleue, est orné de petits bronzes, de terres cuites, de vases de porcelaine et de jaspe. On trouve des tableaux de peintres français contemporains comme Jacques Stella ou Jean Lemaire, et, ce qui représente une rareté, de Jacques Sarazin. Au titre des portraits, l'on trouve Mazarin par Jean Nocret, Richelieu, Louis XIII, Sublet de Noyers, Louis XIV à cheval, des bustes de bronze, dont celui de Richelieu encore, que l'on retrouve ailleurs sur une petite boîte d'or émaillé, et des copies d'antique. Les papiers nous apprennent notamment que Ratabon avait un droit d'importation de tapisseries flamandes, peut-être acquis de Mazarin, et que détiendra aussi Colbert.

2. Lallemend et Boinette, 1884, p. 314.
3. Sainte Fare Garnot, 1988, p. 33-36.
4. Oxford, Ashmolean Museum, album Cotelle, fº 12 ; attribution proposée par A. Cojannot (comm. orale).
5. Mignot, 1981.

Louis Hesselin

(Paris, 1602 – Paris, 1662)

Moana Weil-Curiel

Louis Hesselin (Louis Cauchon d'Hesselin ; fig. 1) est l'un de ces grands amateurs parisiens du XVIIᵉ siècle dont l'existence réelle a fini par disparaître derrière une notoriété certaine mais devenue imprécise au gré des différents auteurs qui mentionnaient son existence[1]. C'est à peine si deux ou trois éléments concrets se retrouvaient systématiquement cités : les ballets où il avait fait danser le jeune roi Louis XIV ; la réception faite à la reine Christine de Suède dans sa « campagne » de Chantemesle, dont les jeux d'eaux et les jardins sont vantés par de nombreux visiteurs ; et, notamment, l'hôtel qu'il fit bâtir dans l'île Saint-Louis, cadre somptueux des nombreuses collections qu'il y avait rassemblées, mais aujourd'hui disparu. Nous pouvons même considérer que le renom de cet hôtel avait fini par occulter, d'une certaine façon, la personne même de son propriétaire.

Si, d'une façon générale, ce sont surtout les miroirs, les peintures et les bronzes, dont l'essentiel fut plus tard acquis par le Roi[2], qui semblent avoir conservé la mémoire du collectionneur, nous pouvons désormais y ajouter les porcelaines, un bel ensemble de tapisseries aux provenances et sujets assez singuliers, et un mobilier de marqueterie de pierres dures, lui aussi remarquable. C'est très probablement au cours de l'un ou l'autre des assez longs séjours qu'il effectua en Italie dans les années 1630, principalement à Venise et à Rome, qu'il avait acquis et rapporté la plus grande partie de ses collections, à peine complétées par quelques commandes et achats ultérieurs.

Cependant, c'est avant tout l'étendue et la richesse du somptueux décor peint et sculpté de l'hôtel Hesselin qui avait conservé jusqu'à nos jours la réputation de notre amateur[3]. L'appartement de parade, qui se développe entre le rez-de-chaussée et l'étage, constitue une véritable progression dans l'opulence, voulue et ménagée par Louis Hesselin. Celle-ci culmine dans la célèbre chambre à l'italienne, dont le passage de Sauval[4] ne restitue qu'imparfaitement la splendeur, révélée par de multiples détails de son inventaire après décès. Ces espaces publics sont complétés par quelques pièces plus intimes sur l'arrière, lieux de retraite et d'étude dont les armoires et cabinets recèlent nombre de petits objets de curiosité. Le tout composant ce que Niceron appelait l'« abrégé des cabinets de Paris[5] ».

Dans le même temps, le rapprochement que nous avons proposé de deux projets dessinés, d'un lambris et d'un plafond, tous deux attribués à Dorigny, nous amène à lui rendre, dans une large part, la paternité du décor de la chambre à l'italienne, où ses ouvrages se trouvent complétés par un magnifique ensemble d'orfèvrerie dessiné par Sarazin[6] et par quelques-unes des plus belles pièces des collections d'Hesselin.

Enfin, et ce n'est pas la moindre particularité de cette chambre, l'inventaire de 1662 nous révèle que, derrière une balustrade d'ébène, était disposé un somptueux lit d'apparat, de forme carrée et de « six pieds et demy » de côté (soit environ 2,10 mètres), accompagné de fauteuils et de sièges. En effet, outre le meuble de velours vert aux riches broderies enrichies d'or et d'argent, décoré de quatre panaches de plumes d'autruche et d'aigrettes, alors décrit et évalué 3 000 livres, nous avons connaissance, pour cette même chambre, d'un autre « grand meuble » de broderie, à fond blanc enrichi d'or et d'argent, qui est prisé la somme, là encore exceptionnelle chez un particulier, de 15 000 livres.

Comme ce motif de broderie devait se fondre dans le décor de stuc, certainement doré en partie, des lambris et du plafond, la présence des miroirs ne pouvait qu'amplifier l'effet général de magnificence. Ainsi, tant par son décor que par son ameublement, la chambre à l'italienne conçue par Le Vau à l'hôtel Hesselin paraît effectivement surpasser, par sa splendeur, la plupart de ses contemporaines.

1. Voir Bonnaffé, 1884, p. 139-141 ; Crèvecœur, 1895, p. 225-248, et, plus récemment, Schnapper, 1994, p. 182-186.
2. Voir Schnapper, op. cit., et Castelluccio, 1999, p. 13-25.
3. Un premier état de nos recherches concernant cette résidence a été présenté dans une récente exposition parisienne (voir Weil-Curiel, 1997, p. 187-195).
4. Sauval, 1752 [rééd. Paris, 1973], III, p. 14-16.
5. Niceron, 1638, p. 77.
6. « … –Ung aultre grand mirouer garny de sa glasse fine de 35 pouces de hault et 24 de large, avecq sa bordure d'esbeine enrichye de deux grandes figurines et des armoiries en hault et chiffres par bas dudict feu Sr Hesselin, le tout d'argent blanc et cuivre doré, du desseing de Mr Sarazin, ledict argent pesant 22 marcs 2 onces ; et ballustre d'esbeine au devant dudict mirouer… 1 500 livres. […] –Une grande cassollette enrichye de plusieurs figures, le tout d'argent et cuivre doré, posée sur son piedz d'esbeine, et ung petit ballustre autour aussy d'esbeine… 2 500 livres. […] –Une grande plaque aussy enrichye de plusieurs figures et portant deux chandelliers, le tout d'argent et cuivre doré du desseing de Mr Sarazin, réparé de Mereux. […] Ledict argent pesant 64 marcs 1 once… [estimation en blanc] » (voir AN, MC, XX, 310, 31 août 1662 et jours suivants).

Fig. 1. Médaille à l'effigie de Louis Hesselin (avers et revers). Paris, Bibliothèque nationale de France, département des Médailles et Monnaies.

Le mobilier incrusté de pierres dures décrit dans son inventaire après décès se révèle remarquable à plus d'un titre. En plus du fait que son coût le réserve habituellement aux grands personnages, rois, princes ou ministres, si l'on en recense quelques exemples chez des personnages de moindre rang, c'est le plus souvent en nombre restreint, voire comme un prestigieux *unicum*. Or, Hesselin ne se contente pas d'une ou deux tables marquetées ou d'une paire de cabinets : ce ne sont pas moins de cinq tables et quatre cabinets qui, avec quelques autres meubles précieux[7], décorent les espaces d'apparat de son hôtel.

Outre son ampleur et sa diversité, la seule présence d'une table à ses armes suffirait à le rendre exceptionnel. L'ensemble réuni par Hesselin ne connaît alors qu'un seul équivalent, par la qualité et la quantité, quoique à une tout autre échelle : celui de Mazarin[8]. Au reste, la destinée d'une partie de ce mobilier, même si nous n'en avons qu'une connaissance imparfaite, ne dément pas son caractère unique puisque nous retrouvons plus tard au moins deux des tables d'Hesselin dans les collections de la Couronne, dont, curieusement, celle à ses armes[9].

Les tapisseries qu'a réunies Hesselin présentent, elles aussi, certaines particularités. En plus de quelques pièces purement décoratives, la plupart d'origine flamande, et d'une tapisserie de la Passion de provenance anglaise, il possédait trois exemples de production moins courante : une *Histoire de Coriolan* de la manufacture de Tours, une pièce représentant un Endymion d'après Le Brun tissée dans les ateliers du Louvre et, de façon plus anecdotique, une autre tapisserie parisienne le représentant « au naturel », qui connaîtra le même destin que la table à ses armes.

Mais parmi ses collections proprement décoratives, le principal ensemble qui entretenait jusqu'ici la réputation de connaisseur d'Hesselin, était constitué d'une quarantaine de bronzes mêlant les copies d'antique, les œuvres de (ou d'après) Jean Bologne, de ses élèves Susini et Tacca, ou de François Duquesnoy, qu'Hesselin avait sans doute acquis directement auprès de ce dernier[10]. Ces sculptures, réparties dans plusieurs pièces de son hôtel et, notamment, la chambre à l'italienne, le cabinet « *doré* » (seize pièces) et la bibliothèque (dix-sept pièces), distinguent une nouvelle fois le goût d'Hesselin de celui de ses contemporains. Si nous exceptons l'exemple, antérieur, de Richelieu, aucun autre collectionneur, ni Jabach, ni même Mazarin, l'habituelle référence[11], ne possédait alors un tel assortiment, où la qualité le disputait d'ailleurs à la quantité.

Enfin, outre ses bronzes et l'ensemble d'orfèvrerie dessiné par Sarazin, nous évoquerons ici la présence, dans les divers meubles et cabinets d'Hesselin, de certaines petites merveilles d'orfèvrerie[12], qui ne sont pas sans évoquer les ouvrages, à mi-chemin entre le fantastique et la réalité, entre le dessin (ou la gravure) et l'objet d'art, alors imaginé par un artiste singulier, Daniel Boutemie[13]. Celui-ci se révèle d'autant plus intéressant que la plupart des œuvres de cet artiste identifiées jusqu'ici évoquent, d'une manière ou d'une autre, le nom d'Hesselin. En outre, Boutemie ne s'est pas contenté de lui fournir des dessins ou de lui dédicacer des gravures puisque nous relevons dans l'inventaire après décès la mention d'un masque en bronze « *du dessin de M. Bouthemie* ».

Cet ensemble, en tous points remarquable, mêlant mobilier et objets d'art dont la caractéristique commune demeure avant tout la qualité, ne devait pourtant guère survivre à son propriétaire. Toutefois, hormis l'opulent groupe d'orfèvrerie de Sarazin, dont l'achat et la fonte rapide n'ont laissé que de rares traces, la trentaine de bronzes alors acquis par Louis XIV rend, aujourd'hui encore, un hommage illustre à la pertinence des choix de notre collectionneur (voir cat. II, 25, 47 et 201).

7. « *Ung cabinet d'ébeine d'Allemagne à deux grands guichets fermant à clef, pozé sur ses collonnes, et garny de quatre ovalles d'argent figurez, deux tables à la Chine, garnyes de filets d'argent et de rapport et une armoyre de bois de noyer à six guichets, tant de fasce que de costé, enrichye de figures de sculpture chacung des guichets, dans laquelle armoyre il y a deux jeux d'orgue* » qui est alors la plus fortement estimée (1 200 livres, voir AN, MC, XX, 310, 31 août 1662 et jours suivants).

8. Au nombre de 22 en 1653, les cabinets marquetés de toute sorte occupent 45 folios de l'inventaire après décès du cardinal, en 1661. Le même document énumère une vingtaine de tables de marbre, dont trois passent ultérieurement dans les collections royales (voir Schnapper, 1994, *passim*).

9. « *Cabinets, tables et guéridons de diverses sortes* : [...] -164- *Une table octogone de marbre noir sur laquelle il y a huit tableaux de pierre de Florence, couleur de bois, qui représentent des villes et paysages et, au milieu, un perroquet sur une branche de prunier, aussy de pierre de Florence, de diverses coulleurs, sur un pied de bois taillé de sculpture doré et azur.* [...] -234- *Une table octogone de pierre de parangon, dans le milieu de laquelle sont les armes d'un particulier soustenues de deux griffons et, à l'entour, deux chiffres et des bouquets de fleurs et de fruicts, le tout de pierres fines, portée sur un pied d'ébeine à quatre consolles de 3 pieds 4 pouces de diamètre...* » (voir AN, O¹3330-3333, *Inventaire général du Mobilier de la Couronne et des Maisons Royales*, 1663-1715, III, fᵒˢ 52 et 56).

10. En effet, dans sa « Vie » de l'artiste, Bellori mentionne expressément sa commande d'un Christ à la colonne ou d'un Ecce Homo (voir 1672, p. 283, rééd. 1976, p. 300).

11. Comme l'ont rappelé Schnapper (*op. cit.*, p. 209) et Castelluccio (1999, p. 13), aucun bronze ne figure dans ses collections en 1653 et l'inventaire de 1661 n'en mentionne que sept.

12. « ... *–Une escritoire composée d'une teste grotesque et une grande coquille, le tout d'argent, et une boeste ronde pour mestre la poudre aussy d'argent, armoriées des armes du deffunct sr Hesselin, laquelle posée sur le coffret de la chine recouvert d'esbeine avecq deux tiroirs ; toute la dicte argenterye pesante, avecq une mouchette aussy d'argent.* [...] *–Deux salières d'argent vermeille doré par les bords, représenctant deux dragons décorés de perles, perles baroques, grenats et amétystes.* [...] *–Ung escritoire de cabinet, d'esbeine, à trois estages porté sur quatre peticts griffons d'argent doré au devant, de trois roulleaux, aux costez et sur le couvercle, d'argent massif ; et quatre roulleaux, le tout d'argent vermeille doré ; une boeste poudrier, le dessus d'ung* [lacune], *et ung petict bougeoir aussy d'argent vermeille doré et une petite phiolle garnye d'argent vermeille doré. Lesdicts griffons massifs...* » (voir AN, MC, XX, 310, 31 août 1662 et jours suivants).

13. Voir Fuhring, 1992, p. 46-56.

Nicolas Foucquet

(Paris, 1615 – Pignerol, 1680)

Emmanuel Coquery

La place de Nicolas Foucquet (fig. 1) dans l'histoire des arts du décor est à la fois bien connue et difficile à définir. Son rôle de précurseur du goût royal versaillais, par la réunion à Vaux du fameux trio Le Brun-Le Vau-Le Nôtre, passe pour une évidence des mieux reçues. Dès 1882, Edmond Bonnaffé lui consacrait une étude importante, la première dédiée à un amateur du XVIIᵉ siècle. Jean Cordey apportait de nouveaux documents sur l'aménagement du château[1], relayé par Antoine Schnapper[2], qui a permis de préciser la figure du « curieux », tandis que les travaux de Daniel Dessert[3] ont considérablement enrichi notre connaissance de la fortune du surintendant et de son environnement familial.

Comme pour toute grande figure d'« amateur », nous sommes tentés d'opposer le « curieux » et le « magnifique ». Mais il est clair, ainsi que l'a relevé Schnapper, que chez Foucquet toute entreprise d'acquisition d'œuvres obéissait d'abord au souci du faste et aux exigences de la décoration. Son frère, l'abbé Louis Foucquet, en fournit dans ses lettres des témoignages éloquents : « *Je crois qu'il faut que le fort de votre dépense aille en statues ; elles* parent *incontestablement davantage de grands appartements que de misérables tableaux, dont peu de gens sont capables de goûter les beautés*[4]. » La curiosité universelle de Foucquet, « *omnium curiositatum explorator*[5] », que saluaient même ses juges, ne visait qu'à rendre le décor de son lieu de vie favori le plus divers et le plus complet, c'est-à-dire le plus exemplaire possible. À cet égard, il n'a de rival dans sa génération que Mazarin – mais, certainement, sans la curiosité personnelle, la *connoisseurship* de celui-ci.

1. Cordey, 1924.
2. Schnapper, 1994.
3. Dessert, 1987.
4. Lettre du 2 août 1655, citée par Schnapper, 1994, p. 216. Nous soulignons.
5. Bonnaffé, 1882, p. 11.

Fig. 1. Robert Nanteuil, *Nicolas Foucquet*, burin. Collection particulière.

Antoine Schnapper a bien insisté sur le fait que les saisies du Roi, après l'arrestation du surintendant, en 1661, n'ont pas empêché ses agents de continuer à acquérir des pièces du mobilier tout au long des années 1660, ce qui témoigne du niveau vraiment royal des objets réunis par Foucquet. Les tapisseries étant l'élément essentiel de tout décor à l'époque, c'est aux tentures que Louis XIV s'intéressa en premier lieu. Nous ne pouvons qu'être frappés de trouver, dans les saisies, des tapisseries qui seront ultérieurement retissées aux Gobelins, comme les *Actes des apôtres* d'après Raphaël ou les *Mois* dit *Mois Lucas*. Par ailleurs, la commande à Le Brun de pièces sur l'*Histoire de Constantin* pouvait passer pour une tentative hardie d'imiter Louis XIII et sa commande à Rubens d'une tenture sur le même sujet. Cet intérêt pour la tapisserie s'accompagnait, on le sait, de la fondation d'un atelier particulier à Maincy, dont Le Brun était le maître d'œuvre et dont tous les éléments seront réquisitionnés par le Roi. Mais il est possible d'avancer l'hypothèse que c'est l'exemple de cette manufacture entièrement vouée aux besoins de son propriétaire qui donna à Colbert l'idée du regroupement des ateliers parisiens aux Gobelins, destiné exclusivement, et c'était là le point de nouveauté essentiel, à l'ameublement des maisons royales.

Les autres éléments du luxe n'étaient pas pour autant négligés. L'abbé Foucquet suggère l'acquisition en Italie de bassins d'argent, qui « *font belle montre sur un buffet*[6] », et l'on retrouve dans les inventaires des miroirs « *à bord d'argent massif* », ainsi que de nombreuses tables de pierre, comme cette « *table de porphyre avec son bord de marqueterie gaudronnée* », dont le plateau est aujourd'hui au musée du Louvre, ou une « *table de marbre de marqueterie*[7] », qui indiquaient plus qu'aucun meuble, au sens actuel, le niveau exceptionnel de l'ameublement du surintendant – certaines de ces tables seront d'ailleurs « *réservées* » pour Louis XIV.

Il ressort clairement des lettres de l'abbé Foucquet en 1655 que l'ambition du constructeur et les recherches du « magnifique » sont concomitantes, engagées au milieu des années 1650. La question de son rôle dans l'évolution des arts du décor se pose plutôt sous l'angle des artistes qu'il a employés. Vaux fut-il vraiment le foyer du premier décor versaillais, comme toute étude du château ne manque pas de le clamer, et en quoi le style des différents intervenants fut-il incliné par leur collaboration au chantier du décor ?

Récemment étudiée par Jean-Marie Pérouse de Montclos, la décoration du château réclame encore un examen approfondi[8]. Foucquet reste avant tout comme le premier employeur de Le Brun sur une grande échelle, l'association du peintre avec Le Vau et la réunion de deux artistes aux styles si riches d'affinités ayant déjà donné à l'hôtel Lambert les preuves de son efficacité. La réussite du décor tient peut-être d'abord à son unité, à travers un nombre de pièces assez grand, et à son homogénéité, malgré la participation d'artistes assez divers – Pérouse de Montclos a ainsi raison de rappeler l'importance probable de Jean Cotelle.

6. Bonnafé, 1982, p. 39.
7. Idem, *op. cit.*, p. 72.
8. Pérouse de Montclos, 1994.

Rien d'éclatant n'y manque…

L'esthétique et le statut des arts du décor en France dans la première moitié du XVIIᵉ siècle

Qu'est-ce que l'art du décor en France au XVIIᵉ siècle ? La réponse ne tarde jamais longtemps : Versailles, Boulle, Berain. Si les grands peintres, les Poussin et les La Tour, appartiennent bien à la première moitié du siècle, cet art du décor serait l'apanage du Grand Siècle, celui qui naît en 1661. Et si le Louis XIII est un style, il s'agit au mieux du goût de la colonne torse en noyer ou en bois sombre, en vertu de ce principe qui veut qu'une époque ressemble à son roi – et celui-là porte une fâcheuse réputation d'austérité. Pourtant, à l'examen, c'est bien la vigueur de l'esprit inventif qui déconcerte, son bouillonnement de formes parfois contradictoires qui conjugue le masque et le pilastre, le monstrueux et le corinthien, dans un détonnant mélange d'ébène, d'or et de couleur.

Pour un contemporain de Louis XIII, la discrimination de ces arts décoratifs ou somptuaires, que l'on aime encore à dire mineurs, et des beaux-arts, n'a pas de sens. « *Il n'y a pas de connaissance si basse qu'un grand génie ne relève, ni de métier si peu considéré qu'une illustre main ne rende recommandable* », écrit fièrement à Foucquet un jardinier du Roi, Claude Mollet[1] : c'est la puissance d'invention et le talent de la main qui font la qualité de l'œuvre. Quand Mᵐᵉ de Motteville relève que le comte de Béthune « *était un homme d'honneur dont la capacité était médiocre, qui était curieux de pièces antiques, de livres et de tableaux[2]* », elle ne fait qu'énoncer une opinion aristocratique : s'intéresser à la peinture pour elle-même est encore une bizarrerie, ressortant d'une certaine médiocrité.

Mais la période est celle qui voit peinture et sculpture revendiquer un statut éminent. La fondation de leur Académie (1648) marque la reconnaissance officielle de cette prétention, et la tension qui oppose arts « libéraux » et arts « mécaniques » est l'une des plus fortes de l'activité artistique. À cette tension fait écho, sans lui correspondre tout à fait, la concurrence des corporations et des artistes protégés par le Roi. Les arts du décor sont traversés en réalité par de multiples ambivalences, comme celle de l'usage et de la collection, ou, pour reprendre une distinction de Furetière, des meubles meublants et des meubles précieux ou celle d'un goût pour l'opulence formelle des Flandres et d'une attirance impérieuse pour l'autorité des formes antiques. L'arrière-plan moral et religieux qui tantôt condamne, tantôt exalte la beauté décorative des objets précieux, n'en nourrit pas la moindre. Qui voudrait comprendre cette effervescence artistique et dégager ses lignes de force n'en doit négliger aucune.

Il importe peut-être d'abord de retrouver quels regards la sensibilité du temps a posés sur ses objets. Le public des arts est en pleine mutation dans la première moitié du siècle. Les mœurs masculines se polissent au contact des cercles féminins, et le sentiment du beau conquiert lentement son autonomie dans la sphère des plaisirs du gentilhomme[3].

De l'ornement au luxe : l'esthétique et la valeur des arts du décor

S'il est alors une notion qui définit ce que l'on qualifie aujourd'hui de décoratif, c'est celle de l'ornement. Orner[4] : « *Parer, rendre une chose plus belle, plus agréable, plus riche. Les femmes sont curieuses d'orner leurs maisons de riches meubles, de lits, de tapisseries, vases, etc, d'orner leur habit de dentelle. Les perles, les pierreries ornent bien une Princesse. Une belle perruque, de belles plumes ornent bien un Gentilhomme. Se dit aussi figurément en morale, de ce qui pare notre âme. Une grande Dame doit être ornée de toutes sortes de vertus[5].* » Tout est dit par Furetière : l'alliance de ce qui plaît et de ce qui est riche ; le

1. Mollet, 1652, préface.
2. Motteville, 1657, p. 461.
3. Voir Magendie, 1925.
4. Même si sa publication est tardive (1690), le dictionnaire de Furetière reflète bien des mentalités du milieu du siècle et ses définitions sont précieuses. L'auteur, né en 1620, commença à écrire dans les années 1640.
5. *Parer* a une définition presque identique.

Fig. 1. La chambre du Roi.
Cheverny, château.

rôle déterminant des femmes ; la hiérarchie des objets ; la place du vêtement ; la notion de convenance au rang des personnes ; et l'extension de la notion à un registre moral.

Ce dernier aspect est consubstantiel à une mentalité qui reste humaniste à beaucoup d'égards en cette première moitié de siècle, et qui veut que les biens artificiels dont on se pare soient l'exact reflet d'une éducation intérieure : « *Magnifique : celui qui est splendide, somptueux, qui se plaît à faire dépense en choses honnêtes. C'est la principale qualité des Princes, d'être magnifiques. Le magnifique ne fait état des richesses, que pour faire paraître la grandeur de son âme, sa libéralité.* » L'art décoratif a pour principale fin de montrer. Si la peinture raconte, il représente, il manifeste un état invisible, celui du rang, de la noblesse, de la vertu. Il est alors naturel que la notion de décor soit associée à un événement public : « *Décoration : ornement dans les Eglises & autres lieux publics. Les Echevins doivent appliquer leurs soins à la décoration de la ville. On le dit particulièrement de la scène des théâtres.* »

Cette qualité démonstrative va de pair avec sa nature expansive, que marque bien le terme d'enrichissement : « *Se dit tant au propre qu'au figuré, des ornements qu'on ajoute à quelque chose. Les dorures, les broderies sont les enrichissements qu'on met aux meubles, aux habits.* » L'ornement n'est pas tant la richesse de la forme décorative que l'enrichissement qu'elle apporte – une telle définition porte toute sa condamnation, dans une sphère religieuse puis esthétique, comme élément inutile, superflu et vain[6].

Les réflexions sur l'art d'écrire et l'art oratoire livrent tous les enjeux de ce statut ambigu. « *En rhétorique et en poésie on appelle les figures, les ornements du discours* », comme le rappelle Furetière. Parler avec ornement, pour un Guez de Balzac, c'est bien parler[7]. Mais Charles Sorel peut remarquer : « *On a en grande estime M. Le Prieur Ogier, qui a fait imprimer des sermons et des panégyriques, où la pureté de langage se trouve avec des ornements très raisonnables[8].* » C'est que l'ornement a, même dans l'ordre du discours, une qualité matérielle qui flatte dangereusement les sens. Sorel : « *Il n'est pas défendu d'accompagner* [la parole de Dieu] *des ornements du discours pour toucher les esprits, et s'accommoder à la faiblesse humaine[9]* » ; ou encore, parlant des romans : « *Nous y souhaitons tous les ornements que l'on peut donner à des ouvrages de plaisir[10].* » L'ornement est de l'ordre du plaisir et de la séduction, comme l'indique encore le terme « galanterie » employé par un Mazarin pour désigner ses cadeaux précieux.

Lorsqu'il affirme que « *la poésie est un art plein de fureur qui cherche ses ornements dedans le mélange[11]* », Sorel définit toute une esthétique, qui en particulier s'applique admirablement aux gemmes. La vivacité et l'accumulation, l'exubérance en un mot, paraissent en effet les deux maîtres principes de cet imaginaire du décor que les textes littéraires laissent entrevoir lorsqu'ils décrivent les intérieurs les plus somptueux qui puissent se concevoir. Ainsi, Tristan L'Hermite :

6. Il est ainsi frappant de constater la richesse du vocabulaire qui désigne des objets de peu de valeur. Chez Furetière, on trouve dans les cabinets mal meublés des colifichets, fatras, friperies, guenilles, gueuseries, marmousets, racailles, brimborions, ravauderies, vieilleries.
7. Balzac (1654, p. 303) : « *Quel exces remarquez-vous en une façon de parler, qui est si commune à ceux qui parlent avec ornement ?* »
8. Sorel, 1664, p. 239.
9. Idem, *op. cit.*, p. 18. Nous soulignons.
10. Idem, *op. cit.*, p. 163.
11. Idem, 1627, p. 518. Nous soulignons.

« *Nous sommes avec lui passés dans une chambre*
Où l'air qu'on respirait n'était rien qu'esprit d'ambre ;
Ce n'étaient en ce lieu qu'ornements précieux
Dont l'éclat magnifique éblouissait les yeux
Que meubles d'orient, chefs-d'œuvre d'une adresse
Où l'art débat le prix avecque la richesse
Que miroirs enrichis d'extrême grandeur[12]. »

Ces vers disent bien, entre mille[13], que la beauté « *des arts industrieux*[14] » naît d'une triple entente, entre la richesse de la matière, l'habileté de la façon et la proximité à la nature, et, sur un autre plan, la variété des matières et des motifs, l'intensité de leurs couleurs, la concurrence des techniques (fig. 1). Sous un tel regard, les vases en pierre dure pouvaient à bon droit revendiquer le premier rang, et l'on comprend que le jeune Louis XIV les appréciât par-dessus tout. L'éclat semble la fin ultime de tous ces arts, parce que la beauté est ce qui éblouit, ce que les yeux ne peuvent supporter – une telle définition n'est pas sans arrière-plan religieux, mais elle marque d'abord l'importance du métal et des pierres polies, indépendamment de leur prix.

Cette beauté vient d'ailleurs, de l'Orient – le goût des laques du Japon et des porcelaines de la Chine naît alors en France – ou des temps antiques, et l'imaginaire s'exalte quand les deux se mêlent : le luxe par excellence, c'est celui des Mèdes ou des Perses. Mais la nature est la grande prêtresse de cette religion de la beauté. On ne saurait comprendre ce sentiment du décor si l'on oublie à quelle hauteur on a mis alors la beauté des fleurs et des jardins, qu'il s'agissait tout ensemble d'imiter et de dépasser.

Les pamphlétaires[15], les voyageurs ou les historiens n'emploient pas d'autre vocabulaire ni d'autres exclamations devant des œuvres bien réelles. Dans les années 1650, Sauval s'enthousiasme ainsi, à l'hôtel de La Vrillière, pour « *un balustre de fer, simple véritablement, mais bien pensé, & travaillé avec autant d'art que de patience, & quoique tous ses enroulements soient fort ordinaires ; que leurs contours ne se fassent valoir, ni par la variété ni par le nombre, & qu'enfin ils soient tous semblables ; cette ressemblance néanmoins, par tout ailleurs si ennuyeuse, est ici, je ne dis pas seulement plaisante, mais admirable. Le fer en est si proprement manié, si justement roulé, mené, & distribué si gaiement, que c'est tout dire, qu'il a été exécuté par Jean-Baptiste Chapperet, homme reconnu de tous les gens du métier pour le plus adroit Serrurier de ce siècle : du fer, disent-ils, il en fait tout ce qu'il veut, il met en exécution dessus tout ce qui lui vient en pensée.* [...] *Les aigles qu'il y a représentés semblent vivants, les fruits vrais, en un mot tous les autres enrichissements sont taillés avec une telle mignardise, que cela est étonnant, tant ils approchent la nature ; aussi ce vase a-t-il paru à l'ouvrier même si achevé, qu'il n'a pu s'empêcher d'y graver son nom, & son surnom*[16]. »

Pourtant, les témoignages du temps s'attachent aux vêtements bien plus qu'aux intérieurs – les premiers n'ont pas survécu malheureusement, et l'art vestimentaire, comme les tissus en général, font défaut à notre rétrospective. Le vêtement était bien l'art de représentation par excellence, celui qui incarnait au mieux les aspirations sociales. L'éclat, plus qu'ailleurs, en est le paradigme – clinquant est à l'origine un terme du vêtement[17]. Aucun autre art n'a donné naissance à une si abondante littérature, mondaine et administrative[18], et celui-ci peut représenter une sorte de prisme où s'éclairent les différents aspects des arts du décor. Sauval tendait d'ailleurs à ranger les meubles, notamment ceux d'étoffe, du côté de la mode : « *Quoiqu'il* [l'hôtel de Rambouillet] *soit orné d'ameublements fort riches, je n'en dirai rien néanmoins, parce qu'on les renouvelle avec la mode, & que je ne parle que des choses qui ne changent point.* » Furetière nous apprend que la mode « *se dit plus particulièrement des manières de s'habiller suivant l'usage reçu à la Cour* » : elle est la règle de goût que la cour édicte et elle se décline selon les rangs. Aussi la convenance est-elle le théorème du décor – « *la plus universelle des règles* », affirme d'Aubignac, à propos du théâtre[19]. L'agent de Mazarin à Rome, l'abbé Benedetti, ne cesse de le répéter pour faire valoir ses acquisitions : tel cabinet est digne d'un prince, tel autre surpasse celui de « *M. di Lione*[20] ».

« *Les François changent tous les jours de mode* », ajoute Furetière. La nouveauté est un principe majeur de la dynamique des arts. Les légendes nées autour des frappantes inventions de Mme de Rambouillet en sont un signe dès le début du siècle, et le « *nouvellement inventé* » dont se targuent souvent les gravures d'ornement en est l'indice le plus net. L'apparition de motifs nouveaux était rendue nécessaire par l'effet de séduction que l'on demandait aux arts du décor, et dont la surprise était un ressort essentiel. Leur nature fondamentalement éphémère[21] en est un corollaire, l'orfèvrerie est fondue dès que les espèces manquent.

12. Tristan L'Hermite, 1645.
13. Voir aussi par exemple, Desmarets de Saint-Sorlin, 1653, Chapelain, 1656, et surtout Georges de Scudéry, 1654, notamment les v. 2645 et *sqq.*, et v. 2927 et *sqq.*
14. Georges de Scudéry, *op. cit.*, v. 2930.
15. Voir notamment les intéressantes *Satires* de Sonnet de Courval (1627), en particulier la cinquième, « Contre les financiers ».
16. Sauval, 1725, p. 229.
17. Pièce de broderie d'or ou d'argent rapportée sur les habits pour les faire paraître plus brillants. Voir Godard de Donville, 1978.
18. Voir la bibliographie rassemblée par Godard de Donville dans sa remarquable étude *(op. cit.)*, à laquelle nous empruntons la majeure partie de notre information.
19. Aubignac, 1657.
20. Cité par Michel, 1999, p. 156, notes 26 et 28.
21. Chastel, quant à lui, avait ainsi vu dans le ballet et les fêtes les arts qui résumaient le mieux l'esthétique des années 1610-1630.

« *Les marchands gagnent au changement des modes* », conclut Furetière d'une pointe ironique. Le maréchal de Bassompierre avoue avoir entrepris de se faire tailler un costume de 14 000 écus pour le baptême de Louis XIII[22]. Les édits du Roi contre le luxe des habits, qui frappent tant par leur sévérité que par leur inefficacité[23], tentent d'enrayer l'hémorragie de la richesse vers l'Italie ou l'Espagne, grands pourvoyeurs de tissus de prix et de fils d'or et d'argent. Ces règlements n'ont pas pour seul souci l'économie, ils ont aussi un arrière-plan moral. La dépense somptuaire, que l'on exige du roi, est réprouvée par la religion chez ses sujets, et la notion de luxe est péjorative. Jacques Esprit : « *Ils* [les chrétiens] *sont modestes dans leur dépense, pour fuir le luxe qui est condamné par l'Evangile, et même par la morale païenne*[24]. » Pour Furetière, il s'agit d'abord d'une « *mollesse qui se contracte dans l'abondance, dans la fainéantise, & dans un entier abandonnement aux plaisirs. [...] Les trésors de l'Amérique ont amené le luxe en Europe. Le luxe des habits, des meubles, des tables, des équipages* [on notera l'ordre] *de la France a égalé celui de l'ancienne Rome. Les Prédicateurs ne peuvent corriger le luxe des femmes* ». Du Bosq : « *Je ne crois pas qu'il y ait plus de péril à embellir des visages, qu'à enchâsser des pierreries ou à polir des marbres. On aime les lambris, on dore les épées, on enrichit les habits, on pare tout jusqu'aux temples mêmes : pourquoi défendrait-on les parures quand elles sont honnêtes et quand les desseins ne sont pas mauvais, puisqu'on permet cela pour toutes les autres choses*[25] ? » À quoi Christine de Suède répondait que le luxe est une espèce d'aumône secrète[26].

Ce souci économique amène à s'interroger sur la valeur des divers produits des arts du décor et sur la façon dont leurs coûts respectifs pouvaient les hiérarchiser.

Dans les intérieurs des plus riches, les inventaires permettent par leurs estimations d'établir une certaine hiérarchie, parfois inattendue, entre les différents domaines du décor[27]. Prenons le simple exemple en 1634 d'une chambre de François-Annibal d'Estrées, maréchal de France : une grande table de noyer y vaut 10 livres, mais son tapis de Turquie 120 livres ; un grand cabinet d'Allemagne d'ébène 400 livres ; un moyen cabinet d'ébène, peint au-dedans, 120 livres ; les deux fauteuils et leurs escabeaux ployants garnis de velours rouge cramoisi, avec passements, larges franges d'or et argent et crépine de soie s'élèvent à 120 livres ; les deux grands rideaux de taffetas rouge avec leurs cordons à 36 livres ; les deux grands tapis de Turquie servant de parterre à 100 livres ; les deux grands miroirs d'ébène à 120 livres ; un chandelier de cristal à 12 branches servant à mettre au plafond vaut 50 livres ; et une tenture de tapisserie de Bruxelles en 10 pièces représentant des batailles 2 000 livres[28] – mais dans une autre pièce, une tenture de l'*Histoire d'Arthémise* en 8 pièces monte à 7 000 livres. Pas de lit ici, mais le plus prestigieux de la demeure atteint 2 500 livres, et les bijoux, pierreries montées en chaîne, s'élèvent à 4 000 ou 8 000 livres pièce. L'orfèvrerie pèse lourd : 1 800 livres pour deux douzaines d'assiettes, 2 500 livres pour une cuvette, 2 015 livres pour deux grandes buires...

Pierreries et bijoux mis à part, qui pouvaient prendre une valeur strictement monétaire, on peut dire que deux techniques se disputent la prééminence dans la valeur du mobilier : les textiles et l'orfèvrerie[29]. Les premiers ont non seulement des prix élevés, mais ils sont très abondants ; les garde-meubles conservent plusieurs parures de lit, au sens de l'époque, que l'on change au gré des saisons. Les mentions de housses sont fréquentes et disent bien le soin que l'on avait de protéger ces choses précieuses de la lumière ou de la fumée des cheminées. Les tapis de Savonnerie étaient aussi des pièces de luxe. Chez le duc de Sully, en 1661, un grand tapis atteint 1 000 livres, cinq fois plus que les tapis « rhodiens » de même taille[30]. Mais ce sont surtout les tapisseries de lice qui représentent l'élément textile de prestige. On a coutume de dire qu'elles tiennent d'abord cette qualité des fils d'or et d'argent qu'elles contiennent parfois. Cependant, des tentures ont pu être estimées à des prix considérables sans qu'il soit fait état de tels fils[31], alors que les inventaires mentionnent en général la moindre frange d'or sur une garniture de chaise. L'exemple, il est vrai exceptionnel, de Mazarin, dont la tenture de *Scipion* atteignait la somme fabuleuse de 100 000 livres, montre bien que les tapisseries pouvaient être des objets de collection au sens moderne, c'est-à-dire recherchées pour leur caractère unique.

Il importe de savoir dans quelles mesures respectives on estimait la façon et la matière. La réponse semble varier selon les techniques. L'orfèvrerie est toujours estimée au poids, qu'il s'agisse d'une assiette ou d'un meuble d'argent massif chargé d'ornements – de 26 livres le marc d'argent blanc, de 28 à 30 livres le marc d'argent doré – tandis que l'or monte jusqu'à 400 livres[32]. L'indication du décor y est rare. On la rencontre chez Mazarin, qui lègue un vase « *très riche, entièrement travaillé en figures de relief*[33] ». Mais c'est la valeur liquidative qui compte : l'orfèvrerie représente une sorte de richesse « pure » mise en forme. S'ajoute à cet aspect un rôle d'usage plus fort que pour des techniques comme la tapisserie, même

22. Michaud et Poujoulat, 1837, VI.
23. Godard, 1978, p. 214-219, en a publié quelques-uns.
24. Esprit, 1678, p. 69.
25. Citée par Godard, *op. cit.*, p. 195.
26. Christine de Suède, 1994, p. 225, maxime 582.
27. À condition que l'on compare surtout les prix d'un même inventaire. L'on constate pour certains objets, comme les tapisseries, une bien plus grande homogénéité que pour les tableaux. Mais une étude statistique des inventaires du temps, par grands domaines, reste à entreprendre.
28. AN, MC, XLII, 85. L'inventaire est fait à l'occasion de la mort de sa première femme. La présence d'experts spéciaux, pour les tableaux, pour les tapisseries et pour les pierreries et joyaux signale le rang de l'hôtel.
29. Ainsi, dans l'inventaire de Mazarin, elles représentent 10,75 % et 8,80 % du total des objets précieux. Voir Michel, 1999, p. 472.
30. Inventaire de Maximilien-François de Béthune, duc de Sully, 19 juillet 1661, AN, MC, LXXXVII 196.
31. Voir la tenture de l'*Histoire de Lucrèce* de Richelieu, de 32 aunes, prisée 20 000 livres (Levi, 1985, n° 605), alors que la tenture précédente, à grotesques, de 43 aunes, à 32 000 livres, comporte bien des fils d'or et d'argent.
32. C'est le cas dans l'inventaire d'Anne d'Autriche. Voir Cordey, 1930.
33. Cité par Michel, *op. cit.*, p. 173, note 229.

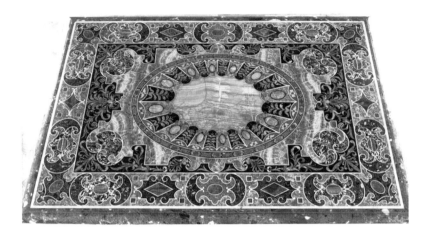

Fig. 2. Plateau d'une table en mosaïque de marbre
et pierres dures, provenant du château
de Richelieu. Paris, musée du Louvre,
département des Objets d'art.

si un Furetière rangeait la vaisselle d'argent parmi les meubles précieux, c'est-à-dire « *les superfluités qui ne servent que d'ornement*[34] ».

Entre ces deux extrêmes, les meubles trouvent une lente reconnaissance par la diffusion de l'ébénisterie, qui leur confère une note précieuse nouvelle. Chez Richelieu, un grand cabinet d'ébène, dont la description insiste sur la sculpture, atteint 1 000 livres en 1642, presque le prix du *Moïse sauvé des eaux* de Poussin[35], et des tables en marqueterie d'écaille de tortue et d'argent ou les horloges d'ébène à incrustations de laiton se signalent par des niveaux de prix nouveaux pour des meubles sans textile. Mais ce sont surtout les pierres dures (fig. 2) qui font des meubles des objets de luxe : une table atteint ainsi 2 500 livres[36], prix qui se rapproche de ceux des tentures de tapisserie. Chez Mazarin, vingt ans plus tard, un cabinet s'élève à 6 000 livres et une table à 10 000 livres, soit, comme le remarque Patrick Michel, à la valeur des tableaux les plus précieux[37].

À de tels niveaux de prix, l'intérêt des souverains pour encourager les arts du décor était d'abord d'ordre économique. Furetière ne dit pas autre chose que Christine de Suède quand il écrit que « *la magnificence fait subsister le peuple, les ouvriers*[38] ». Henri IV l'avait déjà compris, lorsqu'il entendit faire profiter l'économie nationale de ce goût effréné de la dépense somptuaire, en fondant des industries qui répondissent à ces besoins. L'attachement à la cour d'artisans spécialisés est un acte qui trouve des antécédents. Mais l'énorme subvention consentie aux lissiers flamands François de La Planche et Marc de Comans, et surtout l'installation systématique d'ouvriers dans la maison même du Roi, au Louvre, sont d'une signification inouïe – les ateliers du grand-duc de Florence pouvaient paraître modestes en rapport.

La variété des techniques représentées est la principale originalité de ces ateliers. Sur la soixantaine d'artistes que l'on peut identifier au Louvre entre 1600 et 1660, nous trouvons quinze orfèvres, dix peintres, six sculpteurs, six fourbisseurs, quatre tapissiers, quatre graveurs, trois menuisiers et ébénistes, trois horlogers, deux ingénieurs, deux architectes, un linger, un brodeur, un décorateur[39] – sans oublier l'Académie de peinture et de sculpture, à laquelle les graveurs furent vite intégrés. Une trentaine de places leur offrait un statut à part, notamment une fiscalité privilégiée[40], et certains pouvaient prétendre au titre de valet de chambre du Roi. Comme le répète encore un édit de 1671, l'objectif était « *de les distinguer du commun des autres artisans et d'exciter par cette marque d'honneur dans l'esprit d'un chacun une louable émulation de se perfectionner davantage en sa profession* ». De fait, selon Sauval, ces artisans étaient « *tous en grande réputation et les premiers chacun de leur siècle, chacun en son genre*[41] ». Ceux dont

34. Furetière, 1690, article « Meuble ».
35. Levi, 1985, nos 846 et 1044 (1 200 livres).
36. Idem, *op. cit.*, 1985, no 1260.
37. Michel, 1999, p. 424.
38. Furetière, *op. cit.*, article « Magnificence ».
39. Compte fait sur les études de Huard, 1939, et Guiffrey, 1873.
40. Un édit de 1648 les exempte, par exemple, des taxes pour les pauvres ou de l'entretien des bornes, lanternes et pavés.
41. Sauval, 1725, II, p. 40.

il subsiste quelque chose appartiennent bien à l'élite de leurs domaines respectifs, même si un proverbe, dont Sauval se fait l'écho, affirme que « *tous les bons maîtres ne logent pas à la cour du Louvre*[42] ».

Il est révélateur de constater que les lettres patentes de 1608 parlaient de faire venir les plus habiles artisans de province, tandis que celles de 1671 parlaient d'attirer ceux qui « *se sont acquis une réputation extraordinaire, non seulement dans l'étendue de notre royaume, mais encore dans les pays les plus éloignés*[43] ». Le Louvre devint un atelier de produits de luxe, que les étrangers de marque se devront d'inclure dans leur visite de la capitale. Ainsi, les frères hollandais Villiers insistent-ils en 1658 sur ce cosmopolitisme : « *Nous allâmes à la galerie d'en bas, qui est d'environ sept cens pas et aussi grande que celle d'en haut. Les plus excellents artisans de l'Europe y travaillent, et c'est le Roi qui les y loge. Henri IV l'avait destinée pour des Flamands et Hollandais qu'il y voulait attirer, à cause qu'ils sont d'ordinaire plus propres et plus industrieux que ceux des autres nations*[44]. » Cette fonction de faire-valoir est sensible dans la politique de Richelieu, par exemple lorsqu'il déclarait vouloir réunir tous les cristaux du Roi « *pour en faire un beau cabinet dans le Louvre, qu'on puisse montrer aux étrangers*[45] ».

De la cosse de pois à la naissance du « grand goût »

Ces deux premiers tiers du siècle voient se formuler la question d'un style, ou plus exactement d'un faste proprement français. Les propos de Colbert rappelant à Louis XIV la nécessité pour un roi d'avoir des bâtiments magnifiques sont souvent rapportés, mais on trouve les mêmes vingt-cinq ans plus tôt dans la bouche de Richelieu : « *L'opulence des meubles est d'autant nécessaire, que les étrangers ne conçoivent la grandeur des Princes, que par ce qui en paraît à l'extérieur*[46]. » La France aspirait à se poser comme exemple. L'idée d'une *translatio studii,* d'un transfert du savoir lettré de Rome à Paris, était déjà ancrée dans les esprits[47], et les travaux de l'Académie française, sous l'égide de Richelieu, manifestent un désir d'élever la langue nationale à l'universalité du latin[48]. La fondation des ateliers du Louvre, nous l'avons vu, inaugure une politique royale du décor, dont celle de l'Académie de France à Rome en 1666, concomitante de la venue du Bernin et de son échec, représentait une sorte de couronnement.

Le plus frappant, dans ce pan de l'histoire de l'art français, n'est pas tant cette prétention presque arrogante, que son succès. Les étrangers ont tôt reconnu aux productions parisiennes, d'abord aux tapisseries, puis aux meubles, une qualité éminente. Dans les années 1660, cette réputation d'exemplarité du goût français, ce « grand goût » que vante Abraham Bosse, semble avoir été bien établie au-delà des frontières.

Cela n'a pu se faire sans une active synthèse d'apports venus du Nord et d'autres cherchés au Sud[49], qui correspondait à un goût pour la rareté de l'objet venu de loin[50]. Ces deux premiers tiers du siècle sont un temps d'assimilation, et la meilleure manière de rendre compte des formes du décor est de les saisir à la confluence de leurs sources d'inspiration.

Du point de vue du style, il y a dans cette époque deux périodes nettement tranchées. Si les années 1600-1630 sont souvent rangées sous la bannière d'une Renaissance tardive, c'est sans doute qu'y domine un certain éclectisme, où des éléments fantastiques bousculent des réminiscences de l'antique, dans un esprit qui n'est pas sans rappeler les visions parfois hallucinées de l'art de Fontainebleau, si déterminant pour l'art décoratif français. On oublie trop le rayonnement que continua d'avoir le château au XVIIᵉ siècle, dans l'attente des nouveaux habillages du Louvre et de la création de Versailles. Il demeurait la résidence favorite du nouveau Roi et de sa femme, qui continua d'y faire effectuer des travaux considérables jusqu'au début des années 1660. Le surintendant des Bâtiments, François Sublet de Noyers, dont nous connaissons l'importance pour le virage classique des années 1640, avait en charge sa conservation depuis 1637 et veillait à ce que les ambassadeurs n'y manquent pas d'argenterie. C'est là que l'on devait se rendre pour admirer les chefs-d'œuvre des collections de peinture royales. Dans les années 1620, un Flamand, Théodore Van Thulden, grava toute la galerie d'Ulysse pour l'éditer à Paris. Un architecte-décorateur comme Pierretz reproduisit encore dans les années 1640 un ensemble de panneaux ornementaux tirés du Primatice – ou, plus vraisemblablement, de Scibec de Carpi.

La tapisserie a fortement contribué au prolongement tardif de l'esprit de Fontainebleau[51], comme le marquent les bordures. Mais les compositions mêmes ont souvent de l'ampleur, trop dépréciée par les historiens de la peinture. Certaines, comme le *Coriolan reçoit une députation de Rome* (fig. 3) de la tenture de l'*Histoire de Coriolan*, avec ses figures rigoureusement campées en frise et son attirail antique, dénotent un classicisme que l'on serait en peine de trouver dans la peinture du temps, qui peut paraître archaïque

42. Idem, *op. cit.*, II, p. 41.
43. Guiffrey, *op. cit.*, p. 42.
44. Villiers, 1862, p. 285. Nous soulignons.
45. Septembre 1642. Cité par le Pas de Sécheval, 1992, p. 45.
46. Le Pas de Sécheval, 1992, p. 44.
47. Waquet, 1988.
48. Voir sur ce point les analyses de Fumaroli, 1982.
49. Là moins qu'ailleurs, on ne peut limiter les arts décoratifs en France à la production française : les cabinets d'Allemagne, dans l'ambiguïté de leur appellation, le rappellent amplement. Il faudrait prendre en compte les objets importés, leur place dans les intérieurs, pour saisir toute la dynamique de cette synthèse.
50. Voir par exemple Urfé : « *Au-dessous des frises dorées et chargées de ce que les pays étrangers ont de plus rare, se voyait une seconde frise, qui avec diverses sortes de festons rapportait un très grand ornement à cet édifice* » (1631, p. 82) ; nous soulignons.
51. Voir *infra*, notre introduction p. 149.

Fig. 3. *Coriolan reçoit une députation de Rome,* tapisserie. Paris, Mobilier national.

mais aussi d'avant-garde, et plus proche d'un La Hyre que d'un Lallemand. De même, les maigres dessins de Caron pour l'*Histoire d'Arthémise* prennent une monumentalité presque inattendue à l'échelle de la tenture, et il est bien possible que la tapisserie ait joué un grand rôle, trop peu mis en valeur, de transition entre deux époques classiques.

L'italianité de Fontainebleau fut relayée à Paris par le plus grand palais urbain construit au début du siècle, celui du Luxembourg[52], avant de l'être à nouveau par l'ameublement du palais Mazarin, dont un Bolonais, Sebastiano Locatelli, pouvait dire, en 1664, que « *l'intérieur en est complètement à l'italienne*[53] ». Les tables en pierres dures en étaient l'exemple le plus typique, et l'un des efforts les plus actifs de la nouvelle Manufacture royale installée aux Gobelins sera d'égaler la beauté des prestigieuses productions des ateliers du grand-duc de Toscane.

Toutes les techniques du décor ont eu leur tropisme italien. La céramique de Nevers offre un autre aspect d'une importation presque directe d'objets italiens, où des décors urbinesques adoptèrent lentement un ton français. Le verre d'ameublement, notamment celui qui servait aux miroirs, continuait lui aussi de venir d'Italie, de Venise surtout, et c'est de ce côté que Richelieu, avant Colbert, et dès 1634, se tourna pour transférer en France un savoir-faire indispensable aux industries du luxe. Les textiles de Gênes, de Milan et les brocarts de Florence fournirent tout au long de la période les éléments les plus précieux des meubles de tissu.

L'estampe montre bien que l'on continuait de demander à l'Italie des modèles, alors même que la production de gravures d'ornement n'était alors ni très abondante ni de très grande qualité outre-monts. Les cartouches de Zuccaro ou de Mitelli furent édités par Firens ou Langlois, des masques et des Amours du Vénitien Farinati par Bosse. Lepautre dans sa jeunesse imita encore Radi. Mais il n'y a là aucune figure de premier plan : si l'Italie demeurait un fournisseur sans concurrent pour certains objets de luxe, l'invention des motifs et la séduction des formes venaient bien plutôt du Nord.

Le règne de Louis XIII est une saison flamande, avant tout par la présence massive à Paris d'artistes flamands[54]. Dans certains domaines, comme la gravure, elle est presque dominante avec les Tavernier, de Leu, Firens ou Moncornet, et c'est grâce à eux que Paris devint peu à peu la plaque tournante européenne de l'estampe. La gravure d'ornement s'en trouva naturellement imprégnée de modèles flamands. Les parutions de recueils avec des titres en flamand et en français à Amsterdam montrent bien que l'on prêtait attention jusqu'aux nouveautés des Pays-Bas du Nord. Certains artistes, comme Crispin II de Passe, tissent par leurs déplacements un maillon serré entre les deux pôles[55]. Pour un œil du temps, la tapisserie est un art essentiellement flamand, et sa multiplication dans les intérieurs parisiens de

52. Nous savons malheureusement peu de chose de son premier décor. Voir Baudouin-Matuszek, 1991.
53. Locatelli, 1905, p. 129.
54. Voir Weigert, 1968. Dans cette sphère d'influence nordique, on néglige trop l'Allemagne. La gravure d'ornement est un art où les artistes de Bavière continuent de produire des modèles dont s'inspirent les orfèvres de Paris. Les deux techniques ont toujours eu partie liée : on trouve en abondance dans les inventaires de l'argent vermeil poinçon d'Allemagne. De même, l'art du placage en ébène paraissait aux yeux des contemporains de Louis XIII comme un art venu d'outre-Rhin.
55. Établi à Paris, entre 1617 et 1630, il publie en 1642 une version augmentée de l'*Oficina Arcularia* éditée par son père, Crispin I de Passe, en 1621 à Utrecht, avec des planches de meubles, dont une chaise porte les armes de France, comme nous l'a signalé Peter Fuhring.

Fig. 4. La chambre du Roi.
Oiron, château.

qualité, grâce à la production active des nouveaux ateliers, peut apparaître comme la diffusion d'un goût nordique. Les La Planche de la deuxième génération continuent de recruter en masse leurs ouvriers dans les Flandres. Jean Valdor, originaire de Liège, logé au Louvre, marchand, entrepreneur, éditeur aussi bien que graveur, fait tisser à Bruxelles des cartons français (cat. 94). La correspondance de Picard révèle un important courant de meubles en placage d'écaille entre Anvers et Paris[56]. Laurent Septarbres, installé à la galerie du Louvre, est un Flamand, Jean Macé s'enorgueillit dans son brevet de logement de sa formation aux Pays-Bas, et c'est un Hollandais, Pierre Gole, qui est l'ébéniste clé du milieu du siècle. Varin – ou Warin – se vantait d'avoir été appelé par le Roi en 1627 sur sa renommée. Les orfèvres ne sont pas en reste, comme leurs patronymes l'indiquent souvent. Dans la peinture, de Dubreuil à Champaigne, sans oublier les portraitistes, Pourbus, Ferdinand Elle ou Juste d'Egmont, la même polarisation se manifeste. Une confrérie de la nation flamande est même créée en 1625, avec pour siège l'abbaye de Saint-Germain-des-Prés, dont le quartier abrite une grande part de la communauté.

Mais celle-ci n'aurait pu s'implanter si bien s'il n'y avait pas une sorte de rencontre entre le penchant traditionnel de l'art flamand pour l'utilisation de motifs végétaux et un goût exceptionnellement aigu en France à cette époque pour les fleurs et pour la nature – et, plus généralement, entre une vieille tendance à l'opulence et un désir de montrer une richesse retrouvée. Pour un contemporain de Louis XIII, un beau jardin est la plus belle œuvre qui puisse être[57], et ce n'est peut-être pas un hasard si l'un des premiers artistes français à réussir à l'étranger fut un jardinier, André Mollet, appelé par les cours de Hollande et d'Angleterre[58]. Festons de fruits et guirlandes de fleurs envahissent l'architecture comme les bordures de tapisserie. Ils pendent littéralement du plafond de la chambre du Roi à Oiron (fig. 4). Les dessins du frère Martellange montrent bien jusqu'où pouvait aller dans la menuiserie l'emploi d'enroulements végétaux gras et proliférants[59] (cat. 1 à 4).

Ce goût pour le végétal explique peut-être l'aspect rond et onduleux, avec des accents tranchants et nerveux de feuilles séchées qu'acquièrent toutes les formes à cette époque et qui rompt avec la géométrie rectiligne et architecturale de la période précédente. L'évolution des cartouches en est un témoin éloquent : les enroulements de Fontainebleau, réguliers, où l'angle droit a toujours sa part, deviennent hirsutes, bombés, taillés en pointe. Le naturalisme flamand évolue à Paris dans une stylisation volontiers précieuse, où les feuilles et les pétales affectent des contours aigus. L'époque est à la métamorphose. De la feuille on aboutit à l'aile de chauve-souris. Les dragons prêtent leurs formes aux anses des vases précieux. Tout ce qui peut suggérer l'instable, le caché ou le dévoilement est employé à foison : rubans, masques débordants, peaux de lion, ailes déployées. La sensibilité réclame du piquant, là aussi bien que

56. Voir Lunsingh Scheurleer, 1984.
57. Mérot, 1990.
58. Conan, 1981.
59. Voir Paris, 2001, nos 8-10.

Fig. 5. A. Vuiot, *Motif d'ornement à cosse de pois,* 1624. Paris, Bibliothèque nationale de France, département des Estampes.

dans les sonnets. Aussi les contours flasques et cartilagineux[60] de l'auriculaire hollandais ont-ils eu peu de prise sur le goût parisien.

Il y a quelque chose d'une recherche un peu inquiète dans l'accumulation de ces différents apports. Mais c'est dans ce contexte qu'un peu moins d'un siècle après l'apparition du cuir découpé, la cosse de pois inaugurait un système décoratif nouveau et de grand retentissement à l'étranger, notamment dans les arts les plus précieux (fig. 5). On a appelé ainsi dès l'époque le mélange d'alignement de grains de taille décroissante et d'étirements de feuilles tripartites, piquantes et ajourées, liées par de fines tiges calligraphiques, dont orfèvres et graveurs donnèrent de nombreux modèles[61]. Étienne Delaune[62] ou certains graveurs allemands en offraient déjà quelques prémices, mais ce qui fait l'originalité de la cosse de pois, c'est son jeu constant sur le plein et le vide, par ses échancrures qui visent à la légèreté – les gravures présentent souvent ses motifs sous forme de nuages, suspendus en l'air. Comme le cuir découpé, elle tend ainsi à suggérer la profondeur, à opposer les bosses des feuilles contorsionnées au plat des lignes. Sa fortune fut au plus haut entre 1620 et 1640, mais on la rencontre encore jusque dans les années 1660[63].

Avec l'ascension de Richelieu, le grand décor redevint l'objet d'une attention toute politique. L'imitation de la grandeur romaine était une des fins de la restauration de l'État, et l'art d'habiter cher à Mario Praz ne pouvait que s'y conformer. La perte des comptes des Bâtiments du Roi et la rareté des décors subsistants pour le deuxième quart du siècle rendent difficile l'appréciation exacte de cette politique royale du décor. Les missions Chantelou d'importations de moules et d'antiques en sont désormais l'un des aspects les mieux connus[64]. Les tentatives obstinées mais vaines de faire venir Pierre de Cortone, autour de 1640, le plus grand maître décorateur qui fût à cette date, sans oublier celles qui s'adressaient à Duquesnoy ou à l'Algarde, en sont des signes éloquents. Mazarin, qui sut tirer un grand parti de la force de séduction propres aux beaux objets[65], poursuivit cette politique en tentant de faire venir de Florence des ouvriers en pierres dures[66] et des stucateurs, avant de persuader Romanelli de faire le voyage. La formule la plus efficace se révéla d'envoyer des Français se former outre-monts.

Avec les premiers retours d'artistes de Rome, à la fin des années 1620, la peinture, liée de près à la dorure, prit progressivement une place nouvelle, grâce à son universelle capacité de feindre marbres, stucs, bas-reliefs de menuiserie. Le décor tendit à devenir fixe, comme si les formes du cabinet gagnaient les autres pièces, notamment par l'introduction d'alcôves dans les chambres. Tous ces peintres ne se sont pas contentés de rapporter un nouveau mode de peindre la figure. Ils avaient vu comment des peintres

60. Pour reprendre la notion de *Knorpelwerk* chère aux historiens allemands.
61. Peter Fuhring en a entrepris le recensement, à paraître dans *la Gazette des Beaux-Arts* au moment où nous écrivons ces lignes, et que nous n'avons pu consulter.
62. Voir notamment, un dessin préparatoire à une armure, Munich, Staatliche Graphische Sammlung, inv. 14488.
63. Voir par exemple, les œuvres de Rivard (cat. 42).
64. Voir le Pas de Sécheval, 1991.
65. Voir notamment l'organisation en 1658 d'une loterie gratuite d'œuvres de prix, relatée par Michel, 1999, p. 307.
66. Idem, *op. cit.,* p. 155.

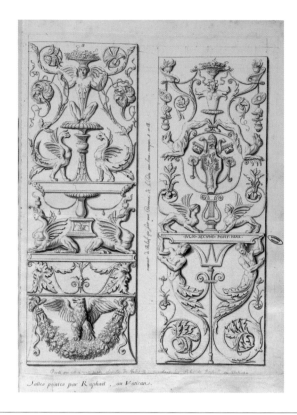

Fig. 6. Charles Errard, porte d'une petite chapelle de Jules II. Paris, bibliothèque de l'Institut.

comme les Carrache avaient su créer des ensembles décoratifs complexes, où la peinture d'histoire est exaltée par son inscription dans une structure ornementale.

La première chose demandée à Vouet, premier peintre, à son retour, fut des cartons de tapisserie pour les ateliers du Louvre. On pouvait difficilement mieux exprimer que l'on attendait un nouveau mode de décor, plus qu'une peinture savante. Quinze ans plus tard, on réclama le même genre d'ouvrage à Poussin, arraché à sa Rome d'adoption[67]. La lettre de Louis XIII le stipule clairement : « [Sa Majesté] *l'a choisi et retenu pour son Premier peintre ordinaire, et en cette qualité lui a donné la direction générale de tous les ouvrages de peinture et d'ornements qu'elle fera ci-après faire pour l'embellissement de ses maisons royales.* » Mais les tapisseries n'étaient pas son affaire. Il protesta contre « *les bagatelles telles que dessins de frontispices de livres, ou dessins pour orner des cabinets, des cheminées, des couvertures de livres et autres niaiseries* » qu'on lui demandait[68]. On crut lui faire l'honneur le plus insigne en lui demandant de décorer la Grande Galerie, pour laquelle il fournit un dessin parfaitement romain qui intégrait des moulages d'antique, mais pas de grande peinture d'histoire.

L'entreprise échoua, mais le mouvement classicisant dont elle était comme le symbole était lancé. Partout les motifs de l'ancienne Rome redevenaient le langage du décor. Les frontispices de l'Imprimerie royale, nouvellement fondée sous la férule de Richelieu et de Sublet, en témoignent avec éloquence. L'encadrement sévère des *Œuvres* de Térence par Bosse (cat. 48), avec ses guillochis et ses masques antiques, revendique un purisme inouï à cette date – Bosse pourtant n'avait pas fait le voyage d'Italie, et il fallait des instructions bien précises pour que le graveur, volontiers porté aux festons de fruits et aux formes pointues, en vînt là. Le noviciat des jésuites, voulu par Sublet, reste dans le domaine des bâtiments l'un des plus précoces exemples d'une épuration du goût Louis XIII – en confère encore la porte que Marot reproduisit.

Nombreux furent les artistes qui contribuèrent à l'élaboration de ce nouvel idiome. Si Vouet ne semble pas avoir consacré à l'ornement beaucoup d'attention[69], François Perrier ou Jacques Stella avaient patiemment étudié l'antique, le premier publiant deux recueils, vite célèbres (1635 et 1645), qui contribuèrent à diffuser le canon, les poses et les costumes antiques dans les décors, le second livrant de façon posthume deux importants livres d'ornements. Les recueils de menuisiers comme Adam Philippon et d'architectes comme Antoine Pierretz permettent de comprendre ce que l'on regardait à Rome. Charles Errard, l'un des rares artistes pensionnés par le Roi dès ses débuts à Rome, y releva quantité de plafonds, de portes, de volets même, inventés par Raphaël et ses élèves, à côté de statues et de bas-reliefs antiques, avec une précision minutieuse et presque maladive (fig. 6 et 7). Il fallait que Paris fût véritablement, un

67. Lettre du 6 janvier 1641 : « *Je crois que je mettrai la main à quelque ouvrage de tapisserie* », Jouanny, 1911, p. 45.
68. Lettre à Cassiano, 4 avril 1642.
69. Les gravures d'ornement tirées d'après ses dessins se limitent à une suite de panneaux (cat. 59), et aucun dessin d'ornement n'en est conservé.

siècle après Fontainebleau, une nouvelle Rome. À son retour, en 1643, on lui confia quelques-uns des
principaux travaux de décor entrepris au Louvre, et son style, opulent, emphatiquement augustéen, peut
passer pour le plus typique de la Régence. Mais Le Brun est celui qui comprit le mieux le grand décor à
la romaine, ou qui osa appliquer le plus directement son dynamisme aux intérieurs parisiens.

Tout ce langage est d'ordre architectural. Le soin porté par les vrais architectes, de Mansart à
Le Vau, aux détails du décor intérieur, le rôle du second aux appartements du Louvre le montrent avec
force. Le mobilier comme l'orfèvrerie durent se soumettre à ce désir de monumentalité. Mais la figure
humaine, surtout enfantine, l'anime et en tempère la sécheresse géométrique ou archéologique par son
aimable vivacité. Du zoomorphisme prisé par le premier tiers du siècle, l'on revenait à un anthropo-
morphisme où la silhouette humaine assumait pleinement une vocation décorative. La place nouvelle de
la statuaire, grande ou petite, et la chasse aux antiques qui pouvaient sortir d'Italie signalent moins peut-
être un désir de la rareté ou de témoins précieux du passé que le goût d'une humanité toute latine, dont
l'éclat rayonnant était d'abord dans un profil, un canon physionomique – ce mouvement avait sa contrepartie dans l'ordre végétal, où ce souci de grâce naturelle porta à des motifs plus naturalistes, d'une
précision parfois toute botaniste, mais animée là encore par le désordre apparent du temps sur les feuilles
et les pétales.

Le voyage d'Italie ne représenta plus une étape indispensable, signe que l'art du décor avait acquis
son autonomie. Michel Dorigny, Jean Cotelle, Eustache Le Sueur ou Michel Corneille, tous issus de chez
Simon Vouet, et qui pourraient bien y avoir eu avant tout un rôle de décorateurs, ne sont jamais sortis
de France. Cette indépendance nouvelle allait de pair avec une plus grande autonomie du langage
ornemental, incarnée par Jean Lepautre, peut-être le premier ornemaniste de profession, qui ne fit que
proposer, méthodiquement, domaine par domaine, un répertoire du décor où s'épanouit la formidable
puissance créatrice de ce langage classique.

CHAPITRE II

L'élaboration du décor

Qui conçoit le décor?

Richard Beresford (traduction de Danièle Kriser)

L e projet décoratif est toujours composé d'œuvres d'art mais est-il toujours, en soi, une œuvre d'art composite? Tout projet est, en définitive, le résultat d'une suite de décisions prises par le commanditaire et de la collaboration d'artistes de divers corps de métier et professions. Mais la question est de savoir si une seule personne a pu répondre aux exigences du commanditaire pour en faire un projet cohérent.

Il est extrêmement difficile de donner une réponse certaine à cette question. Les plus anciennes sources imprimées énumèrent la plupart des éléments peints d'un projet, mais restent muettes sur la conception. Les documents en rapport sont extrêmement fragmentaires et nous ne pouvons ici qu'espérer rassembler quelques exemples indicatifs ou suggestifs recueillis dans les archives notariales parisiennes.

Par nécessité, nous devons les prendre non seulement dans le règne de Louis XIII mais aussi dans la période de Mazarin[1].

Les décors autrefois très renommés de Vouet et de Sarazin pour la galerie de l'hôtel de Bullion ont été l'objet d'un contrat passé en 1634, dans lequel le peintre et le sculpteur agissaient tous deux en tant qu'« *entrepreneurs*[2] ». Une grande partie des stucs et des décors peints a été réalisée sans nul doute par l'atelier de l'artiste ou sous-traitée. Et il est intéressant de noter que le contrat comprenait aussi « ... *le lambris de menuiserie de ladicte gallerye* [...] *accompagnés de ses ornements, corniches et moulures, conformément au desseing qui en sera paraphé* ». Ce lambris a donc dû être sous-traité à un menuisier. Au-delà de la décision d'installer dans la galerie une voûte à la place du traditionnel plafond à la française, tout le projet semble avoir été sous la responsabilité du peintre et du sculpteur.

Lorsque Vouet passa un autre contrat, en 1645, pour la décoration peinte et sculptée de la petite galerie de la Reine au Palais-Royal, la situation était remarquablement différente[3]. Un projet de boiseries avec moulures architecturées avait déjà été décidé, sinon mis en place, avec un plafond complexe à compartiments. Les espaces impartis à des peintures de plafond étaient sans doute plutôt petits, et le peintre dut en remplir plus de cinquante autres avec des sujets « convenables ». Vouet travailla avec des spécialistes dans le domaine de l'ornement et de la dorure mais n'eut aucun rapport professionnel avec un sculpteur ni un menuisier. Jusqu'à quel point pouvons-nous le considérer comme le responsable de la conception de ce projet[4]?

La mode des intérieurs lambrissés donna au menuisier un rôle plus important. Et certains, comme Guillaume Veniat, ont été non seulement des entrepreneurs mais aussi des dessinateurs de menuiserie d'intérieur[5]. Les menuisiers avaient l'habitude, pour les ornements sculptés, de sous-traiter à des sculpteurs, et il est tout à fait possible d'envisager un projet dans lequel, plutôt que le peintre ou le sculpteur, ils joueraient le rôle essentiel. Cela pourrait bien avoir été le cas, par exemple, du travail de Veniat au grand cabinet de l'hôtel des Premiers Présidents, en 1645-1646, où la décoration inclut un ordre de pilastres et de lambris, tous richement sculptés, et presque entièrement peints en blanc uni[6].

Un tel projet pourrait-il avoir été conçu par le menuisier lui-même ou par un architecte? Il existe certainement des contrats de menuiserie pour l'installation d'une seule pièce obligeant le menuisier à produire ses propres modèles[7]. Mais, lorsqu'il s'agit d'importants travaux de construction, il est évident que l'architecte fournit, au moins de temps à autre, ses dessins pour la menuiserie intérieure et la serrurerie. Babelon et Mignot ont souligné cette pratique chez Mansart, Lemercier et Le Muet et nous n'insis-

1. Cet essai a été rédigé à partir d'un ensemble de sources manuscrites, imprimées et d'archives, concernant les décorations fixes de 82 demeures parisiennes des années 1630-1660 (Beresford, 1994).
2. Contrat du 1er mars 1634, AN, MC, LI, 172, publié par Charageat, 1927, p. 194-196.
3. Devis et marché de peinture, 4 septembre 1645, AN, MC, CXII, 46, publié par Weigert, 1951.
4. Pour cette question du plafond à compartiments et ses incidences sur la commande du décor peint, voir Sainte Fare Garnot, 1998, p. 24.
5. Pour la carrière de Veniat, voir Wilhelm, 1975, Beresford, 1988, p. 358, Feldmann, 1982, p. 412, note 47.
6. Les travaux de Veniat et du peintre Jacques L'Homme sont décrits dans une estimation du 6 février 1646, AN, Z1J 264. Les travaux de la chambre à alcôve semblent être légèrement postérieurs et sont décrits dans une estimation du 13 août 1653, AN, Z1J 274.
7. Pour prendre un exemple, une chambre, avec décor architectural et sculpté sur la cheminée et la bordure d'alcôve, installée à l'hôtel de L'Hôpital par Henry Parquet : devis et marché de menuiserie, 4 juin 1646, AN, MC, LXXXIII, 54.

8. Babelon et Mignot, 1998, p. 52.
9. Particulièrement lorsque la progression de l'appartement se reflète dans celle des différents projets de plafond.
10. Devis et marché de maçonnerie, etc., 16 mai 1651, AN, MC, LXXXVII, 175, cité par Grodecki, 1963, p. 94, note 9.
11. Quittance, 10 novembre 1656, AN, MC, CV, 725, cité par Souchal, 1977-1987, II, p. 399.
12. Album Cotelle, Oxford, Ashmolean Museum, f⁰ 22 ; voir Whiteley, 2000, p. 145, n⁰ 459.
13. Conservé dans le même album qu'un dessin qui accompagnait certainement le contrat de menuiserie souscrit avec Louis Barrois et les sculpteurs Guérin et Claude Barrois le 23 juin 1654, puisqu'il porte le « paraphe » approprié au verso. Voir Whiteley, op. cit., loc. cit., n⁰ 437.
14. Marché de sculpture, 16 janvier 1650, AN, MC, LIX, 10, publié par Chauleur et Louis, 1998, p. 336-337.
15. Voir Vitzthum, 1966.
16. Sauval, 1724, II, p. 230.
17. Chantelou, 1985, p. 287-289.
18. Cela peut arriver dans le cas d'un contrat souscrit avec un entrepreneur à la fois pour la construction et l'aménagement d'une maison « clé en main ». Un exemple est publié in extenso par Le Moël, 1990, p. 281-293.
19. Album Cotelle, Oxford, Ashmolean Museum ; les f⁰ˢ 2 et 53 portent les signatures de Cotelle et Jean Thiriot à la date du 9 juin 1639 et semblent se rapporter au décor feint d'architecture et de sculpture pour un escalier. Le f⁰ 35 est un projet pour un décor peint sur un plafond à la française, sans doute par Cotelle, avec la signature de Thiriot à la date du 15 avril 1640. Voir Whiteley, op. cit., p. 101-102, n⁰ˢ 271-272, 274.
20. Inventaire des peintures, gravures et dessins appartenant à François Bourlier, 6 janvier 1657, AN, MC, CXII, 70.
21. Devis et marché de peinture et dorure, 24 février 1656, AN, MC, CXII, 67, cité par Mignot, 1991, p. 376. Verdier dut travailler « suivant les ordres » de Le Muet.
22. Mémoires attachés aux quittances des 4-7 février 1650, AN, MC, LIX, 110. Ils ont été arrêtés le plus souvent par l'un des frères Le Vau entre décembre 1649 et janvier 1650, et approuvés ou modérés par Lepautre. La signature de Le Vau est, à notre avis, plus proche de celle de Louis que de François.
23. L'hôtel de Gramont fut loué par Antoine de Gramont au duc de Chevreuse, et les travaux entrepris aux frais de ce dernier. Lepautre, architecte préféré de Chevreuse, a travaillé aux agrandissements de l'hôtel de Chevreuse, aux jardins et pour une terrasse, en 1643-1648.
24. AN, MC, CXII, 61, voir Mignot, op. cit., p. 353-354.
25. Dans la petite galerie de l'appartement d'hiver, le parquet de Dionis fut exécuté « par l'ordre de Monsieur de Valpergue » et les travaux de menuiserie de Pignon pour le plafond furent réalisés d'après un projet fourni par le même architecte.
26. D'autres exemples de ce type de document sont cités dans les inventaires de Jean Cotelle (15 juin 1676, AN, MC, XIX, 506) et François Bourlier (cité à la note 20 supra). Ils se rapportent à un travail réalisé pour les deux frères, financiers, Pierre et Nicolas Monnerot. Un article rayé dans l'inventaire de Cotelle a trait à un mémoire pour travaux de peinture du 28 avril 1663 « arresté et modéré » par Le Muet. Les créances dans l'inventaire de Bourlier se rapportent à des documents (« parties ») arrêtés par « Messieurs Le Brun et Blanchard » (très probablement Charles Le Brun et Jean Blanchard) et « Mr Messier », sans aucun doute le maçon, Nicolas Messier.

terons pas sur ce fait[8]. Il demeure cependant difficile de juger si de telles circonstances étaient exceptionnelles à l'époque et de savoir si elles sont devenues plus – ou moins – fréquentes par la suite.

Autour de 1650, on semble confier plus souvent le décor intérieur d'un appartement à la mode à un architecte. En effet, l'évolution des nouveaux projets de plafonds de plus en plus compliqués le réclamait[9]. François Le Vau paraît s'être fait une spécialité de ce genre de travail et son contrat pour un nouvel appartement à l'hôtel de Sully, en 1651, montre qu'il assume la responsabilité pour tous les décors architecturaux et sculptés, jusqu'aux cadres qui entouraient les tableaux sur les cheminées et dans les dessus-de-porte[10]. Il y a probablement fourni des dessins non seulement aux menuisiers mais aussi aux sculpteurs, comme il l'a très certainement fait avec Jacques Houzeau et Martin Lespagnandel pour la grande chambre de l'appartement du Grand Maître à l'Arsenal, quelques années plus tard[11].

Il serait intéressant de savoir comment ce contrôle de l'architecte s'exerçait en pratique. Les dessins de Le Vau pour l'Arsenal ont pu s'appuyer sur des suggestions faites (ou des choix proposés) par les sculpteurs. Un petit dessin dans l'album Cotelle pourrait bien être de ce type. Il représente la bordure de l'alcôve de la chambre du Roi au Louvre telle qu'elle a été exécutée par Gilles Guérin pour Louis Le Vau en 1654[12]. Il avait été demandé à Guérin de produire des « modèles » pour la décoration sculptée mais, de toute évidence, le dessin n'est pas de lui. On peut se demander si cela peut être le genre de dessins produits par un bureau d'architecte pour les joindre au contrat de menuiserie fondé toutefois sur le « modèle » du sculpteur[13].

En 1650, à l'hôtel de La Vrillière, Philippe de Buyster et Henri Le Grand entreprirent « *les ouvrages d'architecture et sculpture qu'il convient faire à la grande gallerie* [...] *contenuz au dessain qui en a esté faict, et suivant l'intention de mondit seigneur et du sieur Mansart*[14]... » Ces termes semblent en accord avec un arrangement selon lequel les sculpteurs travailleraient conformément au cahier des charges de l'architecte et sous son contrôle, mais sans doute pas selon ses dessins détaillés.

La galerie de l'hôtel de La Vrillière était surtout remarquable, bien sûr, pour la voûte de Perrier et l'impressionnante collection de tableaux placés dans les boiseries[15]. Mais elle a dû être aussi un décor intérieur très réussi. C'est en ces termes que Sauval la décrit à l'origine. Et il est évident que non seulement les décors sculptés mais aussi le décor peint des boiseries, entrepris par Perrier ou par ses assistants d'après ses dessins, ont été exécutés sous le contrôle de l'architecte. Ces décors ont été réalisés entièrement dans la couleur du stuc avec « *quelques petits filets et feuilles d'or, repandues en certains endroits seulement avec beaucoup de discretion*[16] ». L'esthétique austère de l'intérieur, admirée par le Bernin[17], était manifestement celle de Mansart.

La question de savoir jusqu'où un architecte a pu exercer son influence sur les éléments peints d'un projet est délicate et il est clair qu'elle ne peut avoir une réponse unique et universelle. Un travail de peinture sans importance et dans une seule couleur a pu être sous-traité, parfois, par un entrepreneur[18]. Mais les architectes ont rarement agi en entrepreneurs et les décors peints ont rarement été l'objet de contrats notariés ; de tels contrats entre architectes et peintres, s'il y en eut, ont dû être extrêmement rares. Trois dessins de l'album Cotelle, à notre avis, laissent penser que de tels documents ont pu exister[19]. On trouve un autre exemple mentionné dans un inventaire du peintre François Bourlier qui fait état d'une créance sur François Le Vau : « *... pour reste d'un marché faict*[20]... ». Mais cela est loin d'être explicité. Il est bien plus plausible qu'un peintre travaille selon le cahier des charges d'un architecte, comme Claude Verdier à l'oratoire d'Anne d'Autriche au Val-de-Grâce[21]. De tels arrangements ne sont presque jamais mentionnés, mais cela ne veut pas dire qu'ils aient été exceptionnels.

Un niveau de contrôle s'applique lorsque ceux qui travaillent pour un architecte lui soumettent leurs « mémoires » afin qu'il en approuve le paiement. Il subsiste peu de tels documents, mais ceux que nous avons contiennent des mémoires soumis par les peintres en même temps que les menuisiers et les sculpteurs. Cotelle a travaillé sous la direction de l'un des Le Vau sur le décor peint d'un appartement de l'hôtel de Gramont, avec un faux plafond de menuiserie qui était en fait peint sur toile[22]. Une discussion a dû surgir au sujet des montants réclamés et la plupart des mémoires durent être approuvés deux fois par les architectes, par Le Vau d'abord puis par Lepautre[23]. Claude Mignot a attiré l'attention sur une série de « mémoires », au nombre de vingt-huit, concernant le décor du palais Mazarin, qui sont de diverses façons « arrêtés » ou « modérés » par les architectes Maurizio Valperga et Pierre Le Muet[24]. En plus de la construction et d'autres travaux, ils concernent les travaux de menuiserie de Pierre Dionis et d'Adrian Pignon[25], les stucs d'Henri Le Grand, un plafond de Rémy Vuibert et les ornements peints et dorés par Thomas Boudan et Jacques L'Homme[26].

Il n'est pas toujours aisé de connaître jusqu'à quel point le contrôle exercé par un architecte en de telles circonstances implique une intervention active. Alexandre Cojannot a souligné la participation de Mansart au château de Petitbourg[27]. Ici, c'est l'architecte qui approuve le choix d'un thème (pour une cheminée) et qui même, apparemment, apporte des modifications détaillées aux éléments d'ornement peint prévus. Joëlle Barreau a attiré l'attention sur un dessin de Libéral Bruand à Stockholm qui semble montrer l'architecte, lui-même, esquissant diverses solutions pour des ornements aussi bien qu'un premier jet de son idée pour le sujet central[28]. De tels cas ne sont bien sûr pas représentatifs mais il est extrêmement intéressant de découvrir un architecte contrôlant si précisément le travail des peintres.

La conception du projet décoratif pourrait être envisagée selon plusieurs phases distinctes : un croquis d'architecture définissant le plan et le projet du plafond, puis un projet pour la menuiserie, y compris les ornements sculptés (qui peuvent ou non être dessinés par l'architecte), les décors stuqués dessinés par les stucateurs et une esquisse des décors peints et dorés conçus par un ou plusieurs peintres. À chaque étape l'artiste concerné apporte sa contribution au projet en cours. Toutefois, un certain contrôle central paraît indispensable et il nous paraît presque inéluctable que ce rôle échoie à l'architecte.

Parfois, la logique de ce système a pu être bouleversée. Il semble que Le Brun a pris l'entière responsabilité pour l'intérieur de la galerie de l'hôtel Lambert. Nivelon nous dit qu'il n'a pas seulement peint la voûte, mais qu'il a aussi dessiné « *la distribution du corps d'architecture d'en bas qui soutient cette voute*[29]. » Sauval nous fournit un autre exemple dans le cas de l'hôtel de Villequier qui avait une alcôve dessinée par Errard « *dont l'ordonnance tant du platfonds que du lambris est des plus belles*[30] ». Dans de tels cas, il faut penser que c'est le peintre qui a fourni les dessins, ou du moins les descriptifs, aux menuisiers et sculpteurs. Néanmoins, il nous est impossible de citer une seule preuve documentaire datant de cette période – après le contrat de Vouet et Sarazin pour la galerie de l'hôtel de Bullion –, démontrant qu'un peintre a eu des relations professionnelles avec un menuisier ou un sculpteur.

Une telle preuve, si elle pouvait être trouvée, serait utile, tout particulièrement pour mieux interpréter les dessins de projets décoratifs qui nous restent de cette période, dont certains exemples sont commentés ci-dessous par Emmanuel Coquery. Un certain nombre de dessins dans l'album Cotelle peuvent apparaître comme les projets d'un peintre pour des menuiseries. Et, si cela est bien le cas, des possibilités intéressantes s'ouvriraient. Mais il est généralement difficile de dire si un tel dessin n'est pas seulement une proposition pour un décor peint qui doit être appliqué à un projet de boiserie préexistant. Et lorsque le dessin d'un peintre ne montre que de la menuiserie, cela peut toujours être le projet d'une menuiserie feinte, comme le plafond de Cotelle à l'hôtel de Gramont déjà mentionné.

La question posée ici peut être examinée de diverses façons. L'histoire du projet décoratif a été décrite en général comme celle du « grand décor peint ». Si nous devions nous concentrer sur les projets iconographiques complexes, comme ceux que commandèrent Richelieu et Séguier, il faudrait faire intervenir un conseiller intellectuel. Mais le projet décoratif au milieu du XVIIe siècle paraît relever de plus en plus du dessin d'intérieur. Les projets qui restent de l'époque de Mazarin – à l'hôtel Lauzun ou à l'hôtel Amelot de Bisseuil, par exemple –, ne sont plus désormais explicables, de toute évidence, comme des travaux de peinture à une grande échelle. Ils sont le produit complexe d'une collaboration artistique subordonnée à un processus de conception. Ils font aussi partie des plus somptueuses créations de l'art décoratif de cette période. Devons-nous douter que leurs auteurs aient été des architectes ?

27. Cojannot, 1999, p. 232-234.
28. Barreau, 1998.
29. BnF, Mss, Fr. 12987, p. 114-119. Cela ne peut certainement pas correspondre à l'architecture peinte sur la voûte. Les stucs de Van Opstal ont probablement été entrepris en fonction du devis descriptif de Le Brun.
30. Sauval, 1724, III, p. 5.

Du dessein au dessin d'ornement

Emmanuel Coquery

Quand son biographe voulut résumer la variété des activités que dirigeait Charles Errard en tant que décorateur des nouveaux appartements du Louvre, il recourut à l'expression : « *et généralement* […] *tout le travail qui dépend du dessin* ». Quand le même Guillet de Saint-Georges eut à parler de Le Brun, il dit que ce dernier s'« *employait à se former dans tous les talents qui dépendent de l'art du dessin, et qui s'étendent sur l'architecture, sur l'orfèvrerie, la menuiserie, la serrurerie, et généralement sur tout ce qui regarde les accompagnements des beaux édifices* ». C'était exprimer là une opinion bien établie, selon laquelle les arts du décor se trouvaient naturellement placés sous l'autorité du dessin, centre nerveux de la pratique ornementale. Mais de quel dessin s'agissait-il ?

« *Dessein : projet, entreprise, intention. Est aussi la pensée qu'on a dans l'imagination de l'ordre, de la distribution & de la construction d'un tableau, d'un poëme, d'un livre, d'un bastiment. Ce Peintre a fait voir le premier dessein de ce tableau, où les figures sont bien disposées.*

Se dit aussi en peinture, de ces images ou tableaux qui sont sans couleur, & qu'on execute quelquefois en grand. Les curieux font grand cas des desseins des grands Peintres. On a fait les tapisseries du Louvre sur les desseins de Raphaël, de le Brun, &c

Se prend aussi pour la pensée d'un grand ouvrage qu'on trace grossièrement en petit, pour l'exécuter & finir en grand[1]. »

Le XVIIe siècle ne distinguait pas dessin et dessein. Loin d'être seulement orthographique, cette confusion fait du dessin le témoin le plus pur de la capacité inventive de l'artiste, aussi bien que le mode d'emploi de la réalisation du décor, utilisable par de multiples intervenants. Le dessin n'est donc pas nécessairement graphique. Ce peut être ce que l'on désignerait aujourd'hui comme un *modello* ou une esquisse. Mais dans l'usage des artistes, le support habituel de ces projets est le papier, tant et si bien que le terme a fini par s'appliquer de façon univoque aux œuvres graphiques.

Cette subordination à une fin toute pratique explique qu'il subsiste peu de dessins d'ornement de la première moitié du siècle. Le projet achevé, ils étaient voués à disparaître. Ceux qui restent se rapportent principalement au décor fixe : plafonds surtout, cheminées, lambris. Les exemples de meuble sont rarissimes, et l'ensemble de Martellange récemment révélé par Emmanuelle Brugerolles (cat. 1 à 4), qui contient un exemple de table, est d'un intérêt exceptionnel. Quant aux vases ou aux objets d'orfèvrerie, pareillement rares, il s'agit de commandes importantes (cat. 20) ou de projets pour la gravure (cat. 19). Le cœur du volume de dessins de Jean Cotelle, conservé à Oxford, à l'Ashmolean Museum, l'un des rares fonds d'atelier dans le domaine décoratif encore subsistant, a probablement servi de faire-valoir au peintre[2], à la façon d'un catalogue. Ces feuilles circulaient d'un atelier à l'autre, et les plus belles avaient pour les hommes de l'art une qualité presque marchande. Dans les années 1650, Errard rémunérait parfois avec ses propres dessins ses chefs d'équipe, qui pouvaient les remployer dans leurs entreprises[3].

La définition que donne Furetière est particulièrement éclairante : on commençait tout juste, dans la seconde moitié du siècle, à collectionner les dessins de maître, et ce n'est peut-être pas un hasard si l'un des premiers vrais curieux de ces choses, après Everard Jabach, fut un homme de l'art du décor, André-Charles Boulle.

Ce caractère périssable est particulièrement net pour tous les dessins à l'échelle, les poncifs parfois troués pour faciliter le travail des assistants ou repris au calque. Il dut en exister beaucoup. L'inventaire

1. Furetière, 1690, article « Dessein ».
2. Le volume n'a pu figurer à cette exposition. Voir Whiteley, 2000.
3. Voir Guiffrey, 1893.

de Cotelle en signale un certain nombre dans un « *mémoire des desseins de ponsif et ornemens*[4] ». Le National Museum de Stockholm en conserve un très rare exemple, à la plume et au lavis, de la main d'Errard (fig. 1), un quart de cercle d'une composition peut-être symétrique selon deux axes et certainement destinée au centre d'un plafond.

C'est parce qu'il est souvent lié à un contrat entre le commanditaire et l'artiste que le dessin d'ornement s'est conservé (cat. 6) – cela explique aussi la prédominance des projets liés à l'architecture sur les meubles. Mais son aspect fréquemment coloré, rare dans les dessins préparatoires aux tableaux, a pu aussi jouer en ce sens. Il lui confère aujourd'hui une grande séduction et nous livre les couleurs d'un décor que l'estampe est par nature incapable de fournir et que des restaurations successives ont souvent altérées dans les ensembles subsistants.

Obéissant à un principe de symétrie – et d'économie du travail –, les projets se limitent généralement à une moitié du décor. Mais diverses variantes sont souvent proposées, d'un motif à son symétrique, pouvant concentrer sur un même dessin un vaste ensemble de combinaisons : le commanditaire aimait avoir un choix. Ces alternatives présentent des modes d'associations de motifs qui suggèrent l'existence d'une véritable syntaxe du décor, avec ses idiomes particuliers, propres à chaque artiste.

Il n'y avait pas là seulement une façon d'avoir deux projets en un, mais toute une esthétique de la variante et de la combinaison, le choix arrêté s'enrichissant de ses possibilités non réalisées, qui est l'une des clés essentielles de toute véritable compréhension du langage décoratif propre au XVIIe siècle.

4. AN, MC, XIX, 506, 15 juin 1676.

Fig. 1. Charles Errard, projet décoratif
pour le centre d'un plafond.
Stockholm, National Museum.

2

1

Étienne Martellange
(Lyon, 1568 – Lyon, 1641)

Projet de chaire pour l'église du collège des Godrans à Dijon

Dijon, 1617 | Plume, encre brune, lavis brun et rehauts de blanc

H. 0,775 ; L. 0,268 | En haut de la chaire : *I.H.S.* | Indication de l'échelle de la porte en bas de la feuille

Hist. : vente, Paris, 10 juin 1907 ; J. Masson, marque en bas à droite (L. 1494a) ; don de ce dernier, 1925.
Exp. : Paris, 2001, nº 8.

Paris, École nationale supérieure des beaux-arts. Inv. O. 1778

Cette feuille fait partie d'un ensemble de dix dessins conservés à l'Ensba et destinés à une partie du mobilier de l'église du collège des Godrans à Dijon. Fondé en 1581 en exécution du testament d'Odinet Godran, président au parlement de Bourgogne, le collège occupe l'emplacement de l'hôtel qu'il légua aux jésuites et d'un certain nombre d'habitations avoisinantes.

L'église de ce collège, aujourd'hui affectée à la bibliothèque municipale (voir le cat. 2), fut aménagée avec un mobilier religieux qui a entièrement disparu aujourd'hui. L'élévation de la chaire, présentée ici, est accompagnée d'un plan (fig. 1) – daté du 7 septembre 1617 – qui fournit des indications précieuses au menuisier sur la réalisation de l'œuvre.

De manière significative, Martellange reprend et adapte dans son étude le vocabulaire et l'ornementation architecturaux habituellement mis en œuvre dans les édifices qu'il conçoit. Ses choix décoratifs – feuilles d'acanthe larges et monumentales, parfois enroulées, opulentes guirlandes de feuilles et têtes d'angelots joufflus – sont résolument baroques et rompent avec la tradition maniériste héritée de l'école de Fontainebleau.

E. B.

2

Étienne Martellange ou Pierre Dubois
(? – 1651)

Projet de porte monumentale à deux vantaux pour l'église du collège des Godrans à Dijon

Dijon, 1615 | Plume, encre brune, lavis brun et d'encre de Chine Grandes taches brunes sur la feuille

H. 0,538 ; L. 0,413 | Inscriptions à la plume, encre brune sur la droite : *le present pourtrait / a esté paraphé / par Nicolas Jehan / de Souvert Seigneur / de layer et advocat / au privé conseil / du roy à Pierre / de la Marre / conseiller du Roy et maître ordinaire en sa chambre / des comptes à*

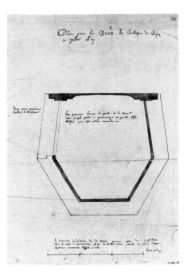

Fig. 1. Étienne Martellange, plan de la chaire de l'église du collège des Godrans à Dijon, 1617. Paris, École nationale supérieure des beaux-arts.

Dijon / avec noble / firmin maillard / conseiller du roy et / son trésorier général / au bureau des / finances establi / en bourgogne et / aux enffans / mineurs de feu / messire George / de Souvert vivant / chevalier seigneur / dudit lieu président / au parlement de / Bourgogne / suivant le marchef faict / avec pierre de / boys maître menuisier ayant représenté / et retiré ice / ce jour duit / dix huitième / d'octobre mille six /cent et quinze / par devant moi notaire royal soubsigné / De la Mare / de boys / De Barge | Indication de l'échelle de la porte sur les bords de la feuille

Hist. : vente, Paris, 10 juin 1907 ; J. Masson, marque en bas à gauche (L. 1904a) ; don de ce dernier, 1925.
Bibl. : Audin et Vial, 1919, p. 16.
Exp. : Paris, 2001, nº 10.

Paris, École nationale supérieure des beaux-arts. Inv. O. 167

Ce dessin-contrat paraphé du 18 octobre 1615 devant notaires par différents membres du parlement de Bourgogne et par Pierre Dubois, « *maître menuisier* », est préparatoire pour la porte de l'église du collège des Godrans, toujours en place

rue de l'École-de-Droit, à l'entrée principale de l'édifice, aujourd'hui affecté à la bibliothèque municipale de Dijon. L'artiste détaille avec soin chaque élément de son décor de menuiserie, qui n'a été modifié que légèrement par la suite, notamment le compartimentage en panneaux pour lequel il propose aux commanditaires un projet en mi-part pour l'ornementation des vantaux. Le vocabulaire décoratif mis en œuvre rompt radicalement avec la tradition maniériste issue de l'école de Fontainebleau, dont Hugues Sambin fut le plus illustre représentant à Dijon, et s'apparente beaucoup plus à celui du baroque romain : nous retrouvons, entre autres, dans la porte de l'église Saint-Paul-Saint-Louis à Paris que l'on doit à Étienne Martellange. Ces similitudes inciteraient à lui attribuer cette feuille si elle ne se distinguait pas, des dessins dûment authentifiés, par la sécheresse de l'exécution et la raideur du trait. Il s'agit peut-être d'une mise au net par le menuisier Pierre Dubois d'une étude aujourd'hui perdue de la main de Martellange, qui confia à un exécutant le soin de reproduire avec précision le modèle retenu pour le chantier dijonnais.

E. B.

3

Étienne Martellange

Projet de retable

Plume, encre brune, lavis brun
et d'indigo

H. 0,510 ; L. 0,330

> **Hist. :** vente, Paris, 10 juin 1907 ; J. Masson,
> marque en bas à droite (L. 1494a) ; don de
> ce dernier, 1925.

Paris, École nationale supérieure
des beaux-arts. Inv. O. 168

Ce projet de retable s'inscrit dans une architecture gothique – un arc d'ogive – dessinée au lavis d'indigo. Martellange exécuta une autre étude du même motif aujourd'hui conservée aux archives de l'évêché du Mans (fig. 1 ; nous remercions François Le Bœuf, conservateur à l'inventaire du pays de Loire, de nous avoir indiqué l'existence de cette feuille). Il y conçoit un projet en mi-part, proposant au commanditaire plusieurs solutions décoratives : fronton interrompu, colonnes torses cannelées décorées dans la partie basse de lierres d'un côté, sans décor de l'autre. Le parti adopté dans la version finale de l'Ensba montre un style qui est moins fait de ruptures si caractéristiques du maniérisme, plus axé sur la structure du retable dans un souci d'unification.

E. B.

Fig. 1. Étienne Martellange, projet de retable. Le Mans, archives de l'Évêché.

4

Anonyme

Projet de cassette

1625 | Plume, encre noire et lavis
d'encre de Chine

H. 0,152 ; L. 0,211 | Annotation en bas
de la feuille : *par p. de la Seigne 1625*

> **Hist. :** J. Masson, marque en bas à gauche
> (L. 1494a) ; don de ce dernier, 1925.

Paris, École nationale supérieure
des beaux-arts. Inv. O. 114 (anonyme)

Cette cassette, comme en témoigne le lavis d'encre de Chine, devait vraisemblablement être réalisée en ébène décorée d'appliques en argent ou en cuivre doré (comm. orale de Michèle Bimbenet-Privat, 13 juillet 2001) ; elle se compose d'un socle, d'une coupe destinée à recevoir peut-être des gants ou des bijoux et d'un couvercle.

Nous ne conservons aucun élément biographique sur P. de la Seigne, dont le nom figure en bas de la feuille avec la date 1625. Le décor italianisant – larges feuilles d'acanthe, frise de godrons et feuilles découpées en dentelle – rappelle celui d'une cassette autrefois dans la collection de Mazarin et réalisée à la même époque (aujourd'hui conservée à Madrid, au musée du Prado ; Michel, 1999). M. Bimbenet-Privat semble exclure une production parisienne.

E. B.

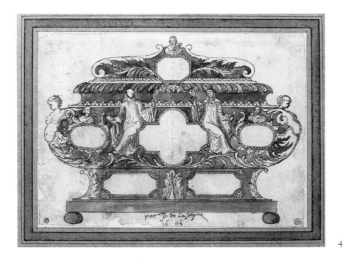

4

5

5

Anonyme

Plafond aux armes de Richelieu

Vers 1635 | Graphite, plume et encre brune, lavis gris, jaune et rouge

H. 0,438 ; L. 0,578

Hist. : collection Carl Harleman ; collection du musée depuis 1792.
Exp. : Paris, 1951, nº 163.

Stockholm, National Museum.
Inv. THC 4673

Ce grand dessin offre l'un des rares témoignages des décors que Richelieu a pu faire réaliser pour ses nombreuses demeures. Il porte quatre fois ses armes, de duc et de cardinal, ainsi qu'au moins deux fois son chiffre. Les dauphins évoquent son titre de maître de la marine. Une telle abondance de signes aristocratiques est inhabituelle dans les plafonds de l'époque et signale le rôle dévolu au décor, notamment plafonnant, comme support d'un apparat aristocratique. Le plafond conserve la forme très compartimentée propre aux schémas du règne de Louis XIII, en introduisant aux angles des incurvations inhabituelles alors, et que l'on voit se développer avec le livre de plafonds de Cotelle, paru en 1647. Le détail des motifs mêle l'antique et les découpures chantournées caractéristiques des années 1620-1635. Le rouge éclatant, qui doit faire allusion à la couleur de la robe cardinalice, montre le goût du temps pour les couleurs vives.

La place réservée à la peinture dans le compartiment central est réduite : c'est bien l'ornement qui fait là le prix du décor. Une telle commande n'a pu être passée à un artiste mineur, mais ceux qui font le décor à cette époque restent si mal connus qu'il est difficile de proposer un nom. Est à noter, enfin, la façon dont artiste et commanditaires se contentent d'une moitié de projet comportant deux variantes, l'autre moitié étant seulement esquissée.

E. C.

6

6

Michel I Corneille (Orléans,
vers 1603 – Paris, 1664)

Projet de plafond

1651 | Pierre noire, plume et encre
brune, lavis brun, rehauts d'aquarelle

H. 0,282 ; L. 0,362 | Inscriptions : nom-
breuses cotes exprimées en pieds ; lettres *A,
B, D, F, G, H, I, K, L, M* | Inscription au
dos : *Paraphé Ne Varietur suivant le Marché
passé par devant les no*[tai]*res
soub*[signé]*s / Jourd'huy trent*[ième] *Aoust
mbic cinquante Un / Levesque /
M. Corneille / Lenoir / Quarré*

> **Hist. :** vente Destailleur, 19-23 mai 1896, nº 80 ;
> vente Beurdeley, 31 mai 1920, nº 13 ; acquis par le
> musée à cette vente.
> **Bibl. :** Boyer, 1988, p. 164 ; Coquery, 1992 ; Picart,
> 1994, p. 132.

Paris, musée du Louvre, département des
Arts graphiques. Inv. RF 5126

L'attribution à Michel Corneille de ce dessin
est donnée par une inscription au dos, qui mentionne le peintre et les notaires Quarré et Levesque,
par-devant lesquels un marché fut passé pour la
réalisation du décor, le 30 août 1651, ainsi qu'un
certain Lenoir. La liasse correspondante est malheureusement manquante aux Archives nationales.

Les motifs des bordures des compartiments,
plateaux, glaives et lis royaux indiquent sans doute
la destination à une chambre de justice. Boyer proposait d'y voir la cour des Aides. Les cotes précisément indiquées sont rares dans ce type de
dessins, généralement accompagnés d'une description qui contient les dimensions prévues. Le
compartimentage rigoureux pouvait commencer

à apparaître démodé en 1651, et montre peut-être
que le décor à Paris a évolué à différents rythmes
selon les genres de commanditaires. En effet, le
même artiste a pu se montrer parfaitement
moderne, dix ans plus tard, dans le décor du
cabinet aux Miroirs du château de Maisons, sur
le plafond central duquel Arnaud Brejon de
Lavergnée a récemment attiré l'attention (2001,
p. 54-55), sans préciser que l'ornementation à
candélabres de la voûte, l'aspect le plus ornemental de la pièce, lui revenait entièrement.

E. C.

*7

Charles Errard (Nantes,
vers 1603 – Rome, 1689)

Projet de plafond
aux armes de Mazarin

Vers 1655 | Plume et encre brune,
lavis brun

H. 0,220 ; L. 0,272

Paris, Bibliothèque nationale de France,
réserve du département des Estampes.
Inv. B 2a fol

Ce dessin important porte la marque du style
graphique d'Errard, désormais bien reconnaissable, notamment au type des putti. Ces derniers
jouent avec des attributs, faisceaux et étoiles, qui
correspondent aux armes du cardinal Mazarin,
selon un procédé couramment employé pour des
vignettes destinées au livre. Or, nous savons par le
biographe de l'artiste, Guillet de Saint-Georges,
qu'« *après les guerres de Paris, en 1653, il peignit au
Louvre quelques plafonds de l'appartement de M. le
cardinal Mazarin, au-dessus de l'appartement du
roi* », ainsi, en 1655, que la chambre de billard
(*Mémoires inédits…*, I, p. 78). Le présent dessin
doit donc certainement renvoyer à l'un de ces
travaux, et il constitue l'un des rares témoignages
sur la décoration du Louvre dans les années 1650.
Le plafond présente une voussure à l'italienne,

7

destinée à accueillir plusieurs peintures, selon un
dispositif proche de celui encore en place dans
l'appartement d'été d'Anne d'Autriche. Errard
n'en présente qu'un quart, ce qui peut étonner vu
la place qu'y ont les figures. Comme celles-ci
adoptaient toujours des positions différentes, la
symétrie ne peut jouer ici et il aurait fallu trois
autres projets pour obtenir un plafond complet.
L'absence d'indications de couleurs suggère qu'il
s'agit plutôt d'une première proposition au
commanditaire qu'un schéma de travail dont il
aurait existé trois compléments.

E. C.

8

Charles Errard

8
Projet de plafond
avec variantes

1656 | Plume et encre brune, lavis
brun, traces de graphite

H. 0,325 ; L. 0,242 | Paraphe au verso,
à l'encre, et signatures : *De Paris* et J. *Les* |
Annotations de couleurs

9
Projet de plafond

1656 | Plume et encre brune, lavis
brun, traces de graphite

H. 0,232 ; L. 0,271 | Inscription au verso,
à la plume : *dessein de la peinture et dorure
a faire au plafond / a alcauve de Madame
de Paris en sa maison du faux / pour estre
exécuté par Lessau peintre suivan le devis /
avecluy ce* XBIII *juillet 1656 / De Paris /
J Lessot* | Annotations de couleurs

> **Hist. :** collection Carl Harleman ; collection du
> musée depuis 1792.
> **Bibl. :** B. Brejon de Lavergnée, 2001, p. 126,
> fig. 1-2.

Stockholm, National Museum.
Inv. THC 8692 et 8693

Sur la foi des inscriptions au verso, Barbara
Brejon de Lavergnée a récemment attribué ces
deux dessins à Jacques Le Sot, peintre obscur,
connu seulement par quelques mentions d'archives qu'elle a réunies. Ils nous semblent pourtant
typiques du style graphique de Charles Errard,
dont on reconnaît l'écriture dans les inscriptions de
couleurs. Le peintre recourait fréquemment à des
chefs de chantier, dont on connaît certains noms,
pour exécuter ses projets. C'est certainement ici le
cas avec Le Sot, qui semble n'avoir été dans le
marché du décor parisien qu'un exécutant – l'inscription précise bien « *pour estre exécuté par* ».
Barbara Brejon situait les deux feuilles dans la
décennie 1635-1645, mais comme l'indique la date
au dos de l'une d'elles, elles appartiennent bien au
milieu des années 1650.

Les deux dessins paraissent se rapporter au décor
d'une même maison, chose rare parmi les dessins
d'ornement conservés – peut-être la chambre
et son alcôve. Il est intéressant de voir dans le

9

THC 8693 deux propositions très différentes,
l'aspect très libre de la plume, qui montre l'aisance
du dessinateur, et la façon dont on pouvait se
contenter d'une couleur simplement indiquée par
des mots. Celui qui porte la mention d'un devis
est au contraire symétrique, à la seule variante
près du laurier et du chêne dans l'encadrement
central.

E. C.

Fig. 1. Cabinet de l'hôtel Lauzun.

10

Attribué à Michel Dorigny (Saint-Quentin, 1617 – Paris, 1665)

Projet pour un lambris de l'hôtel Lauzun

Vers 1660 | Pierre noire, plume et encre brune, lavis brun et gris, rehauts d'aquarelle

H. 0,358 ; L. 0,530

Hist.: collection Saint-Morys ; saisie révolutionnaire en 1793 ; entré au Museum national en 1797.
Bibl.: Wilhelm, 1958, p. 48 ; Labbé et Bicart-Sée, 1987, II, p. 549 ; Bersani, 1997, p. 122.

Paris, musée du Louvre, département des Arts graphiques. Inv. 33891

Cette feuille de grand format est un rare témoignage d'un projet de décor pour un mur complet, cheminée comprise. Wilhelm l'a mis en rapport avec un cabinet de l'hôtel Lauzun (fig. 1). La frise n'inclut pas moins de quatre variantes, tout comme les panneaux des lambris, ce qui permet un nombre considérable de combinaisons, les alternatives ne fonctionnant pas par travées. Le décor réalisé emprunte ainsi le guillochis de la proposition de droite et l'encadrement aux rideaux de celle de gauche. Comme dans d'autres dessins de décor (voir cat. 11), l'artiste laisse la moitié du projet en réserve, pour conserver une certaine lisibilité aux alternatives, pour marquer la structure générale et

économiser son travail. On notera encore le rôle important joué par la couleur. Le jaune évoque la dorure, abondamment employée dans le décor final. L'essentiel du décor plafonnant ayant été réalisé à la même époque par Michel Dorigny, il semble naturel qu'il ait proposé aussi ce projet de lambris. Le traitement du lavis et celui de la couleur ont un caractère vouetesque qui ne contredit pas cette hypothèse, que viendra peut-être conforter le rapprochement avec les cat. 11 et 12.

E. C.

11

Michel Dorigny

Projet pour le plafond de la chambre de Louis Hesselin

Vers 1648-1649 | Pierre noire, plume, encre brune et lavis d'encre de Chine

H. 0,300 ; L. 0,355 | Contrecollé ; taches brunes à gauche de la feuille

Hist.: acquis en 1937 par le musée historique du château de Vincennes, en dépôt à la bibliothèque de la direction du Patrimoine.
Bibl.: B. Brejon de Lavergnée, 1998, p. 47, fig. 22, note 23.

Paris, bibliothèque de la direction du Patrimoine. Inv. 97/30, carton 1, ABF 16 /21

Cette feuille fait partie de la série des vingt et un dessins acquis en 1937 par le musée historique du château de Vincennes et préparatoires, pour la plupart d'entre eux, au décor conçu par Michel Dorigny pour cette demeure royale. Celle-ci s'en distingue toutefois par la présence d'éléments qui font référence à la personnalité de Louis Hesselin, maître de la chambre aux deniers : la devise *Superest dum vita movetur,* le monogramme C. H. (Cauchon et Hesselin) associé aux griffons et l'attribut de la fusée de feu d'artifice désignent en effet Hesselin comme l'auteur de cette commande. Moana Weil-Curiel (comm. orale du 13 juillet 2001) suppose qu'il s'agit d'une étude préparatoire pour le plafond de sa chambre dans l'hôtel particulier qu'il fit construire au 24, quai de Béthune par Louis Le Vau vers 1641-1643 et qui fut démoli en 1934 (Weil-Curiel, 1998, p. 75). C'est vers 1648-1649 que Louis Hesselin fait appel à Michel Dorigny pour le décor de l'escalier et, vraisemblablement, de cette chambre. L'artiste conçoit une large voussure compartimentée où alternent *quadri riportati,* médaillons, atlantes nus

et guirlandes étroitement imbriqués. La partie centrale du plafond est consacrée à la glorification du propriétaire. Il est difficile devant l'absence d'annotation et de trace de couleur sur la feuille de juger du décor proprement dit. Nous pouvons toutefois supposer qu'il présentait – comme le plafond du château des Lions de Port-Marly peint par Dorigny à la même époque (B. Brejon de Lavergnée, 1982, p. 69-73) – une association de motifs peints et sculptés : les figures nues modelées en stuc blanc sur un fond doré, les scènes peintes en grisaille ou en camaïeu imitant des bas-reliefs et les guirlandes de fleurs sculptées en gypserie et généreusement rehaussées d'or. L'esquisse de demi-plafond élaborée dans la partie supérieure de la feuille semble correspondre à l'alcôve de la chambre.

Dorigny fait preuve ici comme pour d'autres décors parisiens, notamment à l'hôtel Lauzun, de ses talents de décorateur, qui lui assurent une place de choix entre Simon Vouet et Charles Le Brun.

E. B.

12

portrait de Philippe d'Orléans et d'une troisième scène illustrant le Parnasse, détruite pendant la Seconde Guerre mondiale mais connue par une photographie (B. Brejon de Lavergnée, 1981, p. 451-452). Les autres études de cet ensemble réalisées à la plume et à l'aquarelle sont préparatoires pour des lambris, des portes ou des « renfoncements » de plafond et portent bien souvent l'inscription « Michel d'Origny ». Notre étude est composée de quatre panneaux principaux ornés de motifs allégoriques, dont deux font référence au Roi : le groupe de femmes entourant un médaillon au chiffre du Roi et les putti portant la couronne royale. Nous relevons dans le choix décoratif – festons, roses et guirlandes – une ornementation souvent utilisée par Dorigny, notamment aux plafonds du palais Mazarin (B. Brejon de Lavergnée, 1998, p. 45, fig. 18). Grâce à certaines inscriptions, figurant sur d'autres feuilles de la série (inv. ABF 20/21), comme « grand Cabinet de la Royne », « Cabinet du Roy », « Grand Oratoire de la Royne », Hurtret (1937, p. 129-133) put les mettre en relation dès leur achat, en 1937, avec le décor aujourd'hui malheureusement très fragmentaire du château de Vincennes.

E. B.

12

Michel Dorigny

Projet pour une porte du château de Vincennes avec le chiffre de Louis XIV

Vers 1660-1661 | Plume, encre noire et lavis et aquarelle rouge, vert et bleu

H. 0,285 ; L. 0,190 | Annotation au crayon noir, dans la partie supérieure : de la Royne

Hist.: acquis en 1937 par le musée historique du château de Vincennes ; en dépôt à la bibliothèque de la direction du Patrimoine.
Bibl.: Hurtret, 1937, p. 131-132.

Paris, bibliothèque de la direction du Patrimoine. Inv. 97 /30, carton 1, ABF 19/21

Cette feuille fait partie de la série des vingt et un dessins acquis par le musée historique du château de Vincennes et préparatoires, pour la plupart d'entre eux, aux décors de cette demeure royale. Certains, exécutés à la plume, encre noire, dans une facture schématique et enlevée, sont des projets pour des plafonds peints par Dorigny dans le pavillon de la Reine ; réalisées vers 1660-1661, ces compositions sont les seuls décors conservés et encore en place aujourd'hui de l'artiste : il s'agit de Zéphyr et Flore, de la Renommée tenant le

13

Jean Cotelle (1606 – Paris, 1676) et atelier

Plafond aux armes d'Anne d'Autriche et de Louis XIII

Vers 1640-1660 | Graphite, plume et encre brune, lavis gris

H. 0,356 ; L. 0,415

Hist.: collection Carl Harleman ; collection du musée depuis 1792.

Stockholm, National Museum.
Inv. THC 8742

Ce dessin inédit est caractéristique du style de plafonds fortement compartimentés qui a prévalu entre 1640 et 1660 à Paris. Les angles, qui offrent trois variantes, accueillent une rose, motif traditionnel du caisson depuis que la Renaissance l'a réintroduit dans le décor de plafond. Les milieux reçoivent, eux, les armes et le chiffre d'Anne d'Autriche et du Roi, tandis que le compartiment central était sans doute destiné à une peinture sur toile. Ce qui frappe est l'abondance des motifs d'encadrement, concentriques, et le caractère antiquisant de leurs motifs. Quelques fleurs de lis viennent s'insérer discrètement pour rappeler la qualité royale de l'occupant des lieux.

Le style un peu sec des ornements diffère de celui des compartiments à putti, où l'on reconnaît la main plus aisée de Jean Cotelle. Ce dernier s'est sans doute appuyé sur un assistant pour le dessin de tout ce qui ne comportait pas de figure, laissant ainsi apparaître un trait du fonctionnement des ateliers de décorateurs.

E. C

13

14

14

Anonyme

Projet pour une cheminée

Vers 1650-1660 | Plume et encre brune, lavis gris, pierre noire | Échelle en pieds et pouces tracée à la plume et encre noire

H. 0,296 ; L. 0,144 | Annotation, en bas, au crayon : …*bre haulte po*[ur] *Mad*e *de* [Nan ?] *teuil*

> **Hist. :** collection Saint-Morys ; saisie révolutionnaire en 1793 ; entré au Museum national en 1797.
> **Bibl. :** Labbé et Bicart-Sée, 1987, II, p. 560.

Paris, musée du Louvre, département des Arts graphiques. Inv. 34145

Le type de la cheminée correspond à des modèles mis en vogue par A. Pierretz, dans ses *Divers desseins de cheminées à la royale…* (1647), Jean Marot et, sur un mode plus complexe, Jean Lepautre. L'échelle, l'ombrage du foyer, la simplicité des motifs, le trait un peu sec indiquent probablement la main d'un architecte, plus que celle d'un ornemaniste. Le projet, qui doit appartenir aux années 1650, est l'un des rares dessins de cheminée qui subsistent pour l'époque. L'échelle au bas n'est pas cotée, mais correspond vraisemblablement à des gradations d'un pied, c'est-à-dire à une largeur de six pieds, ou 1,85 mètre. L'inscription au crayon qui donnait le nom du commanditaire est malheureusement très effacée.

E. C.

15

Anonyme

Projet de plafond

Vers 1650-1660 | Plume, encre brune et lavis brun

H. 0,190 ; L. 0,392

> **Hist. :** Jules Maciet ; donné par lui le 10 juillet 1882.

Paris, musée des Arts décoratifs. Inv. 822

Cette feuille représente le projet d'ensemble d'un plafond à l'italienne. L'artiste n'y étudie que le décor de la voussure, la composition centrale étant laissée vide. Il ne s'agit pas d'une commande précise mais plus vraisemblablement d'un modèle proposé aux peintres, comme ceux de Jean Lepautre dans ses séries gravées vers 1650 (Préaud, 1999, XII, 2e partie, p. 230-237, nos 1817-1839). L'artiste y conçoit un type de décor à rinceaux animés de putti, que l'on retrouve notamment dans la voussure peinte du cabinet de Mme de Bisseuil à l'hôtel Amelot de Bisseuil (Courtin, 1998, p. 57, fig. 2) ou les estampes de Jean Lepautre à la même époque (Préaud, *op. cit., loc. cit.,* p. 184-185, nos 1645-1650) ; la frise est rythmée par des boucliers ou des masques de Méduse et les quatre angles sont ornés de médaillons représentant des allégories, sans doute destinées à glorifier le propriétaire du lieu. Nous pouvons supposer que le décor pouvait être peint sur un fond doré ou partiellement en stuc blanc et en camaïeu.

E. B.

16

Anonyme

Projet de plafond à caissons

Vers 1640-1660 | Pierre noire, plume, encre brune, lavis brun et aquarelle

H. 0,242 ; L. 0,250 | Chiffres non identifiés : *M A L* et *F M* | Annotation, en bas, au centre, à la plume : *cabinet*

> **Hist. :** acquis à la vente Saint-Maurice, 15 avril 1893.

Paris, musée des Arts décoratifs. Inv. A 7615

Ce projet présente les lourds encadrements de compartiments caractéristiques des années 1640-1660. On leur a opposé les motifs légers des rubans se finissant en fourche, particulièrement à la mode à partir de 1650, qui jouent de leur légèreté dans les angles. L'espèce de cuir enroulé qui tient ceux de gauche ou le masque au centre renvoient au contraire à une époque antérieure. L'inscription permet de relier le projet à un type déterminé de pièce, le cabinet, pièce précieuse entre toutes. Une partie du décor est rapidement ébauchée à la pierre noire, une autre étant soulignée à la plume avec une technique de hachures qui n'est pas sans rappeler celle de Michel Dorigny. Le chiffre MAL ne peut être identifié à celui d'Anne d'Autriche et de Louis XIII, vu l'absence de tout symbole royal.

E. C.

15

17

Jean Lepautre (Paris, 1618 – Paris, 1682)

Projet pour un plafond

Vers 1650-1660 | Pierre noire, plume et encre noire, lavis gris, rehauts d'aquarelle jaune

H. 0,373 ; L. 0,664

Hist. : Cabinet du Roi ; saisie révolutionnaire en 1793 ; entré au Museum national en 1793.
Bibl. : Both de Tauzia, 1879, nº 1883 ; Guiffrey et Marcel, 1921, p. 59, nº 9120 ; Préaud, à paraître, nº 18.

Paris, musée du Louvre, département des Arts graphiques. Inv. 30609

Ce grand dessin est l'un des rares que l'on puisse rattacher à la production graphique de Lepautre, pourtant si abondante dans l'estampe (voir Préaud, à paraître). Il n'a pas été gravé, et son format hors norme par rapport aux plus grandes planches de l'artiste n'en fait certainement pas un projet conçu pour la gravure, ce que confirmerait l'importante place du lavis jaune. Faut-il y voir un projet destiné à être réalisé ? Le caractère très fini, avec de nombreuses variantes,

lié à l'absence de tout chiffre, ou de tout signe héraldique, en rend peu probable l'hypothèse. Le bouclier de la Renommée au centre permettait sans doute d'accueillir des armes, mais l'artiste n'en indique aucune. Quoi qu'il en soit, l'œuvre offre d'apprécier la maîtrise de Lepautre dans le maniement du lavis. La disposition générale n'est pas sans rappeler l'un des nombreux projets gravés (*IFF* 1823), publié en 1651, avec son lourd octogone central, et le dessin pourrait bien être un témoignage précoce de l'activité de Lepautre dans le dessin.

E. C.

18

Jean Lepautre

Aiguière dans une architecture

1656 | Plume, encre brune et lavis brun et d'encre de Chine

H. 0,299 ; L. 0,224 | Annotation en bas, à la plume, encre brune : *Mr Le Potre fecit a paris le 18eme 7bre 1656*

Hist. : don de M. Olivier Le Fuel et de Mme Robert Cointreau, 20 décembre 1978.
Bibl. : Préaud, à paraître.

Paris, musée des Arts décoratifs.
Inv. 46706 (Lepautre)

Dessinateur et graveur, Jean Lepautre réalisa près de deux mille deux cents estampes représentant des sujets mythologiques, religieux et historiques éditées par Le Blond, Langlois, Mariette et Jombert ; c'est surtout dans le domaine de l'ornement qu'il acquiert sa réputation, proposant des modèles de vase, de manteau de cheminée, de sépulture et de décoration intérieure destinés aux artisans – orfèvres et menuisiers – de l'époque. Mariette rend hommage à ses « *inventions d'une infinité d'especes où l'on ne sçait lequel le plus admirer, ou de l'excellence du gout ou de la fecondité du genie* ». Il souligne également avec quelle « *facilité il produisoit ses pensées* » et suppose – sans doute grâce aux informations qu'il tenait de son grand-père Pierre II Mariette ou de son oncle Nicolas Ier Langlois (hypothèse de Préaud dans les *Mélanges offerts à M.F. Perez*, à paraître) – qu'il se donnait à peine « *le temps de faire des desseins de ce qu'il gravoit, il se contentoit le plus souvent d'en tracer une legere pensée, qu'il reformoit ensuitte sur le cuivre, suivant qu'il luy paroissoit convenable, & il ne se donnoit jamais la peinne de retoucher ses planches pour leur donner un air de propreté, son extreme vivacité ne luy permettoit pas de s'arrester si longtemps sur un mesme ouvrage* » (P.-J. Mariette, *Notes manuscrites*, VI, f° 57r^o et v^o).

18

Fig. 1. Pierre II Mariette, *Vases à la moderne*, 1659. Paris, Bibliothèque nationale de France, département des Estampes.

Le dessin du musée des Arts décoratifs est à rapprocher d'une série de *Vases à la moderne* publiée par Pierre II Mariette, en 1659 (exemplaires conservés à la Bibliothèque nationale de France, au département des Estampes, Ed. 42e, p. 7 ; Préaud, 1999, 2e partie, p. 273, n°s 1968-1973 ; fig. 1) : l'artiste dispose en effet de manière identique de grandes aiguières en argent dans des architectures imposantes où plusieurs personnes vêtues à l'antique sont représentées saisies d'admiration devant la beauté des objets. L'échelle des proportions entre le vase et les figures humaines est plus réduite ici, ce qui atténue l'effet théâtral de la mise en scène.

Il s'agit d'un dessin très élaboré où l'artiste rend compte avec précision de chaque détail ornemental de la pièce d'orfèvrerie : la panse, qui repose sur une large feuille d'acanthe, est décorée d'une scène mythologique rassemblant des centaures et des naïades, tandis que l'anse est ornée d'une élégante figure de femme ailée ; l'utilisation d'un lavis brun assez soutenu et de réserves de papier très blanches permet de beaux contrastes d'ombre et de lumière. Lepautre a signé et annoté son dessin en le datant précisément du 18 septembre 1656, sans toutefois le retenir ultérieurement pour l'une de ses planches gravées.

E. B.

19

Jean Lepautre

Rafraîchissoir orné à gauche d'une sirène

Vers 1660 | Plume, encre brune, lavis d'encre de Chine et d'indigo

H. 0,193 ; L. 0,256

Hist.: J. Masson, marque en bas à gauche (L. 1494a) ; don de ce dernier, 1925.
Bibl.: Préaud, à paraître.

Paris, École nationale supérieure des beaux-arts. Inv. O. 141 (Lepautre)

Le dessin de l'Ensba est préparatoire à l'une des six eaux-fortes représentant des fontaines mobiles et publiées par Jean Ier Leblond vers 1660 (exemplaire conservé à la Bibliothèque nationale de France, au département des Estampes, Ed. 42e, p. 18 ; Préaud, 1999, 2e partie, p. 148, n° 1518 ; fig. 1) : une large cuvette encadrée d'une bordure d'écailles est située dans un paysage de bord de

Fig. 1. Jean Lepautre, *Fontaine mobile*, vers 1660. Paris, Bibliothèque nationale de France, département des Estampes.

mer ; ce choix inhabituel chez Lepautre, qui place généralement ses pièces d'orfèvrerie dans des palais monumentaux, s'explique par la présence de la sirène comme variante décorative pour l'un des anneaux du rafraîchissoir et des dauphins dans la partie inférieure du cadre.

Notre feuille, d'une facture très élaborée, se distingue de la *« legere pensée »*, évoquée par Pierre-Jean Mariette pour les études préparatoires de l'artiste : les principaux détails de l'objet sont déjà indiqués et sont reproduits dans le même sens sur la planche ; seules quelques différences et certaines parties inachevées du décor – l'encadrement et le col de la cuvette notamment – confirment l'hypothèse d'une étude plutôt que d'une copie. Toutefois, les gravures de Lepautre ont été largement diffusées dans toute l'Europe et elles furent l'objet de nombreuses copies dessinées, ce qui rend plus difficile la connaissance de son œuvre dans ce domaine. Le département des Estampes de la Bibliothèque nationale de France conserve ainsi deux dessins, à la plume et au lavis brun, proches de cette série, sans que nous puissions affirmer qu'il s'agisse véritablement d'études préparatoires (Inv. Hd 215 Mf. R 16445 [acq. 6602] et Hd 215 Mf. R 16447 [acq. 6602] ; Préaud, *op. cit., loc. cit.,* p. 146-147).

Quoi qu'il en soit, Lepautre déploie ici un vocabulaire ornemental très riche inspiré de l'art baroque romain, dont il eut connaissance par l'intermédiaire de l'estampe : les larges feuilles d'acanthe enroulées et les opulentes guirlandes de fruits, la frise à godrons et le masque grimaçant sont autant d'éléments témoignant de cette influence. N'oublions pas qu'il pouvait également puiser ses sources d'inspiration dans l'extraordinaire collection de pièces d'orfèvrerie rassemblée par Mazarin dans son palais (Michel, 1999).

E. B.

20

Charles Le Brun (Paris, 1619 – Paris, 1690) et son atelier

Projet pour un tabernacle

1654 | Plume, encre brune et lavis d'encre de Chine sur papier beige

H. 0,319 ; L. 0,287 | Inscriptions : à gauche de la feuille, à l'encre brune, en partie coupée, *eur par Thibault Poissan /… Phles et Girard debonnaire /… rat entre eux pour raison /… roit par devant les notaires /… gnez ce jourdhuy vingt troie /… uante quatre / issant / de Bonnaire / . Rallu* ; au verso, à l'encre brune, également coupée, *Paraphé ne varietur par Mre Ad…/ par Philippes et Gerard debonnaire mais…/ marché et acte passé entr'eux ce jour d'/cinquante quatre par devan les notaires…/Possession de Rallu l'un d'iceux…/Gaultier* | Annotation en haut, à droite, au crayon : *dessin de Ballu, orfèvre du Roy*

Hist.: H. Destailleur ; vente, Paris, 19 mai 1896, n° 232 (sous le nom de Ballin).
Bibl.: *Chronique des arts*, 1896, p. 220-221 (Thibaut Poissant) ; Lehnert, s. d., II, p. 101-102 (Thibaut Poissant) ; Montagu, 1963, p. 42-45, pl. 39 ; le Pas de Sécheval, 2000, p. 393 (Le Brun).
Exp.: Versailles, 1963, n° 88 (Le Brun).

Paris, musée des Arts décoratifs. Inv. 8460 (Le Brun)

Attribuée à Ballin puis à Poissant, cette feuille fut mise en relation pour la première fois avec le tabernacle de l'église des carmélites par Montagu (1963, p. 40-47) : elle s'appuie en effet sur la description donnée par Nivelon dans sa biographie, où il mentionne un *« tabernacle de cette Eglise des Carmélites est du dessein et de la conduite de M. Le Brun ; riche non seulement par la matière étant d'argent, mais par sa composition que je dirai nouvelle, […] étant construit sur l'idée de l'arche d'aillance […] Sur les deux angles de cette construction mystérieuse sont placés deux chérubins soutenant une table d'argent de la manière qu'il est écrit, qui servoit à couvrir les tables de la loi, la gomor de manne, la verge de Moyse et leurs ailes relevées en haut formant un grand cercle ».* Cette pièce d'orfèvrerie fut commandée par l'abbé Édouard Le Camus pour orner le maître autel de l'église et lui coûta la somme considérable de 43 510 livres. Conçue par Le Brun, elle fut exécutée vers 1654-1655 par les frères Debonnaire avec la collaboration du sculpteur-fondeur Thibaut Poissant (le Pas de Sécheval, 2000, p. 393, notes 37-38). Aujourd'hui disparu, ce tabernacle mesurait, selon les indications qui figurent sur notre feuille, 2,24 mètres de hauteur et pesait 300 kilos (comm. orale de Michèle Bimbenet-Privat).

Comme en témoignent les différentes inscriptions apposées sur la feuille, l'étude du musée des Arts décoratifs correspond au dessin-contrat soumis au commanditaire et ratifié lors du marché par le notaire Rallu, dont les archives n'ont malheureusement pas été conservées (comm. de M. Bimbenet-Privat du 12 juillet 2001). Nous

20

relevons dans la facture des différences évidentes entre certaines parties du décor décrites avec une précision minutieuse – le couvercle orné d'un toit de tuiles bordé de pommes de pin ou encore les pilastres cannelés – et la scène centrale, d'un caractère beaucoup plus esquissé, ce qui laisse supposer l'intervention de deux artistes : Le Brun pour la conception de l'objet et l'exécution de la *Manne* – où l'on retrouve des similitudes avec d'autres œuvres de l'artiste (Montagu, 1963, p. 44, pl. 41) – et les frères Debonnaire pour les éléments décoratifs.

E. B

21

Anonyme

Projet pour un tapis

Vers 1660 | Plume et encre noire, lavis jaune et rehauts d'aquarelle

H : 0,505 ; L. 0,328 | Chiffre, au centre : *M.C.G.C.* | Annotation, en haut, à l'encre : *Mr J'ay veu Mad de Guenegaut Il fault faire le fondz de la bordure de bleuf / Il fault tout le fond du tapis de blanc et la*

bordure servant d'orne[men]t / de coulleure d'orore et le mitten ou sont les chiphre fondz bleuf Il fault que / que tous les feillaiges et fleurs [?] sur chaq[ue] fondz a quoy il fault / bien prendre garde Il fault q[ue] la bordure se perde proche le pillier / Je vous veray le plustost q[ue] je pouray

Hist. : collection Saint-Morys ; saisie révolutionnaire en 1793 ; entré au Museum national en 1797. **Bibl. :** Both de Tauzia, 1879, n° 1952 ; Labbé et Bicart-Sée, 1987, II, p. 554.

Paris, musée du Louvre, département des Arts graphiques. Inv. 34007

L'inscription apprend que le projet s'applique à un tapis et que le destinataire en est Catherine Martel, épouse de Claude de Guénégaud, trésorier de l'épargne, dont Jean Vittet a identifié les initiales dans le chiffre central (comm. orale) – et non, comme le supposait Both de Tauzia, sa belle-sœur, Élisabeth de Choiseul-Praslin. La bordure porte les armes des commanditaires, fait semble-t-il rarissime dans les tapis de l'époque, et qui souligne l'importance du présent projet. Vittet nous a signalé par ailleurs un tapis comportant la même bordure, dans le marché de l'art parisien en 1991 (voir *Revue du Louvre*, 1991, n° 2, p. 119).

La forme rognée à un angle devait s'adapter à un emplacement précis, ce qui indique l'aspect presque immobilier pris parfois par des éléments textiles du décor. Le projet se décline à trois niveaux : entier pour le motif central comportant le chiffre, à moitié pour le motif du champ et au quart pour la bordure. Il est frappant de constater la récurrence des mêmes motifs entre tapis, tapisseries, lambris ou plafonds : moulures géométriques, larges rinceaux sont le lot des années 1640 à 1660. Jean Cotelle a fait des travaux considérables à l'hôtel des Guénégaud (voir Lacroix-Vaubois, 1998, p. 72-89), et il est tentant de chercher sa main dans ce dessin.

E. C.

22

Anonyme

Projet pour un lambris

Vers 1660 | Plume et encre brune, lavis vert et rouge, pierre noire

H. 0,236 ; L. 0,390

Hist. : collection Carl Harleman ; collection du musée depuis 1792.

Stockholm, National Museum.
Inv. THC 4600

Les projets pour lambris sont préservés en bien moins grand nombre que les projets de plafond. Le décor particulièrement riche de ce très beau dessin redouble son intérêt. La forte compartimentation du registre médian comme du lambris bas, le lourd encadrement de feuilles de chêne que l'on trouve par exemple au plafond de la chambre de la maréchale de La Meilleraye à l'Arsenal, les motifs des enfants dans les spirales, qui ne sont pas sans rappeler des gravures d'Errard, les rubans qui pendent des trophées, la frise qui s'apparente de près au décor des bordures des gravures de Bosse (voir cat. 15) ou l'aspect général très rempli et presque encombré du projet comme ses couleurs évoquent des œuvres des années 1650, mais les trophées verticaux sont déjà louis-quatorziens, comme l'utilisation du blanc en fond – un tel dessin souligne bien les difficultés de la datation des projets d'ornement.

E. C.

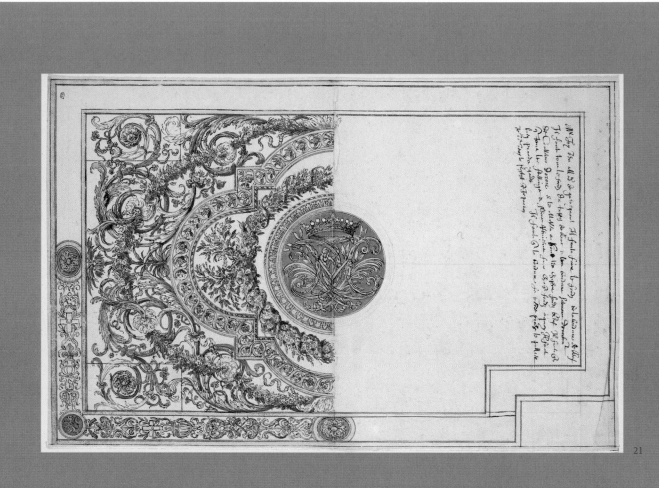

21

22

La gravure d'ornement

Emmanuel Coquery

L a seconde moitié du XVIᵉ siècle a inauguré en France l'art fructueux de la gravure d'ornement, et le demi-siècle suivant lui a donné une expansion remarquable, mais encore méconnue[1]. Il a été estimé qu'une estampe sur dix éditées à Paris au XVIIᵉ siècle traitait d'ornement[2]. Cette production frappe par la diversité de ses auteurs, alors que celle de l'époque précédente était le fait de spécialistes. Il n'y a pas à l'époque, à l'exception notable de Lepautre, de graveur purement ornemaniste. Au contraire, de nombreux artistes semblent s'être essayés occasionnellement à la gravure, parmi d'autres activités décoratives, et rares sont les graveurs professionnels qui n'ont pas produit de pièces d'ornement, parmi d'autres travaux. À cette variété des auteurs s'ajoute, on ne saurait trop le souligner, la qualité souvent remarquable de la gravure : il y a dans cette production de purs chefs-d'œuvre de la taille, et les coups d'essai sont souvent des coups de maître. Au moment où la capitale du royaume prenait peu à peu le premier rôle dans le commerce européen de l'estampe, la gravure d'ornement a ainsi puissamment contribué à la définition d'un style décoratif français et à sa diffusion à l'étranger. En 1665, Christopher Wren ne déclarait-il pas avoir acheté à Paris une grande quantité de gravures d'ornements et de grotesques « *dans lequel les italiens eux-mêmes confessent que les français excellent[3]* ».

L'estampe d'ornement représente, en marge de la production des objets, une sorte de laboratoire où fermente l'imaginaire du décor. Il ne faut pas y scruter le reflet exact de créations souvent disparues, comme on peut le faire avec les estampes interprétant des tableaux, mais plutôt y interroger des tendances et des développements stylistiques que généralement les objets n'ont jamais incarnés tout à fait – il s'agit moins d'un miroir que d'un prisme grossissant.

La dimension chronologique en est une facette des plus importantes, les nombreuses pièces datées fournissant d'utiles repères de datation. Mais les gravures sont-elles en amont ou en aval des œuvres ? Il est rare que soient reproduites des œuvres réalisées. Quand Balthazar Moncornet publie, en 1665, son *Livre nouveau de toutes sortes d'ouvrages d'orfèvrerie recueillis des meilleurs ouvriers de ce temps,* il ne fait sans doute que donner des modèles strictement graphiques fournis par des orfèvres. Mais lorsque Simon Vouet produit son *Livre de diverses grotesques peintes dans le cabinet et bain de la reine régente au Palais Royale,* gravées par Michel Dorigny en 1647 (cat. 59), ou Charles Errard ses *Ornemens des appartemens de la Reine au vieux Louvre* (cat. 61), ils se distinguent par un souci de diffuser des œuvres qu'ils devaient considérer comme les plus remarquables de leur production. Parfois, les auteurs insèrent parmi des projets des dessins qui ont pu être exécutés, comme, vraisemblablement, Jean Cotelle dans son *Livre de plafonds* (cat. 63), ou des décors existants, comme Jean Barbet dans son *Livre d'architecture d'Autels et de Cheminées.*

En général, les gravures d'ornement ont plutôt la prétention d'offrir des modèles, universels ou particuliers. La plupart des titres clament une utilité polyvalente : Tavernier publie, en 1619, *Divers compartiments et chapiteaux propres pour tous sculpteurs, peintres, graveurs, maçons et autres* (cat. 27). Cette universalité est celle du dessin, dont on sait qu'il ne formait avec le dessein qu'un seul mot, et presque une seule notion[4]. Les Ferdinand et Louis Testelin offrent ainsi *Divers objets d'amour designez en sorte qu'ils pourront servir en divers lieux d'ornemens et de décorations, utille par conséquent aux artisans qui se meslent de dessein.* Néanmoins, l'orfèvrerie est un domaine traditionnellement privilégié, par son étroite parenté technique avec la gravure : « *pour servir à l'art d'orfebvrie* » est une précision fréquente que portent les

1. Parmi les synthèses anciennes mais toujours indispensables, voir Guilmard (1881), Jessen (1920) et Berliner (1925-1926, rééd. Egger, 1981, sur laquelle il faut consulter Fuhring, 1987), et pour des études récentes, Fuhring (1992, et surtout 2002) ou Préaud (1999). Fait caractéristique d'un certain désintérêt, une exposition récente organisée au musée de Boston (1998) abordait tous les domaines de la gravure française du XVIIᵉ siècle, sauf celui-là.
2. Grivel, 1986.
3. Wren, 1750, p. 262, cité par Thornton, 1981, p. 27.
4. Voir notre essai, « Rien d'éclatant n'y manque… ».

pièces, même si elles peuvent s'appliquer, par exemple, à la gravure des cabinets d'ébène – l'orfèvrerie exerce alors un certain ascendant sur les autres techniques. Mais les feuilles les plus spécialisées pouvaient toujours inspirer d'autres domaines.

À l'inverse, il est exceptionnel que des objets copient directement des gravures[5]. À part quelques projets de montre, couvercle ou plaque de boîte, qui appartiennent surtout au début du siècle et dont la taille souvent restreinte, grandeur nature, suggère un souci d'utilité directe, ces estampes déploient presque toujours une mise en situation du modèle qui les situe résolument dans l'invention, et ce que dit Mariette de Lepautre s'applique, selon nous, à la plupart des gravures d'ornement : « *Ce qu'il mettait au jour était moins reçu comme des modèles que comme des idées propres à échauffer le génie*[6]. »

La difficulté à circonscrire nettement le champ de l'estampe d'ornement est un symptôme clair de cette disposition stimulatrice plutôt que contraignante. Guilmard, dans son indispensable répertoire, avait adopté une définition large, où les longues frises bachiques de Pierre Brébiette comme les *Jeux et plaisirs de l'enfance* de Jacques Stella pouvaient figurer en bonne place. Mais les fameuses suites de Bosse (cat. 14), devenues l'une de nos principales sources d'information sur le décor au temps de Louis XIII, ont-elles pu servir à l'époque aux « *artisans qui se mêlent du dessin* » ? Rien n'interdit de le penser. Les titres des recueils confèrent à l'ornement une extension parfois surprenante. Ainsi, celui de la suite d'Amours de Louis Testelin, peintre d'histoire, précise qu'elle pourra « *servir en divers lieux d'ornemens et de décorations* ». Que penser des belles planches du rare Zacharie Heince, gravées par Bignon et Dorigny, qui figurent des triomphes marins[7] ? Elles ne comportent pas de titre qui précise leur origine ou leur destination, mais tout les apparente aux précédentes.

L'absence de tout titre explicite tend à devenir rare à partir du milieu du siècle. En dehors de ce dernier, l'organisation de ces feuilles en suites numérotées est un trait constitutif de l'estampe d'ornement. Non que cette dernière l'ait seule adopté, en confèrent les paysages de Swanevelt ou les histoires de la Passion. Mais le caractère presque systématique qu'elle a dans ce domaine lui est comme inhérent : ce que montrent ces planches, c'est que l'ornement est à l'époque un système de variations.

La longueur de ces séries est variable. La séquence la plus fréquente est de six pièces – elle est presque canonique chez un Lepautre. Ses multiples, douze ou même vingt-quatre, comme les *Cheminées* de Jean Marot (cat. 66), ne sont pas rares. Mais un Francini peut inclure quarante pièces dans ses *Portiques* gravés par Bosse et les nièces de Stella auront recours à quatre livres de seize pièces (cat. 52). Dans la grande majorité des cas, les gravures entretiennent d'étroites similitudes, qui font jouer les variantes tantôt sur le dispositif général, tantôt sur le détail du motif, en conservant alors la disposition d'ensemble.

Le vocabulaire des titres livre quelques explications à ce goût de la variante, en parlant d'« embellir » ou d'« enrichir », qui sont à l'époque synonymes : il y a là une logique d'accumulation, qui fait que chaque nouvelle pièce ne remplace pas tout à fait la précédente comme une solution alternative, mais s'ajoute à son exemple comme une démonstration d'ingéniosité qui ne serait convaincante que par la multiplication de ses produits. Ce principe de variation se retrouve d'ailleurs souvent au sein même des planches, par la répétition d'un même motif, comme dans les feuilles de cosse de pois, ou par la proposition d'une alternative. Lepautre adopte très souvent ce dernier parti, au risque de détruire l'impression d'unité qu'exige un projet de décor.

Mais cet accent sur la fécondité de l'invention qui guide toute la gravure d'ornement se révèle particulièrement dans l'association des motifs à un contexte humain ou paysager, qui range certaines de ces pages parmi ce que la gravure française du XVIIe siècle a créé de plus poétique. Certains graveurs en avaient d'ailleurs une conscience orgueilleuse. Antoine Jacquard place son portrait en tête de ses œuvres. La notion de caprice, qui resurgira un siècle plus tard avec la rocaille, semble avoir trouvé là un domaine d'élection. Le gobelet destiné au Roi par Boutemie en est, en 1636, l'exemple le plus extravagant (cat. 34), mais Della Bella ne prétend offrir que « *varii capricci* » et Rabel, avant eux, en 1629, des « *caprices de différentes figures* ». L'imagination y revendique ses droits, à une époque où la peinture d'histoire se met de plus en plus sous la coupe de règles strictes[8].

Les orfèvres font parfois preuve d'une verve à la Callot, qui glisse tantôt vers le comique, sinon la bouffonnerie scatologique, tantôt vers une fantaisie plus rêveuse où le monde naturel s'offre comme un spectacle surprenant et inspirateur. Langlois parle de « *scherzi* », de « *plaisanteries* », à propos des Amours de Brébiette. Jean Toutin met en abyme son propre travail devant le motif (fig. 1), et François Lefebvre met en scène une *commedia dell'arte* qui donne aux motifs un air de phylactère, d'exclamation dans une langue étrangère et pourtant compréhensible (fig. 2). Gédéon Légaré déploie des paysages profonds dont

5. Voir sur ce point les rapprochements proposés par Fuhring, dans cat. exp. Amsterdam, 1998.
6. Mariette, *Notes manuscrites*, VI, f° 57.
7. Moana Weil-Curiel prépare une étude sur Heince, dont il a retrouvé plusieurs inventaires.
8. Une étude de l'ornement dans ses rapports à la peinture figurée reste à faire, pour comprendre quels mécanismes d'équilibrage, sinon de compensation, sont à l'œuvre entre les deux.

Fig. 1. Jean Toutin, *Ornement pour servir à l'orfèvrerie.*

Fig. 2. Balthazar Moncornet, d'après François Lefebvre, frontispice du *Livre de fleurs et de feuilles…*

la minutie n'a d'égale que la précision des motifs qui se gonflent verticalement sur le plan du papier, les deux s'exaltant mutuellement (cat. 32). Parfois des maximes morales semblent vouloir rappeler la vanité de ces créations mêmes, comme celles de Jacques Caillard ou de Jean Vovert.

On ne s'étonne guère que le monde des insectes ait fasciné ces artistes. Ils inscrivent parfois, comme Jean Toutin, hannetons ou papillons dans les angles de leurs compositions. Leurs formes bizarres mais symétriques, filandreuses et arrondies pouvaient passer pour l'incarnation d'un idéal ornemental. La nature continuait d'avoir des secrets jusque dans ses formes les plus dérisoires et l'art y trouvait une stimulation inépuisable – les poètes ne cessent de faire le parallèle de leurs merveilles[9]. C'est l'âge des cabinets de curiosités, où l'on mêle sans scrupule les rémuras, les bézoards et les cristaux de roches montés.

Ce bouillonnement inventif répond aussi à la pression de la mode. L'estampe est un art souple et rapide, dont le public réclame de la nouveauté. Alexandre Vivot présente ses nouvelles feuilles en 1623, en demandant aux amateurs de prendre « *en bonne part ces nouveaux fruicts et fleurs* [...] *d'aussi bon cœur que si cestoit choses plus excellentes en attendant quelque autre nouveauté* ». Les titres des recueils y insistent : les dessins sont « *nouvellement inventés* » ou « *à la moderne* », particulièrement à partir du milieu du siècle, sans doute parce que la production, devenue abondante, poussait les auteurs à signaler leurs dernières feuilles. Fait significatif du tournant classicisant des années 1640, ces mentions se conjuguent souvent alors avec des références « *à l'antique* » ou « *à l'italienne* », voire « *à la romaine* ».

La gravure d'ornement est en effet un incomparable instrument de diffusion internationale des motifs, et les éditeurs de l'époque ont manifesté une grande attention aux innovations étrangères, ou à ce qui leur paraissait pouvoir intéresser leur public dans des productions déjà anciennes. Là mieux qu'ailleurs se lisent les courants d'importations qui ont irrigué les arts du décor. L'esprit de la Renaissance, notamment germanique, se faisait sentir dans les nombreux petits recueils à fond noir, destinés aux émailleurs, que les vingt premières années du siècle voient fleurir. Certains Allemands furent d'ailleurs édités à Paris, comme Hans-Georg Mosbach par Moncornet. D'autres, comme le Colonais Honervogt, s'installèrent dans la capitale. Les Flandres ont eu naturellement, du fait de l'origine de maints éditeurs et graveurs, un poids éminent. Pierre Firens, un Flamand émigré, édite des dessins sans doute inspirés d'Arent Van Bolten. De l'Italie, Della Bella apporte à Paris son lyrisme fluide et généreux. Bosse traduit Farinati, Dorigny, Fialetti, Lepautre s'inspire de Radi[10], Langlois édite Mitelli, Firens remet Zuccaro au goût du jour et Van Lochom publie un condensé de Michel-Ange, de Radi et d'autres[11] (1631). À l'inverse, Langlois édite Pierre Brébiette avec un titre en italien. Les exemples sont multiples et exigeraient une étude spéciale.

Malgré ses prétentions universelles, l'estampe ne s'est pas attachée également à tous les types d'ornement et de technique du décor. L'absence des textiles traduit sans doute leur caractère plus industriel et indique que ces estampes étaient destinées avant tout à des artistes capables d'exploiter eux-mêmes leurs motifs.

Plus surprenante est l'extraordinaire rareté des modèles de meuble. Le recueil de Crispin de Passe, édité à Amsterdam en 1642 avec un titre en trois langues – latin, français et flamand – montre peu

9. Voir *le Trésor des merveilles de natures ou nobles artifices*, du père Binet, 1621.
10. Préaud, 1999, nᵒˢ 1357-1366.
11. *Diverses inventions des temples, épitaphes, sépultures et ornemens le tout d'après Michel-Ange Bonnaretti, Bernardo Radi, etc*, en 45 planches.

d'exemples de goût français[12]. Nous sommes tenté de dire que le seul meuble qui soit vraiment considéré par la gravure est la cheminée, dont la structure n'est pas sans rappeler celle des cabinets. Les recueils qui en proposent des projets sont nombreux et souvent parmi les plus volumineux, de Collot (1633) ou Barbet (1633) à Pierretz ou Marot.

L'orfèvrerie se taille la part belle, en particulier dans le premier tiers du siècle, parce que la gravure est aussi un art du métal, mais aussi parce que bijoux et objets d'argent étaient plus que les autres soumis à la mode – et leur matière plus propre au remploi que n'importe quelle autre. Alors qu'éditeurs et orfèvres ont rivalisé d'invention dans ce domaine, une autre technique traditionnellement liée au métal comme l'arquebuserie ou la serrurerie accuse une curieuse propension aux archaïsmes. De Didier Torner (1622) à Marcou (cat. 71) ou Berain (1659) pour la première et Mathurin Jousse pour la seconde, les motifs semblent obéir au goût d'une génération antérieure.

Ces distinctions n'en mettent que plus en relief le caractère exceptionnel de l'inventivité de Lepautre[13] (cat. 67 à 70), qui montre bien l'espèce de continuum pouvant exister entre des objets de taille modeste et des créations relevant de l'architecture. On trouve chez lui des modèles pour des pièces rarement abordées par l'estampe, comme les salières, les objets religieux ou les guéridons. C'est le premier ornemaniste vraiment universel, celui qui établit la gravure d'ornement comme genre autonome. Sa prolifique production, qui compte plus de mille numéros dans ce domaine, s'étend de 1645 à 1682, mais on peut considérer que son style n'évolue plus guère à partir du milieu des années 1660 – rien ne correspond mieux peut-être à ce qu'il faudrait appeler le goût Mazarin.

L'universalité de Lepautre et la façon qu'ont presque toutes ses pièces de présenter des bordures soignées soulignent bien ce qui, au fond, constitue alors le champ propre de l'ornement : l'encadrement. Les nombreux recueils de cartouches ou de compartiments s'adressent en effet à tout le monde, parce que de la cheminée au vase, tous les objets et les parties du décor semblent se construire sur un art du contour. L'ornement est une forme de la marge, une extension, il prolifère *autour* – des frontispices, des portraits, des tapisseries. Si certains des plus beaux ornements gravés pendant le siècle se trouvent dans les encadrements de portrait, c'est sans doute parce que se manifeste là mieux que nulle part ailleurs un besoin d'accompagner la nudité de la physionomie des insignes de la fonction, de la famille, du rang, des devises.

L'abondance extraordinaire de Lepautre, la vivacité de son graphisme et le raffinement de la mise en situation de ses objets, à l'aide de petites figures, la rendaient difficile à appliquer, et suggèrent que toutes ces estampes n'étaient pas uniquement destinées à un public de professionnels, mais touchaient également les amateurs d'estampes. De fait, la collection d'un Marolles et la place importante qu'y occupe l'estampe d'ornement montrent bien que cette dernière n'a pu se développer ainsi au cours du siècle que parce que l'on pouvait la goûter pour elle-même. Mais les données sur les collections d'estampes à l'époque manquent cruellement pour comprendre cet aspect capital des arts du décor.

12. Nous remercions Peter Fuhring d'avoir attiré notre attention sur ce recueil. Voir Jervis, 1984, p. 41.
13. Voir Préaud, 1993, et surtout 1999.

23

Antoine Jacquard (actif de 1615
à 1625)

*Motif de montre
avec Vénus et Adonis*

Poitiers, vers 1615-1625 | Burin

H. 0,070 ; L. 0,056

 Bibl. : Guilmard, 1880, p. 41, nº 22 ; Clouzot, 1910.

Paris, Bibliothèque nationale de France,
bibliothèque de l'Arsenal. Est. 133, nº 17

Actif à Poitiers, Jacquard offre un exemple de
la vitalité de la production en province dans le
premier quart du siècle. Auteur d'une centaine de
pièces destinées aux arquebusiers, aux serruriers
ou aux orfèvres, il prolonge un style largement
hérité de la seconde moitié du siècle précédent,
notamment celui de Théodore de Bry. Son portrait, inclus dans l'une de ses suites, fait rarissime
dans le domaine, témoigne d'une personnalité peu
banale. Certaines pièces seront copiées par Jacques
Honervogt à Paris. Il propose dans cette pièce un
dessin pour une boîte de montre à l'échelle,
comprenant une scène historiée à sujet galant
(Vénus et Adonis) et une bordure florale en rinceau
sur fond noir, avec de petits motifs d'animaux ou
de monstres. La suite comprendrait huit pièces
(voir vente collection Reynard, 9 février 1846,
nº 359), non signées. Il existe dans le volume de la
bibliothèque de l'Arsenal deux autres tirages sur
papier coloré.

E. C.

23

24

24

Jacques Hurtu (actif de 1614 à 1623)

Motifs pour l'orfèvrerie

Paris, vers 1614-1619 | Burin

H. 0,098 ; L. 0,071 | En bas à droite,
le numéro : *3* | Au centre des deux motifs
latéraux, les initiales : *I* et *H*

 Bibl. : Guilmard, 1880, p. 40, nº 17, 1881, II, nº 13.

Paris, bibliothèque d'art et d'archéologie
Jacques-Doucet. 8º rés. 100

La pièce appartient à une suite de six pièces
d'ornement à fond noir, genre diffusé en Allemagne à la fin du XVIᵉ siècle et connu sous le nom
de *Schwarzornament*, mais aussi en Italie avec des
artistes tels que Giovanni Battista Costantino à
Rome ou Angelo Lazzarino à Pérouse, et auquel de
nombreux artistes français ont contribué dans le
premier quart du XVIIᵉ siècle, comme Jean Vovert,
Jean Morien, Gérard Sordot, M. Christollien,
Pierre Nolin, Carteron (cat. 25) ou Toutin (cat. 26).
Les motifs qui se détachent en réserve sont fortement marqués eux aussi par des exemples germaniques, tels que ceux de Théodore de Bry, avec
leurs pointes acérées et leurs enroulements effilés.
L'association d'animaux de la ferme, coq et din-
don, est d'une veine plus française. La première
pièce porte l'indication de l'éditeur, Pierre Firens,
lui-même graveur.

E. C.

25

Étienne Carteron (Châtillon-sur-
Seine, vers 1580 – après 1630)

Ornements pour montres

Paris, 1615 | Burin

H. 0,125 ; H. 0,096 (rogné) | Signé en bas :
S C F | En haut, le numéro : *8* ; daté au-
dessous : *1615*

 Bibl. : Guilmard, 1880, p. 39, nº 10 ; Jessen, 1920,
 p. 197.

25

Paris, musée du Louvre, département des
Arts graphiques, collection Edmond de
Rothschild. Vol. 534, nº 9696

La deuxième décennie du siècle vit en France
une floraison de recueils destinés à l'orfèvrerie, et
plus précisément aux émailleurs sur or, adoptant
une présentation des motifs en réserve sur fond
noir – le noir étant destiné à être émaillé ou laissé
en or –, déjà répandue en Allemagne depuis plusieurs décennies, notamment dans les travaux de
Hans Bull ou Daniel Mignot. Leur petit format
correspond à celui des boîtes ou couvercles auxquels ils pouvaient être destinés. Celui d'Étienne
Carteron, orfèvre d'origine bourguignonne,
compte huit pièces numérotées et signées des
initiales de son nom latinisé. Elles appartiennent
aux plus belles réussites du genre, par la beauté et
la variété des motifs, qui vont de la mauresque à
des silhouettes de fleurs au naturel, en intégrant
souvent des éléments de cosse de pois, comme c'est
le cas ici, et la fantaisie apportée parfois par de
petits animaux (fig. 1). Elles se distinguent par
ailleurs par la rare datation de chaque pièce.

E. C.

Fig. 1. Étienne Carteron, *Ornement pour
des croix.*

26

26

Jean Toutin (Châteaudun,
1578 – Paris, 1644)

Ornement pour l'orfèvrerie

1619 | Burin

H. 0,107 ; L. 0,082 (rogné à gauche) | Daté
en bas, à gauche : *1619* | En bas, à gauche,
le numéro : *2*

> **Bibl. :** Guilmard, 1880, p. 40, n° 18 ; Jervis, 1984,
> p. 485.

Paris, Bibliothèque nationale de France,
bibliothèque de l'Arsenal. Est. 186, n° 153

Toutin, fils d'un orfèvre de Blois, vint à Paris
en 1632, mais c'est à Châteaudun qu'il édita,
en 1619, deux suites en six pièces de petit format
pour les émailleurs, où les motifs sont intégrés à
une mise en scène souvent ludique – ici, le motif
pour couvercle de montre ou de boîte est inscrit
sur le bouclier d'un roi guerrier et moustachu. Le
dessin est particulièrement intéressant dans la
mesure où il contient de nombreux éléments en
cosse de pois à une date précoce, qu'il mêle au style
des orfèvres germaniques de la fin du XVIe siècle, dit
Schweifwerk, avec ses échancrures de la ligne – que
nous retrouvons sur la forme même de l'écu. Cela
permet de postuler l'une des origines de la cosse de
pois, qui n'aurait fait que refermer les ouvertures
en S ou en C pour créer des feuilles à la silhouette
continue, sauf donc en leur centre évidé. Jervis
signale que ces pièces furent copiées à Strasbourg
par Jacob von der Heyden.

E. C.

27

Melchior Tavernier (Paris,
1595 – Paris, 1665)

Cartouche

1619 | Burin

H. 0,110 ; L. 0,158 | Au centre :
*DIFERENTS / CONPARTIMENTS, ET /
CHAPITEAVX, PROPRES POVR / TOVS
SCVLPTEVRS, PEINTRES, / GRAVEVRS,
MACONS, ET AVTES. / M.DC.XIX* |
En bas, dans le cartouche inférieur :
*A PARIS, / Ches Iean Messager / ruë
St. Iacques a l'ensei / gne de l'espérance* |
En bas, à droite, le numéro : *1*

> **Bibl. :** Guilmard, 1880, p. 42, n° 24.

Paris, École nationale supérieure des
beaux-arts. Est. Lesoufaché 68, cartouches I, n° 22903

Ce titre est celui de la réédition d'un recueil de
Melchior Tavernier, publié en 1614, puis en 1619,
que Messager a livrée à une date inconnue. Il
ouvre un ensemble de trente-trois pièces, de fait
l'un des plus volumineux du premier quart du
siècle, où les motifs laissent parfois très peu de
place à une inscription ou à un tableau quelconque, comme si la forme se suffisait. Tavernier
était graveur et imprimeur du Roi, avec un
logement aux galeries du Louvre. Le titre dit bien
l'universalité du motif du « compartiment » ou du
cartouche. Tavernier publiera en 1632 une autre
suite en hauteur, présentée comme un recueil de
« *différentes inventions très-utiles à plusieurs sortes
de personnes* ». Le style trahit l'influence d'un
Federico Zuccaro, avec ses ailes de chauve-souris
et son masque grimaçant, mais, plus directement,
elles reprennent des motifs de Lukas Kilian datant
de 1610.

E. C.

27

28

28

Jacques Mollet (mort après 1622)

Broderie pour un parterre de jardin

Vers 1610-1620 | Eau-forte

H. 0,206 ; L. 0,207 | Signé en bas : *Iacques Mollet Inventor* | En haut, à droite, le numéro : *2*

Paris, Bibliothèque nationale de France, bibliothèque de l'Arsenal. Est. 182, n° 35

Les gravures pour la décoration des jardins, si elles ne sont pas très abondantes en France durant cette première moitié de siècle, n'en sont pas moins d'un intérêt capital pour suivre l'apparition et la diffusion de motifs nouveaux. Y apparaissent en effet des dessins mêlant motifs floraux stylisés, à la façon de certains tissus italiens, et des bandes géométriques, mélange qui peut passer pour la marque distinctive du style Louis XIV, et dont Berain a fourni les exemples les plus aboutis.

Cette pièce appartient à l'illustration du *Théâtre des plans et jardins* de Claude Mollet, paru en 1652, mais dont tous les dessins furent demandés par l'auteur à ses fils avant 1615. Claude Mollet était jardinier d'Henri IV et de Louis XIII. Jacques Mollet fournit dix des vingt-deux planches, qui comptent parmi les plus belles et les plus complexes du livre. Leur présence dans le volume de la collection Marolles consacré aux ornements de jardins (BnF, Hd 84) montre bien la façon dont de tels ouvrages pouvaient nourrir des recueils ornementaux. On peut observer ici au centre de chaque compartiment des motifs de feuilles qui s'apparentent à des lambrequins, motifs promis à une grande diffusion à partir des années 1670.

E. C.

29

Isaac Briot (Damblain, 1585 – Paris, 1670), d'après Pierre Delabarre (actif entre 1625 et 1650)

Motif pour l'orfèvrerie

1635 | Eau-forte et burin

H. 0,302 ; L. 0,243 | En haut, à droite, le numéro : *2* | En bas, au centre : *Avec Privilege du Roy*

Bibl. : Guilmard, 1880, p. 49 ; Alcouffe, 1988.

Paris, Bibliothèque nationale de France, département des Estampes. Le 40 r, f° 9

Comme pour d'autres orfèvres, on ne connaît de Pierre Delabarre qu'une suite d'ornements, en six pièces numérotées, dont il est l'inventeur et l'éditeur, ce *Livre De Toutes sortes de feuilles servant a L'orphevrerie Inventées Par P. De La Barre Me. Orphevre A Paris*. Delabarre est notamment connu pour avoir signé une des plus spectaculaires gemmes de la collection de Louis XIV (cat. 169). Il semble qu'il y ait eu un mouvement d'émulation entre orfèvres pour éditer leurs modèles, quitte à s'adresser aux mêmes graveurs. Le format imposant de la suite, datée de 1635, en six pièces, participe du même esprit publicitaire. Mais son originalité est de traiter le motif comme s'il était naturel, en enracinant les bouquets dans un sol qui permet de déployer de petites scènes, ou de montrer les racines dont naît le motif (fig. 1), et par

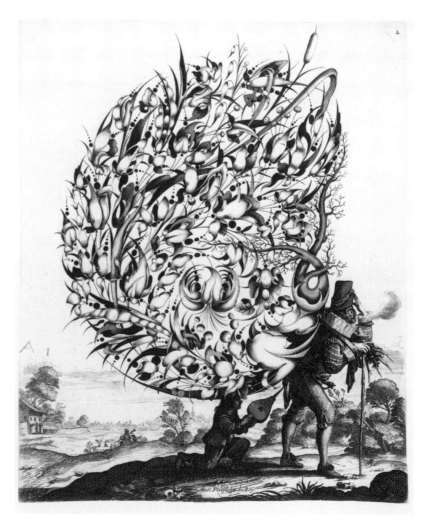

ailleurs d'intégrer parfois des pierres précieuses en aigrettes sur les feuilles les plus longues. Tout cela ne va pas sans facéties, comme le montre cette pièce. La suite sera rééditée par François Langlois.

E. C.

Fig. 1. Isaac Briot, d'après Pierre Delabarre, *Motif de feuilles pour l'orfèvrerie.*

30

Isaac Briot, d'après Jacques Caillard (vers 1595 – après 1632)

Feuille pour l'orfèvrerie

1627 | Eau-forte et burin

H. 0,203 ; L. 0,141 (rogné) | Signé en bas : *I. Briot sculpsit / Avec Privilège du Roy. 1627* | Au centre : *LIVRE / DE TOUTES/ SORTE DE / FEVILLES POVR/SERVIR A LART / D'ORFEBVRIE / De l'inventions / Jacques Caillart / Marchant / Orfebvre* | Sous le motif central : *A PARIS / Et ce vandent / Chez Isaac Briot / Graveur en Taille / Douce demeurant / Rüe des Noyers / proche St / Luc*

> **Bibl.:** Guilmard, 1880, p. 44, no 34 ; Weigert, 1951, p. 151.

Paris, musée du Louvre, département des Arts graphiques, collection Edmond de Rothschild. Vol. 603, no 28100

Ce titre est celui d'une suite de six pièces, unique sous le nom de Caillard. Weigert a signalé la présence de ce dernier au mariage du graveur, en décembre 1626, qui atteste l'importance des liens personnels, sinon familiaux, dans l'élaboration des recueils d'ornements. Il s'agit là d'une des suites les plus typiques de la cosse de pois, dont l'inspiration se manifeste clairement dans certaines feuilles du motif. Comme les recueils pour l'orfèvrerie du début du siècle, la mise en pages déploie plusieurs motifs réunis autour d'une composition centrale. Les autres pièces présentent des groupements plus aérés. Nous sommes, en 1627, au cœur de la vogue des motifs en cosse de pois, apparue au cours des années 1610. Preuve de son succès, la suite fut rééditée à La Haye dès 1628 (Jessen, 1894, no 524) par Willem Hondius, et à Paris même, deux ans plus tard, en 1629, chez Jasper Isaac.

E. C.

30

31

Balthazar Moncornet (vers 1600 – Paris, 1668), d'après Pierre Boucquet (actif vers 1630-1640)

Feuille pour l'orfèvrerie

1634 | Eau-forte et burin

H. 0,276 ; L. 0,218 | En bas à doite, le numéro : 6

> **Bibl.:** Guilmard, 1880, p. 49, no 48 ; Jervis, 1984, p. 78.

Paris, bibliothèque d'art et d'archéologie Jacques-Doucet. fo Rés. 57

Cette pièce appartient au *Livre de toutes sortes de feuilles pour servir à l'art d'orfebvrie*, dédié à *M. Christoffel Swager, de l'invention de Pierre*

Boucquet, en six planches, gravées et publiées par Balthazar Moncornet en 1634. Ici, un éditeur-graveur transcrit les dessins d'un orfèvre dans un format imposant – certaines planches portent la signature « Moncornet fecit ». On connaît un Pierre Bouquet prenant poinçon en 1610 (Bimbenet-Privat, 1992, p. 417), qui doit être l'auteur du présent recueil, ou son fils. Il s'agit d'une version assagie de la cosse de pois, où le groupement ternaire des feuilles est régulier, où les feuilles ne sont pas échancrées, où les longs filaments laissent respirer la composition, mais la disposition de cette forme en point d'interrogation en fait l'une des plus originales.

E. C.

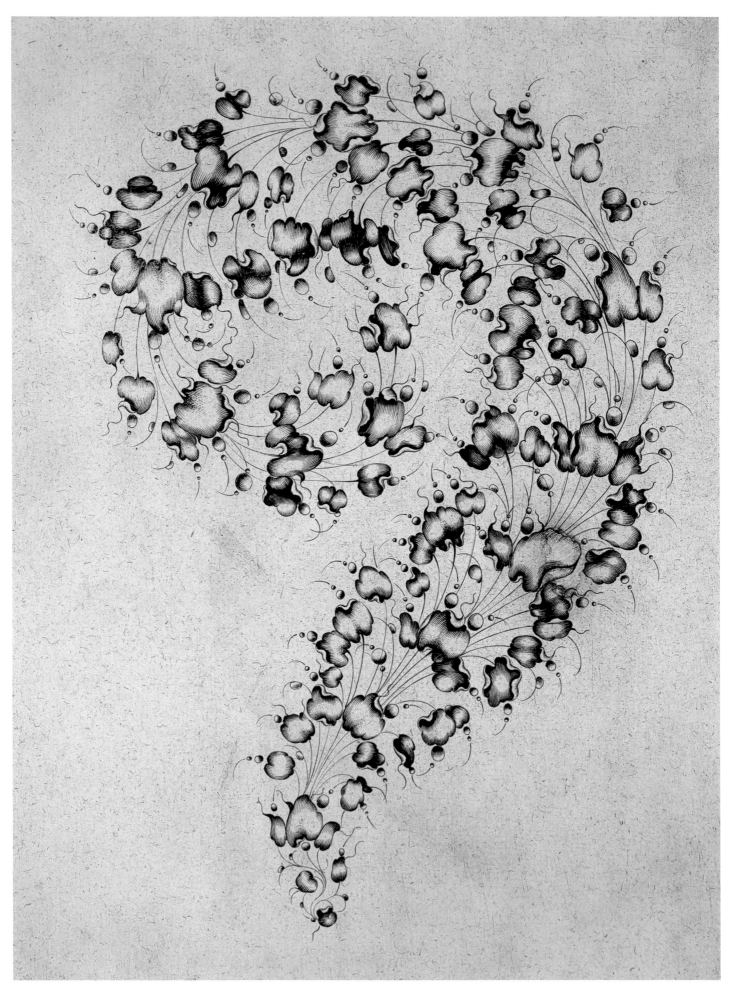

32

Gédéon Légaré (vers 1615 – Paris, 1676)

Ornements floraux dans un paysage avec un port

Vers 1640 | Eau-forte et burin | Taches brunes et traces de pliure

H. 0,410; L. 0,312 (rogné) | Signé en bas: *G. L'Egaré fecit. F.L.D. Ciartres ex.*

Bibl.: Guilmard, 1880, p. 51, n° 58.

Paris, musée du Louvre, département des Arts graphiques, collection Edmond de Rothschild. Vol. 199, n° 4902

Gédéon Légaré semble la personnalité la plus polyvalente d'une dynastie d'orfèvres dont plusieurs membres signèrent des gravures. Il a également gravé des dessins d'autres orfèvres et fait graver par d'autres ses propres inventions. Cette planche d'un format inhabituel pour des motifs d'orfèvrerie est assurément l'une de ses compositions les plus ambitieuses. Elle répond peut-être en pendant à une pièce de François Lefebvre éditée par Moncornet, de même taille et de même genre de motifs, mais en sens inverse, comportant une vue de Paris et une scène villageoise (collection Rothschild, n° 4903; fig. 1). Elle témoigne d'une phase de transition entre la cosse de pois, visible dans les feuilles, et le naturalisme des fleurs, en adoptant, comme celle de Lefebvre, un paysage qui assoit la composition.

E. C.

33

Fig. 1. François Lefebvre, *Ornements floraux dans un paysage.*

33

Balthazar Moncornet (vers 1600 – Paris, 1668), d'après François Lefebvre (actif de 1635 à 1657) | Copie par Salomon Savery (1594 – Amsterdam, 1665)

Motif de fleurs pour servir à l'orfèvrerie

Amsterdam, 1639 | Eau-forte | Déchiré en bas

H. 0,191; L. 0,145

Bibl.: Guilmard, 1880, p. 51, n° 56.

Paris, musée du Louvre, département des Arts graphiques, collection Edmond de Rothschild. Vol. 534. Inv. 24493

L'estampe originale appartient à une suite de six pièces, dont la première porte le titre *LIVRE DE FLEURS & DE FEVLLIES POVR SERVIR A L'ART D'ORFEVERIE INVANTE PAR FRANCOIS LEFEBVRE MAISTRE ORFEVRE A PARIS, BALTAZAR MONCORNET FECIT ET EXCUDIT.* Une première édition porte aussi l'excudit de François Langlois et la date 1635. L'exemplaire de la collection Rothschild est une copie en sens inverse faite par Salomon Savery et publiée à Amsterdam, en 1639, par Clemendt de Jonghe, avec un titre en français. Savery habite alors à Paris, « au Rue neuf ». Elle montre bien le succès international de quelques-unes de ces suites pour l'orfèvrerie. La copie ne conserve que la partie proprement ornementale, en tronquant la partie inférieure de la composition, faite de petits personnages de la vie quotidienne, inspirés de Callot, qui adoptent des gestes de commedia dell'arte, parfois obscènes (voir fig. 2, p. 90). Les bouquets, d'une grande finesse, offrent une curieuse combinaison de feuilles ajourées avec les graines de la cosse de pois et de fleurs dessinées de façon très naturaliste.

E. C.

34

Denis Boutemie (actif
en 1613 – mort après 1658)

Caprice sur un gobelet d'orfèvrerie

1636 | Eau-forte et burin

H. 0,240 ; L. 0,325 | En haut à gauche :
STANCES A Mr Hesselin sur le Goblet…
(huit alexandrins) | En bas à gauche :
*CAPRICE Desseingné sur un Goblet
D'orfèverie / Laquelle se peut mettre trois
Mois durant / Sur la Table et y boire à
chasq'un Jour / différemment et changer
de Rare Posture / Inventée par D. Boutemie
Orfevre ordinaire / du Roy pour les inven-
tions de son Cabinet / Presentée a sa
Majesté par l'autheur en son chateau de
Chantilly* | En dessous : *et se vendent chez
B. Moncornet* […] *1636* | En bas, sous le
dessin : *Dedié A Monsieur Hesselin*[…]
> **Bibl. :** Guilmard, 1880, p. 52, nᵒ 61 ; Fuhring, 1992.

Paris, collection particulière

Cette estampe peu commune reproduit,
comme l'indique son commentaire, un gobelet exécuté par Boutemie pour le Roi, dont les
armes sont visibles en haut, tenues par un triton.
Elle montre jusqu'où a pu aller, au milieu des
années 1630, le goût pour le difforme, l'étrange
ou le monstrueux. De même que les formes sont
mouvantes, la façon de se servir de l'objet peut
changer tous les jours. Rien n'exprime mieux le
goût de la métamorphose que Jean Rousset a
autrefois si bien défini dans la poésie contemporaine (1953). Ici, la coquille se métamorphose en
aile de chauve-souris, les cosses de pois en
masques et les graines en perles ou les escargots en
volutes. La juxtaposition de ces éléments d'ordres
si divers obéit donc à un principe de ressemblance
formelle, qui assure la cohérence de l'ensemble.
Boutemie, dont Fuhring a récemment rappelé
l'importance, était un artiste hors norme, aussi
excentrique que sûr de son génie.

E. C.

35

Abraham Bosse (Tours, 1602 – Paris,
1676), d'après Jean Barbet
(vers 1605 – avant 1654)

Cheminée

1633 | Eau-forte

H. 0,195 ; L. 0,139 (rogné ; déchirure en
bas à droite)
> **Bibl. :** Guilmard, 1880, p. 47, nᵒ 41, p. 49, nᵒ 52 ; Harris, 1961.

Paris, Bibliothèque nationale de France,
département des Estampes. Ed 30 rés.
(E 37708)

Cette pièce fait partie d'un *Livre d'architecture d'Autels et de Cheminées, DEDIE A MONSEI-
GNEUR l'Eminentissime Duc de RICHELIEU,
De l'invention Et dessin de I. BARBET, Gravé à
l'eau-forte Par A. BOSSE, M.DC.XXXIII*, édité par

34

35

M. Tavernier, en vingt planches. C'est à notre connaissance le seul recueil français d'ornements de l'époque dont on ait encore le marché (AN, MC, VI, 208; publié partiellement par Rambaud, 1969, p. 653). Daté du 25 février 1630, celui-ci voit Barbet, âgé de vingt-cinq ans, s'engager à travailler pendant deux ans pour Tavernier aux dessins qui lui seront commandés. Le jeune architecte sera logé et nourri par l'éditeur, payé sur deux ans six cent cinquante livres. L'éditeur s'engage, quant à lui, à mettre le nom de Barbet sur le titre. Ce document, étudié au long par Peter Fuhring (article à paraître), montre le rôle central des éditeurs dans l'initiative de nouvelles suites d'ornements – le nom du graveur n'est pas évoqué. Tavernier entendait peut-être faire concurrence à un concurrent, M. Van Lochom, qui publia la même année un livre de *Pièces d'architecture où sont comprises plusieurs sortes de cheminées,* sur les dessins de Pierre Collot et les gravures d'Antoine Lemercier. En réalité, les deux lettres, au dédicataire et « au lecteur », sont signées du seul Barbet, qui affirme dans la seconde: « *Ayant passé quelque temps à desseigner ce qu'il y a de beau dans Paris, ie me suis exercé depuis a faire ce petit ouvrage, que ie vous donne.* »

Le livre doit donc réunir des exemples existants de décoration et des inventions de l'auteur. Le recueil sera réédité dès 1641 et trouvera des échos en Angleterre, à travers les créations d'un Inigo Jones ou dans les estampes de Robert Pricke, *The Architects Store-House* (Londres, 1674, signalé par Jervis, 1984), et jusqu'en Suède, à Skokloster.

E. C.

36

36

Abraham Bosse

Les Vierges folles

Vers 1635-1645 | Eau-forte

H. 0,256; L. 0,321 | Lettre de seize octosyllabes: *Ces vierges au lieu de veiller…* | Audessous: *le Blond exc. avec Privil.*

Paris, Bibliothèque nationale de France, bibliothèque de l'Arsenal. Est. 4, n° 52 (*IFF* 47)

Le nom de Bosse est associé à la représentation minutieuse des mœurs et des intérieurs de ses contemporains. Sans nul doute, ces estampes, qui comptent aujourd'hui parmi les rares témoignages visuels du décor, avaient avant tout dans l'esprit du huguenot qu'était le graveur un sens moral, sinon religieux (Weigert, 1964, p. 12; Goldstein, 1998). Mais la précision extrême de cette attention au décor a pu faire aussi qu'elles ont servi de pièces d'ornement, comme en témoigne un plat en vermeil conservé au musée du vin et de la vigne dans l'art (Pauillac, domaine Mouton-Rothschild), fabriqué à Augsbourg par Melchior Gelb vers 1655, et qui reprend un détail du *Lazare et le mauvais riche* de Bosse (fig. 1). Jean Lepautre semble parfois s'en souvenir dans ses dessins d'alcôve. Ces *Vierges folles* appartiennent à une série de sept planches, entre 1635 et 1645 environ, qui donnent une précieuse idée de ce que pouvait être l'atmosphère nocturne d'un intérieur. Seules la cheminée et une

Fig. 1. Melchior Gelb, *Plat avec une scène de Banquet* (détail). Pauillac, domaine Mouton-Rothschild, musée du vin et de la vigne dans l'art.

plaque de lumière à moitié cachée éclairent la pièce. On remarquera la grande taille des tableaux aux sujets galants et aux cadres fort simples, alternant bois doré et ébène, accrochés aux tapisseries, le lit de repos au fond, et la notion de luxe développée dans la lettre.

E. C.

37

Abraham Bosse

L'Hyver

Vers 1635-1645 | Eau-forte

H. 0,262; L. 0,326 | Signé: en bas à droite, *ABosse in et fe*; en bas à gauche, *Le Blond excud.* et *Avec Privilege du Roy* | Lettre en seize heptasyllabes: *Icy viennent à la haste…*

Paris, Bibliothèque nationale de France, bibliothèque de l'Arsenal. Est. 4, n° 63 (*IFF* 1085)

Les multiples estampes de Bosse qui reproduisent des aspects de la vie quotidienne – de familles fortunées – s'organisent en séries autour de thèmes souvent traditionnels, ici les quatre saisons, en renouvelant totalement leur iconogra-

phie. Celle-ci indique bien que la tapisserie est l'élément dominant du décor, venant même recouvrir un côté de la cheminée. La table est dressée sur une nappe soigneusement repassée, elle-même posée sur un tapis de table tombant au sol. Les sièges sont simples mais nombreux et tous adossés à une paroi, sauf ceux qui serviront. La bordure de l'image montre un intéressant motif de joncs, qui deviendra courant à partir des années 1660 et qui se signale ici par sa précocité.

E. C.

38

Abraham Bosse

Le Bal

Vers 1630-1640 | Eau-forte

H. 0,268; L. 0,344 | Signé, en bas à gauche, *Le Blond excud. avec Privilege du Roy*; au centre, *A. Bosse in et fe.* Lettre en seize alexandrins: *Qui ne desireroit estre tout couvert d'yeux…*

Paris, Bibliothèque nationale de France, bibliothèque de l'Arsenal. Est. 4, n° 84 (*IFF* 1400)

37

38

39

Cette estampe est l'une des rares qui représentent une scène de bal, événement central de la vie mondaine de l'époque, et le déploiement de riches costumes auquel il donnait lieu. On voit là comment habits et décor jouent l'un avec l'autre : le second y occupe une place discrète, confiné aux murs, où la tapisserie assume une fonction prédominante, de part et d'autre d'une imposante cheminée bien dans l'esprit des projets de Barbet gravés par le même Bosse (cat. 35). Les sièges, dont un ployant mis en valeur au premier plan souligne paradoxalement la discrétion, disparaissent sous les habits, qui font assaut d'élégance. On notera comment une tapisserie, au fond à droite, fait office de portière, relevée au-dessus de la porte. Les autres montrent bien par leurs sujets le genre de thème à succès : scènes de guerre au fond à droite, exotisme avec le Turc à droite, paysage avec de vagues architectures antiques au fond à gauche. Quant au sol, pour les besoins de la danse sans doute, il n'offre aucun tapis, mais un plancher tout simple.

E. C.

39

Abraham Bosse

Le Mariage de Ladislas IV et de Louise-Marie de Gonzague

1645 | Eau-forte | Jaunie en bas

H. 0,272 ; L. 0,327 | Signé en bas : *Desseigné et gravé à l'eau-forte par A. Bosse à Paris le 8e novembre avec privilège* Lettre : *Cérémonie observée au contrat de mariage passé à Fontainebleau en présence de leurs majestéz entre Vladislas IIII du nom, roi de Pologne et de Suède,* [...] *et Louise-Marie de Gonzague* [...]*, le 25eme jour de septembre 1645.*
Bibl. : Guilmard, 1880, p. 47, n° 41.

Paris, Bibliothèque nationale de France, bibliothèque de l'Arsenal. Est. 4, n° 74 (*IFF* 1223)

Cette image est l'une des rares estampes de l'époque, en dehors des almanachs, à reproduire un événement civil contemporain, avec une datation précise tant de ce dernier que de la gravure, datée d'à peine un mois et demi plus tard. Elle fournit un témoignage exceptionnel sur la chambre du Roi à Fontainebleau, et de manière plus générale sur un intérieur royal au milieu du siècle. On notera le riche parquet de marqueterie aux armes du Roi, recouvert d'un tapis derrière la balustrade, le lit paré de plumes d'autruche et d'un riche brocart, les lustres avec leurs perles de cristal, les cadres des tableaux, tous identiques, très chantournés, avec des masques aux coins, qui pouvaient paraître un peu démodés en 1645, la façon dont ils sont parfois suspendus à un cordon, les imposants bras de lumière haut placés, l'accrochage d'une tapisserie en angle à gauche. Peu de meubles en définitive dans cette pièce, dont les murs sont en revanche tous recouverts.

E. C.

40

41

40

Abraham Bosse

Cartouche

Vers 1630-1640 | Eau-forte rehaussée
de burin

H. 0,224 ; L. 0,290 (trace de pliure au
centre)

Bibl. : Guilmard, 1880, p. 47, n° 41.

Paris, Bibliothèque nationale de France,
département des Estampes. Ed 30 rés.
(*IFF* 1057)

Le cartouche est l'une des formes privilégiées
de l'ornement dans le premier tiers du siècle. Rabel,
Boutemie, Tavernier, Firens en ont gravé ou édité
des suites aux formes souvent tourmentées. Parmi
ses premiers travaux, Bosse aurait travaillé aux
encadrements historiés des plans du siège de
La Rochelle par Callot. La présente gravure est un
bon exemple de la première manière de Bosse, qui
emprunte aux ailes de chauve-souris et à l'écaille un
accent d'étrangeté, renforcé par les enroulements
pointus et fantasques qui s'accrochent au cadre
intérieur en contrastant avec sa simplicité géométrique. La flèche du petit Amour en haut, curieusement pointée, confère encore une vitalité presque
inquiétante à ce décor. Les gros festons de fleurs
complètent ce registre d'inspiration nordique. Les
armes du commanditaire, un membre de la famille
Phélypeaux de La Vrillière, sont déjà en place, et il
ne manque que l'image centrale, qui semble
pourtant presque superflue devant ce bouillonnement. Seul le cadre extérieur, d'une simplicité
démonstrative, vient le contenir et annoncer la fin
de cette manière trop exubérante.

E. C.

41

Daniel Rabel

(Paris, 1578 – Paris, 1637)

Titre pour une suite de cartouches

Vers 1630-1635 | Eau-forte

H. 0,137 ; L. 0,194 (rogné) | Dans le car-
touche, en haut : *CARTOVCHES / de
Differantes Inventions / Utiles a plusieurs
sortes / de Persones* | En bas : *A PARIS /
chez F.L. D Chartres / rue St Iacques / aux
Colonnes / D'hercule*

Bibl. : Guilmard, 1880, p. 37, n° 1 ; Meyer, 1979,
n°s 19-31 ; Fuhring, à paraître, n°s 1052-1064.

Paris, École nationale supérieure des
beaux-arts. Est. Lesoufaché 68,
cartouches I, n° 22394

Rabel est l'un des artistes les plus polyvalents
du premier tiers du siècle. Portraitiste, conducteur
de fortifications en Champagne, créateur de ballets, il fut comme graveur l'un des ornemanistes
français les plus tentés par le goût auriculaire,
comme en témoigne sa prédilection pour le type du
cartouche, le plus lié à ce style. Il a donné au moins
deux suites de treize pièces chacune, intitulées
*CARTOVCHES de Différantes Inventions Vtiles à
plusieurs sortes de Personnes*. La plupart contiennent
des paysages. Le matériau de référence est ici la
peau, notamment la peau de reptile avec ses écailles
et ses excroissances, et à travers elle s'exprime un
goût du bizarre dont Rabel fut l'un des promoteurs
les plus inspirés. La pièce avait déjà été publiée dans
le recueil de Tavernier portant le même titre,
en 1634, sans l'inscription. Une troisième édition
sera publiée par Mariette, aux colonnes d'Hercule.
Fuhring fournit une bibliographie complète sur la
suite, dans son catalogue des estampes et ornement
du XVIIᵉ siècle conservés à Amsterdam, au Rijksmuseum (à paraître).

E. C.

42

*42

Claude Rivard

(Neufchâteau, 1592 – Genève, 1670)

Motifs pour bijoux

Vers 1645-1655 | Eau-forte et burin

H. 0,149 ; L. 0,110 (rogné ; taches brunes à
gauche) | Signé en bas, à gauche : *Claude
Rivard* | En haut : *La science est un cens qui
ne se perd qu'avec le sens de Patience / la
Racine Est de tous Maux la Médecine* ; 39

Bibl. : Guilmard, 1880, p. 43, n° 30 ; Berliner-Egger,
1981, n° 817.

Paris, musée du Louvre, département des
Arts graphiques, collection Edmond de
Rothschild. Vol. 199, n° 4907.

Cette pièce fait partie d'une suite numérotée
comptant au moins quarante planches, ce qui en
fait l'une des plus considérables parmi toutes
celles qui furent destinées aux orfèvres. La mise en
pages est parfois un peu raide, parfois très fantaisiste, mais les motifs proprement dits sont de belle
qualité, et appartiennent encore à la cosse de pois.
La série semble s'étendre sur une longue période,
puisqu'une pièce (n° 19) porte la date, tardive
pour ce style, 1650, et une autre (n° 38) 1658. La
variété des sujets est remarquable : on y trouve
des projets pour des couteaux, des chaînes, des
anneaux, etc. Chaque pièce est accompagnée,
comme parfois dans les suites pour orfèvres du
début du siècle, notamment chez les protestants,
de sentences morales ou de paraphrases de
psaumes. L'application des motifs de feuilles sur
un fond noir, qui s'apparente aux recueils pour
émailleurs, tout comme l'association à une faune
parfois grouillante, comme ici des singes, écu-
reuils, boucs, lapins, etc., accentuent cet aspect
archaïque, tandis que l'incrustation abondante de
pierres taillées les rapproche des créations d'un
Pierre Delabarre.

E. C.

43

44

43

Chez Balthazar Moncornet
(vers 1600 – Paris, 1668)

Louis XIII

1643 | Burin

H. 0,396 ; L. 0,269 (rogné) | Dans le car-
touche : *LOVYS XIII DV NOM ROY DE /
FRANCE ET DE NAVARRE* et quatre vers :
De ce Roy… | En bas : *Cum privilegio Regis
1643 ; et se vendent A Paris chez Baltazar
Moncornet Rue des goblins faubourg
St Marcel*

Paris, Bibliothèque nationale de France,
département des Estampes. N2, D 195546

Moncornet fut un éditeur et graveur particulièrement actif dans le domaine du portrait. Daté
1643, l'année de la mort du Roi, le présent portrait
présente un format en médaillon, de loin le plus
usuel dans le portrait gravé, malgré le format
rectangulaire des planches. C'est que ce format
permettait le déploiement d'une ample ornementation tout autour. Le cadre est ici traité dans un
goût flamand particulièrement exubérant, qui
crée un saisissant contraste avec le portrait de
Louis XIII d'un Morin (cat. 44). Autour d'un faux
cadre en tores de lauriers et de feuilles de chêne
enrubannés, motifs couramment utilisés dans les
cadres en bois sculpté, pendent de lourdes guirlandes de fruits, faisant allusion à l'abondance
prodiguée par le règne, et un rameau de chêne,
allusion au sage gouvernement du Roi (la légende
fait explicitement référence à saint Louis). Le
cartouche est, quant à lui, d'un style auriculaire
rare en France. Moncornet s'est sans doute inspiré

d'un autre portrait de Louis XIII, où le Roi a une
quinzaine d'années de moins, signé *Rubens pinxit*
et *P. Soutman effigiavit*, gravé par I. Louÿs, qui
présente une ornementation similaire, mais plus
naturaliste (fig. 1).

E. C.

44

Jean Morin (Paris, vers 1605 – Paris,
1650), d'après Philippe de
Champaigne (Bruxelles, 1602 – Paris,
1674)

Louis XIII

Vers 1640-1643 | Eau-forte et burin

H. 0,310 ; L. 0,242 | Signé en bas :
*Ph. Champaigne pinx ; I. Morin
scul cum priv Regis* | Sur le cadre :
LOUIS.XIII.PAR.LA.GRACE.DE.DIEU…
   Bibl.: Dorival, 1970, p. 301 ; Boston, 1998, nº 31.

Paris, Bibliothèque nationale de France,
département des Estampes. N2, D 195553

Les encadrements des portraits gravés durant
la première moitié du XVIIᵉ siècle présentent une
variété qu'ils n'auront plus guère dans la seconde.
Le portrait est alors l'un des domaines les plus
actifs tant de la peinture que de la gravure, mais
l'encadrement prend avec cette dernière une
importance considérable, qui définit bien ce qui
s'attache à la notion d'ornement à l'époque : il
s'agit de donner de l'éclat au modèle, d'enrichir
son effigie et de compenser l'absence de couleur et
de dorure.

Fig. 1. I. Louÿs, d'après Pierre-Paul Rubens,
Portrait de Louis XIII.

La solution adoptée ici par Morin, fidèle interprète
de Champaigne, est une sorte d'embrasure de
fenêtre, octogonale à la façon des miroirs (une
femme, dans une gravure de Bosse, en tient un de
cette forme à la main , *IFF* 1076), qui se détache sur
un fond neutre. L'identité est inscrite en larges
capitales romaines, comme les dédicaces sur les
frises des églises – l'aspect sacré du modèle est
d'ailleurs amplement souligné. Cette sobriété
répond bien à l'esthétique du peintre et de son
graveur, comme à toute une frange sévère de
l'ornement parisien.

E. C.

45

46

45

Grégoire Huret (Lyon, 1606 – Paris, 1670)

Portrait du Dauphin, futur Louis XIV

Vers 1643-1645 | Eau-forte rehaussée de burin

H. 0,254 ; L. 0,180 | Signé en bas : *Greg. Huret f.*

Paris, Bibliothèque nationale de France, département des Estampes. N2, D 196023 (*IFF* 195)

Ce portrait illustre bien l'évolution de l'encadrement de portrait vers un répertoire monumental, au tournant des années 1640. Le médaillon est prétexte à un déploiement d'architecture assez rare dans l'iconographie du temps de Louis XIII, et qui paraît annoncer la majesté du futur règne. Le cadre est traité comme une sorte d'autel profond, dont il suggère les veines du marbre – c'est là l'une des plus précoces apparitions du faux marbre, qui sera abondamment employé dans la gravure d'ornement de la seconde moitié du siècle. Seule la forme du cartouche portant les armes conserve les enroulements traditionnels au blason.

E. C.

46

Michel Lasne (Caen, vers 1590 – Paris, 1668)

Mazarin

1643 | Burin

H. 0,393 ; L. 0,279 | En bas, dans le cartouche : *IVLIVS MAZARINVS / S.R.E. CARDINALIS / Obsequentissimus additissimusque Cliens. D.D. vouet / Dicatq Michael Asinius anno D/ 1643*

    Bibl. : Garcia, 2000, p. 54.

Paris, Bibliothèque nationale de France, département des Estampes. N2, D 210212 (*IFF* 432)

Fils d'orfèvre, Lasne fut dans le deuxième tiers du siècle l'un des principaux graveurs de portraits. Pour encadrer un portrait en médaillon de Mazarin, peut-être emprunté à un autre artiste, il reprend ici un schéma fréquent dans son œuvre, utilisant un fond d'architecture, avec figures allégoriques, pilastres ornés ou termes. C'est cette dernière solution qu'il adopte ici, le terme masculin avec son marteau et ses clous et le terme féminin pressant son sein, figurant « *le Travail et l'Abondance* » (Mariette).

Les cartouches affectent encore des formes très découpées et les guirlandes un peu de lourdeur, la main sortant du cadre signalant un goût illusionniste que l'on appréciera moins par la suite, mais l'évolution est saisissante par rapport au portrait d'Isaac de Laffemas, daté 1639 (fig. 1), où tout le répertoire de formes étirées, échancrées et enroulées du style Louis XIII est encore présent. Il semble que ce soit le premier des différents portraits de Mazarin gravés par Lasne, qui a lui-même dédié la planche à son modèle, devenu cardinal l'année précédente.

E. C.

Fig. 1. Michel Lasne, *Portrait d'Isaac de Laffemas.*

47

Robert Nanteuil (Reims, 1623 – Paris, 1678) et Michel Dorigny (Saint-Quentin, vers 1617 – Paris, 1665)

Louis Hesselin

Vers 1650 | Eau-forte et burin | 2e état

H. 0,300 ; L. 0,371

Bibl. : Petitjean et Wickert, 1925, p. 208.

Paris, Bibliothèque nationale de France, département des Estampes. N2, D 826

Le premier état de la planche correspond au portrait en médaillon sans aucune bordure, cas rare dans l'œuvre gravé de Nanteuil. Sans doute était-il donc dès l'origine prévu pour être inséré dans un vaste motif ornemental, dû à un autre graveur. Cette différence de mains explique l'emplacement de la signature de Nanteuil, dans le médaillon et non sur le cadre. Petitjean et Wickert

supposent que le portrait était destiné à une thèse, dont ils signalent un exemplaire à la bibliothèque municipale de Reims. La partie supérieure des thèses était en effet, en général, l'occasion d'un portrait, souvent allégorique, de leur dédicataire. Ici, le mode allégorique reste limité à des putti soufflant la bonne renommée, et le décor joue plutôt sur les insignes héraldiques du modèle. Comme souvent, un emblème est associé à l'encadrement, obéissant à une conception où tout ce qui révèle le modèle relève de l'ornement. Robert-Dumesnil attribuait l'encadrement à Jean Boulanger, mais Moana Weil-Curiel nous a signalé la présence du cuivre dans l'inventaire d'Hesselin, où l'encadrement est dit de Dorigny – une attribution parfaitement convaincante. Le portrait de Nanteuil est daté par Petitjean et Wickert de 1650 environ.

E. C.

48

Abraham Bosse (Tours, 1602 – Paris, 1676)

Frontispice pour les comédies de Térence

1642 | Eau-forte

H. 0,313 ; L. 0,223 | Au centre, *PUBLII TERENTII COMOEDIAE* ; en bas, *PARISIIS ETYPOGRAPHIA REGIA ANNO MDCXLII*

Bibl. : Guilmard, 1880, p. 47, n° 41.

Paris, Bibliothèque nationale de France, département des Estampes. Ed 30 rés. (*IFF* 1109)

Seulement cinq ans séparent ce frontispice du cartouche précédent (cat. 40), mais rien ne résume mieux le tournant atticiste que prit le goût décoratif autour de 1640. Les ailes pointues font place aux tores de lauriers, aux têtes de bélier, aux filets et aux masques antiques, qui affichent une régularité imperturbable. Même la guirlande de fleurs et fruits adopte un canon romain. La nature comique de l'ouvrage autorisait malgré tout un peu de fantaisie, dont le graveur, pourtant grevé d'une réputation d'austérité huguenote, ne s'est pas privé : le drapé est tenu par des moustaches nouées, les masques grimacent et les putti s'amusent. L'Imprimerie royale se devait de donner le ton nouveau. Poussin, Stella et Mellan, tous imprégnés d'Italie, donnaient au cours de la décennie des frontispices parfaitement classiques, mais où l'ornement jouait peu, ce qui fait toute l'originalité de celui de Bosse. Le dessin préparatoire est conservé (Bibliothèque nationale de France, département des Estampes, Kb 123 f°, p. 13).

E. C.

47

49

Ce livre important compterait cinquante-trois feuilles (voir Préaud, 1999, p. 29, pour une étude des différents exemplaires connus), dont une épître à la Reine, qui éclaire la genèse de l'œuvre. L'exemplaire exposé ici, relié au XVIIe siècle, en compte quarante-deux. Il marque les débuts de Lepautre, formé comme menuisier, dans la gravure. Le titre exprime bien un désir de nouveauté et l'attrait de l'Italie autour de 1640. De fait, le livre se présente comme un rassemblement complexe de dessins aux formats divers et aux sujets très différents, palmettes, masques, vases, chapiteaux, casques, plafonds, termes, etc. Ce qui frappe est l'égal intérêt affiché pour des formes monstrueuses, d'esprit maniériste, et classiques. Notre page résume bien cette hétérogénéité, entre les modillons modernes du haut, ceux d'apparence classique du milieu et la frise d'enroulement du bas.

E. C.

50

49

Stefano della Bella (Florence, 1610 – Florence, 1664)

Motifs de cartouches

1646 | Eau-forte

H. 0,239 ; L. 0,189 | Au-dessus du cartouche : EXCELLENTISSSIMO / AC NOBILISSIMO D. ANTONIO LE CHARON / […] Artis Pictoriae aestimatori peri/ tissimo […] / Donat ac Dicat F. Langlois alias Ciartres | En haut, à droite, le numéro : 2 | En bas, à gauche : Stef. Della Bella in. fecit ; F.L.D. Il Ciartres excud. Cum Privil. Regis Chris.

Bibl. : Guilmard, 1881, II, p. 315, no 106 ; Vesmes et Massar, 1971, no 1028 III/III.

Paris, École nationale supérieure des beaux-arts. Vol. Della Bella, no 22610

Le titre de cette suite de dix-huit cartouches éditée par Langlois en 1646 est exceptionnellement en italien et en français, *Recueil de divers caprices et nouvelles inventions mises au jour par le Sr de la Belle, Peintre florentin dessignées et gravées par le mesme autheur.* Elle est dédiée par l'éditeur à Antoine Le Charron, baron de Dormeuil, « *grand amateur de l'art de la peinture* », ce qui montre bien que le public des recueils d'ornements ne se limitait pas aux artisans. Du caprice, Furetière dit qu'il s'agit de pièces qui « *réussissent plutôt par la*

force du génie, que par l'observation des règles de l'art et qui n'ont aucun nom certain ». De fait, l'assemblage, en apparent désordre, de motifs sans vrai rapport, d'échelle ou d'achèvement différents, relève d'une inventivité formelle exacerbée, qui laisse apparente la vigueur du trait. Le style de ces fragments de cartouche reste remarquablement italien, six ans après l'installation à Paris du graveur. Lepautre en conservera longtemps l'empreinte.

E. C.

50

Jean Lepautre (Paris, 1618 – Paris, 1682), d'après Adam Philippon (mort à Paris en 1652)

Modillons

1645 | Eau-forte

H. 0,232 ; L. 0,136 | En bas, à droite, le numéro : 5

Bibl. : Guilmard, 1880, p. 55, no 72 ; Préaud, 1999, p. 28-40 ; Coquery, 2000, p. 45.

Paris, Bibliothèque nationale de France, bibliothèque de l'Arsenal. Est. 500

Cette planche est la cinquième des *Curieuses recherches de plusieurs beaus morceaux d'ornemens antiques et modernes, tant dans la Ville de Rome, ques autres villes et lieux d'Italie,* publié, en 1645, par le menuisier et ingénieur du Roi Adam Philippon, avec une dédicace à Anne d'Autriche.

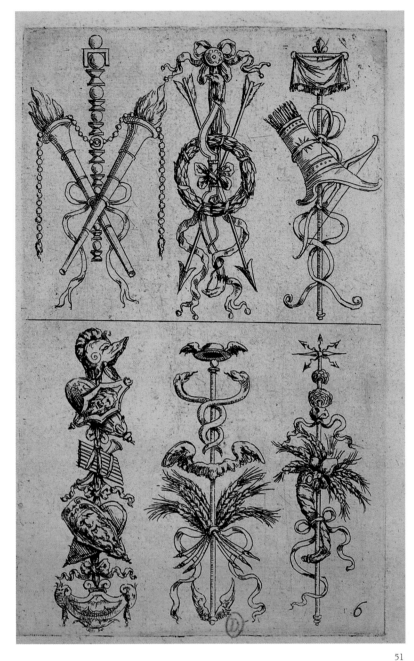

51

Françoise Bouzonnet-Stella (Lyon, 1638 – Paris, 1692), d'après Jacques Stella (Lyon, 1596 – Paris, 1657)

Motifs de frise

1657 | Burin

H. 0,273 ; L. 0,198 | En bas, à gauche : *Françoise Bouzonnet fecit* | En bas, à droite, le numéro : *1*

Bibl.: Guilmard, 1880, p. 50, n° 54.

Paris, École nationale supérieure des beaux-arts. Est. Lesoufaché 1748

Cette pièce est la première page du premier livre des *Divers ornemens d'architecture recueillis et dessegnes après l'antique, par Mr Stella*, édité par les nièces du peintre, Claudine et Françoise Bouzonnet-Stella, avec une dédicace en forme d'épître à Antoine de Ratabon, en seize planches. Trois autres livres l'accompagnèrent, semble-t-il la même année 1657, parfois réunis en un volume à la numérotation continue en soixante-six planches, comme c'est le cas de l'exemplaire de la collection Lesoufaché, qui comprend aussi la série des *Vases* d'après Stella en cinquante planches. La qualité du dédicataire, le nombre élevé de pièces, le caractère systématique des variantes ornementales en font l'un des plus importants recueils du temps. La lettre à Ratabon explique que les planches ont été copiées sur des « observations » que Stella avait faites sur divers fragments antiques. En réalité, le privilège, qui se trouve à la fin du quatrième livre, autorise Claudine Bouzonnet à publier les dessins de son oncle, « *même ceux qu'elle a dessinez de son invention ou qu'elle a recherchez curieusement sur d'autres excellents peintres* », et tous les dessins, notamment les planches de feuilles d'acanthe ne sont certainement pas de Stella lui-même, qui a fourni un prête-nom prestigieux aux deux femmes.

E. C.

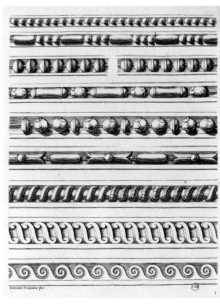

52

Antoine Pierretz (actif en 1647)

Motifs de trophées

Entre 1647 et 1655 | Eau-forte

H. 0,159 ; L. 0,096 | En bas, à droite, le numéro : *6*

Bibl.: Guilmard, 1880, p. 57.

Paris, bibliothèque d'art et d'archéologie Jacques-Doucet. 4° Rés. 103

La feuille appartient aux *Recherches de plusieurs beaux morceaux d'ornemens antiques et modernes, comme trophées, frises, masques, feuillages et autres, dessignés et gravés par A. Pierretz*, publié chez la veuve de François Langlois, comptant vingt-cinq pièces. L'adresse indique une date comprise entre 1647 et 1655. La suite sera rééditée, comme les autres de Pierretz, par Mariette entre 1655 et 1657, en trente-trois pièces. Par son titre comme par son contenu, l'ouvrage répond à celui de Philippon, antérieur d'au moins deux ans. Moins hétérogène cependant, il se concentre sur des motifs de casques, de masques, de frises, de rinceaux, ou de bas-reliefs antiques.

Cette pièce groupe six motifs de trophées, assez rares dans la production ornementale de l'époque, destinés à des panneaux de lambris ou de porte. Nous n'avons pu en identifier la source. Peut-être appartiennent-ils à la fantaisie de l'artiste, peut-être s'inspire-t-il d'une suite d'après Polydore publiée à Rome en 1553.

Le volume présenté, provenant de la collection de gravures d'ornement de E. Foulc, comprend la presque totalité de l'œuvre connu de Pierretz, soit environ quatre-vingts pièces, en cinq suites différentes.

E. C.

53

54

René Lochon, d'après Charles Errard

Motifs de rinceaux

1651 | Eau-forte et burin

H. 0,167; L. 0,376 | Signé en bas, à gauche: *C. Errard Inve. et ex.* | À droite: *Renatus Lochon fe.* | Au centre: *C. Pri. Regis.*

Bib.: Guilmard, 1880, p. 81; Granges de Surgères, s. d., p. 209, nº 186; Coquery, 2000.

Paris, Bibliothèque nationale de France, bibliothèque de l'Arsenal. Est. 182, nº 125

Les *Divers ornemens dediez A La serenissime Reine de Suède*, publiés en 1651, forment l'une des plus belles suites d'ornements éditées au milieu du siècle. Ils complètent l'espèce de trilogie dédiée à Christine de Suède, constituée par les *Divers vases* d'après l'antique et les *Divers trophées* d'après Polydore, donnant, quant à eux, des projets propres à Errard (fig. 1). Sur un format plus vaste que les autres, ils déploient des

53

René Lochon (vers 1620 – mort après 1675), d'après Charles Errard (Nantes, vers 1606 – Rome, 1689)

Trophée d'armes

1651 | Burin

H. 0,293; L. 0,213 | Signé en bas, dans la marge: *Cum privilegio Regis; Renatus Lochon sculpsit* | Au centre, sur le médaillon: *Divers / Trophées / Dédiez / A La Serenissime / Reine de Suede / Par / Charles Errard / Peintre du Roy / 1651*

Bibl.: Guilmard, 1880, p. 81; Granges de Surgères, s. d., p. 208; Coquery, 2000.

Paris, École nationale supérieure des beaux-arts. Recueil 564 A

Cette pièce est le titre d'une suite en six pièces reproduisant des trophées peints par Polydore de Caravage au-dessus des fenêtres du palais Milesi, à Rome – sauf celle-ci, qui est une paraphrase d'Errard, à la manière des cinq autres, pour y mettre les deux putti et le médaillon de dédicace. La forme incurvée du bas, qui accueille dans les autres la mention *Polidorus Caravagiensis inve. et pinxit Romae*, correspond au fronton des fenêtres. Errard donne à ces motifs peints la plasticité de hauts-reliefs et l'éclairage brutal du soleil romain. C'est l'un des plus précoces exemples en France de gravures d'ornement tirées de l'école de Raphaël, qui montre bien la tendance du goût vers des motifs opulents, saturés de références antiquisantes. Parmi tous ces élèves, Polydore était peut-être le plus apprécié au XVIIᵉ siècle pour ses pastiches de l'antique. Ces motifs étaient célèbres. Rubens les a dessinés (voir Ravelli, 1978, nᵒˢ 892-909) et Giambattista Galestruzzi en fit en 1658 une autre suite gravée.

E. C.

54

Fig. 1. René Lochon, d'après Charles Errard, frontispice des *Divers ornemens…*

 rinceaux d'acanthe peuplés d'animaux et d'enfants, parfois inspirés directement de bas-reliefs antiques, comme le fameux pilastre de la villa Médicis gravé un peu plus tôt par Philippon et Lepautre, mais plus souvent, ces sortes de fantaisies sur un thème antique que le peintre déploiera dans tous ses décors.

Cette pièce, où les rinceaux ne semblent qu'un prétexte au jeu d'un enfant avec des oiseaux, illustre bien l'aimable mélange de la rigueur sensible dans la référence antique et de son assouplissement par la fantaisie ludique du putto, qui vient casser la symétrie du motif. Le traitement en faux bas-relief, avec ses ombres accentuées, contribue encore à la vivacité du modèle – Errard traitait souvent ce genre de motif dans ses décors en camaïeu de bleu.

E. C.

55

55

Stefano della Bella (Florence,
1610 – Florence, 1664)

Cinq Vases

Vers 1640-1650 | Eau-forte

H. 0,091; L. 0,183 | Signé en bas, à gauche:
Stef. de la Bella invent. fecit | Sur la panse
du vase, au centre: *Raccolta / di Vasi di- /
versi si Stef. / della Bella / Fiorentino* | Au
centre, le numéro: *1* | À droite: *F. L'Anglois
alias Ciartres excud. cum Privil. Regis Christ*

> **Bibl.:** Vesmes et Massar, 1971, nº 1045 I/III; Viatte,
> 1974, p. 105.

Paris, Bibliothèque nationale de France,
département des Estampes. Eb 24, fº 129

L'œuvre de graveur d'ornement de Della Bella
est souvent négligé. Pourtant, durant son long
séjour parisien (1639-1650), il ne produisit pas
moins de six suites, représentant près de soixante-
quinze planches, plusieurs fois rééditées, parfois
copiées à Rome – sans compter les pièces gravées
par d'autres. Comme l'écrit Jessen, « *ce sont les
éditeurs parisiens qui ont su exploiter le mieux cet
aspect de son énorme talent* » (1920, p. 165). Cette
pièce fait partie d'une suite en six feuilles, éditées
par François Langlois, intitulée en italien *Raccolta
di vasi diversi*, ce qui témoigne d'un goût bien
établi pour les productions venant d'Italie. Ces
vases, détail rare dans les recueils de vases de
l'époque, contiennent tous des fleurs. Della Bella
y fait preuve d'une étonnante inventivité dans les
formes, tantôt simples ou antiquisantes, tantôt
lourdement chargées. L'esprit du caprice règne ici
en maître, en petit format, à la Callot, dans la juxtaposition en alignement de pièces si différentes,
dans l'effacement de la moitié des vases latéraux,
comme dans les petits masques.

Françoise Viatte a mis en rapport cette planche
avec un dessin de l'artiste conservé au musée du
Louvre (album Della Bella, inv. 308-6; fig. 1) qui
contient une esquisse proche de l'un des vases
gravés ici. Mais c'est l'ensemble des dessins de vase
de Della Bella qu'il faut regarder (Viatte, 1974,
nºs 144-154) pour saisir l'extraordinaire liberté de
sa main et de son invention.

E. C.

Fig. 1. Stefano della Bella, *Projets de vases.*
Paris, musée du Louvre, département des
Arts graphiques.

56

Georges Tournier (actif de 1650
à 1682), d'après Charles Errard
(Nantes, vers 1606 – Rome, 1689)

Vase Médicis

Vers 1650-1655 | Burin

H. 0,329; H. 0,226 | Signé en bas: *Carol.
Errard Delin. et ex. / Cum Privil. Re /
Tournier Scul* | En bas: *Romae in hortis
Mediceis*

> **Bibl.:** Guilmard, 1880, p. 82; Granges de
> Surgères, s. d., p. 210, nº 195; Coquery, 2000.

Paris, Bibliothèque nationale de France,
bibliothèque de l'Arsenal. Est. 14, fº 7

Cette estampe appartient à une suite de douze
vases antiques, intitulée sur un beau frontispice
Recueil de divers vases antiques, publiée par Errard
au début des années 1650 avec une épître à
Christine de Suède, gravée par son fidèle graveur
Georges Tournier, qu'il entretenait chez lui à cette
époque (voir Thuillier, 1978, p. 169, note 28). Elle
semble avoir connu un succès considérable et on
la trouve aujourd'hui dans la plupart des cabinets
d'estampes. Son caractère archéologique, remarquable dans la sobriété de la mise en pages et l'indication nette des fissures, montre bien comment
l'histoire pouvait devenir un élément de décor, et
comment le sentiment d'une distance historique
des motifs pouvait faire partie intégrante du sentiment décoratif. Le vase était l'un des plus célèbres
et sera souvent copié pour Versailles. Della Bella

l'avait représenté derrière un jeune dessinateur,
comme pour montrer son caractère exemplaire
pour tous les artistes. Le volume exposé, constitué
et relié au XVIIᵉ siècle, regroupe un ensemble de
cinquante-six pièces d'Errard, témoignant de la
renommée de l'artiste à l'époque.

E. C.

57

Jean Marot (vers 1619 – Paris, 1679)

Vase

Vers 1650-1655 | Eau-forte | 1er état

H. 0,218 ; L. 0,123 | En bas à droite, le
numéro : *14*

> **Bibl. :** Mauban, 1944, p. 182.

Paris, Bibliothèque nationale de France,
bibliothèque de l'Arsenal. Est. 185, n° 78

Plus connu pour ses précieuses vues d'édifices
de Paris, Marot est l'un des rares architectes du
milieu du siècle à avoir produit une grande
quantité de planches d'ornement, à la manière
d'un Androuet du Cerceau au siècle précédent.
Comme Jean Lepautre, dont il est l'exact contemporain, il est fils de menuisier et s'est essayé à tous
les domaines du décor intérieur fixe. Il compte
parmi les principaux divulgateurs du « grand
goût ». La principale difficulté que présentent ses
suites ornementales, dont le style semble entièrement formé avant 1660, est leur datation. Les *Vases*
sont des œuvres de jeunesse. Ils comportent deux
groupes, de grands et de petits motifs, édités par
François Langlois puis Pierre Mariette, de vingt et
vingt-cinq planches respectivement, et qui doivent
appartenir aux premiers essais de Marot. Elles
n'ont pas la qualité de gravure de Lepautre, ni l'élégance des modèles de Stella, mais l'invention est
remarquablement variée, mêlant citations antiques
et motifs maniéristes. Cette pièce appartient aux
grands motifs, dont on connaît deux et peut-être
trois états. La souris rappelle la faune des gravures
du début du siècle, tandis que les cassures dans le
pavement confèrent une touche d'ancienneté
archéologique au modèle.

E. C.

57

58

58

Jean Lepautre (Paris, 1618 – Paris,
1682)

Deux Vases dans une bordure

Vers 1650-1660 | Eau-forte | 1er état

H. 0,153 ; L. 0,222 | Signé dans la marge
inférieure, à gauche : *le Potre Inv. et fecit.*
Avec privilege

> **Bibl. :** Préaud, 1999, n° 1953.

Paris, Bibliothèque nationale de France,
département des Estampes. Hd 101, p. 86

Il semble qu'au début de sa carrière de
graveur d'ornement, Lepautre se soit concentré
particulièrement sur les vases, dont la plasticité
intrinsèque peut avoir stimulé son inventivité – il
a très peu créé par ailleurs pour les arts du métal.
Ses projets en ce domaine frappent par leur goût
de l'asymétrie et paraissent parfois anticiper l'art
rocaille. Lepautre les met en situation réelle,
devant de petites figures admiratives. Ces projets
trouveront à la fin du siècle une application très
proche en France (voir Fuhring, 1998, n° 17)
comme en Italie ou en Allemagne. La bordure,
dont aucun motif n'est répété, est en elle-même
un morceau de choix, et fait écho, notamment
dans le montant gauche, à certaines bordures de
tapisserie à candélabres.

E. C.

59

Michel Dorigny (Saint-Quentin,
vers 1617 – Paris, 1665), d'après
Simon Vouet (Paris, 1590 – Paris,
1649)

*Panneau pour le cabinet
des bains d'Anne d'Autriche
au Palais-Royal*

1647 | Eau-forte

H. 0,241 ; L. 0,190 | En haut, sur le ruban :
NATOS ET NOSTRA TVEMVR | En bas :
Sim. Voüet In. ; 7 ; M. Dorigny sc. | Chiffre
au centre du médaillon : *AL*

Fig. 1. Michel Dorigny, d'après Simon Vouet, *Panneau
pour le cabinet des bains d'Anne d'Autriche au Palais-
Royal.* Paris, Bibliothèque nationale de France,
bibliothèque de l'Arsenal.

Bibl.: Guilmard, 1880, p. 40, n° 20 ; Mérot, 1992 ;
Irmscher, 1984, p. 188.

Paris, Bibliothèque nationale de France,
bibliothèque de l'Arsenal. Est. 154, n° 89

Ce panneau appartient à une suite de quinze
pièces intitulée sur un titre fort dépouillé *Livre de
diverses grotesques peintes dans le cabinet et bains de
la reyne regente, au Palais Royal*, et forme la seule
suite d'ornements publiée par Vouet, pourtant très
attentif à divulguer son œuvre par la gravure. Le
décor fut réalisé en 1645-1647, peu de temps avant
sa gravure, et représentait donc pour l'artiste son
chef-d'œuvre dans un domaine qu'il semble avoir
réservé généralement à des assistants. Le titre prête
en réalité un peu à confusion, dans la mesure où
ces motifs n'ont rien de la grotesque remise à la
mode par Raphaël et ses élèves. Le terme n'avait
pas alors la signification précise qu'on lui assigne
aujourd'hui. Faits pour se détacher sur un fond
doré, strictement compartimentées dans un système de lambris, les ornements tendent ici vers
une plasticité d'objets mobiliers, avec leurs piéte-
ments puissants – alors que la grotesque renais-
sante est un système d'aplats et de suspensions. Si
l'héritage de Fontainebleau et l'esprit du cartouche
sont présents plus que la grotesque – la dernière
pièce montre un rare exemple, à une date si tardive,
de cuir enroulé, et les figures humaines ont une
place essentielle (fig. 1) –, c'est surtout le système
d'empilement du candélabre qui est le principe
constitutif. L'influence de ce répertoire sur tous les
élèves de Vouet, au premier chef Le Brun, mais
aussi sur un Errard ou un Lepautre est immense.

E. C.

60

Jean Lepautre (Paris, 1618 – Paris,
1682)

*Panneau pour lambris
en hauteur*

Vers 1650-1655 | Eau-forte

H. 0,427 ; L. 0,110 | Signé dans la marge
inférieure, à gauche : *le Blond avec
Privilège* ; et à droite : *le Potre fecit*

Bibl.: Préaud, 1999, n° 1655.

Paris, Bibliothèque nationale de France,
département des Estampes. Ed 42, p. 49

Cette pièce appartient à une suite de quatre
pièces, qui compte parmi les plus grandes feuilles
de l'auteur. Elle remonte sans doute à la première
moitié de la décennie 1650. Formellement, elle se
situe dans la lignée des *Grotesques* de Vouet
(cat. 59) et signale l'importance croissante des
lambris peints et sculptés dans les intérieurs – ils
représentent près de trois cents numéros du
catalogue de Préaud. Dans cette suite, Lepautre
maintient un compartimentage assez net entre les
différents éléments – par la suite il cherchera à les
fondre dans une unité dynamique. Le sujet religieux, assez rare, montre un souci de s'adresser à
toutes sortes de publics.

E. C.

60

61

Paul Androuet du Cerceau
(vers 1630 – Paris, 1710) et Pierre
Mariette (1634 – Paris, 1716), d'après
Charles Errard (Nantes,
vers 1606 – Rome, 1689)

Ornements pour des lambris

Vers 1665 | Eau-forte

H. 0,296 ; L. 0,185 | En haut, dans la
marge : *ORNEMENS DES APPARTEMENS
DE LA REINE AU VIEUX LOUVRE PAR
LE SIEUR ERRARD* | Dans la marge, en
bas : *A Paris Langlois, rue st Jacques a la
Victoire. Avec Privil* | En bas à droite, la
lettre : *A*

Bibl.: Guilmard, 1880, p. 81, n° 11 ; Granges de
Surgères, s. d., p. 208 ; Dimier, 1927, p. 39 ;
Hautecœur, 1927, p. 47 ; Thornton, 1998, p. 90.

Paris, Bibliothèque nationale de France,
bibliothèque de l'Arsenal. Est.184, f° 208

La suite dont la présente pièce forme le titre est
l'une des rares à reproduire un décor existant, avec
celle de Vouet (cat. 59). À la différence de celle-ci,
il semble néanmoins qu'elle ait été gravée au moins
dix ans après la réalisation du décor, puisque l'éditeur est actif à l'enseigne de *la Victoire* à partir
de 1664, et que les *Mémoires inédits* suggèrent que
les décors furent peints vers 1655 – il est probable
que l'éditeur, et non le peintre, soit à l'origine de la
publication. C'est que le style de ces panneaux, à
fond d'or, pouvait paraître alors parfaitement
moderne, notamment dans le mélange de marbre
feint et de rinceaux réguliers, auxquels Du Cerceau
a donné un aspect plus gracile que les originaux.

Fig. 1. Charles Errard, lambris peints. Paris,
Sénat de la République française, palais du
Luxembourg, salle du Livre d'or.

61

62

Jean Lepautre (Paris, 1618 – Paris, 1682)

Cheminée et lambris

Vers 1650-1660 | Eau-forte

H. 0,146 ; L. 0,211 | Signé dans la marge inférieure, à gauche : *le Potre In et fecit le Blond avec privilege* | À droite, le numéro : *4*

Bibl. : Préaud, 1999, n° 1473.

Paris, musée du Louvre, département des Arts graphiques, collection Edmond de Rothschild. Vol. 611, n° 29029

La pièce appartient à une suite parmi les plus originales de Lepautre, par l'insertion de petites figures où semble surgir un souvenir de Bosse. Elle est aussi une époustouflante démonstration de virtuosité dans le traitement des ombres, qui ne peut manquer de faire penser à certaines pièces nocturnes de son grand aîné (cat. 36). Mais contrairement aux estampes de ce dernier, la figure ne fait qu'animer un projet de décor intérieur, de la cheminée aux lambris et à l'embrasure de la porte. Les panneaux s'inspirent des « grotesques » remises à la mode par Vouet. On notera les volets de l'âtre, qui concourent à faire de la cheminée une espèce de meuble somptueux.

E. C.

L'attribution à ce dernier graveur repose sur une note de Pierre-Jean Mariette (*Notes manuscrites*, V, p. 62), qui précise que Pierre Mariette aurait fait les figures. Certains de ces montants existent toujours, remontés à la salle du Livre d'or au palais du Luxembourg (fig. 1), et occupaient les côtés de pilastres d'angle. Leur format très allongé a obligé le graveur à diviser en trois la hauteur, quitte à adapter son dessin au format du papier, en modifiant le modèle. La suite sera rééditée par Nicolas Langlois, dans le premier volume de son *Architecture à la mode*.

E. C.

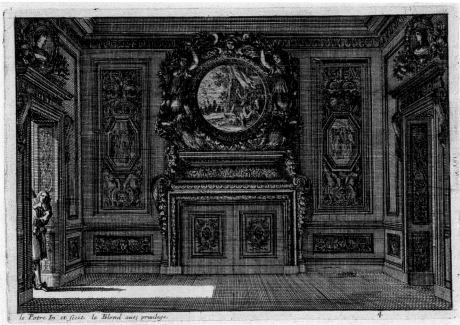

63

64

65

63

Jean Boulanger (Troyes, 1608 – Paris, vers 1680), d'après Jean Cotelle (vers 1610 – Paris, 1676)

Plafond

1646 | Eau-forte et burin

H. 0,193; L. 0,302 | Signé sur le côté gauche : *I. Cotelle Inventor ; Cum Privilegio* Sur le côté droit : *JBoulanger fe.* | Au centre, le numéro : *19*

Bibl. : Guilmard, 1880, p. 51, n° 59 ; Thornton, 1981, p. 340 ; Lothe, 1994, p. 54-57 ; Whiteley, 2000, n° 310.

Paris, École nationale supérieure des beaux-arts. Est. Lesoufaché vol. 110, n° 1615

Ce dessin de plafond appartient à un important *Livre de divers Ornemens pour plafonds, Cintres surbaissez, Galleries, et autres,* publié par Jean Cotelle d'après ses dessins en vingt-deux planches de taille variable, avec une dédicace à l'une de ses principales clientes, Anne de Rohan, princesse de Guéménée (1604-1685). Le peintre obtint en 1647, et non en 1646 (comm. orale Jacqueline de Lacroix-Vaubois), un privilège pour ce qui est la première suite consacrée à des dessins de plafond en France et même en Europe, témoignant de la place nouvelle prise par cet aspect du décor. Ces dessins souvent très italianisants, qui semblent anticiper les plafonds de Cortone au palais Pitti, étonnent par leur modernité à cette date. Les travaux de Cotelle dans le domaine du décor ne nous sont plus connus que par un recueil de dessins (Oxford, Ashmolean Museum ; voir Whiteley, 2000, n° 265-336), dont certains sont préparatoires à des estampes du présent livre, et cette suite. Le livre sera réédité par Mariette, puis par Jombert, qui modifieront parfois la numérotation.

Le projet présenté ici correspond sans doute à un plafond de petite taille, par exemple celui d'une alcôve. Il frappe, à sa date, par le caractère sévère de ses compartiments et des bandes qui les entourent, notamment par la superposition, aux milieux, d'un panneau sur un autre. Les rinceaux, en revanche, ont un aspect très feuillu et rond qui renvoie plutôt aux débuts de Cotelle. Un dessin préparatoire, mais d'une moitié seulement de la gravure, existe à Oxford (Whiteley, *op. cit.,* n° 310).

E. C.

64

Jean Marot (Vers 1619 – Paris, vers 1679)

Quart de plafond

Vers 1650 | Eau-forte

H. 0,125; L. 0,206 | Signé en bas à droite : *Iean Marot fecit* En bas à gauche, le numéro : *3*

Bibl. : Mauban, 1944, p. 176.

Paris, École nationale supérieure des beaux-arts. Vol. Marot II, est. 22228

Ce quart de plafond appartient à une suite de neuf ou douze pièces numérotées comprenant des projets pour des plafonds, en quart ou en demi, et dont le premier numéro porte une inscription écrite à l'envers. Cette maladresse et celle qui consiste ici à signer perpendiculairement au sens des figures étonnent chez un graveur aussi prolifique que Marot, et laissent penser que ces pièces remontent aux débuts de l'artiste, à la fin des années 1640. Ces projets témoignent de façon presque démonstrative d'un vocabulaire antiquisant, lié à des structures associant des traits d'innovation, comme ici la partie centrale, ombrée car situéc à un niveau supérieur, et d'autres plus traditionnels, comme la succession de caissons entourant un compartiment carré aux coins rentrants. La figure ailée au canon démesurément allongé accentue l'aspect hétérogène que dégage la pièce. Les motifs entre les caissons, dont certains font penser à une destination royale, relèvent en revanche d'une fantaisie plus personnelle. Mariette puis Jombert rééditeront la série, le second sous le titre un peu curieux *Divers plafonds à la grecque*, qui dit bien la difficulté que l'on éprouvait un siècle plus tard à qualifier ce style composite.

E. C.

65

Jean Lepautre (Paris, 1618 – Paris, 1682)

Plafond

Vers 1650-1655 | Eau-forte et burin | 2e état

H. 0,354 ; L. 0,479 | Signé dans la marge inférieure, au centre : *P. MARIETTE. Avec Privil.- le Potre Fecit*
Bibl.: Préaud, 1999, nᵒ 1835.

Paris, Bibliothèque nationale de France, bibliothèque de l'Arsenal. Est. 192, nᵒ 159

La feuille est l'une des plus grandes de Lepautre et, fait unique dans son œuvre ornemental, elle n'appartient pas à une suite. Elle doit remonter au début des années 1650, comme le suggèrent certains motifs, la lourdeur des festons, les agrafes aux milieux du cadre extérieur. Chaque quart présente une variante, sans que l'unité de l'ensemble en soit affectée. Le sujet du tondo central est rarissime dans les plafonds. Peut-être faut-il y voir un souvenir bachique de la galerie du palais Farnèse. Lepautre s'y montre très influencé par les types de Vouet, et plus particulièrement ceux de Dorigny, dont on retrouve les plis brisés.

E. C.

66

Jean Marot (vers 1619 – Paris, 1679)

Cheminée

Vers 1650-1660 | Eau-forte | 1er état

H. 0,193 ; L. 0,119 | En bas à droite, trace d'un numéro, à l'encre : *V*
Bibl.: Mauban, 1944, p. 178.

Paris, École nationale supérieure des beaux-arts. Vol. Marot I, est. 22228

Marot a donné deux *Livres de cheminées,* de douze et vingt-quatre pièces, édités par Pierre II Mariette, alors rue Saint-Jacques à l'Espérance, c'est-à-dire après 1658. Le premier désigne ces cheminées comme à l'antique, ce qui à notre avis trahit une conception plus ancienne de ces dessins, dont le style correspond bien aux années 1650, notamment au style de celles de Pierretz, avec lesquelles elles sont parfois confondues. Cette pièce appartient aux *Diverses inventions nouvelles, pour des cheminées avec leurs ornemens, de l'invention de Jean Marot.* Le dessin est un peu sec mais la diversité et l'ampleur des projets témoignent d'une époque où la cheminée restait un morceau de choix dans les intérieurs. Marot semble être ici largement redevable au classicisme un peu lourd

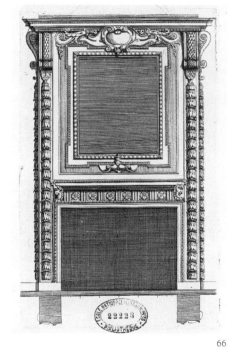

66

du milieu du XVIᵉ siècle, auquel il mêle des motifs de cartouches ou de masques plus propres au début de son siècle. La pièce existe dans un état faisant apparaître le numéro 12.

E. C.

67

Jean Lepautre (Paris, 1618 – Paris, 1682)

Projet d'alcôve avec un homme armé d'une épée

Vers 1650-1660 | Eau-forte

H. 0,147 ; L. 0,206 | En bas à gauche : *Pierre Mariette fils excudit rue St Iacques aux colomnes d'Hercule Avec privil. du Roy* | À droite, le numéro : *3*
Bibl.: Préaud, 1999, nᵒ 1287.

Paris, musée du Louvre, département des Arts graphiques, collection Edmond de Rothschild. Vol. 611, nᵒ 29088

Datée par Préaud des années 1656-1657, cette suite en six pièces d'alcôves à l'italienne, comme le précise le titre, est l'une des premières des nombreuses inventions de Lepautre dans ce domaine du décor, qui montrent bien l'importance prise par l'alcôve, perçue comme une importation transalpine, dans les années 1650. Ce n'est pas un hasard si la dernière pièce de la série est un projet royal, avec le chiffre du Roi et ses armes : la disposition, avec sa clôture et le blason au centre de la partie supérieure, offrait un effet tout scénique de grandiose mise en valeur du lit. Cet aspect théâtral se retrouve d'ailleurs dans l'apparition d'un homme armé d'une épée, qui fait glisser la gravure d'ornement dans la vignette d'illustration de roman.

E. C.

67

68

Jean Lepautre

Cabinet

Vers 1650-1660 | Eau-forte | 2ᵉ état

H. 0,215 ; L. 0,145 | Signé dans la marge inférieure, à gauche : *le Potre In et fecit – Avec Privilege.*

Bibl. : Préaud, 1999, nᵒ 1347.

Paris, Bibliothèque nationale de France, département des Estampes. Ed 42 i

Dans l'abondante production de Lepautre, les suites consacrées au mobilier sont rares. Il n'y a rien qui concerne les sièges, lits ou tables. Mais l'artiste ne pouvait éviter de s'essayer aux cabinets, les meubles les plus prestigieux. La suite de six pièces fut l'une des plus rééditées de Lepautre – on en compte quatre états. Ces cabinets s'apparentent plus aux futures créations de Domenico Cucci pour le Roi qu'à la tradition française du cabinet d'ébène, notamment par le couronnement très riche, ici un buste d'empereur cantonné de deux figures allégoriques (la Paix et l'Abondance). Les vases sur les vantaux présagent les compositions à marqueterie de Boulle – et nous ne pouvons que regretter de ne pouvoir dater précisément cette suite, qui doit se situer entre 1650 et 1660.

                                                        E. C.

69

Jean Lepautre

Guéridon

Vers 1650-1660 | Eau-forte | 1ᵉʳ état

H. 0,297 ; L. 0,222

Bibl. : Préaud, 1999, nᵒ 1532.

Paris, Bibliothèque nationale de France, département des Estampes. Jc 24 a, pet. fᵒ, p. 82

69

Avec les cabinets, les guéridons forment la rare part de l'œuvre de Lepautre consacrée au mobilier. La suite de six pièces à laquelle ce projet appartient doit remonter au début des années 1650, si l'on en juge par son premier éditeur, Cany, et le style des costumes des figures de la première pièce. Ce guéridon à tête de Maure présente l'intérêt de correspondre de près à la description d'objets commandés par Mazarin, dès 1639 (Michel, 1999, p. 155) : « *J'ai eu un caprice de faire tailler deux statuettes en forme de maures vêtus, avec un vase sur la tête, pour tenir un chandelier.* » Ballin a repris le dessin de Lepautre dans les années 1670 (Thornton, 1978, p. 26). On notera la bonhomie du gros chat au pied du meuble, qui met le projet en situation réelle.

                                                        E. C.

70

70

Jean Lepautre

Fontaine, cuvette et cartouche

Vers 1650-1660 | Eau-forte

H. 0,150 ; L. 0,218 | Signé dans le cartouche, au bas : *se vendent / chez Le Blond, rue S Denis / a la Cloche d'argent avec / Privilège du Roy. / Le Potre In. et fecit.*

Bibl. : Préaud, 1999, nᵒ 1519.

Paris, musée du Louvre, département des Arts graphiques, collection Edmond de Rothschild. Vol. 611, nᵒ 28965

Cette pièce appartient à une suite de six, dont elle porte le titre, qui combinent plusieurs éléments décoratifs mis en situation. Les costumes des personnages permettent de la faire remonter aux années 1650, comme les tapisseries aux murs en décor continu, rares chez Lepautre. Ce dernier exagère la taille de la fontaine et de son bassin pour donner de la monumentalité à son dessin. Mis à part la coquille, qui supporte le robinet de la fontaine, la forme est remarquablement classique. Le trépied fait songer à des créations d'orfèvrerie de la Renaissance. Le cartouche est le seul de la série à être symétrique, les autres présentant une alternative à gauche et à droite. Les enroulements sur les côtés sont une réminiscence de la première partie du siècle.

                                                        E. C.

71

C. Jacquinet (actif vers 1650-1660), d'après François Marcou (1595 – après 1660)

Dessins pour des pièces d'arquebuserie

1657 | Burin

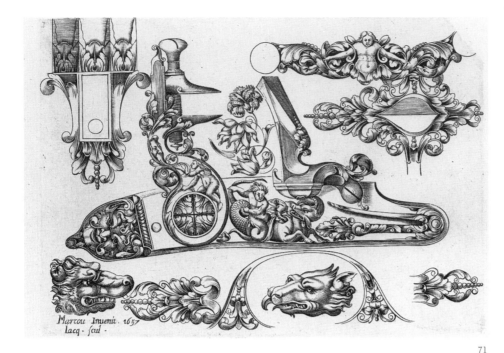

71

H. 0,113 ; L. 0,159 | Signé en bas, à gauche :
Marcou invenit. 1657. Au-dessous : *Iacq. Scul*

Paris, École nationale supérieure des
beaux-arts. Vol. 65, n° 5050

Les suites destinées à l'arquebuserie ne sont
pas très nombreuses en France au XVIIᵉ siècle et se
concentrent notamment sur la fin des années 1650,
qui vit la publication d'un recueil de Berain (1659)
et vers 1660 d'un livre d'arquebuserie de Thuraine
et Le Hollandais, en seize pièces, gravé aussi par
Jacquinet. Celle dont fait partie cette pièce est l'une
des plus notables. Datée 1657, elle compte dix-huit
pièces, y compris le titre et le portrait de l'inventeur, et montre bien, dans sa taille sèche et parfois
maladroite comme dans l'aspect démodé de ses
motifs, que l'arquebuserie est souvent retardataire
dans l'évolution des arts du décor, alors qu'elle
avait fourni au siècle précédent de grands chefs-
d'œuvre d'invention. À une date où triomphait un
classicisme pompeux, ce ne sont là que dragons,
monstres hybrides et têtes sans corps, ou scènes
de bataille à la Tempesta. La flore reste très stylisée.
On sait peu de chose sur l'auteur, arquebusier
parisien. La suite a connu au moins deux éditions,
chez l'auteur, et chez Van Merlen, en 1666.

E. C.

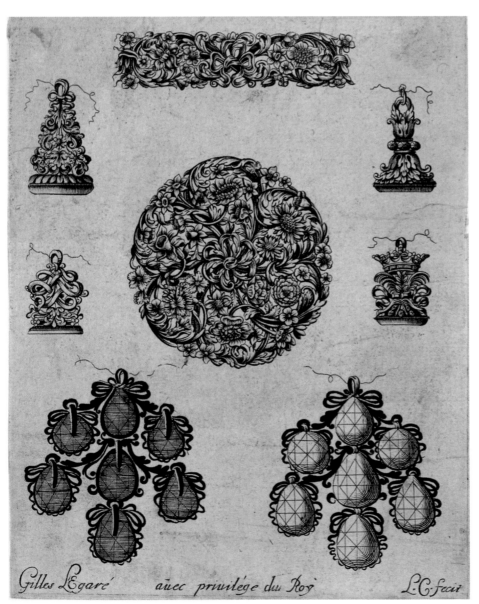

72

72

Louis Coquin, dit Cossin (1627-1704),
d'après Gilles Légaré (mort en 1663)

Motifs pour l'orfèvrerie
(montre, pendentif, cachets)

1663 | Eau-forte

H. 0,152 ; L. 0,119 | Signé en bas : *Gilles
LEgaré / avec privilège du Roy / L. C. fecit*
Bibl. : Evans, 1917 ; Florence, 1975, n° 120.

Paris, musée du Louvre, département des
Arts graphiques, collection Edmond de
Rothschild. Vol. 608, n° 28794

La pièce appartient à une suite de huit pièces
numérotées, intitulée *Livre des ouvrages d'orfèvrerie fait par Gilles Légaré Orfèvre du roy…*, datée
1663. Certaines sont gravées par un dénommé
Collet, les autres par Cossin, graveur polyvalent,
qui reproduisit aussi bien des portraits (c'est un
élève de Robert Nanteuil), des tableaux, que des
motifs d'orfèvrerie – il grava un peu plus tard
(1668) une suite de dessins d'après Louis Roupert.
Le titre offre une démonstration d'opulence un
peu désordonnée bien dans l'esprit des années
1650. Mais nous sommes ici, en 1663, à l'aube d'un
autre style dans l'orfèvrerie, où les motifs de fleurs
deviennent naturalistes et s'organisent de façon
régulière, et qui trouvera sa pleine expression avec
Jean Vauquer. La mise en pages elle-même traduit
l'assagissement de la fantaisie Louis XIII : les
éléments sont symétriquement disposés, sans
insertion de motifs animaliers, le pendentif est
montré sous ses deux faces, pour que l'on en voie
le montage des pierres.

E. C.

Évolution du décor intérieur entre 1600 et 1660

David Langeois

Les caractéristiques générales de la distribution intérieure sous Louis XIII trouvent des exemples précoces dans les recueils gravés par Serlio et par Du Cerceau au XVIe siècle[1]. Dès les années 1540-1560 apparurent en France l'antichambre et le cabinet, pièces nouvelles qui venaient compléter, du moins dans les grandes demeures, un appartement primitif traditionnellement composé d'une salle, d'une chambre et d'une garde-robe. En attestent l'hôtel dit du Grand Ferrare à Fontainebleau, achevé en 1546 pour le cardinal Hippolyte d'Este, le château d'Anet « modernisé » sur ordre du Roi, par Philibert Delorme à partir de 1547, ou encore l'appartement du roi Henri II au Louvre aménagé, autour de 1550[2].

Jusque dans les années 1630, que ce soit pour les châteaux, les hôtels ou les maisons de particuliers[3], la distribution de l'appartement reposa invariablement sur une simple enfilade de pièces assujetties à la largeur du corps de logis principal, se répétant du rez-de-chaussée au premier étage. Les appartements de Monsieur et de Madame étaient, comme le voulait l'usage des grandes maisons, distincts, celui-ci s'installant d'ailleurs plus volontiers au rez-de-chaussée, abandonnant à sa femme les commodités d'un premier étage bien mieux chauffé l'hiver[4].

Ainsi, durant une bonne partie du règne de Louis XIII, salles, antichambres, chambres, cabinets et garde-robes des châteaux et hôtels particuliers constituèrent-ils une suite rigoureuse et immuable de pièces carrées ou rectangulaires faisant simultanément office de lieux de vie et de réception. Seul l'escalier de dégagement, dissimulé à la suite d'un cabinet ou d'une garde-robe, offrait un moyen de circulation autre que celui de l'enfilade de l'appartement principal. Vie publique et vie privée ne manifestaient encore que très peu de divergences.

Les estampes d'Abraham Bosse (1602-1676) reflètent avec précision des scènes de vie de cette société des années 1630 (fig. 1) : la chambre, épicentre de l'appartement, constituait le lieu de prédilection « *pour recevoir, & entretenir ses amis*[5] ». Cette vaste pièce, souvent carrée, accueillait un lit à la française de forme cubique, encore peu élevé et entièrement couvert de garnitures textiles. On prit l'habitude de ménager sur l'un des côtés du lit un espace intime de réception appelé la ruelle, véritable anticipation de l'alcôve, qui ne se développera qu'à la fin du règne de Louis XIII[6]. Pièce de réception aussi bien que pièce intime, la chambre servait également de salle à manger lorsque l'on y dressait des tables.

1. Serlio, 1541-1547, et Androuet du Cerceau, 1576-1579.
2. Jestaz, 1988, p. 109-120.
3. Pour les constructions modestes – de la maison d'artisan aux petits hôtels ordinaires – , voir Le Muet, 1623.
4. À Paris, par exemple, les célèbres hôtels de Rambouillet (1620) et Lambert (1641-1644) présentaient tous deux une telle distribution ; voir Babelon, 1960, p. 331, et cat. exp. Paris, 1972, p. 8.
5. Savot, 1624, chap. XV, 1673, p. 91-95.
6. Les premières véritables alcôves, abritant le lit dans un retrait distinct du carré de la chambre, apparaitront à Paris peu avant 1640 ; voir Feldmann, 1982, p. 395-422.

Fig. 1. Abraham Bosse, *Conversation de dames en l'absence de leurs amis (le dîner).* Écouen, musée national de la Renaissance.

Pierre Le Muet en 1623 et Louis Savot l'année suivante ne mentionnèrent à aucun moment l'expression salle à manger dans leurs modèles de distributions intérieures[7]. L'absence de lieu exclusivement destiné aux repas laisse deviner le manque de spécificité des pièces au cours de cette première moitié du XVIIe siècle[8]. Les tables étaient dressées indifféremment dans les salles, chambres ou antichambres, au gré du nombre des convives, de l'humeur des maîtres des lieux ou de considérations qui nous échappent encore.

La salle, vaste et oblongue, réminiscence médiévale, conservait sa fonction polyvalente. Elle introduisait à l'appartement. Savot en distinguait deux types, « *les unes qui ne sont propres qu'aux logis des princes ou des grands seigneurs destinées seulement à faire noces, grands festins, bals, ballets et autres grandes assemblées ; les autres conviennent aux personnes inférieures en qualité et sont propres à recevoir les survenants et y manger avec ses amis*[9] ». La « salle haute » de l'hôtel de Rambouillet, introduisant à l'appartement de la célèbre marquise, servait même de nef à la chapelle, petit réduit de quatre mètres carrés dissimulé dans le mur sud de la pièce et dont on ouvrait tout simplement les portes au moment des offices[10].

L'antichambre suivait la salle dans les distributions les plus modernes mais n'était pas encore systématique dans les grandes demeures ; elle ne le deviendra que dans les années 1635-1640. Placée stratégiquement avant la chambre, cette pièce était la plus « publique » de l'appartement, véritable « filtre » pour les visiteurs de toutes conditions.

Le cabinet, sans conteste la pièce la plus précieuse et la plus personnelle, venait derrière la chambre. Il s'agissait d'un lieu de travail et de méditation où l'on pouvait se retirer « *pour écrire, étudier et serrer ce qu'on a de plus précieux*[11] ». Savot décrit deux sortes de cabinets adaptés à la condition du maître de maison, « *les uns grands & amples, qui n'appartiennent qu'à un Grand, pour y traitter d'affaires & conférences particulières ; les autres sont le plus souvent moindres, accompagnent une chambre, & servent à y retirer choses rares et précieuses, comme aussi d'autres commodités*[12] ». Héritier direct du studiolo italien, le cabinet reflétait les goûts de son propriétaire. Il pouvait tenir lieu de bibliothèque dissimulée dans le lambris, à l'image de celles du cabinet du marquis d'Huxelles, dit de sainte Cécile, au château de Cormatin en Bourgogne (1626-1629)[13] ; ou bien conserver des collections plus modestes, mais qui dans tous les cas témoignaient de la vie intellectuelle et de l'imaginaire des propriétaires. Les plus opulents d'entre eux, comme le Grand Cabinet de Richelieu au Palais-Cardinal, longtemps considéré comme « *la merveille et le miracle de Paris*[14] », offraient aux visiteurs une profusion de décors sculptés, peints et dorés, où les recherches ornementales le disputaient à la symbolique de l'image peinte, véritable discours allégorique que seuls les initiés pouvaient saisir[15].

La société parisienne raffola aussi de ces petits cabinets placés en saillie sur les jardins et soutenus par des piliers, des colonnes ou des consoles, tels ceux qu'édifia François Mansart à l'hôtel de Jars ou à l'hôtel de La Bazinière[16]. Lieu intime, lieu caché, sa construction empruntait parfois le secret. La marquise de Rambouillet s'en inspira lorsqu'elle fit « *bastir, peindre et meubler* » le plus fameux d'entre eux, « *la loge de Zirphée* », en saillie sur le jardin des Quinze-Vingts, « *sans que personne de cette grande foule de gens qui alloient chez elle s'en fust aperceu* »[17].

Dans les intérieurs les plus riches, on pouvait également rencontrer des galeries, omniprésentes dans les résidences royales depuis le XVIe siècle, des chapelles et même parfois des cabinets des bains.

La plupart de ces décors n'ont pas survécu aux aléas du temps. Quelques éléments de plafond, de porte ou des cheminées nous enseignent la cohérence de l'ensemble, néanmoins les sources iconographiques dont nous avons parfois du mal à décoder la symbolique cachée, ainsi que les archives, qui pourraient nous permettre de les appréhender dans toute leur splendeur, font souvent défaut. L'oubli de ce langage parfois très élaboré des décors du temps, intimement liés à leurs propriétaires et qui privilégiaient avec délice le recours à l'allégorie, à la métaphore et au double sens chers à l'imaginaire des précieux, apparaît souvent comme un obstacle à la compréhension d'un système décoratif perdu. Les décors originaux à base de lambris peints que l'on découvre encore à Cormatin ou dans les appartements de Marie de Cossé-Brissac, maréchale de La Meilleraye, à l'Arsenal de Paris[18] (fig. 2), constituent des exceptions aujourd'hui.

Ces grands décors ne formaient pas, loin de là, le cas général. En effet, ce sont les tentures murales qui assuraient sous Louis XIII la cohérence décorative des pièces, tout en garantissant une chaleur bienvenue dans des bâtiments souvent mal isolés. Dans les résidences princières ou les appartements bourgeois, les murs tendus de tapisseries étaient associés aux traditionnels plafonds à poutres et solives, à des sols carrelés recouverts de tapis et à d'énormes cheminées aux manteaux rectangulaires et massifs.

À la fois source de chaleur, de lumière et de vie, la cheminée formait l'élément architectural dominant de la pièce, point d'orgue thématique du décor d'ensemble et condensé d'ornements peints et

7. L'une des premières mentions répertoriées du terme salle à manger apparaît sur un dessin malheureusement non daté de cheminée de « salle haute à manger » appartenant à l'*Album Derand* conservé à Paris, au musée du Louvre (Babelon, 1991, p. 200) ; le terme fut également employé le 30 mai 1637 dans un acte de vente d'une maison située rue Saint-Anastase à Paris (idem, *op. cit., loc. cit.*, note 182) ; malgré tout, il demeure difficile, voire impossible, de définir avec précision l'acte de naissance de la salle à manger au sens où nous l'entendons aujourd'hui. Même si l'expression allait être de plus en plus employée au cours du siècle, elle continuait bien souvent à ne désigner qu'une salle ou une antichambre dans laquelle on avait tout simplement pris l'habitude de prendre ses repas sur des tables « volantes ».
8. Seuls les domestiques disposaient d'une salle fixe pour la prise des repas, appelée « salle du commun » ; voir Daviler, 1691, p. 814.
9. Savot, 1624, chap. XIV, 1673, p. 81-82.
10. Babelon, 1960, p. 332.
11. Daviler, *op. cit.*, p. 430, 1710, p. 438.
12. Savot, 1624, chap. XVI, 1673, p. 98.
13. Mérot, 1994, p. 43.
14. Sauval, 1724, II, p. 169.
15. Simonet-Lenglart, 1994, p. 53-54.
16. Cat. exp. Paris, 1998, p. 61.
17. Tallemant des Réaux, 1854, p. 498-499 ; voir Babelon, *op. cit.*, p. 336-337.
18. Idem, 1966, p. 33-34 et 55, 1970, p. 272-273.

Fig. 2. Cabinet de la maréchale de La Meilleraye. Paris, Bibliothèque
nationale de France, bibliothèque de l'Arsenal.

Fig. 3. Abraham Bosse, *le Toucher.* Tours, musée des Beaux-Arts.

sculptés (fig. 3). Sous Louis XIII, la cheminée dite à la française restait celle du XVIᵉ siècle, puissante, droite et rectangulaire, se déployant du sol au plafond. Elle possédait une hotte externe dans l'axe du foyer, que l'on prenait grand soin de fermer en cas de non-utilisation afin d'éviter les courants d'air. La cheminée constituait un véritable exercice de style pour les architectes et les maîtres d'œuvre qui trouvèrent une aide précieuse dans la publication de modèles gravés au début des années 1630. L'un des plus célèbres d'entre eux fut probablement le *Livre d'architecture d'autels et de cheminées* de Jean Barbet, dédié à Richelieu en 1633[19]. Ces cheminées pour lesquelles « *l'on faisoit cy-devant* », écrit Blondel en 1683, « *beaucoup de dépense pour la structure et les ornemens* » étaient généralement coffrées en plâtre ou en bois. L'emploi de la pierre ou du marbre, beaucoup plus onéreux, était rare et restait réservé à la bordure du foyer. Le maréchal d'Effiat fit installer dans son château de Chilly une cheminée entièrement en marbre, en 1632, qui lui coûta la somme considérable de 5 200 livres[20], alors que deux ans auparavant, Nicolas Choualdin ne demandait que 450 livres pour la mise en place d'une cheminée en plâtre à l'hôtel de Brienne à Paris[21]. Toutes ces cheminées présentaient au centre de leur manteau un cadre bordant une toile peinte, parfois un bas-relief peint en trompe l'œil ou sculpté ou bien encore un buste logé dans une niche circulaire. Les portraits, les sujets d'ordre religieux, historiques ou mythologiques y prenaient place naturellement. Un portrait de Godefroy de Bouillon peint par Claude Vignon ornait, par exemple, le manteau de la cheminée de la grande chambre de l'hôtel de Chevreuse[22]. Ces toiles s'inséraient dans un environnement richement sculpté, bien souvent polychrome, où rivalisaient les termes féminins ou masculins, les putti, les masques grotesques, les trophées, les cartouches, les cascades luxuriantes de guirlandes de fruits et de fleurs, les puissants rinceaux de feuilles d'acanthe ou tous autres ornements dont la seule règle était le respect d'une symétrie rigoureuse. Le contraste entre cet élément d'architecture saillant dans la pièce et le décor mural traditionnellement tendu de tapisseries devait être saisissant.

    L'emploi des tapisseries dans les intérieurs connut un regain d'intérêt extraordinaire sous Louis XIII. Pierre Dupont, tapissier de son état[23], mentionnait en 1632 que tout un chacun avait sa maison ou sa chambrette tapissée partout[24]. Outre leur fonction décorative, les tapisseries apportaient un moyen de lutte non négligeable contre le froid. Elles se répartissaient dans toutes les pièces de l'appartement, tendues sur des tringles ou suspendues à des clous au moyen d'anneaux. Les estampes d'Abraham Bosse (fig. 4) nous le relatent une fois de plus, nous montrant ces tentures souvent accrochées à la suite les unes des autres, rarement dimensionnées aux murs qu'elles recouvraient car achetées toutes faites à des manufactures. L'astuce d'installation consistait alors à en replier les bordures. Elles pouvaient même masquer les ouvertures de la pièce[25]. Les « verdures » d'Auvergne ou des Flandres, considérées comme des décors de fond, étaient parfois découpées pour être adaptées à la surface des murs, ou percées de clous pour permettre l'accrochage des tableaux, des plaques de lumière ou des miroirs[26]. Il en allait tout autrement pour certaines tentures aux décors historiés, considérées comme de véritables œuvres d'art et tissées pour l'essentiel à Bruxelles ou, depuis peu, dans les ateliers parisiens créés à l'instigation d'Henri IV. Ces dernières répondaient à un souci non seulement décoratif mais aussi de prestige, qui restait évidemment l'apanage des classes les plus aisées. Dans les intérieurs plus modestes, on usait de « tapisseries » de Bergame ou de Rouen, plus communes et simplement décorées[27].

19. Publié pour la première fois à Paris en 1632, le *Livre d'architecture d'autels et de cheminées* de Jean Barbet fut réédité à Paris et à Amsterdam en 1641 ; signalons également le recueil de Pierre Collot, paru en 1633 ; *Pièces d'architecture où sont comprises plusieurs sortes de cheminées* ; voir Préaud, 1989, p. 81-82.
20. AN, MC, LI, 166, 4 mai 1632 : contrat passé avec Thomas Boudin ; voir Ciprut, 1965-1966, p. 131-189.
21. AN, MC, XCVIII, 106, 13 août 1630 : devis et marché de sculpture passés entre Nicolas Choualdin et Louis Le Barbier ; voir Mouton, 1910, p. 40-62 et 155-215.
22. Montgolfier, 1961, p. 316-322, fig. I ; Babelon, 1964, p. 189.
23. Le mot tapissier est ambigu au XVIIᵉ siècle, employé aussi bien pour désigner le fabricant que le marchand.
24. Voir Dupont, 1632. Même dans les intérieurs les plus modestes, on cherchait à s'offrir ce que l'on appelait alors une chambre de tapisserie, c'est-à-dire un ensemble de plusieurs pièces de tapisserie destinées au décor d'une pièce.
25. Voir cat. 38.
26. Dans sa description d'un ballet donné à l'hôtel de Chevreuse en la présence de la Reine, la *Gazette de France* en date du 19 février 1633 insistait sur la magnificence des miroirs aux cadres d'argent suspendus devant des tapisseries « *exquises* » ; cité par Havard, 1887-1889, III, p. 802-803.
27. Ce que l'on appelait en France les bergames étaient en fait des tapisseries grossières, faites de laine, de soie, de coton, de chanvre, de poil de chèvre ou de bœuf, fabriquées primitivement à Bergame, en Italie. On ne commença à faire usage de bergames en France qu'à la fin du XVIᵉ siècle. En 1622, une première fabrique s'établit à Lyon, mais ce fut surtout à Rouen et à Elbeuf que se formèrent les principaux centres de production, à telle enseigne que « tapisserie de Rouen » devint bientôt synonyme de bergame. Les bergames étaient en point de Hongrie, à grandes barres chargées de fleurs et d'oiseaux ; d'autres imitaient le point de Chine ou les écailles de poisson. Strasbourg et Toulouse fabriquèrent également des bergames, mais moins recherchées.

Fig. 4. Abraham Bosse, *l'Ouïe*. Tours,
musée des Beaux-Arts.

Les tissus tendus offraient une alternative fréquente aux tapisseries. Ils possédaient l'avantage de pouvoir s'adapter facilement aux dimensions des pièces. La marquise de Rambouillet avait pris l'habitude de tendre sa grande chambre de « verdures » des Flandres en hiver, que l'on remplaçait l'été par une extraordinaire brocatelle bleue à ramages blanc et or, bordée de brocatelle incarnat à mêmes ramages[28]. Tous ces tissus en soie, en lainage ou en peignés présentaient des lés d'une largeur réduite à une longueur de bras qui étaient cousus ensemble. Il en résultait un décor mural bien particulier, visible sur certaines estampes d'Abraham Bosse, avec des coutures verticales que l'on prenait grand soin de masquer au moyen de galons de dentelles ou de passementerie.

Ces tentures prenaient fréquemment appui sur un lambris très bas, appelé lambris d'appui, composé de panneaux horizontaux et verticaux. Ces derniers pouvaient parfois revêtir la forme de petits pilastres, comme ceux que l'on pouvait voir dans l'appartement d'été du Palais-Cardinal (1638)[29]. Tous ces panneaux étaient souvent peints de petits paysages enfermés dans des cartouches, alternant avec des vases de fleurs à l'image des précieuses peintures de la chambre de la marquise d'Huxelles à Cormatin[30] ou de celles que peignit à Paris Jacques L'Homme dans la grande salle de l'hôtel des Premiers Présidents (1645-1646)[31]. Cartouches, chiffres, monogrammes, trompe-l'œil, oiseaux exotiques, natures mortes, grotesques, scènes monochromes ou camaïeux animaient régulièrement ces lambris d'appui, polychromies vives et variées, qui pouvaient se détacher sur des fonds d'or dans les intérieurs les plus riches[32].

Deux autres types de lambris se rencontraient encore sous Louis XIII. Le premier, dit à la française, s'interrompait aux deux tiers environ de la hauteur des murs, ponctué d'une forte corniche moulurée formant souvent étagère, et surmonté d'un « attique » intégrant des tableaux rapportés sur tout son pourtour. Le second type, dit de hauteur, se structurait également sur trois registres, mais répartis sans interruption du sol au plafond.

Le lambris à la française connut un développement précoce dès le XVIᵉ siècle à Fontainebleau avec les ouvrages de l'Italien Scibec de Carpi exécutés pour les décors de la galerie François Iᵉʳ (1539) et de la salle de Bal (entre 1522 et 1554). Ce parti décoratif fut repris dans le Cabinet de la Reine dit de Clorinde (vers 1605) et dans le Cabinet du Roi ou de Théagène (vers 1609-1610)[33], mais avec un lambris désormais peint et non plus laissé « *en ton bois* ». Le décor mural des cabinets royaux se décomposait en deux registres superposés. Un lambris bas était surmonté de scènes peintes historiées et séparées les unes des autres par des motifs ornementaux traités en fort relief. Le principe allait rapidement faire école en développant systématiquement une structure tripartite s'orchestrant à la fois sur le plan horizontal – lambris d'appui, lambris médian et attique – et sur le plan vertical – panneaux verticaux ou piédroits peints ou sculptés, pilastres. C'est ce parti qui fut adopté notamment dans la galerie du château de Chessy, propriété d'Henri de Fourcy, surintendant des Bâtiments, qui avait chargé Vouet et ses collaborateurs d'assurer son décor en 1630-1631[34]. Le bas-lambris de ces boiseries[35] alternait des panneaux horizontaux peints de basses-tailles sous forme de cartouches allégoriques et des petits panneaux verticaux ornés de chiffres et de masques grotesques. Un ordonnancement strictement identique était appliqué sur le registre médian agrémenté de paysages très élaborés et de compositions à base de fruits et de fleurs. L'attique, enfin, racontait l'histoire d'Armide. Une telle structure se voyait également dans la galerie haute de l'hôtel de Claude de Bullion, surintendant des Finances, dont l'attique reçut quinze

28. Babelon, 1960, p. 322.
29. AN, MC, LXXXVI, 309 : devis et marché de menuiserie passés, le 3 mars 1638, entre Arnoult Pons, François Cochy, Nicolas François et Richelieu ; voir Bercé, 1984, p. 47-70.
30. Mérot, 1994, p. 34-35, fig. 28-31.
31. AN, Z¹¹ 264 : évaluation des travaux de maçonnerie, dressée le 6 février 1646, incluant la menuiserie exécutée par Guillaume Veniat et Louis Tortebat ainsi que la décoration peinte par Jacques L'Homme.
32. La grande chambre et le grand cabinet de l'hôtel de La Rivière, 14, place des Vosges, présentaient par exemple des bas-lambris dont les panneaux avaient été peints à fonds d'or sous la direction de Charles Le Brun en 1653 (AN, MC, XII, 101 : devis et marché de peinture passés entre Charles Le Brun et Louis Barbier le 31 décembre 1652 ; voir Wilhelm, 1963, p. 1-19). Le décor intérieur du grand cabinet a été remonté au musée Carnavalet en 1878 ; voir Pons, 1995, p. 162-172, repr.
33. Seul le décor du cabinet de Théagène subsiste aujourd'hui.
34. Thuillier, cat. exp. Paris, 1990-1991, p. 116-118.
35. Les boiseries se trouvent aujourd'hui remontées dans une salle de l'hôtel Guyot de Villeneuve, rue du Docteur-Lancereaux à Paris ; Babelon, 1991, p. 219-220.

Fig. 5. Bernard Picart, *le Cabinet des Muses*
de l'hôtel Lambert, gravure.

tableaux carrés et octogonaux illustrant l'histoire d'Ulysse par Vouet (1634)[36]. Sauval nous rapporte que la corniche du lambris était si chargée de porcelaines que l'on prenait la galerie « *pour une longue & magnifique Apoticairerie*[37] ». Le lambris à la française était toujours d'actualité dans les années 1650, visible, par exemple, dans le cabinet de l'Amour de l'hôtel Lambert (voir cat. 77, fig. 1) ou dans le cabinet de l'hôtel de Villacerf (vers 1647 ; fig. 6).

Un même appartement pouvait parfaitement combiner sous Louis XIII des lambris à la française et des lambris de hauteur. Ces derniers étaient les seuls à véritablement couvrir la totalité de la surface murale. Ils se présentaient généralement sous la forme de panneaux horizontaux et verticaux embrevés à rainure et languette. Ce réseau d'encadrements plus ou moins complexe restait tripartite avec soubassement ou lambris d'appui, zone médiane, de loin la plus imposante, et registre supérieur calé sous les poutres du plafond. L'antichambre dite salle du Roi de la marquise d'Huxelles à Cormatin ou encore le cabinet des Muses (fig. 5) au deuxième étage de l'hôtel Lambert (1650-1652) reflétaient tous deux à plus de vingt ans d'intervalle une telle disposition de panneaux. Mais si le système tripartite demeura une règle durant la période, l'agencement des registres horizontaux du décor évolua progressivement vers la fin des années 1640. L'apparition de panneaux de hauteur qui venaient désormais occuper toute la partie supérieure du mur réduisit le registre médian à une surface guère plus étendue que celle du soubassement. C'est ce dernier parti qui fut adopté dès 1645-1646 pour le décor de la chambre de Marie de Cossé-Brissac à l'Arsenal[38].

Au cours de toute cette période et jusqu'au milieu du XVIIe siècle, l'essentiel des plafonds ou « planchers » couvrant les pièces étaient à poutres et solives apparentes dits à la française[39]. Ordinairement peints en « ton bois » tel celui de l'hôtel de Brienne ou de couleur unie, ils pouvaient aussi présenter des décors ornementaux à caractère répétitif extrêmement élaborés, réalisés à l'aide de poncifs puis coloriés au pinceau comme pour les boiseries. Des couleurs vives jouaient de tout un vocabulaire de jeux de bandes à entrelacs, de bordures feuillagées, de fleurons, de masques, de rosettes et de cartouches d'inspiration maniériste, à motifs de cuirs découpés. Les côtés des poutres principales, beaucoup plus visibles, enfermaient parfois de véritables petites compositions où paysages et autres allégories alternaient avec le monogramme du maître des lieux. Les reliefs feints et l'emploi de camaïeux ou de grisailles étaient fréquents. Le contrat du peintre Blanchard passé pour le décor du plafond à poutres et solives de la galerie basse de l'hôtel de Bullion spécifiait, entre autres, que le plafond devait être peint de telle manière qu'il devait donner l'illusion d'avoir été directement sculpté dans la pierre[40]. Plus rares étaient les décorations dorées à la feuille ou à l'argent, ou encore traitées en relief à l'aide de papier mâché et doré. Un plafond de ce type entièrement décoré de reliefs dorés par les soins de Blaise Barbier avait été créé en 1630 dans la maison de Charles de Sévigné rue de Tournon à Paris[41]. Payés au nombre de travées exécutées, les peintres de renom n'hésitaient pas à déléguer cette tâche, parfois après s'être occupés personnellement d'une ou deux travées pour donner le modèle[42].

Dans les demeures les plus riches, les plafonds à poutres et solives étaient régulièrement employés dans les salles, antichambres et dans les galeries, tandis que les chambres et les cabinets recevaient plus volontiers des plafonds plats à compartiments[43]. Des caissons de menuiserie structuraient ces plafonds. De différents formats, aux fonds peints ou marouflés de toiles peintes, ils recouvraient les solives du plafond initial, dont les poutres principales pouvaient rester apparentes. C'est exactement le schéma des plafonds de l'appartement de la maréchale de La Meilleraye, où les toiles peintes, richement bordées de

36. Thuillier, *ibid., op. cit.*, p. 120.
37. Sauval, 1724, II, p. 193.
38. Babelon, 1991, p. 202, repr.
39. Voir Gady, 1998, p. 9-20.
40. AN, MC, XCVIII, 117 : marché de peinture passé le 1er octobre 1634 entre Jacques Blanchard et Claude de Bullion concernant notamment la décoration de la galerie basse de l'hôtel de Bullion ; voir Thuillier, 1976, p. 81-94.
41. AN, MC, XCVIII, 105 : marché de peinture passé le 12 juin 1630 entre Blaise Barbier et Charles de Sévigné pour le décor d'un plafond à poutres et solives de la maison de ce dernier, située rue de Tournon à Paris.
42. Ce fut le cas par exemple de Jacques Blanchard, qui sous-traita, après l'avoir personnellement commencé, le décor du plafond de la galerie basse de l'hôtel de Bullion auprès du peintre Jacques Duchemin (AN, MC, LIV, 533, 25 novembre 1634 ; voir Beresford, 1985, p. 117).
43. Voir Sainte Fare Garnot, 1998, p. 21-26.

puissantes guirlandes sculptées et dorées, s'imbriquaient entre les poutres maîtresses du plafond structurel. Le principe de ces plafonds à compartiments était apparu dans les résidences royales dès le XVIe siècle. Ils connurent sous Louis XIII un succès considérable auprès des peintres, qui y voyaient pour la première fois en France la possibilité de créer de véritables cycles narratifs liant décorations murales et plafonnantes. Cette révolution visuelle se renforcerait encore avec l'apparition, à la fin des années 1640, des plafonds à voussures dits à l'italienne.

Ces années 1640 furent marquées par une série d'innovations majeures dans la distribution et le décor qui en firent probablement l'une des périodes les plus fécondes de l'histoire des intérieurs en France. Une volonté d'harmonisation des appartements était déjà apparue dès le début du règne de Louis XIII. Elle s'était fait jour dans l'enfilade des pièces, alignant les portes et les fenêtres et provoquant le déplacement de l'escalier principal du centre vers l'extrémité du corps de logis[44]. Cette évolution s'accompagnait d'une recherche de cohérence accrue dans les décors peints et textiles appliqués à une pièce. L'hôtel de Rambouillet (1619-1620) fut à ce titre souvent cité en exemple par les contemporains. Sauval évoquait l'appartement de la marquise auquel on accédait par « *une sale claire, grande, qui se décharge dans une longue suite de chambres et d'antichambres dont les portes en correspondance forment une très belle perspective*[45] ». Sous Louis XIII, les portes étaient généralement étroites, dotées d'un seul vantail à deux ou trois panneaux, peints en couleurs unies, dont les plus répandues étaient le gris, le rouge ou la « couleur bois ». Ces portes pouvaient également s'harmoniser au décor des embrasures de fenêtre et des volets intérieurs, ou même encore à celui des lambris. Tout au long du règne, l'espace au-dessus de ces portes fut traité avec une sophistication de plus en plus grande, en rapport étroit avec l'encadrement. Cette cohésion se matérialisa chez Le Vau par l'adoption de deux vantaux s'imbriquant harmonieusement dans le décor mural, notamment dans la chambre du Roi au Louvre. Les fenêtres, désormais à châssis de bois, furent progressivement agrandies pendant la période. Elles continuaient à être traditionnellement fermées par des volets intérieurs à vantaux articulés contribuant fortement à l'intimité des pièces. La plupart de ces volets n'embrassaient pas d'un seul tenant la totalité de la hauteur de la croisée mais étaient scindés en deux ou trois niveaux superposés. Leur décor peint répétait souvent celui des lambris d'appui, des portes ou même des plafonds à la française, indépendamment de la décoration murale. En matière d'innovations, les estampes d'Abraham Bosse nous confirment l'usage de fenêtres à guillotine dans le Paris des années 1630-1640. La multiplication des portes-fenêtres, adoptées par exemple dans la galerie d'Hercule de l'hôtel Lambert (vers 1650), allait durablement marquer l'architecture française[46]. Autre innovation, la mise au point de conduits d'évacuation des fumées directement introduits dans les murs fit décroître considérablement le volume des cheminées. Cet apport notable, attribué à Le Muet par Sauval[47], permettait désormais de concevoir des cheminées sans hottes externes beaucoup mieux adaptées à la cohérence structurelle et décorative d'un décor lambrissé.

Toutes ces innovations amenèrent à bouleverser progressivement les usages en vigueur à Paris après 1640. La quête d'un confort de plus en plus raffiné, l'influence italienne importée par nombre d'artistes allaient rapidement faire émerger des personnalités clés dans les domaines de l'architecture et de la peinture. François Mansart, Jacques Lemercier, Clément II Métezeau, Pierre Le Muet ou Louis Le Vau, ce dernier étant sans conteste le plus italianisant de tous, multiplièrent les initiatives et les trouvailles distributives qui se généraliseraient après 1650. L'une des plus importantes d'entre elles fut la mise au point, vers 1640, de nouveaux types de comble, non plus « droit » mais « brisé », dont la surface de couverture beaucoup plus grande permit de systématiser progressivement le doublement du corps de logis principal des grandes demeures. L'architecte Le Muet dessina les premiers modèles dans son traité d'architecture de 1623. Une mise en pratique eut lieu dès 1626-1627 autour de la place Royale à Paris[48] et en 1628 à l'hôtel dit de Chalon-Luxembourg, bâti pour Guillaume Perrochel, trésorier de France à Amiens. La solution retenue à ce stade restait encore très rudimentaire. Elle consistait simplement à accoler deux corps de bâtiment conservant chacun son comble droit, source chronique et insoluble de problèmes liés au bon écoulement des eaux. Louis Le Vau supprima la rigidité d'une telle structure en adoptant pour les hôtels Lambert et Hesselin une architecture au corps de logis principal élargi et couvert d'un comble brisé. Il intégrait désormais une solution distributive nouvelle où le jeu d'imbrications des pièces et la gestion de leur volume dans l'espace se matérialisaient à la fois sur le plan vertical, avec l'apparition des pièces dites à l'italienne, et sur le plan horizontal, avec l'adoption de formes arrondies ou circulaires. Ces conceptions révolutionnaires allaient très rapidement se généraliser d'abord dans la capitale – hôtels Tambonneau, de Jars, de Fontenay-Mareuil – puis gagner très progressivement la province

44. François Mansart, par exemple, remettra au goût du jour les hôtels Duret de Chevry et de La Bazinière en reportant leur escalier central vers l'extrémité, les faisant de surcroît précéder par un vestibule ; voir Mignot, cat. exp. Paris, 1998, p. 55.

45. Sauval, 1724, II, p. 200. Ce qui fut souvent considéré à l'époque comme des innovations ne l'étaient pas : dès le XVIe siècle, des portes en enfilade existaient déjà à l'hôtel du Grand Ferrare à Fontainebleau (1546), et l'escalier principal de l'hôtel Carnavalet à Paris n'était plus placé au centre mais à l'extrémité du corps de logis.

46. Signalons que, dès 1626, Mansart avait déjà ouvert une porte-fenêtre au château de Berny pour Charlotte d'Estampes. Cette porte-fenêtre donnait sur un balcon bordé d'une balustrade de fer, aménagement encore très rare dans les années 1620 ; voir Mignot, *ibid., op. cit.*, p. 61.

47. Sauval, *op. cit., loc. cit.*, p. 204.

48. Le no 18 de la place Royale fut doublé dès 1626-1627 ; le no 23 en 1637 et le no 20 en 1645.

Fig. 6. Cabinet de l'hôtel de Villacerf.
Paris, musée Carnavalet.

à travers certains chantiers majeurs, dont l'un des plus aboutis fut probablement celui de Vaux-le-Vicomte, laissé inachevé en 1661.

Les distributions intérieures, de plus en plus complexes, favorisèrent l'apparition ou le développement de nouvelles pièces – chambres à alcôve, vestibules architecturaux précédant l'escalier, cabinets adoptant les formes les plus diverses – et de nouvelles techniques, comme les escaliers suspendus « *vide à la moderne* ». Vers 1650-1660, les plafonds à voussures finirent par détrôner les traditionnels plafonds à poutres et solives ainsi que les plafonds plats à compartiments[49]. Ils étaient formés de quatre voussures en arc de cercle reliant la partie haute des murs à un compartiment central et relevaient d'une tradition de la voûte peinte fortement ancrée en Italie depuis la Renaissance. Cette innovation technique visait à suspendre à un « plancher » traditionnel surélevé une structure légère et concave de lattes enduites de plâtre. Les principes illusionnistes mis au point par les grands maîtres italiens, fondés sur la maîtrise des raccourcis sur fond de ciel ouvert, influencèrent considérablement les peintres français qui, de Vouet à Le Brun, avaient séjourné dans la Péninsule. Ils furent les principaux instigateurs de la multiplication de ces plafonds dits à l'italienne à Paris dès la fin des années 1640. De conception d'abord relativement simple et statique, à l'image de celui de l'hôtel de Villacerf (1647 ; fig. 6), ces plafonds devinrent rapidement spectaculaires. Ils développèrent un art monumental et dense axé sur l'animation et l'illusion et firent bientôt la renommée des palais et des grands hôtels particuliers de la capitale. Triomphe de la mythologie et de l'histoire antique, ces plafonds offrirent également à l'ornement des possibilités de développement sans précédent. Fausses architectures peuplées de personnages mythologiques traités au naturel, bas-reliefs feints imitant le marbre, la pierre ou le bronze, multiplication des médaillons à l'antique peints en « camaïeu » gris ou bleu, traitement en stuc blanc ou doré des cadres et autres bordures feuillagées, des guirlandes de fleurs et de fruits tenues par des putti, tout cela alternaient dans des imbrications complexes mais lisibles et cohérentes avec des *quadri riportati* et autres compositions peintes sur fond de ciel ouvert.

Si cette période si riche de l'histoire du décor intérieur en France trouvait assurément certaines prémices dans les innovations apparues à la toute fin du règne de Louis XIII, elle ne lui appartenait désormais plus. Elle confirmait notamment l'ascension de Charles Le Brun, qui, de l'hôtel Nouveau, place Royale à Paris (1650), à la chambre des Muses du château de Vaux-le-Vicomte (vers 1660), conforterait ce nouveau style directement inspiré du baroque romain si cher à Mazarin, et dont le plein épanouissement triomphera à Versailles au cours de la seconde moitié du XVIIe siècle.

49. Mérot, 1998, p. 27-37.

73
Porte

Paris, début du XVIIe siècle | Chêne
sculpté et doré

H. 2,110 ; L. 0,530

Hist. : peut-être exécutée pour les appartements
de la reine Marie de Médicis au palais du Louvre.
Bibl. : Meslay, 1994, p. 57, fig. 23-26.

Paris, musée du Louvre, département des
Objets d'art. Inv. OA 11983

La localisation précise du décor pour lequel
fut conçue la porte au XVIIe siècle, demeure aujourd'hui inconnue. Mais la richesse de sa sculpture et
de sa dorure ainsi que la symbolique de son décor
végétal, visible tant sur la face que sur le revers,
permettent de penser qu'elle pourrait provenir des
appartements de la reine Marie de Médicis au
Louvre. La porte forme une structure tripartite.
Le panneau central, oblong, est sculpté au recto
d'un étroit palmier se détachant sur un fond
poinçonné, tandis qu'une tige de lis feuillée au
naturel – ou « lis de jardin » au sens héraldique du

73

terme – apparaît au verso. Les deux autres panneaux, de format carré, présentent chacun deux
faces identiques, décorées de bouquets de fleurs et
de rosaces couronnées de guirlandes enrubannées
formant la lettre M. Les bordures sculptées sont
extrêmement riches : rais de cœur, entrelacs, frises
d'oves, de canaux ou de feuillage alternant avec
des épis de blé sont séparés les uns des autres par
de puissantes moulures traitées en aplats unis. La
base de la porte est peinte en faux marbre.

L'ensemble témoigne encore de toute la préciosité
des décors sculptés sur bois du XVIe siècle et
présente des similitudes frappantes avec le dessin
du plafond de la chambre d'Henri II au Louvre,
sculpté par le menuisier Francisque Scibec de
Carpi en 1558 (Androuet du Cerceau, 1988, p. 26).

L'emploi d'un lis de jardin parmi le répertoire
végétal évoque irrésistiblement la reine Marie de
Médicis. La fleur de lis, emblème des armes de
France, l'était aussi de Florence. Le décor de la
galerie des Chevreuils du château de Fontainebleau, peint par Louis Poisson entre 1601 et le tout
début de l'année 1608, le rappelait d'ailleurs fort
bien. Ce décor – détruit sous Louis-Philippe mais
connu par des relevés partiels effectués par l'architecte Castellan en 1833 – était rythmé en effet de
niches ornées chacune d'un vase contenant une
tige de lis au naturel, rouge pour Florence et blanc
pour la France (Samoyault, 1989, p. 27-28).

Avant la mort d'Henri IV (14 mai 1610), Marie de
Médicis occupait au Louvre un appartement situé
au premier étage de l'aile sud du palais, traditionnellement réservé aux Reines régnantes et faisant
suite à l'appartement du Roi. Elle disposait également, d'après un marché daté du 12 janvier 1610,
d'un petit appartement placé en entresol sous le
premier, et composé d'une chambre et d'un petit
cabinet (Erlande-Brandenbourg, 1965, p. 108).
À partir de 1613, les fiançailles du jeune roi
Louis XIII avec l'infante Anne d'Autriche contraignirent Marie de Médicis à céder ses appartements
du premier étage, pour s'installer au rez-de-chaussée. Les travaux d'aménagement, commencés dès la
fin de 1613, n'étaient toujours pas achevés en 1620.
L'appartement de la Reine mère se composait, d'est
en ouest, d'une salle des gardes accolée à la tour
d'angle du Vieux Louvre, qui abritait à ce niveau
une chapelle. La salle suivante était divisée en trois
pièces lambrissées : une antichambre au nord
donnant sur la cour, et deux petites pièces au sud
– une chapelle à l'est et un cabinet à l'ouest – éclairées chacune par une croisée. Entre 1627 et 1629,
l'antichambre fut scindée en deux au moyen d'une
légère cloison. Puis venaient les pièces suivantes :
d'abord un « grand cabinet » à deux travées dont le
plafond était orné depuis 1614 d'une peinture de
Nicolas Pontheron, puis un « petit cabinet » à une
travée. Un long couloir fermait au nord ces deux
dernières pièces, permettant de relier directement
l'antichambre à la chambre de la Reine mère, tandis
qu'un second couloir, plus étroit et parallèle au
premier, permettait un accès direct entre cette
même chambre et le « grand cabinet » évoqué cidessus. Une garde-robe venant juste derrière la
chambre terminait la distribution de l'appartement.

Si l'on en croit Sauval, le décor de la chambre était
achevé en 1620. Marie de Médicis « *n'oublia rien
pour la rendre la plus riche et la plus superbe de son
temps* » (1724, II, p. 34). Le lambris était doré
comme notre porte. Il s'agissait d'un lambris à la
française, c'est-à-dire qui ne couvrait pas l'intégralité de la surface murale mais laissait place à un
attique ; celui-ci reçut des tableaux exécutés par
Dubois, Fréminet et Bunel. Les peintures du
plafond, toujours selon Sauval, étaient l'œuvre du
peintre « Evrard ».

L'appartement de la Reine mère compta parmi les
plus somptueux du règne de Louis XIII. Marie de
Médicis ne l'occupa qu'une dizaine d'années seulement. Contrainte à l'exil après la journée des
Dupes, le 10 novembre 1630, elle ne devait jamais
revenir en France. Anne d'Autriche, qui s'appropria à son tour les lieux après le mariage de
Louis XIV, fit entièrement remettre en état le décor
de ces pièces par l'architecte Lemercier à partir
de 1653-1654.

D. L.

74

Boiserie

France, école lyonnaise, début du XVIIᵉ siècle | Noyer et sapin peints et dorés

H. 2,020 (sans la corniche moderne) | Ensemble de 35 panneaux octogonaux peints : 26 rectangulaires, H. 0,640 ; L. 0,340 ; 9 carrés, H. 0,460 ; L. 0,400

Hist. : collection Cailleux, vente à Paris, hôtel Drouot, salles 5 et 6, 22 mars 1983, n° 26 ; acquise en 1984 par le musée des Arts décoratifs de Lyon avec l'aide du Fonds régional d'acquisitions pour les musées (FRAM).
Bibl. : Grangette et Sauvy, 1966, p. 69-76 ; Arizzoli-Clémentel, 1986, p. 330, 1990, p. 6-9.
Exp. : Lyon, 1958, p. 101-105, nᵒˢ 274-282, fig. 12 ; Bourg-en-Bresse, 1986, p. 82, n° 44.

Lyon, musée des Arts décoratifs.
Inv. MAD 3060

Le château pour lequel ces boiseries furent exécutées et peintes au début du XVIIᵉ siècle reste inconnu. Elles proviendraient selon toute vraisemblance du Lyonnais ou d'une province avoisinante. Le décor, probablement celui d'un cabinet, se répartit en deux registres principaux enfermant vingt-six panneaux octogonaux enchâssés dans des encadrements rectangulaires élaborés et peints. À cet ensemble de base, exécuté en noyer, ont été ajoutés postérieurement des montants en sapin imitant la structure originale et permettant d'accueillir neuf panneaux octogonaux supplémentaires, répartis en trois registres de format carré. Les trente-cinq panneaux de l'ensemble sont ornés de scènes inspirées des vignettes de Bernard Salomon (Lyon, vers 1508 – vers 1562), illustrant *la Métamorphose d'Ovide figurée*, célèbre ouvrage dédié à Diane de Poitiers et publié à Lyon en 1557 par Jean de Tournes. Le texte des *Métamorphoses* d'Ovide avait été traduit pour la première fois en France par Clément Marot, en 1553. Les vignettes de Bernard Salomon, dit le Petit Bernard, qui contribuèrent largement à la redécouverte et au succès du texte antique, furent abondamment copiées et plagiées dans toute l'Europe. Cela explique peut-être le fait qu'aucune des scènes illustrant la boiserie n'est une copie conforme d'une œuvre du graveur sur bois lyonnais. Si l'on s'en réfère à l'analyse d'Émile Grangette et d'Anne Sauvy à propos des influences de Bernard Salomon (1966), vingt-huit panneaux auraient été peints d'après une édition du texte d'Ovide illustrée par Antonio Tempesta (1555-1630) et publiée à Anvers en 1606 ; un autre panneau s'inspirerait directement d'une gravure sur bois du peintre et graveur allemand Virgile Solis (1514-1562), éditée à Francfort en 1563, tandis que le panneau *Persée délivrant Andromède* trouverait sa source dans une vignette de Jakob de Gheyn l'Ancien (1565-1629) ; enfin, sur les cinq panneaux restants, quatre découleraient directement d'une édition illustrée des *Métamorphoses* publiée à Paris en 1619. Plusieurs auteurs, restés anonymes à ce jour, ont utilisé ces différentes sources d'inspiration et participé à l'élaboration de ce décor peint – l'examen attentif des panneaux révèle en effet la présence de mains différentes. La boiserie montre à quel point la préférence s'orientait désormais, sous Louis XIII, vers les lambris peints et non plus laissés au naturel. Dans de tels décors, les thèmes dominants étaient régulièrement accompagnés d'images et d'ornements adventices. En témoignent les petites scènes antiquisantes peintes en trompe l'œil sur des fonds alternés rouges et noirs séparant les registres du décor principal, les médaillons enfermant des paysages d'esprit flamand disposés entre chaque trompe-l'œil ou encore les putti et masques grotesques se détachant sur des fonds d'or dans les écoinçons de chaque panneau octogonal. Le cabinet lambrissé et peint était la pièce de l'appartement qui se prêtait le mieux aux discours alambiqués des hommes cultivés du temps. Les récits antiques mais aussi contemporains furent très souvent sollicités dans l'élaboration de décors aux programmes iconographiques parfois très élaborés, cultivant le double sens en rapport étroit avec les doctrines, armoiries et devises du maître des lieux, et dont la clé ne pouvait donc appartenir qu'aux seuls initiés. Le cabinet dit de Bernard Salomon constitue l'un des rares témoignages subsistant de ces décors symboliques tout empreints de culture humaniste et antiquisante, essence même de l'éducation que se devait d'afficher tout gentilhomme bien né.

D. L.

74

74

Répartition des trente-cinq panneaux

Partie gauche du cabinet : lecture de gauche à droite

Registre supérieur

1. La Création du monde (livre I, v. 21-75)
2. La Création de l'homme (livre I, v. 76-88)
3. L'Âge d'or (livre I, v. 89-112)
4. L'Âge d'argent (livre I, v. 113-124)
5. Coronis tuée par Apollon (livre II, v. 602-611)
6. L'Âge de fer (livre I, v. 142-146)
7. Lycaon changé en loup (livre I, v. 230-244)

Registre inférieur

8. Esculape et Ocyrhoé (livre II, v. 635-648)
9. Battus changé en pierre (livre II, v. 702-707)
10. Mercure et Hersé (livre II, v. 722-729)
11. Mercure et Aglauros (livre II, v. 740-751)
   – Minerve et l'Envie (livre II, v. 760-786)
12. Les Piérides (livre V, v. 662-678)
13. Jupiter et Sémélé (livre III, v. 305-315)
14. Narcisse à la fontaine (livre III, v. 350-430)

Fond du cabinet

Panneau gauche

15. Cérès cherchant Proserpine (livre V, v. 462-465)
16. Proserpine mangeant la grenade (livre V, v. 534-538)
   – Ascalaphus changé en hibou (livre V, v. 543-550)
17. L'Enlèvement de Proserpine (livre V, v. 391-408)

Panneau droit

18. Actéon changé en cerf (livre III, v. 186-204)
19. Cadmus vainqueur d'un dragon (livre III, v. 83-94)
20. L'Enlèvement d'Europe (livre II, v. 868 -875)

Partie droite du cabinet : lecture de gauche à droite

Registre supérieur

(comprenant le deuxième tableau du panneau à trois registres)

21. Mercure et Argus (livre I, v. 668-721)
22. La Chute de Phaéton (livre II, v. 304-332)
23. Les Héliades changées en peupliers (livre II, v. 346-355)
24. Cadmus et sa femme Harmonia changés en serpents (livre IV, v. 576-601)
25. Polydecte roi de Sériphos (livre V, v. 242-249)
26. Jupiter et Callisto (livre II, v. 422-440)
27. Érichtonios dans sa corbeille (livre II, v. 552-562)
28. Coronis changée en corneille (livre II, v. 578-588)

Registre inférieur

29. Mars et Vénus surpris par Vulcain (livre IV, v. 182-189)
30. Salmacis et Hermaphrodite (livre IV, v. 316-336)
31. La Folie d'Athamas (livre IV, v. 512-524)
32. Persée délivrant Andromède (livre IV, v. 706-739)
33. Persée tuant Méduse (livre IV, v. 782-785)
34. Phineus jaloux aux noces de Persée (livre V, v. 8-45)
35. Pallas et les Muses (livre V, v. 250-259)

75

Porte

Richelieu, vers 1635 | Chêne sculpté,
peint et doré

H. 3,440 ; L. 1,775 ; Pr. 0,110

Hist. : exécutée pour le château de Richelieu
(Indre-et-Loire).
Bibl. : Batiffol, 1937, p. 143-205.

Richelieu (Indre-et-Loire), musée
municipal

Cette porte monumentale en chêne, issue d'un
ensemble de quatre, provient de l'appartement du
cardinal de Richelieu dans le château du même
nom, que celui-ci avait fait bâtir dans la vallée du
Mable, aux confins de la Touraine et du Poitou
(Indre-et-Loire). Elle développe un décor d'inspiration encore maniériste, puissamment mouluré et
sculpté de tores de lauriers enrubannés et rythmés
de rosaces, de larges coquilles, de palmes nouées de
rubans et de fleurons. Les attributs maritimes,
ancres croisées avec leur cordage, évoquent directement l'une des charges de l'illustre personnage
pour lequel fut conçue la porte, et dont le chiffre,
le titre et le rang sont toujours visibles sur le vaste
cartouche couronnant celle-ci.

Armand du Plessis de Richelieu (1585-1642),
principal ministre d'État de Louis XIII dès 1629,
était cardinal depuis 1622 et avait été nommé
grand maître, et surintendant de la Navigation
deux ans plus tard, en 1626. La famille du Plessis
possédait le domaine de Richelieu depuis le
XVe siècle. À la mort de son père, auteur d'un « petit
castel » bâti vers 1580, le cardinal de Richelieu fut
confronté à des problèmes de succession mais
parvint malgré tout à racheter la seigneurie
en 1621. Les travaux qu'il y entreprit dès 1625 restèrent modestes. Selon Hay du Chastelet, l'un de
ses collaborateurs, il ne faisait « *qu'achever une
maison beaucoup plus petitement qu'elle n'avoit été
commencée et fort avancée par son père il y a plus de
cinquante ans* » (Hay du Chastelet, 1640, p. 163).
Mais la faveur du souverain et l'heureuse conclusion de la journée des Dupes (10 novembre 1630),
qui lui assura désormais un triomphe politique
absolu, incitèrent le cardinal à radicalement modi-
fier sa politique architecturale à Richelieu. Au cours
du mois d'août 1631, la petite seigneurie fut érigée
en duché-pairie par lettres patentes du Roi, qui la
lui accorda « *perpétuellement et à toujours* […] *avec
acceptation de notre part de non-retour à la
Couronne* ». Dès lors, le cardinal n'eut de cesse
d'agrandir considérablement son domaine et
confia à un architecte qu'il connaissait bien,
Jacques Lemercier (1585-1654), la charge de lui
édifier une immense demeure, digne de son rang
et de sa toute-puissance.

Commencé en 1631, le château neuf de Richelieu
était pratiquement achevé à la mort du cardinal,
en 1642. Le secrétaire d'État Bouthillier écrivait le
28 mai 1635 : « *C'est la plus belle grande maison
qui soit dans l'Europe, je n'en excepte que Fontainebleau* » (AAÉ, Fr. 814, fo 125ro). Bâti à l'image des
grands châteaux à cour fermée comme Verneuil,
Coulommiers, Montceaux ou encore le palais du
Luxembourg, le château de Richelieu présentait

75

d'ouest en est une incroyable succession de très
vastes cours (fig. 1) : entrée en hémicycle, basse-
cour (144 mètres de longueur) flanquée d'arrière-
cours, anticour (124 mètres de longueur) enfermant des écuries, des logements et deux manèges.
Le cœur du château, entouré de douves d'eau vive,
était formé d'un corps de logis principal flanqué
d'un pavillon central à dôme abritant un escalier
d'honneur monumental à deux volées. Deux ailes
en retour d'angle achevaient la demeure, dessinant une forme en U, ponctuée aux angles par
quatre pavillons à dômes supplémentaires. Un
mur-écran à terrasses avec pavillon d'entrée
fermait l'ensemble.

Le cardinal avait tenu à respecter la demeure de son
père, qui fut incluse dans le château neuf et représentait la partie gauche du corps de logis princi-

pal. Il y installa son appartement au premier étage,
en vis-à-vis de celui du Roi, agencé dans la partie
droite. Les appartements de la Reine suivaient dans
l'aile droite, tandis que l'aile gauche, ponctuant
l'appartement du maître des lieux, abritait une
grande galerie de peintures consacrées aux événements marquants du règne de Louis XIII.

La localisation précise de la porte au sein de
l'appartement du cardinal reste inconnue. L'appartement était formé d'une grande salle, d'une
antichambre, d'une chambre et d'un grand cabinet
situé dans le pavillon d'angle. Toutes ces pièces, à
l'exception du cabinet, étaient dotées de plafonds
à la française à poutres et solives peintes et dorées,
que Lemercier avait rehaussés en 1632. La salle
avait pour l'essentiel conservé son décor du
XVIe siècle. Cette vaste pièce éclairée par quatre

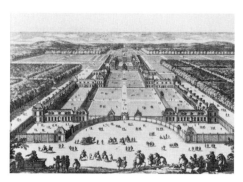

Fig. 1. Gabriel Pérelle, *Vue du château de Richelieu,* avant 1677, gravure.

croisées présentait deux cheminées placées en vis-à-vis. Les murs étaient lambrissés à comparti-ments. On en comptait quarante-trois, décorés de cartouches agrémentés de devises que l'on avait simplement repeints. La pièce était ornée d'une toile de Titien illustrant un concert musical en présence de Luther et de Calvin, et d'un portrait d'Henriette-Marie de France, reine d'Angleterre, par Van Dyck. L'antichambre qui suivait avait reçu un lambris d'appui au-dessus duquel avaient pris place six toiles peintes : l'*Enlèvement des Sabines* du Bassan ; un *Combat d'hommes* par Rubens ; *Judith et Holopherne* du Caravage et trois grands portraits de famille en pied. Cette antichambre ouvrait à l'est sur une petite chapelle en encorbellement décorée de copies de Raphaël et de Titien. La chambre était richement décorée de lambris peints et dorés, comme le plafond ou les deux croisées. La cheminée était ornée du portrait du cardinal, et une peinture de Sebastiano del Piombo représen-tant saint François était accrochée au mur, cadeau du duc de Montmorency. C'est au décor du cabinet que s'apparentait le plus celui de la présente porte. Le 14 décembre 1634, Lemercier informait le cardinal que le charpentier Mathieu poursuivait les menuiseries destinées à l'ornementation, « *qui sera fort riche* » de son cabinet (AAÉ, Fr. 811, fᵒ 362rᵒ). En effet, la pièce fut la plus somptueuse de l'appartement, avec un plafond à comparti-ments orné d'un ovale au centre et de cartouches au chiffre de Son Éminence surmonté du chapeau de cardinal et de la couronne ducale. Des ancres entrecroisées flanquées de cordages étaient sculp-tées aux angles du plafond, le tout doré sur des fonds en mosaïque d'or mat. Les murs étaient lambrissés avec un registre inférieur peint de pay-sages que surmontaient des panneaux octogonaux rythmés par des pilastres et sculptés de trophées maritimes rehaussés de tridents et d'ancres.

Le cardinal de Richelieu n'eut jamais l'occasion de voir le château achevé. Celui-ci survécut à peu près intact jusqu'au début du XIXᵉ siècle. Il avait été restitué en 1802 au duc de Richelieu (1766-1822), futur ministre de Louis XVIII. Mais le duc le vendit, malgré l'opposition de la famille, à un certain Joseph-Alexandre Boutron, qui, dès la fin de l'Empire, avait détruit la majeure partie du château pour en vendre les matériaux.

D. L.

76

Vantail (d'une paire)

France, vers 1640-1645 | Chêne sculpté et peint ; traces d'autre peinture et de dorure

H. 2,440 ; L. 0,980

Hist. : ancien fonds du service d'architecture du palais.
Exp. : Fontainebleau, 1920, nᵒ 20.

Fontainebleau, musée national du château

Ce vantail, encore pourvu de magnifiques équerres en métal, est orné en son centre d'une massue d'Hercule et de deux sceptres en sautoir liés par un ruban, sculptés en fort relief et encadrés en haut et en bas du chiffre de Louis XIII (double lambda couronné et encadré de palmes). Cette pièce et son pendant étaient réputés provenir de l'entrée du château, en haut de l'escalier en fer à cheval donnant sur le vestibule de la chapelle, d'où ils auraient été retirés sous Louis-Philippe. Cette provenance, avancée à cause de la ressemblance entre les chiffres du Roi et ceux qui sont sculptés sur les portes anciennes encore présentes dans le vestibule, est à la fois vraie et fausse. Elle est vraie car les portes ont bien été un temps dans le vesti-bule de la chapelle, mais à l'entrée de l'apparte-ment dit des Reines mères (ou du Pape). Elles furent installées dans ce vestibule au XVIIIᵉ siècle, sinon sous le premier Empire, et sont décrites dans le mémoire de réintégration des emblèmes effec-tuée par le sculpteur Mouret en 1814. Cette prove-nance est « fausse », car leur hauteur, le fait qu'elles ne correspondent à aucun des vantaux réalisés pour cet emplacement en 1639-1640 et connus par les comptes publiés par Müntz et Molinier (1885) et la trace de dorure sous la peinture verte couvrant les ornements prouvent que ces vantaux n'ont pas été créés pour ce vestibule. Reste à déter-miner pour quelle pièce ils pourraient avoir été exécutés. L'emblématique très présente de Louis XIII et la présence d'une ancienne dorure invitent à les rechercher dans une pièce principale de l'appartement du Roi, notamment sa chambre, sans totalement exclure les appartements de la Reine ou des Reines mères, où l'abbé Guilbert signale des lambris ornés du chiffre du Roi parfois accompagné de celui d'Anne d'Autriche (ce qui, soulignons-le, n'est pas le cas ici). Quelle que soit leur origine première, ces vantaux restent un superbe exemple de la sculpture ornementale du milieu du XVIIᵉ siècle, dont les plus beaux fleurons sont les plafonds des deux chambres royales encore *in situ* dans les appartements du château.

Y. C.

76

77

77

Quatre panneaux

Paris, vers 1646-1647 | Bois peint et doré

H. 1,685 ; L. 0,515 et 0,375

Hist. : exécuté pour l'attique du cabinet de l'Amour de l'hôtel Lambert à Paris.
Exp. : Paris, 1972, p. 26-28, fig. 43-48.

Marquis de Lastic, château de Parentignat (Puy-de-Dôme)

L'hôtel Lambert avait été construit par Louis Le Vau entre 1641 et 1644 sur un terrain acquis en 1639 par Jean-Baptiste Lambert, seigneur de Thorigny, conseiller et secrétaire du Roi, en vis-à-vis de l'hôtel de Bretonvilliers, tous deux situés à l'extrémité est de l'île Saint-Louis. Vue de la rue Saint-Louis-en-l'Ile, la demeure présentait le parti désormais traditionnel des hôtels particuliers à la française, avec portail monumental ouvrant sur une cour d'honneur entièrement fermée par des corps de bâtiment. L'aile gauche abritait les appartements privés tandis que ceux de l'aile droite étaient réservés à l'apparat. La grande originalité de Le Vau fut d'aménager au-delà de l'aile droite un jardin surélevé en terrasse, ceint de murs de soutènement, afin de permettre de jouir en surplomb de la vue sur le fleuve. Il créait ainsi une différence de niveaux entre cour et jardin qui transformait l'appartement d'apparat du premier étage côté cour en rez-de-jardin côté est. Cet appartement, auquel on accédait par un vestibule ovale, était à l'origine formé d'une vaste salle basse servant de « salle à manger », suivie d'un cabinet, puis d'une chambre en retour entre rue et cour d'honneur.

À la mort de Jean-Baptiste Lambert, le 22 décembre 1644, son hôtel de l'île Saint-Louis échut à son frère Nicolas, grand maître des eaux et forêts de Normandie, futur maître des comptes (1646) puis président à la Chambre des comptes (1672). Ce dernier entreprit alors de réaménager en profondeur le décor intérieur de l'hôtel en deux campagnes successives, pour lesquelles il décida de faire appel à des peintres de renom : Eustache Le Sueur (première et seconde campagne) et Charles Le Brun (seconde campagne).

Les quatre panneaux à fond d'or présentés ici furent exécutés pour le nouveau décor du cabinet de l'appartement d'apparat évoqué ci-dessus, qui devint le cabinet de l'Amour. L'absence de marchés passés devant notaire et la dispersion du décor de la pièce au cours des XVIIIᵉ et XIXᵉ siècles rendent difficile l'établissement d'une chronologie rigoureuse des travaux, qui furent probablement exécutés entre 1646 et 1647. La description sommaire du cabinet dressée en 1679 au cours de l'inventaire après décès de Marie de L'Aubespine, femme de Nicolas Lambert, et surtout une gravure de Picart montrant la pièce entre 1700 et 1710 (fig. 1) permettent malgré tout de se faire une idée relativement précise de son ordonnancement. Le cabinet présentait un lambris à la française, c'est-à-dire ne couvrant qu'une partie de la hauteur des murs, et ponctué d'une forte corniche moulurée. Cette boiserie, rythmée par des pilastres, présentait un décor structuré en deux registres de panneaux peints : ceux du lambris d'appui s'illustraient d'épisodes de l'enfance de l'Amour et formaient un contraste saisissant avec les paysages du registre médian. L'attique du cabinet reçut à l'origine sept tableaux d'histoire décrits dans l'inventaire de 1679 : *Énée et Didon* de Fabricio Chiaro, *Énée et Vénus et quantité d'Amours* (sans nom d'auteur), le *Combat des Harpies* de François Perrier, *Énée blessé* de Francesco Romanelli, la *Déification d'Énée* (sans nom d'auteur), le *Sacrifice d'Iphigénie* de Berthollet Flémalle, la *Mort de Méléagre* de Massé, auxquels s'ajoutait une huitième toile, l'*Amour ayant dérobé le foudre* de Le Sueur, placée en dessus-de-cheminée.

Les panneaux de grotesques qui nous intéressent tout particulièrement ici furent peints par Le Sueur et placés en alternance avec les toiles de l'attique. Cinq d'entre eux sont visibles sur la gravure de Picart. Deux panneaux supplémentaires devaient se trouver du côté des deux croisées de la pièce. Sur sept panneaux au total n'en subsistent plus que six. Ils présentent tous un décor similaire, avec dans leur partie supérieure un motif hexagonal enfermant un bas-relief feint – les amours de Mars et Vénus, ou Vénus donnant sa première flèche à l'Amour – ou bien une composition circulaire

formant un petit paysage probablement destiné à rappeler en écho ceux du lambris. Les paysages sont soutenus par des branchages de myrte, consacrés à Vénus. Ils bordent un caducée de Mercure ponctué du masque de l'Amour, les yeux ouverts, mi-clos, fermés ou en pleurs selon les panneaux. Les licornes empanachées dans la partie basse de ces mêmes panneaux représentent le symbole héraldique de la famille Lambert. Ils sont remplacés par de curieuses sphinges voilées et coiffées de vases de fleurs et de cassolettes fumantes sur les panneaux ornés de bas-reliefs feints.

Tous les panneaux étaient flanqués au XVIIᵉ siècle, dans leur partie basse, de consoles en bois sculpté rehaussées de feuilles d'acanthe qui supportaient, comme le montre la gravure de Picart, des vases en porcelaine de Chine, ou, pour l'une d'entre elles, au centre de la pièce, un petit Amour sans ailes. L'inventaire de 1679 mentionne, mais pas à cet emplacement, un « enfant de bronze en forme de Christ » du sculpteur François Duquesnoy qu'il serait particulièrement tentant de rapprocher de l'Amour gravé par Picart.

Ces consoles furent supprimées à une date inconnue, et leur emplacement apparaît aujourd'hui masqué par des chutes et des guirlandes de fleurs peintes, ou encore, comme on peut le voir sur deux des panneaux subsistant non présentés ici, par les armoiries du prince Czartoryski. Acquéreur de l'hôtel Lambert en 1843, c'est ce prince qui entreprit de déposer et de faire restaurer les panneaux de l'attique du cabinet de l'Amour, où ils se trouvaient toujours, bien après l'acquisition par la Couronne, en 1776, des grands tableaux qu'ils côtoyaient à l'origine.

D. L.

Fig. 1. Bernard Picart, *le Cabinet de l'Amour de l'hôtel Lambert*, gravure.

78

Deux panneaux

Paris, vers 1645-1646 | Bois mouluré,
peint et doré

Allégorie de la Monarchie : H. 0,605 ;
L. 1,260 | Allégorie de l'Autorité et de
la Puissance : H. 0,610 ; L. 1,225

Hist. : exécuté pour la chambre de Marie de
Cossé-Brissac (morte en 1710), maréchale de
La Meilleraye, à l'Arsenal de Paris.

Paris, Bibliothèque nationale de France,
bibliothèque de l'Arsenal.

Les deux panneaux proviennent du décor de la
chambre de Marie de Cossé-Brissac exécuté à
l'Arsenal de Paris vers 1645-1646. Ces travaux inter-
venaient après le mariage de cette dernière, en 1637,
avec Charles II de La Porte (1602-1608 – 1664),
marquis puis duc de La Meilleraye (1641), grand
maître de l'Artillerie depuis 1632 – il prêta serment
le 27 septembre 1634 – et maréchal de France
(1639). Le grand maître avait décidé de faire bâtir
pour sa jeune épouse un nouvel appartement, à
l'ouest du pavillon vieux de l'Arsenal, placé en
encorbellement sur le mur d'enceinte de Charles V.
Il offrait ainsi une vue imprenable sur la Seine.

Les travaux de menuiserie avaient été commandi-
tés auprès de Guillaume Veniat, qui les sous-traita
à François Thomain, Antoine de Saint-Yves et
Jehan Hevin en 1645-1646 (arch. de la Seine-
Maritime, papiers Veniat, 1645 ; voir Wilhelm,
1975, p. 51-59). Certaines peintures sont attribuées
aujourd'hui à Noël Quillerier (1594-1669), que le
maréchal connaissait bien pour l'avoir déjà vu à
l'œuvre dans ses propres appartements une dizaine
d'années plus tôt (AN, MC, XXXIX, 69, 16 novembre 1634 ; voir Babelon, 1966, p. 34 et 58, et Sainte
Fare Garnot, 1992, p. 483-484). Il est également
possible que Charles Poerson (1609-1667) soit
intervenu, notamment au plafond de la chambre
de la maréchale (Beresford, 1994, p. 89).

La pièce fut entièrement lambrissée et reçut un
décor peint célébrant conjointement les deux
familles réunies des La Meilleraye et des Cossé-
Brissac. Nos deux panneaux ne manquaient pas
de rappeler, au-delà des hauts faits politiques et
guerriers des deux illustres familles, leur allégeance
à l'autorité royale. Le panneau de gauche représente en effet une allégorie de la Monarchie parfaitement conforme au traité d'*Iconologie* traduit et
adapté par Jean Baudoin d'après Cesare Ripa,
publié à Paris entre 1636 et 1643. Une jeune femme
au visage altier, vêtue d'une cuirasse, est assise sur
un globe. Elle est couronnée de rayons qui nous
apprennent « *que tout ainsi qu'il n'y a qu'un Soleil,
le Monarque de mesme doit avoir un empire
absolu & ne relever de personne, comme il le declare
par ces mots, Omnibus unus* », sur la banderole
qu'elle tient de sa main gauche. Les sceptres qu'elle
serre de l'autre main sont le symbole d'un
commandement souverain sur les quatre parties
du monde. Deux animaux furieux, un dragon et
un lion, figurent à ses pieds, « *à cause que l'un &
l'autre, selon Pierius, mis ensemble devant la statuë
de la Deesse Opis, estoient le Symbole de l'Empire
du Monde* ». La Monarchie apparaît également

78

flanquée de rois captifs et de trophées d'armes qui
sont autant de marques de victoires « *qu'ont
accoustumé de gagner les Conquerans, & de leurs
plus celebres triomphes* » (Baudoin, 1644, II, p. 94-
95).

Le second panneau nous montre une allégorie de
l'Autorité et de la Puissance, qui ne pouvait pas
être mieux figurée, selon Baudoin, « *qu'en ce portraict, qui la represente comme une Dame venerable,
assise dans un magnifique thrône, & vestuë d'une
belle robe, couverte de pierrerie : avec deux Clefs en
la main droite, un Sceptre en la gauche, & à ses
costez un double trophée d'Armes & de Livres* »
(idem, *op. cit.*, I, p. 24-25). Le trône symbolise la
marque « *d'Authorité, & de tranquillité d'esprit* ».
Les « *Iuges qui ont puissance d'absoudre & de
condamner, ne le peuvent faire selon les Loix, s'ils ne
sont assis* ». L'habillement, « *plein d'esclat & de
pompe* », montre la grande prééminence qu'ont
sur autrui les personnes de condition et d'autorité. Les deux clés que porte l'allégorie sont une
évocation directe de la puissance spirituelle,
symbolisant les clés du royaume des Cieux. Ainsi

que le rappellent également les livres à ses côtés,
« *signe espres de l'Autorité des Escritures* ». Elle
dresse la main droite « *comme si elle vouloit eslever
au Ciel les Clefs qu'elle tient* […] *pour nous
apprendre, comme dit S. Paul, Que toute puissance
vient de Dieu* ». En revanche, le sceptre qu'elle
tient de l'autre main évoque la puissance tempo-
relle, comme les trophées d'armes que nous
apercevons à droite de la composition.

Les décors de la chambre et du cabinet de Marie
de Cossé-Brissac sont toujours visibles. Avec ces
deux panneaux, ils constituent l'un des plus beaux
témoignages de boiseries peintes de la première
moitié du XVIIᵉ siècle subsistant en France. Res-
taurés par le marquis de Paulmy entre 1782 et
1784, ils ont été remontés par l'architecte
Théodore Labrouste, en 1865-1868, au premier
étage de l'actuel pavillon d'entrée de l'Arsenal, où
l'on peut les admirer aujourd'hui.

D. L.

79

Élément de plafond

Paris, vers 1656-1659 | Bois résineux
sculptés, peints et dorés

H. 2,530 ; L. 2,180

Hist. : exécuté pour les appartements de Charles II
de La Porte (1602-1608 – février 1664), duc de
La Meilleraye et grand maître de l'Artillerie, à
l'Arsenal de Paris.

Paris, Bibliothèque nationale de France,
bibliothèque de l'Arsenal.

Cet élément de plafond à compartiments est
composé de deux parties distinctes : un fond plat
rectangulaire de bois polychrome à décor mosaïqué dans lequel vient s'inscrire un cadre de bois
doré de forme quadrilobée, puissamment mouluré
et bordé de filets de perles. Ce cadre enfermait
selon toute vraisemblance une composition peinte
sur toile ou sur bois à l'origine. Les croissants
héraldiques entremêlés de branchages de laurier
sculptés, rapportés et dorés aux quatre angles sont
une évocation directe du maître des lieux, rappelant les armoiries *« de gueules au croissant d'argent
chargé de cinq mouchetures d'hermine »* du duc de
La Meilleraye. Les menuisiers ont utilisé des bois
résineux pour la structure. Le décor peint à la
détrempe, de couleur vert-turquoise, alterne avec
une dorure à la mixtion pour former un effet de
damier.

La localisation précise du plafond à compartiments dans lequel venait s'imbriquer cet élément
au sein des appartements de l'hôtel de l'Arsenal au
XVIIe siècle demeure inconnue. Le duc de La Meilleraye avait commandité une première campagne
de travaux immédiatement après sa prise en charge
effective du poste de grand maître de l'Artillerie, en
septembre 1634. De cette première phase ne
subsistent que les décorations de la chambre et du
cabinet de sa femme, Marie de Cossé-Brissac, réalisées vers 1645-1646. Elles ont été remontées à
l'Arsenal en 1865-1868 dans des pièces spécialement aménagées à cet effet (voir fig. 2, p. 121). Si
cette chambre et ce cabinet reçurent un plafond à
compartiments, les solutions retenues par les
décorateurs diffèrent considérablement de celle
qui est présentée ici : pas de bordures polylobées
mais uniquement des formes rectilignes – rectangulaires ou octogonales – et des compartiments
respectant scrupuleusement les croisements des
poutres maîtresses du plafond structurel de
chacune de ces pièces. Tout laisse à penser, tant sur
le plan structurel que stylistique, que le présent
élément de plafond fit plutôt partie de la seconde
campagne engagée par le duc, entre 1656 et 1659,
pour rénover le décor de son appartement. Celui-
ci, situé dans l'aile droite de la seconde cour de
l'Arsenal, dite cour du Grand Maître, se composait
d'une enfilade de pièces incluant vraisemblablement une salle, une antichambre, une grande
chambre, une chambre à coucher ainsi qu'un
cabinet dit des Grands Maîtres. Les travaux de
menuiserie furent exécutés d'après les dessins du
« Sr Le Vau le jeune architecte ord[inai]*re du Roy »*
– probablement François Le Vau (1613-1676) – par
les menuisiers parisiens Étienne Garnotel, Noël
Masson, Pierre Cochet et Charles Canaples. La

79

Détail

sculpture fut confiée à Jacques Houzeau (1624-
1691), sculpteur ordinaire du Roi, et à Matthieu
Lespagnandel (1616-1689).

S'il est fait à plusieurs reprises mention, dans les
devis et marchés engagés, de *« plat fondz* [...] *dont
le corps sera de bois de tilleul & les fondz de sapin
avecq* [...] *les cadres necessaires suivant le modelle
qui en sera faict »*, l'absence de détails supplémentaires et surtout de dimensions interdisent malheureusement tout rapprochement (AN, MC, CV, 729,
19 novembre 1657).

D. L.

80

Deux panneaux

Paris, 1656-1657 | Chêne sculpté et
peint

H. 2,740 ; L. 0,870

Hist. : exécutés pour l'appartement de Charles II de
La Porte (1602-1608 – février 1664), duc de
La Meilleraye et grand maître de l'Artillerie à
l'Arsenal de Paris ; legs Émile Peyre, 1905.
Bibl. : Metman et Brière, 1905, n° 306 ; Babelon,
1966, p. 30, 1970, p. 273 ; Souchal, 1977, II,
p. 125.

Paris, musée des Arts décoratifs.
Inv. Pe 721 A et B

En 1656-1657, Charles II de La Porte, duc de
La Meilleraye, décida le renouvellement du décor
intérieur de la « grande chambre » de son appartement à l'Arsenal de Paris. Il occupait les lieux depuis
sa nomination à la charge de grand maître de
l'Artillerie, enregistrée en 1632 grâce à l'action de
son cousin germain, le cardinal de Richelieu. Le
20 juillet 1656, le duc engageait devant notaire les
maîtres menuisiers parisiens Étienne Garnotel, Noël
Masson et Pierre Cochet à « *faire & parfaire bien et
deuement* […] *les ouvrages de menuiserie qu'il
conviendra f*[air]*e pour le lambris et alcove de la
grande chambre attenant le cabinet en saillye du
grand Arcenal qui regarde sur le mail, et ce en toute
sa hauteur, des longueurs & proportions qui le*[ur]
en seront données et marquées, avec tous les profilz

*cors et arriers cors et ornemens, le tout suivant et
conformem*[ent] *au desseing qui en a esté faict par le
Sr Le Vau le jeune, architecte ord*[inai]*re du Roy* »
(AN, MC, CV, 724, 20 juillet 1656). La sculpture
du lambris fut sous-traitée quelques mois plus tard
par les menuisiers. Une quittance de 400 livres – sur
un total de 850 – fut en effet délivrée le 10 novembre,
en faveur de Jacques Houzeau (1624-1691), sculpteur ordinaire du Roi, et de Matthieu Lespagnandel
(1616-1689 ; *ibid.*, CV, 725, 10 novembre 1656).
Les deux panneaux présentés ici, rares éléments
subsistant de ce décor, témoignent de l'étonnante
modernité du dessin de l'architecte. Celui-ci devait
être probablement François Le Vau (1613-1676),
architecte de la Grande Mademoiselle depuis 1652,
et cadet de Louis, né en 1612. Le choix d'une boiserie rythmée de grands panneaux « de hauteur », la
prédominance accordée à la sculpture au détri-
ment de la peinture étaient novateurs dans les
années 1650. Quant à la thématique choisie, à la
fois symbolique et purement décorative, elle
relevait de la fonction même de la grande chambre
d'apparat, principale pièce de réception de l'appartement. Charles II de La Porte tenait manifestement à rappeler son rang à ses visiteurs : nommé
maréchal de France en 1639, il devint duc de
La Meilleraye deux ans plus tard, en 1641.

D. L.

80

81

Guillaume Grouart, d'après Pierre Lemaistre

Vantail

Paris, 1653 | Chêne et bronze

H. 3,930 ; L. 1,440

Hist. : exécuté pour la porte d'entrée principale de l'ancien hôtel de ville, Paris.
Exp. : Paris, 1999(1), p. 162, nᵒ 335.

Paris, musée Carnavalet. Inv. B.O. 110

L'histoire de la porte dont fit partie ce vantail est aujourd'hui bien connue grâce aux travaux d'investigation récemment menés par la Commission du Vieux Paris. En juillet 1652, la porte principale de l'Hôtel de Ville fut incendiée, victime des troubles qu'occasionna la Fronde. Son remplacement, géré par le Bureau de la Ville, ne fut entre-

pris que l'année suivante avec la commande d'une nouvelle porte, passée en février 1653, auprès du menuisier Guillaume Grouart. Dessinée par les soins de Pierre Lemaistre, maître des œuvres de la ville, la porte à laquelle se rattache ce vantail reprenait le parti d'un rigoureux compartimentage de panneaux rectangulaires ou carrés structurant habituellement les portes sous Louis XIII. La volonté toute symbolique d'afficher la puissance du maître des lieux se matérialisait fréquemment par l'emploi de masques hurlants à l'antique flanquant les portes d'entrée principales des grandes demeures. Le choix de Méduse, retenu ici, synonyme de fureur indomptable, rappelait que, placée sur le plastron d'Athéna, elle avait la faculté de paralyser ses adversaires au combat. La thématique séduisit plus d'un grand seigneur parisien de la période. Ces bronzes initialement dorés furent exécutés, selon Sauval, d'après le sculpteur Henri Perlan (mort en 1657 ou en 1658). Outre les masques de Méduse et les quartefeuilles d'acanthe, toujours visibles, les ornements de métal comprenaient également à

81

l'origine des nefs et des fleurs de lis qui devaient orner, selon le devis de Grouart, la partie supérieure de la porte. Emblèmes de la ville, ces attributs furent probablement supprimés lors de la Révolution. Ils seront remplacés au XIXᵉ siècle par des panneaux de guirlandes enrubannées et des quartefeuilles supplémentaires moulés sur les originaux. Le vantail fut sauvé des décombres de l'Hôtel de Ville, incendié en 1871, pendant la Commune.

D. L.

82

Porte à deux vantaux

Paris, entre 1654 et 1660 | Chêne sculpté, peint et doré

H. 2,470 ; L. 1,360

Hist. : exécutée pour les appartements de la reine mère Anne d'Autriche au palais du Louvre ; prêt du Sénat de la République française.
Bibl. : Meslay, 1994, p. 55-56, fig. 16-22.

Paris, Sénat de la République française, palais du Luxembourg

La porte à deux vantaux présente encore l'intégralité de son décor sculpté, peint et doré, visible tant sur la face que sur le revers. Le monogramme doré du couple royal combinant les lettres A et L coiffées de la couronne de France apparaît miraculeusement conservé, sculpté sur les grands panneaux supérieurs de la face de chaque vantail. Ces emblèmes de la royauté, comme les fleurs de lis des panneaux inférieurs, furent en général systématiquement bûchés pendant la période révolutionnaire. Ils n'apparaissent plus, par exemple, sur une porte identique, provenant également des appartements de la Reine mère, visible aujourd'hui sur le palier de l'escalier Henri IV au musée du Louvre (fig. 1). Seul l'environnement luxuriant de branchages de laurier noués d'un ruban dans leur partie basse a été préservé ainsi que le couple de serpents affrontés placé sous chaque monogramme.

Fig. 1. Porte du palier de l'escalier Henri IV. Paris, musée du Louvre.

82

La porte, qui fut probablement dessinée par Louis Le Vau, affiche un compartimentage de panneaux rectangulaires et carrés dont seuls ceux de la face sont puissamment bordés d'une sculpture d'oves. Le revers est beaucoup moins riche : encadrements simplement moulurés et panneaux peints de bustes et de masques d'après l'antique. Le dessin des rinceaux peints de part et d'autre de la porte apparaît très proche de ceux qu'inventa Charles Errard et publiés dans un recueil intitulé *Ornemens des appartements de la Reine au vieux Louvre par le sieur Errard* (BnF, département des Estampes, Hc 7 et Hd 22).

La destruction des fastueux appartements de la Reine mère, en 1798, sous l'autorité de l'architecte Raymond – chargé de créer les nouvelles salles du Muséum central des arts – entraîna le transfert d'un certain nombre d'éléments de boiserie du Louvre, dont notre porte, vers le palais du Luxembourg.

D. L.

83

Vantail de porte

Paris, entre 1657 et 1660 | Chêne
sculpté, peint et doré

H. 2,400 ; L. 1,000

> **Hist. :** exécuté pour le cabinet dit au bord de l'eau de l'appartement d'été de la reine mère Anne d'Autriche au palais du Louvre ; prêt du Sénat de la République française.
> **Bibl. :** Meslay, 1994, p. 49-65, fig. 13.

Paris, Sénat de la République française,
palais du Luxembourg, salle du
Livre d'or (côté nord-ouest).

En 1654, Louis Le Vau fut chargé de réaliser sous la petite galerie du palais du Louvre un appartement d'été pour la reine mère Anne d'Autriche. Les travaux, commencés dès l'année suivante, aboutirent à la création d'un décor d'une richesse qui éblouirait les contemporains. L'appartement, composé, du nord au sud, d'une grande salle, d'une antichambre, d'un vestibule, d'un cabinet et d'une chambre, se terminait par un petit cabinet dont la croisée sud ouvrait sur la Seine (fig. 1). La pièce, aménagée entre 1657 et 1660, était rythmée de pilastres jumelés à chapiteaux corinthiens entre lesquels furent insérées sept toiles peintes par Romanelli et illustrant l'histoire de Moïse. L'un des principaux soucis de l'architecte fut celui du respect de la symétrie dans une pièce qui ne s'y prêtait guère. En forme de T enchâssé dans l'épaisseur de la muraille, le petit cabinet de la Reine mère ne présentait que deux portes, toutes deux désaxées et de dimensions différentes : l'une, au nord, ouvrait sur la chambre, la seconde, à l'ouest, desservait un étroit passage. Une restitution de la pièce publiée en 1994 par Frédéric Didier, architecte en chef des Monuments historiques (dans Meslay, 1994, p. 63-65), permet de nous faire une idée très précise des options qui furent vraisemblablement retenues par Le Vau.

83

L'architecte eut recours à des portes à deux van-taux, dont plusieurs étaient feintes. Notre vantail provient très certainement, de par ses dimensions, de la porte ouest ou de celle qui fut placée en vis-à-vis. Ces portes, plus larges mais moins hautes que celles du mur nord, étaient surmontées chacune d'une toile de Romanelli. Sur les sept compositions du peintre italien évoquées ci-dessus, quatre subsistent aujourd'hui au musée du Louvre, dont probablement les deux dessus-de-porte avec *Moïse et Aaron dans le désert avec la chute des cailles* et *Moïse et les filles de Jethro*, qui sont les deux seuls tableaux à présenter des formats corroborants (H. 1,020 ; L. 1,950 et H. 0,950 ; L. 1,950).

Le compartimentage du vantail, qui rompt ici avec la traditionnelle juxtaposition de panneaux rectangulaires et carrés, témoigne de l'attrait de Le Vau pour la forme circulaire. Le principe géométrique de base du rond imbriqué dans un rectangle, particulièrement novateur ici, reprenait celui de la porte des Loges de Raphaël, au Vatican. Le décor du vantail combine habilement ornements peints et sculptés. Chaque compartiment forme un léger caisson souligné d'une puissante bordure sculptée de feuilles de refend. Les peintures, animées de putti, ont probablement été exécutées d'après le peintre Charles Errard. Plusieurs estampes réalisées d'après ses dessins et conservées à la bibliothèque de l'Arsenal (cat. 61) et à la Bibliothèque nationale de France portent en effet l'intitulé *Ornemens des appartements de la Reine au vieux Louvre par le Sieur Errard*. Ils correspondent exactement aux décors peints des pilastres et panneaux du cabinet qui subsistent aujourd'hui au palais du Luxembourg (BnF, département des Estampes, Hc 7 et Hd 22).

L'appartement d'été d'Anne d'Autriche, à l'exception d'une grande partie des plafonds, fut détruit en 1798 pour céder la place à la salle des antiques du Muséum central des arts. Les boiseries du petit cabinet du bord de l'eau furent démontées sous l'autorité de l'architecte Raymond puis envoyées au palais du Luxembourg dès le mois de mars de la même année. Après avoir été restaurées et complétées, elles furent remontées, en 1816-1817, par l'architecte Baraguey, successeur de Chalgrin, dans la salle dite du Livre d'or du palais sénatorial.

D. L.

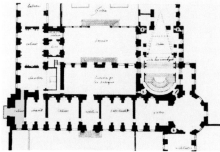

Fig. 1. Plan de l'appartement d'été de la reine mère Anne d'Autriche au Louvre.

84

Grille à deux vantaux

France, entre 1646 et 1650 | Fer forgé

Ensemble de la grille : H. 4,820 ; L. 2,540 |
Chaque vantail : H. 3,110 ; L. 0,970

> **Hist.** : exécutée pour le vestibule du château de Maisons ; remontée à l'entrée de la galerie d'Apollon au Louvre en 1819.
> **Bibl.** : Dezallier d'Argenville, 1755, p. 167-168 ; Brüning, s. d., p. 21-25 ; Allemagne, 1943, I, p. 183-186, II, pl. XLIII ; Aulanier, 1958, p. 92, fig. 48 ; Gruber, 1992, II, p. 137 ; Cueille, 1999, p. 30-31, 200, note 20.

Paris, musée du Louvre, département des Objets d'art.

Deux grilles de fer forgé à deux vantaux, dont celle-ci, furent exécutées pour fermer le vestibule d'entrée du château neuf de Maisons, édifié entre 1640-1641 et 1651 par François Mansart pour le compte de René de Longueil (1596-1677), président à mortier au parlement de Paris (1642) et surintendant des Finances (1650). Les grilles étaient en place dès 1650, décrites par John Evelyn qui visita le château entre le 4 et le 25 septembre de cette même année (Evelyn, 1955, p. 18). Chefs-d'œuvre absolus de ferronnerie, elles furent louées durant tout le XVIIIe siècle. « *On admire les deux grilles de ce vestibule travaillées en fer poli : celle de la cour a cinq panneaux remplis par un pilastre à double balustre, entouré d'un ornement en entrelas & à jour. On voit dans le dormans un Satyre terminé en rinceaux & couronné par deux enfans. Le milieu de la grille sur le jardin est occupé par un cartouche ovale, que remplit un caducée entouré d'épis de blé & de feuilles de chêne. Ce cartouche est environné de quatre panneaux de rinceaux & d'un guillochis avec des masques, qui tourne tout autour. La première grille qui est l'ouvrage d'un Serrurier François, est supérieure à la seconde faite par un Allemand. Elles sont d'une si grande beauté, qu'on les a enfermées dans des volets de bois.* » Si l'on s'en réfère à cette description publiée par Dezallier d'Argenville, en 1755, dans son *Voyage pittoresque des environs de Paris*, la grille présentée ici, seule à développer des rinceaux d'acanthe classicisants sur ses vantaux, ouvrait donc sur le jardin et non sur la cour. Elle inaugurait de manière spectaculaire un souci de transparence et de clarté du bâtiment, qui n'interrompait plus la vue entre cour et jardin. Ce principe, fréquent en Italie, sera bientôt repris par Louis Le Vau à Vaux-le-Vicomte, Sucy-en-Brie ou Versailles.

Le dessin de cette grille fut publié avec quelques variantes par l'architecte Jean Marot (1619-1679), célèbre pour ses innombrables planches gravées pour l'architecture (fig. 1). Il témoigne du rôle primordial que joua l'acanthe, inspirée de l'antique, dans le domaine de la serrurerie au XVIIe siècle. L'influence du peintre et graveur italien Stefano della Bella, actif à Paris entre 1639 et 1650, est ici bien présente. Il avait fortement contribué à répandre en France la vogue des rinceaux d'acanthe associés à des figures humaines et à des animaux. Cette thématique se double ici d'un discours allégorique en rapport direct avec le maître des lieux et son épouse, Magdeleine Boulenc de Crèvecœur, dont les armoiries étaient respectivement ornées de serpents et d'épis de blé.

Le maître serrurier auteur de cette grille reste anonyme. Signalons tout de même que, à l'époque du chantier de Maisons, Mansart travaillait en collaboration avec Jean-Baptiste Chuppret, maître serrurier-ferronnier, demeurant rue Saint-Antoine, à Paris, considéré comme « *reconnu de tous les gens du métier pour le plus adroit Serrurier de ce siecle* » (Sauval, 1724, II, p. 229). Chuppret était intervenu sous la direction de l'architecte au moins à deux reprises : à l'hôtel de La Vrillière en 1645 et à celui de La Bazinière en 1654. Démontées en 1791-1792, au moment de la mise sous séquestre du château, propriété du comte d'Artois, ces grilles furent acquises par Pierre Dumier, serrurier des bâtiments de la Liste civile. Celui-ci les remit officiellement à l'administration du Muséum central des arts le 17 pluviôse an V (5 janvier 1797). Restaurées par le serrurier Varin sous la direction de l'architecte Fontaine, elles furent remontées en 1819 pour clore la galerie d'Apollon et la salle de la Chapelle du pavillon de l'Horloge. Il est fort possible que ce soit au cours de cette restauration que les couronnes supportées par les « tritons » en haut des grilles soient devenues des couronnes ducales en lieu et place des couronnes de marquis initiales – René de Longueil avait obtenu en effet du Roi l'érection de sa seigneurie en marquisat en 1658.

D. L.

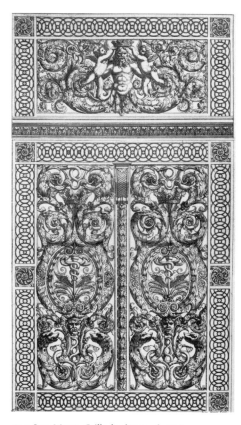

Fig. 1. Jean Marot, *Grille du château de Maisons*, gravure.

L'ameublement des appartements

David Langeois

L'étude de l'ameublement des appartements sous Louis XIII souligne deux points particuliers : les pièces étaient polyvalentes et n'étaient pas meublées dans une logique de vie privée, dont on n'avait tout simplement pas encore conscience. Ce dernier constat est manifeste surtout dans les grandes demeures, où les domestiques, par exemple, dormaient régulièrement au côté de leurs maîtres dans des lits de sangle ou pliants. Il n'était pas rare d'avoir des chambres à plusieurs lits, à l'image de celles du château de Vayres en Gironde qui comportaient toutes, en 1617, « *ung chalit faict en menuzerie* [...] *plus un pettit chalit faict en menuzerie, embelly comme le précédent* »[1]. Le lit constituait la pièce maîtresse du décor mobilier (fig. 1). Placé « *de bout* », « *de côté* », ou en angle, son bâti disparaissait complètement sous les étoffes qui le garnissaient. Les lits du château de Vayres étaient à pavillon, c'est-à-dire surmontés d'un dais conique ou pyramidal, suspendu au plafond et auquel étaient fixés les rideaux[2]. Mais les lits les plus fréquemment décrits dans les inventaires étaient les lits dits à la française, « *à haults* » ou « *bas pilliers* » ponctués de plumets, et dont la forme cubique, une fois les rideaux fermés, était particulièrement frappante[3]. Ces lits à colonnes connaissaient une variante avec les lits en housse, illustrés à plusieurs reprises par Abraham Bosse, dont les rideaux étaient soit fixes – on les retroussait alors sur le ciel ou on les nouait autour des colonnes –, soit mobiles, mais enroulés par le haut[4]. Ils ne comportaient pas de pentes, n'ayant plus de tringles à rideaux à masquer autour du dais. Toute la richesse du lit reposait sur l'élément textile, souvent minutieusement cité dans les inventaires. La description des lits Louis XIII envoyés après 1664 par Armand-Charles de La Porte, duc de Mazarin, en son « *château des Buttes* » à Mayenne – lits hérités de sa famille – témoigne d'un luxe textile que l'on a peine à imaginer aujourd'hui[5]. L'ensemble le plus précieux était composé d'un « *lict de taffetas de la Chine, bleu céleste* »[6] brodé, d'une part, de « *figures et animaux à la Chinoise, de soye profillée d'or d'erbe, représentant des chasses* », et, d'autre part, « *de fleurs et oiseaux aussy à la Chinoise* ». Le tout ne comptait pas moins de vingt-trois pièces formant « *le fond, le dossier, la courtepoincte, les trois pantes de dedans, celle de dehors, trois grands rideaux, deux bonne-grâces, deux cantonnières, les trois soubassements et les quatre pommes* ». Les rideaux, bonnes grâces et cantonnières étaient doublés de « *taffetas bleu rayé pareilles à la courtepointe* ». Les pentes étaient « *garny d'une crespine d'or et d'argent et le surplus de frange et mollet aussy d'or et d'argent* ». Même les colonnes du lit étaient gainées de fourreaux « *de taffetas pareilles à la doubleure des rideaux* ». Ici, cette luxuriante polychromie s'accompagnait d'un intérêt marqué pour un exotisme extrême-oriental très prisé par nombre d'amateurs avisés sous Louis XIII.

Les étoffes d'un lit s'inscrivaient dans un ensemble beaucoup plus large, communément appelé chambre ou emmeublement, qui consistait pour le tapissier à livrer non seulement la garniture du lit, mais aussi celles, généralement assorties, des sièges, des paravents et des écrans de cheminée. À cela s'ajoutaient très souvent des housses pour les sièges, des tapis de table et parfois aussi des tours de cheminée. À l'inverse du décor fixe d'une pièce, le décor textile était très facilement « remplaçable », au gré de la volonté du propriétaire ou tout simplement en fonction des saisons. Lorsque le cardinal de Retz fut arrêté par le marquis de Villequier, le 19 décembre 1652, et transféré au château de Vincennes, il ne manqua pas de remarquer dans ses *Mémoires* que le lit qu'on lui apporta ce soir-là « *était de taffetas de la Chine, étoffe peu propre pour un ameublement d'hiver*[7] ».

1. Drouyn, 1873, p. 319.
2. Reyniès, 1987, p. 254-255, repr.
3. Idem, *op. cit.*, p. 246-249, repr.
4. Idem, *op. cit.*, p. 250-251, repr.
5. Laurain-Portemer, 1969, p. 85-102.
6. Arch. de Monaco, S 11, f° 201, n° 33 ; BnF, Mss, Mélanges Colbert n° 75, f° 510, n° 1854 ; voir Laurain-Portemer, 1969, p. 94-95.
7. Retz, 1984, p. 931.

Fig. 1. Abraham Bosse, *la Vue*. Tours,
musée des Beaux-Arts.

La recherche de régularité et de cohérence dans l'ameublement devint une préoccupation majeure du décor intérieur au cours de cette période. Les sièges étaient souvent alignés contre les murs en cas de non-utilisation, formant ainsi une bande linéaire très décorative dans la pièce. Les châssis étaient rectilignes, simplement équarris ou tournés en colonnes droites ou torses. Les pieds, terminés en boules ou de bases carrées, étaient reliés par des traverses basses et droites et pouvaient aussi présenter des traverses supplémentaires, parfois jumelées, disposées juste sous l'assise. Les « *bois de haistre* » et « *de chesne* » furent régulièrement employés mais pas autant que le noyer, qui restait le bois de prédilection pour les sièges. Encore une fois, c'est le travail du tapissier qui apportait au siège toute sa valeur. On utilisait des cuirs, des moquettes, des tapisseries à décor de fleurs faites « *au poinct de Hongrie* » ou « *d'Angleterre façon de Turquye* ». La polychromie était souvent très vive, avec l'emploi de velours rouge cramoisi, de draps, de serges, de taffetas et de damas bleus, verts, jaunes ou encore violets. Toutes ces garnitures enrichies de galons et de dentelles étaient soulignées de franges traitées en laine ou en soie désignées aussi sous les termes crépines et mollets. Les plus riches d'entre elles étaient d'or et d'argent, à l'image des sièges de la chambre dite du Conseil au Palais-Royal, garnis de « *drap d'or et noir doublé de taffetas jaulne* » et enrichis « *d'une crespine d'or, d'argent et soye noire* [...] *avec mollet aussy d'or et argent et par-dessus garny de frange de soye de plusieurs couleurs* »[8]. L'inventaire du mobilier du Palais-Cardinal dressé à la mort de Richelieu[9] répertorie pratiquement l'ensemble des sièges que l'on pouvait trouver sous Louis XIII. Le terme fauteuil commençait à être employé de façon régulière depuis les années 1630 environ mais se confondait souvent avec chaires, chaise ou chaise à bras. Il désignait un siège généralement pourvu d'un dossier rectiligne court dont les bras restaient parallèles à l'assise, prenant appui sur des supports d'accotoir placés dans l'axe des pieds antérieurs. Les dossiers, droits ou légèrement incurvés, eurent tendance à gagner en hauteur vers la fin du règne. Les chaises au sens où nous l'entendons aujourd'hui étaient communément appelées « *chaises à vertugadin* »[10] ou « *chaises à dos* » et présentaient des caractéristiques sensiblement communes à celles des fauteuils. Se rencontraient aussi des chaises caquetoires[11], des chaises « *à layette* »[12] et des chaises percées. Les tabourets de formes diverses, garnis ou non, appelés escabeaux, escabelles ou placets, étaient omniprésents, ainsi que les bancs, souvent désignés dans les inventaires sous les termes formes et bancelles.

La vie « publique » au sein de l'appartement, l'absence de salle à manger reconnue en tant que telle, la non-détermination précise des pièces eurent tendance à favoriser la multiplication de meubles à mécanisme, démontables ou pliants, tout aussi facile à mettre en place qu'à ranger. « *Sieges ployans* » et tables brisées ou à tréteaux étaient fréquents dans les appartements. Le garde-meuble de l'hôtel parisien de Charles de Lorraine, quatrième duc de Guise, contenait, par exemple, en 1644 une « *chambre* » de velours rouge « *cramoisy* » incluant la garniture de deux chaises brisées ainsi que celle de douze escabeaux également brisés, « *garnie de crespines or et argent* »[13]. La chambre du sieur Jolly, gentilhomme du duc de La Meilleraye, à l'Arsenal de Paris, était meublée à la mort de son maître, en 1664, d'une « *table à terteau* [tréteaux] *de bois blanc, un tapy* [de table] *de serge verte, deux chaises couvertes de mocquette, un siège ployant couvert de thoisle, un bois de lit à hault pilliers* »[14]. La table à tréteaux côtoyait la table à pieds fixes, munie ou non de tiroirs et de rallonges, et appelée « *table sur son châssis* » au XVIIe siècle. Elles étaient traditionnellement recouvertes d'un tapis et de forme rectangulaire. La forme circulaire, plus rare, existait

8. Levi, 1985, p. 35.
9. Idem, *op. cit.*, p. 9-83.
10. Le mot chaise resta ambigu jusqu'au milieu du XVIIe siècle. Il dérivait du terme chaire et désignait depuis le début du XVe siècle ce que nous nommons aujourd'hui fauteuil. Il fallut attendre le XVIe siècle et la mode des robes à vertugadin pour voir apparaître les premiers sièges à dossier sans accotoirs ; voir Reyniès, 1987, p. 64.
11. La chaise caquetoire apparue au XVIe siècle était un fauteuil léger, non garni, caractérisé par un dossier étroit et rectangulaire et une assise plus large à l'avant qu'à l'arrière.
12. Le terme layette désignait en fait un petit tiroir.
13. Guiffrey, 1896, p. 173.
14. Idem, 1899, p. 21.

Fig. 3. Armoire haute à deux vantaux, datée 1636. Collection Marc Perpitch.

Fig. 2. Coffre recouvert de cuir clouté,
daté 1638. Vitré, musées.

cependant, souvent spécifiée dans les inventaires comme on le fit pour la « *table ronde de bois de noyer sur son chassis* » qui se trouvait en 1664 dans la chambre de l'aumônier de l'Arsenal[15].

Lits, sièges et tables s'accompagnaient de meubles de rangement, dont les plus usuels étaient, sous Louis XIII, les coffres, les bahuts, les buffets ou dressoirs exécutés en hêtre, en noyer ou en chêne. La chambre du peintre Jacques Blanchard à Paris comptait, en 1637, pas moins de cinq coffres de rangement dont « *un coffre de bahu carré couvert de vache de roussy à une serrure ferman à clef avecq son pied de bois de noier*[16] », sans doute très proche de celui daté 1638 conservé aux musées de Vitré (fig. 2). Le terme armoire, qui figure déjà dans des inventaires du XVIᵉ siècle, fut très employé pendant la période qui nous intéresse, semblant désigner des meubles à deux corps fermés par deux ou plusieurs « guichets » et parfois dotés de « layettes », c'est-à-dire de tiroirs. L'armoire haute à deux battants « de haut en bas » apparaît en France dès la première moitié du XVIIᵉ siècle (fig. 3). Le meuble de luxe par excellence était le cabinet en ébène qui garnissait les chambres et cabinets des appartements les plus opulents.

Que l'on soit finalement dans un château, un hôtel particulier ou une simple maison (fig. 4), le mobilier de base restait, pour l'essentiel, le même sous Louis XIII. Lits, tables et sièges, très souvent traités en noyer, se différenciaient surtout par la richesse des étoffes qui les garnissaient ou les recouvraient. Les meubles de grand luxe, qu'ils soient d'ébénisterie ou en pierres dures importées d'Italie, meubles d'apparat particulièrement onéreux, restaient l'apanage des seules grandes familles, somptueuses et visibles démonstrations de leur appartenance aux élites sociales du royaume.

15. Guiffrey, 1899, p. 21.
16. Beresford, 1985, p. 119.

Fig. 4. François Collignon, *la Chambre du sieur
Callot en l'année 1630,* eau-forte. Nancy,
musée des Beaux-Arts.

CHAPITRE III
Techniques et décor

La tapisserie et ses bordures

Emmanuel Coquery

La tapisserie parisienne a connu dans les deux premiers tiers du XVIIe siècle un essor incomparable et désormais bien étudié[1]. Parmi les arts du décor, elle seule pouvait satisfaire les plaisirs de la narration et le goût du faste, allier la profondeur symbolique de la figuration et les prestiges attachés aux objets de grand prix. Les anecdotes du temps témoignent bien du fait que la tapisserie est alors largement perçue comme un art de l'image. Nicole de Lorraine n'éclata-t-elle pas en sanglots lorsqu'elle pénétra à Fontainebleau dans une chambre où l'on avait pendu *le Pot de terre brisé par le pot de fer*? C'est qu'elle y avait vu une allusion à la défaite de son époux devant les troupes françaises[2].

Mais les commanditaires attendaient avant tout de leurs tapisseries qu'elles aient un éclat digne de leur rang, et l'attention souvent aiguë qu'ils portaient aux bordures en est un des meilleurs témoignages. En 1617, Scipion Borghèse s'enquit d'une tenture parisienne dont « *la bordure surtout est très belle tant en singularité qu'en magnificence, étant presque toute d'or*[3] ». Maffeo Barberini, servant d'intermédiaire au cardinal Montalto, qui voulait faire tisser une tenture à Paris, rencontra quant à lui des difficultés dues au fait que les bordures du modèle de l'*Histoire d'Artémise* qu'on lui proposait contenaient les armes du Roi[4]. À la suggestion de supprimer les bordures pour réduire les tapisseries aux dimensions voulues, il se récria, préférant replier ce qui dépasserait, mais trouver un auteur pour réaliser de nouveaux dessins pour les bordures se révélait difficile. Les marchés livrent aussi quelques indices de ce souci, lorsqu'ils s'étendent sur les caractéristiques de la bordure, en précisant par exemple qu'elle devra être « *à fond brun consistant en cartouches aux coins et milieu et courant de ladite bordure de festons de fleurs, médailles et son ruban incarnat tout de soie l'ornement d'alentour des bordures et fleurs de feuillages de jaune doré, et dans le milieu des hauts seront les armes dudit sieur de Herre ladite bordure sera conforme à une tenture de tapisserie de la* [mot illisible] *fabrique qui est dans le magasin dudit sieur de Comans*[5] ».

Mais l'exemple le plus démonstratif de cet intérêt pour les bordures se trouve dans le marché des peintures pour la tenture de l'*Histoire de saint Gervais et saint Protais* (cat. 100 et 101), en date du 24 mars 1652, qui est par ailleurs le plus complet de tous ceux dont nous disposons encore pour la tapisserie. Il n'est pas inutile de retranscrire entièrement le passage qui a trait à la bordure, pour prendre la pleine mesure de cette attention.

« *Une seule bordure entière d'un tableau qui servira à toutes les six pièces en tapisserie, laquelle bordure sera peinte en huile sur toile, dont les deux montants auront chacun 14 pieds 8 pouces de haut, qui font 14 aulnes de haut sur un pied 8 pouces de large.*

Les deux courants, savoir le haut et le bas de ladite bordure, seront de chacun 21 pieds un pouce de long et de la même largeur que les deux montants de ladite bordure. Toute laquelle bordure, en fermant ou en ouvrant une pièce de tapisserie, la rendra de 4 aulnes de haut sur 6 aulnes 2 tiers de long.

Ladite bordure sera enrichie tout alentour d'une moulure, laquelle sera enrichie d'un ornement antique de couleur jaune imitant l'or et le bleu. Au milieu des deux montants seront représentés saint Gervais dans une niche enrichie de ses ornements antiques, de l'autre côté saint Protais, et dessus et dessous lesdites figures seront peintes des figures d'anges qui tiendront des encensoirs ou autres ornements d'église, comme de feuillammes fleurons arabesques, le tout peint et colorié de différentes couleurs, selon que le peintre le jugera pour le mieux.

1. Voir notamment, en dernier lieu, Chambord, 1996, qui ne remplace pas Guiffrey, 1892, Fenaille, 1923, et le cat. exp. Versailles, 1967.
2. Cité par Desprechins, 1988, p. 107-207 (p. 204).
3. Baschet, 1862, p. 35.
4. Le marché stipule que les pièces seront semblables « *à ceulx commandés par Sa Maj aud Dubout* […] *excepté pour les armoiries et bordures qui seront faictes par led Dubout suivant les portraits qui luy en seront bailles par led sr Cardinal* » (AN, MC, XIX, 356, 28 août 1606, signalé par Coural, cat. exp. Versailles, *op. cit.*, p. 16).
5. Marché de 1640, pour une tenture d'après des dessins de Vouet (AN, MC, VI, 357, 14 août 1640, signalé par Coural, cat. exp. Versailles, *op. cit.*, p. 20).

Fig. 1. Attribué à Ferdinand I Elle,
la Naissance de la Vierge.
Localisation actuelle inconnue.

Fig. 2. Claude Vignon, *le Triomphe
d'Hercule.* Maisons-Laffitte, château.

Dans le milieu du haut et du bas de ladite bordure seront peints deux bas-reliefs en camaïeux de l'histoire de saint Gervais et de saint Protais ou de leur père et mère saint Vital et sainte Valérie, tels qu'ils seront choisis par lesdits sieurs marguilliers.

Et au côté des deux susdits bas-reliefs seront peints des ornements convenables à ceux qui seront peints aux deux montants de ladite bordure.

Il sera fait dix bas-reliefs pour changer dans les bordures que le tapissier fera d'après la susdite bordure peinte et seront lesdits bas-reliefs de la continuation de l'histoire de saint Gervais et seront peints de couleur de bronze ou autre couleur tels qu'il sera jugé pour le mieux.

La susdite bordure à bas-relief ne pourra être exécutée en peinture qu'il n'en ait été montré des desseins à messieurs les marguilliers[6]. »

Ce qui est remarquable ici est l'égal soin porté à l'aspect strictement ornemental des bordures et à la nécessité d'y inclure des scènes historiées. La bordure est conçue comme un second niveau de l'image, qui assure à la fois l'unité de la tenture et l'extension de la narration, en l'occurrence à la vie des parents des deux protagonistes, sur le mode du camaïeu, un mode traditionnellement plus « décoratif ».

C'est que la bordure remplit une bonne part de la fonction décorative dévolue à la tapisserie[7]. Quand Furetière veut définir la bordure, il évoque d'abord l'art de la lisse : « *On met des chiffres et des emblèmes dans les bordures qui soutiennent des tapisseries*[8] », et dit plus loin qu'un tableau « *paraît beaucoup plus lorsqu'il est bien embordure, qu'il a une belle bordure* ». Il faut se souvenir de cet emploi de paraître, en un sens absolu, pour comprendre l'importance du rôle assigné aux bordures. Celles-ci participent d'un caractère plus général de l'ornement, qui à cette époque en France encadre plus volontiers une surface qu'il ne la remplit. Les cadres sont souvent décrits plus longuement que les tableaux dans les inventaires – ils valaient alors plus cher. La référence dominante de l'architecture y entre aussi pour beaucoup, et les bordures sont couramment traitées comme des morceaux sculptés en bas relief, avec des ombres courtes et accusées, et toujours avec une embrasure qui leur donne une profondeur en ouvrant sur le champ comme une fenêtre sur le dehors. Ainsi articulent-elles l'espace représenté à celui du spectateur – les tapisseries sans bordure du Moyen Âge offraient à ce dernier un espace, non pas continu, mais contigu, et d'un autre ordre.

L'importance de la bordure tient d'abord à la technique même du tissage, puisqu'elle fait corps avec l'image, dans la mesure où généralement les montants sont tissés dans la continuité du champ – les bandes horizontales étant cousues. Lorsqu'une peinture intègre sa propre bordure, il s'agit presque toujours d'un carton de tapisserie (fig. 1), ou d'une imitation de la tapisserie, comme ce doit être le cas de l'*Hercule* de Claude Vignon peint pour Richelieu[9] (fig. 2). Le fréquent débordement de la bordure sur l'image aux milieux de ses côtés, que l'on ne rencontre jamais dans les cadres des tableaux, manifeste encore l'étroitesse de cette liaison.

Jusque dans les années 1640, cette importance se traduit dans la proportion que prennent les bordures dans les tapisseries. Celle du *Moïse sauvé des eaux* de Simon Vouet (cat. 89) représente un tiers de la surface totale et plus de la moitié de celle du champ. La tendance à leur élargissement est née dans les ateliers de Bruxelles dès le milieu du XVIe siècle. Sans doute le modèle tant admiré des *Actes des apôtres* d'après Raphaël, dont la Couronne possédait une réplique depuis les années 1530, la favorisa-t-il.

Au-delà de leur rôle de mise en valeur du champ, les bordures remplissent une fonction unificatrice des différentes pièces d'une même tenture. C'est par elles qu'un ensemble de scènes différentes devient visuellement cohérent et crée la continuité d'un décor, si primordiale, qui pouvait s'étendre aux

6. Mérot, 1987, p. 124. Nous modernisons l'orthographe et la ponctuation.
7. Denis a déjà proposé une étude sur le sujet (1996[2]).
8. Nous soulignons. Le mot est sans doute à entendre au propre, puisque les bordures servent aussi à accrocher au mur les tapisseries, comme au figuré.
9. Aujourd'hui exposé au château de Maisons-Laffitte.

broderies du lit. Ainsi, en 1635, un envoyé du duc de Savoie remarquait un lit brodé de « *petits tableaux à personnages, du dessin de Vouet* [...] *en forme de cartouches pour s'assortir aux bordures des tapisseries de haute lisse auxquelles on travaille*[10] ». On sait que c'est par l'unité du textile que se faisait, autour du lit, l'essentiel du décor : l'appellation « *chambre* » qu'on trouve parfois en place de tenture dans les inventaires de l'époque assimile l'espace à son revêtement de tapisserie et de tissu.

Les bordures jouaient aussi un rôle de différenciation des suites issues d'un même modèle. Si l'inventaire du Garde-Meuble de la Couronne, rédigé à partir de 1663, décrit plus longuement les bordures que les sujets, c'est qu'elles permettent de reconnaître une tenture particulière. François Tortebat, quand il grava les pièces de la tenture de l'*Ancien Testament* de Vouet, ne reproduisit pas les bordures, contrairement à Le Brun avec ses *Éléments* : la première avait été tissée plusieurs fois, avec des bordures différentes pour différentes personnes, tandis que la seconde était destinée au Roi et à lui seul.

Cette personnalisation se faisait souvent grâce à des signes de prestige aristocratique et d'identité dynastique – chiffres, emblèmes, devises, armoiries –, comme le signalait Furetière. Maximilien-François de Béthune, duc de Sully, avait ainsi à sa mort, en 1661, deux tentures « *fabrique de Paris* » avec aux coins ses armes et celles de son épouse, Charlotte Séguier. Les registres de la fabrique de Saint-Sauveur mentionnent par ailleurs une disposition du testament d'un Jean Henrion, qui lègue « *une pièce de tapisserie pour parachever la tenture de ladite église qui sera mise et appliquée à l'endroit des orgues* [...] *et de la hauteur et longueur qu'il conviendra d'une histoire le plus convenable à ladite tapisserie et enrichie et ornée le plus que l'on pourra* [...] *et qu'en icelle soient mises les armoiries dudit testateur et de sadite femme à quelque prix que ladite tapisserie se puisse monter*[11] ». Une telle pratique est bien sûr à mettre en rapport avec la tradition des tapisseries armoriées, qui survivait au XVIIe siècle dans le type des portières, pièces destinées à l'origine à masquer une porte, et qui ne font qu'exalter dans leur champ les principes ornementaux des bordures.

La richesse en fils métalliques des bordures, quand la tapisserie en comporte, résume tous ces traits : elle permet à la bordure de briller et de la faire « paraître » plus encore, elle signale la fortune du propriétaire, comme le disait bien le cardinal Borghèse, et associe à son nom un rang. Comme l'a relevé Isabelle Denis, ces fils sont particulièrement abondants dans les cartouches en camaïeu des ateliers du faubourg Saint-Marcel, où ils servent de fond. Un marché de 1659 entre Jean Jans et François Menardeau stipule ainsi qu'il faudra « *mettre de l'or de Milan où il y aura des testes couronnées et enrichissements des principales figures en l'inscription de chaque pièce et en la bordure*[12] ».

Les mentions du Garde-Meuble restituent le vocabulaire alors employé pour décrire une bordure et la façon dont on décomposait leur langage formel. En général, le fond de couleur (désigné comme rouge, brun, orangé, bleu, tanné, or ou marqueté de jaune) est d'abord évoqué, avant les motifs qui s'y appliquent, en continu ou aux quatre coins, et qui se combinent à volonté. Ces derniers sont en nombre assez limité. On y trouve festons de fleurs et de fruits, rinceaux, grotesques, cartouches, palmes, mufles de lion, grisaille, carquois, guillochis, carrés de paysage, et figures (cupidons, anges, satyres, chasseurs), sans oublier les armes et chiffres.

On peut ainsi définir dans cette variété trois types principaux, qui correspondent, *grosso modo*, à leur évolution. L'un des plus abondants est constitué par les bordures distinguant montants et bandes horizontales, avec un décor continu (par l'emploi sur les quatre côtés d'un même type d'éléments) et irrégulier (par leur changement de disposition selon les côtés). C'était le mode préféré au XVIe siècle dans les Flandres. Les dessins de Caron pour *Artémise* l'employaient[13]. L'*Histoire de Diane* du Patrimonio nacional, tissée dans la première décennie, affirme pareillement la verticalité des montants. Ce type est sans équivalent dans les cadres de peinture ; peut-être faut-il y voir une influence architecturale, celle des pilastres encadrant autels et retables. Les trophées, bien adaptés à des sujets de chasse, et tout ce qui semble pendre à un mur, tels des médaillons en camaïeu, ou reposer dans des niches, tels les bustes de certaines pièces, forment les motifs principaux de ces montants.

Après avoir connu une certaine désaffection, ce type retrouve dans les années 1640 un regain de faveur, à travers la vogue nouvellement importée d'Italie des motifs à candélabres. Cotelle s'en fait déjà l'interprète pour l'*Histoire de l'Ancien Testament* d'après Vouet, en distinguant les rinceaux de ses bandes horizontales et les fins panneaux à grotesques de ses montants. Michel Corneille se montre dans ce genre plus rigoureusement sectateur de Raphaël et des Loges du Vatican dans une bordure de son *Histoire de Daphné*, qui offre un écho des lambris d'Errard à l'appartement d'Anne d'Autriche au Louvre (cat. 61).

10. Archives de Turin, *Lettere Ministri Francia*, 27 juin 1635. Cité par Denis, 1996(2), p. 36.
11. AN, LL 921, 4 septembre 1602, fo 305, document retrouvé par Gustin, 1996, II, p. 117.
12. AN, MC, XCII, 166, 30 septembre 1659, signalé par Coural, cat. exp. Versailles, 1967, p. 21.
13. Voir Fenaille, 1923, p. 117-195.

Ce type utilise parfois des motifs qui le rapprochent des grotesques, genre décrié dans la grande peinture, de si près que l'on peut trouver dans la littérature du temps des commentaires qui associent bordures et sujets bizarres : « *Je n'entends rien à cela, dit le peintre, c'est quelque énigme ou quelque emblème, si je mettais cela sur un corps on le prendrait pour un monstre : cela ne serait propre qu'à faire des grotesques pour les bordures d'une tapisserie*[14] ».

L'autre type principal est constitué par les bordures scandées aux milieux et aux coins, souvent par des putti et des cartouches débordants, au décor discontinu et irrégulier donc, qui permettent de puissants effets plastiques. Certaines bordures, dans lesquelles les motifs en relief semblent s'agrafer à un bandeau architecturé, accompagnent des tissages de l'*Histoire d'Artémise* dès la première décennie du siècle. Mais c'est surtout Vouet et son atelier qui en ont exploité les ressources. À cet égard, Cotelle ne fera que systématiser ces premiers exemples – voir comment la bordure d'une *Histoire de Diane*[15] que l'on peut lui attribuer s'inspire de celle d'une suite d'*Artémise*[16], en substituant des enfants aux soldats à la romaine –, en augmentant leur plasticité et leur vivacité, à travers ses putti, qui jouent avec les autres éléments de la bordure. Ces motifs qui rappellent le stuc feint assimilent les bordures à des encadrements de plafond.

Les bordures à décor continu et régulier, composé de rinceaux, guirlandes ou guillochis, éventuellement arrêté aux angles, se répandent semble-t-il surtout à partir de la fin des années 1640. Elles répondent à un goût pour l'unité, privilégiant plus nettement que les types précédents le champ de la tapisserie, et s'approchent plus des cadres de tableau, même si elles comportent presque toujours des éléments floraux ou végétaux traditionnels de la tapisserie. Parfois, ces longues guirlandes sont légèrement scandées aux coins par des roses ou des putti (*Histoire de Clorinde et Tancrède*, d'après Corneille, cat. 95). Il s'agit d'autres fois de motifs architecturaux *(Histoire de Constantin)*, qui paraissent annoncer l'évolution de la bordure vers l'imitation des cadres de bois sculptés au XVIIIe siècle.

Les bordures évoluent donc indépendamment des cartons, qui sont parfois repris sur plusieurs décennies, et, pour l'historien de l'art, ce sont elles qui permettent souvent de dater un tissage. Elles n'en n'ont pas pour autant un caractère tout à fait interchangeable. Certes, l'on trouve un tissage de l'*Histoire de Constantin* d'après Rubens avec la bordure des *Rinceaux*, sans le chrisme présent dans la bordure originale et qui rappelle le caractère religieux de la tenture quand elle montre des batailles. Mais les tapisseries à sujet religieux, en général des tissages uniques, adaptent leurs bordures au sujet, en intégrant, comme l'*Histoire de saint Gervais et saint Protais* (cat. 100), de petites figures de saint ou des symboles religieux. Ainsi, dans un marché de 1625, les marguilliers de la confrérie de sainte Reine commandent à Dubout une pièce d'une *Histoire de sainte Reine*, « *comme sainte Reine fut baptisée* », « *en la bordure et chacun côté de laquelle tapisserie y aura un ovale ou plus dedans étant représenté quelque sujet de la même histoire suivant aussi le dessin qui en a été baillé audit Dubout*[17] ». De la même manière, dans le domaine profane, des pièces à sujets de chasse peuvent par exemple intégrer des chiens.

Cette adaptation dépend de qui était l'auteur de la bordure, le cartonnier ou un autre intervenant. Il est rare que les maquettes préparatoires, très peu nombreuses il est vrai pour l'époque, comportent une bordure. Celle que l'on peut attribuer à Ferdinand Elle le Vieux (fig. 3) est plus exceptionnelle. Jean Cotelle,

14. Sorel, 1627, p. 102.
15. Exp. Chambord, 1996, p. 128, fig. 7.
16. Idem, *op. cit.*, p. 75, fig. 3.
17. AN, MC, LXXXVI, 209, 27 septembre 1625 ; signalé par Coural, cat. exp. Versailles, 1967, p. 17 ; Gustin, 1996, II, p. 24, signale deux autres marchés liés à la tenture, de mars 1641 et de janvier 1644.

Fig. 3. Attribué à Ferdinand I Elle,
la Naissance de la Vierge (détail).
Localisation actuelle inconnue.

Fig. 4. Jean Cotelle le père, projet pour une bordure. Oxford, Ashmolean Museum.

formé d'abord par Laurent Guyot, semble avoir été l'un des rares spécialistes. Nous pouvons ainsi considérer que Cotelle a véritablement créé le type des bordures de Vouet, avec leurs putti facétieux, leurs rinceaux épais, leurs cartouches plus ou moins découpés[18] (fig. 4) – et constater que le maître se désintéressait de cet aspect, contrairement à Le Brun, un peu plus tard. Parmi les « généralistes », Michel Corneille emploie des bordures qui comportent des putti caractéristiques de son type morphologique – son inventaire après décès en mentionne des dessins.

Le caractère typiquement flamand des bordures mises aux tentures tissées à Bruxelles d'après les cartons de Charles Poerson est à noter, enfin, leur style tranchant sur le dessin très parisien des compositions du peintre (cat. 94). C'est sans doute le signe que la bordure demeurait aussi pour le lissier la marque de son art et de sa propre appartenance à un univers stylistique. À travers elle, l'art purement ornemental pouvait naturaliser une peinture étrangère.

18. Voir Denis, 1996(2).

85

Ateliers du faubourg Saint-Marcel, d'après Antoine Caron (Beauvais, 1521 – Paris, 1599), Laurent Guyot (Paris, vers 1575-1580 – Paris, après 1644) et Henri Lerambert (vers 1540-1550   Paris, 1608)

Histoire d'Artémise

Les Placets

Paris, entre 1601 et 1627 | Laine et soie ; sept fils de chaîne par centimètre

H. 4,050 ; L. 3,600 | Marque dans la lisière, en bas, à droite : *FVP* (François de La Planche)

> **Hist. :** collection duc de Penthièvre en 1744 ; versement du Mobilier national, 1890 (GMTT13/6).
> **Bibl. :** Fenaille, 1923, p. 165 ; Göbel, 1928, II, pl. 33 ; Denis, 1990, 1999.
> **Exp. :** Bruxelles, 1947, n° 45 ; Paris, 1972, n° 472.
> **Œuvres en rapport :** autres versions à Munich, Résidence ; Hildesheim, cathédrale ; San Diego, Timken Art Gallery.

Paris, musée du Louvre. Inv. OA 6068

L'*Histoire d'Artémise* est sans doute la tenture la plus complexe sortie des ateliers parisiens au XVIIe siècle, tant par le nombre de ses pièces et de ses répétitions, que par la durée sur laquelle s'étend son tissage. Elle est aussi étroitement liée à leur renouveau au début du siècle.

Pas moins de quarante-quatre sujets la constituent. Le programme s'appuie sur le poème d'un apothicaire parisien, Nicolas Houel, qui voulut en 1562 glorifier la régence de Catherine de Médicis sous la figure d'Artémise, veuve exemplaire du roi Mausole. Le texte, resté manuscrit, fut illustré par cinquante-neuf dessins, conservés aujourd'hui à la Bibliothèque nationale de France et au musée du Louvre. Ceux-ci furent explicitement conçus pour pouvoir servir à « *de riches et belles peintures à tapisserie* ». En réalité, la tenture paraît n'avoir jamais été tissée pour Catherine de Médicis. Il semble que la plupart des dessins reviennent à Antoine Caron, et d'autres à des artistes bellifontains, peut-être Nicolo ou Giulio Camillo dell'Abate. Il est donc frappant de voir une création d'importance royale, inaugurant une manufacture, s'inspirer de modèles alors vieux d'un demi-siècle. Sur leur base, Henri Lerambert, peintre pour les tapissiers du Roi, exécuta des cartons de tapisserie pour les ateliers du Louvre, qui furent les premiers à les mettre sur le métier. Mort en 1608, Lerambert fut remplacé dans sa charge par Laurent Guyot et Guillaume Dumée. On sait qu'il fut demandé à Guyot dès 1607 de peindre quelques cartons pour l'*Histoire d'Artémise,* destinés aux ateliers de la Marche. Comme le

suppose à juste titre Coural (cat. exp. Versailles, 1967, p. 28), il est probable que le même a fourni des cartons aux ateliers parisiens. C'est que le thème se prêtait parfaitement à la situation de la nouvelle Reine, Marie de Médicis, devenue veuve en 1610. Selon Denis, elle cessa d'être remise sur le métier au cours des années 1630.

François-Annibal d'Estrées en avait une suite de huit pièces prisée en 1636 la somme considérable de 7 000 livres (AN, MC, XLII, 85). L'importance de la tenture tient aussi à son retentissement sur des amateurs étrangers. C'est elle qui impressionna Maffeo Barberini lors de son voyage en France en 1606, et qui l'incita à passer commande de certaines pièces pour le cardinal Peretti (voir Boyer, 1930). En 1625, Louis XIII en offrit une suite au cardinal-légat Francesco Barberini. Une autre suite en dix-huit pièces, à or, fut commandée par Charles-Emmanuel Ier de Savoie entre 1615 et 1620.

Au-delà de l'allusion directe à la personne de la Régente, le sujet et son traitement expliquent en bonne partie le succès de la tenture. Les représentations de « femmes fortes » étaient fort à l'honneur dans toute la première moitié du siècle, notamment dans des cercles où la femme occupait un rang supérieur, tandis que le déploiement archéologique sensible dans l'attirail des soldats en cortège pouvait convenir à un public masculin.

85

Fig. 1. Antoine Caron, *les Placets*. Paris, Bibliothèque nationale de France, département des Estampes.

Le dessin correspondant à cette pièce (fig. 1) associait à la scène une vue de la fontaine portant la fameuse Diane du château d'Anet. Ici, il n'a été conservé que la partie gauche, illustrant une délégation de « *ceux qui étaient députés pour parler pour elle aux Estatz* », « *en une sienne belle maison qui n'étoit guère loin de la ville d'Halicarnasse, lieu fort plaisant et de grande recommandation* » (2ᵉ livre, chap. I ; sujet nᵒ 40), un sujet qui faisait donc l'éloge d'une Reine rendant la justice à tous. Par rapport au dessin, le cartonnier a enrichi les costumes, rétabli une proportion plus naturelle entre têtes et corps et supprimé des figures à l'arrière-plan.

Nous connaissons au moins sept bordures associées à la tenture (Denis, 1990). Les dessins de Caron en comportaient déjà, d'un style plus léger, avec des devises et des trophées dans le goût de ceux que popularisèrent les gravures de Lafréry. Celle-ci correspond sans doute à la bordure « *composée de frises* » mentionnée dans l'inventaire de François de La Planche. Il est difficile de déterminer sa date. Elle apparaît dans une pièce aux armes de Diego de Guzmán y Benavides, exécutée dans l'atelier de François Tons en Espagne et datée 1622 (Delmarcel, 1999, p. 211), mais aussi dans deux suites de l'*Histoire de Diane* (Cincinnati, Museum of Art, et Göbel, 1928, fig. 51) et de l'*Histoire de Coriolan* (Ffoulke, 1913, p. 200).

E. C.

86

Manufacture du faubourg Saint-Marcel, d'après Henry Lerambert (vers 1540 – Paris, 1608) ?

Histoire de Coriolan

Coriolan repousse les édiles avec violence

Paris, avant 1606 | Laine, soie, argent et or ; huit fils de chaîne par centimètre

H. 4,630 ; L. 5,390 | Chiffre d'Henri IV dans les cartouches médians de la bordure | Monogramme dans la lisière de droite : *F V P* (François de La Planche)

> **Hist. :** tenture exécutée pour Henri IV ; tendue en septembre 1606 dans la chambre de parade préparée à Fontainebleau pour le Dauphin, futur Louis XIII, à l'occasion de son baptême ; inscrite à l'inventaire du Mobilier de la Couronne sous le nᵒ 14 des tapisseries de haute et basse lisse rehaussées d'or.
>
> **Bibl. :** Godefroy, 1649, II, p. 173 ; Cavallo, 1955, p. 8, 14 ; Denis, 1991, p. 28, 31 ; Cantarel-Besson, 1992, p. 103 ; Adelson, 1994, p. 170-171, 179, 185, 188, 193-194, note 27 ; Heinz, 1995, p. 128 ; Joubert, Lefébure et Bertrand, 1995, p. 141, 151, 181 ; Machault, 1996, p. 56-57, repr.
>
> **Exp. :** Versailles, 1967, p. 40 (avec biblio antérieure) ; Paris, 1972-1973, nᵒ 484.
>
> **Œuvre en rapport :** autre version, Tours, conseil général d'Indre-et-Loire (H. 3,450 ; L. 3,950 ; marque : tour crénelée).

Paris, Mobilier national. Inv. GMTT 14/8

À en croire Félibien (1688, p. 126) et les anciens inventaires du Mobilier de la Couronne, c'est Henry Lerambert qui composa les modèles de l'*Histoire de Coriolan*. Les deux seuls dessins préparatoires conservés de cette suite (Bibliothèque nationale de France, Estampes), décrivant *la Condamnation de Coriolan* et l'*Assassinat de Coriolan,* sans doute de deux mains différentes, ne peuvent cependant revenir avec certitude à cet artiste. Emmanuelle Brugerolles, qui date ces œuvres de la fin des années 1580, nous propose de les rapprocher de l'art de François Quesnel (Édimbourg, 1543 – Paris, 1619). Les grandes architectures, les foules assemblées et les personnages « témoins » parfois coupés à mi-corps qui caractérisent les compositions d'histoire de Quesnel (voir cat. exp. Paris, Cambridge et New York, 1994-1995, nᵒ 69) se retrouvent en effet sur les pièces de la tenture de *Coriolan* du Mobilier national, qui de ce point de vue présente une grande cohérence. Celle-ci, mise sur le métier pour Henri IV, se compose de dix grandes pièces et de sept entrefenêtres, dont deux (GMTT 14/2 et 12) possèdent les mêmes cartons que des pièces de l'*Histoire d'Artémise*. Sur douze pièces (les dix grandes et deux entrefenêtres), le chiffre d'Henri IV, visible dans les cartouches supérieur et inférieur de la bordure, est associé aux sceptres en sautoir et à l'épée en pal noués par une écharpe. Sur les cinq autres entrefenêtres, l'épée disparaît tandis

86

qu'on peut lire sur l'écharpe la devise du roi, « DUO PROTEGIT UNUS ». Ces variantes dans l'emblématique correspondent à des tissages réalisés dans deux ateliers différents : les pièces avec le premier chiffre portent pour une grande part la marque de François de La Planche, tandis que trois des cinq entrefenêtres avec le second chiffre sont signées du monogramme F M, associé à Philippe de Maecht. Depuis la publication de Guiffrey ([1900], p. 34), la tapisserie exposée a été intitulée le plus souvent *Coriolan jurant une haine éternelle à Rome.* Toutefois, un inventaire des tapisseries de la Couronne, provenant des papiers de Gédéon Berbier du Metz (Beauvais, AD de l'Oise, série A), lui donne un titre tout différent qui convient beaucoup mieux : « *Coriolanus repousse avec violence les édiles qui le veulent contraindre de venir rendre raison aux tribuns du peuple des discours qu'il a tenus contre eux.* » Vainqueur des Volsques, Coriolan s'était présenté au consulat. Mais, par des discours hostiles, il s'aliéna la plèbe, qui obtint son bannissement. Tous les sujets de la tenture devront un jour être reconsidérés à la lumière de cet inventaire capital et des récits de Plutarque ou de Tite-Live. Il est à noter que le carton de la tapisserie présentée fut réutilisé, en sens inversé avec suppression de la scène centrale, pour la pièce intitulée par Berbier du Metz « *Coriolanus accompagné des principaux capitaines des Volsques reçoit avec mespris les ambassadeurs des Romains qui sont*

Fig. 1.

envoyez pour le rappeller » (fig. 1). Sous le règne de Louis XIII, l'*Histoire de Coriolan* fut tissée à nouveau dans la manufacture de Tours. Cela s'explique par le fait que le fondateur de cet atelier, en 1612, Alexandre Motheron, avait pour associés François de La Planche et Marc de Comans, qui purent lui en fournir les cartons (voir Bossebœuf, 1904, p. 268-304). Une pièce de cet atelier, identifiée par Isabelle Denis, a pu être achetée récemment par le conseil général d'Indre-et-Loire (Du Chazaud, 1994, p. 221-228 ; fig. 2).

Fig. 2.

Fig. 1. Manufacture du faubourg Saint-Marcel, d'après Henry Lerambert ?, *Coriolan reçoit avec mépris les ambassadeurs romains.* Paris, Mobilier national.

Fig. 2. Manufacture de Tours, d'après Henry Lerambert ?, *Coriolan repousse les édiles avec violence.* Tours, conseil général d'Indre-et-Loire.

J. V.

87

Manufacture du faubourg Saint-
Marcel, d'après Toussaint Dubreuil
(Paris, 1558 ou 1561-Paris, 1602)
Histoire de Diane

Les Paysans de Lycie changés en grenouilles

Paris, vers 1630 | Laine, soie,
argent et or ; huit fils de chaîne
par centimètre

H. 4,000 ; L. 4,150 | Monogrammes dans le
bas de la lisière de droite : *F M* et *T H*

Hist. : collection du cardinal de Richelieu ; léguée
par lui à Louis XIII avec l'ensemble de la tenture ;
inscrite à l'inventaire du Mobilier de la Couronne.
Bibl. : Guiffrey, [1900], p. 32 ; Fenaille, 1923, repr.
face p. 232, 237 ; Göbel, 1928, p. 55, 72-76, 81,
86-87 ; Macht, 1971, p. 280-281, fig. 1 ; Cantarel-
Besson, 1992, p. 103 ; Heinz, 1995, p. 128 ;
Joubert, Lefébure et Bertrand, 1995, p. 198,
nº 112, repr. ; Boccardo, 2000, p. 53-54.
Exp. : Paris, 1930, nº 69, repr. ; Versailles, 1967,
p. 46 (avec biblio), nº 15, repr. ; Paris, 1972-1973,
p. 355, nº 466, repr. ; Paris, 1984, nº 26, repr. ;
Chambord, 1996-1997, p. 128, note 3, p. 130,
fig. 10 ; Beauvais, 2000, p. 17.
Œuvres en rapport : autres versions : Madrid,
Palacio Real (H. 4,530 ; L. 5,150) ; Berlin,
Kunstgewerbemuseum (disparu pendant la
Seconde Guerre mondiale ; H. 4,140 ; L. 4,610 ;
marques : P et fleur de lis, monogramme F M) ;
Cincinnati, Cincinnati Art Museum (H. 3,960 ;
L. 3,350) ; Oxford, Ashmolean Museum (mono-
gramme F M) ; Genève, collection privée (H. 4,170 ;
L. 4,270 ; marques : P et fleur de lis, monogrammes F M et T H) ; Vienne, Kunsthistorisches
Museum (H. 4,100 ; L. 4,400 ; marques : P et fleur
de lis) ; Château de Chambord, partie gauche de la
composition (H. 3,800 ; L. 2,640) ; Château de
Vaux-le-Vicomte (voir vente New York, Christie's,
11 janvier 1994, nº 222 ; H. 3,400 ; L. 2,510 ;
marque : R) ; Padoue, collection du Pr Lucarello
(H. 2,670 ; L. 3,160 ; sans bordure) ; Paris, collection du Dr Voisin en 1913, localisation actuelle
inconnue (H. 3,250 ; L. 3,650 ; marques : P fleur de
lis P, monogramme F V P).

Paris, Mobilier national. Inv. GMTT 15/1

La maîtresse du roi Henri II, Diane de Poitiers,
avait fait réaliser dans un atelier parisien, vers 1550,
une tenture de tapisserie relative au mythe de
Diane, dont les modèles avaient été créés par Jean
Cousin et Luca Penni, qui resta célèbre. Peu après
l'avènement d'Henri IV, il fut demandé à Toussaint
Dubreuil, l'un des principaux peintres de l'époque,
de fournir les cartons d'une nouvelle suite de
Diane. Pour ce faire, l'artiste s'inspira librement
des compositions de la tenture précédente, mais
n'aurait eu le temps d'en réaliser que les dessins
car il mourut en décembre 1602. Sans doute les
premiers tissages de cette nouvelle suite furent-ils
destinés à Henri IV lui-même. Deux tentures
comportant ses armes, chiffre et devise figuraient
en effet, avant leur destruction, à l'inventaire du
Mobilier de la Couronne (Guiffrey, 1885-1886, I,
p. 296-297, nos 17-17*bis* et 18). La première comprenait onze pièces, ce qui peut donner une idée du
nombre total de sujets disponibles initialement.
La série figurant au palais royal de Madrid, qui
possède la même bordure que les tentures exécutées pour Henri IV, nous conserve le souvenir de
ces exemplaires royaux (fig. 1 ; voir aussi Grodecki,
1992, p. 203 et 241, nos 721 et 723). Sous le règne
de Louis XIII, la suite de *Diane* fut tissée à de

nombreuses reprises, notamment dans les ateliers
du faubourg Saint-Marcel. C'est plus particulièrement de la « boutique d'or » dirigée par Hans
Taye que provient la tapisserie exposée, qui fait
partie d'une tenture de huit pièces (collection du
Mobilier national). Grâce aux travaux de Piero
Boccardo, nous savons que cet ensemble a appartenu au cardinal de Richelieu ; il était réparti, lors
de son décès entre la chambre et l'antichambre de
l'appartement neuf du Palais-Cardinal. La série,
qui comporte de nombreux fils précieux, fut alors
estimée 15 000 livres, somme élevée (Levi, 1985,
p. 34, nº 415). Richelieu la légua à Louis XIII
(idem, *op. cit.,* p. 76), ce qui explique qu'on la
retrouve ensuite dans l'inventaire du Mobilier de la
Couronne de 1663, où elle apparaît au numéro 22
des tapisseries de haute et basse lisse rehaussées
d'or. Comment le cardinal était-il entré en possession de cette tenture ? Nous pouvons douter qu'elle
ait été tissée pour lui car elle ne porte pas ses
armoiries, à la différence des pièces qu'il avait
spécialement commandées (Denis, 1998, p. 216-
218, fig. 166 et 168-171 ; voir aussi cat. exp. Paris,
1987, p. 56-57). Richelieu aurait donc pu l'acheter
toute faite auprès des tapissiers de la manufacture
du faubourg Saint-Marcel. Au décès de l'un de ses
directeurs, Charles de Comans, en janvier 1635, il

se trouvait au magasin des Gobelins « *une tanture
de tapisserie de soye rehaulssée d'or, les bordures à
fondz d'or, contenant huict pièces* […], *lad. tanture
contenant trente deux aulnes de cours sur trois
aulnes et demie de hault où est représentée l'histoire
de Diane* », prisée la somme considérable de
30 000 livres ; dans le magasin de la rue Neuve-
Saint-Médéric, on voyait encore « *six pièces de
tapisserie de lad. histoire de Diane dont les figures
sont rehaulsées d'or ayans lesdictes six pièces vingt
quatre aulnes de cours sur trois aulnes et demye de
hault* », évaluées 12 000 livres (AN, MC, LVII, 51,
29 janvier 1635, fos 109vo et 114ro). Ces tentures
peuvent faire penser à celle de Richelieu. Comme
nous savons que le ministre de Louis XIII a détenu
au moins deux tentures achetées d'occasion
(Schnapper, 1994, p. 126 et 154), il pourrait aussi
s'être procuré son *Histoire de Diane* auprès d'un
particulier. Par exemple, à Chilly, chez le maréchal
Antoine Ruzé d'Effiat, figurait en janvier 1633 une
« *tanture de tappisserye de haulte lisse de l'istoire de
Dianne rehaulsée d'or et d'argent doublée de
boucassin vert en huict pièces* », de trente-six aunes
sur trois aunes et un tiers de hauteur, estimée
8 000 livres (AN, MC, XIX, 404, 17 janvier 1633,
mention découverte par M. Weil-Curiel).

J. V.

Fig. 1. Manufacture du faubourg Saint-Marcel, d'après
Toussaint Dubreuil, *Diane avec Méléagre et Atalante.*
Madrid, Palacio Real.

87

88

Ateliers parisiens, d'après Laurent
Guyot et Guillaume Dumée

Histoire du Pastor Fido

Silvio et son chien

Paris, entre 1610 et 1630 | Laine et
soie ; sept fils de chaîne par centimètre

H. 4,100 ; L. 4,350

Hist. : vente Paris, hôtel Drouot, salles 5 et 6,
10 décembre 1995, nº 134 ; acquis à cette vente.
Bibl. : Fenaille, 1923, p. 225 ; Göbel, 1928, II,
fig. 40 ; cat. exp. Chambord, 1996, p. 32 ; Reyniès,
1999, p. 14.
Œuvre en rapport : autre version, collection de
l'État du Wurtemberg dans les années 1920
(détruite).

Chambord, château. Inv. DPOM 647

Après la mort d'Henri Lerambert, en 1608,
un concours fut organisé en 1610 afin de lui
trouver un successeur comme peintre pour les
tapissiers du Roi. Il fut proposé d'illustrer
quelques scènes du *Pastor Fido*. La pastorale de
Giambattista Guarini (1538-1612), publiée en
1590, remportait alors un vif succès, tant en Italie
qu'en France ou en Espagne. Laurent Guyot et
son beau-frère Guillaume Dumée, parmi quatre
candidats, remportèrent le concours, et créèrent
les cartons d'une tenture qui semble avoir compté
seize à dix-huit pièces. L'inventaire du mobilier
de la Couronne mentionne en effet sous le
numéro 5 une tenture du *Pastor Fido* en vingt-six
pièces, mais une version plus détaillée de ce même
inventaire, conservée aux Archives départemen-
tales de l'Oise, ne décrit que seize pièces, indiquant
en marge, comme l'a relevé Nicole de Reyniès,
que huit étaient en double – mais cette liste est
peut-être inachevée.

La tenture semble avoir joui d'un grand succès
pendant le premier tiers du siècle. Pas moins de
cinquante-neuf pièces sont signalées dans l'inventaire de François de La Planche, en 1627 – les
tentures comptant en général huit pièces. Les

« *desseins pintz à destrampe sur pappier* » s'y
trouvent aussi, au nombre de huit ; ils sont
« *garnyes de leurs bordures* ». L'inventaire d'Antoine
Ruzé d'Effiat, en 1633, en mentionne une tenture
en huit pièces, Richelieu en avait une à sa mort,
comme Mazarin, en 1653, ou plus tard Colbert.
Mais comme le remarquait Fenaille (1923, p. 227),
le succès de la tapisserie a dû rapidement passer,
puisque dans l'inventaire de l'atelier de Raphaël
de La Planche, en 1661, on ne trouvait plus mention que de deux pièces.

Le sujet (acte II) est décrit en détail dans l'inventaire
du mobilier de la Couronne déjà mentionné : « *La
7ᵉ représente Dorinde qui entretient Silvio dont elle est
amoureuse et qui luy promet de luy rendre Melampe
son chien qu'elle avoit adroitement fait cacher pour
rendre cette joye à son amant insensible.* » En réalité,
le format initial paraît avoir inclus à gauche une
autre scène de la rencontre de deux bergers, comme
le montre un autre exemplaire aux armes de France,
autrefois dans les anciennes collections du Wurtemberg – trois autres pièces de la même tenture
subsistent à Stuttgart, au Landesmuseum, comme
l'a indiqué Reyniès.

Reyniès en attribue le dessin à Dumée (1571-
1646), sur la comparaison de quelques dessins
subsistants de ce dernier, mais en l'absence de
toute vraie connaissance du style de Guyot, dont
les tissages connus des *Chasses de François Iᵉʳ* ne
sauraient rendre bien compte, il nous paraît difficile de trancher – rien n'indique que ces cartons
ne furent pas œuvres de collaboration. Quoi qu'il
en soit, cette pièce témoigne d'un goût un peu
archaïque pour l'association de plusieurs épisodes
dans une même image et pour un horizon très
haut placé, qui ferme l'espace en le rabattant sur
un plan presque vertical. Sur ce fond, les silhouettes se détachent nettement. L'auteur ne
recherche pas de grands effets d'expression des
affetti, mais une évocation simple et harmonieuse
de bergers dans leur milieu naturel.

E. C.

88

89

Ateliers du Louvre, d'après Simon
Vouet (Paris, 1590 – Paris, 1649)

Histoire de l'Ancien Testament

Moïse sauvé des eaux

Paris, entre 1630 et 1650 | Laine
et soie ; huit fils de chaîne par
centimètre

H. 4,950 ; L. 5,880 | Au milieu de la bor-
dure supérieure : armes de France et de
Navarre | Chiffre sur le milieu des bords :
L (Louis XIII)

Hist. : commandée par Louis XIII ; réservée pour
le Museum central des arts en 1797 ; versée au
musée du Louvre en 1907.
Bibl. : Guiffrey, 1892, p. 39-40 ; Fenaille, 1923,
p. 306-319 ; Göbel, 1928, II, p. 52-53, 77, 91, 108 ;
Niclausse, 1938, p. 35-36 ; Thuillier, 1985, p. 769 ;
B. Brejon de Lavergnée, 1987, p. 67-68 ; Joubert,
Lefébure et Bertrand, 1995, p. 141.
Exp. : Paris, 1930, nº 73 ; Londres, 1947, nº 74 ;
Versailles, 1967, nº 25 ; Paris, 1990, nº 142.
Œuvres en rapport : gravure par F. Tortebat, 1665.
Dessins : études de l'une des suivantes de la fille
de Pharaon, musée du Louvre (inv. RF 28228) et
Paris, Ensba (inv. M. 1280). Autres versions : un
fragment au musée des Gobelins au début du
siècle ; vente du comte de Chaudordy, Paris, 20-
23 avril 1903 (H. 3,650 ; L. 3,750) ; partie droite,
dans la collection Édouard Lawton, à la Cruz-
Floirac, au début du xxᵉ siècle ; partie droite, vente
10 avril 1919, nº 11 (H. 3,950 ; L. 2,800) ; partie
droite (la même que la précédente ?), vente Paris,
hôtel Drouot, salle 12, 31 mai 1967, nº 159
(H. 4,100 ; L. 3,000) ; vente Paris, palais Galliera,
15 juin 1971, nº 147 (H. 3,200 ; L. 1,400) ; vente
Paris, palais d'Orsay, 23 juin 1978, nº 153 ; vente
Paris, hôtel Drouot, 30 mai 1980, salles 5 et 6,
nº 106 (H. 3,520 ; L. 3,890 ; monogramme R de
Raphaël de La Planche) ; vente New York,
Sotheby's, 20 mai 1994, nº 108 (H. 3,480 ;
L. 3,840).

Paris, musée du Louvre. Inv. OA 6086

Cette tapisserie appartient à une tenture de
l'*Ancien Testament*, commandée par Louis XIII à
son premier peintre, Simon Vouet. Six scènes ont
été gravées en 1665 par le gendre du peintre, François Tortebat. La légende de l'une d'elles (*Samson
au banquet des Philistins*) permet de l'identifier
avec la mention de Félibien selon laquelle,
« [Vouet] *commença à faire pour Sa Majesté des
desseins de Tapisserie qu'il faisoit exécuter, tant à
l'huile qu'en détrempe* ». L'inventaire du Mobilier
de la Couronne, rédigé entre 1663 et 1673, en
attribue le tissage aux ateliers du Louvre. Rien ne
permet de dater la tenture précisément, et il n'est
pas impossible qu'elle ne comptât pas parmi les
tout premiers travaux de Vouet, comme il est
généralement admis, mais revienne plutôt à la fin
des années 1630. La bordure est sans doute due
à Jean Cotelle, dont on connaît des modèles
voisins dans son fameux recueil de dessins
(Oxford, Ashmolean Museum), et emploie un
répertoire ornemental dont on rencontre très peu
d'exemples avant 1640 : longs tores de feuilles de
chêne, médaillons à l'antique, rinceaux et arabesques, qui appartiennent au renouveau classique des mêmes années. Mais il existe au musée
du Louvre (inv. RF 28212) un dessin de Vouet
présentant deux études de l'un des putti du
cartouche inférieur, dessin que Barbara Brejon
était tentée d'attribuer à la dernière décennie de

l'artiste. Les deux études illustrent deux directions du jour différentes, de gauche à droite, et suggèrent ainsi le rôle essentiel de la bordure dans le placement spatial de la tapisserie.

Quoi qu'il en soit, il s'agissait là d'une sorte de défi pour Vouet, qui avait alors à faire les preuves de son talent dans un art très prisé par la cour, mais qu'il n'avait pas pratiqué encore. Le résultat est une réussite exceptionnelle. Rarement carton n'a pris aussi justement en compte le goût traditionnel de la tapisserie pour les grands espaces et les percées fuyantes des paysages, les thèmes végétaux, les compositions amples et animées. Vouet inventait un nouveau langage dans la tapisserie, fait de rondeur des formes humaines et de précision architecturale, conjuguant idéalisme des figures, couleurs claires et vives, et naturalisme des accessoires.

La qualité du tissage entre pour beaucoup dans cette réussite, qui simplifie avec beaucoup d'intelligence les volumes de Vouet pour leur donner une qualité vibrante, et qui joue à merveille des tons tranchés de la bordure ou de la gamme resserrée du coloris du paysage.

La tenture connut maintes reprises, notamment dans les ateliers fondés par les Comans et La Planche à Amiens (voir le *Sacrifice d'Isaac*, Paris, musée du Louvre). Il n'est donc pas étonnant de la voir gravée plus de quinze ans après la mort du peintre. C'était inaugurer là une pratique lourde de sens, puisqu'il s'agit de la première suite de gravures reproduisant une tenture en France : la tapisserie accédait ainsi à une dignité qui la rapprochait de la peinture de grand décor. Le Brun s'en souviendra en faisant graver ses tentures des *Éléments* ou des *Saisons*.

E. C.

90

90

Ateliers du Louvre, d'après Simon Vouet

Histoire de l'Ancien Testament

La Fille de Jephté

Paris, entre 1630 et 1650 | Laine et soie ; sept fils de chaîne par centimètre (huit dans la bordure)

H. 4,800 ; L. 5,950 | Chiffres et armoiries : bordure supérieure, armes de France et de Navarre ; bordure inférieure, emblème de Louis XIII (massue) et sa devise, *ERIT HAEC/QVOQVE COGNITA/MONST[R]IS* ; bordures latérales, chiffre *L* couronné

Hist. : commandée par Louis XIII pour le Louvre ; 1673, inventaire des collections du Mobilier de la Couronne (n° 21 des « *tapisseries de laines et soye dessorties* ») ; conservé depuis dans les collections nationales.
Bibl. : Félibien, 1685, p. 88 ; Guiffrey, 1885-1886, I, p. 371, 1892, p. 55, [1900], p. 36 ; Fenaille, 1923, p. 309-319 ; Coural, 1967, p. 64 ; B. Brejon de Lavergnée, 1987, p. 60-67 ; Lavalle, 1990, p. 489-508 ; Mérot, 1992, p. 563-572 ; Lavalle, 1996, p. 144-154 ; Reyniès, 1996, p. 14-32.
Exp. : Paris, 1902, n° 26, 1930, n° 73 ; Londres, 1947, n° 74 ; New York, 1947-1948, n° 95 ; Chicago, 1948, n° 68 ; Versailles, 1967, n° 25 ; Paris, 1990, n° 143.
Œuvres en rapport : dessins conservés à Paris, au musée du Louvre, département des Arts graphiques, inv. RF 28223 et 28285 ; Besançon, musée des Beaux-Arts, inv. D. 2665 ; Saint-Pétersbourg, musée d'État de l'Ermitage, inv. 6403 ; gravure de François Tortebat, 1665 ; autres versions au château d'Oiron.

Paris, Mobilier national. Inv. GMTT 23/2

Comme la tapisserie de *Moïse sauvé des eaux* (cat. 89), la nôtre fait partie de la tenture commandée par Louis XIII à Simon Vouet dès son retour d'Italie, en 1627. Cela est attesté dès 1665 par les gravures de François Tortebat reproduisant six scènes de l'Ancien Testament. La mention latine qui se trouve sous l'une d'entre elles, *Samson au banquet des Philistins,* nous apprend qu'il s'agit d'une commande royale à Simon Vouet pour le château du Louvre. Seules les pièces *Moïse* et *la Fille de Jephté* semblent avoir été tissées aux ateliers du Louvre, et ce sont les deux seules qui possèdent une bordure aux armes royales.

Or Tortebat, qui est, rappelons-le, le gendre de Simon Vouet, publie six scènes. L'ensemble fut-il tissé au Louvre et quatre pièces ont-elles disparu ou, dès le départ, une partie de la commande fut-elle confiée à l'atelier des Comans au faubourg Saint-Marcel ? Cet atelier parisien avait deux succursales, l'une à Tours et l'autre à Amiens. *Le Sacrifice d'Isaac*, scène de Vouet faisant partie de la même tenture, a été tissé au moins trois fois dans l'atelier d'Amiens (musée du Louvre, musée de Tel-Aviv, Châteaudun), une fois au faubourg Saint-Marcel (Mobilier national). La seule tenture complète de six pièces, achetée, en 1971, par les Monuments historiques pour le château d'Oiron, ne porte pas de marque mais ses bordures à guirlandes de fleurs rappellent celles de l'atelier Comans vers 1640-1650.

La scène de la pièce présentée ici est tirée du livre des Juges (11, 34-38), au moment précis où Jephté, ayant promis de sacrifier à Dieu la première personne qui sortirait de sa maison en témoignage de reconnaissance pour ses victoires contre les Ammonites, voit accourir sa fille unique dansant au son des tambourins. De désespoir, il déchire alors ses vêtements.

Il faut que Vouet ait bien compris les possibilités de la tapisserie pour rendre la scène si claire. Les dessins préparatoires indiquent qu'il étudiait avec précision les gestes et les traits : le mouvement de Jephté déchirant ses vêtements, le regard du cavalier de gauche se penchant pour l'observer, la vieille femme de l'extrême gauche, au regard figé, qui semble comprendre l'horreur de la situation. Cela permettait ensuite au lissier, avec les moyens qui lui sont propres, d'interpréter et de rendre l'intention du peintre.

La bordure est très symétriquement ordonnancée, avec quatre profils en médaillon sur fond mosaïqué aux angles, les chiffres et armoiries au centre des bordures. L'ensemble est traité en grisaille d'or, les motifs de grotesques et rinceaux s'enlèvent sur un fond bleu. Le très fort relief donné aux putti qui soutiennent les écussons, les épais tores de lauriers qui délimitent la bordure montrent que celle-ci est délibérément traitée comme une bordure de fresque ou de tableau dans la tradition des stucs de la Renaissance ou des boiseries des cabinets peints de l'époque. L'ombre qui souligne l'encadrement intérieur à gauche et sur la partie supérieure, qui se retrouve sur de nombreuses tapisseries flamandes ou françaises, et les ombres portées des cartouches ou des guirlandes confirment bien que l'effet de trompe-l'œil est volontaire.

Nous savons par Félibien que Vouet se faisait aider pour ses cartons de tapisserie, de paysagistes comme François Bellin et Pierre Patel et d'ornemanistes comme Jean Cotelle. Nous ne pouvons négliger cette dernière indication au vu de ces bordures, mais la publication par Dorigny, en 1647, du *Livre de diverses grotesques d'après Simon Vouet* donne une idée du rôle du maître lui-même dans la diffusion de ce type d'ornement.

C. S.-V.

91

Manufacture de Raphaël de La Planche
Histoire de Psyché

Psyché raconte à ses sœurs comment l'Amour l'a chassée

Paris, entre 1633 et 1661 | Laine et soie ; huit fils de chaîne par centimètre

H. 3,880 ; L. 3,370

Hist. : collection Martin le Roy ; léguée le 24 juillet 1929.
Bibl. : Marquet de Vasselot, 1906-1909, IV, nº 10, pl. X ; Fenaille, 1923, p. 325 ; Göbel, 1928, II, fig. 57 ; cat. galerie Chevalier, 1998, s. p.
Exp. : Paris, 1936, nº 290.

Paris, musée des Arts décoratifs.
Inv. 27187*bis*

Cette pièce fut rattachée par Fenaille à une tenture de *Renaud et Armide* d'après les dessins de

Simon Vouet. L'historien y voyait Armide pleurant le départ de Renaud. Cette tenture fut réalisée d'après les tableaux du peintre à la galerie du château de Chessy, appartenant à Henry de Fourcy, surintendant des Bâtiments. Il subsiste de nombreux éléments de ce décor, mais aucun ne correspond au dessin de la présente pièce. Trois tentures de *Renaud et Armide* existaient dans le Mobilier de la Couronne, comprenant de six à huit pièces, mais aucune de celles-ci ne correspond au sujet de la présente pièce, même dans la description détaillée que donne la version la plus complète de l'inventaire, conservée aux archives de l'Oise. L'exemplaire donné par Louis XIII au cardinal Barberini, en dix pièces, ne contient pas non plus de sujet approchant. En fait, la principale raison de l'association proposée par Fenaille tenait à la bordure, « *exactement identique* » selon lui, mais différente en réalité, puisque toutes les pièces de *Renaud et Armide* ont des bordures à fond de rinceaux, alors que celle-ci porte des grappes de fruits. Une autre raison qui conduit à distinguer la présente pièce de cette tenture tient au fait que nous n'en connaissons qu'un seul exemplaire, mais plusieurs de chaque pièce de la tenture.

Marquet de Vasselot, dans le catalogue de la collection Martin le Roy, y voyait *Didon pleurant Énée*, et Nicole Chevalier *Psyché pleurant le départ de l'Amour auprès de ses sœurs,* d'une tenture de l'*Histoire de Psyché,* en la mettant en rapport avec

une pièce de la collection Chevalier montrant sans doute *Vénus confiant à Psyché la boîte de Proserpine* (fig. 1) qui possède, elle, exactement la même bordure, ainsi que la marque R de Raphaël de La Planche. Il nous semble que cette dernière hypothèse est la bonne, même si une suite de *Théagène et Chariclée,* au Los Angeles County Museum, affiche la même bordure, mais d'un format supérieur. De fait, l'inventaire de 1661 de l'atelier de La Planche mentionne sur trois métiers une tenture « *du dessin de Psyché* ». Ces pièces ont été identifiées généralement à la tenture bien connue par de multiples exemplaires, inspirée des gravures du Maître au Dé et peut-être d'une tenture bruxelloise du XVIᵉ siècle appartenant au Mobilier royal, brûlée à la Révolution. Outre cette dernière, l'inventaire du Mobilier de la Couronne mentionne quatre autres tentures de la *Fable de Psyché,* décrites avec précision comme provenant toutes de la manufacture de La Planche, mais seulement deux du « *dessin de Raphaël* » (nᵒˢ 47-48). Parmi les deux autres, la tenture enregistrée sous le numéro 41 avait environ quatre mètres de hauteur, ce qui correspond à celle de la collection Chevalier (3,95 mètres) et à celle-ci, et fut donnée en 1666 à l'électrice de Brandebourg – malheureusement la bordure n'est pas décrite. Il est possible donc qu'en réalité cet atelier a produit en même temps deux tentures fort différentes sur le même sujet.

Une difficulté supplémentaire est d'identifier l'auteur des cartons. En effet, si la bordure renvoie aux modèles produits dans l'atelier de Vouet par Jean Cotelle, les figures n'ont pas le style de physionomie et de drapés de Vouet. Au contraire, elles présentent un aspect italianisant et plus particulièrement florentin, comme le palais à deux loggias au fond et sont assez comparables à celles des grands tableaux sur le *Roland furieux* du musée Bargoin de Clermont-Ferrand. Mais il faudra retrouver d'autres pièces de cette tenture pour espérer en identifier l'auteur.

E. C.

91

Fig. 1. *Vénus confiant à Psyché la boîte de Proserpine.* Ancienne collection Chevalier, collection particulière française.

92

Atelier parisien, d'après Philippe
de Champaigne (Bruxelles,
1602 – Paris, 1674)

Histoire de la Vierge

La Nativité de la Vierge

Paris, vers 1640 | Laine et soie ; huit
fils de chaîne par centimètre

H. 4,900 ; L. 6,230 | Dans les angles supé-
rieurs : armes de Richelieu ; aux milieux :
son chiffre | Dans les angles inférieurs :
armes de Le Masle | Inscriptions :
dans le cartouche supérieur, *NATIVITAS.
BEATAE : / MARIAE. VIRGINIS* ;
dans le cartouche inférieur, *SVMPTIBVS.
REV.MI ᴱᵀ. ILL. MI CAPITVLI.
ARGENTINENSIS / PRO. VSV.
CATHEDRALIS. ECCLESIAE / ANNO. 1739*

Hist. : commandée par l'abbé Le Masle en 1637 ;
livrée au chapitre de Notre-Dame de Paris
en 1640 ; vendue par le chapitre au chapitre
de la cathédrale de Strasbourg en 1736 ; classée
monument historique en 1978.
Dessin : musée du Louvre, département des Arts
graphiques (inv. 19872 ; H. 0,437 ; L. 0,647).
Bibl. : Fenaille, 1923, p. 262 ; Lejeaux, 1948,
p. 406-407 ; Notter et Sainte Fare Garnot, 1996,
p. 6-7 et 44-45.
Exp. : Bruxelles, 1947, nᵒ 47 ; Arras, 1996, s. n.

Strasbourg, cathédrale

L'*Histoire de la Vierge* est avec l'*Histoire de saint
Gervais et saint Protais* l'une des tentures religieuses
les plus importantes du siècle, de par la qualité de
ses commanditaires, de sa destination et de ses
peintres. C'est aussi, grâce aux registres du
chapitre de Notre-Dame, l'une des mieux documentées, bien qu'elle soulève encore de nombreuses questions.

La tenture, en quatorze pièces, fut commandée par
l'abbé Le Masle, prieur des Roches, pour Notre-
Dame de Paris, dont il était chantre. Responsable
par cette dernière charge de l'intendance du chœur
de la cathédrale, il était aussi l'intendant de
Richelieu, dont les armes figurent dans la bordure
supérieure de toutes les pièces, pour la construction et l'aménagement de ses demeures. Quel rôle
exact a joué le cardinal ? Au moment où une
campagne de travaux visait à rénover une partie du
chœur de l'église métropolitaine, en 1638, à la suite
du vœu de Louis XIII consacrant le royaume à la
Vierge, la commande d'une tenture sur la vie de la
Mère de Dieu à Philippe de Champaigne, peintre
favori du cardinal et qui reçut la commande du
tableau du maître-autel représentant le vœu du
Roi (Caen, musée des Beaux-Arts), ne pouvait pas
être sans une grande portée politique et religieuse.
Il est probable que l'ensemble, maître-autel et
tapisserie, fut élaboré selon un plan concerté. Les
délibérations du chapitre enregistrent en avril 1638
le désir de Le Masle d'offrir une tenture de tapisserie en quatre pièces. Ce dernier ne fut-il qu'un
instrument, notamment financier, de la volonté
du ministre, ou un courtisan habile qui reporta
sur son maître une partie du mérite de son initiative ? Sans pouvoir répondre, on notera que la
deuxième pièce de la tenture, *la Présentation de la
Vierge au Temple*, porte les armes d'un autre secrétaire du ministre, Charpentier.

La principale question soulevée par ces deux
premières pièces, les deux d'après Champaigne,
est celle du tissage : à qui put être confiée une
commande si prestigieuse ? Le nom de Pierre
Damour n'apparaît que sur les pièces tissées à
partir des années 1650 et rien n'indique qu'il eut
la commande dès son origine. Les deux premières
pièces furent réceptionnées par le chapitre en
novembre 1640 – mais il faudra dix-sept ans pour
achever le cycle, et deux changements de peintre.
La très haute qualité du tissage montre à quel
niveau s'était hissé l'art de la lisse à Paris, un tiers
de siècle après les initiatives d'Henri IV. Le style de
Champaigne, dans ses moindres nuances, est
reconnaissable. Un tissage si minutieux d'un
tableau si riche en détails pourrait faire reconnaître là un premier asservissement de la tapisserie à la peinture, mais l'ampleur de la composition
confère à la scène une respiration digne de sa
grande échelle et convenable à l'art de la lisse.

En 1657, les cartons garnis de leurs cadres furent
donnés par Le Masle à la cathédrale, ce qui
témoigne du soin à vrai dire exceptionnel que le
commanditaire et peut-être le peintre leur avaient
porté – ceux qui subsistent sont, avec ceux de la
tenture de *Saint Gervais*, les seuls à échelle d'exé-

cution que l'on conserve aujourd'hui de la tapisserie française de cette première moitié du siècle. Brice (1698, II, p. 345) les date de 1636. Pour une raison inconnue, le peintre abandonna la commande après deux cartons – alors qu'il acheva celle de *Saint Gervais.*

La pièce présente le grand intérêt iconographique d'être l'une des quelques tapisseries de l'époque à représenter sous couvert d'exactitude historique un intérieur contemporain, un intérieur bourgeois, raffiné sans ostentation, où toute la place du luxe est concentrée sur la belle cheminée ornée d'un bas-relief montrant une Circoncision, préfigurant une autre naissance, sur le lit à passementerie, et sur l'orfèvrerie. On remarquera le berceau, dont c'est l'une des rares images pour l'époque, et le rideau pendu à la cheminée, qui évite le refoulement de la fumée.

La superbe bordure est sans nul doute due à Champaigne, dont on reconnaît bien le type des angelots. Elle pouvait apparaître en 1640 d'un style un peu dépassé, avec ses cartouches et ses écus très découpés, qui viennent s'accrocher à un encadrement architecturé d'une rigueur toute classique. Elle sera reprise, avec quelques petites variantes, dans toutes les autres pièces.

E. C.

qui se plaît dans les compositions chargées, se démarque donc assez nettement de celui de ses prédécesseurs, notamment dans le traitement des drapés, chez lui amples et mouvementés.

Avec la première pièce de la tenture, nous avons voulu exposer ici celle qui clôt le cycle. Le carton, redécouvert par Pierre Rosenberg, fut peint au début de 1657 (musée de Mayence). Le couronnement de la Vierge est à vrai dire un sujet rarissime dans la peinture française du temps, sans doute parce que sa source ne se trouve pas dans les Écritures, mais dans des textes apocryphes, que les prescriptions du concile de Trente avaient déconseillés aux artistes d'employer. Mais la vision glorieuse de la Mère du Christ ne pouvait guère être absente d'une suite toute à sa louange. C'est tout naturellement que Poerson remploie une iconographie médiévale mettant en valeur les attributs de la Vierge, le miroir sans tache, l'*hortus conclusus,* la porte céleste, le puits, la fontaine, la lune, éclairée par le soleil et qui réfléchit sa lumière, le palmier, le serpent, qu'en nouvelle Ève, elle écrase. Un concert d'anges musiciens accompagne ce couronnement, l'élément musical étant indissociable à l'époque de la vision de la gloire.

La commande fut adressée à Pierre Damour, qui signa la pièce avec fierté, en toutes lettres, et non avec une simple marque. Il avait livré en 1652 la

première pièce qu'on peut sans doute lui attribuer, *l'Annonciation,* et les dix autres avant 1657, c'est-à-dire à un rythme moyen de six mois par pièce. Un tel rythme suppose, la taille des pièces faisant plus de vingt-cinq mètres carrés, un atelier particulièrement nombreux.

Par rapport aux quatre cartons préservés qui appartiennent aux compositions de Poerson, trois des tapisseries correspondantes sont inversées, ce qui suppose une technique prédominante de basse lisse et un changement de technique au moins pour cette dernière pièce. Damour, né à Paris en 1610, était établi à Reims, où il avait été formé par le lissier flamand Daniel Perpersack. Il y reçut d'importantes commandes de personnalités parisiennes dans les années 1640. Machault lui attribue aussi deux pièces inspirées des *Mois Lucas* (1998).

Il est remarquable de constater que vingt ans après la commande de la première pièce, l'on a choisi de garder la même bordure, pour conserver à la tenture son unité, alors qu'elle pouvait paraître démodée. Seules les figures dans les médaillons latéraux ont changé (cela, dès la septième pièce). Par rapport à *la Nativité de la Vierge,* le tissage s'est alourdi, offrant une restitution plus schématique du carton – cela est particulièrement manifeste sur la bordure.

E. C.

93

Atelier de Pierre Damour (Paris, 1610 – après 1660), d'après Charles Poerson (Metz, 1609 – Paris, 1667)

Histoire de la Vierge

Le Couronnement de la Vierge

Paris, vers 1660 | Laine et soie ; huit fils de chaîne par centimètre

H. 4,850 ; L. 5,800 | Inscription dans le cartouche supérieur : *CORONATIO BEATAE / MARIAE VIRGINIS* | Marque en bas, à droite : *F. PAR. DAMOUR*

Hist.: voir le cat. nº 92.
Bibl.: Lejeaux, 1948, p. 417 ; Reyniès, 1997, p. 154.
Exp.: Bruxelles, 1947, nº 52 ; Strasbourg, 1966, nº 40 ; Arras, 1996, s. n.

Strasbourg, cathédrale

La création de la tenture fut interrompue, sans doute à cause du décès de Richelieu, pendant dix ans. Pour des raisons encore inconnues, c'est à Jacques Stella que l'on demanda de continuer la suite. Il réalisa donc, en 1650, un imposant *Mariage de la Vierge* (carton aujourd'hui à Toulouse, au musée des Augustins), qui maintenait un même esprit de rigueur solennelle magnifiée par l'architecture. D'une façon étonnante, peut-être en raison des troubles de la Fronde, le carton fut tissé à Bruxelles. Sans que nous sachions pourquoi, l'on s'adressa deux ans plus tard à un nouveau peintre, Charles Poerson. L'artiste, récemment remis en lumière, était comme d'autres anciens assistants de Simon Vouet l'un des spécialistes reconnus pour les cartons de tapisserie. Son style un peu lourd,

93

94

94

Ateliers bruxellois, d'après Charles
Poerson

Histoire de Clovis

La Bataille de Tolbiac

Bruxelles, entre 1650 et 1670 | Laine
et soie ; huit-neuf fils de chaîne
par centimètre

H. 3,630 ; L. 5,680

Bibl. : Reyniès, 1995, p. 190, nº 107b.
Œuvre en rapport : autre version, Bruxelles, hôtel
de ville (H. 3,650 ; L. 7,120).

Reims, palais du Tau, dépôt du Mobilier
national. Inv. Gob. 8

Il pourra sembler étrange d'exposer une tapisserie tissée à Bruxelles dans cette rétrospective d'art
français. C'est qu'il a paru utile de rappeler ainsi le
poids des échanges entre deux centres artistiques,
qui ont produit des œuvres pouvant se réclamer à
quelque titre de l'un ou l'autre. Charles Poerson,
l'un des principaux spécialistes de cartons de tapisserie selon le premier historien de la peinture
française du XVIIᵉ siècle, André Félibien, fit la
plupart de ses cartons pour des ateliers bruxellois.
Sur les cinq tentures dont le dessin paraît pouvoir
lui revenir, quatre en effet sont d'exécution flamande. Cette collaboration n'a donc pas le caractère ponctuel qu'elle a pu avoir dans l'histoire de la
tapisserie, mais elle reflète, selon nous, une certaine
difficulté des ateliers flamands à se procurer des
dessins de qualité au milieu du XVIIᵉ siècle et la
reconnaissance d'un ascendant des modèles français. Ce pourrait être l'un des premiers signes de la
force d'attraction européenne que commençait à
prendre l'art décoratif français.

D'un point de vue plus pratique, cette collaboration s'explique par le rôle actif de Jean Valdor
(1616-1675), personnalité importante du monde
de l'art dans les années 1650. D'origine liégeoise,

il appartenait à la nébuleuse des graveurs flamands
actifs à Paris et avait obtenu un brevet de logement
aux galeries du Louvre en 1645. Marchand, comme
beaucoup de ces artistes, il servit d'intermédiaire
entre lissiers flamands et artistes français dès 1650.
C'est lui qui semble avoir commandé à Poerson
tous les cartons qui furent tissés à Bruxelles (voir
Reyniès, 1995, p. 108-109, et Uhlmann-Faliù,
1978).

Le sujet de la tenture, comme l'a relevé Reyniès
(*op. cit.*, p. 185), suggère une commande particulière émanant d'un haut personnage français.
Contrairement aux sujets antiques des autres
tentures de Poerson, l'*Histoire de Clovis* était une
entreprise de glorification nationale, une sorte
d'*Histoire de Constantin* à la française – et pouvait
difficilement trouver preneur en Flandres ou
ailleurs. Valdor, qui avait en 1649 fait paraître à

ses frais un très luxueux ouvrage à la gloire de
Louis XIII, *les Triomphes de Louis le Juste,* aurait pu
avoir l'intention de faire sa cour au jeune Roi en
commandant une tenture sur le premier roi
français qui fût chrétien. Clovis était une figure
alors remise à l'honneur, comme le montre par
exemple le *Clovis ou la France chrétienne* de Desmarets de Saint-Sorlin, publié en 1657.

Reyniès a retrouvé deux suites, appartenant au
Mobilier national et à l'hôtel de ville de Bruxelles,
toutes flamandes. La première, à laquelle appartint la pièce présentée, porte la marque de Jan
Le Clerc, actif de 1636 à 1676. La bordure demeure
totalement flamande de style et ne saurait revenir
à Poerson.

Le sujet de la pièce illustre la bataille de Tolbiac,
livrée par Clovis contre les Alamans près de Cologne, en 496. C'est au cours de cette bataille, à un
moment désespéré, que le roi des Francs aurait fait
le vœu de se convertir au dieu de son épouse,
Clotilde, en cas de victoire. Clovis, agenouillé à
droite, voit apparaître un ange armé d'un écu de
France (dont les trois lis sont apparus beaucoup
plus tardivement).

Poerson se montre là un vrai rival de Le Brun, plus
jeune de dix ans, et de ses *Batailles d'Alexandre*
dans les sujets guerriers à nombreuses figures. Le
double exemple de *la Bataille du pont Milvius* par
Jules Romain au Vatican, tissée peut-être au même
moment dans les ateliers de Maincy, et par Rubens,
dans l'*Histoire de Constantin* ont certainement
inspiré l'artiste, comme le premier peintre. La
question est de savoir si cette *Bataille de Tolbiac*
précède le carton de Le Brun. Si tel est le cas,
comme nous le croyons, il faut restituer à Poerson
une place éminente dans la création du genre
héroïque de la bataille dans sa version française, si
chère à Louis XIV. L'autre exemplaire connu de la
pièce (fig. 1) est plus large d'un mètre cinquante
environ et présente une composition mieux équili-
brée, une grande figure d'archer menaçant Clovis
à gauche créant une tension qui disparaît ici.

E. C.

Fig. 1. Atelier bruxellois, d'après Charles Poerson,
la Bataille de Tolbiac. Bruxelles, hôtel de ville.

95 (a, b et c)

Ateliers du faubourg Saint-Germain,
d'après Michel Corneille (Orléans,
vers 1606 – Paris, 1664)

Histoire de Clorinde et Tancrède

a- *La Rencontre de Clorinde et Tancrède*

Paris, entre 1645 et 1660 | Laine et
soie ; huit fils de chaîne par centimètre

H. 3,213 ; L. 3,850

> **Œuvres en rapport:** autres versions, vente Paris,
> 15 mars 1865, n° 137 (H. 3,330 ; L. 3,330) ; vente
> Paris, hôtel Drouot, salle 10, 8 décembre 1994,
> n° 316 (H. 3,400 ; L. 3,600) ; vente Londres,
> Christie's, 2 mai 1997, n° 249 (H. 3,470 ;
> L. 2,940) ; Paris, musée des Arts décoratifs,
> inv. Pe 626 (H. 2,850 ; L. 3,600) ; Châteaudun, châ-
> teau (ancienne collection Empain).

b- *Tancrède rend à Herminie la liberté*

Paris, entre 1645 et 1660 | Laine et
soie ; huit fils de chaîne par centimètre

H. 3,440 ; L. 4,500

> **Œuvres en rapport:** autres versions, vente Paris,
> 15 mars 1865, n° 137 (H. 3,330 ; L. 2,000) ;
> Poznan (Pologne), Musée national ; Paris, musée
> des Arts décoratifs, inv. Pe 628 (H. 2,850 ;
> L. 3,600) ; Mailloc (Calvados), château ; vente
> Melun, hôtel des Ventes, 19 novembre 1994
> (H. 3,500 ; L. 4,500) ; vente Paris, 4 décembre
> 1933, n° 115 (H. 2,520 ; L. 3,900) ; vente
> Versailles, palais des Congrès, 14 mars 1976,
> n° 142.

95a

c- *Le Baptême de Clorinde*

Paris, entre 1645 et 1660 | Laine et
soie ; huit fils de chaîne par centimètre

H. 3,500 ; L. 2,840

> **Hist. :** don Delaroche-Vernet en 1938.
> **Bibl. :** Fenaille, 1923, I ; Göbel, 1928, II, pl. 55,
> p. 88 ; Coquery, 1996, p. 84-90.
> **Exp. :** Amsterdam, 1957, n°s 18 et 57 ; Versailles,
> 1967, n° 33 ; Chambord, 1996, p. 240-249.
> **Œuvres en rapport:** autres versions, Munich, mar-
> ché de l'art dans les années 1920 (Göbel, 1928,
> pl. 55) ; galerie Fischer, 22 novembre 1960, n° 329
> (H. 3,550 ; L. 2,660) ; Londres, The Spanish Art
> Gallery (H. 3,500 ; L. 2,700) ; vente Londres,
> Christie's, 6 mars 1980, n° 137 ; vente Paris,
> 15 mars 1865, n° 137 (H. 3,330 ; L. 2,000).

Paris, musée des Arts décoratifs.
Inv. 34130, 34129 et 34128

Nous avons voulu réunir ces trois pièces pour
donner à un cabinet reconstitué dans l'exposition
l'unité visuelle d'une même tenture. Elles tirent
leurs sujets d'un roman très en vogue au
XVIIᵉ siècle, *la Jérusalem délivrée* du Tasse, paru
pour la première fois en 1581, et traduit à de
nombreuses reprises en français. Le roman offrait
tout ensemble des scènes propices à l'expression
d'*affetti* particulièrement prononcés, et, avec les
croisades, un sujet auquel les Français pouvaient
s'identifier, comme le vante le préfacier d'une
édition de 1667 : « *La nation française a tant de
part à l'action éclatante qui en est le sujet* » (cité par
Bonfait et Hénin, 2000, p. 36, note 4). Vouet avait

déjà tiré une tenture d'un décor peint sur le sujet
à la galerie du château d'Henry de Fourcy. Les
protagonistes en étaient deux autres héros du
roman, plus célèbres, Renaud et Armide. Peut-être
est-ce pour se démarquer de ce précédent que
Corneille ou son premier commanditaire choisit
quelques épisodes centrés sur les personnages de
Tancrède, Herminie et Clorinde, constituant un
nœud tragique classique, le premier étant aimé de
la deuxième, mais n'aimant que la troisième. Les
Amours de la bordure rappellent assez qu'il est ici
question de passion amoureuse et que tous les faits
y trouvent leur source.

La Rencontre décrit l'instant amoureux, l'espèce de
coup de foudre ressenti par le croisé Tancrède à la
vue d'une jeune guerrière (« *Il la vit, l'admira et
ravi par sa beauté, brûla pour elle* », chant I), et que
les petits Amours manifestent bien. L'exemplaire
du musée des Arts décoratifs est la plus complète
des versions connues. La scène est sans architecture, chose rare dans la peinture française de
l'époque, mais fréquente dans la tapisserie.

Tancrède rend à Herminie la liberté offre l'exemple
(chant VI) de la magnanimité du héros, qui rend
la liberté à la fille d'un roi vaincu, avec toutes ses
possessions. Reviennent ici les motifs architecturaux chers aux peintres de la génération de
Corneille, pimentés de détails exotiques comme
ceux des Turcs prisonniers. La nature morte de

pièces d'orfèvrerie est souvent présente chez
l'artiste et donne sans doute un aperçu d'objets
contemporains, disparus aujourd'hui.

Le Baptême est l'épisode le plus dramatique, qui
mêle l'instant fondateur de la vie chrétienne et
celui de la mort. Blessée à mort par Tancrède en
combat singulier, Clorinde demande le baptême,
ayant appris le matin qu'elle était née chrétienne.

Le tissage semble revenir aux ateliers de Raphaël de
La Planche, puisque l'inventaire après décès de ce
dernier, rédigé en 1661, signale une quinzaine de
pièces de la tenture sur le métier, outre les huit
modèles peints sur toile.

On relève la présence de la tenture dans plusieurs
inventaires du XVIIᵉ siècle, comme celui d'Henriette
d'Angleterre. Six bordures différentes sont liées à
des pièces subsistant, ce qui laisse supposer que
les cartons furent mis au moins autant de fois sur
le métier. Le succès de la tenture est nettement
attesté par le fait que le Garde-Meuble de la
Couronne prit livraison entre 1685 et 1697 d'une
tenture « *manufacture de La Planche, représentant
l'Histoire de Clorinte et Tancrède* », ce qui n'infère
pas nécessairement qu'elle venait de tomber des
métiers, car la Couronne a pu acheter une suite
vieille de trente ans.

E. C.

95b

95c

96

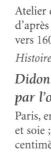

Fig. 1. D'après Michel Corneille, *Un architecte montre à Énée les plans d'un arc de triomphe*. Localisation actuelle inconnue.

96

Atelier du faubourg Saint-Germain, d'après Michel Corneille (Orléans, vers 1606 – Paris, 1664)

Histoire de Didon et Énée

Didon et Énée surpris par l'orage

Paris, entre 1650 et 1660 | Laine et soie ; huit fils de chaîne par centimètre

H. 3,560 ; L. 4,620 | Armes de Béthune, rentrayées après coup | Chiffre : *BS* (Béthune Sully)

> **Hist. :** don Gurnee, 1926.
> **Bibl. :** Fenaille, 1923, p. 21 ; Niclausse, 1948, p. 25 ; cat. exp. Paris, 1995(1), p. 82 ; Coquery, 1996, p. 95, nº T6.3.
> **Exp. :** Paris, 1986, s. n., 1995, repr. p. 82.

Paris, musée du Petit Palais, musée des Beaux-Arts de la Ville de Paris. Inv. PPO 3513

Michel Corneille est un élève de Simon Vouet, dont l'évolution stylistique résume bien l'inflexion vers un classicisme soucieux d'exactitude archéologique et architecturale, comme de gestes précis et éloquents, qui caractérise la peinture parisienne

sous la régence d'Anne d'Autriche – et à sa suite, la tapisserie. Son activité semble avoir été pour une large part consacrée à des cartons pour les ateliers du faubourg Saint-Germain, et il nous reste aujourd'hui de lui plus de compositions tissées que de tableaux. Après Vouet, c'est aussi le peintre du milieu du XVIIᵉ siècle qui a le plus produit pour la tapisserie, jouissant dans ce domaine d'un grand succès.

L'*Histoire de Didon et Énée* est l'une des six ou sept tentures exécutées d'après ses cartons. Elle est mentionnée, en huit pièces, dans l'inventaire de Raphaël de La Planche, tant par les maquettes de petite taille que sous la forme des cartons à l'échelle des tapisseries. Son sujet emprunte sa source à l'espèce de bible profane qu'était pour les hommes du XVIIᵉ siècle l'*Énéide*. Il est remarquable que les trois tentures à sujets profanes de l'artiste soient tirées des trois textes les plus en vogue alors : l'*Énéide*, les *Métamorphoses*, la *Jérusalem délivrée*, comme si le manufacturier avait voulu répondre de façon très étudiée aux attentes de son public potentiel.

Le sujet de la pièce est tiré du livre IV (v. 160-166). Didon et Énée, surpris par un violent orage provoqué par Junon, se réfugient dans une grotte où naîtra leur idylle. Comme à son habitude,

Corneille intègre la scène dans un paysage encore très imprégné du style de Vouet, avec ses morceaux naturalistes, comme les iris au premier plan ou les étonnantes longues gouttes de pluie, dont c'est à notre connaissance la seule représentation dans la tapisserie ancienne. L'envolée toute lyrique du drapé d'Énée prolonge elle aussi le panache des compositions de Vouet.

Deux nouvelles pièces de la tenture nous sont connues, qui portent à cinq sur huit le nombre des pièces localisées. Elles représentent une scène de banquet et un architecte montrant à Énée les plans d'un arc de triomphe et sont conservées à Barnard Castle (Durham), au Bowes Museum – une autre version de la seconde est aussi passée en vente (Monaco, vente Christie's, 15 décembre 1996, n° 145 ; H. 3,300 ; L. 3,450 ; fig. 1).

La bordure à guirlande de fleurs tenues par deux rubans bleus sur fond clair, comme le montrent bien les Amours aux coins, est du dessin de Corneille. On la trouve employée dans une suite de l'*Histoire de Tancrède et Clorinde* (Châteaudun, château), et avec un fond bleu, dans une autre suite de cette dernière (cat. 95a à 95c), ce qui laisse supposer que l'*Histoire de Didon et Énée* en est chronologiquement proche.

E. C.

Pour ce qui est des *Jeux d'enfants* dont les cartons apparaissent dans l'inventaire de 1661 de l'atelier de Raphaël de La Planche, rue de la Chaise, la composition en est assez simple. Il s'agit de personnages disposés en frise sur un fond de paysage, mettant cette tenture à la limite des « verdures ». La bordure de la tenture conservée est un enroulement de fleurs et de feuillages entre deux baguettes sculptées ; l'autre tenture, entrée au Garde-Meuble en 1667, avait pour bordure une « *baguette couleur argent entourée d'un rinceau de feuilles couleur de bronze doré sur un fond bleu* ». Ces bordures étroites, sans effet de relief sauf une légère ombre, sont assez fréquentes dans de nombreuses tapisseries flamandes et parisiennes.

La tenture comprenait six sujets, ce chiffre apparaît dans les tableaux inventoriés chez Raphaël de La Planche et dans les deux mentions de l'inventaire du Mobilier de la Couronne. Certains sont facilement identifiables : *Colin-maillard* (présenté ici) ; *la Balançoire* (conservé au Mobilier national) ; *le Cheval fondu* et *le Jeu de quilles* (envoyés sous Louis-Philippe au château de Pau, respectivement pour le salon d'attente et la chambre de Jeanne d'Albret, où elles se trouvent toujours – entrées régularisées en 1842 et en 1849) ; et *le Char traîné par des chiens* (conservé au Mobilier natio-

nal). Bien que cette dernière pièce ait malencontreusement perdu sa bordure lors d'une restauration au début du siècle dernier, il n'y a aucune hésitation sur le style, il s'agit bien de la même tenture. Reste le sixième sujet. Curieusement, Guiffrey ([1900], p. 49) comme Fenaille (1923, p. 374) énumèrent sept sujets, les cinq ci-dessus plus *les Billes* ou *la Poupée* (inv. GMT 58/3) et *les Billes* ou *la Blocade* (ancien numéro 3547 de l'inventaire de 1855), considérant *la Poupée* comme le fragment droit d'une tapisserie dont l'autre partie, *les Billes,* serait la scène principale. Mais une confusion a dû se produire dès le XIXe siècle entre les *Jeux d'enfants* de Corneille et ceux qui furent tissés à Beauvais sur les dessins de Damoiselet, transposant d'ailleurs l'idée de Corneille de jeux d'enfants dans des paysages mais d'un style très différent, car la tapisserie citée par les deux auteurs comme étant *les Billes* de Corneille est à l'évidence une pièce de la tenture de Beauvais. Reste le problème de la tapisserie de l'Institut Courtauld, de Londres, identifiée par Yves Picart comme *la Main chaude* et par Emmanuel Coquery comme *le Pet-en-gueule*. Le style en est très proche de celui de Corneille, mais comment se rattache-t-elle à cette tenture ?

C. S.-V.

97

Manufacture de Raphaël de La Planche, faubourg Saint-Germain, d'après Michel Corneille

Jeux d'enfants

Colin-maillard

Paris, vers 1655-1660 | Laine et soie, huit-neuf fils de chaîne par centimètre

H. 3,950 ; L. 4,660

> **Hist. :** entrée en 1691-1692 au Mobilier de la Couronne lors de la dernière vente du fonds de l'atelier ; n'a pas quitté depuis les collections nationales.
> **Bibl. :** Guiffrey, 1885-1886, I, p. 343 et 361, 1892, p. 99, [1900], p. 49-50 ; Fenaille, 1923, p. 373-374 ; Coquery, 1995, p. 70-79 ; Picart, 1995, p. 140-151 ; Mironneau, 1997, p. 13.

Paris, Mobilier national. Inv. GMTT 58/1

Lors de la liquidation de la manufacture de La Planche du faubourg Saint-Germain (rue de la Chaise), deux tentures de *Jeux d'enfants* en six pièces furent cédées au Mobilier de la Couronne. L'une est apportée le 28 août 1667 (AN, O¹ 3304, f° 53), l'autre en 1691-1692, à une date difficile à préciser en raison de folios manquant dans le registre correspondant du journal du Garde-Meuble (*ibid.*, O¹ 3306).

L'une et l'autre figurent au chapitre des « *tapisseries de haute et basse lisse de laine et soye* », respectivement sous les numéros 67 et 164, mais seule la première, dont la bordure ne correspond pas à la nôtre, est donnée comme du « *dessein de Corneille* ».

Il s'agit de Michel Corneille l'Ancien (vers 1603-1664), dont le rôle comme cartonnier a été mis en lumière par Yves Picart et Emmanuel Coquery.

97

98

*Volumnie victorieuse
de Coriolan*

Paris, milieu du XVIIᵉ siècle | Laine et
soie ; huit fils de chaîne par centimètre

H. 3,300 ; L. 3,320

Hist. : Hambourg, marché de l'art en 1996 ; Vannes,
vente 5 décembre 1998 (retirée) ; achat grâce au
mécénat de Michel et Hélène David-Weill, 2000.
Bibl. : Rondot, 2001, p. 93, nº 24.

Paris, musée des Arts décoratifs.
Inv. 2000.43.1

Le général romain Caïus Marcius, dit Coriolanus en raison de sa victoire sur la cité de Co-
rioles, après maints autres succès militaires, s'attira

les foudres du peuple par son arrogance et fut
banni de Rome. Il s'allia alors aux Volsques, et,
en 489, marcha sur la ville. Effrayées, les femmes
romaines demandèrent alors à la mère de
Coriolan, Volumnie (nom donné par Plutarque
alors que Tite-Live, dans l'*Histoire romaine,* lui
attribue celui de Véturie), d'intervenir auprès de
son fils. Plutarque décrit la scène d'intercession
dans les *Vies parallèles* (traduction de J. Alexis
Pierron, Flammarion, 1995) : « *Là dessus elle*
[Volumnie] *fit lever les enfants et Vergilie* [femme de
Coriolan, que Tite-Live nomme Volumnie] *et
marcha avec les autres femmes vers le camp des*

Volsques [...], *il céda à l'émotion et, bouleversé à
cette vue, il ne put rester assis tandis qu'elle avançait :
il descendit vivement et, s'élançant à sa rencontre, il
l'embrassa la première et très longtemps, avant
d'embrasser sa femme et ses enfants...* » L'épisode
pourrait correspondre cependant à la chute du
discours de Volumnie à l'égard de Coriolan : « ...
*et sur ces mots elle se jeta à ses genoux, en même
temps que sa femme et que ses enfants. Et Marcius de
s'écrier :* "*Que fais-tu là, ma mère ?*" *Il la relève et, lui
pressant fortement la main :* "*Tu as remporté, dit-il,
une victoire heureuse pour la patrie, mais fatale pour
moi. Je vais partir, vaincu par toi seule.*" »

Fig. 1 : Atelier parisien, *Didon préparant le bûcher,* milieu du XVIIᵉ siècle. Localisation actuelle inconnue.

Fig. 2 : Atelier parisien, *Roxane choisie par Alexandre,* milieu du XVIIᵉ siècle. Localisation actuelle inconnue.

Fig. 3 : Atelier aubussonnais, *Volumnie victorieuse de Coriolan,* seconde moitié du XVIIᵉ siècle. Localisation actuelle inconnue.

Dès le début du XVIIᵉ siècle, l'histoire de Coriolan avait fait l'objet d'une vaste tenture tissée dans les ateliers du faubourg Saint-Marcel (dix-sept pièces, Paris, Mobilier national ; cinq pièces d'un autre ensemble, New York, Brooklyn Museum, voir Cavallo, 1995, p. 5-22 ; une pièce tissée à Tours dans une succursale de l'atelier du faubourg Saint-Marcel, acquise par le conseil général d'Indre-et-Loire). Les dessins, antérieurs à 1610, en seraient dus à Laurent Guyot selon Félibien et Henri Lerambert selon l'inventaire de Louis XIV (Guiffrey, 1886, p. 287 ; cat. exp. Versailles, 1967, p. 40, cat. 10).

Mais notre tapisserie s'intègre dans un autre cycle : elle célèbre en réalité non le général Coriolan mais sa mère, Volumnie, héroïne antique au même titre que sept autres femmes illustres, formant les sujets d'une même tenture : Roxane couronnée par Alexandre, Porcia femme de Brutus, Didon maîtresse d'Énée, Lucrèce femme de Tarquin Collatin, Artémise femme de Mausole, Julia femme de Pompée, Cléopâtre maîtresse d'Antoine (voir cat. exp. Chambord, 1996, p. 200-214, notices de Nicole de Reyniès et Martine Mathias pour un ensemble conservé au château de Châteaudun).

Notre pièce provient d'un premier tissage, très vraisemblablement parisien, du milieu du XVIIᵉ siècle, sans doute effectué à la suite d'une commande importante étant donné la qualité du dessin, la délicatesse du coloris et la finesse de l'exécution. La bordure, formée de grands rinceaux d'or sur fond bleu en trompe l'œil (tels que ceux de Charles Errard publiés en 1651, ou ceux de Jacques Stella publiés en 1658), apparaît en effet sur trois autres tapisseries, à ce jour repérées, *Roxane* (vente palais Galliera, Paris, 9 mars 1972, nº 144 ; fig. 1), *Porcia* (vente Sotheby's Londres, 5 décembre 1980, nº 6), et *Didon* (vendue à la galerie Georges Petit à une date inconnue, mentionnée par Fenaille, 1923, p. 352 ; fig. 2). Ce modèle de bordure à motif simulant le métal semble apprécié alors à Paris. Ainsi, la tenture des *Jeux d'enfants* tissée dans l'atelier de Raphaël de La Planche d'après des cartons de Michel Corneille est décrite dans l'inventaire du Mobilier de la Couronne en 1673 avec « *une bordure d'une baguette couleur d'argent, entourée d'un rinceau de feuilles de couleur de bronze doré, sur un fond bleu* » (Coquery, 1996, p. 75). Ce rapport de couleurs (métal sur fond bleu) rappelle également la bordure de la tenture de l'*Ancien Testament* d'après Simon Vouet, commandée par Louis XIII pour le Louvre et tissée dans les ateliers du palais.

Par la suite, d'autres tentures furent tissées en Aubusson selon des cartons légèrement simplifiés et des modèles de bordure traditionnels à tores de fleurs et de fruits. La marque de cette ville (fleur de lis et AB accolés ou enlacés) apparaît notamment sur trois tentures, deux incluant une *Volumnie* (l'une vente Parke-Bernet, New York, 24 avril 1965, nº 399, sous le titre *Rencontre d'Antoine et Cléopâtre,* l'autre The French & Company archives, Research Library, Getty Research Institute, Los Angeles), et la troisième de six pièces, conservée au château de Châteaudun. Certains ateliers aubussonnais n'hésitèrent pas en outre à introduire des variantes, comme le prouve un tissage, inversé, de la *Volumnie* (The French & Company archives ; fig. 3).

En relation avec les régences de Marie de Médicis puis d'Anne d'Autriche et le développement des salons féminins à Paris, le thème des Femmes illustres fut très en vogue dans la première moitié du XVIIᵉ siècle (voir cat. exp. Düsseldorf et Darmstadt, 1995). Marie de Médicis avait envisagé d'en illustrer le dôme de son palais du Luxembourg (Mérot, 1994, p. 91). En 1645, le père franciscain Jacques du Bosc publiait *la Femme Héroïque ou les Héroïnes comparées avec les Héros…,* qu'illustrent huit figures d'héroïne gravées par François Chauveau, et deux ans plus tard Pierre Le Moyne faisait imprimer *la Galerie des Femmes fortes,* ouvrage orné de vingt estampes d'après Claude Vignon (Pacht Bassani, 1993, p. 437-448). Ce mouvement ne toucha pas seulement la France ; ainsi pour les lissiers bruxellois, Jacob Jordaens (1593-1678) donna vers le milieu du siècle les cartons d'une tenture des *Femmes célèbres* composée d'au moins huit pièces (Hulst, 1982, p. 306). Toutefois, la figure de Volumnie n'apparaît dans aucun de ces ensembles. Son introduction aux côtés des héroïnes reconnues à cette date marque l'originalité de notre tenture.

Ce cycle a été rapproché de l'œuvre de Charles Poerson (1609-1667), auteur de nombreux cartons, formé dans l'atelier de Simon Vouet (B. Brejon de Lavergnée, Reyniès, Sainte Fare Garnot, 1997, p. 201-207, notices de Nicole de Reyniès). Il est regrettable de ne pouvoir comparer cette tenture des *Femmes illustres* avec les dessus-de-porte de même sujet peints sous la conduite de Simon Vouet, en 1645-1646, pour l'appartement de la régente Anne d'Autriche au Palais-Cardinal (cat. exp. Paris, 1990-1991, p. 136 et 338), tant l'art de ce dernier est présent dans les différentes scènes de l'ensemble : Volumnie est proche de la fille de Jephté de la tenture de l'*Ancien Testament* (cat. 90 ; *ibid.,* p. 509, cat. 143), la tête de Vergilie de celle de sainte Marguerite du retable de l'église des Minimes gravé par Michel Dorigny en 1639 (*ibid.,* p. 78), Lucrèce de la figure d'Armide de la galerie du château de Chessy (*ibid.,* p. 117), ou l'architecte d'Artémise d'un chevalier de la tenture de *Renaud et Armide* (*ibid.,* p. 518, nº 148). Cependant, la composition en frise des huit tapisseries met en évidence une conception plus classique du travail ; l'auteur du carton a vraisemblablement vu le *Coriolan et Volumnie* peint pour la galerie Dorée de l'hôtel de La Vrillière, en 1643, par le Bolonais Giovanni Francesco Barbieri (1591-1666) dit Le Guerchin (Caen, musée des Beaux Arts ; voir cat. exp. Paris, 1989, p. 244-245), et dont l'impact, nous le savons, fut considérable sur les artistes français.

N. R. et B. R.

l'on s'en tient aux scènes représentées, l'appellation la plus appropriée serait peut-être celle d'*Amours mythologiques*. Le monogramme H C relevé sur plusieurs pièces montre que les tapisseries ont été tissées particulièrement dans l'atelier d'Hippolyte de Comans, directeur de la manufacture du faubourg Saint-Marcel depuis 1650. Trois modèles de bordure principaux ont été répertoriés sur les tissages parisiens : le premier, qui est celui de la pièce exposée, consiste en une guirlande de fleurs courant entre deux rangées d'oves et interrompue aux angles par une rosace tournante ; sur le suivant, qui n'est qu'une variante du premier, les rosaces sont remplacées par des paniers de fleurs ou des plumets ; le troisième type, beaucoup plus riche, offre des cortèges de plusieurs dieux disposés en frise (fig. 1). Leurs auteurs en sont inconnus. Certains sujets ont même été tissés dans les ateliers de la Marche (vente Paris, hôtel Drouot, salle 7, 22 mai 2000, nº 196, repr.), ce qui témoigne du succès de la suite créée par La Hyre. Sur la pièce de *Céphale et Procris* présentée à l'exposition, la valeur sculpturale des figures, vêtues à la mode grecque, dénote une forte influence de l'antique sur le peintre, dont le style se rattache ici au courant atticiste du milieu du siècle. Enfin, il n'est pas possible de déterminer qui furent les amateurs des tapisseries des *Amours des dieux* de La Hyre, à cause de l'imprécision des inventaires de collections qui ne différencient généralement pas cette suite de celle de Simon Vouet sur le même thème.

J. V.

99

Manufacture du faubourg Saint-Marcel, d'après Laurent de La Hyre (Paris, 1606 – Paris, 1656)

Sujets de la Fable

Céphale et Procris

Paris, vers 1660 | Laine, soie et or (ou argent doré) ; huit fils de chaîne par centimètre

H. 2,980 ; L. 2,610

> **Hist. :** collection Brosselin ; vente, Paris, hôtel Drouot, salles 9 et 10, 15 mars 1944, nº 67 A ; acquise par préemption à cette vente avec les quatre autres pièces de la tenture.
> **Bibl. :** Boyer de Sainte-Suzanne, 1879, p. 194 ; Fenaille, 1923, p. 350, repr. face p. 352 ; Göbel, 1928, p. 96 ; Standen, 1973, p. 10, 15, 1985, I, p. 282 ; Rosenberg et Thuillier, 1988, p. 243, repr. ; Heinz, 1995, p. 135 ; Joubert, Lefébure et Bertrand, 1995, p. 184.
> **Exp. :** Versailles, 1967, nº 42, repr. ; Beauvais, 2000, nº 6, repr.
> **Œuvres en rapport :** étude d'ensemble, New York, The Metropolitan Museum of Art, Fletcher Fund, inv. 1972. 224-4 ; huile sur toile (H. 1,020 ; L. 0,970), localisation actuelle inconnue, récemment réapparue dans une vente à Paris, hôtel Drouot, salle 9, 14 décembre 2000, nº 205, repr. ; autres versions : Mantoue, Palazzo ducale ; vente à Angers, Mᵉ Branger, 28 novembre 1993.

Paris, Mobilier national. Inv. GOB 867/1

Plusieurs tableaux à sujet mythologique que Laurent de La Hyre avait composés durant la décennie 1640 et qui n'étaient pas spécialement destinés à servir de modèles de tapisserie furent rassemblés, à la demande sans doute d'un entre-

Fig. 1. Manufacture du faubourg Saint-Marcel, d'après Laurent de La Hyre, *Glaucus et Scylla*. Localisation actuelle inconnue.

preneur des manufactures du faubourg Saint-Marcel, pour créer une nouvelle suite. Grâce aux tapisseries subsistantes, huit compositions différentes ont pu en être identifiées. Il s'agit de *Pygmalion et Galatée, Méléagre et Atalante* (connu en deux versions), *Glaucus et Scylla, Narcisse et Écho, Céphale et Procris, l'Enlèvement d'Europe* (tableau original daté 1644 à Houston, Museum of Fine Arts) et *le Bain de Diane* (tableau original daté 1649 à Moscou, musée Tropinine). Dans les textes anciens, cette suite est qualifiée d'*Amours des dieux* (Guiffrey, 1885-1886, I, p. 299, nº 31) ou très probablement de *Métamorphoses,* titre qui peut cependant se rapporter à d'autres séries de même sujet, notamment à celle que créa Simon Vouet. Si

100

Atelier de Girard Laurent (vers 1588 – Paris, 1670), d'après Sébastien Bourdon (Montpellier, 1616 – Paris, 1671)

Histoire de saint Gervais et saint Protais

La Décollation de saint Protais

Paris, vers 1655 | Laine et soie ; sept fils de chaîne par centimètre

H. 4,750 ; L. 7,250

> **Bibl. :** Fenaille, 1923, p. 269 ; Brochard, 1933, p. 2 ; Dumolin, 1933 ; Mérot, 1987, p. 124-125 ; Marin, 1995, p. 287 ; Thuillier, 2000, p. 341.
> **Exp. :** Versailles, 1967, nº 47.
> **Œuvre en rapport :** huile sur toile, Arras, musée des Beaux-Arts.

Paris, hôtel de ville. Inv. T 8

Le 2 décembre 1651, les marguilliers de l'église Saint-Gervais-Saint-Protais décidèrent de poursuivre l'œuvre de « *plusieurs siècles* » qui en avait fait une des plus richement ornées de Paris. Une nouvelle décoration venait d'être achevée pour l'entrée du chœur et l'on considéra qu'il « *ne reste rien à désirer pour l'entier parfait ornement qu'une tapisserie dans le chœur qui puisse correspondre à la disposition du lieu,* [et] *que le sujet le plus convenable et le plus souhaité par les principaux paroissiens est le martyre de leurs patrons saint Gervais et saint Protais* ». La tenture fut donc conçue comme le point d'orgue d'un long chantier d'ornementation, ce qui témoigne bien de la place de la tapisserie dans les arts destinés au décor des églises.

Le peintre choisi fut Eustache Le Sueur, l'un des artistes les plus en vogue après la mort de Simon Vouet, en 1649, et le lissier, Girard Laurent, n'était autre que le tapissier du Roi en sa manufacture du Louvre. Les deux marchés, passés le 21 mars 1652 pour les tapisseries et le 24 mars pour les peintures, appartiennent aux rares cas que l'on puisse mettre en rapport avec une tenture subsistant, et le second est certainement le plus détaillé de l'histoire de la tapisserie française. Les sommes déboursées pour cette commande donnent notamment une idée d'une remarquable précision sur les investissements, considérables, liés aux tapisseries : 4 000 livres pour le peintre et 18 000 pour « *la fabrique de la tapisserie* ». En réalité, les peintures furent payées au moins 1 000 livres chacune.

L'ancien curé de l'église, Charles-François Talon, en avait « *donné les desseings* », c'est-à-dire les sujets. Les deux saints, Gervais et Protais, frères jumeaux, avaient été mis à mort à Milan vers 57 pour avoir refusé de sacrifier aux idoles. Saint Ambroise, guidé par des visions, retrouva leurs corps dans un caveau, intacts, qui suscitèrent immédiatement de nombreux miracles. C'est donc l'histoire, non de la vie des saints, mais de la découverte de leurs reliques, un sujet à la fois particulièrement original et difficile à traiter en une série d'épisodes de grandes dimensions. Louis Marin a analysé le programme de brillante manière et nous nous permettons d'y renvoyer pour son exégèse (1995).

Cette commande de six pièces s'imposait d'emblée comme l'une des plus prestigieuses qui puissent être et l'une des plus rémunératrices pour les deux artistes dans les temps troublés de la Fronde. Comme le dit le marché des peintures, Le Sueur entendait « *employer tous ses soins et études à un ouvrage si important* ». Le marché pour les peintures, publié dans son intégralité par Mérot (1987), stipule que les sujets « *seront peints et exprimés suivant l'histoire avec nombre de figures vingt, vingt-cinq, trente ou environ, autant que la belle disposition le permettra au mieux pour davantage s'assujettir à l'histoire* ». La fidélité historique s'imposait donc comme le premier impératif du peintre, mis sous haute surveillance : « *Pour davantage s'assujettir à l'histoire il sera fait une esquisse de chaque histoire, laquelle esquisse sera présentée à messieurs les marguilliers.* » Les marguilliers se réservaient d'ailleurs la possibilité de recourir à un autre peintre s'ils n'étaient pas satisfaits. Tout à fait remarquable est, par ailleurs, le détail des prescriptions liées au dessin de la bordure, qui occupent un tiers du marché (voir notre « Introduction », p. 149).

Le Sueur, surchargé de commandes, se mit lentement à l'ouvrage, et sa disparition prématurée, en avril 1655, laissait le chantier inachevé : il n'avait peint qu'une composition et exécuté seulement la maquette de la deuxième, qui aurait été achevée par son beau-frère, Thomas Goussey. Dès le 26 mai 1655, les marguilliers de l'église passèrent un nouveau marché avec Sébastien Bourdon, qui fournit le modèle de *la Décollation de saint Protais* pour 1 100 livres. Mais la bordure de la pièce conserve le dessin de Le Sueur. Le tableau, aujourd'hui au musée d'Arras (H. 3,650 ; L. 6,800), est dans le même sens que la tapisserie, ce qui indique qu'elle a bien été exécutée en haute lisse.

Que l'on puisse associer des peintres aussi différents que Le Sueur, Bourdon et Champaigne dans une même tenture peut étonner aujourd'hui. Il faut croire que le sens de la solennité classique qui les anime tous trois devait passer alors pour un point commun plus sensible que toutes leurs différences. De cette esthétique, Bourdon livre ici l'interprétation la plus sévère. Les orthogonales se croisent implacablement, le nombre des personnages est restreint pour conserver à l'expression des affects une grande lisibilité, les détails sont réduits, les volumes magnifiés par la géométrie, et les couleurs tranchées. Mais il est vrai qu'il avait à traiter le plus dramatique des six sujets.

Le contrat pour le tissage ne comportait pas moins d'exigences. Il était notamment prescrit que « *tous les habits, draperies, paysages, architectures et autres ornements seront rehaussez au moins de deux soies, les ciels et les éloignements seront faits tous de soies comme aussi les bandes et ornements et les fonds des bordures* » (marché avec Laurent, du 21 mars 1652, publié par Brochard, 1933, p. 29).

E.C.

101

Atelier de Girard Laurent, d'après Philippe de Champaigne (Bruxelles, 1602 – Paris, 1674)

Histoire de saint Gervais et saint Protais

Saint Gervais et saint Protais apparaissent à saint Ambroise

Paris, vers 1660 | Laine et soie ; sept fils de chaîne par centimètre

H. 4,900 ; L. 7,570

Bibl. : Fenaille, 1923, p. 269 ; Brochard, 1933, p. 2 ; Dumolin, 1933 ; Andrews, 1971, p. 78 ; Dorival, 1976, p. 65 ; Marin, 1995.
Exp. : Paris et Gand, 1952, n° 83.
Œuvres en rapport : huile sur toile, Paris, musée du Louvre, inv. 1130 ; esquisse préparatoire, à l'huile sur bois, dans une collection particulière (Dorival, 1992, n° 26 ; H. 0,500 ; L. 0,920) ; dessins : Stockholm, Nationalmuseum (inv. 2773/1863 ; Dorival, 1976, n° 114) ; Paris, musée du Louvre (inv. 19863 ; Dorival, 1976, n° 113) ; Édimbourg, National Gallery (inv. RSA 232) ; collection particulière.

Paris, hôtel de ville. Inv. T 9

Dès février 1657, Bourdon se rendit à Montpellier, sa ville natale, et laissa peut-être penser qu'il s'y installerait définitivement. Aussi les marguilliers décidèrent-ils de se tourner vers un troisième peintre, Philippe de Champaigne, avec qui un marché fut passé le 12 février 1657. Ce dernier exécuta les trois dernières pièces.

Ce choix semblait s'imposer. Saint-Gervais était la paroisse de Champaigne, qui habitait rue des Écouffes depuis quelques années. Le peintre, grâce notamment à la Reine mère, continuait d'être l'un des plus renommés de la capitale, et il avait déjà donné des témoignages de sa capacité à fournir des cartons de tapisserie avec la tenture de l'*Histoire de la Vierge* (cat. 92). Champaigne obtint huit mois pour exécuter chaque carton, alors que ses prédécesseurs n'avaient eu que six mois. Mais, pas plus qu'eux, il ne respecta les délais et mit un an pour présenter le premier tableau, livré le 3 septembre 1658.

Preuve de la grande considération dont il jouissait auprès des marguilliers, il avait surtout obtenu le droit de changer les sujets, ce dont il ne se priva pas. Le sujet initial était « *comment saint Ambroise, à la suite de la révélation qu'il eut du lieu où étaient inhumés les corps de saint Gervais et saint Protais, accompagné de quelques évêques, commença à creuser la terre au lieu où il avait appris que les corps des saints reposaient* », un propos qui se prêtait mal à la réalisation d'une image éloquente. Champaigne lui substitua la seule première partie du sujet, la vision qu'eut saint Ambroise des deux saints, telle qu'elle est rapportée par saint Augustin dans ses *Confessions* (livre IX, chap. VII). Gervais et Protais apparaissent à l'évêque de Milan dans leur corps glorieux, présentés par saint Paul, qui lui apprend que les corps des deux saints gisent au lieu même de cette vision, l'église des saints Nabor et Félix.

Ainsi la présente pièce ne comporte que quatre figures, bien moins que les groupes souhaités à l'origine. Plusieurs dessins préparatoires de Champaigne pour le carton sont conservés, qui témoignent du grand soin porté par l'artiste à la composition. L'un d'eux (Stockholm, Nationalmuseum) montre en effet un groupement des personnages sensiblement différent : saint Paul est à gauche et les deux saints sont au centre, tandis que le pupitre d'Ambroise est à droite. Le modello présente une disposition plus proche de celle du dessin final, mais les saints y sont plus jeunes, plus directement tournés vers la lumière, et forment avec saint Paul un groupe plus ramassé. Le tableau à l'échelle (fig. 1) ajoute un dais au-dessus de saint Ambroise. Tout l'effort du peintre a donc porté sur une meilleure liaison entre les figures et une recherche de solennité. Le résultat est l'une des plus grandes

Fig. 1 : Philippe de Champaigne, *Apparition de saint Gervais et saint Protais à saint Ambroise*. Paris, musée du Louvre, département des Peintures.

réussites de la tapisserie française, qui prend ici une dimension véritablement monumentale.

Les quatre premières tapisseries furent livrées avant le 31 janvier 1661. Elles ont connu un certain nombre de vicissitudes. Maurice Dumolin a retrouvé quelques actes liés à des réparations de la tenture. Le premier est passé dès le 25 décembre 1673. On y apprend que les pièces étaient exposées vingt-quatre fois par an (marché avec Fétou, AN, MC, XXVI, 124), ce qui suppose des manipulations proprement dommageables. En février 1685, un nouveau raccommodage fut nécessaire (AN, LL 748), puis un autre en 1717 (AN, LL 749), et encore en 1762.

Lors des saisies révolutionnaires, les six tableaux se trouvaient dans la nef, alors que les tapisseries semblent avoir été remisées. Cette double exposition, des tableaux en temps normal et des tapisseries en période de fête, rend bien compte de la hiérarchie qui existait alors entre les deux arts. Après avoir été oubliées, ces dernières furent vendues en 1874 à un marchand (la première avait disparu depuis 1824), mais la vente fut cassée en 1880, pour la simple raison que le conseil de fabrique n'était pas propriétaire des ornements. Les bordures avaient été détachées et purent être réintégrées grâce à Moïse de Camondo, qui en fit don à la ville de Paris en 1911. L'inscription des cartouches ayant été découpée, il en fut retissé une avec les simples initiales de l'église en haut, qui se trouvaient déjà dans de petits écriteaux entre les anges et le sujet de chaque pièce.

E. C.

102

Atelier parisien ?

Portière aux armes du cardinal de Mazarin

Entre 1645 et 1660 | Laine, soie et fils d'or ; huit-neuf fils de chaîne par centimètre

H. 2,400 ; L. 3,000 (sans les bordures latérales)

> **Hist. :** legs comte de Salverte, 1912.
> **Bibl. :** Michel, 1999, p. 291, fig. 51.
> **Exp. :** Paris, 1961, nº 490 ; Versailles, 1963, nº 84 ; Stockholm, 1966, nº 644.

Paris, musée des Arts décoratifs.
Inv. 18553

Dans la première moitié du XVIIᵉ siècle, la tapisserie demeure un art volontiers international, dont les manufacturiers, souvent d'origine flamande, voyagent beaucoup, reproduisent et adaptent des cartons importés ou commandés sur place. En l'absence de documents, il est donc souvent difficile de rattacher une œuvre à une zone géographique nettement déterminée.

Il a paru utile de présenter ce rare exemple de portière subsistant pour l'époque comme un cas exemplaire de la synthèse artistique opérée par la tapisserie. Le carton comme le tissage sont de grande qualité, et l'abondance de fils d'or en fait une pièce de grand coût. On sait que Mazarin a continué tout au long de sa carrière française de commander des œuvres en Italie, mais cela surtout dans des domaines où il ne pouvait trouver d'équi-

valent en France, tels que les tables en pierres dures ou les tissus milanais ou florentins. Or, la réputation des ateliers français de tapisserie dépassait alors celle des ateliers romains ou florentins, et dans ses rares commandes de tapisseries, Mazarin semble d'abord avoir fait appel au plus prestigieux d'entre eux, celui du Louvre (voir Michel, 1999, p. 289-293). Mais la question se complique avec les commandes, révélées par Michel, d'une part, de douze portières à Audenarde, passée en 1658, sur un dessin fait à Paris, et, d'autre part, d'une série de douze portières avec les portraits des César, à Rome, autour de 1657. La première semble avoir été motivée par un souci d'économie, que la présence de fils d'or ici rend invraisemblable.

Le dessin présente un aspect plutôt italien, dans les enroulements de la base des termes, dans la forme du cartouche, dont on trouve des similitudes chez un Bernardo Radi, ou dans celle des cornes d'abondance en bas. Celui des figures a un aspect carrachesque qui appartient aussi bien à la génération des artistes français revenus de Rome qu'à leurs homologues romains, et ne permet pas de déterminer l'auteur du carton. Les deux bandes de bordure latérales ont été rapportées et sont masquées dans la présentation.

E. C.

103

Manufacture de Raphaël
de La Planche, faubourg Saint-
Germain

Rinceaux

Le Bélier ou l'Hiver

Paris, vers 1662 | Laine et soie ; huit-
neuf fils de chaîne par centimètre

H. 4,300 ; L. 3,500 | Armoiries : fleurs
de lis aux angles, fleurs de lis à flammes
rouges de l'ordre du Saint-Esprit dans
la bordure ; masque d'Apollon au centre
de la bordure supérieure

Hist. : livrée avec les sept autres pièces de la tenture par Sébastien-François de La Planche au
Mobilier de la Couronne le 28 août 1667 ; 1673,
nᵒ 68 de l'inventaire du Mobilier de la Couronne ;
n'a pas quitté depuis les collections nationales ;
au château de Fontainebleau comme rideau (avec
trois autres pièces de la même tenture) dans le
grand salon de l'appartement Louis XIII de 1861
à 1914.
Bibl. : Guiffrey, 1885-1886, I, p. 344, 1892, p. 208-
209, [1900], p. 47-48 ; Fenaille, 1923, p. 375-376 ;
Jarry, 1963, p. 12-19 ; Coural, 1967, p. 82 ; Mérot,
1996, p. 563-572 ; Saur, 1997, p. 558-560.
Exp. : Paris, 1930, nᵒ 19.

Paris, Mobilier national. Inv. F 967/3

Cette tenture de huit pièces est décrite ainsi
sous le numéro 68 des « *tapisseries de haute et basse
lisse de laine et soye* » du Mobilier de la Couronne :
« Les Rinceaux, *une tenture de laine et soye, fabrique
de Paris, Manufacture de La Planche, dessin de
Polidor, représentant* les Quatre Elémens et les
quatre Saisons […] *en huit tableaux* […] *environ-
nés de rinceaux colorez d'où sort ce qui est propre et
convenable à l'Elément et à la Saison qui est représentée…* »

Cette mention nous donne donc des indications à
la fois sur le sujet et sur l'auteur présumé de cette
tenture.

Le sujet en serait les quatre éléments et les quatre
saisons. Pour ce qui concerne les quatre éléments,
la chose est claire. Au milieu du fond de rinceaux
qui donne son nom à la tenture se détache un
médaillon présentant en son centre un *Paon*
(l'Air), un *Aigle* (le Feu), un *Cheval marin* (l'Eau),
un *Tigre* (la Terre). Les quatre suivants sont donc
censés figurer les saisons, le *Taureau* représente le
printemps, le *Lion* l'été, le *Sanglier* l'automne et le
Bélier l'hiver, rapprochement le moins évident sauf
à considérer qu'il s'agit là d'une allusion au
Capricorne. Ces titres traditionnels sont confirmés par l'examen des animaux et des végétaux qui
peuplent les rinceaux (ces attributs sont les mêmes
pour les huit pièces). Le fond se divise en quatre
quartiers qui correspondent aux saisons pour les
végétaux et aux éléments pour les animaux. Ainsi
le quartier supérieur gauche montre des fleurs
pour le printemps et des harpies, oiseaux et papillons pour l'air, le quartier inférieur gauche des épis,
des fleurs et des fruits pour l'été, un phœnix, un
grillon, une salamandre pour le feu. En bas à
droite, l'automne est représenté par des grappes
et des fruits et la terre par un lapin et un hérisson,
tandis que, en haut à droite, des fruits, des arti-

chauts et des racines symbolisent l'hiver, des
poissons, homard, canard, dauphin évoquent l'eau.

Ce fond de rinceaux, très présent sur la tapisserie,
est évidemment l'élément qui a fait attribuer la
tenture à « Polidor » par le rédacteur de l'inventaire. Polidor, c'est Polidoro Caldara dit Polydore
de Caravage (vers 1499-1543), élève de Giovanni
da Udine et de Raphaël, connu pour ses peintures
d'ornements inspirées souvent de bas-reliefs
antiques. La diffusion de ses œuvres se fit par les
gravures comme celles de Cherubino Albertini.
Comme il est évidemment exclu que Polydore ait
donné les cartons pour ces tapisseries, le problème
se pose de savoir quel artiste français du XVIIᵉ siècle
aurait pu utiliser cette référence. Madeleine Jarry
suggère que ce pourrait être Charles Errard (1606-
1689), s'appuyant sur les décors que cet artiste avait
exécutés pour les appartements de la reine Anne
d'Autriche au Louvre et surtout sur ses recueils
d'ornements, en particulier les *Divers Trophées
dédiez à la Sérénissime Reine de Suède par Charles
Errard Peintre du Roy 1651*, qui consistent en cinq
planches gravées par R. Lochon et G. Tournier et
dessinées par Errard à Rome d'après Polydore de
Caravage.

Ce rapprochement est assez vraisemblable, encore
que d'autres ornemanistes qui, comme Errard,
travaillaient dans l'entourage royal et comme lui
cultivaient la « grotesque », en particulier Jean
Cotelle le père (1607-1676), pourraient aussi être
l'auteur d'un tel décor.

Cette tenture ne fut réalisée qu'en un exemplaire,
peut-être parce qu'elle intervint à l'extrême fin de
l'activité de l'atelier de La Planche. Raphaël céda,
en 1661, l'atelier à son fils Sébastien-François, et la
production dut aller en déclinant jusqu'à la liquidation de l'atelier et aux différentes ventes de tapisseries au Mobilier de la Couronne.

La bordure qui porte les armes royales et surtout
présente à la partie supérieure une tête dans un
soleil semble indiquer une date postérieure à 1662,
date à laquelle Louis XIV prit le soleil pour
emblème. Or, si l'on examine attentivement les
soleils des différentes tapisseries, quatre d'entre
eux ont été soit rentrayés soit cousus sur la bordure
(c'est le cas pour notre tapisserie), tandis que les
quatre autres sont tissés d'origine, ce que l'on
reconnaît facilement à l'ombre portée du soleil sur
la bordure. Cela laisserait supposer que quatre
tapisseries étaient prêtes avant 1662 et modifiées et
que les quatre autres seraient postérieures à cette
date. La présence d'une bordure semblable sur une
tenture de *Constantin* tissée également par l'atelier de la rue de la Chaise ne permet pas d'affiner
cette datation. Tous les soleils de cette tenture sont
tissés dès l'origine et comportent une ombre mais,
comme ces tapisseries ne sont portées aux entrées
du journal du Garde-Meuble que le 28 avril 1698,
le rapprochement n'apporte pas d'indication
supplémentaire.

C. S.-V.

Les manufactures de tapis

Jean Vittet

Afin d'encourager les métiers d'art et de concurrencer les importations, Henri IV avait accueilli dès 1604 dans la Grande Galerie du Louvre le tapissier Pierre Dupont (vers 1570-1640), afin qu'il y perfectionne la technique des tapis « *façon de Turquie et du Levant* ». Quelques années plus tard, vers 1625, Simon Lourdet (vers 1595-1666), un ancien apprenti de Dupont, créa à son tour un atelier dans le bâtiment d'une ancienne savonnerie de Chaillot, dont une partie de la main-d'œuvre lui était fournie par l'orphelinat qu'y avait établi Marie de Médicis, en 1609[1]. Soucieux de préserver ses intérêts, Dupont s'associa à Lourdet, en 1626, afin qu'il leur soit accordé des privilèges communs. Le 17 avril 1627, le conseil d'État leur donnait l'exclusivité de la fabrication de « *toutes sortes de tapis, autres emmeublemens et ouvrages du Levant, tant en or, argent, soye, fleuret, que laine* » pour une période de dix-huit ans[2]. Telle est l'origine de la manufacture dite de la Savonnerie, qui, sous Louis XIII et la Régence, comprenait deux ateliers indépendants.

Quelques documents seulement nous permettent de prendre connaissance de la production de l'atelier du Louvre. Dans un petit texte imprimé intitulé *Principal factum de l'origine de la manufacture des tapis de Turquie en France. Pour Pierre du Pont tapissier ordinaire du Roy esdits ouvrages, premier inventeur d'icelle. Et Simon Lourdet son associé*, le tapissier du Louvre expose que, dans ce domaine, il « *en peut faire de sept manières, tant en or & argent, qu'en soye & laine, ainsi que ses ouvrages le tesmoignent qu'il a faicts pour le Roy, qui se peuvent voir au Louvre & à l'Hostel de Luxembourg* ». Il précise encore que sa technique de tissage permettait « *de faire toutes sortes de* [...] *tapisseries, tapis de table, de buffets, tapis de pied, carreaux, scabeaux, chaires, garnitures de licts, ornements, chasubles, robbes & manchons, & autres choses semblables sans coustures, & tous autres emmeublements, au poinct velouté, à l'instar des tapis de Turquie & de Levant* »[3].

L'inventaire après décès de Pierre Dupont, dressé à partir de juillet 1640, signale dans son atelier du Louvre quatre tapis considérés comme appartenant au Roi. Sur le premier, de 2 aunes sur 3 aunes 1/2, on voyait « *ung panier de différentes fleurs* ». Les deux suivants, « *servant de parterre* », étaient semblables (5 aunes sur 3 aunes) ; ils comportaient « *plusieurs crotesques* ». Le dernier, tout en soie, était rehaussé d'or ; « *dans le millieu* [étaient représentés] *une touffe de fleurs et plusieurs crotesques* » (2 aunes sur 1 aune). Sous la cote 14 des papiers personnels de Dupont se trouvaient « *trois pièces attachées ensemble quy sont inventaires des tapisseries faites par ledit deffunt pour le service de sa Majesté depuis neuf à dix ans en-ça* » qui confirment que la production de l'atelier était réservée au Roi[4].

Les anciens inventaires du Mobilier de la Couronne peuvent aider à compléter ces données sommaires. Par exemple, au numéro 2 du chapitre des tapis, il est question d'un tissage considéré en 1663 comme « *fait aux galleries du Louvre[5]* », mais qui était certainement d'une fabrication bien antérieure à cette date, compte tenu de son inscription en début de classement. Un inventaire, établi au début du règne de Louis XV et clos en 1729, en donne une description très complète : « *2. Un tapis de soye fond rose seiche, rehaussé d'or et d'argent, façon de Perse, fait aux galleries du Louvre, ayant au milieu un quarré long remply de compartimens et fleurs arabesques, de différentes formes et couleurs, séparé de la bordure par un listel fond jaune entouré d'une campanne ; aux coins de la bordure, sont quatre cartouches fond bleu, chargés de chiffres couronnés entrelassés rouge bleu et noir[6]* ». Ses dimensions étaient (après conversion des aunes) de 5,50 mètres sur 2,50 mètres.

1. Verlet, 1982, p. 27-34.
2. Darcel et Guiffrey, 1882, p. 54, n° VIII, p. 68, n° XII.
3. BAA, réserve, carton 49, doss. XII, document postérieur à juin 1627 ; voir Verlet, 1982, p. 380, note 50.
4. AN, MC, VIII, 653, 16 juillet 1640.
5. Guiffrey, 1885-1886, I, p. 375.
6. AMN, M. 259, f° 19r°-v°. L'inventaire du Mobilier de la Couronne mentionne d'autres tapis, sans doute de fabrication française, portant des chiffres royaux. L'un d'eux présentait le monogramme A A d'Anne d'Autriche (Guiffrey, *op. cit., loc. cit.*, n° 5). D'autres possédaient des L. Il s'agissait probablement du chiffre de Louis XIII (idem, *op. cit.*, p. 375-376, n°s 3-4, 6-7).

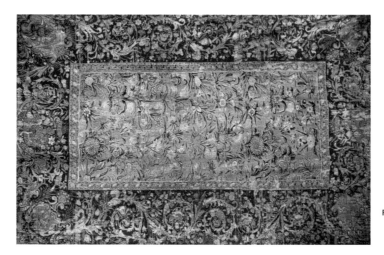

Fig. 1. Manufacture de la
Savonnerie, tapis.
Collection particulière.

Nous disposons, enfin, du témoignage connu de deux jeunes frères hollandais en voyage à Paris, les De Villers, qui visitèrent l'atelier de Louis Dupont, fils de Pierre, le 1er octobre 1657. Ils y remarquèrent notamment des tableaux tissés : « [Dupont] *nous montra quelques pourtraits qu'il avoit faicts, entre autres ceux des trois Roys qui vinrent saluer nostre Seigneur, deux ou trois paysages et un bouquet à fleurs. Nous les prismes de prim'abord pour des tableaux de véritable peinture, et fusmes longtemps en cette imagination ; mais nous en estants approchés de plus près, nous vismes enfin que tout estoit fait de laine*[7]. »

La production de l'atelier de Simon Lourdet à la Savonnerie de Chaillot peut être étudiée, quant à elle, grâce aux textes, mais aussi, grâce à des pièces conservées. Ainsi le 18 janvier 1631, le cardinal Gianfrancesco Bagni (1578-1641) passait marché avec cet entrepreneur pour la fourniture dans un délai d'un an d'« *ung grand tappis ouvrage de Turquie de la mesme force et finesse et qualité de laynne que l'eschantillon qui en a esté veu par mond. seigneur* [...] *le tout suivant l'ordre et desseing qui en a esté faict dellaissé aud. Lourdet* ». Le texte précise que « *le fondz duquel tappis sera jaulne, le fondz de la grande bordure rouge tainct en grayne et les petites bordures des costez seront fondz bleu aveq petites frises dont les petites bordures des environs desd. petites frizes seront en fond blanc, lad. grande bordure de la sorte et fasson du desseing qui en a esté aussi faict et paraphé comme dessus et dellaissé aud. Lourdet qui sera tenu de le représenter, aura lad. grande bordure trois quartiers ou environ de large, les fleurs du carré dud. tappis seront plus grandes que le naturel et sera l'ordre du desseing dud. carré composé par bouquetz, chacun desquels bouquetz aura près de demye aulne en carré*[8] ». Livré en mai 1632 et payé 2 440 livres, le tapis, de taille imposante, faisait 7 aunes 3/4 sur 5 aunes 1/4, soit 9,16 mètres sur 6,20 mètres. Un tapis passé en vente récemment (Paris, hôtel Drouot, salles 1 et 7, 23 juin 2000, no 161 ; fig. 1), correspondant pour une bonne part à la description du marché, permet d'entrevoir l'apparence du tissage exécuté pour le cardinal Bagni. Cette pièce montre que les premiers tapis de la Savonnerie, s'inspirant d'ouvrages persans, n'avaient pas forcément un fond noir.

Un ensemble de lettres échangées en 1652 entre Christine de France, duchesse de Savoie, dite Madame Royale, et un membre de son ambassade à Paris, un dénommé Forestier, au sujet de tapis de la Savonnerie destinés à la future duchesse de Bavière, fille de Madame Royale, peuvent aussi nous renseigner sur les productions et la clientèle de la manufacture à cette époque. Voici les précisions que Forestier adressa à Madame Royale le 15 mars 1652 : « *J'ay esté du depuis à la Savonerie pour y voir des tapis, auquel lieu j'en ay veu trois qui sont aprochant à la grandeur que V. A. R. les désire, e tous trois de différant desseint, néanmoins fort beaux, à grands fleurages fort naturelz, circondés de grands cartouches dont les couleurs relèvent beaucoupt ; l'on n'en veut rien rebattre de deux mil six cent livres l'un, e tous trois d'un mesme pris ou bien cent franc de l'aune en caré, c'est-à-dire revenir à leur compte. Il y en a un qui est à vandre e qui a esté fait pour Monsieur le prince de Condé, que l'on estime estre le plus beau qui aye jeamais esté fait à la Savonerie, y ayant à chasque coint dudit tapis une coronne fermée e le milieu en fleurages d'un très beau dessein, mais comme les affaires du temps ont diverti l'argent ailleur le maistre de la Savonerie le veut vandre ; il est de six aulnes de long e de quatre aulnes de larges [H. 7,140 ; L. 4,760] et du pris de deux mil cent livres. Il m'a fait voir comme il en a vandeu à beaucoupt de persones de condition, mesme à deffunt l'abbé Mondin sur le pied de cent livres l'aune en caré...* » Le 11 avril 1652 Forestier annonçait à Madame Royale qu'il lui faisait parvenir un premier tapis : « *... c'est celluy de Madame la princesse de Condé ; le pris en avoit esté*

7. Faugère-Marillier, 1899, p. 299.
8. AN, MC, VI, 327.

Fig. 2. Manufacture de la Savonnerie, tapis. Paris, Mobilier national.

fait à mil escus avec le président Perrot. Je l'ay eu pour deux mil six cents livres que j'ay payé comptant suivant la quittance que je présanteray à V. A. R. Il est de six aulnes & demi de long & quattre aulnes de large [H. 7,740; L. 4,760] ; *c'est le plus beau qui se soit fait encor à Paris; j'espère aussy qu'il sera agréé de V. A. R. Ceux de sept aulnes & demi de long, je ne les peus avoir moins de deux mil quattre cents livres; ils sont beau mais le desseint n'en est pas si agréable; celluy de cabinet que V. A. R. désire ne sera pas de moindre pris...* » Le 26 avril, Forestier spécifiait encore que « *le premier tapis* [était] *semblable à celluy de la Reyne*[9] ».

Afin d'illustrer la fin de la période étudiée, nous pouvons citer une pièce achetée par la reine Marie-Thérèse en 1661, dont un tissage presque identique est conservé dans les collections du Mobilier national (fig. 2). Cet exemplaire, destiné à une alcôve, porte des chiffres couronnés qui paraissent être ceux de Charlotte-Marguerite de Montmorency, princesse de Condé (1593-1650), dont le nom vient d'être mentionné. De ce fait l'esthétique de ce tapis, constitué d'admirables rinceaux entremêlés de fleurs, de rubans et de paniers de fruits, pourrait refléter en réalité le style des années 1650[10].

Nous savons encore que la tapisserie de la Savonnerie servait à garnir les sièges. On pouvait ainsi constituer des ameublements complets, comme celui que l'on voyait dans la galerie de l'hôtel parisien du surintendant des Finances Claude de Bullion, ainsi désigné lors de son décès en 1640 : « *Un lict de repos peinct en façon de la Chine garny de deux mathelas de satin de Burge vert et d'un traversin, une couverture de paradde et la couverture de traversin de façon de Turquie faict à la Savonnerye et garny de frange de soye, six grands fauteuils et neuf chaires à vertugadin couverts de mesme tapisserye de lad. Savonnerye à fleurs et garnys aussy de soye, les bois peints or, une couverture de siège de mesme satin aud. lict que chaires* [600 livres][11]. »

Il faut enfin évoquer la fabrication des tableaux tissés en savonnerie, reproduisant des toiles de maître. L'un d'eux a figuré dans les collections du cardinal Mazarin, où il fut ainsi décrit en 1653 : « *Salomon assis au trosne et la Royne Sabba à genoux qui fait un présent, petites figures, ouvrage de Savonnerie, avec sa bordure d'ébeine et un petit rideau de taffetas céladon*[12]. » Mais le groupe le plus vaste apparaît en 1665 au décès de Françoise Carré, femme de Simon Lourdet, qui en compte plus de deux cents, dont un portrait collectif de la famille royale (voir cat. 105), un curieux portrait de Christine de Suède, une *Nativité*, une *Crucifixion*, un tableau avec deux chiens, trois autres à sujet musical, des paysages et diverses natures mortes avec des fruits, des légumes ou des fleurs. Un portrait du cardinal de Richelieu paraît aussi avoir été exécuté en savonnerie[13]. Les deux plus anciens paysages tissés au point noué sont cependant ceux qui apparaissent dans le catalogue du cabinet de Charles Ier d'Angleterre, rédigé en 1639 par Abraham Van der Doort, où figurait notamment « *a Lanskipp peece of trees and some moorish water wherein Two Ducks a swiming and some troope of water fflowers, being done in a new way of stuff, whereof they doe make Turkie Carpetts wch was presented to yor Matie by the ffrench Embassado^r in an all over gilded frame*[14] ». Bien que leur provenance ne soit pas indiquée, la nationalité de l'ambassadeur sous-entend une origine française pour ces œuvres, sans que l'atelier puisse être précisé.

Aux noms d'amateurs des productions de la Savonnerie déjà relevés par Pierre Verlet[15] ou mentionnés ici même, nous pouvons encore ajouter, au hasard des découvertes, ceux du marquis de Cinq-Mars (1620-1642)[16], du maréchal de Bassompierre (1579-1646), du duc de Nemours (1624-1652)[17], du marquis d'Effiat (1612-1645)[18] et de Nicolas Lambert de Thorigny (mort en 1692)[19].

9. Turin, Archivio di Stato, Lettere Ministri Francia, 58, doss. 3, lettres 2, 6 et 9. Nous remercions vivement Isabelle Denis de nous avoir signalé ces documents.
10. Vittet, 1995, p. 110-111. Un tissage fragmentaire du même carton, de couleurs un peu différentes, a été vendu à Londres, chez Sotheby's, le 16 décembre 1998, n° 88, repr.
11. AN, MC, LI, 259, 9 janvier 1641, f° 16r°. Voir aussi Mignot, 1985, p. 54.
12. Aumale, 1861, p. 318, n° 209.
13. Vittet, *op. cit.*, p. 107-108.
14. Millar, 1958-1960, p. 157. L'ambassadeur était peut-être le duc de Liancourt, qui s'était rendu en 1630 à la cour de Charles Ier (Schnapper, 1994, p. 162).
15. Verlet, 1982, p. 97.
16. L'inventaire après décès de ce personnage (AN, MC, XIX, 424, 17 septembre 1642) signale « *un grand tapis façon de la Savonnerie contenant six à sept aunes de long sur quatre aunes de large ou environ à fondz brun et à fleurs de plusieurs couleurs* » à 900 livres, ainsi que « *six fauteuilz, six chaises façon de fauteuilz, douze sièges ployans couvertz de tapisserie de Turquie de la Savonnerie garnie de franges et moletz cloués sur leur bois de cloud doré, les bois peinctz de plusieurs couleurs avec leurs housses de serge verte* », prisés 550 livres.
17. Grouchy, 1892, p. 61.
18. Guiffrey, 1899, p. 211.
19. Babelon, 1972, p. 138.

104

Manufacture de la Savonnerie,
attribué à

Tapis

Chaillot, vers 1640-1650 | Point noué ;
laine (trame : lin) ; quatre nœuds et
demi par centimètre

H. 3,650 ; L. 2,370

Hist. : legs Charles Seguin, 1908.
Bibl. : Dreyfus, 1922, nº 300, pl. LI ; Weigert, 1964,
p. 182, pl. XXXV ; Verlet, 1982, p. 170, fig. 106 ;
Coural, 1989, p. 56, repr. ; Floret, 1994, p. 83,
fig. 2 ; *Art du tapis,* 1996, p. 229, fig. 209.
Exp. : Paris, 1926-1927, nº 82 ; Lausanne, 1946,
nº 55, pl. XII.

Paris, musée du Louvre. Inv. OA 6256.

La savante et élégante composition du tapis
laisse supposer l'intervention d'un peintre-carton-
nier spécialisé. Il est possible que celui-ci ait eu
recours, pour l'exécution du modèle, à des flori-
lèges gravés français, allemands ou hollandais
(Verlet, 1982, p. 420, note 1 ; complété par Quinchon-Adam, 1993). Les liens qui unissent les
motifs floraux du tapis à la peinture française et
flamande de nature morte de l'époque ont été
soulignés aussi ; le nom de Jacques Linard
(vers 1600-1645) a même été avancé (Sherrill,
1995, p. 65 et 68). L'originalité de l'œuvre tient à
son motif de campane, qui peut faire penser
qu'elle était destinée à servir de tapis de table. Cet
usage est attesté par les textes. Par exemple,
l'inventaire d'Edmé de Rochechouart, comte de
Tonnay-Charente, mentionne « *un grand tapis de
table façon de la Savonnerie à fleur contenant deux
aulnes et demy de long sur deux de large* » (AN,
MC, XX, 309, 18 juin 1659 ; référence communiquée par Moana Weil-Curiel). Nous avons cité
également dans notre introduction un tapis de
l'atelier du Louvre possédant des campanes. Il
subsiste d'autres tapis comportant ce décor (vente
George Blumenthal, Paris, galerie Georges Petit,
1er et 2 décembre 1932, nº 193, pl. XCIII ; vente
Paris, hôtel Drouot, salles 1 et 7, 16-17 janvier 2001, nº 389 [fragment], repr. ; New York, The
Metropolitan Museum of Art [Watson, 1966, II,
nº 276, repr.] ; cette pièce-ci a un tissage assez fin
[cinq nœuds par centimètre] qui la destine particulièrement à une utilisation en tapis de table).
L'exemplaire du musée du Louvre peut être attribué à la manufacture de la Savonnerie. Un tapis
quasi identique existe en effet à Waddesdon
Manor en Angleterre (Verlet, 1982, nº 1, fig. 104 ;
fig. 1). Or celui-ci est une œuvre sûre de cet atelier
car il possède des motifs communs avec le tapis de
la Savonnerie détenu par Mazarin dès 1653,
comme la « *grande frize remplie* […] *de panniers
plains de fleurs entre deux petites bordures, l'une
ornée de coquilles blanches, et l'autre de rozettes
bleues et feuilles vertes* » (Aumale, 1861, p. 170).
On connaît enfin un tapis un peu similaire au
tissage du Louvre, où l'on retrouve notamment
la coupe à bords festonnés remplie de fruits (cat.
exp. Paris, 1926-1927, nº 86, repr.).

J. V.

Fig. 1. Manufacture de la Savonnerie, tapis. Waddesdon Manor.

105

Manufacture de la Savonnerie

La Famille de Louis XIII

Chaillot, peu après mai 1643 | Point noué ; laine (trame : lin) ; six nœuds par centimètre

H. 2,240 ; L. 2,060 | Inscriptions, sur la page gauche du livre, *LVD. XIII V* (?) ; sur la page droite, *LIBER REGUM / Nom…* ; une fois à gauche sur le pilastre, une fois à droite sur la colonne, *1643*

> **Hist. :** acheté 1 400 francs à Legentil en 1881 par le musée de la manufacture des Gobelins (arrêté du 20 décembre 1881) ; collection du Mobilier national depuis 1937.
> **Bibl. :** Darcel et Guiffrey, 1882, p. XLV, note 1 ; Darcel, 1885, p. 23, n° 335 ; Gerspach, 1892, p. 209 ; Guiffrey, 1892, p. 23-24, [1896], II, pl. 227 ; Darcel et Guiffrey, 1902, p. 114 ; Migeon, 1909, p. 362 ; Thieme et Becker, 1914, p. 165 ; Michel, 1922, p. 908 ; Braquenié et Magnac, 1924, p. 30 et pl. 5 ; Janneau et Niclausse, 1938, n° 69 ; Niclausse, 1947, p. 90, repr. p. 88 ; Dowley, 1955, p. 268 ; Weigert, 1964, p. 166 ; Jarry, 1969, p. 211, 214, fig. 1 ; Blumer, 1970, col. 452 ; Verlet, 1982, p. 319 et fig. 6 ; Coural, 1989, p. 57, repr. ; Vittet, 1995, p. 106-107, fig. 4.
> **Exp. :** Paris, 1902, n° 110, 1926-1927, n° 79, repr., 1949, p. 8 et n° 1 ; La Nouvelle-Orléans, 1984, n° 16, repr. ; Beauvais, 2000, n° 5, repr.

Paris, Mobilier national. Inv. GOB 1335

Les auteurs anciens avaient attribué la fabrication du panneau à l'atelier des Dupont au Louvre, mais la découverte récente des inventaires de la famille Lourdet prouve que l'œuvre a été tissée à la manufacture de la Savonnerie, que ces tapissiers dirigeaient. Il en est question pour la première fois dans l'inventaire de Françoise Carré, femme de Simon Lourdet, décédée en février 1665, où la pièce fut décrite comme « *ung grand tableau du roy deffunct et de la rayne mère, du roy Louis quatorziesme et de Monsieur* » et prisée l'importante somme de 1 000 livres. Elle reparaît en 1674, à l'inventaire du fils aîné, Philippe Lourdet, désignée comme « *un tableau représentant la Maison royalle de Louis treize* », et ne valant déjà plus que 400 livres. Logiquement, les Lourdet en possédaient le modèle peint, que l'on voit apparaître en double exemplaire en 1665, les « *deux grandz*

Fig. 1. Manufacture du faubourg Saint-Marcel, d'après Pierre-Paul Rubens, *la Mort de Constantin*, tapisserie. Vienne, Kunsthistorisches Museum.

tableaux portraictz du roy et de la rayne » ornant alors la grande salle de leur appartement à Chaillot. En 1697, l'un d'eux fut décrit comme *« un grand tableau peint sur toille représentant Louis XIII, Anne d'Autriche, le roy et Monsieur, garny de sa bordure de bois de chesne ».* Il est frappant d'y retrouver tous les personnages figurant sur la version textile. Si l'atelier qui a tissé l'œuvre est maintenant déterminé avec certitude, il n'en va pas de même pour l'auteur du modèle original. Car le panneau du Mobilier national est certainement la seule image qui nous reste d'un grand portrait royal disparu. Il est assez convaincant cependant de le rapprocher d'un ensemble de portraits conservé actuellement au château de Balleroy (Calvados) et au château d'Ambras (Autriche), exécuté par le maître flamand Juste d'Egmont (1601-1674) et qui a été étudié récemment (Wilhelm, 1985 et 1987). Nous avons signalé aussi l'existence d'un dessin (BnF, département des Estampes) reprenant la composition du panneau (Vittet, 1995, p. 104, 106-107, fig. 5). Nous pouvons penser que si l'exécution du portrait a bien eu lieu du vivant de Louis XIII, en tout cas après la naissance du duc d'Anjou (21 septembre 1640), le tissage a dû intervenir en revanche après la mort du Roi, survenue le 14 mai 1643, cette date paraissant avoir été ajoutée sur le modèle à la suite de cet événement. La symbolique du globe terrestre, matérialisant le pouvoir royal, employée dans la scène ne laisse pas de surprendre, tant elle est étrangère à la monarchie française. Rubens y avait recouru pour les cartons de la tenture de l'*Histoire de Constantin* (fig. 1).

J. V.

106

Atelier de tapis des Galeries du Louvre, d'après Philippe de Champaigne (Bruxelles, 1602 – Paris, 1674)

La Sainte Face couronnée d'épines

Paris, milieu du XVIIe siècle | Point noué ; laine (trame : laine bleue et lin) ; cinq à six nœuds par centimètre

H. 0,480 ; L. 0,400 | Monogramme en haut, à droite : *L D P*

Hist. : acquis de Reybaud en 1862 par le musée d'Art et d'Industrie de Lyon (n° 1138) ; entré au musée des Arts décoratifs en 1925.
Bibl. : Darcel et Guiffrey, 1882, p. XLV-XLVI ; Verlet, 1982, p. 463, note 160, fig. 192.

Lyon, musée des Arts décoratifs.
Inv. MAD 2227

Le panneau reprend très exactement, mais en sens inversé, une composition créée par Philippe de Champaigne avant 1630, dont subsistent deux versions autographes (Dorival, 1976, n°s 65 et 2043*bis*, repr. ; la dernière vendue à Paris, hôtel Drouot, salles 5 et 6, 3 décembre 2001, n° 67). Un état d'ouvrages appartenant à Louis Dupont, rédigé en juin 1690, et l'inventaire après décès de celui-ci, dressé en mars 1692, prouvent que l'œuvre a été fabriquée dans l'atelier de ce tapissier, voire par lui-même. Le premier document mentionne en effet *« deux testes de Christe de grisaille* [au point noué] *»,* tandis que presque deux ans plus tard l'une des têtes reparaît, décrite comme *« un autre*

tableau de pareille tapisserie façon de Turquie représentant la Sainte Face sur un fond noir garni de sa bordure de bois doré » (30 livres ; AN, MC, LXIX, 139 et 146). Nous pouvons nous demander de quel modèle Louis Dupont avait disposé pour exécuter ce tissage. Il possédait peut-être une copie de l'œuvre de Champaigne, car son inventaire signale dans sa chambre à coucher *« un tableau sans bordure représentant une teste de Crist couronnée peint sur toile »* (30 sols). Toutefois, comme le panneau présente un dessin inversé par rapport à la peinture de l'artiste, il est possible qu'il ait été exécuté d'après l'une des gravures de la *Sainte Face*. Cette œuvre a été gravée en effet dès 1630 par Lucas Vorsterman, gravure elle-même copiée à deux reprises par Jean Morin (fig. 1 ; Dorival, 1972, n° 28). Rien n'empêche de penser non plus qu'un modèle peint a été recréé à partir de la gravure. Reste la question de la date du tissage. Celui-ci est postérieur à 1640 car l'inventaire de Pierre Dupont le père ne décrit rien de tel. L'état de 1690 fournit de son côté un *terminus ante quem.* Si l'on considère que la gravure de Morin a servi de modèle, la date de mort de cet artiste (1650) peut aussi constituer une limite dans le temps. Il faut remarquer encore que l'état de 1690 comprenait plusieurs tissages anciens, comme trois têtes de Roi mage, signalées dès 1657 par les frères De Villers dans leur relation (voir notre « Introduction », p. 178). De la sorte, la fabrication du panneau de Lyon peut être remontée à l'époque de la Régence. Quant au monogramme, composé des lettres L D P, il doit être compris comme signifiant L[ouis] D[u] P[ont].

J. V.

Fig. 1. Jean Morin d'après Philippe de Champaigne, *la Sainte Face,* gravure. Paris, Bibliothèque nationale de France, département des Estampes.

107

Atelier de tapis des Galeries
du Louvre, attribué à, d'après
Jacques Fouquières (Anvers ?,
vers 1590 – Paris, 1656)

Paysage forestier

Paris, milieu du XVIIᵉ siècle | Point
noué ; laine (trame : lin) ; cinq nœuds
par centimètre

H. 0,480 ; L. 0,580

Hist. : collection Georges Hoentschel, Paris ;
collection J. Pierpont Morgan en 1906 ; don
J. Pierpont Morgan, 1906.
Bibl. : Verlet, 1982, fig. 123 ; Standen, 1985, II,
nᵒ 105, repr.

New York, The Metropolitan Museum
of Art. Inv. 07.225.473 a

Le paysage s'apparente par son style à l'art
flamand. Il peut être rapproché, par exemple,
comme nous le suggère Laurence Quinchon-
Adam, du second plan d'un tableau du paysagiste
Jacques Fouquières intitulé *la Chasse aux canards
avec deux chiens,* connu par une gravure de Jean
Morin. La composition du panneau fait aussi
largement penser à une œuvre d'un élève et imita-
teur de Fouquières, Étienne Rendu (vers 1610 –
après 1655), décrivant une *Vue sur le lointain
depuis une prairie boisée avec ferme à droite,*
datée 1655 (Australie, collection particulière ;
Quichon-Adam, 1997, fig. 10). Tous ces paysages
montrent en effet un chemin oblique passant
entre des bouquets d'arbres de tailles inégales. Il
est difficile de déterminer avec certitude le lieu de
tissage du panneau. Peut-être faut-il se tourner
vers l'atelier du Louvre, dirigé après 1640 par
Louis Dupont, fils de Pierre. Dans un inventaire
des ouvrages de savonnerie appartenant à ce tapissier, établi en 1690, se trouvaient en effet « *deux*

grands païsages [dont] *un d'après Fouquer... »,*
c'est-à-dire Jacques Fouquières (AN, MC, LXIX
139, 19 juin 1690). Mais la fabrication de ce genre
de pièce avait commencé bien antérieurement.
Ainsi en juin 1645 « *Vi erano* [à Paris] *Mastri che
lavoravano quadri fatti di lana a modo di tappieti,
ed eseguivano particolarmente bellissimi paesaggi »*
(Michel, 1999, p. 412, note 213). Nous pouvons
penser que ce témoignage concerne l'atelier du
Louvre. Nous avons dit qu'en 1657 les frères De
Villers y avaient admiré deux ou trois paysages
tissés qui sont peut-être ceux que mentionne
l'inventaire de 1690. Il a été supposé que le
panneau de New York était un fragment de l'un
des quatre-vingt-douze tapis faits pour la Grande
Galerie du Louvre sous Louis XIV. L'existence de
lisières sur les côtés gauche et droit de l'œuvre,
qui indique que celle-ci n'a pas été retaillée, ne
permet pas d'envisager une telle origine.

J. V.

108

Atelier de tapis des Galeries
du Louvre ou manufacture
de la Savonnerie

Paysage au berger

*Paris ou Chaillot, milieu du
XVIIe siècle | Point noué ; laine
(trame : lin) ; cinq nœuds par
centimètre*

H. 0,520 ; L. 0,780

Hist. : don André Baverey, 1981.
Bibl. : Arizzoli-Clémentel, 1991, p. 14.

Lyon, musée des Arts décoratifs.
Inv. MAD 2827

Le modèle qui a servi à l'exécution de ce
panneau de laine n'a pu être identifié, mais il est
certainement à chercher dans l'art flamand. Il est
possible que le berger jouant du pipeau sous un
grand chêne soit, selon une convention courante
de l'époque, une évocation de l'ouïe. Le lieu de
tissage d'un tel paysage n'est pas facile à déterminer. Un inventaire des biens de Louis Dupont,
établi en 1690, décrit sept paysages en savonnerie
dont certains font penser à celui du musée de
Lyon, comme « *un païsage où il y a un grand
chesne* » et peut-être aussi « *un petit païsage* [de]
printemps avec un petit païsant dedans ». Le
document signale encore « *un petit paysage où il y
a un chesne et deux chicons* [restes d'arbre]

croysez » (AN, MC, LXIX, 139, 19 juin 1690). Mais
nous ne pouvons pas exclure que le panneau
provienne de l'atelier de Simon Lourdet. À son
décès, en 1666, il se trouvait en effet à la
Savonnerie treize paysages veloutés. L'un d'eux,
inventorié dès l'année précédente, était « *un grand
paysage d'après Blin* », c'est-à-dire François Bellin
(mort en 1661), un élève de Jacques Fouquières et
un collaborateur de Simon Vouet. Se remarquait
aussi « *deux grands paysages en détrampe sans
bordure* » qui, compte tenu de leur technique,
devaient servir de modèles (Floret, 1995, p. 121,
n° 52, p. 122, n°s 13 et 18). Malheureusement
aucune de ces œuvres n'est décrite. Lors du partage de la succession des époux Lourdet, en 1669,
l'un des panneaux de savonnerie fut désigné
néanmoins comme un « *paysage à flûteur* », ce
court descriptif pouvant s'appliquer au tissage de
Lyon (Vittet, 1995, p. 108). Ces tableaux tissés,
moins coûteux que les grands tapis, remportaient
un certain succès auprès de la clientèle. Pour faciliter leur vente, ils étaient pourvus de cadres ou de
bordures, dont trente-cinq sont inventoriés à
Chaillot en 1666 (Floret, *op. cit.,* p. 122-123, n°s 24,
58-59). Des paysages analogues à celui de Lyon
pourraient subsister (succession Bunau-Varilla,
première vente, Paris, hôtel Drouot, salles 10 et 11,
9 et 10 juillet 1947, n°s 140-141).

J. V.

108

109

Manufacture de la Savonnerie,
attribué à

Tapis

*Chaillot, vers 1650-1660 | Point
noué ; laine (trame : lin) ; quatre
nœuds et demi par centimètre*

H. 4,080 ; L. 2,370

Hist. : collection Sommier.
Bibl. : Michel, 1922, p. 908.

Vaux-le-Vicomte, château

Ce tapis a probablement été exécuté à la
manufacture de la Savonnerie. Son décor en effet
ressemble à des pièces produites par cet atelier,
connues par des descriptions. Par exemple,
l'inventaire de 1653 des collections du cardinal
Mazarin mentionne « *un grand tapis de Savonnerie
à fonds noir, dans le milieu duquel il y a une
cartouche en ovalle, remplie de fleurs et de fruits, à
l'entour de laquelle sont plusieurs branches de
feuillages liées ensemble d'où sortent quantité de
fleurs, et entre les dites branches il y a des pots
remplis de fleurs et de fruits, le dit tapis ayant une
grande frize remplie de fleurs, de pots et de panniers
plains de fleurs entre deux petites bordures, l'une
ornée de coquilles blanches, et l'autre de rozettes
bleües et feuilles vertes...* » (Aumale, 1861, p. 170 ;
ce tissage était probablement antérieur à 1648 ;

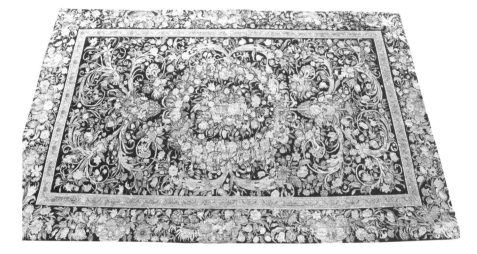

109

Michel, 1999, p. 162 et 178, note 94). Il est frappant de retrouver notamment sur le tapis de Vaux cette petite bordure à rosettes bleues et feuilles vertes, qui apparaît comme une signature de l'atelier de Chaillot. De même, un tapis acheté par la reine Marie-Thérèse d'Autriche en 1661 à Lourdet et inventorié par le Garde-Meuble royal en 1684 possédait un compartiment central tout à fait identique à l'exemplaire de Vaux : « *237 – Un autre tapis de la Savonnerie fonds brun* […]*, au milieu duquel est un gros bouquet de fleurs dans une bordure ovale de fleurs, liée de quatre rubans bleu, avec deux vazes bleus à godrons jaunes remplis de fleurs, et d'où il sort des rinceaux qui remplissent le hault et le bas dudit tapis, dans une grande bordure aussy fonds brun…* » (Guiffrey, 1885-1886, I, p. 410). La bordure du tapis de Vaux laisse penser que l'exécution est intervenue avant les années 1660. Nous connaissons d'autres tissages présentant un compartiment central analogue (vente George Blumenthal, Paris, galerie Georges Petit, 1er et 2 décembre 1932, no 193, pl. XCIII ; vente Monte-Carlo, Sporting d'hiver, 17 mars 1988, no 101, repr.), qui proviennent sans doute du même atelier. Les coupes d'orfèvrerie à anses chimériques ou à masques de lion et certains bouquets de la bordure se retrouvent aussi sur un tapis du Metropolitan Museum of Art, à New York (Watson, 1966, II, no 275, repr.), et sur un autre appartenant au musée Nissim de Camondo (inv. 177).

J. V.

Détail

110

Manufacture française indéterminée

Tapis

Vers 1660 | Point noué ; laine
(trame : lin) ; cinq nœuds par
centimètre

H. 4,900 ; L. 3,220 | Chiffre : *P C D* (?)
enlacés | Date : *16..* (lue autrefois 1663,
aujourd'hui illisible) | Armoiries : d'azur
à un phénix dans son immortalité surmonté d'un soleil et accompagné de trois
coquilles deux et une, le tout d'or, l'écu
timbré d'un heaume empanaché surmonté
d'un phénix et d'une devise : *MORIAR
VT VIVAM* | Sentence : *IN. ADVERSIS.
CLARIVS*

> **Hist. :** acquis du marchand Loyer, 1888.
> **Bibl. :** Bertaux, 1933, nº 163 ; Pagnano, 1983,
> nº 172 ; Sherrill, 1995, p. 67-69, fig. 71.
> **Exp. :** Paris, 1960, nº 769.

Paris, musée Jacquemart-André.
Inv. MJAP T 961

Les recherches héraldiques conduites à l'occasion de l'exposition par M. Philippe Palasi n'ont
pas permis d'identifier le personnage dont l'écu
apparaît sur deux angles du tapis. Les répertoires
de Dielitz (1888, p. 143) et de Chassant et Tausin

(1878, I, p. 145) associent la devise latine *in adver-
sis clarius* au patronyme Lejeune ou Lejeune de
Malherbe, mais les armoiries de ces familles ne
concordent pas avec celles du tapis. Par son décor
de fleurs sur fond brun, celui-ci peut être comparé
aux productions contemporaines de la manufacture de la Savonnerie. Ses motifs rappellent, par
exemple, un tapis acheté à Lourdet en 1661 par la
reine Marie-Thérèse d'Autriche, déjà mentionné
(voir le cat. 109) : « ... *au milieu duquel est un gros
bouquet de fleurs dans une bordure ovale de fleurs,
liée de quatre rubans bleu, avec deux vazes bleus à
godrons jaunes remplis de fleurs* [...] *dans une
grande bordure aussy fonds brun remplie de
rinceaux...* » (Guiffrey, 1885-1886, I, p. 410,
nº 237). Cependant, la maladresse relative avec
laquelle les motifs ont été traduits et la fadeur de
la teinture des laines empêchent d'attribuer cette
pièce à la manufacture de Chaillot. D'autres ateliers
pratiquant la technique du velouté ont vu le jour
à l'époque en France et à l'étranger (Verlet, 1982,
p. 131, 137 et 142). En 1652, Forestier, le correspondant de Madame Royale à Paris, confirme
l'existence d'un atelier où travaillaient des trans-
fuges de la Savonnerie : « [des] *deux tapis que
V. A. R. m'a comandé de luy envoyer, scavoir un
d'antichambre & l'autre de cabinet, le premier est
sur près de six aulnes de long e trois aulnes de large,*

*l'autre sur cinq aulnes de long e deux aulnes deux
tiers de large a beau dessein, encor meilleur marché
que le premier que j'ay envoyé au Sr Clerc ; aussi ne
l'ay je pas pris du mesme maistre, car ayan sceu qu'il
y avoit deux garçons qui avoient quitté la Savonnerie
pour travailler secrettement, j'ay fait en sorte de
convenir avec eux pour lesditz tapis à la somme de
deux mil huit cent quinse livres les deux, qui est vint
livres par aulne en caré meilleur marché...* » (Turin,
Arch. di Stato, LMF, 58, doss. 3). De même, chez
Henri de Senneterre, se pouvait voir « *un grand
tapis de pied façon de Turquie fabrique d'Angleterre,
à fleurs rouge à fondz blanc, petite bordure, de cinq
aulnes un tiers de long sur deux aulnes deux tiers de
large* », prisé 450 livres (AN, MC, LXVIII 185,
9 janvier 1662).

J. V.

111

Manufacture de la Savonnerie

Coffret

Chaillot, autour de 1665 | Bois, laine,
cuivre doré, soie, argent doré

H. 0,320 ; L. 0,690 ; Pr. 0,460 | Chiffre sur
le couvercle : *M L L*

Hist. : Jean Bloch ; vente Jean Bloch, Paris, palais
Galliera, 13 juin 1961, n° 136, pl. XXV ; vente anonyme, Paris, palais Galliera, 13 juin 1963, n° 127,
pl. XXVII ; acquis à cette vente.
Bibl. : Dufet, 1949, p. 34, repr. ; Verlet, 1982, p. 86,
393, note 11, fig. 50 ; Reyniès, 1987, fig. 1730 ;
Grandjean, 1990, p. 15, repr. ; Vittet, 1995, p. 104-
105, repr. ; *Art du tapis,* 1996, fig. 211.
Exp. : Paris, 1949, n° 45, 1960, n° 178.

Paris, musée du Louvre, département des
Objets d'art. Inv. OA 10215

Le coffret peut être mis en relation avec les productions de l'atelier de Chaillot, grâce à plusieurs inventaires de la famille Lourdet, qui décrivent des œuvres analogues. Ainsi, au décès de Simon Lourdet, en 1666, il est fait mention de « *sept morceaux de mesme ouvrage* [façon de Turquie] *servans à couvrir cassettes et layettes* », prisés 10 livres. Un coffret similaire, à moins qu'il ne s'agisse du même, appartint à son fils aîné, Philippe Lourdet, décédé en décembre 1670. L'inventaire de ses biens, dressé en janvier 1674, décrit dans sa chambre à coucher à Chaillot « *une cassette couverte d'ouvrage de la Savonnerie garnie de cuivre doré à serrure fermant à clef sur son pied de bois* [de] *noyer à collonne torce garny d'un tiroir à serrure aussy fermant à clef* », prisée 40 livres. Ce même objet paraît se retrouver à nouveau chez Jeanne Lourdet, l'une des filles de Philippe, dans la maison de la rue de Beaune, où elle mourut, en 1689, désigné comme « *une cassete d'ouvrages de Savonnerie couverte de toile peinte avec son pied de bois de noyer tourné à un tiroir fermant à clef, lad.* cassete *avec sa serrure fermant à clef et crochet de cuivre* » (même prisée ; Vittet, 1995, p. 104). Ces différentes descriptions s'appliquent tout à fait au coffret du Louvre, des fragments des crochets s'y voyant encore. Le monogramme du couvercle, constitué d'un M et de deux L, pourrait désigner Marie Lourdet, une autre fille de Philippe Lourdet, en faveur de qui le coffret aurait pu avoir été fabriqué. Cependant la serrure est ornée de fleurs de lis, comme le sont les deux charnières permettant à la face de s'ouvrir, de sorte que nous pouvons nous demander si l'objet n'a pas une origine princière ou royale. Il pourrait alors avoir été réalisé à l'occasion du mariage de Louis XIV avec Marie-Thérèse, en 1660. Au XVIIe siècle, ce genre de coffret servait à ranger des bijoux ou des tissus précieux. Signalons enfin que l'inventaire de la femme de Simon Lourdet, Françoise Carré, établi en 1665, mentionne « *le dessus de deux cofferetz de nuict* » en savonnerie (Floret, 1995, p. 121, n° 49).

J. V.

112

Manufacture de la Savonnerie,
attribué à

Tapis

Chaillot, avant 1654 | Point noué ;
laine (trame : lin) ; quatre nœuds et
demi par centimètre

H. 2,060 ; L. 2,170 | Armoiries : d'azur à
une bande d'argent accompagnée en chef
d'un lion courant d'or sur la bande et en
pointe d'un cerf du même, l'écu timbré
d'une mitre et d'une crosse et surmonté
d'un chapeau d'évêque

> **Hist. :** exécuté pour Jean II de Fossé (mort
> en 1654) ; collection George Blumenthal ; sa vente,
> Paris, galerie Georges Petit, 1er-2 décembre 1932,
> n° 192, pl. XCII ; collection Beistegui à Groussay ;
> vente du château de Groussay, 2-6 juin 1999,
> n° 510, repr.
> **Bibl. :** Gaillemin, 1996, p. 53, repr.

Paris, collection Simone et Bernard
Steinitz

L'identification des armoiries du tapis (voir
Jougla de Morenas, 1939, p. 40) a permis de déterminer que celui-ci a été exécuté pour Jean II de
Fossé, né à Toulouse, évêque de Coron (Grèce)
en 1627, puis évêque de Castres en 1632, et mort
en septembre 1654 (informations recueillies
par Philippe Palasi). Son décor de fleurs variées
(tulipes, œillets, roses, lis, iris, jacinthe, fritillaire,
etc.) permet de rattacher cette pièce à la production de la manufacture de Chaillot. Le tissage doit
être situé entre l'accession de Jean de Fossé au
siège épiscopal de Castres et sa mort. Il est difficile
de savoir si le tapis était réservé à un usage litur-
gique ou privé. Il était sans doute destiné à garnir
une estrade portant le fauteuil de l'évêque.

À propos des brodeurs parisiens de la première moitié du XVIIe siècle

Danièle Véron-Denise

L'art de la broderie au début du XVIIe siècle était pratiqué par plusieurs catégories de personnes : les professionnels, un groupe que l'on pourrait qualifier de « semi-professionnel » et certains particuliers. Il sera davantage question ici du premier groupe, en raison de la place des brodeurs dans les industries du luxe et de leur importance grandissante, à la fin de cette période, dans le contexte européen.

Les professionnels étaient regroupés au sein d'une corporation. Celle des brodeurs parisiens avait quatre siècles d'existence[1] (même si l'activité de ces derniers est beaucoup plus ancienne) et encore un bel avenir devant elle. Ses statuts avaient été modifiés à plusieurs reprises et le seront à nouveau en 1648. Depuis Charles IX (statuts de 1567), les brodeurs avaient été réunis aux chasubliers et appelés communément brodeurs-chasubliers[2], ce qui leur permettait de travailler aux ornements sacrés et aux vêtements ecclésiastiques. D'après les rares états conservés, il semble que leur nombre ait varié entre 200 et près de 300 maîtres. Les statuts de 1648 essaient de limiter leur nombre à 200, sans grand succès, apparemment, puisqu'en 1700 ils sont 273[3], et que les statuts de 1704 tentent encore de les réduire[4]. Ils travaillaient en ateliers, qui comprenaient un maître, plusieurs compagnons et ouvriers, et deux apprentis pour une période de six ans[5].

La confrérie des brodeurs, instituée plus tardivement que la corporation, datait de 1471. Elle avait son siège en l'église Sainte-Opportune et était placée sous la protection de saint Clair et de la sainte Vierge, sous le vocable de la Purification. Elle bénéficiait ainsi de deux fêtes, l'une le 2 février, jour de la Purification de la Vierge, et l'autre le 18 juillet, jour de la translation de saint Clair. Les jurés, au nombre de quatre, étaient élus le 3 février, lendemain de la Purification. Outre leur charge d'inspection, de surveillance des règlements et, éventuellement, de répartition des commandes entre les différents maîtres, ils administraient la confrérie pendant leur première année de jurande.

La place des femmes dans la profession, en tant que maîtresses brodeuses (car il y a toujours eu beaucoup d'ouvrières), est importante aux XIIIe et XIVe siècles[6] ; mais en 1700, on n'en trouve pas une seule dans la liste des 273 brodeurs répertoriés, si ce n'est à la fin de la liste, où sont inscrites 22 femmes, au titre de veuves[7]. Ce fait laisse supposer que, même s'il n'était pas officiel, le rôle des femmes n'était cependant pas négligeable[8]. En tout cas, Anne d'Autriche avait au moins une femme parmi les brodeurs de sa maison : Jeanne Dubois[9]. Il est vrai que l'entourage familial de cette brodeuse ne lui laissait guère d'autres perspectives : elle était la petite-fille de Nicolas Dubois, brodeur d'Henri IV, la fille de Michel Dubois, brodeur de Louis XIII, la nièce de Rémy Dubois, brodeur lui aussi d'Anne d'Autriche, la nièce également d'Henri Dubois, brodeur de Louis XIII et d'Anne d'Autriche, et enfin l'épouse de Mathieu Croquet, maître brodeur[10] ! Une autre brodeuse était également attachée à la maison d'Henriette de France, sœur de Louis XIII, avant 1625 : Charlotte Herbinet[11].

La plus grande partie des brodeurs habitait la paroisse Sainte-Opportune, très petite, ainsi que les paroisses voisines de Saint-Eustache, Saint-Sauveur et Saint-Germain-l'Auxerrois. D'autres cependant habitaient le faubourg Saint-Germain, « *comme s'ils avaient été rattachés à une corporation particulière, dépendant de la vieille abbaye*[12] ». Enfin, lorsque Henri IV mit à la disposition des artistes les plus distingués des logements situés au-dessous de la Grande Galerie du Louvre, il fit également bénéficier quelques brodeurs de ce privilège. Durant la régence d'Anne d'Autriche, on y trouve ainsi Nicolas de la Fage,

1. Les premiers règlements datent de 1292. Voir Lespinasse, 1886-1897, II, p. 162. Pour plus de détails sur le sujet, voir aussi Grodecki, 1986, Véron-Denise, 1995, p. 33-43, et Reyniès, 1995, p. 164-169.
2. La seconde partie de ce nom n'apparaît pas toujours dans les documents.
3. Il y en avait 200 en 1292, 260 en 1316, 273 en 1700. Voir Lespinasse, *op. cit.*, p. 163 ; et *Liste générale...*, 1700.
4. Lespinasse, *op. cit.*, p. 180.
5. Avant 1483, l'apprentissage durait huit ans ; en 1648, on n'autorise plus d'apprentis jusqu'à ce que le nombre de brodeurs soit retombé à 200. Par la suite, le temps d'apprentissage sera élevé à dix ans.
6. À titre indicatif, elles figurent à nombre égal avec les hommes dans les statuts de 1316.
7. *Liste générale...*, dernière page.
8. Les veuves pouvaient hériter de la charge de leur mari.
9. En 1642, elle figure dans la *Trésorerie générale des maisons et finances d'Anne d'Autriche*, AN, KK 203, fo XXVIvo ; et en 1646, elle est inscrite dans l'*État des dépenses d'Anne d'Autriche* pour cette année, BnF, Mss, Fr. 10412.
10. Voir BnF, Mss, fichier Laborde (à Dubois).
11. Voir Griselle, 1912. Deux brodeurs du même nom apparaissent dans les documents : Quentin Herbinet (1605) et Jacques Herbinet (1603-1638), sans que l'on connaisse les liens qui les unissent à Charlotte Herbinet (BnF, Mss, fichier Laborde, et AN, fichier du MC des notaires).
12. Grodecki, *op. cit.*, p. 36.

brodeur et peintre ordinaire du Roi et de la Reine[13], de 1646 à 1665 ; Charles Hulin, brodeur du Roi, en 1657[14] au moins ; Dominique Lerminot, brodeur du Roi, de 1656 à sa mort, en 1693[15].

Un certain nombre de ces maîtres brodeurs faisaient partie des « maisons » du Roi (au nombre de quatre), de la Reine ou des princes du sang, ou étaient directement au service de maisons princières. Grâce à cette appartenance, ils devenaient relativement indépendants de la communauté. Ils travaillaient en chambre et n'avaient pas le droit de tenir boutique ni d'avoir de clientèle bourgeoise, mais pouvaient engager le nombre de compagnons qu'ils voulaient. Il leur arrivait aussi de sous-traiter et de passer des commandes avec d'autres maîtres. Les « brodeurs privilégiés suivant la cour », au nombre de deux, étaient tenus de suivre la cour dans ses déplacements. Ils jouissaient des avantages des maîtres brodeurs, mais ne pouvaient travailler que pour les princes.

De même que les orfèvres, les brodeurs étaient amenés à travailler des matières précieuses : l'or et l'argent, ainsi que la soie. L'or (en réalité de l'argent doré) et l'argent étaient utilisés de façons extrêmement variées, sous forme de traits (tels qu'ils se présentent au sortir de la filière), de lames (traits aplatis par laminage), de filés (lames enroulées sur une âme de soie), de cannetilles (fils d'or ou d'argent enroulés en spirale, formant une sorte de petit ressort que l'on découpe à la longueur souhaitée), de paillettes (petits disques percés en leur centre et parfois fendus), et de petits éléments emboutis. Les techniques de mise en œuvre de tous ces éléments étaient également variées et raffinées : la couchure (le fil métallique est disposé sur la surface à couvrir en lignes parallèles, droites ou courbes, et fixé par un fil de soie qui le rattache à l'étoffe. Selon la disposition du fil de soie, des dessins variés peuvent être formés : chevrons, losanges, écailles, spirales, ondulations…) ; la gaufrure (aspect de léger relief obtenu en disposant des cordonnets sur l'étoffe et en les recouvrant perpendiculairement de fils d'or fixés de manière à faire des chevrons, des damiers, des zigzags…) ; la bosse ou le relief (obtenu par l'introduction de carton, de feutre, de toiles encollées ou de ficelles, modelés et soigneusement recouverts par les fils métalliques). Enfin l'or nué était l'une des techniques les plus délicates à mettre en œuvre : les fils d'or, couchés horizontalement sur l'étoffe à broder, étaient maintenus par des fils de soie de teintes variées, disposés de manière très serrée là où les ombres devaient être les plus fortes, puis en dégradant les nuances et en laissant voir de plus en plus l'or dans les parties que l'on voulait éclairer (voir le « corporalier », cat. 118). Comme l'indique, en 1622, Étienne Binet, prédicateur du Roi : « L'or nué est l'ouvrage le plus long et celui où il faut réunir le plus de patience à l'intelligence la mieux soutenue[16]. » C'était la technique imposée pour le chef-d'œuvre nécessaire à l'obtention du brevet de maîtrise.

Longs, délicats, difficiles parfois, recourant à des matières précieuses, les travaux de broderie étaient très onéreux et réservés aux couches les plus élevées de la société : membres de la famille royale, grands seigneurs, princes de l'Église, hauts dignitaires. Mais les commanditaires comprenaient parfois aussi les municipalités des villes, lorsqu'elles étaient obligées de recevoir avec munificence des personnages éminents lors de leurs passages, et les riches bourgeois, marchands ou banquiers, qui désiraient afficher un style de vie équivalent à celui de la noblesse ou manifester leur dévotion par des dons aux églises ; sans oublier les conseils de fabrique dans les églises, qui s'occupaient de l'entretien et de l'embellissement de ces dernières.

Un document, conservé par le minutier central des notaires aux Archives nationales, éclaire plusieurs aspects du milieu que nous venons d'évoquer et ouvre également des horizons insoupçonnés. Il s'agit d'un marché, ou plutôt d'une série de marchés passés le même jour, le 23 février 1645, entre deux maîtres brodeurs associés : Pierre Boucher, demeurant rue Saint-Honoré, paroisse Saint-Eustache, et Denis Coron, demeurant rue des Poulies, paroisse Saint-Germain-l'Auxerrois, avec pas moins de cinquante autres maîtres brodeurs, également parisiens, ce qui constitue une bonne partie des effectifs de la corporation, probablement un quart ou un cinquième[17]. La commande, considérable, consiste en plusieurs centaines de fleurs de lis « gauffrées d'or de Milan » (à raison de 60 sols pour un modèle de fleurs de lis et de 32 sols pour un autre modèle), en couronnes en broderies d'or, en cinq couvertures de velours brodé d'or suivant le dessin qui est fourni et conformément à un échantillon qui a déjà été laissé aux brodeurs, en six « lambeaux » et en six « carrés » (nous verrons plus loin l'explication de l'un au moins de ces termes), et en treize casaques à décor de croix en broderie d'argent filé, conformément aussi à un échantillon déjà fourni. Le tout était à rendre à Pâques fleuries, c'est-à-dire à la fête des Rameaux, soit un à deux mois plus tard. Cette commande, quasi royale par son ampleur et la présence des couronnes et des fleurs de lis, semble concerner un équipage complet, où les six couvertures pourraient être destinées à six chevaux.

13. Fleury, 1969, p. 356.
14. BnF, Mss, fichier Laborde.
15. *Ibid.* ; *Nouvelles Archives de l'art français*, 1873, p. 40 (écrit « Terminot ») ; *Archives de l'art français*, I, 1851-1852, p. 246.
16. Binet, 1622, p. 336.
17. AN, MC, XXIV, 426. Ce document a été repéré dans les fichiers relatifs aux artisans du XVIIe siècle, dans la salle des Inventaires, aux AN.

Fig. 1. Anonyme, *Henri d'Orléans, duc de Longueville*. Paris, Bibliothèque nationale de France, département des Estampes.

La question se pose des circonstances d'une commande si exceptionnelle. Quel événement a pu monopoliser tant de bras (ou plutôt de mains), d'énergie, d'argent, de luxe ? La réponse est fournie partiellement par un contrat d'association passé le 14 février 1645, soit quelques jours avant ces marchés extraordinaires, entre les deux principaux protagonistes, Pierre Boucher et Denis Coron, « *pour tous les ouvrages de broderie qui sont à présent et seront à faire cy-après pour Monseigneur le duc de Longueville, Madame son épouse, leurs officiers et ceux de leur maison*[18] ». Si l'on considère les événements de la vie du duc de Longueville susceptibles, à ce moment-là, de justifier une pareille commande, on constate que le duc venait alors d'être nommé, par Mazarin, plénipotentiaire à Münster en Westphalie, pour participer aux négociations qui aboutiront, en 1648, au traité du même nom, mettant fin à la guerre de Trente Ans. En dehors des négociations elles-mêmes et des intrigues habituelles qui les accompagnèrent, les deux villes de Münster et d'Osnabrück, où se déroulaient les conférences, furent aussi le théâtre, on pourrait presque dire l'arène, où s'affrontaient les différentes nations sur le chapitre de la magnificence. Comme le signale le père Bougeant (1690-1743), auteur d'une magistrale étude sur le traité de Westphalie : « ... *Si l'imagination du Lecteur se représente à la suite de tant de Plénipotentiaires, les Officiers qui composaient leur Maison, la magnificence de leurs équipages & de leurs livrées,* & la dépense que leur caractère les obligeait de faire à l'envi les uns des autres [c'est nous qui soulignons], *on n'aura pas de peine à concevoir que Munster et Osnabrug fournirent en cette occasion un spectacle aussi magnifique qu'intéressant*[19] ». Les deux plénipotentiaires français nommés dès le début, et qui précédèrent donc le duc de Longueville, étaient Claude de Mesmes, comte d'Avaux, et Abel Servien. Le premier « *qui était naturellement magnifique faisait à Munster pour soutenir la dignité de son caractère une dépense plus digne d'un Prince que d'un Ambassadeur. Sa livrée aussi riche qu'elle était nombreuse, sa suite composée d'un grand nombre de Pages, de Gentilshommes & d'Officiers, ses équipages, sa table & toute sa dépense effaçait entierement celle de M. de Servien qui n'était ni si riche, ni si libéral*[20] ». À la suite d'une mésentente prolongée entre les deux hommes, d'Avaux fut rappelé en France. Henri II d'Orléans, duc de Longueville (fig. 1), descendant de Dunois (le bâtard d'Orléans, compagnon de Jeanne d'Arc), assimilé aux princes du sang (les « *lambeaux* » de la commande correspondent aux « *lambels* », qui, dans les armoiries, indiquent la branche cadette d'une maison), fut donc choisi par Mazarin pour le remplacer. D'une part, le ministre désirait éloigner de la cour un élément perturbateur (qui se révélera tel quelques années plus tard), d'autre part « *on était aussi bien aise que ce Prince qui était magnifique, affable & bienfaisant, donnât de l'éclat à l'Ambassade par son nom & sa dépense*[21] ». Nous voyons par là combien était important le rôle de « représentation » dans ce choix. Ainsi le duc entra dans Münster le 30 juin 1645 et « *son entrée [...] ne laissa pas d'effacer toutes les autres par la magnificence du train et des équipages qui accompagnaient ce Prince*[22] ».

Au-delà de cette sorte de « concours » de magnificence remporté par les Français, où la vanité trouve naturellement une certaine satisfaction, il semble possible d'entrevoir une autre conséquence de cette « victoire » : l'influence grandissante de la mode française dans le monde européen, plus particulièrement en ce qui concerne la broderie. En effet, parmi les nations les plus directement en concurrence avec la

18. AN, MC, XXIV, 426.
19. Bougeant, 1744, p. 50.
20. Idem, *op. cit.*, p. 109.
21. Idem, *op. cit.*, p. 38.
22. Idem, *op. cit.*, p. 312.

France pour ce qui était du « paraître », la nation suédoise, pourtant son alliée dans les négociations politiques, se trouva quasiment en rivalité avec elle sur les chapitres du faste et de l'éclat. C'est que le plénipotentiaire suédois, Jean Oxenstierna, fils du grand chancelier Axel Oxenstierna, affichait lui aussi un tel goût pour la parade « *qu'il ne faisait jamais de visites que dans un carrosse de la reine de Suède, suivi de douze hommes armés de hallebardes, accompagné d'un grand nombre de Gentilhommes bien faits qui marchaient à pied devant le carosse, & d'un égal nombre de Pages & de Valets de pied tous richement habillés*[23]... » à tel point que les plénipotentiaires français étaient surpris et presque jaloux de cette magnificence. Et pourtant, deux années plus tard, c'est bien à la France que la reine de Suède s'adressa pour commander les luxueux ornements brodés destinés à son couronnement, et c'est le même brodeur, Boucher, qui figure dans les correspondances relatives à ces commandes somptueuses (voir « Ornements brodés pour la couronne de Suède », p. 206). Au demeurant, dès 1646, Pierre Boucher, devenu entre-temps « *bourgeois de Paris* », s'était associé à un autre brodeur, Jacques Imbault, maître brodeur-chasublier, bourgeois de Paris, rue Mauconseil, à l'hôtel de Mandosse, « *pour la perfection des ouvrages qu'ils auront à faire pour le service de Monseigneur le Prince Thomas* [Thomas-François de Savoie-Carignan] *et son fils*[24] ».

Ainsi, les démonstrations de faste qui avaient accompagné les pourparlers de Westphalie avaient-elles en quelque sorte servi de vitrine au savoir-faire français, tout au moins dans ce domaine en relation étroite avec le luxe qu'était la broderie à cette époque ; et les incroyables marchés du 23 février 1645 eurent-ils des retentissements, sinon encore dans toute l'Europe, du moins dans l'une des nations nordiques dont l'étoile grandissait singulièrement.

Parallèlement au travail des professionnels proprement dits, l'art de la broderie avait également fleuri depuis des temps très reculés dans les monastères féminins. Destinée d'abord à l'usage propre des couvents, c'est-à-dire à la digne célébration du culte dans leurs bâtiments ainsi qu'à l'ornementation de leurs chapelles (voir l'*Antependium* de la Pentecôte, cat. 119, et la pièce brodée dite du Bon Pasteur, cat. 122), la broderie pouvait aussi prendre place dans un circuit commercial procurant un accroissement de ressources pour le monastère. Cette production entrait-elle en concurrence avec celle de la communauté des brodeurs ? *A priori*, on serait tenté de le penser ; et, de fait, un « incident » vient étayer cette hypothèse. En 1648, lors de la rédaction de nouveaux statuts pour les brodeurs, un article était prévu (article 11) qui « *faisait défense aux maîtres et maîtresses de montrer les points de broderie dans les couvents ou maisons bourgeoises*[25] ». Néanmoins, lors de l'enregistrement de ces statuts par le Parlement, le 10 juillet 1649, seul l'article 11 est modifié et « permet » « *aux maîtres, compagnons, femmes et filles de montrer à broder dans les maisons religieuses et autres*[26] ». On imagine que certaines pressions avaient dû s'exercer...

Enfin, de manière assez répandue à cette époque, comme à d'autres, les « dames de qualité » s'adonnaient également à cette occupation. Elles confectionnaient le plus souvent des éléments destinés à l'ameublement, des coussins, tapis de table, couvertures de siège ou garnitures de lit ; mais elles œuvraient aussi pour leurs paroisses ou les chapelles qu'elles fréquentaient en brodant des ornements liturgiques. Quelques témoignages de ces ouvrages subsistent encore de nos jours, comme des orfrois de chasuble brodés par Mme de Miramion[27], une chasuble entière avec étole et manipule brodée, vers 1628, par Madeleine du Bois, épouse du poète Racan[28], ou la chasuble brodée par la duchesse de Montbazon en 1642 (voir cat. 115).

Et pourtant, malgré l'abondance et la variété des milieux pratiquant la broderie, le règne de Louis XIV vit encore la création de trois nouvelles institutions dans ce domaine : un atelier créé par Colbert à la manufacture royale des Meubles de la Couronne (il est vrai que son existence, de 1667 [?] à 1693, fut éphémère) ; l'atelier du couvent de Saint-Joseph créé, vers 1677, sous l'influence de Mme de Montespan ; puis celui de Saint-Cyr, constitué par Mme de Maintenon, à partir de 1684 (localisé d'abord à Noisy-le-Roi), à l'imitation de celui de Saint-Joseph. Ces diverses créations, qui se surajoutèrent aux groupes préexistants, illustrent bien l'importance croissante de l'art de la broderie en France tout au long du XVIIe siècle, correspondant à une utilisation dans les domaines les plus variés tels que le vêtement, l'ameublement, les moyens de transport, les cérémonies religieuses et profanes, les fêtes et les spectacles...

23. Bougeant, 1744, p. 42.
24. AN, MC, CXXI, 6-7 mars 1646. Le prince Thomas était beau-frère du duc de Longueville, ayant épousé Marie de Bourbon-Soissons, sœur de Louise de Bourbon-Soissons, première épouse du duc de Longueville.
25. Lespinasse, 1886-1897, p. 179, note 1.
26. Idem, *op. cit.*, p. 180, note 1.
27. Conservés à l'église Saint-Nicolas-du-Chardonnet à Paris.
28. Conservée au trésor de la cathédrale de Tours.

113

Coffret au chiffre de Marie de Médicis

Début du XVIIe siècle | Canevas, soie, fils d'or, fils d'argent, lame d'argent ondée, galon d'or | Demi-point, couchure

H. 0,250 ; L. 0,620 ; Pr. 0,440

Hist. : vente à Paris, hôtel Drouot, salle 6, 20 décembre 1948, n° 65 ; acquis à cette vente.
Bibl. : Verlet, 1950, p. 60, 1982, p. 64.
Exp. : Hartford, 1985, p. 89.

Paris, musée du Louvre, département des Objets d'art. Inv. OA 9463

Au centre du couvercle, le chiffre de Marie de Médicis (deux M dont l'un est renversé et un H en capitales romaines sous une couronne fermée) est entouré d'une couronne de lauriers nouée par un petit ruban. Tout autour s'épanouit un décor végétal, où des fleurs et des fruits variés sont brodés en soies polychromes sur le fond or des panneaux et le fond argent des bordures d'encadrement. D'aspect assez naturaliste, les diverses espèces représentées sont identifiables, pour la plupart. On peut reconnaître des œillets, des bleuets, des pensées, des ancolies et probablement des roses vues de face, ainsi que des poires, des grenades et des citrons.

Toutes ces espèces sont comparables aux fleurs et aux fruits peints vers 1609-1610 sur les lambris bas du salon Louis XIII au château de Fontainebleau. Dans les deux cas, une grande place est donnée aux fruits, et dans les deux cas sont

absentes ces espèces nouvellement importées qui, comme la tulipe, connaîtront un essor prodigieux au cours des années 1620 et 1630. On peut constater par exemple la présence de cette tulipe, devenue une fleur incontournable dans les arts décoratifs, sur une magnifique reliure brodée, datée de 1629, ayant également appartenu à Marie de Médicis, conservée au château de Chantilly (cat. exp. Paris, 1995, p. 65-67, n° 25). Par ailleurs, le chiffre de Marie de Médicis, accompagné du H d'Henri IV, se retrouve à l'identique sur un livre daté de 1609 (Olivier, Hermal et Roton, 1924-1938, XXVI, pl. 2504, fig. 3). Ces diverses constatations amènent à situer la date d'exécution du coffret dans la première décennie du XVIIe siècle.

On connaît le goût prononcé de Marie de Médicis pour la broderie : « *C'était elle-même qui choisissait,*

par exemple, les broderies devant figurer sur les hoquetons et casaques des archers de ses gardes » (Batiffol, 1906, I, p. 241). Non contente d'avoir un grand nombre de brodeurs attachés à sa maison, parmi lesquels on peut citer Pierre Barbansson, Jean Le Boiteux, Louis Boucherot, Nicolas Desforges, Pierre Leroy, Nicolas de Vaudray, elle avait aussi tout un groupe d'ouvriers et d'ouvrières qu'elle avait fait venir d'Orient pour les appliquer à ce genre d'ouvrages, telles Anne Ossache, Adrienne Théodoran et Marguerite Thamary, qui travaillaient sur des modèles préparés par le peintre François Bénard (idem, *op. cit.*, p. 242). C'est vraisemblablement à l'un (ou l'une) de ces brodeurs qu'il faut attribuer la confection de ce coffret.

D. V.-D.

Avant restauration

114
Coffret à tiroirs

France, vers 1630 | Extérieur du coffret : peau de couleur chamois, fils d'or (cannetilles mates, brillantes, frisées, cordonnet) ; perles de turquoise, perles fines (il en reste une) ; nombreux manques | Intérieur du coffret : soie blanche lamée d'argent ; « milanaises » (cordons de soie entourés de fils ou de lames d'or ; ici elles sont riantes) ; paillettes ; cannetilles | Sur l'ensemble du coffret : galon tissé d'argent ; pieds et ferrures en argent | Broderie en couchure et guipure ; argent gravé et ciselé

H. 0,155 (avec les pieds) ; L. 0,220 ; Pr. 0,155

Hist. : Léon Gruel, relieur d'art à Paris ; acheté pendant la Seconde Guerre mondiale par le Deutsches Ledermuseum, Offenbach-sur-le-Main (Hesse) ; restitué à la France en 1949 ; attribué au département des Objets d'art par l'Office des biens privés par arrêté du 16 mai 1951.

Paris, musée du Louvre, département des Objets d'art. Inv. OAR 306

Le décor extérieur de ce coffret est classique et raffiné : des motifs végétaux et floraux stylisés s'épanouissent au centre de chacune des faces, s'allongent en frises sur les bordures et se dressent en bouquets obliques dans les angles. Le centre du couvercle comporte un chiffre formé de lettres entrelacées – A, D et B, à lire dans cet ordre ou dans un autre –, qui restent à identifier, dessinées en perles de turquoise, entourées de palmes et surmontées d'une couronne fleurdelisée. Le décor intérieur est assez différent, aussi bien pour le style que pour la technique : de sages rinceaux fleuris se déroulent à l'intérieur de l'abattant et sur les petits tiroirs, mais toute une faune insolite et naïve vient se nicher dans les rinceaux parfaitement asymétriques du couvercle : on peut y reconnaître des serpents entrelacés comme des rubans, un oiseau, des insectes et une sorte d'escargot…

Les coffrets brodés de cette époque et de cette qualité sont rarissimes en France de nos jours. Par le style et la technique de la partie externe, nous pouvons rapprocher cet exemplaire d'une reliure brodée sur satin violet, recouvrant un ouvrage daté de 1637, conservé à la Bibliothèque nationale de France (voir cat. exp. Paris, 1995, p. 28, n° 26). Il est fort vraisemblable que ce coffret, d'origine princière, ait été brodé par un atelier parisien.

D. V.-D.

115

*115

Marie de Bretagne-Avaugour,
duchesse de Montbazon
(1612-1657), d'après Plantin,
de Montlouis

Chasuble de la duchesse de Montbazon

1642 | Toile de lin, laine, soie | Petit
point

H. 1,230

Hist.: brodée par la duchesse de Montbazon sur un
dessin de Plantin en 1642 ; propriété de la commune de Montbazon (Indre-et-Loire) ; classée
Monument historique le 8 juin 1892 ; déposée
en 1974 au musée de la Société archéologique
de Touraine (Tours, hôtel Goüin).
Bibl.: Bossebœuf, 1903, p. 370, repr. p. 369.
Exp.: Saché, 1992, p. 16 (repr. coul.), Chambord,
1993, n° 11 (G. du Chazaud).

Déposée à la cathédrale Saint-Gatien de
Tours

La chasuble « de la duchesse de Montbazon »
est un rare témoignage de ces ornements liturgiques brodés au XVIIᵉ siècle par des « dames
de qualité ». Connaissant la vie tumultueuse et
le caractère hautain de la belle duchesse, on ne
s'attendrait certes pas de sa part à ce genre d'occu-
pations. Pourtant, l'origine de cette confection est
attestée par la découverte, vers 1850, d'une inscription portée sur une feuille de parchemin située
entre cette chasuble et une autre chasuble, noire,
qui la doublait. On pouvait y lire : « *Plantin de
Montlouis m'a dessinée, Marie, duchesse de
M[ontbazon] m'a brodée. Priez pour eux. Paroisse
de N-D de Montbazon, 15 août 1642* » (Bosse-

bœuf, 1903, p. 370). En 1642 précisément, la
duchesse de Montbazon était la maîtresse en titre
du duc de Longueville. Ce dernier l'abandonna
pour épouser, au mois de mai, Anne-Geneviève
de Bourbon-Condé. Qui sait si le dépit n'a pas
poussé la belle duchesse vers les travaux d'aiguille ?

La surface entière de la chasuble est recouverte de
broderies d'inspiration essentiellement florale. À
l'intersection des branches de la croix dorsale, une
Vierge en buste est environnée d'un cartouche de
roses rouges et roses. Avec le regard tourné vers
le ciel, la Vierge est vraisemblablement une Vierge
de l'Assomption, d'autant que le parchemin
indique que la chasuble a été offerte un 15 août, à
l'occasion de cette fête mariale, qui est aussi celle
de la donatrice. Il est probable, comme cela se
pratiquait à l'époque, que la figure de la Vierge
soit inspirée d'une gravure et que le dessin des
cartouches et des rinceaux fleuris qui décorent le
reste de la chasuble soit issu de l'imagination du
dessinateur, Plantin.

La famille Plantin est de souche tourangelle. Le
plus prestigieux de ses membres est Christophe
Plantin (1514-1589), le célèbre imprimeur d'Anvers. Le dessinateur de cette chasuble, qui devait
être également brodeur, pourrait être Ambroise
Plantin, qualifié, en 1632 comme en 1638, de
« *maître brodeur privilégié suivant la Cour* » (AN,
MC, CV, 592, 15 septembre 1632 ; et BnF, Mss,
Nouv. acq. fr. 12081), ou bien son frère Jean
Plantin, « *maître brodeur chasublier* » (ibid.,
op. cit.). Tous deux demeurent alors à Paris, rue
Montmartre, mais ils ont dû conserver des liens
avec la Touraine car, en 1633, ils assistent aux
fiançailles de leur cousin Michel Galle (ou Gallet),

brodeur de la Grande Écurie du Roi (BnF, Mss,
Nouv. acq. fr. 12108), dont la famille est originaire
de Tours (Giraudet, 1885). Il est tout à fait logique
que la duchesse de Montbazon se soit adressée à
l'un de ces brodeurs, originaire de la région où se
trouvait son château, pour préparer le dessin de
cette chasuble et, peut-être, pour l'aider dans son
exécution.

D. V.-D.

Détail

116

116

Dais de Louis XIII et d'Anne d'Autriche

Vers 1641 | Velours, soies lamées d'or et lamées argent; fils d'or (filé couvert, filé riant, cannetille); fils de soie | Broderies d'application, broderies sur rembourrage, rehauts de points de soie

H. 0,380; L. 2,235 (grandes pentes) et 1,680 (petites pentes)

Hist.: don de Louis XIII et Anne d'Autriche à l'abbaye Saint-Rémi; en 1895, le dais est présent au trésor de l'église Saint-Rémi; classé Monument historique en 1896.
Bibl.: Farcy, 1890, pl. 105; Marsaux, 1895.
Exp.: Reims, 1895, p. 109, n° 1180.

Reims, cathédrale

À l'occasion du sacre des Rois à Reims, de somptueux cadeaux étaient faits au chapitre de la cathédrale, ainsi qu'à l'abbaye Saint-Rémi, qui abritait la Sainte Ampoule. La plus grande partie des trésors ainsi amassés a disparu de nos jours, mais, parmi les quelques vestiges des dons princiers dont la provenance est assurée figure un dais brodé aux armes de Louis XIII et d'Anne d'Autriche.

Composé de quatre pentes rectangulaires bordées par le bas d'une frange d'or, ce dais est décoré de motifs appliqués de « draps » d'or et d'argent et de broderies d'or et d'argent à fort relief, relevées d'un peu de soie, sur fond de velours cramoisi. Ce dernier a remplacé le tissu d'origine, qui, d'après Farcy, était une soierie blanche.

Encadrés par une bordure de feuilles de laurier, des rinceaux de feuilles d'acanthe alternent avec les chiffres entrelacés du Roi et de la Reine et avec leurs emblèmes : fleur de lis pour Louis XIII, aigle impériale pour Anne d'Autriche, parfois confondue avec un pélican. Il est vrai que la présence

d'oisillons serrés contre leur mère pouvait prêter à confusion, d'autant que le pélican, accompagné de deux petits, fut adopté comme emblème par la Reine après la naissance de ses fils. Mais ici le doute n'est pas permis : il s'agit bien d'un aigle. Toutefois, la présence des deux aiglons auprès de l'oiseau impérial n'est pas fortuite. Tout en conservant à l'emblème son caractère héraldique, elle évoque de manière significative la double maternité d'Anne d'Autriche, celle du futur Louis XIV, en 1638, et celle du duc d'Anjou, en 1640. Partant de cette constatation, la période de confection de ce dais peut être située, d'une part, après la naissance du second fils de la Reine, en septembre 1640 et, d'autre part, avant le décès de Louis XIII, en mai 1643. Par ailleurs, un inventaire du trésor de la cathédrale, rédigé au XVIIᵉ siècle, signale un don de Louis XIII en 1641. L'intitulé de ce don, « *Quatre chappes de drap d'argent lamé, relevées de fleurs et bouquets de fil d'or, les orfrois d'or et de soie : du don de Louis XIII. 1641* » (cité dans Tarbé, 1843, p. 103) laisse entendre qu'il ne s'agissait pas uniquement de ces chapes, mais d'une offrande plus considérable, dont faisait sans doute partie le dais qui nous occupe (Tarbé pense que cet inventaire est incomplet; *op. cit.*, p. 118, note 1). Il est ainsi fort probable que ce dais a été offert à la cathédrale de Reims en 1641, en même temps que d'autres ornements, en action de grâce pour la naissance, considérée comme miraculeuse à l'époque, des deux enfants royaux.

D. V.-D.

117

Pièce brodée : l'*Europe*

Vers 1630-1640 | Toile écrue, laine fine (deux brins faiblement torsadés en S) | Passé

H. 2,200; L. 3,260

Hist.: signalée dans l'église abbatiale Notre-Dame de Beaugency en 1790; passée à l'hôtel de ville de Beaugency sous la Révolution; restaurée par les ateliers des Gobelins en 1897-1898 (les bordures de tapisserie de 22 centimètres de largeur qui encadraient la pièce ont été retirées à ce moment-là et vendues à la Manufacture en 1907).
Bibl.: Farcy, 1890, pl. 178; Guiffrey, 1898, p. 145-154; Farcy, 1900, pl. 246; Hyde, 1924, p. 259-260; Rambaud, 1971, p. 1096.

Beaugency (Loiret), hôtel de ville

Environnée des nombreux symboles d'une iconographie classique, l'allégorie de l'Europe est représentée sous la figure de la France (manteau fleurdelisé). Cette figure féminine est debout au centre de la pièce, coiffée d'une couronne fermée indiquant sa souveraineté, tenant un sceptre d'une main et un livre (recueil de lois ?) de l'autre. Les éléments de la composition, sans grands liens entre eux sinon celui du sens, paraissent provenir de sources diverses et avoir été juxtaposés pour illustrer le thème choisi, celui de l'une des *Quatre Parties du monde*. Très répandu tout au long du XVIIᵉ siècle, ce thème a fait l'objet d'innombrables reproductions gravées, de même que d'autres séries similaires (les *Quatre Saisons*, les *Quatre Éléments*, les *Cinq Sens*...). La figure de l'Abondance, sur la gauche, pourrait être inspirée de l'une des allégories des *Saisons* ou des *Sens*, œuvres du Flamand Martin de Vos, avec lesquelles elle offre quelques points communs (attitude du personnage, position dans la composition). Il faut noter toutefois la bizarrerie de son attitude, car le haut du corps semble vu de l'arrière, et le bas vu de l'avant.

117

Les armes disposées sur le sol sont très fidèlement reproduites (Jean-Pierre Reverseau, comm. écrite du 29 mai 2001) : une épée dont la garde est à branches (1580-1620) ; un mousquet à mèche (1590-1620), avec la fourquine, qui permet de le soutenir en position de tir horizontal ; et une bourguignotte (défense de tête ; vers 1560-1580). Quant aux deux personnages élégants, situés à l'arrière-plan sur la droite, ils sont très proches, par les costumes et les coiffures, de personnages gravés par Abraham Bosse vers 1635 (voir cat. 38).

Cette allégorie de l'Europe fait partie d'une série de quatre pièces figurant les *Quatre Parties du monde* conservée à l'hôtel de ville de Beaugency depuis le début du XIXe siècle, en même temps que quatre autres pièces, brodées également, illustrant des scènes de *Sacrifices* (fig. 1). Auparavant elles avaient été signalées dans l'église abbatiale de Notre-Dame de Beaugency en 1790, et passent pour avoir été données par Nicolas de Luker, abbé et bienfaiteur de l'abbaye ; mais il n'existe aucune preuve formelle de cette origine.

En revanche, dans l'inventaire après décès de la duchesse de Saint-Aignan (Marie-Geneviève de Montlezun de Besmaus, épouse de Paul-Hippolyte de Beauvillier, duc de Saint-Aignan), dressé à Paris le 6 décembre 1745, figure la mention suivante : « *Item une tenture de tapisserie en huit pièces de vingt aulnes de cours* [environ 24 mètres] *sur deux aulnes de haut* [environ 2,40 mètres] *environ représentant* Les Quatre Parties du Monde *et des* Sacrifices, *prisée deux mille livres* » (AN, MC, VIII, 1064). Nous savons que le terme tapisserie s'appliquait, à l'époque, aussi bien aux tapisseries de lisse qu'aux « tapisseries » à l'aiguille. D'autre part, nous pouvons souligner les points communs de cette tenture avec celles de Beaugency : même nombre de pièces, mêmes sujets, mêmes dimensions approximatives, compte tenu du fait que les brode-

ries de Beaugency (fig. 2) n'ont plus leur bordure (les huit pièces de Beaugency ont des hauteurs qui vont de 2,15 mètres pour la plus petite à 2,75 mètres pour la plus haute, et de 2,10 mètres à 3,28 mètres de longueur, totalisant 21,85 mètres de cours). Ces similitudes ne laissent pas de doute sur l'identité commune des deux séries et l'on peut en conclure que les tentures de Beaugency ont appartenu, dans la première moitié du XVIIIe siècle, à la famille des Beauvillier de Saint-Aignan. Toutefois, le passage de ces pièces des collections des Saint-Aignan dans celles de Beaugency reste inexpliqué.

D. V.-D.

Fig. 1. *Scène de sacrifice :* un cheval paré pour ce sacrifice, va être immolé, XVIIe siècle, tenture brodée. Beaugency, hôtel de ville.

Fig. 2. *Scène de sacrifice.* Beaugency, hôtel de ville, cliché pris en 1896, avant restauration.

Fig. 1. Justus Sadeler (1538-1620?), d'après Camillo Procaccini, *Saint François d'Assise recevant les stigmates*, s. d. Paris, Bibliothèque nationale de France, département des Estampes.

Fig. 2. Cornelis Cort (1533 ou 1536 – 1578), d'après Étienne du Pérac, *Ecce Homo,* 1572. Paris, Bibliothèque nationale de France, département des Estampes.

118

Pierre Vigier, brodeur lyonnais

Corporalier à volets brodés

1621 | Fils d'or et d'argent (filés, cordonnets, cannetilles) ; paillettes ; fils de soie ; velours, toile de lin | Or nué, couchure, passé empiétant (« peinture à l'aiguille »), points fendus, points de tapisserie

H. 0,320 ; L. 0,650 ; Pr. 0,070 (ouvert) | Signé : *F Pierre. Vigier 1621*

Hist. : vente Laforge, Lyon, 16 novembre 1868, n° 40 (« *corporalier* », 2 860 francs) ; acquis à cette vente par le Musée archéologique de Lyon ; échangé avec le musée des Tissus de Lyon le 9 août 1890.
Bibl. : Darcel, 1877, p. 278 ; Farcy, 1900-1919, pl. 258 ; Lyon, 1906, II, p. 224 ; Audin et Vial, 1919, II, p. 297-298 ; Hennezel, 1929, n° 246, 1930, p. 211, repr. ; Lyon, 1998, p. 164.
Exp. : Paris, 1867, p. 465, n° 3843, 1977, n° 43.

Lyon, musée historique des Tissus.
Inv. 25133 (ancien X-705)

C'est « *la pièce la plus parfaite comme exécution et conservation de tout ce que possédait le Cabinet Laforge* » (mention portée sur l'inventaire du Musée archéologique en 1868). Les volets fermés de cet objet présentent deux bouquets jaillissant de vases d'orfèvrerie (œillets et bourrache d'un côté ; rose et lis martagon de l'autre, accompagnés d'insectes). Sous les volets apparaissent trois scènes brodées en or nué (voir p. 194) : à gauche, *Saint Jean l'Évangéliste rédigeant l'Apocalypse dans l'île de Patmos;* à droite, *Saint François d'Assise recevant les stigmates;* et, au centre, une scène de la Passion du Christ : l'*Ecce Homo.* On peut noter que la scène centrale, celle de l'*Ecce Homo,* l'Homme-Dieu souffrant, semble présentée, sur la gauche, par Jean, qui, par ailleurs, est le seul à avoir relaté cet épisode dans les Évangiles. Sur la droite est figuré saint François d'Assise, premier saint à avoir reçu

les stigmates et à avoir été associé, *ipso facto,* à la Passion du Christ. Le commanditaire serait-il une communauté franciscaine ou un membre du tiers-ordre de Saint-François ? Les modèles utilisés par le brodeur proviennent d'estampes flamandes : l'une de Justus Sadeler, d'après Camillo Procaccini, pour saint François d'Assise (Rd 2 ; fig. 1) ; l'autre de Cornelis Cort, d'après un dessin d'Étienne du Pérac, pour l'*Ecce Homo* (Ec 34b ; fig. 2) ; le modèle du saint Jean reste encore à trouver.

S'agit-il vraiment d'un corporalier (bourse destinée à renfermer le corporal, linge béni utilisé par le prêtre durant la messe) ? Plusieurs éléments permettent d'en douter : les dimensions un peu trop grandes de l'objet ; le couvercle qui s'ouvre en deux parties ; la disposition des éléments du décor faits pour être vus à la verticale et non à l'horizontale ; enfin, la signature du brodeur, surprenante pour une œuvre destinée à recevoir un linge

sacré. On penserait plutôt à un triptyque de dévotion privée. D'autre part, la signature et la date apposées par le brodeur, de même que la technique employée, celle de l'or nué, déjà en grande partie tombée en désuétude à cette date, sauf pour les « chefs-d'œuvre » requis pour l'obtention des brevets de maîtrise, amènent à se demander s'il ne s'agit pas précisément du « chef-d'œuvre » de Pierre Vigier, brodeur lyonnais. La qualité de l'œuvre pourrait corroborer cette hypothèse.

D. V.-D.

119

119

Sœur Jeanne de Saint-Joseph (Jeanne Caon ; Besançon, 1608 – Bourges, 1657 ; entrée au carmel de Bourges en 1638)

Antependium de la Pentecôte

1649-1652 | Velours, toile de lin ; fils d'or et d'argent (filés couverts, filés guipés, lame, lame guipée, cannetille brillante, cannetille frisée, cordonnets) ; soies polychromes ; perles fines | Couchure et broderie en relief, passé empiétant, points fendus ; dessin sous-jacent brun avec lavis de gris

H. 1,230 ; L. 3,340

> **Hist. :** brodé de 1649 à 1652 au carmel de Bourges (d'après trois billets trouvés dans la doublure lors de la restauration de 1984) ; propriété des carmélites de Bourges ; vendu en 1895 à M. du Mesnil du Buisson ; conservé par sa famille au château de Champobert (Villebadin, Orne) ; classé Monument historique en 1984 et restauré à cette occasion ; acquis en 1993 par le conseil général du Cher.
> **Bibl. :** panneau explicatif dans l'abbaye de Noirlac, rédigé par M. Jean-Yves Ribault, directeur des archives départementales du Cher.
> **Exp. :** Paris, 1900.

Bruère Allichamps (Cher), abbaye de Noirlac

Assez exceptionnel par ses dimensions, ce grand antependium [parement d'autel] brodé l'est davantage encore par l'ampleur du décor, la qualité du dessin et la finesse d'exécution de la broderie. La scène représentée, la Pentecôte (brodée sur toile de lin, puis appliquée sur le velours), recouvre très largement la surface du parement (augmentée sur les côtés de deux panneaux latéraux brodés de fils d'or). Cette disposition est peu habituelle pour l'époque, car le décor significatif se situait en général dans un médaillon central, parfois accompagné de médaillons latéraux. L'œuvre se présente ainsi comme un tableau dont l'aiguille aurait tenu lieu de pinceau et les fils de pigments colorés. On peut noter la belle qualité du dessin sous-jacent, dont l'auteur n'est pas forcément la brodeuse elle-même, car les deux activités étaient le plus souvent distinctes. L'un des billets retrouvés signale la participation financière du duc d'Anjou (frère de Louis XIV) pour vingt pistoles. Étant donné l'âge de l'enfant à l'époque, une dizaine d'années, il s'agit là d'une initiative de sa mère, Anne d'Autriche, bien connue pour sa piété et ses dons innombrables dans les édifices et les communautés religieuses. Le carmel de Beaune possède ainsi une chasuble brodée offerte par la Reine mère en 1663, dont l'un des orfrois est décoré d'une Pentecôte offrant des similitudes avec celle-ci

Fig. 1. Chasuble brodée offerte par Anne d'Autriche en 1663 (tradition). Beaune, carmel.

(fig. 1). Il ne serait sans doute pas étonnant qu'un artiste proche de la cour soit l'auteur du dessin de ces deux œuvres.

D. V.-D.

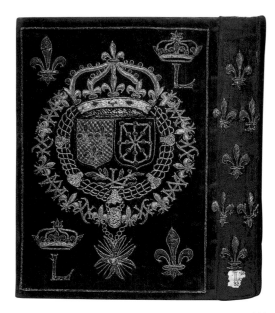

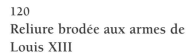

120

121

120

Reliure brodée aux armes de Louis XIII

sur : Jean de Loyac, *l'Euphème des François...*, Bordeaux, S. Millanges, 1615, in-4º | Bordeaux ?, 1615 | Velours, fils d'or (filé, cordonnets), fils d'argent (lame, cannetille frisée), fils de soie | Applications, couchure, points passés et de nœuds

H. 0,250 ; L. 0,187

> **Bibl. :** Bouchot, 1888, pl. LVIII.
> **Exp. :** Paris, 1995(2), nº 22.

Paris, Bibliothèque nationale de France, Imprimés. Rés. Lb³⁶ 333

Les ouvrages agrémentés d'une reliure brodée sont rares et le plus souvent précieux. Après avoir revêtu presque exclusivement des livres religieux à l'époque médiévale, ce type de reliure est apparu ensuite sur des exemplaires dits de présentation, tels que celui-ci.

Les deux plats de velours cramoisi sont ornés des armes de France et de Navarre entourées des colliers de l'ordre de Saint-Michel et du Saint-Esprit. Aux angles, les fleurs de lis alternent avec le chiffre de Louis XIII surmonté de la couronne royale, lequel est inscrit également sous les deux écus, accompagné de deux branches de laurier.

Si le chiffre de Louis XIII est prédominant sur cette reliure, il faut toutefois remarquer que le double lambda du jeune roi alterne, semble-t-il, avec les chiffres entrelacés de ses parents (H et double M) sur les maillons du collier du Saint-Esprit, ce qui indique l'antériorité du décor par rapport au mariage de Louis XIII et Anne d'Autriche (célébré à Bordeaux, le 18 octobre 1615). Or, l'impression de l'ouvrage a eu lieu précisément à Bordeaux en 1615. Accompagnée d'une cour considérable, la famille royale était arrivée le 7 octobre dans la capitale de la Guyenne, qui s'était mise en frais pour l'accueillir, n'ayant pas reçu de visite royale

depuis longtemps (1565). C'est certainement à cette occasion que fut offert l'ouvrage à Louis XIII, tandis qu'un autre exemplaire, recouvert de velours noir aux armes de Marie de Médicis (conservé à Londres, à la British Library), était offert à sa mère. Et l'on peut penser que c'est à Bordeaux que furent brodées les deux reliures.

D. V.-D.

121

Reliure brodée à l'emblème et au monogramme d'Anne d'Autriche

sur : Jean Puget de la Serre, *le Temple de la gloire où l'on peut voir les éloges et les portraits des illustres princesses de l'auguste Maison d'Autriche qui ont porté le nom d'Anne*, manuscrit sur vélin, calligraphié par Nicolas Jarry en 1647 | Paris, vers 1647 | Velours vert pâle ; fils d'or et d'argent (filés, cannetilles, cordonnets) ; fils de soie polychromes | Broderie d'application, couchure, passé empiétant | Les deux plats ont été remontés sur une nouvelle couvrure

H. 0,410 ; L. 0,290

> **Bibl. :** Portalis, 1896, p. 645, nº 105 ; *Catálogo...*, 1959, nº 127 ; *Mazarin, Naudé...*, 1991, p. 10.
> **Exp. :** Paris, 1927, nº 232 ; Madrid, 1960, nº 26 ; Saint-Jean-de-Luz, 1960, nº 42 ; Paris, 1995(2), p. 69-70, nº 32.

Paris, bibliothèque Mazarine. Ms. 2212

Cet ouvrage de dédicace offert à la Reine par l'auteur, Jean Puget de la Serre, est recouvert de la plus remarquable reliure royale française brodée que l'on ait conservée. Sur le plat supérieur, l'aigle impériale de la maison d'Autriche surmonte le globe orné d'un soleil et de son bec retient une chaîne qui relie les deux colonnes d'Hercule, séparées par l'océan. Une banderole portant la devise *Non plus ultra* enlace les colonnes et, dans le haut et le bas, le monogramme couronné d'Anne d'Autriche est accompagné de palmes et de lauriers. L'encadrement est constitué par un large tore de feuilles de chêne enrubannées. Le plat inférieur est identique, sauf pour la banderole qui entoure le globe et porte la devise *Nescit occasum*. L'emblème représenté est une référence aux origines d'Anne d'Autriche, issue de cet empire « *sur lequel le soleil ne se couchait jamais* », en adéquation avec le contenu de l'ouvrage, qui contient la biographie de onze princesses d'Autriche prénommées Anne.

Un autre ouvrage de dédicace, écrit par le même auteur en 1647, a été offert au chancelier Séguier, dont il porte les armes, brodées dans le même esprit et avec une aussi grande qualité (Saint-Pétersbourg, Bibliothèque nationale, Mss, 7D Fv I 7). Elles ont vraisemblablement été exécutées toutes deux à l'initiative de Puget de la Serre.

D. V.-D.

122
Pièce brodée dite du Bon Pasteur

Vers 1640-1650 | Toile de lin, laine fine (deux brins torsadés en S); quelques points de soie (?) | Passé

H. 3,170; L. 3,550

Hist.: acquis en 1901 à M. de La Forest; restauré en 1997 par l'atelier Chevalier.
Exp.: Rouen, 1923 ; Angers, 1997 (pas de cat.).

Rouen, musée départemental des Antiquités. Inv. 1939A

Avec sa large bordure à médaillons et rinceaux, cette scène pastorale s'apparente à une tapisserie. On l'appelle communément la broderie du Bon Pasteur, mais le personnage principal, un jeune berger avec sa houlette, ne peut être cette figure emblématique, généralement représentée avec un agneau sur l'épaule, sans autres personnages ni constructions à ses côtés.

L'explication de la scène est fournie par la citation du grand cartouche rectangulaire au centre de la bordure inférieure : *Surge propera amica mea et veni* (« lève-toi, hâte-toi mon amie et viens »), tirée du Cantique des cantiques (Ca. 2, 10), indiquant qu'il s'agit d'une illustration de ce poème. Les autres cartouches, alternativement ronds (en camaïeu orangé) et quadrangulaires (polychromes), sont tous accompagnés d'une citation tirée de l'Ancien Testament: cinq d'entre elles sont issues du Cantique des cantiques, une des Psaumes, une des Proverbes, et l'origine de la dernière, non indiquée, n'a pas été retrouvée.

En dehors du style de la composition, qui situe cette œuvre vers le milieu du XVIIe siècle, peu d'éléments permettent d'apporter davantage de précisions. Seuls le vêtement et la coiffure de la bergère (au fond, au milieu d'un troupeau d'ovins) se rapprochent de gravures d'Abraham Bosse des années 1640.

La bordure présente un caractère un peu archaïque, proche de la tenture de l'*Histoire d'Artémise*, tissée à Paris (atelier de M. Dubout, au Louvre) vers 1607, pour le cardinal Montalto (Denis, 1991, p. 21-36; fig. 1): mêmes types de médaillons en camaïeu, inscrits dans des cuirs, flanqués de personnages grotesques, entourés de feuillages et de rinceaux en grisaille. Et, de même que les médaillons de l'*Histoire d'Artémise* trouvent leur inspiration dans ces livres d'emblèmes qui fleurirent abondamment pendant le XVIIe siècle, en l'occurrence dans les *Emblemata Horatiana*, d'Otto Vaenius (éd. de 1607; voir Denis, 1991, p. 26-27, 34-35), de même ceux de la broderie de Rouen ont leur source dans des recueils semblablement conçus, tels les *Amoris divini emblemata*, d'Otto Vaenius (1615), ou les *Pia desideria emblematis*, d'Herman Hugo (1628). On peut noter toutefois que la bordure de Rouen est moins grêle que celle de l'*Histoire d'Artémise*.

On ignore si la tenture brodée de Rouen fut une pièce unique ou si elle fit partie d'une série. Dans tous les cas, il faut la rapprocher d'une série brodée sur le même thème, conservée au palais du Tau à Reims. Cette dernière comporte quatre pièces illus-

trant des scènes du Cantique des cantiques, dont la plupart des éléments sont pratiquement identiques à celle de Rouen (fig. 2). Seuls diffèrent quelques points tels que la présence d'une guirlande de fleurs dans le haut des pièces de Reims, les bandeaux fleuris en contre-bordure, l'emploi de fils d'or dans quelques détails, et peut-être une plus grande délicatesse d'exécution. Il ressort de ces différences que les pièces n'appartiennent pas à la même série, mais il est fort probable qu'elles soient issues du même atelier, lequel, étant donné l'iconographie développée, est à chercher dans un monastère féminin.

Issu des Livres sapientiaux de l'Ancien Testament, le thème du Cantique des cantiques n'est pas très répandu dans les arts plastiques de l'époque. Il a fait l'objet cependant de multiples interprétations dont on ne retiendra que la version chrétienne,

Fig. 1. *Histoire d'Artémise. Soldats porteurs de trophées*, tapisserie. Dijon, musée des Beaux-Arts.

Fig. 2. *Scène du Cantique des cantiques*, broderie. Reims, palais du Tau.

qui voit dans ce recueil de chants d'amour l'union du Christ et de son Église. En 1633, Rodolphe Le Maistre, conseiller du Roi et premier médecin de Gaston d'Orléans, en offrit une traduction, à partir de l'hébreu, intitulée *le Cantique des cantiques de Salomon* (à Paris, J. Dugast, 2e éd., 1re éd., 1629). Dans son texte de dédicace adressé à l'abbesse de Fontevrault (Jeanne-Baptiste de Bourbon, fille naturelle d'Henri IV), l'auteur explique qu'il faut voir « *sous les chastes Amours d'un Berger & d'une Bergere* [fidèlement représentés dans la pièce de Rouen]… *l'estroitte alliance, & inseparable union du Fils de Dieu, avec l'Église son Epouse* ». Il était ainsi parfaitement légitime que des religieuses, elles aussi « épouses » du Christ, en illustrent des épisodes.

D. V.-D.

Ornements brodés pour la Couronne de Suède

Danièle Véron-Denise

L'influence française dans la mode européenne commença à devenir sensible après la guerre de Trente Ans (1618-1648). Dans le domaine de la broderie tout particulièrement, les fêtes du couronnement de la reine Christine de Suède (20 octobre 1650) en furent une magnifique illustration, dont témoignent encore de nos jours certains éléments soigneusement conservés au cabinet royal des Armes de Stockholm (Livrustkammaren).

En 1647, le conseil royal de Suède entreprit d'organiser ce couronnement, désirant en faire un événement plus considérable encore que celui de Gustave-Adolphe, père de Christine, et montrer à l'Europe l'importance grandissante du royaume nordique. Magnus-Gabriel De la Gardie (1622-1686), favori de la reine, déjà envoyé en ambassade en France en 1646, fut chargé des négociations avec notre pays pour le manteau du couronnement, le dais du trône, de nouveaux carrosses, des costumes, des harnachements et différents objets brodés destinés à être montés en Suède. La correspondance conservée à ce sujet entre le grand écuyer Hans Wachtmeister et le grand chambellan Carl Soop, envoyé à Paris pour régler les détails, fait mention d'un marchand de soieries, Pierre Bidal, qui regroupa les commandes, et, tout au moins en ce qui concerne le dais et le manteau du couronnement, d'un brodeur parisien nommé Boucher (Stockholm, Riksarkivet, Diplomatica, Sävstaholmssamlingen I, 166, lettres du 28 janvier et du 17 février 1649, doc. 26-27). Parmi tous les membres de la famille Boucher, qui constituèrent une véritable dynastie de brodeurs – dont plusieurs furent brodeurs du Roi au XVIIIe siècle –, il ne peut s'agir ici que du fameux Pierre Boucher, brodeur du duc de Longueville, déjà sollicité en 1645 pour la confection des broderies du duc, juste avant son départ en Westphalie. Bien qu'il ne fût peut-être pas le seul maître d'œuvre de tous les travaux de sa spécialité exécutés à cette occasion, la commande suédoise révèle néanmoins le succès remporté par les travaux du maître brodeur parisien à Münster[1], le prestige qu'il avait acquis en Westphalie et le rayonnement consécutif de cet art hors des frontières de France. Par ailleurs, il faut signaler l'existence d'un autre brodeur qui aurait pu travailler à cette même commande, Fridrich Feuerborn, brodeur du roi de France de 1638 à 1648, que l'on retrouve dès 1651 à Stockholm (sous le nom Feuwrbrun), où il est alors passé au service de la Couronne de Suède (voir cat. 127).

---

1. En 1648, il était juré de sa profession et c'est chez lui que furent signés les nouveaux statuts des brodeurs-chasubliers le 13 juillet (Lespinasse, 1886-1897, II, p. 179). Étant donné l'ampleur de la commande royale suédoise, il est quasi certain qu'il se soit constitué en association avec d'autres brodeurs, comme il l'avait fait en 1645.

123
Deux draperies du carrosse du couronnement de Christine de Suède

Ateliers de brodeurs parisiens, entre 1647 et 1650 | Velours cramoisi; fils d'or et d'argent (lames, filés, cannetilles mates, brillantes et frisées, cordonnets, cartisanes); soies; franges or et argent | Broderies en couchure; passementerie

H. 0,840; L. 1,200 et 1,210

Bibl.: Lüning, 1719-1720; Adelsköld, 1948-1949, II, 11 *sqq.*; Ekstrand, 1966; Tydén-Jordan, 1984, 1985, p. 28 et *sqq.*, 171 et *sqq.*, 1988.
Exp.: Stockholm, 1966, n° 332; Washington-Minneapolis, 1988, n° 34.

Stockholm, cabinet royal des Armes. Inv. 751 a, b

Le carrosse du couronnement avait été offert à la reine par son cousin Charles-Gustave (1622-1660), qui voulait l'honorer et la remercier de l'avoir choisi comme héritier présomptif de la couronne. Commandé à Paris, ce carrosse était garni de textiles d'une extrême richesse, somptueusement brodés d'or et d'argent sur velours et reps de soie cramoisis, consistant en rideaux, coussins, harnachements et housses pour les six chevaux blancs qui le tiraient, et en ces draperies bordées d'une large passementerie et de franges destinées à orner la partie basse des portes. Le décor de trophées d'armes, très dense, qui s'inscrit au milieu de rinceaux, de lauriers et de palmes d'une grande souplesse, a donné son nom au véhicule, appelé « carrosse des trophées ». Peut-être Charles-Gustave avait-il commandé, à l'origine, cet équipement pour lui-même, ce qui expliquerait l'absence d'emblèmes royaux et la présence, malgré tout assez virile, des trophées d'armes.

D. V.-D.

123

124

124

Caparaçon, selle et fontes de l'héritier présomptif du trône au couronnement de Christine de Suède

Ateliers de brodeurs parisiens,
entre 1647 et 1650 | Velours
incarnadin ; broderies d'or
et d'argent (lames, filés, cannetilles,
cartisanes, cordonnets) ; pommeau de
bronze doré

Caparaçon : H. 1,170 ; L. 2,350

> **Bibl. :** Lüning, 1719-1720 ; Adelsköld, 1948-
> 1949, II ; Tydén-Jordan, 1984, 1985, p. 28 et *sqq.*,
> 171 et *sqq.*
> **Exp. :** Stockholm, 1966, nº 332 ; Washington-
> Minneapolis, 1988, nº 35.

Stockholm, cabinet royal des Armes.
Inv. 3877

En tant qu'héritier présomptif du trône de
Suède, Charles-Gustave occupait une place prééminente au couronnement de sa cousine, la reine
Christine. Il montait un beau cheval brun, qu'elle
lui avait donné quelques jours plus tôt, et portait un
manteau pourpre brodé de flammes d'or (inspiré
du modèle de l'ordre du Saint-Esprit). Le caparaçon est d'une taille inhabituelle. Conçu à l'origine
pour une selle latérale féminine, il a été associé, à
une date inconnue, à une selle d'homme pour
Charles-Gustave, ce qui explique les différences de
décors et de matériaux des deux éléments. La selle
et les fontes comportent des trophées, comme les
draperies du carrosse de la Reine, alors que le
caparaçon n'a que des motifs végétaux. On peut
comparer ce caparaçon avec celui du chancelier
Séguier dans le fameux tableau de Charles
Le Brun (fig. 1) : leur décor brodé est tout à fait
voisin.

D. V.-D.

Fig. 1. Charles Le Brun, *le Chancelier Séguier,* huile sur
toile. Paris, musée du Louvre.

125

Costume d'or du couronnement de Charles X

Broderie : ateliers de brodeurs
parisiens | Montage : Stockholm,
entre 1647 et 1650 | Soierie lamée or ;
broderie de fils d'or (lames, filés, cannetilles) ; dentelle d'or au fuseau ;
rubans tissés de soie et fils d'or ; boutons de passementerie

Pourpoint : H. 0,400 ; L. 0,520 (manches :
L. 0,570) | Culotte : H. 0,610 ; L. 0,640

> **Bibl. :** Uppsala, 1921, nº 1290 ; Flamand-
> Christensen, 1940 ; Ekstrand, 1957, 1960, 1987,
> 1991, p. 44-47 ; Boucher, 1996, p. 242, nº 480.
> **Exp. :** Washington-Minneapolis, 1988, nº 41.

Stockholm, cabinet royal des Armes.
Inv. 3408 et inv. 3409

Quatre ans seulement après son fabuleux
couronnement de 1650, Christine de Suède abdiqua subitement. Le nouveau roi, son cousin
Charles-Gustave, prit alors le nom de Charles X
et son propre couronnement donna lieu à de
nouvelles festivités. Toutefois, étant donné la
soudaineté de la décision de la reine, il n'y eut
pas de nouvelles commandes faites à Paris, et les
ornements de 1650 servirent de nouveau en 1654.

Parmi les nombreux costumes ayant appartenu à
Charles X, le plus somptueux de tous était incontestablement son costume d'or, vraisemblablement
porté au couronnement précédent. Il n'incluait pas
moins de cent quarante boutons en diamant.
Outre le pourpoint et la culotte, arrivant aux
genoux, de coupe hollandaise (qui seuls subsistent
avec le baudrier), il comportait aussi un manteau
circulaire (transformé par la suite en une chasuble
et un antependium), des jarretières, des rubans de
chaussures, des gants et un baudrier pour l'épée,
ornés de broderies d'or assorties. L'acquisition, en
France, de ces pièces brodées remonte à l'année
1647 et fut sans doute effectuée, comme les précédentes, par l'intermédiaire de l'ambassadeur
Gabriel-Magnus De la Gardie. Le décor brodé, à
dominante végétale et florale d'une extrême
densité, est également d'une remarquable qualité.

D. V.-D.

125

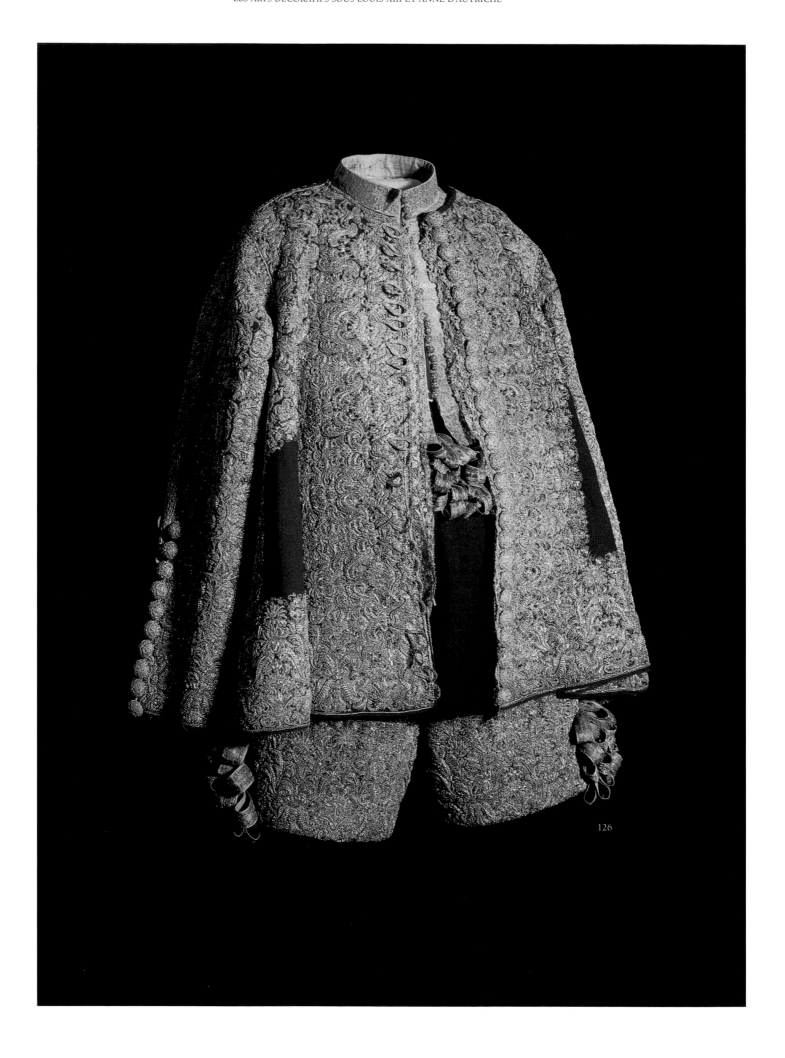

126

126
Costume d'écarlate et d'argent de Charles X (casaque, pourpoint, culotte)

Broderie : ateliers de brodeurs parisiens | Montage : Stockholm, entre 1647 et 1650 | Drap écarlate ; brocart d'argent (doublure) ; tabis de lin blanc ; broderies d'argent (filés, lames, cannetilles, cartisanes) ; boutons de passementerie : dentelle au fuseau ; rubans tissés de soie et fils d'argent

Casaque : H. 0,860 ; L. 0,760 | Pourpoint : H. 0,390 (manches : L. 0,570) | Culotte : H. 0,590 ; L. 0,640

Bibl. : Uppsala, 1921, nº 427 ; Ekstrand, 1956, 1957 ; Tydén-Jordan, 1987.
Exp. : Washington-Minneapolis, 1988, nº 42.

Stockholm, cabinet royal des Armes.
Inv. 3386 a, b, c

L'année du couronnement de Charles X (1654), le maître de la garde-robe royale de Suède enregistra six costumes princiers, parmi lesquels figurait celui-ci. En dehors de la casaque, du pourpoint et de la culotte présentés ici, il comportait aussi des gants et des rubans de chaussures (aujourd'hui disparus), ornés du même dessin. Comme pour le costume d'or, l'absence d'emblématique royale indique une commande antérieure au couronnement de 1654. Par ailleurs, le style et la qualité de la broderie, bien qu'un peu moins riche que celle du costume d'or (cat. 125), ne laisse aucun doute sur son origine parisienne.

D. V.-D.

127

127
Fridrich Feuwrbrun

Selle brodée pour les funérailles de Charles X

1660 | Velours noir ; broderies au fil d'or (lames, filés, cannetilles, franges)

H. 0,450 ; L. 0,640 ; Pr. 0,440

Bibl. : Wallin, 1952, repr. p. 50-51 (résumé anglais, p. 71-72).

Stockholm, cabinet royal des Armes.
Inv. 9037

Après un règne de six années, Charles X de Suède décéda, en 1660. Ses obsèques furent l'occasion de cérémonies somptueuses et de la plus spectaculaire procession funéraire suédoise du XVIIe siècle. Les préparatifs en furent très longs puisque, mort le 13 février, le roi n'atteignit sa dernière demeure que le 4 novembre. Parmi les participants figurait un chevalier en armure arborant les armes royales, monté sur un cheval entièrement recouvert d'un chanfrein en bronze doré, d'une grande housse en velours noir brodé de couronnes d'or et cette selle, également en velours noir brodé d'or. Les archives de la Couronne de Suède fournissent de nombreux détails sur l'organisation de ces funérailles et notamment le nom du brodeur de la selle : Fridrich Feuwrbrun, brodeur

de la cour suédoise. Malgré la consonance étrangère de son nom (probablement allemande), ce brodeur n'est pas un inconnu en France. Il figure en effet dans les comptes de la maison du roi de France de 1638 à 1648 (*Nouvelles Archives de l'art français,* 1872, p. 491). En 1640, il demeurait rue des Bouchers-Saint-Germain, à l'enseigne *A l'Empereur,* paroisse Saint-Germain-des-Prés (AN, MC, XXXV, 252, 10 octobre) et il était marié à une Française, Marie Leclerc (BnF, Mss, Fr. 12103 et 12118), dont la famille compte de très nombreux brodeurs (parmi ceux-ci, Denis Leclerc, brodeur du Roi de 1623 à 1644 au moins, et, plus tard, Pierre Leclerc, brodeur et valet de chambre de la reine Marie-Thérèse). Peut-être Feuwrbrun a-t-il participé lui aussi à la grande commande du couronnement de Christine de Suède ? En tout cas, dès 1651, il est installé à Stockholm, où il est inscrit dans les registres de l'église allemande. Il a une nouvelle épouse, Denise Bigran, et un fils, né en 1651, dont l'un des parrains n'est autre que le tailleur de la reine de Suède, Johan Holm (anobli sous le nom Leijoncrona), qui avait assemblé, notamment, le manteau du couronnement brodé par Boucher. Feuwrbrun décède en 1675, « assez âgé » (Ekstrand, 1957, p. 287-288).

D. V.-D.

Le mobilier

La naissance de l'ébénisterie : les cabinets d'ébène

Daniel Alcouffe

La première moitié du XVIIe siècle correspond à une révolution dans l'histoire du mobilier français : l'apparition de l'ébénisterie ou technique du meuble plaqué. Son acclimatation à Paris donna désormais à la capitale, à l'intérieur du royaume, la suprématie dans la fabrication du mobilier qu'elle n'avait pas jusqu'alors. La nouvelle technique, déjà pratiquée à l'étranger, pénétra à Paris par l'intermédiaire de « *menuisiers en ébène* » (que l'on appellera plus tard ébénistes) originaires d'Allemagne et des Pays-Bas du Nord et du Sud. Henri IV favorisa l'introduction de cette nouveauté en installant lui-même au Louvre, en 1608, un ébéniste, Laurent Septarbres[1]. N'étant pas titulaires de la maîtrise de maître menuisier à Paris, ces premiers ébénistes, pour se protéger de l'hostilité de la corporation des menuisiers parisiens, s'installèrent souvent dans des lieux privilégiés bénéficiant de la franchise du travail, tels que l'enclos du Temple et le faubourg Saint-Antoine, endroit où les ébénistes deviendront au cours du siècle de plus en plus nombreux. Apparurent rapidement des ébénistes français, dont l'un des premiers fut Philippe Boudrilet, menuisier ordinaire du Roi en ébène, établi au faubourg Saint-Antoine en 1635, qui était peut-être parent d'Hugues Sambin, gendre du menuisier troyen Jean Boudrillet[2].

Les premiers ébénistes fabriquèrent surtout un type de meuble : le cabinet, meuble caractéristique du XVIIe siècle français, comme la commode le sera pour le XVIIIe. Le terme de cabinet était déjà employé dans le mobilier français au XVIe siècle pour désigner une armoire ou un dressoir. Le cabinet proprement dit – meuble parallélépipédique dont l'intérieur est complètement rempli par une juxtaposition de tiroirs et de compartiments fermés par des vantaux et que l'on pose sur un support indépendant –, était déjà fabriqué à l'étranger au XVIe siècle, mais ne l'était pas en France avant son apparition en ébénisterie, au début du XVIIe siècle.

Le cabinet se présente essentiellement comme un meuble d'apparat et non comme un meuble fonctionnel. On achetait un cabinet comme on aurait acheté un tableau. Il servait néanmoins, comme le prouvent les inventaires, à renfermer des bijoux ou de menus objets de curiosité[3].

1. Huard, 1939, p. 27.
2. Cat. exp. Écouen, 2001, p. 31.
3. Voir Levi, 1985, p. 54.

Fig. 1. Jacques Androuet du Cerceau, projet d'armoire, vers 1560.

Fig. 2. De gauche à droite (d'après Thirion, 1971, p. 43) :
Jacques Matham, d'après Hendrick Goltzius, *les Parques*, 1587, gravure. Paris, Bibliothèque nationale de France, département des Estampes.
Les Parques, vers 1660, bas-relief en noyer, France. Écouen, musée national de la Renaissance.
Les Parques, bas-relief d'un cabinet d'ébène. Fontainebleau, musée national du château.

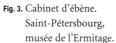
Fig. 3. Cabinet d'ébène.
Saint-Pétersbourg,
musée de l'Ermitage.

Fig. 4. Cabinet d'ébène
gravé. Londres,
Geffrye Museum.

On doit aux premiers ébénistes parisiens la création d'un type de cabinet en ébène (ou en bois noirci) qui leur est propre. La technique – placage d'ébène – et l'un des éléments du décor – les moulures ondées – viennent de l'étranger, ce dont les Français sont conscients, car les cabinets d'ébène français sont fréquemment appelés « *cabinet d'Allemagne* » ou « *cabinet façon d'Allemagne* » dans les documents contemporains[4]. En revanche, la forme architecturale couronnée par une corniche saillante, la répartition longtemps géométrique du décor, l'importance du rôle de la sculpture, l'emploi de supports en forme de cariatides relient ces meubles au mobilier français de la Renaissance en rappelant certains projets de Jacques Androuet du Cerceau (fig. 1). Les bas-reliefs ornant les portes des cabinets d'ébène peuvent avoir les mêmes sources que les meubles traditionnels en bois massif: M. Jacques Thirion a montré que l'estampe des *Parques* d'après Goltzius, datant de 1587, inspirée de Rosso, se trouve transcrite aussi bien sur un panneau de meuble Renaissance en noyer du musée d'Écouen que sur un cabinet d'ébène du château de Fontainebleau (fig. 2)[5]. Les frises de certains cabinets (fig. 3 ; cat. 142) comportent des aigles rappelant ceux que l'on trouve sur les armoires de menuiserie parisiennes (cat. 129).

Le cabinet parisien se distingue de beaucoup de cabinets étrangers par les traits suivants: il n'est pas plaqué au revers et est donc destiné à s'appuyer contre un mur ; la disposition intérieure est toujours dissimulée par deux grands vantaux, jamais par un abattant ; il est porté par un pied assorti. Les dimensions les plus courantes sont 2 mètres de hauteur, y compris le pied, sur 1,80 mètre de longueur et 0,60 mètre de profondeur.

À l'extérieur, il présente une corniche surmontant une frise qui renferme des tiroirs, ouvrant éventuellement sur les petits côtés, et qui surmonte les deux grands vantaux.

À l'intérieur, la distribution comporte, au milieu, deux petits vantaux, au-dessus et au-dessous desquels s'ouvrent des tiroirs, et, de part et d'autre de cette partie centrale, cinq étages de tiroirs superposés. Parfois, le cabinet, comme celui d'Autun (cat. 136), est muni en bas, au centre, d'une tirette qui a la longueur des deux vantaux intérieurs.

Ceux-ci découvrent une niche appelée à l'époque « caisson », pourvue de petits tiroirs dissimulés.

Le pied présente, à sa partie supérieure, une ceinture renfermant des tiroirs qui s'ouvrent également parfois sur les petits côtés. Soulignée par des tabliers que l'on appelle à l'époque « cimaises », elle est portée devant par des colonnes, unies ou torses, ou des cariatides, derrière par des colonnes, des pilastres ou un lambris. Ces supports reposent sur des traverses ou sur une base pleine, soutenues par des pieds en forme de boule.

Le cabinet français est complètement décoré, tant à l'extérieur, devant et aussi – à la différence des armoires de menuiserie parisiennes – sur les côtés, que, dans la plupart des cas, à l'intérieur. Le décor recourt à deux techniques: la sculpture, traditionnelle dans le mobilier français, comme nous l'avons déjà signalé, et la gravure. Longtemps elles furent généralement conjuguées. Il faut toutefois remarquer que la gravure est parfois employée seule (fig. 4), comme, semble-t-il, sur deux cabinets du cardinal Mazarin décrits en 1653[6], et que son rôle décroît dans la dernière phase de l'évolution de ces cabinets.

4. Le médecin Héroard écrit à propos du jeune Louis XIII : « *Le voilà amoureux de ces pistolets. Il les met dans son cabinet d'Alemaigne* » (à Fontainebleau, en 1607), « *Faict porter son cabinet d'Alemaigne, s'amuse a en visiter les besoignes* » (au Louvre, en 1616 ; Héroard, 1989, I, p. 1297, II, p. 2417). Le « *cabinet de poirier façon ébène* » (40 livres) de l'inventaire après décès de la femme du peintre Jacques Blanchard, en 1637, devient « *un cabinet façon d'Allemagne de poirier* » (70 livres) dans l'inventaire de celui-ci un an plus tard (Beresford, 1985, p. 118 et 125). C'est en 1637 aussi que le compagnon menuisier en ébène Jan Bolt promet à la veuve de l'ébéniste Jehan Schnapper de terminer pour elle « *un cabinet d'esbeine fasson d'Allemagne* » commencé par son mari (AN, MC, XLII, 92, 7 septembre 1637). Il y a encore un petit cabinet d'ébène dit « *façon d'Allemagne* » dans l'inventaire du maréchal de La Meilleraye en 1664 (Guiffrey, 1899, p. 28). On importait des meubles d'Allemagne en France dès le XVIe siècle : les cabinets, tables, coffres d'Allemagne ou façon d'Allemagne sont nombreux dans l'inventaire après décès de Catherine de Médicis (voir Bonnaffé, 1874).
5. Thirion, 1971, p. 43-44.
6. Aumale, 1861, p. 260-261. En 1648 encore, l'ébéniste Laurent Felzs s'engage à exécuter un cabinet en poirier noirci au décor entièrement gravé (Alcouffe, 1991, p. 11).

Fig. 5. Cabinet d'ébène, l'*Europe* et l'*Amérique*.
New York, The Metropolitan Museum of Art.

Fig. 6. Cabinet d'ébène, l'*Afrique* et l'*Asie*. Vente,
The Contents of Somerhill, Tonbridge, Kent,
Sotheby's, 23-24 juin 1981, n° 130.

Le décor sculpté consiste en bas-reliefs taillés dans la masse de l'ébène, à thèmes religieux, mythologiques ou littéraires, et éventuellement, sur les cabinets les plus riches, en statuettes (cat. 131); il constitue généralement le décor principal de la façade extérieure mais peut orner aussi la façade intérieure.

Le décor gravé encadre le décor sculpté extérieur, orne spécialement les côtés du meuble, le revers des vantaux extérieurs, les éléments formant le pied et, dans bien des cas, la façade intérieure. Il se détache parfois sur un fond amati. Consistant essentiellement en motifs végétaux ou en paysages, il présente un caractère naturaliste, contrairement au décor sculpté. La même opposition apparaît dans d'autres domaines des arts décoratifs français de l'époque, les tapisseries ou les montres en émail peint par exemple, le sujet narratif principal étant encadré de fleurs sur les bordures des tapisseries ou de paysages sur la carrure des montres.

L'austérité de l'ébène est oubliée lorsque s'ouvrent les vantaux intérieurs. Le revers de ceux-ci comme le caisson, que l'on appelle « tabernacle » dans les catalogues de vente du XIXᵉ siècle, étonnent en effet par leur vive polychromie, obtenue grâce à toutes sortes d'autres matériaux; bois de couleur souvent odoriférants, ivoire parfois teinté, écaille, peintures[7], miroirs, roches artificielles forment une perspective à l'intérieur du caisson.

Les Archives nationales conservent un certain nombre de marchés relatifs à des commandes de cabinets d'ébène, qui prouvent, d'une part, que les ébénistes, dès cette époque, n'étaient pas toujours les auteurs des bâtis[8], d'autre part, que les clients demandaient souvent à l'ébéniste la reproduction d'un cabinet qu'ils connaissaient déjà[9]. Aussi n'est-ce pas étonnant de constater l'existence de cabinets d'inspiration voisine (fig. 5 [inv. 13-33] et 6). Le marché passé en 1651 entre le maître ébéniste Gaspard de Smet, rue de Richelieu, et le marchand orfèvre Claude Iᵉʳ Ballin (voir p. 248) offre cependant une autre possibilité: de Smet, qui doit exécuter pour Ballin non seulement un cabinet d'ébène mais aussi une bordure de miroir et une table également en ébène, est tenu de se conformer aux dessins approuvés ensemble, y compris pour la perspective du caisson, et il « *promet fournir les modelles de bois qu'il conviendra pour esbaucher les ornemens desdits ouvraiges et un petit modelle particulier dudit cabinet et celuy du miroir*[10] ». Les clients peuvent choisir les thèmes des bas-reliefs puisque Jean Harmant, menuisier du Roi en ébène, promet en 1640 deux cabinets à deux de ses clientes, « *les panneaux d'ébeyne massive taillez de telle figure que bon semblera ausdites dames*[11] ».

Les marchés prouvent que les cabinets d'ébène ont été exécutés dès le premier quart du siècle, Laurent Septarbres s'intitulant « *menuisier faiseur de cabinets* » dès 1608. Les cabinets d'ébène n'avaient pas pénétré cependant chez le connétable de Luynes, mort en 1621, qui était encore meublé en noyer[12]. La fabrication de ces cabinets s'est poursuivie, comme nous venons de le constater, jusqu'au milieu du siècle au moins. En 1659 encore, Laurent Lelibon, marchand ébéniste né à Anvers, installé au faubourg Saint-Antoine, faisait faire des cabinets d'ébène bordés de filets d'os[13].

7. Voir Alcouffe, *Dossier de l'art*, 2002.
8. En 1635, Boudrilet demande à Jacques Delebar, compagnon menuisier en ébène au faubourg Saint-Antoine, de lui plaquer deux cabinets d'ébène en les lui fournissant « *tout bastis et prestz a mectre l'esbeyne dessus* » (AN, MC, CV, 392, 22 mars 1635).
9. Voir les marchés suivants : *ibid.*, CV, 346, 3 mai 1622 (pour un cabinet « *pareil et semblable, de la mesme étoffe, façon et ferrure que celluy de Monsieur le président Le Jay* »), XXIV, 348, 10 mai 1638 (pour un cabinet semblable « *a celluy faict par ledict Duchesne pour Monsieur de La Rivière, aumosnier de Monsieur frère du Roy* »), CV, 413, 27 avril 1644 (pour « *ung cabinet de bois de poirier fasson d'esbeyne de pareille haulteur, largeur et profondeur que celluy appartenant à Madame de Bugurent* »), CXIII, 21, 29 février 1646 (pour un cabinet « *de mesme grandeur, facons, fermure, clouure, histoire, caissons dictz la perspective et autre chosse en despendans que celuy qu'ils ont faict et fournir [sic] a Monsʳ Rosignol, maître des Comptes* »), XLIII, 56, 3 septembre 1648 (pour « *un cabinet de la mesme grandeur, largeur, haulteur et profondeur que celluy qui est a présent dans la chambre de ladite dame marquise [de Clermont d'Amboise] en sadite maison* »).
10. *Ibid.*, XCVI, 57, 5 juin 1651.
11. *Ibid.*, XXIV, 417, 10 octobre 1640.
12. « *En la grande salle haulte appellée la salle du Roy* » : « *Item ung grand buffet de salle de boys, de noyer a colomnes avec ung tirouer* ». « *En une chambre attenant la salle cy dessus appellée la chambre du Roy* » : « *Item un grand buffet de boys de noier marqueté & marbré a ung guichet fermant a clef & ung tirouer* ». « *En une petite chambre haulte* » : « *Item ung grand cabinet de boys de chesne a deux guichetz fermans a clef, garny de ses tablettes* », « *Item ung buffet de boys de noyer marqueté a deux guichetz fermans a clef & deux tirouers* » (AN, MC, VII, 11, 22 mars 1622).
13. *Ibid.*, CV, 736, 20 mai 1659, 737, 26 août 1659.

Fig. 7. Cabinet d'ébène. Hillerød, Nationalhistoriske Museum paa Frederiksborg.

Fig. 8. Cabinet d'ébène décoré de scènes de *l'Endimion* de Jean Ogier de Gombauld, roman publié en 1624; au revers du vantail de droite, sous le bas-relief, inscription: « L'ENDIMION ». Londres, Victoria and Albert Museum.

Au cours de la cinquantaine d'années durant lesquelles on a dû produire ces meubles, leur forme n'a pas varié mais leur décor a évolué. En s'attachant à celui des vantaux extérieurs, nous sommes tenté de distinguer trois phases qui ont pu coexister mais qui ont dû apparaître dans l'ordre suivant: la phase à encadrement géométrique, la phase à encadrement sculpté, la phase à encadrement architectural.

Il paraît logique de situer au début de la fabrication les cabinets dont les vantaux présentent une stricte distribution géométrique, constituée de surfaces bien séparées les unes des autres et rappelant les projets de Du Cerceau (fig. 1): au centre, un grand motif en forme d'octogone le plus souvent, ou de rectangle, de cercle, de quadrilobe, bordé d'ondes; tout autour, des compartiments géométriques plus petits, répartis symétriquement, tous également bordés d'ondes, le décor gravé se répandant entre ces divers éléments. Par la suite, dans certains cas, le dessin des moulures ondées se modifie: elles ne se bornent plus à cerner les compartiments mais se prolongent au-delà des limites de ceux-ci pour parcourir toute la surface des vantaux en s'entrelaçant (cat. 136 ct fig. 7 [inv. B 511]).

Le décor géométrique a dû être utilisé longtemps. En effet, alors que les références datées relatives aux cabinets d'ébène sont presque inexistantes, nous pouvons en citer deux, tardives, qui concernent ce type de décor: il apparaît sur un cabinet sans frise qui passe pour avoir été acheté à Paris, en 1652, par la femme de l'écrivain anglais John Evelyn (fig. 4)[14] et il est aussi présent sur un vantail de cabinet isolé qui a perdu, au revers, son placage, ce qui permet de constater qu'il a été revêtu d'une toile de renfort portant l'inscription « J: A: HARDY/1653 » (cat. 131; fig. 3 et 4)[15].

Entre-temps se sont développés les cabinets dont le motif central des vantaux offre un encadrement sculpté mais sur lesquels le décor gravé et les ondes sont toujours présents. Nous pouvons considérer comme œuvres de transition des cabinets dont les vantaux sont occupés par un médaillon circulaire central ceint d'une large bordure ondée interrompue, en quatre endroits équidistants, par quatre agrafes sculptées, généralement de motifs végétaux stylisés (cf. cat. 136); le reste des vantaux est toujours divisé en compartiments géométriques bordés d'ondes et se répandant symétriquement. L'encadrement sculpté finit par devenir continu autour du médaillon central, rond ou carré, en étant formé d'éléments juxtaposés – figures humaines ou motifs décoratifs variés; sur le reste des vantaux, le décor sculpté, moins strictement bridé par les encadrements, se répand avec plus de liberté (fig. 5 et 8 [inv. 1651-1856]).

Les encadrements sculptés évoluent pour donner naissance au troisième type de cabinet. Il peut être dit architectural parce que les bas-reliefs centraux des grands vantaux sont encadrés par deux figures qui forment comme deux cariatides, ce qui donne au meuble un aspect architectural, renforcé par l'éventuelle présence d'un fronton au-dessus des reliefs (cf. cat. 142). On s'achemine vers le cabinet à composition architecturale de l'époque de Louis XIV. Le décor gravé et les moulures ondées ont parfois disparu, ces dernières étant remplacées par des moulures arrondies unies. Un vantail de cabinet appartenant au musée de Cluny fournit une indication chronologique. Il représente l'*Adoration des bergers* (en pendant

14. Sutton, 1981, p. 307-308, fig. 29.
15. On ne connaît pas pour l'instant d'ébéniste de ce nom. Nous remercions M. Christophe Galinon de nous avoir signalé ce vantail.

Fig. 9. Vantail de cabinet d'ébène, *Adoration des bergers,* en haut à droite, *Saint Marc,* daté 1649 sur le pupitre. Paris, musée national du Moyen Âge – Thermes de Cluny (déposé au musée des Beaux-Arts d'Arras).

16. AN, MC, LXXXIX, 88, 12 mars 1687 ; LXXXIX, 110, 18 septembre 1690 ; Alcouffe, 1999, p. 39.
17. Guiffrey, 1899, p. 203.
18. Kreisel, 1968, fig. 401, 406, 410.

d'une *Adoration des Mages*) surmontée de deux Évangélistes, dont l'un porte la date 1649. Or la scène est encadrée par deux figures d'ange en pied (fig. 9 ; inv. Cl. 11593a).

Le pied de chacun de ces trois types de cabinet peut comporter des cariatides.

L'inventaire du mobilier de Louis XIV, rédigé à partir de 1663, ne comprend pas de cabinet de ce type. Ils agonisent, très démodés, dans les inventaires d'ébénistes de la fin du siècle : chez le marchand ébéniste François Yesmelin, rue du Faubourg-Saint-Antoine, en 1687 (« *deux vieux cabinets de bois d'ébeine noir* », 30 livres) ; chez l'ébéniste Jean Maure, même rue, en 1690 (« *un cabinet de bois façon d'ébeyne a deux volets et deux tiroirs, prisé comme tel quel* », 4 livres) ; chez l'ébéniste François Guillemard en 1696 (« *un cabinet noir d'azard* », 20 livres)[16]. L'abbé d'Effiat, mort en 1698, à soixante-dix-sept ans, avait encore un cabinet d'ébène à deux portes et deux tiroirs reposant sur douze colonnes (16 livres)[17].

Les cabinets d'ébène furent de nouveau appréciés au XIXe siècle mais on n'hésita pas alors à les dépecer pour en réutiliser des fragments sur des meubles modernes. Dans les catalogues de ventes français, ils étaient à cette date correctement attribués à l'époque de Louis XIII. Curieusement, on oublia ensuite leur origine. Émile Molinier dans son monumental ouvrage *Le Mobilier au XVIIe et au XVIIIe siècle* (1898) ne les étudie pas. M. Th. H. Lunsingh Scheurleer leur a rendu leur identité, en 1956, dans un article fondamental, « *Novels in ebony* », en suggérant que certains d'entre eux pourraient être l'œuvre de Jean Macé, ébéniste logé au Louvre à partir de 1644, qui était en fait un spécialiste de la marqueterie de bois clairs. Cette attribution a fait fortune, de telle sorte que, souvent encore, quand les cabinets d'ébène français ne sont pas considérés comme « flamands » ou « anversois », ils sont attribués à tort à Macé.

Nos premiers ébénistes, nous l'avons vu à propos de De Smet, exécutèrent parfois d'autres types de meuble, que l'on identifie mal. Ils ont laissé en tout cas des bordures de tableau ou de miroir (fig. 10).

La poursuite de l'étude des cabinets d'ébène permettra de les répartir par ateliers, comme nous pouvons déjà le faire autour du cabinet du Louvre (cat. 137).

C'est au sein du groupe comprenant celui-ci que l'on peut percevoir la naissance de la marqueterie Boulle, qui, dans un premier temps, n'oppose que bois clair et bois foncé. Elle est présente déjà sous cette forme dans le premier tiers du siècle sur des meubles élaborés dans la région du Rhin moyen, dont certains, publiés par Kreisel, portent des dates : 1619, 1624, 1626 (fig. 11)[18]. Un petit cabinet peint par Jacques Linard en 1638 semble en marqueterie Boulle (fig. 12). Dans le groupe de cabinets évoqué ci-dessus, elle est présente au revers des vantaux intérieurs de certains d'entre eux (cat. 139 ; fig. 13). Aucune gravure ne vient encore compléter les motifs.

À partir de 1645, apparut en ébénisterie un nouveau style que l'on pourrait, en reprenant les expressions utilisées pour le XVIIIe siècle, appeler Régence (d'Anne d'Autriche) ou Transition (entre Louis XIII et Louis XIV). De nouveaux matériaux allaient avoir raison des cabinets d'ébène. Ceux-ci les avaient pourtant introduits.

Fig. 10. Bordure en ébène. Pau, musée national du château.

Fig. 11. Armoire en marqueterie à décor de volutes et d'oiseaux, Rhin moyen, 1626. Francfort-sur-le-Main, Historisches Museum.

Fig. 12. Jacques Linard, *Nature morte,* Paris, 1638. Vente à Lucerne, galerie Fischer, 26 novembre 1996, no 2017.

Fig. 13. Revers intérieur d'un vantail de cabinet d'ébène. Serrant (Maine-et-Loire), château.

Fig. 14. Cabinet en écaille marqueté de bois de couleur et d'ivoire. Collection particulière.

Les nouveaux matériaux comprennent, d'une part, les bois de couleur et l'ivoire, déjà utilisés dans les caissons, et, d'autre part, sous l'influence flamande, l'écaille, que l'on trouve associée aux cabinets non seulement dans les caissons (cat. 136) mais aussi à l'extérieur, comme le prouvent certains documents. Dès 1641, l'ébéniste Pierre Lallemant promet à Mathieu Rivon, secrétaire ordinaire de la Chambre du Roi, de lui faire un cabinet d'ébène gravé de fleurs « *dans les deux portes duquel cabinet ledit Lallemant sera tenu mettre et apposer un panneau d'escaille de tortue* ». Quelques années plus tard on exécutait à Paris des cabinets entièrement plaqués d'écaille, tels celui que l'ébéniste Jehan de Milleville promet de faire, en 1647, pour Antonio Curado, intendant de la maison de l'ambassadeur du Portugal, et qui doit être semblable à un cabinet qu'il lui a vendu deux ans et demi plus tôt[19]. L'inventaire de Mazarin en 1653 décrit quatre cabinets d'écaille qui pourraient être français[20].

Les marchés passés de 1657 à 1659 entre Lelibon, qui, Anversois, a pu contribuer au développement de l'emploi de l'écaille à Paris, et les confrères du faubourg Saint-Antoine ou d'ailleurs qu'il fait travailler sont révélateurs du goût de cette époque. Les meubles commandés par Lelibon – tables reposant sur des colonnes, estudioles ou « *petits cabinets pour mettre sur une table* » comme celui de Linard – sont plaqués d'écaille ou marquetés de fleurs sur fond d'écaille, de cèdre ou d'ébène, les surfaces étant fréquemment bordées de filets d'os (cf. fig. 14)[21].

En 1661, l'inventaire après décès de Mazarin comprend deux cabinets d'écaille dus à l'ébéniste d'origine hollandaise Pierre Gole[22]. L'un est décrit comme : « *Un cabinet d'escaille de tortue faict par Gol profillé d'ivoire et de bois représentant des fleurs au naturel, des oiseaux et des festons de fleurs et de fruicts*[23]. » La marqueterie de fleurs qui rivalisera avec la marqueterie Boulle durant le règne de Louis XIV prenait place.

19. AN, MC, LXXXVII, 117, 1er avril 1641, XXIX, 183, 6 juin 1647.
20. Aumale, 1861, p. 252-253, 261-262.
21. Alcouffe, 1991, p. 41-42.
22. Voir Lunsingh Scheurleer, 1980, 1984 et 1993.
23. Paris, BnF, Mss, Mélanges Colbert 75, fos 271vo-272vo.

128a

128 (a, b et c)
Mobilier Sully

France, fin du XVIe siècle – début du
XVIIe siècle

a- Quatre rideaux

Velours de soie rouge brodé de filés
métalliques, franges de filés métalliques dorés ; broderies : guipures de
lames métalliques argentées sur un
rembourrage de fils de coton, cordonnets de filés métalliques dorés, cannetilles argentées

H. 2,720 ; L. 0,920

b- Canapé

Noyer et hêtre, bois tourné, ciré en
noir ; crémaillère et charnière : fer
forgé ; garniture : sangles en toile de
chanvre, crin animal, toile d'embour-
rure de chanvre, semences forgées,
clous dorés en bronze fondu au sable ;
sur le dossier et les intérieurs des
accotoirs : cuir marron avec décor de
passementerie en filés métalliques
dorés ; velours de soie rouge brodé,
dentelles appliquées ; dentelles aux
fuseaux en filés métalliques dorés et
argentés sur âme de soie ; arrière du
dossier : velours de soie jaune ; faces
extérieures des accotoirs : taffetas de
soie rouge, damas de soie rouge

H. 1,180 (assise 0,450) ; L. 1,580 ; Pr. 0,800

c- *Quatre fauteuils

Noyer et hêtre, bois tourné, ciré au
naturel ; garniture : sangles en toile de
chanvre, crin animal, toile d'embour-
rure en toile de chanvre, semences
forgées, clous dorés en bronze fondu
au sable ; velours de soie rouge brodé,
dentelles appliquées ; arrière du dossier : sergé de laine rouge avec, aux
angles supérieurs, des clous placés en
triangle.

H. 1,180 (assise, 0,380) ; L. 0,620 ; Pr. 0,660
| Monogrammes, sur le velours de soie : A ;
deux C entrelacés, dont un inversé avec au
centre un I

Hist. : château de Villebon (Eure-et-Loir) ; vente à
Chartres ; collection Bernard Steinitz ; vente,
château de Saint-Paul-en-Cornillon (Loire),
30-31 mai 1992, n° 250 ; collection Bruno Perrier ;
vente à Paris, hôtel Drouot, salles 5 et 6,
30 janvier 1998, n° 183 ; préempté à cette vente
par la direction de l'Architecture et du Patrimoine.
Bibl. : *Châteaux de France*, 1925, p. 6, pl. 28-30 ;
Faniel, 1958, p 46, fig. 3 ; *Merveilles des châteaux
d'Ile-de-France,* 1963, p. 200-201 ; Janneau, 1967,
p. 33, n° 51.

Paris, centre des Monuments nationaux

128b

Cet ensemble de mobilier de la fin du XVIe siècle ou du début du XVIIe est composé d'un rarissime canapé se transformant en lit de repos, de quatre fauteuils et de deux paires de rideaux.

La provenance de ce mobilier, le château de Villebon, où il se trouvait encore il y a quelques années, lui confère un intérêt historique majeur. Ce château acquis, en 1607, par Maximilien de Béthune (1559-1641), duc de Sully, ministre du roi Henri IV, resta dans sa lignée jusqu'en 1767. Vendu avec les meubles à la famille de L'Aubespine puis à la famille Pontoi-Poncarré, en 1811, il conserve encore des souvenirs du grand Sully. La présence sur le velours de soie cramoisi des rideaux, qui couvre également le canapé et les fauteuils, d'un semis de deux chiffres brodés qui seraient ceux d'Anne de Courtenay, première épouse de Sully, décédée en 1589, six ans seulement après son mariage, valorise encore cet ensemble. Parvenu jusqu'à nous sans quasiment aucune restauration, comme le confirme le rapport d'étude de l'ébéniste Michel Jamet, les informations que fournissent ces pièces sur l'art des tissus et des sièges au temps d'Henri IV et de Louis XIII sont extrêmement précieuses. La réutilisation, pour confectionner les deux paires de rideaux et couvrir ces sièges, de ce luxueux textile provenant à l'origine d'un élément décoratif de plus grandes dimensions, témoigne également de l'évolution de l'ameublement au sein d'une même demeure ou plutôt d'une même famille.

L'authenticité exceptionnelle du canapé à oreilles se rabattant en lit de repos mérite d'être soulignée. La menuiserie et sa garniture se trouvent dans leur disposition et montage d'origine. Le système des côtés, inclinables vers l'extérieur, est d'époque et peut être comparé en ce point au fauteuil dit de malade du XVIIe siècle conservé à Paris, au musée des Arts décoratifs. Les crémaillères placées à mi-hauteur du dossier permettent d'incliner et de maintenir en position ouverte les côtés. Leurs bases sont articulées par des charnières épaisses disposées en haut du piétement. La goupille qui sert d'axe est amovible, autorisant l'enlèvement complet, selon les besoins, de l'une des jouées ou des deux. Sous le velours de soie cramoisi du dossier et à l'intérieur des accotoirs est encore présente la première garniture, en cuir marron, qui recouvrait initialement le canapé. Le cuir est souligné sur les bords d'un décor raffiné de passementerie en filés métalliques dorés constitué de bouclettes. Cette superposition des garnitures sans que pour autant le sanglage et le crin aient été refaits indique une prompte modification du canapé. En revanche, sur l'assise, sujette à une plus grande usure, la garniture de crin a été rembourrée par des fibres textiles et le cuir a disparu.

Les fauteuils, revêtus d'un velours de soie brodé similaire, appartiennent au même ensemble. Ils sont également en bois tourné en noyer et en hêtre (certaines traverses en tilleul et en chêne témoignent probablement d'anciennes réparations) mais présentent quelques différences avec le canapé. Le tournage des bois est un peu moins élaboré. Le dessin des balustres varie très légèrement et les détails d'exécution sont moins fins. Le traitement de finition diffère puisque les bois sont laissés au naturel ciré alors que le canapé a reçu une finition noircie destinée vraisemblablement à s'harmoniser avec le premier recouvrement, en cuir. Les garnitures sont d'origine car il n'y a qu'une seule trace de montage sur les bois. À l'inverse du canapé, ils n'ont été recouverts que du velours de soie brodé. La fabrication des quatre fauteuils sur le même modèle que le canapé préexistant, en cuir, est intervenue postérieurement pour créer un ensemble mobilier que l'on a alors recouvert simultanément avec le velours au chiffre d'Anne de Courtenay, comme le confirme la présence d'un galon identique, de soie crème avec filets métalliques, placé sous les clous.

Le velours de soie cramoisi est brodé d'un semis de deux chiffres disposé en carré. Au centre du motif, le monogramme est formé de deux C entrelacés dont l'un est inversé, avec dans l'axe la lettre I tandis que les angles sont ornés de l'initiale A, dont un des jambages est remplacé par un rameau souple terminé en volute. Le chiffre C est enrichi d'ornements végétaux plus développés au registre supérieur des courtines. Ces motifs sont brodés directement sur le velours. Ce sont des guipures de lames métalliques argentées réalisées sur un rembourrage de fils de coton épais de couleur blanche. Un cordonnet de filés métalliques dorés souligne les reliefs et dessine les volutes. La technique s'apparente à celle qui fut utilisée pour la chapelle de l'ordre du Saint-Esprit brodée par Claude de Luz, brodeur ordinaire d'Henri III, en 1585-1587 et sur les manteaux d'officiers de l'ordre du Saint-Esprit conservés au musée du Louvre. Les broderies ont été effectuées après l'assemblage des lés du velours et passent sur les coutures. Une frise de palmettes, brodée de manière semblable, de quatre centimètres de largeur, surmontée de cannetilles argentées, encadre ce semis sur les rideaux. Sur le pourtour des dossiers et la partie antérieure de l'assise des fauteuils, cette même frise est appliquée et assemblée par morceaux. Sur le canapé, ainsi que sur les côtés et la partie postérieure de l'assise des fauteuils, c'est une large dentelle, aux fuseaux métalliques d'or et d'argent montés sur âme de soie, rapportée sur le velours, qui cerne le motif.

Comme l'indiquent les observations minutieuses de la restauratrice, Marie-Flore Levoir, ce tissu a été retaillé et adapté à la dimension des éléments de façon à centrer le motif décoratif des chiffres. Sur les rideaux, symétriques deux à deux, divisés dans la hauteur en trois registres séparés par de longues franges en filés dorés, le registre médian est d'un seul tenant alors que les deux autres sont constitués d'assemblages de fragments de velours. Pour équilibrer la composition, le motif a même été renversé d'un quart de tour dans la partie haute. Huit modules carrés, agencés de façon à placer au centre le monogramme C, ornent l'assise et le dossier du canapé. La dentelle masque les coutures du remontage et dessine le quadrillage autour des chiffres. Il en est de même sur les fauteuils, où le velours est assemblé et complété au pourtour par des bandes de satin rouge pour créer un décor régulier.

Le même satin rouge est visible sous les franges des courtines et sert à relier entre eux les registres.

Le luxueux velours de soie cramoisi rehaussé de broderies au fil d'argent et d'or provient donc d'un élément décoratif de plus grandes dimensions et a été récupéré pour confectionner les rideaux et garnir l'ensemble des sièges. Toutefois, lors du doublage, les courtines ont été réduites en largeur car le velours est coupé net sur un côté et cousu à même la doublure. Cette dernière modification remonte vraisemblablement à l'époque où les rideaux ont été installés comme portières dans la salle d'armes du château de Villebon. La photographie parue dans un ouvrage de 1925, *Châteaux de France*, montre déjà cet aménagement, qui a perduré au moins jusqu'en 1963 si l'on se réfère à la vue publiée dans *Merveilles des châteaux d'Ile-de-France*.

L'étoffe au chiffre d'Anne de Courtenay, bien que la présence du I au centre du chiffre C reste à éclaircir, a dû logiquement être réutilisée postérieurement à son décès, en 1589. C'est l'hypothèse la plus probable bien qu'aucun document ne vienne la confirmer. Les marques d'usures du textile dans des zones peu exposées aux frottements sur les sièges indiquent que le tissu avait servi avant de les garnir mais ne précise pas la date de ce réemploi remontant, d'après le style des bois, aux premières années du XVIIe siècle. Ce tissu de très haute qualité et forcément coûteux ne pouvait que tapisser une pièce essentielle d'une demeure ou appartenir à un meuble significatif. Les archives et plus particulièrement les inventaires conservés au château de Villebon restent inaccessibles mais ceux des autres propriétés de Sully, étudiés récemment par Isabelle Aristide dans le cadre de ses recherches sur *La Fortune de Sully* (inventaires du château de Montrond de 1621, de l'hôtel de Sully à Paris en 1634, du château de Sully-sur-Loire de 1642 et du château de La Chapelle-d'Angillon en 1632), montrent la présence de ce type de tissu soit dans la grande salle comme à l'hôtel de Sully ou à Montrond, ornant un dais suspendu, soit constituant le lit de la chambre du duc ou de celle de la duchesse, Rachel de Cochefilet, seconde épouse de Sully, dans les exemples cités. L'étude, à poursuivre, tend à reconnaître dans ce velours brodé les vestiges du baldaquin, des cantonnières, des soubassements, des pentes ou de la courtepointe qui devaient constituer le grand lit de la chambre d'Anne de Courtenay, après son mariage avec Sully, en 1583. La comparaison entre les broderies du velours et celles de Claude de Luz confirme cette datation.

C. P.

128c

129

Armoire à deux corps

Paris, vers 1620 | Noyer autrefois
partiellement doré (traces de dorure),
marbre noir

H. 2,310 ; L. 1,800 ; Pr. 0,450

Hist. : collection Edmond Foulc, marquise Arconati
Visconti ; don marquise Arconati Visconti, 1916.
Bibl. : Marquet de Vasselot, 1903, p. 6, repr. ;
Migeon, 1917, n° 52, p. 63-64.

Paris, musée du Louvre, département
des Objets d'art. Inv. OA 6969

Cette pièce fait partie d'un groupe d'armoires
à deux corps et quatre vantaux en noyer, au caractère très architectural, présentant les mêmes traits.
On ne sait pas si on doit les appeler armoires à
colonnes ou armoires à plaques de marbre. En
effet, le corps supérieur est cantonné de quatre
colonnes unies tandis que des plaques de marbre
français, le plus souvent noir à veines blanches,
bordées de filets de bois incrustés, jalonnent les
encadrements de ces meubles.

Les surfaces de ces armoires sont délimitées par
les entablements, saillants, qui surmontent la partie
supérieure de chacun des deux corps, par la base,
saillante, du meuble et par les moulures bordant les
quatre vantaux. Elles sont couronnées par un
fronton brisé qui inscrit en son centre une niche
renfermant une statuette. Dessous, les deux corps
comprennent chacuns une frise au décor composé
de plaques de marbre et de bas-reliefs, qui, sur le
corps du bas, renferme un ou deux tiroirs et qui
surmonte deux vantaux décorés d'un bas-relief ;
ce bas-relief principal est surmonté et souligné par
un bas-relief secondaire ou une plaque de marbre
sur le corps du haut et éventuellement sur celui
du bas aussi. De part et d'autre des vantaux, les
montants du corps inférieur, et parfois également
ceux du corps supérieur, sont décorés de trois
petits motifs superposés – bas-reliefs ou marbres
de nouveau.

Les bas-reliefs principaux représentent des divinités antiques ou les Quatre Saisons (inv. OA 6970 ;
H. 2,140 ; fig. 1). Les bas-reliefs plus petits montrent
souvent des divinités, allongées sur la frise du corps
supérieur ou sur les tiroirs, des créatures fantastiques et des animaux – aigles et cygnes principalement. Les reliefs peuvent être dorés. Les côtés des
armoires offrent des panneaux moulurés unis. La
présence de plaques de marbre sur la base est rare.

Ce type d'armoire était fabriqué à Paris, comme on
le constatera, on ne sait pas à partir de quand. Les
bas-reliefs s'inspirent assez fréquemment des
gravures de l'Anversois Philippe Galle représentant des divinités, publiées entre 1581 et 1587
(Thirion, 1965), ce qui fournit une indication
chronologique. La production de telles armoires
était en tout cas vivace au début du règne de
Louis XIII, dans les années 1610-1620, ainsi qu'en
attestent divers contrats notariés passés entre des

Fig. 1. Armoire en noyer. Paris, musée du Louvre, département des Objets d'art.

Fig. 2. Armoire en noyer. Philadelphie, The Philadelphia Museum of Art.

Fig. 3. Armoire en noyer. Localisation actuelle inconnue.

maîtres menuisiers parisiens et leurs clients, repérés entre 1616 et 1623. Ces documents décrivent en effet des armoires en noyer (parfois appelées cabinets), à quatre portes et à tiroirs, décorées de colonnes, de bas-reliefs, de statuettes et de plaques de marbre. Particulièrement évocateur est un document de 1619 mentionnant une armoire exécutée par le marchand menuisier Jacques Caignet : « *le corps d'embas dudit cabinet est taillé de quatre oyseaux dont deux aigles et deux cignes avec la grand pièce de marbre entre les oyseaux de chacun costé, est la frize dudit corps d'embas dudit cabinet taillé à une grande figure couchée et deux grandes pièces de marbre aplicquées a chacun bout ou costé de ladite frize* », description qui s'applique exactement à l'encadrement de la partie inférieure de l'armoire du Louvre OA 6970 (fig. 1 ; Alcouffe, 1991, p. 5-6 ; Lefébure, 1993, p. 38 ; voir notre « Introduction », note 12).

La présente armoire, dont la surface est rythmée par dix-sept plaques de marbre noir et blanc, est décorée à sa partie supérieure de deux paires d'aigles. Les quatre grands bas-reliefs représentent : sur le corps supérieur, Mercure et Cérès, Mars et Vénus surmontés d'une Renommée ; sur le corps inférieur, deux femmes nues rappelant le style de Barthélémy Spranger, assises, sur une nef à gauche, un monstre marin à droite, soutenant la première un phare, la seconde une rame, et encadrées par Neptune, une déesse aquatique et deux cygnes. Des trous régulièrement répartis à l'intérieur du corps supérieur – au revers des vantaux et sur les panneaux du fond – prouvent qu'il a été gainé. Sur le fronton restauré, la statue de Judith n'est pas d'origine.

Très proches de cette armoire, celle de Philadelphie provenant de la même collection Foulc, à la corniche ornée de deux aigles similaires, offre en haut les mêmes grands bas-reliefs (fig. 2), que l'on retrouve sur une autre armoire chargée d'aigles et de cygnes (fig. 3).

D. A.

130

130

Armoire à deux corps dite aux cavaliers

France, vers 1620 | Noyer

H. 2,640 ; L. 1,420 ; Pr. 0,530

Hist. : ancienne collection Du Sommerard.
Bibl. : Du Sommerard, 1883, n° 1436 ; Darcel,
1888-1889, p. 136 ; Haraucourt, 1925, n° 534.

Écouen, musée national de la
Renaissance. Inv. E. Cl. 91

Il s'agit d'une armoire à deux corps, le corps supérieur, plus étroit, reposant sur un corps inférieur plus large. L'armoire est surmontée par un important fronton brisé dont les deux rampants encadrent une niche indépendante. L'armoire s'ouvre par quatre vantaux, deux dans la partie supérieure, deux dans la partie inférieure, et dans celle-ci par deux tiroirs sous la tablette en saillie.

Le décor est en léger relief. Les vantaux présentent de haut en bas deux cavaliers et deux figures féminines debout. Les vantaux sont encadrés de montants sculptés de paquets de fruits enrubannés interrompus par de petites niches contenant des divinités de l'Olympe.

Le bandeau supérieur, situé sous le fronton, représente une chasse ; les tiroirs, quant à eux, sont ornés de personnages nus allongés tenant un ruban retenant un paquet de fruits.

Cette armoire peut être relativement bien datée grâce au vantail supérieur gauche, qui représente le jeune Louis XIII à cheval d'après une gravure de Mathieu Mérian datant des années 1617-1622. Cette gravure porte la légende : « LOUYS XIII ROY DE FRANCE ET DE NAVARRE » (fig. 1). Le portrait du jeune Louis XIII fait pendant à une représentation rétrospective de son père, Henri IV, d'après une gravure qu'il n'a pas été possible d'identifier. À ces figures équestres correspondent, sur les vantaux inférieurs, deux allégories : la Victoire ou une Renommée, à gauche (sous Louis XIII), et Bellone, à droite (sous Henri IV). Il est à remarquer que la présence de cette dernière figure semble inspirée par la gravure de Mérian déjà citée, sur laquelle dans un petit poème le Roi est qualifié de « *Nourrisson de Bellone* ».

Les armoires à deux corps sont apparues dans le mobilier français au XVIᵉ siècle. Elles étaient plus ou moins sculptées, peintes et dorées, selon la fortune du commanditaire et sa familiarité avec les milieux de la cour. L'évolution de leur décor a suivi la mode des règnes postérieurs à celui d'Henri II et aussi, bien que l'histoire en soit mal connue, des provinces où elles furent probablement fabriquées : Franche-Comté, Bourgogne, Avignon, Toulouse. L'habitude de décorer les vantaux de cavaliers correspond à un brusque changement de style décoratif, à la fin du XVIᵉ siècle. La source d'inspiration en est, le plus souvent, des gravures de Hendrick Goltzius publiées en 1586. Nous connaissons un grand nombre de ces armoires (fig. 2), d'où le nom général qui a été donné à ce groupe, armoires aux cavaliers ; les cavaliers de notre armoire sont individualisés, ce qui est plutôt rare sans être exceptionnel, pour la figure d'Henri IV en tout cas. Une armoire de style très proche avec une répartition iconographique identique à celle-ci est notamment passée en vente à l'hôtel des ventes de Saint-Jean-de-Luz, le 12 décembre 1992.

Notre armoire se distingue par son riche décor couvrant et par cette note déjà très baroque que constitue le grand fronton brisé souligné de deux animaux fantastiques. Sans nécessairement avoir à chercher des références lointaines à l'école de Fontainebleau et à la Renaissance, nous pourrions dire qu'elle illustre un style purement Louis XIII. On peut, sans en tirer d'autres conclusions que le goût un peu retardataire de certains commanditaires, la comparer avec l'armoire cat. 131. Le goût des styles de la Renaissance le plus pur était donc encore présent sous le règne de Louis XIII.

P. E.

Fig. 1. Mathieu Mérian, *Louis XIII*.

Fig. 2. Armoire. Paris, musée des Arts décoratifs.

131

Armoire à deux corps

France du Centre-Est, 1617 | Noyer

H. 2,550 ; L. 1,780 ; Pr. 0,750 | Inscriptions :
en relief au milieu du fronton, *1.6.1.7* ;
gravée sur le vantail inférieur gauche,
DISCRETIO

Hist. : collection du peintre Pierre Révoil (1776-
1842), acquise par le musée du Louvre en 1828 ;
a peut-être figuré, sous le second Empire, dans le
cabinet du comte de Nieuwerkerke, directeur
général des Musées impériaux, au Louvre (voir exp.
Compiègne, 2000-2001, n° 39).
Bibl. : Du Sommerard, 1846, p. 203, repr. *Album*, I,
1re série, pl. XV ; Sauzay, 1864, B.89 ; Champeaux,
1885, I, p. 237-238, repr. ; Ruprich et Bajot, 1890,
pl. 19-20 ; Molinier, 1898, p. 8 ; Thirion, 1985 ;
Guide, 1989, n° 256, p. 249 ; Lefébure, 1993,
n° 14, p. 40-41, repr.

Paris, musée du Louvre, département des
Objets d'art. Inv. MR R 61

Cette armoire à deux corps d'une rare qualité
de sculpture a été étudiée par Jacques Thirion
(1985), qui a identifié l'origine des quatre bas-
reliefs ornant les vantaux. Ceux du corps supérieur sont inspirés par deux gravures d'après
Barthélémy Spranger (1546-1611) : à gauche, par
une gravure de Jean Muller, d'Amsterdam, datant
de 1600, *Bellone entraînant les troupes impériales
à la victoire sur les Turcs,* dédiée à l'archiduc, futur
empereur, Mathias ; à droite, par une gravure de
l'Anversois Gilles Sadeler, datant des années 1600-
1609, *la Victoire de la Sagesse sur l'Ignorance*. Les
motifs occupant la partie inférieure et le fond des
gravures ont disparu au profit d'architectures
inutiles.

Fig. 1. Armoire à deux corps en noyer, d'après le catalogue de la vente Hochon ; ancienne collection de
M. R. Hochon, vente à Paris, galerie Georges Petit,
11-12 juin 1903, n° 158 ; ventes à Paris, hôtel Drouot,
salles 5 et 6, 6 avril 1992, n° 46, et à Saint-Martin-de-
Crau, château de Vergières, 25-26 novembre 2000.

Sur les vantaux inférieurs, au contraire, l'élimina-
tion des motifs secondaires a laissé les fonds nus.
Les deux reliefs sont inspirés par la série des
Planètes gravée par Adrien Collaert d'après Martin
de Vos, deux autres artistes anversois. Chaque
Planète est accompagnée par celui des Sept Âges de
la Vie qui lui correspond et par une Vertu associée :
à gauche, sous la figure de Mars, l'Âge viril et la
Prudence *(Discretio)* ; à droite, sous celle de Jupiter,
la Vieillesse et la Mémoire, appuyée sur un alambic.

L'ambiance belliqueuse du corps supérieur est
renforcée par la frise à décor de trophées, interrompue par des figures d'enfant ; aux angles antérieurs, par les deux termes de guerrier ; au centre,
par le guerrier adolescent brandissant un bâton de
maréchal (Louis XIII ?, voir le vitrail cat. 266a),
surmonté par une Victoire tenant une palme, dont
il ne reste qu'un morceau (sa tunique dissimule
l'entrée de la serrure). Sous les vantaux, plus
paisibles, apparaissent deux tiroirs sculptés de
chevaux marins et bordés par des têtes d'ange. Sur
les panneaux des côtés, flanqués de deux créatures
monstrueuses, le mufle de lion central est entouré
de volutes et de rinceaux.

La frise du corps inférieur, qui comprend aussi
deux tiroirs, est sculptée de rinceaux et de groupes
de fruits bordés de têtes d'animaux – lions, béliers.
Le corps inférieur est rythmé par cinq termes, dont
certaines gaines sont ornées aussi de têtes de bélier,
le terme central féminin étant vêtu à la mode du
premier quart du XVIIe siècle. Le décor des panneaux latéraux, réparti autour d'un masque féminin, rappelle celui du corps supérieur. L'armoire
repose sur quatre lions.

Le fronton moderne, peut-être composé par Révoil
lorsqu'il restaura sa collection au moment où il la
vendit (Courajod, 1886, p. 25,29), remplace le
fronton d'origine, qui devait être endommagé,
inclut deux petits termes anciens et reproduit
probablement la date 1617, qui devait figurer sur le
fronton ancien. La niche était surmontée au
XIXe siècle d'une pomme de pin, maintenant disparue, et renferme depuis 1864 au moins une statuette
de Vénus pudique en buis provenant de la collection de Charles Sauvageot donnée au Louvre
en 1856 (inv. OA 307).

Très différente de la production parisienne (voir
cat. 129), cette armoire, dont les gaines rappellent
les modèles donnés en 1572 par le menuisier et
architecte dijonnais Hugues Sambin, est issue vraisemblablement d'un atelier travaillant dans l'est
de la France (Dijon ? Lyon, dont Révoil était originaire ?). Elle n'est pas isolée (voir armoire cat. 132).
L'armoire fig. 1 ouvrant par quatre vantaux à cavaliers et quatre tiroirs comprend quatre termes
casqués et des têtes de bélier qui l'apparentent à
l'armoire de 1617, en même temps que les aigles de
la frise rappellent la production parisienne (voir
cat. 129).

D. A.

131

132

Armoire à deux corps

France du Centre-Est, 1625 | Noyer

H. 2,580; L. 1,530; Pr. 0,700 | Inscriptions: en relief sur le fronton, *1625.*; gravées, sur le vantail supérieur gauche, *DOCTRI/NA*; sur le vantail supérieur droit, *VENVS, A b c*; sur le vantail inférieur gauche, *CONC-SIE/NTIA* | Texte manuscrit sur une feuille de papier, au revers du vantail supérieur gauche: *Ce meuble, qui porte la date de 1625, a été cédé à Mr de Gostellin* [pour Gosselin] *de Paris, par le comte de Sartiges, ambassadeur de France à Téhéran (Perse) qui l'avait achetté* [sic] *dans cette ville dans l'année 1845* (avec cachet de cire rouge aux armes de Sartiges; le comte de Sartiges a été « *envoyé extraordinaire* » en Perse, résidant à Téhéran [*Almanach national,* 1848-1850]).

Bibl.: Du Pavillon, s. d.

Collection particulière

Postérieure de huit ans à l'armoire précédente, si nous nous fions aux dates, l'armoire de 1625 témoigne de la persistance du même style au sein de l'atelier qui les a créées. Les termes présentent la même qualité d'exécution que ceux de l'armoire de 1617, l'exécution du reste du décor étant moins homogène.

Les quatre bas-reliefs sont inspirés de quatre autres *Planètes* de Martin de Vos, moins simplifiées: Mercure et la Puberté, Vénus et l'Adolescence, Saturne et la Décrépitude, le Soleil et la Jeunesse (fig. 1 à 4). Nombreux sont les autres points communs: en haut, le fronton à termes; sur le corps supérieur, le terme de femme à collerette, les deux termes de guerrier casqué, les figures monstrueuses des côtés, les têtes d'ange, les trophées latéraux de la frise basse à tiroirs; sur le corps inférieur, la frise de rinceaux, de masques d'animaux et de paquets de fruits, les deux termes masculins, les pieds antérieurs formés par trois lions; sur les côtés, le décor disposé autour d'un masque. La frise supérieure, en revanche, représente des scènes de chasse comme celle de l'armoire fig. 1, cat. 131. Un trou percé au-dessus de chaque aileron et de chacun des petits socles qui s'appuient sur les ailerons indique qu'ils portaient des ornements, disparus.

Les deux armoires témoignent de la vitalité du meuble français en bois massif sculpté au début du XVIIe siècle, que prolongeront les armoires figurées du Bas-Languedoc dans la seconde moitié du siècle (Nougarède et *alii*, 2000).

D.A.

Détail

Fig. 1. Adrien Collaert, d'après Martin de Vos, *Mercure.* Paris, Bibliothèque nationale de France, département des Estampes.

Fig. 2. Adrien Collaert, d'après Martin de Vos, *Vénus.* Paris, Bibliothèque nationale de France, département des Estampes.

Fig. 3. Adrien Collaert, d'après Martin de Vos, *Saturne.* Paris, Bibliothèque nationale de France, département des Estampes.

Fig. 4. Adrien Collaert, d'après Martin de Vos, *le Soleil.* Paris, Bibliothèque nationale de France, département des Estampes.

132

*133
Fauteuil de sainte Jeanne de Chantal

Entre 1620 et 1627 ? | Chêne

H. 0,800 ; L. 0,570 ; Pr. 0,470

Hist. : monastère de la Visitation d'Orléans, puis monastère de la Visitation de Caen, qui ont fusionné en 1980.
Bibl. : Rideau, 1998.
Exp. : Orléans, 1999, n° 209 (G. Rideau).

Caen, monastère de la Visitation, déposé en 1990 à Regard sur la Visitation, Moulins, musée du Bourbonnais.
Inv. 91.3.18.D.

Il existe peu de sièges de l'époque de Louis XIII pour lesquels on puisse proposer une date. Ce fauteuil, qui présente exactement la même forme que celui d'Henri IV sur le plat cat. 226 et dont le type classique est si fréquent dans l'œuvre d'Abraham Bosse, est composé d'un dossier bas, de bras incurvés, de montants antérieurs tournés en forme de colonne, de pieds liés par quatre traverses. Le bois était peut-être destiné à être caché complètement par une garniture. Nous pouvons le comparer à un fauteuil exécuté par Jean-Baptiste-Claude Séné pour l'Académie française en 1785, copie d'un fauteuil d'académicien du XVIIᵉ siècle, qui aurait été celui de Boisrobert en 1635 (Verlet, 1955, n° 28, p. 133-136, repr. ; fig. 1).

L'ordre de la Visitation fut créé, en 1610, à Annecy par saint François de Sales, évêque de Genève, et par sainte Jeanne de Chantal (Jeanne-Françoise Frémiot [1572-1641], veuve, en 1601, de Christophe de Rabutin, baron de Chantal). L'ordre

fonda un monastère à Orléans en 1620. En 1627, les religieuses d'Orléans élirent supérieure Jeanne de Chantal elle-même, ex-supérieure du monastère d'Annecy. Jeanne vint d'Annecy à Orléans à cette occasion, y séjourna quelque temps, puis, comme elle avait promis à François de Sales de n'être jamais supérieure qu'à Annecy pour mieux veiller sur l'ordre, elle se retira d'Orléans, en 1628, au profit de la sœur Jeanne-Françoise Le Tellier. Elle séjourna de nouveau à Orléans en 1635. Ce fauteuil, qui serait celui dans lequel elle présidait le chapitre hebdomadaire, devint une relique : les bras sont mutilés car des parcelles en furent prélevées au profit d'autres monastères de l'ordre.

D. A.

Fig. 1. Jean-Baptiste-Claude Séné, fauteuil d'académicien. Paris, Institut de France.

133

134 (a, b et c)
Quatre fauteuils

Vers 1640 | Noyer tourné et sculpté

a- Fauteuil

H. 0,890 ; L. 0,600 ; Pr. 0,430

Hist. : legs Peyre, 1905.
Bibl. : Du Colombier, 1941, pl. XXIII ; Boulanger, 1960, p. 36, repr. ; *les Styles français*, 1964, p. 61, fig. 1 ; Brunhammer, 1964, p. 39 ; Janneau, 1967, fig. 43, p. 28 ; Quette, 1996, repr. p. 29.
Exp. : Amsterdam, 1957, n° 50, pl. 14 ; Paris, 1964-1965, n° 135.

Paris, musée des Arts décoratifs.
Inv. Pe. 1335

b- Deux fauteuils

H. 0,910 ; L. 0,600 ; Pr. 0,440 (traverse restaurée) | H. 0,910 ; L. 0,585 ; Pr. 0,450

Hist. : acquis par Charles Sauvageot, avant 1828 pour l'un (Catalogue manuscrit de la collection Sauvageot, département des Objets d'art, n° 733, 40 F avec la réparation) et en 1828 pour l'autre (*ibid.*, n° 891, 36 F) ; étaient garnis en velours rouge dans la collection Sauvageot.
Bibl. : Sauzay, 1861, n°ˢ 56 et 57, 1864, B.103.

Paris, musée du Louvre, département des Objets d'art (déposé au château de Maisons-Laffitte). Inv. OA 246

c- Fauteuil (d'une paire)

H. 0,830 ; L. 0,600 ; Pr. 0,400

Bibl. : Du Sommerard, 1883, n°ˢ 1554-1555 ; Ruprich et Bajot, 1890, pl. XLVII ; Clouzot, 1925, pl. XLIII ; Haraucourt, 1925, n°ˢ 628-629 ; Jarry et Devinoy, 1948, pl. 32 ; Janneau, 1967, fig. 39, p. 26 ; Waterer, 1971, pl. 44 ; Glass, 1998, p. 188-189.

Écouen, musée national de la Renaissance. Inv. E.Cl. 20473

Ce modèle de siège est très répandu au milieu du XVIIᵉ siècle. Il se caractérise par un dossier bas et quatre pieds tournés unis devant par une traverse tournée et à la base par une entretoise tournée en forme de H. Les bras, tournés, sont reliés à leur support soit par un dé de forme géométrique, soit par un motif sculpté, généralement en forme de mufle de lion ou, comme ici, en forme de buste de femme. Ces bustes de femme présentent la coiffure en vogue vers 1640 – frange médiane et longs cheveux – ainsi qu'un collier de perles. Ils offrent des variantes cependant : ceux du musée des Arts décoratifs arborent un casque à plumes, ceux du Louvre portent des anglaises et sont coiffés d'un attifet, ceux d'Écouen sont décorés de deux couronnes de plumes à l'arrière. Le fauteuil d'Écouen est garni de cuir doré ancien.

D. A.

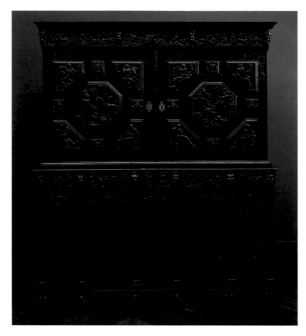

135

135
Cabinet

Paris, vers 1630 | Bâti de chêne,
sapin et noyer ; placage d'ébène ;
à l'intérieur, placage de palissandre,
d'amarante et d'ivoire ; bois noirci ;
peintures sur bois ; miroirs ; cuivre
et bronze dorés

H. 1,924 ; L. 1,640 ; Pr. 0,600

Hist. : vraisemblablement vente après décès de
M. Laroque, Paris, 4, rue Saint-Louis-au-Marais
(rue de Turenne), 25 mai 1835, nº 355 ; vente à
Paris, palais d'Orsay, 21 juin 1979, nº 153.
Bibl. : Alcouffe, 1991, p. 18-19.
Exp. : Paris, 1960, nº 53, pl. III.

Collection particulière

Le décor des cabinets d'ébène à composition
géométrique offre fréquemment la répartition qui
apparaît ici : sur chaque vantail extérieur, un
octogone central est entouré de quatre pentagones
aux angles et de quatre rectangles entre ces
derniers. Ici, les deux bas-reliefs centraux inspirés
par deux gravures de style bellifontain (fig. 1 et 2),
représentent à gauche, *Persée vainqueur de Méduse,*
à droite, *Persée délivrant Andromède.* Ils sont entourés à gauche par les *Quatre Saisons,* à droite par les
Quatre Eléments, que séparent chaque fois quatre
mascarons. Le décor sculpté extérieur comprend
encore la frise à trois tiroirs et la ceinture à deux
tiroirs, ornées de scènes à divinités marines,
séparées par des termes d'enfant et des masques, et
les cinq tabliers décorés chacun d'un cartouche.
Autour des reliefs des vantaux et sur l'ensemble
des côtés sont gravés des motifs floraux.

Fig. 1. École de Fontainebleau, *Persée vainqueur de
Méduse.* Paris, Bibliothèque nationale de France,
département des Estampes.

Fig. 2. École de Fontainebleau, *Persée délivrant
Andromède.* Paris, Bibliothèque nationale de France,
département des Estampes.

135

Détail

À l'intérieur, seuls les petits vantaux sont sculptés : de deux figures féminines tenant l'une une palme, l'autre une couronne, chacune debout dans une niche. Le revers des grands vantaux est gravé d'un paysage incluant des représentations urbaines, entouré de compartiments fleuris, chacun des douze tiroirs d'un paysage à architectures et personnages. Les poignées des tiroirs sont apparentées à celles du cabinet du Louvre (cat. 137). Les deux jeux de portes sont fermés chacun par une belle plaque de serrure à décor de fleurs gravées.

Le revers des petits vantaux, le plafond et le sol du caisson sont plaqués géométriquement de palissandre, d'amarante, d'ébène et d'ivoire. À la partie supérieure du caisson ouvrent trois tiroirs ornés de balustres. Dessous, cinq peintures figurant un musicien, deux protagonistes de la Comédie-Italienne et un couple formé par deux personnages élégants, ces derniers dissimulant chacun cinq petits tiroirs, alternent avec des miroirs et des colonnes en bois à chapiteaux et bases en ivoire.

Le piétement est formé par douze colonnes, dont les six antérieures sont gravées de pampres de vigne et les six postérieures unies, correspondant respectivement à six boules à griffe et à six boules unies.

D. A.

136

Cabinet

Paris, vers 1630-1640 | Bâti de sapin ; placage d'ébène ; à l'intérieur, placage de palissandre, acajou, amarante, bois de violette, citronnier, satiné, amourette, écaille, ivoire, os teint en vert ; bois noirci ; miroirs ; cuivre et bronze dorés

H. 2,150 ; L. 1,970 ; Pr. 0,600

> **Hist. :** don des héritiers de la marquise de Saint-Didier à la Société Éduenne selon le vœu de celle-ci, 1894.
> **Bibl. :** Fontenay, 1877, p. 239-240 ; *Mémoires,* 1894, nº 10, p. 440-441, 443 ; Alcouffe, 1991, p. 17, repr. p. 9.
> **Exp. :** Autun, 1876, 2ᵉ partie, nº 26, 1983, nº 100.

Autun, musée Rolin. Inv. O. A. 5

Le cabinet présente des points communs avec le cabinet précédent (cat. 135) : la frise à deux tiroirs offre des scènes marines (char de Cérès à gauche, char de Bacchus à droite, tous deux tirés par des chevaux marins) ; les angles des vantaux sont sculptés aussi, selon une iconographie différente, des *Quatre Saisons* (réparties en haut) et des *Quatre Éléments* (en bas). Le décor sculpté est cependant moins rigoureusement cerné de moulures ondées, le meuble annonçant la phase intermédiaire de l'évolution des cabinets d'ébène : les scènes mythologiques centrales (*Couronnement de Flore* [?] à gauche, *Assemblée des Dieux* à droite) sont entourées d'un large tore de feuilles de chêne interrompu par quatre génies ailés ; les ondes bordant les allégories des angles se prolongent pour s'entrelacer.

Le décor gravé, très abondant, couvre les côtés (grand paysage avec édifices), la ceinture à trois tiroirs (cartouches à paysage), les cinq tabliers,

l'intérieur (paysages avec figure féminine au revers des grands vantaux ; la *Tempérance* et la *Prudence* sur les petits vantaux ; cartouches à paysage, prisonniers adossés, coquilles, sur les douze tiroirs).

Un frisage utilisant de nombreux bois exotiques, de l'écaille, de l'ivoire gravé et de l'os teint, plaque la tablette centrale, les casiers ménagés dans la partie supérieure du grand tiroir surmontant celle-ci, ainsi que le caisson, architectural, orné notamment de quatre ivoires gravés représentant Jupiter, Junon et un couple de paysans.

Les six termes – trois couples d'âges différents – et les six colonnes en bois noirci reposent sur un socle moderne.

D. A.

Détail

137

Fig. 1. Vantail de gauche d'un cabinet d'ébène. Montargis, musée Girodet.

Fig. 2. Vantail de droite d'un cabinet d'ébène. Montargis, musée Girodet.

137
Cabinet

Paris, vers 1645 | Bâti de peuplier
et de chêne; placage d'ébène; à l'intérieur du caisson, placage de satiné et
de sycomore sur le sol, balustrade en
amarante massive; tiroirs en palissandre; base en bois fruitier noirci;
ivoire; peintures sur bois; miroirs;
cuivre et bronze dorés.

H. 1,845; L. 1,585; Pr. 0,565

Hist.: collection du peintre Pierre Révoil, acquise
en 1828; sous le second Empire, cabinet du comte
de Nieuwerkerke, directeur général des Musées
impériaux, au Louvre (voir cat. exp, Compiègne,
2000-2001, n° 39); réinventorié en 1912.
Bibl.: Sauzay, 1864, B. 90; Molinier, 1898, p. 16,
pl. I, 1901, pl. I; Dreyfus, 1922, n° 1, pl. I; Lunsingh
Scheurleer, 1956, p. 268, note 3; Penot, 1984,
p. 24, repr. p. 25; Alcouffe, 1991, p. 19-22, repr.;
Gruber, 1992, p. 85, repr.; Alcouffe, 1993, n° 16,
p. 52-59; Quette, 1996, repr. p. 20 et 45.

Paris, musée du Louvre. Inv. MR R 62 et
OA 6629

La frise à trois tiroirs est sculptée devant de
rinceaux, de trophées et de prisonniers adossés.
Dessous, les deux grands vantaux présentent deux
registres de bas-reliefs de dimensions très différentes. Au niveau supérieur, beaucoup plus haut,
rythmé par cinq pilastres corinthiens, les bas-
reliefs sont ceints d'abord par un encadrement
sculpté, puis par deux moulures ondées aux
dessins différents entrelacées. Ils représentent, à
gauche, Horatius Coclès défendant l'entrée du
pont Sublicius, à Rome, contre l'armée du roi
étrusque Porsenna, à droite, les compagnons
d'Horatius coupant le pont. Les deux mêmes
reliefs, permutés, apparaissent aux vantaux d'un
cabinet du musée de Montargis, plus ancien (fig. 1
et 2; inv. 885-264); celui de gauche orne aussi un
vantail isolé portant au revers la date 1653 (fig. 3
et 4). La Foi, l'Espérance, la Tempérance et la
Justice à gauche, la Charité, la Prudence, la Force
et l'Innocence à droite cantonnent ces bas-reliefs,
qu'encadrent deux niches renfermant les statuettes
de Mars et de Minerve. À l'étage inférieur se succèdent cinq bas-reliefs, scènes de campagne
militaire. Sur chacun des flancs du meuble che-
vauche un général antique, entouré des deux
mêmes séries d'ondes. Les rinceaux de la frise
réapparaissent sur la ceinture du pied, à trois tiroirs
aussi, où ils sont animés d'enfants. Dessous, quatre
tabliers séparent cinq colonnes ioniques gravées
de pampres de vigne et sculptées de feuilles de
lierre auxquelles répondent à l'arrière cinq pilastres
gravés de fleurs.

Le revers des grands vantaux, gravé, offre cinq
paysages – un grand et quatre petits –, entourés
de fleurs et des deux mêmes moulures.

La façade intérieure, entièrement sculptée, montre
deux scènes de l'histoire d'Apollon sur les petits
vantaux, des enfants jouant avec des animaux
marins sur les vingt et un tiroirs. L'ensemble est
égayé par un arc de triomphe formé de quatorze
colonnes en ivoire teint en rose pour imiter le
corail, munies de chapiteaux et de bases en bronze
doré et reposant sur des socles en ivoire peint façon
écaille.

À l'intérieur du cabinet réapparaissent les colonnes
roses encadrant un décor inhabituel: un paysage
de roches artificielles à base de galène (information
communiquée par le Centre de recherches et de
restauration des musées de France), supportant
des coquillages et de petites maisons en papier, à
côté de miroirs et de deux peintures, dont la
Charité.

Les côtés de la frise et ceux de la ceinture, sûrement
sculptés à l'origine, ont été transformés, peut-être
par Révoil (voir cat. 131): les premiers sont revêtus
d'ondes, les seconds sont unis et pourvus de
tabliers gravés insolites.

Ce meuble prend place dans un groupe homogène
de cabinets issus vraisemblablement du même
atelier, que caractérisent différents traits: l'extrême
qualité de la sculpture et de la gravure; la composition extérieure du décor, répartie sur deux
registres de hauteur inégale, le registre supérieur
étant scandé par des colonnes ou des pilastres; la
présence de statuettes ou de figures en haut relief.
Les neuf autres cabinets constituant ce groupe sont
répartis entre Fontainebleau (cat. 138), Serrant
(fig. 1, p. 238), New York (fig. 3, p. 238), Écouen
(cat. 139), Windsor (fig. 1, p. 241), Amsterdam
(fig. 4, p. 242), San Francisco (fig. 5, p. 242), Saint-
Pétersbourg (voir notre « Introduction », fig. 3) et
une collection particulière (fig. 7, p. 242).

À l'intérieur de ce groupe, le cabinet du Louvre
pourrait être le plus ancien: les deux vantaux
présentent en effet la même longueur, comme de
coutume, ce qui n'est plus le cas dans les autres
cabinets du groupe. Il offre, d'autre part, deux parti
cularités: le nombre des étages de tiroirs, porté
inhabituellement à six (comme sur le cabinet
d'Amsterdam) et la présence de colonnettes d'ivoire
sur la façade (comme sur celui de San Francisco).
Nous pourrions situer ces cabinets dans l'entourage des ébénistes Adriaan Garbrand et son gendre
Pierre Gole, d'origine hollandaise, établis faubourg
Saint-Germain, qui, comme nous l'apprend un
document de 1645, exécutaient alors des cabinets

Fig. 3. Vantail de cabinet d'ébène.
Collection particulière.

Fig. 4. Revers du vantail de la fig. 3.
Collection particulière.

d'ébène ornés de « *petites colonnes façon de corail* »
et reposant sur des colonnes torses (voir cat. 139),
ce qui évoque le « *grand cabinet d'esbeyne* [...]
garny de quatre colonnes de torse, [...] *dedans ledict
quesson, une perspective avec dix colonnes d'yvoire
peins* », de Richelieu en 1642 (1 000 livres; Levi,
1985, p. 54-55). Le décor en bronze doré des
colonnes d'ivoire semble être l'une des premières
applications de ce matériau au décor du mobilier
français.

D. A.

138

Cabinet de l'Odyssée

Paris, vers 1645 | Bâti de sapin, de peuplier et de chêne ; placage d'ébène ; à l'intérieur du caisson, placage de bois de violette, de palissandre, d'acajou, d'amourette ; tiroirs en bois de couleur (amarante, acajou, corail ?) ; bois noirci ; ivoire ; peintures sur bois ; miroirs ; cuivre et bronze dorés ; bronze émaillé

H. 1,994 ; L. 1,700 ; Pr. 0,580

Hist. : palais des Tuileries, appartement du duc d'Orléans, antichambre (AN, AJ¹⁹170, Inventaire du palais des Tuileries, 1833 : n° 8289) ; palais du Louvre, ministère d'État (*ibid.*, F³³801, Inventaire du mobilier du ministère d'État, après 1854, n° 32, cabinet du Ministre) ; envoyé au palais de Fontainebleau le 9 avril 1861 (*ibid.*, AJ¹917, f° 69).
Bibl. : Williamson, 1888, pl. 4 ; Dimier, 1908, repr. p. 81 ; Lunsingh Scheurleer, 1956, p. 268, note 2 ; Alcouffe, 1991, p. 19-22, repr. ; Quette, 1996, p. 46-47, repr.

Fontainebleau, musée national du château. Inv. F. 806C

Les bas-reliefs des dix tiroirs latéraux internes sont inspirés des estampes exécutées par Théodore Van Thulden d'après le décor de la galerie d'Ulysse de Fontainebleau dû à Primatice et Nicolo dell'Abate et publiées en 1633, d'où le nom qui s'attache à ce meuble. Les traits communs avec le précédent (cat. 137) sont évidents : répartition du décor extérieur sur deux registres ; division du registre supérieur au moyen de pilastres corinthiens et de figures en relief ; encadrement des bas-reliefs de ce même registre au moyen de deux jeux d'ondes entrelacées ; décor gravé incluant cinq paysages au revers des grands vantaux ; décor sculpté sur l'ensemble de la façade intérieure ; caisson orné de roches artificielles, de colonnettes en ivoire imitant le corail à chapiteaux et bases en

bronze doré et de plaques d'ivoire coloré façon écaille ; pied formé, sous une ceinture à rinceaux, par des colonnes ioniques ; tabliers à enroulements.

Certaines des différences que nous notons suggèrent que le présent cabinet est postérieur à l'autre : la composition sur deux registres apparaît non seulement devant mais aussi sur les deux côtés du meuble ; les grands bas-reliefs sont longés par six figures sculptées mais ne sont plus cantonnés par les quatre allégories habituelles ; les statuettes en haut relief sont au nombre de trois – la Prudence, la Justice et la Force –, ce qui impose l'inégalité des vantaux, celui de gauche étant plus long que l'autre.

Ce meuble suscite d'autres remarques : l'extérieur est orné, en haut et en bas, de très nombreux petits paysages gravés ; la frise ne s'ouvre pas, alors qu'à la ceinture deux des quatre tiroirs ouvrent sur les petits côtés ; la ceinture semble avoir été dotée, curieusement, de deux tabliers latéraux ; les revers des vantaux intérieurs sont plaqués d'une rosace classique (cf. cat. 135) enrichie, sans doute postérieurement, de quatre fleurs de lis ; les peintures du caisson représentent deux paysages, comme sur le cabinet précédent, ainsi que *Junon et Mercure*.

Le cabinet de l'Odyssée est particulièrement proche des cabinets de Serrant (Le Goff, 1992, p. 48-50 ; fig. 1 et 2) et de New York (Remington, 1931 ; inv. 31.66 ; fig. 3), qui présentent aussi des encadrements d'ondes à angles aigus, trois figures en relief, des colonnes ioniques baguées et un lambris gravé de fleurs. Si le cabinet de Serrant préserve son caisson à rocaille, le caisson de New York, modifié, renferme encore des colonnes en ivoire teint en rose. Les tiroirs intérieurs de l'un et de l'autre sont sculptés d'enfants et de monstres marins, comme ceux du cabinet du Louvre.

D. A.

Détail

Fig. 1. Cabinet d'ébène. Serrant (Maine-et-Loire), château.

Fig. 2. Cabinet de la fig. 1 ouvert (voir aussi la fig. 13 dans notre « Introduction »).

Fig. 3. Cabinet d'ébène. New York, The Metropolitan Museum of Art.

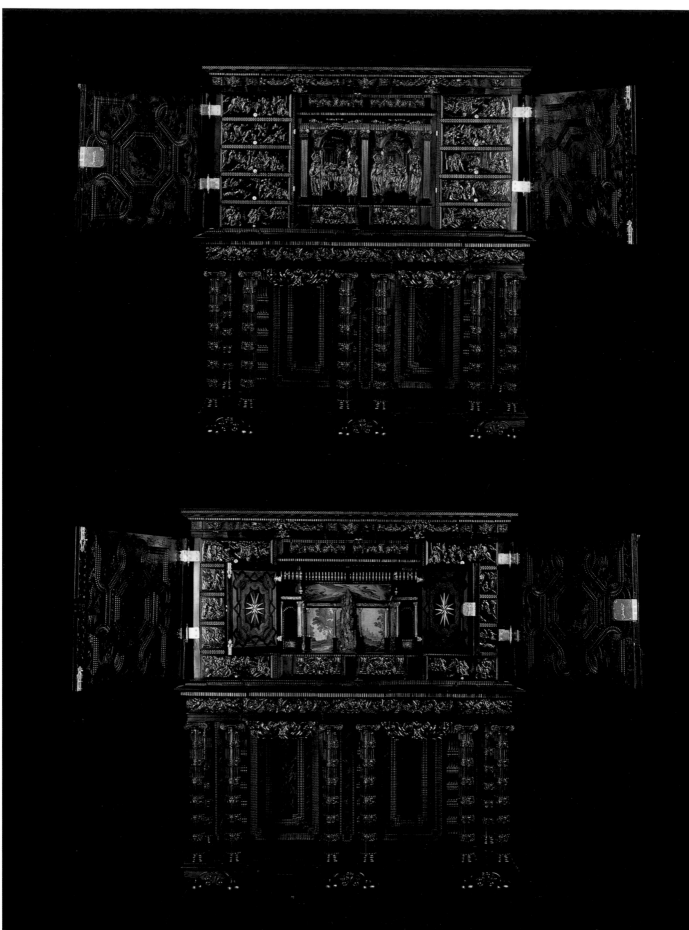

139

Paire de vantaux intérieurs de cabinet

Paris, milieu du XVIIe siècle | Bâti de chêne ; placage d'ébène ; marqueterie d'ébène et de poirier

H. 0,490 ; L. 0,260 (chaque vantail)

> **Hist.** : appartiennent à un cabinet d'ébène qui, d'après Du Sommerard, 1883, p. 119, a été envoyé d'Espagne par l'amiral Nelson à l'ébéniste parisien Pierre Faivret, établi rue Taitbout de 1811 à 1829 (Ledoux-Lebard, 1989, p. 195), pour être remis en état ; trop restauré, le cabinet a été démonté ensuite au musée de Cluny.
> **Bibl.** : Du Sommerard, 1883, n° 1459 (cabinet entier ; sujets tirés de l'Ancien Testament) ; Haraucourt, 1925, n° 884 (les deux panneaux seuls ; sujets tirés d'*Ariane* de Desmarets de Saint-Sorlin) ; Lunsingh Scheurleer, 1956, p. 268 ; Alcouffe, 1991, p. 19-22, repr.

Écouen, musée national de la Renaissance. Inv. E.Cl. 12402 (1 et 2)

Le cabinet d'Écouen appartient au même groupe que les deux cabinets précédents (cat. 137 et 138). Son décor en bas relief est inspiré, comme celui de deux autres cabinets du même groupe (Windsor [fig. 1] et collection particulière), par *Ariane*, roman complexe de Jean Desmarets de Saint-Sorlin publié en 1632, dont la première édition illustrée parut en 1639. Les gravures de cette édition étaient dues à Abraham Bosse d'après Claude Vignon. Ce sont deux d'entre elles que transcrivent les deux petits vantaux intérieurs présentés ici : Mélinte (le héros du roman) s'évade de la prison ; Lépante et Syllenie se reconnaissent dans la barque (Haraucourt, 1925, p. 191 ; fig. 2 et 3 ; la seconde scène figure aussi sur un vantail d'un cabinet d'ébène composite, *Gazette de l'hôtel Drouot*, 1996, n° 43, repr. p. 163).

Revers des vantaux intérieurs

Fig. 1. Cabinet d'ébène. Château de Windsor, collection de S. M. la reine d'Angleterre.

À l'intérieur de ce groupe de cabinets, le cabinet d'Écouen présente des affinités avec ceux de Windsor, d'Amsterdam (inv. R. B. K. 16117 ; fig. 4), de San Francisco (inv. 47.20.2 ; fig. 5), de Saint-Pétersbourg (voir notre « Introduction », fig. 3) et de la collection particulière (fig. 7), qui sont postérieurs aux cabinets cat. 137 et 138. En effet, sur ces différents meubles, les grands bas-reliefs extérieurs ne sont plus ceints d'ondes et bénéficient généralement d'un encadrement architectural tandis que le revers des grands vantaux n'est plus complètement gravé mais est orné d'un bas-relief au centre. La diminution du rôle des ondes et du décor gravé indique que ce groupe de dix cabinets correspond à la phase de transition entre le deuxième et le troisième type des cabinets d'ébène (voir p. 215).

Comme ceux de Windsor et de San Francisco, le cabinet d'Écouen reposait sur des colonnes torses, dont quatre subsistent, sculptées de feuilles de vigne, d'Amours et d'oiseaux (Haraucourt, 1925,

nº 889 ; inv. E.Cl. 12400 ; fig. 6). Elles rappellent les colonnes d'un cabinet commandé à Garbrand et Gole « *qui seront torse et taillée de reliefe a feuillage de vigne et crotesque d'oysseaux* » (Alcouffe, 1991, p. 21 ; voir cat. 137).

Cet ensemble de cabinets illustre, d'autre part, les débuts en France de la marqueterie Boulle, présente au revers des vantaux intérieurs de certains d'entre eux, déjà sur le cabinet de Serrant (voir notre « Introduction », fig. 13). Ici, le revers des deux bas-reliefs est orné d'un vase de fleurs godronné entre trois couples d'oiseaux superposés. Le même motif orne le revers des petits vantaux du cabinet de San Francisco et, en contrepartie, de ceux du cabinet d'Amsterdam. Les thèmes les plus en vogue au cours de cette phase initiale de la marqueterie Boulle sont les volutes bosselées, les oiseaux, les fleurs en forme de rosaces ou, comme sur les cabinets de Serrant et de la collection particulière, de forme tentaculaire (fig. 7).

D. A.

Fig. 2. Abraham Bosse, d'après Claude Vignon, *Mélinte s'évade de la prison*. Paris, Bibliothèque nationale de France, département des Estampes.

Fig. 3. Abraham Bosse, d'après Claude Vignon, *Lépante et Syllenie se reconnaissent dans la barque*. Paris, Bibliothèque nationale de France, département des Estampes.

Fig. 4. Cabinet d'ébène. Amsterdam, Rijksmuseum.

Fig. 5. Cabinet d'ébène. San Francisco, musées.

Fig. 6. Colonnes en ébène. Écouen, musée national de la Renaissance.

Fig. 7. Revers d'un vantail intérieur de cabinet. Collection particulière.

140a

140 (a et b)
Paire de médailliers
Paris, milieu du XVIIᵉ siècle

a- Médaillier en « partie »
Bâti de sapin; tiroirs en chêne; ébène
et poirier massifs; placage de bois
de rose; marqueterie d'ébène et de
poirier; bronze doré; cuir

H. 0,440; L. 0,577; Pr. 0,358 | Marques:
sur l'abattant, chiffre *LL*; sous les tiroirs,
numéros anciens gravés (I à V, VII à XIII);
derrière, marque en creux ovale: armes de
la famille de Graffenried (d'or à un chicot
de sable posé en pal, accosté de deux
étoiles, et posé sur un tertre de sinople,
le bout supérieur allumé de gueules) sous
couronne comtale, entourées de l'inscription *EMANUEL VON GRAFFENRIED
ALLIE DE BARCO*

Hist.: Emmanuel de Graffenried; vente à Monaco,
Sotheby's, 21-22 mai 1978, nᵒ 259, repr.; vente à
Londres, Sotheby's, 15 décembre 1978, nᵒ 22,
repr.
Bibl.: Langeois, 1999, p. 12.

Collection particulière

140b

b- Médaillier en « contrepartie »

Bâti de sapin; ébène et noyer massifs; placage de bois de rose; marqueterie d'ébène, de poirier et d'étain; bronze doré; cuir

H. 0,444; L. 0,585; Pr. 0,355 | Marques: chiffre *LL* sur l'abattant et sur onze des tiroirs; à l'avant des tiroirs, numéro au pochoir (II à XVII)

Hist.: vente à Paris, Drouot-Orsay, 21 mars 1979, nº 139, repr.; collection Djahanguir Riahi; don de M. Djahanguir Riahi, 1997.
Bibl.: Langeois, 1999, p. 11-13, repr.

Paris, musée du Louvre. Inv. OA 11852

Chaque médaillier ouvre au moyen d'un abattant. La face et le revers de celui-ci, ainsi que les deux côtés du meuble, sont plaqués d'une marqueterie d'ébène et de poirier, obtenue par un découpage en superposition pratiqué à l'aide d'une scie très fine, comme en témoigne la qualité de l'ajustage des joints. La marqueterie dont les motifs se détachent en poirier sur fond d'ébène sur le cabinet a et inversement sur le cabinet b offre des compositions symétriques formées de motifs en grande partie identiques à ceux que nous avons observés sur les vantaux intérieurs des cabinets précédemment cités (voir cat. 139) : rinceaux bosselés, fleurs de forme tentaculaire. Devant, ces ornements encadrent le monogramme royal surmonté de la couronne royale. Sur les côtés, ils sont issus d'un vase godronné, lui aussi très proche des vases godronnés des cabinets. Le dessus est plaqué en bois de rose. La corniche et la base sont en ébène massive.

L'aménagement intérieur a été modifié dans les deux cabinets. Ils étaient garnis à l'origine de treize tiroirs. Le cabinet a conserve douze des tiroirs d'origine, en chêne, protégés par un rebord en poirier le long des quatre arêtes. Le treizième tiroir (le numéro VI) a été supprimé, ce qui a été dissimulé très habilement à l'extérieur du meuble. Quant au médaillier du Louvre, il est maintenant garni de dix-sept tiroirs postérieurs, datant de la

Fig. 1. Alexandre-Jean Oppenordt, médaillier du cabinet des Médailles de Versailles. Vente à Monaco, Sotheby's, 11 décembre 1999, nº 29.

seconde moitié du XVIIᵉ siècle, qui sont en noyer massif et semblent être des remplois. Leur façade est plaquée d'une marqueterie de rinceaux d'étain sur fond d'ébène, interrompue au centre, pour onze d'entre eux, par le monogramme aux deux L et, pour les six autres, par une fleur de lis.

Le gainage que présentent actuellement les tiroirs des deux médailliers a été mis cependant en place à la même époque. En effet, ils sont tous ornés de la même garniture de cuir rouge à fleur de lis d'or dans laquelle ont été ménagés chaque fois soixante-six emplacements de médaille, soit onze rangées de six médailles.

Ces médailliers ont pu servir à présenter les collections royales de médailles antérieurement à l'installation de celles-ci dans le cabinet des Médailles de Versailles en 1684 (voir Sarmant, 1994, 1996). Nous ne pouvons que constater une certaine parenté entre la marqueterie de rinceaux en étain ornant les tiroirs du médaillier du Louvre et celle qui décore l'unique médaillier repéré du célèbre cabinet de Versailles (fig. 1).

D. A.

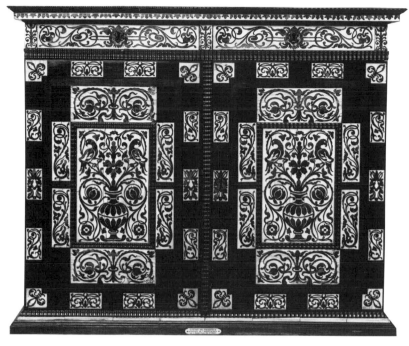

141

141

Cabinet

Paris, vers 1650-1660 | Placage d'ébène et de palissandre ; marqueterie d'écaille et d'ivoire partiellement teint en vert ; tiroirs en palissandre ; miroirs

H. 0,690 ; L. 0,835 ; Pr. 0,395

Hist. : apothicairerie de l'Hôtel-Dieu de Saint-Denis ; dépôt de l'Assistance publique au musée.

Saint-Denis, musée d'Art et d'Histoire

Plus petit que les cabinets d'ébène, ce cabinet en conserve encore certains traits : les encadrements, formés par des ondes en ébène, la disposition intérieure, comprenant deux rangées de cinq tiroirs. Le meuble est plaqué à l'extérieur d'un motif en marqueterie Boulle répété quatre fois qui est très proche de ceux des meubles précédents (cat. 140) : un vase godronné d'où s'échappent des rinceaux à tiges bosselées sur lesquels sont posés deux oiseaux. Les deux vantaux sont cantonnés par quatre fleurs de lis.

À l'intérieur, le panneau de marqueterie central, au revers des vantaux, s'apparente à ceux de l'extérieur, tandis que les façades des tiroirs offrent trois formules : fleur flanquée de deux doubles rinceaux ; fleuron entouré par deux lapins ; fleuron séparant deux oiseaux. Le caisson orné d'ivoire partiellement teint en vert et de miroirs était fermé par un vantail, disparu.

Par rapport aux cabinets précédents, la marqueterie Boulle témoigne de peu d'imagination dans l'inspiration mais elle innove par l'emploi de matériaux nouveaux – des matières organiques : l'ivoire, qui prendra de l'importance dans le décor du mobilier à la mode au début du règne de Louis XIV, et l'écaille, dont l'avenir dans la marqueterie Boulle est bien connu.

Les recherches menées par Mˡˡᵉ Sylphide de Sonis aux archives municipales de Saint-Denis, dans le fonds des archives de l'Hôtel-Dieu, ont permis de repérer deux cabinets qui, pas encore signalés en 1705 dans les inventaires des meubles de l'Hôtel-Dieu, y figurent constamment, de 1722 à 1790, dans l'apothicairerie et le laboratoire : *« deux petits cabinets de pièces de rapport et de marqueterie »*. Peut-être s'agit-il du présent cabinet et du meuble en partie qui aurait pu lui faire pendant (Saint-Denis, arch. de l'Hôtel-Dieu, série E, 15 S 444, et série B, 15 S 85).

D. A.

142

Cabinet

Paris, vers 1650-1660 | Bâti de sapin ;
placage d'ébène ; à l'intérieur du
caisson, placage de satiné, de palissandre, d'amarante, d'écaille, d'ivoire
partiellement teint en vert ; tiroirs
en noyer ; bois noirci ; miroirs ; bronze
et cuivre dorés.

H. 2,150 ; L. 1,960 ; Pr. 0,620

Hist.: collection Jean Bloch.
Exp.: Paris, 1960, n° 54, pl. II.

Collection particulière

Ce cabinet incarne la phase terminale de
l'évolution des cabinets d'ébène : les cabinets à
encadrements architecturaux sur lesquels le rôle
des ondes et celui de la gravure se sont restreints.
Les premières subsistent surtout sur les côtés et à
l'intérieur. La seconde, présente aussi sur les côtés
mais absente des deux grands vantaux, s'épanouit
encore autour du revers des grands vantaux et sur
les colonnes. Elle consiste en un décor floral
auquel s'ajoutent, au revers des vantaux, les figures
de Mercure et de Diane.

Le cabinet, à deux vantaux égaux, est sculpté de
six grandes scènes bibliques en bas relief relatives
à l'histoire de David et Salomon : à l'extérieur, à
gauche, *Salomon recevant la reine de Saba,* à droite,
le *Jugement de Salomon ;* à l'intérieur, au centre du
revers des vantaux, le *Retour de David vainqueur de
Goliath,* à gauche, *David jouant de la harpe,* à
droite ; sur les petits vantaux, deux épisodes du
combat de David et Goliath. Ce décor est complété
dans le caisson par les deux plaques d'ivoire gravé
ornant le revers des petits vantaux et représentant,
à gauche, David brandissant la tête de Goliath, à
droite, David affrontant Goliath. Le reste du décor
sculpté comprend : sur la frise à deux tiroirs, des
enfants, des guirlandes et des aigles ; sur chacun

Détail

Fig. 1. Cabinet d'ébène. Localisation actuelle inconnue.

des deux côtés, un cavalier ; sur la ceinture à deux
tiroirs, soulignée par cinq tabliers, des scènes de
sacrifices offerts par des enfants ; sur les dix tiroirs
latéraux de l'intérieur, des divinités marines.

L'encadrement très monumental des deux grands
reliefs extérieurs comprend un fronton formé de
deux ailerons séparés par un buste, deux Renommées, deux guerriers juchés sur des prisonniers,
ainsi que des canéphores. Des bustes analogues à
celui du fronton apparaissent aussi sur deux des
cabinets du groupe constitué autour du cabinet
du Louvre (Windsor et New York, voir cat. 137). À
l'intérieur, les petits vantaux sont flanqués de six
pilastres.

Le cabinet repose sur six colonnes et sur un lambris
rythmé par six pilastres. Si les pieds des cabinets
sont fréquemment formés par des termes à la
partie antérieure (voir cat. 136), rares semblent
ceux dont le support comprend des statuettes en
ronde bosse en pied : ici, Mars et Minerve feignant
de soutenir le meuble apparaissent entre les
colonnes.

Nous percevons un écho du style auriculaire
hollandais sur les masques soulignant les cavaliers
des côtés, les deux plus grands tabliers, les encadrements des deux médaillons surmontant le caisson.
Celui-ci montre une perspective architecturale
obtenue grâce à un placage de bois de couleur et
d'ivoire gravé et est orné de six colonnes torses à
chapiteaux en bronze doré.

Le cabinet fig. 1 (*Art et Curiosité,* avril-mai 1972,
repr. p. 45) présente avec celui-ci des traits communs.

D. A.

L'orfèvrerie française de 1610 à 1660

Gérard Mabille

La première moitié du XVIIe siècle reste sans conteste l'une des périodes les moins bien connues de l'histoire de l'orfèvrerie française. Plusieurs raisons en sont la cause. La difficulté principale résulte de l'extrême rareté des œuvres conservées ; sans aucun doute, la très large disparition de la production des orfèvres français durant les soixante premières années du siècle constitua longtemps un obstacle jugé insurmontable par les historiens. Par ailleurs, si ces derniers semblent avoir bien rarement cherché à combler cette lacune, c'est aussi parce que la période concernée ne paraissait guère, à leurs yeux, le mériter. En effet, les fastes de la Renaissance, dissipés et évanouis durant la fin troublée du XVIe siècle, pouvaient paraître sans lendemain immédiat ; tout portait à croire que, jusqu'à l'avènement du Roi-Soleil, l'éclat de l'orfèvrerie française ne s'était que faiblement rallumé.

La disparition de l'orfèvrerie, nous le savons, est un phénomène inévitable, qui résulte avant tout des catastrophes exceptionnelles mais néanmoins répétées que sont les fontes brutalement occasionnées par les guerres et les crises ; toutefois, l'évolution du goût et le renouvellement des modes entraînèrent de manière plus systématique et plus grave encore la destruction des ouvrages les plus modestes mais aussi les plus somptueux.

Que reste-t-il à présent de cette production ? Bien peu assurément : guère plus de quelques dizaines de pièces, dont les plus significatives sont ici réunies. Leur seul rassemblement ne peut suffire à restituer véritablement l'ampleur et la variété de l'activité des orfèvres parisiens et provinciaux, pas plus qu'il ne permet de recomposer la courbe de l'évolution stylistique.

Fort heureusement, il existe un moyen de contourner partiellement cette impossibilité : l'étude des inventaires après décès, soit des grands personnages de la période, soit ceux, plus modestes, de la bourgeoisie, permet d'appréhender de façon sommaire, voire statistique, mais parfois plus descriptive, l'orfèvrerie abondamment présente dans la vie quotidienne des contemporains de Louis XIII et d'Anne d'Autriche (fig. 1).

Fig. 1. Abraham Bosse, *le Goût.* Tours, musée des Beaux-Arts.

Parmi les innombrables inventaires conservés, publiés ou non, certains sont particulièrement riches d'informations concernant l'orfèvrerie. En 1633 fut inventorié le mobilier du château de Montrond (Cher), où résidait alors Henri II de Bourbon, prince de Condé[1] et premier prince du sang (1588-1646); au chapitre de l'orfèvrerie[2] est décrite, en plus de soixante articles, une abondante vaisselle d'or, de vermeil et d'argent, avec suffisamment de détails pour nous en restituer sommairement les formes et les décors. Quoique moins abondante et moins luxueuse, la vaisselle d'argent inventoriée lors du décès de Charles de Lorraine, duc de Guise (1571-1640)[3], offre un panorama assez évocateur d'une orfèvrerie princière à l'époque de Louis XIII, avec ses formes, sa typologie, ses décors, mais aussi sa provenance, en grande partie étrangère.

Longtemps ignoré, l'inventaire après décès du cardinal de Richelieu est désormais connu[4]. Rédigé en 1643, il nous livre une image sans doute complète de l'orfèvrerie du cardinal. La liste, comportant 98 numéros, en est particulièrement impressionnante; deux catégories d'objets y occupent une place privilégiée: d'une part, la grande orfèvrerie décorative, d'autre part, la vaisselle de table en vermeil. Richelieu légua au Roi une part importante de son orfèvrerie[5]; ainsi de grandes pièces monumentales, telles que bassins, fontaine, cassolettes, buires, seaux et « *chandeliers* » (lustres), annonçant les vastes commandes de Mazarin et de Louis XIV, vinrent-elles enrichir les collections royales.

Mazarin, dans le domaine de l'orfèvrerie, ne se contenta pas de suivre l'exemple de son prédécesseur Richelieu; il le surpassa amplement par l'abondance et la richesse de ses propres collections. Un premier état de celles-ci nous est offert par l'inventaire de 1653[6], dont la liste compte plus de 250 numéros. À sa mort, en 1661, le cardinal possédait une orfèvrerie deux fois plus nombreuse encore, comme en témoigne son inventaire après décès[7]. L'ensemble révèle une grande variété de fabrication: Paris, Allemagne, Espagne, Portugal, Italie ou Angleterre; à l'orfèvrerie de chapelle et aux pièces purement décoratives, vases, bassins, aiguières ou groupes, s'ajoutent de nombreux objets d'ameublement, ainsi qu'une abondante vaisselle de table et de toilette, d'or, de vermeil ou d'argent blanc, dont les formes, renouvelées et diversifiées, manifestent un indéniable modernisme.

Quant à l'inventaire après décès de la célèbre marquise de Rambouillet, rédigé en 1652, il nous offre l'image d'une argenterie moins fournie, mais parfaitement caractéristique de celle que pouvaient posséder les membres de l'aristocratie française[8].

Paradoxalement, de l'orfèvrerie royale sous le règne de Louis XIII, dont nous ne connaissons aucun inventaire, nous ignorons tout. Fort heureusement, cette lacune se trouve partiellement comblée par ce que nous savons de l'orfèvrerie que posséda Anne d'Autriche, dont l'inventaire fut dressé en 1666[9]. Le goût de la Reine pour la vaisselle d'or et le mobilier d'argent rejoint celui de Mazarin; par ailleurs, comme en témoigne aussi l'abondance des objets de filigrane répandus dans ses deux appartements du Louvre, la Reine mère exerça une forte influence sur le jeune Roi, son fils; celui-ci, en effet, en orna, dès 1665, un de ses cabinets dans le premier Versailles.

Malgré la richesse d'informations qu'ils nous apportent, les inventaires restent malheureusement muets sur bien des points. Ils ne révèlent généralement pas le nom des orfèvres créateurs des objets qu'ils décrivent, nous privant ainsi de la possibilité de connaître les fournisseurs les plus importants comme les plus modestes. De rares exceptions existent cependant; ainsi rencontre-t-on, dans l'inventaire après décès de Mazarin (1661), le nom de Ballin[10], sans aucun doute Claude Ier, qui avait exécuté deux monumentaux « *chandeliers* », ou lustres d'argent, pesant chacun plus de 75 kilos, ornés de termes d'hommes et de femmes, ainsi que de figures d'enfants portant des couronnes ducales et les armoiries du cardinal. Fils de Pierre Ballin, à qui est due la chapelle du trésor de Pise ici exposée, Claude Ier Ballin (1615-1678), maître en 1637, fut l'un des plus illustres orfèvres de son siècle, précocement remarqué par Richelieu. Celui-ci, selon Charles Perrault[11], lui avait acheté en 1634 « *quatre bassins d'argent de soixante marcs chacun, où les quatre âges du monde estoient representez...* » puis lui commanda aussitôt « *quatre vases à l'antique du mesme dessein que les bassins pour les accompagner, & rendre l'assortiment complet* ». Perrault rapporte également que le sculpteur Jacques Sarazin « *estonné de la capacité d'un homme aussi jeune que Ballin l'estoit alors, luy fit ciseler plusieurs bas-reliefs d'argent, & entre autres les songes de Pharaon qui sont d'une beauté singulière* ». C'est également par l'intermédiaire de Perrault que nous savons que Claude Ier Ballin avait aussi travaillé pour Anne d'Autriche; il exécuta en effet le miroir d'or de la Reine, « *ciselé d'entrelas et compartimens et émaillé des armes et de deux chiffres de la feue Reyne mère*[12]*...* »; selon toute vraisemblance, Ballin était aussi l'auteur des 17 autres pièces de la célèbre toilette d'or de la Reine, composée de coffrets à peigne (« *carré* ») ou à épingles (« *pelotte* »), flacons à parfum (« *ferrières* »),

1. Voir Plat, 1945, p. 61-156.
2. Idem, *op. cit.,* p. 135-145.
3. Publié par Guiffrey, 1896, p. 164-233.
4. Voir Levi, 1985, p. 9-83.
5. Les nos 883-904.
6. Aumale, 1861.
7. Paris, BnF, département des Manuscrits, Mélanges Colbert 75.
8. Voir *Bulletin archéologique du comité des travaux historiques et scientifiques*, 1892, p. 351-355.
9. Voir Cordey, 1930, p. 209-275.
10. BnF, Mss, Mélanges Colbert 75, f⁰ˢ 171v⁰ 172.
11. 1696, p. 99.
12. Guiffrey, 1885-1886, I, p. 7. Louis XIV hérita de cette toilette et se résigna à en faire fondre toutes les pièces en 1709, sauf le miroir, qu'il conserva pieusement et qui ne fut fondu qu'en 1726, lors de la fabrication de la nouvelle vaisselle d'or de Louis XV.

gantières (« *salves* »), boîtes à poudre et autres ustensiles ; la toilette d'or de la Reine mère, premier ensemble cohérent de cette catégorie d'objets dont nous conservons le souvenir, exerça une forte influence sur la production des orfèvres français dès le début du règne de Louis XIV. De ces prestigieux ouvrages de Ballin, rien ne nous est parvenu ; mais il importe de souligner combien celui qui fut ensuite le plus éminent et le plus prestigieux des orfèvres de Louis XIV était déjà parvenu au premier rang bien avant le début du règne personnel du souverain.

Les inventaires de Mazarin, à propos de « *deux cassolettes d'argent de Paris* [...] *ornées de feuilles de bugloze et lauriers à jour avec grains*[13]... », livrent le nom d'un autre orfèvre : « Roberdet ». Sans doute s'agit-il de François Ier Roberday, membre d'une lignée prestigieuse d'orfèvres logés dans les galeries du Louvre et travaillant pour la Couronne. Trois de ses œuvres miraculeusement conservées et ici réunies témoignent de l'originalité du style qu'il semble, aux yeux mêmes de ses contemporains, avoir inventé et incarné.

Les galeries du Louvre abritèrent d'autres dynasties d'orfèvres, dont les œuvres ne nous sont que très rarement parvenues.

La famille Delabarre fut nombreuse ; trois frères, François, Josias et Pierre, travaillaient au Louvre pour le Roi. L'activité du dernier semble étroitement liée au domaine bien particulier des montures d'or émaillé destinées aux vases de pierres dures ; à ce titre, ses œuvres nous sont en partie conservées[14]. En 1643, le logement de François Delabarre fut attribué à Jean Gravet, dont l'activité au service du Roi se prolongea jusqu'en 1670.

En revanche, nous ne conservons rien de la plupart de leurs contemporains, tels les Courtois ; parmi ceux-ci, Pierre fut orfèvre et valet de chambre de Marie de Médicis, et Alexandre garde du cabinet de la Reine entre 1644 et 1653.

Raymond et François Lescot, bien que n'habitant pas au Louvre, travaillèrent tous deux pour Anne d'Autriche, de même que Claude de Villers, maître en 1628, dont trois fils travailleront ensuite aux Gobelins pour Louis XIV.

L'orfèvrerie religieuse représente une part importante de la production des orfèvres ; mais, par définition, sa typologie n'évolue guère, et la composition des « chapelles » reste égale à elle-même. Toutefois, comme en témoignent les pièces parvenues jusqu'à nous, tels les ensembles de Troyes ou de Pise, leur décor n'ignore rien de l'évolution du goût. D'une richesse inégalée fut la chapelle d'or donnée au Roi en 1636 par Richelieu, composée de 12 pièces enrichies de 9 013 diamants, 355 rubis et 29 perles[15].

La variété de l'orfèvrerie civile entre 1610 et 1660 ne peut s'entrevoir qu'à la lecture des inventaires précédemment évoqués. Elle seule permet de dresser un tableau complet des types d'objet, des formes et des décors, depuis les somptueux objets d'apparat et de pure ostentation, jusqu'aux ustensiles les plus modestes, à l'apparence purement fonctionnelle ; il est frappant de constater, dans chaque inventaire, la très nette démarcation entre ces catégories.

La variété des récipients décoratifs est très large. Aussi vague que général, le terme vase revient constamment, mais semble désigner plus particulièrement ce que nous appelons aujourd'hui aiguière ; richement ciselés, sans doute au repoussé, de scènes historiées, ces vases vont souvent de pair avec de larges bassins, ronds ou ovales, décorés de même et formant ainsi des ensembles cohérents, dont l'orfèvrerie du XVIe siècle avait déjà offert maints exemples. Les orfèvres parisiens se sont de longue date illustrés dans la conception de tels ensembles ; il en subsiste deux témoignages rares et spectaculaires, d'une part, au palais des Armures à Moscou (voir cat. 146), et, d'autre part, au trésor de la cathédrale Notre-Dame de Paris (voir cat. 148).

En 1653, se trouvaient dans les collections de Mazarin deux vases et deux bassins de vermeil, fabriqués à Paris, formant un ensemble particulièrement cohérent sur le plan iconographique, puisqu'ils représentaient l'entrée de Louis XIII à La Rochelle, Louis XIII parlant à un officier de son armée, le siège de La Rochelle et le combat de Suze[16].

Entre 1653 et 1661, Mazarin avait rassemblé une imposante série de 27 vases et 29 bassins en argent doré ; les vases présentaient les formes les plus diverses, à figures humaines, d'animaux ou de monstres, alors que les bassins, ronds ou ovales, s'ornaient de grotesques, feuillages, scènes antiques, mythologiques ou bibliques[17] ; de provenance allemande, ils témoignent du goût éclectique du cardinal collectionneur, ainsi que de la persistance, en France, des œuvres étrangères et de leur influence.

Parmi les grands vases d'ornement, les buires apparaissent régulièrement dans les inventaires et semblent se distinguer par leur sveltesse et leur haute taille. L'on en trouve chez le prince de Condé,

13. Aumale, 1861, p. 89 ; BnF, Mss, Mélanges Colbert 75, fo 172vo.
14. Voir Alcouffe, 2001.
15. Voir Guiffrey, 1885-1886, p. 5-6, nos 1-11.
16. Aumale, *op. cit.*, p. 66 ; BnF, Mss, Mélanges Colbert 75, fos 121 et 129.
17. BnF, Mss, Mélanges Colbert 75, fos 125-128, 132vo-135vo.

ornées de scènes mythologiques. En 1653, Mazarin en possédait deux de fabrication parisienne, représentant le déluge et le passage de la mer Rouge, et pesant chacune environ 30 kilos[18].

À vocation sans doute aussi purement décorative, coupes, tasses et pots à bouquets sont également souvent cités dans les textes.

Non moins riches mais en outre pourvus d'une réelle fonction utilitaire, les objets relatifs au foyer et à l'éclairage sont très abondants. L'usage des chenets en argent semble apparaître sous le règne de Louis XIII ; une des premières paires mentionnées est, en 1643, celle de Richelieu, simplement décrite « *à grosses pommes* ». En 1653, Mazarin en possède une paire en forme de pots à feu, ornée de feuillages, godrons et graines, portant ses armoiries et pesant au total près de 50 kilos d'argent[19]. En 1661, le nombre des chenets d'argent appartenant à Mazarin a sensiblement augmenté ; une paire, en particulier, figurant « *Jupiter sur l'aigle qui foudroie trois géants portant des montagnes* [...] *l'autre représentant Junon qui fait la mesme chose*[20]... » doit être signalée : on y reconnaît aisément l'adaptation du célèbre modèle de l'Algarde. Enfin, Anne d'Autriche possédait trois paires de chenets d'argent répartis dans l'appartement d'Hiver au Louvre.

Les brasiers sont assez souvent cités ; il faut voir dans ces grands récipients destinés à contenir des braises la transposition d'usages ibériques. En 1661, Mazarin en possédait un « *d'argent de Paris soutenu par quatre griffons entre chacun desquels est un écusson uny en cartouche au milieu de deux festons de fruits avec son bassin environné d'un feston de feuilles*[21] ». Les cassolettes étaient des brûle-parfum que l'on répartissait dans les appartements afin de lutter contre le « *mauvais air* » ; nous avons vu que Mazarin en posséda deux auxquelles est associé le nom de l'orfèvre Roberday ; beaucoup d'autres apparaissent dans ses deux inventaires.

Dans le domaine de l'éclairage, les catégories abondent : bougeoirs, flambeaux, girandoles, chandeliers à la romaine, à pieds carrés, à balustre ou à la financière, bras... Parmi ces derniers, citons, chez Mazarin, en 1653, sans doute offerts par Anne d'Autriche, « *douze bras* [...] *façon de Paris de mesme ouvrages que les cassolettes* [façon de Roberday], *avec ornements de cartouche, feuillages renversez et grains, et un terme de more portant la bobesche. Deux petites figures de mores garnies d'argent à costé du cartouche, une teste de more au dessus avec un casque d'argent* [...] *avec le chiffre de la Reyne*[22]... » ; ces douze bras où l'ébène se mêlait à l'argent blanc passèrent ensuite dans les collections de Louis XIV[23]. Les « plaques » sont incontestablement les plus nombreuses et les plus caractéristiques. Apparus dès le XVIe siècle, ces ustensiles composés d'une large applique portant un bras généralement unique apparaissent dans tous les inventaires. En 1633, Condé en possède plusieurs, dont une « *de vermeil doré ciselé, tout autour à jour et le milieu tout plain et uni où sont les armes de Mgr, de hauteur de deux pieds environ*[24]... ». L'inventaire après décès de Mazarin énumère 16 plaques d'argent doré, 2 d'argent blanc, toutes richement ornées de diverses figures ; Anne d'Autriche en possédait aussi plusieurs, accrochées dans son appartement d'Hiver.

Tout aussi répandus sont les chandeliers ou lustres d'argent ; Richelieu en possédait un « *à douze branches où il y a une fortune et douze petits enfens* » et un autre « *à douze branches, une couronne et un cupidon au-dessus* »[25]. Mazarin en posséda un grand nombre, dont les plus beaux, déjà évoqués, étaient l'œuvre de Ballin ; dans la chambre de l'appartement d'Hiver d'Anne d'Autriche se voyait « *un chandelier à Maures à six branches, pezant 53 marcs* », dont 6 marcs d'ébène[26].

De tels objets s'intégraient très naturellement à de plus vastes ensembles constitués par les mobiliers d'argent, dont la vogue, venue sans doute d'Italie et d'Espagne, se répand en France sous le règne de Louis XIII. Selon Louis Batiffol[27], Marie de Médicis aurait été la première en France à s'entourer d'un tel luxe ; dans sa chambre du Louvre, plaques de lumière, porte-flambeaux et balustrade isolant le lit royal, tout était d'argent. Toutefois, c'est chez Anne d'Autriche et chez Mazarin que l'on rencontre en toute certitude de véritables mobiliers d'argent. La première possédait une balustrade d'argent, ouvrage parisien pesant plus de 230 kilos[28], une table d'argent « *faicte en Espagne* », d'un poids de 40 kilos environ[29], deux « *grands Maures* », ou guéridons, de 95 kilos[30], ainsi que deux grands miroirs garnis d'argent, disposés dans sa chambre et dans son cabinet[31]. Quant à Mazarin, dès 1653, il possédait une « *table quarrée d'argent blanc façon de Paris portée sur quatre pieds en balustre quarrez, gravée à taille douce d'un festin où est Nostre Seigneur ayant la Madeleine à ses pieds*[32]... » ; en 1661, outre cette première table, Mazarin en possédait deux autres : « *une grande table d'argent d'Espagne cizelée dans le milieu du festin des dieux, aux quatre coins de quatre figures représentant quatre rivières, et alentour quantité de grotesques*[33]... », ainsi qu'une autre table d'argent blanc ornée « *du fleuve Tibre avec une louve qui allaite Rémus et Romulus*[34]... »,

18. Aumale, 1861, p. 67.
19. Idem, *op. cit.,* p. 90.
20. BnF, Mss, Mélanges Colbert 75, f° 182 v°.
21. BnF, Mss, Mélanges Colbert 75, f° 185.
22. Voir Aumale, *op. cit.,* p. 92.
23. Voir Guiffrey, 1885-1886, I, p. 46, n°s 143-154.
24. Voir Plat, 1945, p. 141.
25. Voir Levi, 1985, p. 55, n°s 848-849.
26. Voir Cordey, 1930, p. 257, n° 70.
27. Batiffol, s. d., I, p. 72.
28. Voir Cordey, *op. cit.,* p. 257, n° 67.
29. Voir idem, *op. cit., loc. cit.,* n° 68.
30. Voir idem, *op. cit., loc. cit.,* n° 69.
31. Voir idem, *op. cit.,* p. 258, n°s 80 et 81.
32. Voir Aumale, 1861, p. 89 ; BnF, Mss, Mélanges Colbert 75, f° 178.
33. BnF, Mss, Mélanges Colbert 75, f° 181.
34. BnF, Mss, Mélanges Colbert 75, f° 181.

sans doute importée d'Italie. Par l'influence qu'elles ne manquèrent pas d'exercer sur le jeune Louis XIV, de telles œuvres constituent des jalons essentiels dans l'histoire de l'orfèvrerie en France.

L'orfèvrerie liée aux usages de la table occupe elle aussi une large place dans les différents inventaires consultables. Sur les tables des souverains et des grands, les objets liés à l'étiquette restent de rigueur ; tel est le cas des nefs et des cadenas. Que ce soit le prince de Condé, le duc de Guise, Mazarin ou Anne d'Autriche, tous possédaient, selon une tradition remontant à l'époque médiévale, une ou plusieurs nefs en vermeil. Apparus au milieu du XVIe siècle, les cadenas sont également présents sur les tables des personnes de haut rang. Celui du prince de Condé, pesant 2,5 kilos d'or pur, était « *ciselé de façon quarré, soutenu de quatre animaux à face de femme, avec deux boistiers l'un à sucre, l'autre à sel. Et sur le plat est en bosse une déesse Néréide, représentant la Saône[35]...* » ; celui d'Anne d'Autriche fut légué à Louis XIV et sa description nous est connue : « *un cadenas d'or garny de sa cuiller, fourchette et cousteau, émaillé dans le milieu des armes de la feue Reyne mère* [...] *et de quatre fleurons aux quatre coins, et tout alentour d'un feston de feuilles de laurier, ayant deux boutons en forme de petits vases sur les deux bouts[36]...* ».

Les vaisselles d'or, plus ou moins abondantes, signalent le rang de leur propriétaire ; Condé possède en 1633 deux assiettes et six couverts ; en 1661, un bassin et un vase, une salière et douze gobelets composent la vaisselle d'or de Mazarin. Outre son cadenas, Anne d'Autriche possédait aussi une douzaine d'assiettes, une boîte « à coriande » et sa cuiller, un vinaigrier, un sucrier, une coupe et sa soucoupe, quatre couverts[37].

L'orfèvrerie de table proprement dite se compose presque uniquement de vaisselle plate, encore peu diversifiée et généralement peu ornée, si ce n'est par la seule présence des armoiries gravées. Ainsi en est-il des 32 plats de différentes grandeurs et des 7 assiettes d'argent blanc, « *aux armes de la maison de Guise, poinçon de Paris[38]* ». Très abondante, la vaisselle plate de Richelieu, pour le seul vermeil, ne comptait pas moins de 20 douzaines de plats et de 7 douzaines d'assiettes[39] ; le cardinal possédait aussi une abondante vaisselle d'argent blanc : 6 grands bassins à godrons[40], 2 grands bassins ovales[41], 58 plats et 36 assiettes[42]. Ce n'est que dans les inventaires plus tardifs de Mazarin et d'Anne d'Autriche que se fait jour une plus grande diversité dans la forme et la fonction de la vaisselle de table ; ainsi, Mazarin possède, dès 1653, près d'une centaine de plats « *à la française[43]* », par opposition à 3 plats « *à l'italienne[44]* » ; pour les assiettes, le même inventaire établit la distinction entre les assiettes « *à la française* », et les assiettes creuses « *à l'italienne[45]* ». Chez Anne d'Autriche, enfin, apparaissent les mentions d'assiettes creuses et d'assiettes potagères[46].

L'énumération de ces services de table frappe par l'absence quasi totale de pièces de forme, qui n'apparaîtront que sous le règne suivant. Ce serait une erreur, en effet, de considérer comme telles les écuelles, souvent mentionnées dans les textes ; pourvues de deux oreilles, elles sont de plus en plus souvent munies d'un couvercle, mais leur vocation reste de servir au lit et non point sur la table.

Les traditionnelles salières, dont les formes montrent une grande variété, gardent le premier rang. Richelieu en possédait 6 de vermeil « *garnies de figures[47]* ». Les deux inventaires de Mazarin révèlent l'existence de nombreuses salières ; cependant, toutes ne sont pas françaises, car on en rencontre notamment un grand nombre d'origine espagnole. En 1652, se trouvait à l'hôtel de Rambouillet « *une salière d'argent doré en forme de temple, au milieu un Neptune* ».

D'une manière générale, un tableau des ustensiles de table en usage durant la première moitié du siècle ne saurait être exhaustif si l'on passait sous silence l'apparition d'objets relatifs à l'assaisonnement, lui-même étroitement lié aux progrès de la gastronomie, tels que sucriers à poudre, huiliers, vinaigriers ou moutardiers.

Un tel inventaire typologique et fonctionnel met clairement en évidence l'omniprésence de l'orfèvrerie dans bien des domaines. Les descriptions, inévitablement succinctes, font toutefois apparaître certains aspects du répertoire décoratif, mais ne nous renseignent guère sur l'évolution du style ; de plus, il est évident qu'un inventaire peut décrire un objet plus ou moins ancien.

Les œuvres conservées, rappelons-le, même si elles sont, dans l'ensemble, précisément datées, demeurent trop isolées et trop peu nombreuses pour permettre de restituer de manière certaine les inflexions du goût.

Plusieurs tendances se dessinent, mais on est en droit de se demander si elles se sont succédé dans le temps ou bien si elles se sont développées parallèlement.

Une part importante de la production, essentiellement la vaisselle de service, ne présentait aucun décor, ou très peu. Les textes mentionnent abondamment les vaisselles plates, écuelles, vases, aiguières

35. Voir Plat, 1945, p. 135.
36. Voir Guiffrey, 1885-1886, I, p. 10, no 43.
37. Voir Cordey, 1930, p. 233-234.
38. Voir Guiffrey, 1896, p. 182, no 126.
39. Voir Levi, 1985, p. 54, nos 868-874.
40. Voir idem, *op. cit.*, p. 57, no 883.
41. Voir idem, *op. cit.*, p. 58, no 905.
42. Voir idem, *op. cit.*, *loc. cit.*, nos 908-910.
43. Voir Aumale, *op. cit.*, p. 106-110.
44. Voir idem, *op. cit.*, p. 110.
45. Voir idem, *op. cit.*, p. 110-111.
46. Voir Cordey, 1930, p. 234-235.
47. Voir Levi, *op. cit.*, p. 55, no 854.

et autres ustensiles « tout unis » ; ces objets, montrant un caractère fonctionnel et abstrait, dont les pièces du trésor de l'ordre du Saint-Esprit fournissent un précédent spectaculaire, nous sont parfois parvenus ; c'est le cas d'assez nombreuses aiguières à anse droite et à la surface subtilement martelée, dont plusieurs sont ici réunies.

Il n'en demeure pas moins que le décor ciselé, dans son infinie variété, semble avoir été abondamment répandu sur leurs œuvres par les orfèvres, comme pour obéir à une toute-puissante horreur du vide. D'un point de vue technique, à l'exception des montures d'or dont sont pourvues les gemmes, l'usage de l'émail se restreint et n'apparaît plus qu'occasionnellement, dans le traitement des armoiries.

Les formes, au relief puissant, sont systématiquement animées de godrons, de cartouches, de moulures simples, perlées, ou torsadées en cordons, ou bien encore ciselées en tresses de lauriers ; les surfaces se couvrent de décors « pointillés », d'« écailles » (ou imbrications). Un procédé décoratif sans doute ancien paraît encore fréquemment mis en œuvre, qui consiste à enchâsser à la surface des œuvres des médailles ou des monnaies, vraies ou fausses, à la façon de camées ou d'intailles.

Une grande partie du décor reste d'inspiration végétale ; mais l'esprit semble en avoir évolué de manière complexe. Feuilles d'acanthe, fleurons et paquets de fruits, tels qu'on les voit sur la chapelle de Pise, de 1616-1617, paraissent encore relever du goût bellifontain. Sur le pourtour du bassin de Moscou portant le poinçon d'Antoinette Marqueron (1624-1625), les étranges mascarons monstrueux et grimaçants, formés par de vigoureux enroulements feuillagés, ne sont pas non plus sans rappeler les fantaisies de Fontainebleau, mais on peut aussi y retrouver comme un écho du style auriculaire, alors en vogue. C'est vers 1630 que semble s'épanouir un goût pour une représentation irréaliste et stylisée de l'ornement végétal ; Pierre Delabarre et François Roberday en ont diffusé les images étrangement épineuses, soit par la gravure, soit par leurs œuvres mêmes. Ce style pourrait n'avoir eu qu'une existence éphémère, et, vers 1640, le décor végétal renoue avec un naturalisme plus paisible, plus fleuri et plus classique, dont le coffre d'or dit d'Anne d'Autriche pourrait consacrer le triomphe et l'épanouissement.

Enfin, éclipsant même le foisonnement ornemental de toute cette production que nous ne faisons qu'entrevoir, ce qui s'impose à l'esprit et à l'œil est l'omniprésence des décors historiés qui, sous forme de scènes au relief vigoureusement repoussé, se déploient au fond des bassins, sur les flancs des vases ou sur la panse des aiguières et des buires (fig. 2). Que ce soit sur les rares objets conservés ou à travers l'inépuisable liste de ceux qui ont disparu, comment ne pas être frappé par l'imagination qui poussait les orfèvres à faire de leurs œuvres l'illustration tridimensionnelle d'épisodes mythologiques, bibliques ou historiques, de scènes allégoriques ou poétiques ? Triomphes marins, cortège des saisons, batailles, chasses, histoires des dieux, scènes tirées des deux Testaments, mais aussi événements de l'histoire contemporaine, tout est prétexte à l'adaptation de modèles gravés, souvent identifiables. Cette prépondérance des décors historiés, loin d'isoler l'orfèvrerie dans une inspiration qui lui serait particulière, bien au contraire, la relie directement aux autres domaines des arts décoratifs : la tapisserie, la céramique, le mobilier n'ont-ils pas, eux aussi, accorder une large place à la même ambition narrative ?

Fig. 2. Jean Lepautre, gravure tirée de la suite *les Vases* publiée par Mariette en 1657.

143

Coupe ou « gondole » sur pied

Paris, 1614-1615 | Argent fondu et ciselé

H. 0,068 ; L. 0,113 | Poinçons sur la coupe : initiales indéterminées, un aigle à deux têtes sous une fleur de lis couronnée accostée de deux grains, poinçon d'orfèvre parisien non identifié ; lettre *R* couronnée, poinçon de jurande de Paris pour 1614-1615

Hist. : don du colonel F. R. Waldo-Sibthorp, 1898.
Bibl. : Lightbown, 1978, n° 34 p. 54 ; Bimbenet-Privat, 2002, n° 48.

Londres, Victoria and Albert Museum. Inv. 1940-1898

Le pied, fondu, est découpé en six lobes amatis décorés d'une nervure centrale et séparés par une rangée de graines ; il est surmonté d'un collet en forme de culot végétal échancré et d'un nœud constitué d'un rang de six grosses perles. La coupe, légèrement oblongue, est travaillée de six lobes aux surfaces amaties par de légères granulations, où sont tracés deux filets horizontaux déterminant trois registres superposés. Au registre supérieur sont appliquées six petites têtes d'enfants joufflus et bouclés, fondues et fortement saillantes. Aux deux extrémités de la coupe, des traces de soudure marquent les points d'attache de deux anses aujourd'hui manquantes.

Dans son catalogue publié en 1978, Ronald Lightbown avait souligné toutes les incertitudes qui entouraient la datation, 1650 ou 1674, qu'il proposait pour cette coupe, faute de mieux. L'identification du poinçon de jurande R permet maintenant de définir une datation plus précoce, 1614, qui paraît conforme au style auriculaire, aux découpes et aux lignes de perles du pied. On comparera ces ornements à ceux de l'aiguière et du bassin d'Henriette de France conservés à Moscou (cat. 146). Quant aux petites têtes d'enfant que l'on ne peut qualifier de têtes d'ange faute d'ailes, leurs visages joufflus correspondent aux stéréotypes du style Louis XIII. L'usage d'un tel objet reste incertain. Écartons d'emblée l'usage religieux puisque l'on n'y trouve ni les habituelles têtes d'ange, ni aucun symbole caractéristique. La forme oblongue désigne la coupe comme l'une de ces « *navettes* » ou « *gondoles* » découpées « *à cosses de melon* » décrites comme des pièces de vaisselle dans les documents d'archives. Ici, la présence d'un pied suggère plutôt une vaisselle de buffet. Il semble que, par l'effet d'amati des surfaces extérieures, l'auteur de cette gondole ait cherché à suggérer l'apparence rugueuse d'une matière minérale, peut-être d'une pierre dure.

M. B.-P.

144

Pierre Ballin

Maître orfèvre à Paris en 1609, mort après 1640

Chapelle Bonciani

Paris, 1615-1617 | Argent doré, fondu, repoussé et ciselé

Aiguière : H. 0,370 ; Pr. 0,160 | Clochette : H. 0,170 ; D. 0,092 | Baiser de paix : H. 0,149 ; L. 0,110 ; Pr. 0,080 | Patène : D. 0,155 | Deux bassins ronds : D. 0,435 | Seau : H. 0,280 ; D. base 0,127 ; L. 0,180 | Calice : H. 0,294 ; D. 0,192 | Deux burettes : H. 0,170 ; L. 0,110 | Bassin à burettes : H. 0,110 ; L. 0,280 | Grands flambeaux : H. 0,540 ; L. 0,220 | Petits flambeaux : H. 0,455 ; L. 0,200 | Croix d'autel : H. 0,780 ; L. 0,290 | Poinçons : maître (*PB*, un dauphin), sur le baiser de paix, la patène, les bassins, le bassin à burettes, la croix ; maison commune, Paris, 1615-1616 (*S* couronné), sur les bassins et sur la croix ; maison commune, Paris, 1616-1617 (*T* couronné), sur le baiser de paix, la patène, le calice, le bassin à burettes | Incription gravée sur la clochette, le baiser de paix, le seau, les burettes et le bassin à burettes : *FRANCISCUS BONCIANUS ARCHIEPISCOPUS A. D. 1618.* | Armoiries de la famille Bonciani, fondues et rapportées sur l'ombilic des bassins et sur les pieds des flambeaux et de la croix

Hist. : donnée à la cathédrale de Pise, en 1618, par Francesco Bonciani, archevêque de Pise de 1613 à 1619.
Bibl. : Capitanio, 1996, p. 159-171, 2001, p. 36-51.

Pise, Museo dell'Opera del Duomo

La chapelle, composée de seize pièces, fut offerte en 1618 à sa cathédrale par l'archevêque Francesco Bonciani ; celui-ci l'aurait reçue en don de la reine Marie de Médicis, à la suite de la mission de conciliation qu'il avait accomplie en France, au nom de Côme II de Médicis, auprès de Louis XIII, afin d'obtenir la libération de la Reine mère, assignée à résidence au château de Blois entre 1617 et 1619.

La plupart des objets portent le poinçon de Pierre Ballin, père de Claude Ier ; ce sont là ses seules œuvres conservées ; les pièces, toutes exécutées à la fonte, sont d'un poids inhabituel ; chacune présente un décor particulièrement riche dont les motifs illustrent à la fois le répertoire ornemental hérité de la Renaissance et celui, plus moderne, de la période Louis XIII. L'aiguière et les burettes conservent la forme des aiguières à l'antique, comparable aux modèles de l'école de Fontainebleau ; pourvus d'un ombilic et surchargés d'un décor puissamment repoussé, les bassins rappellent également l'orfèvrerie d'apparat du XVIe siècle. Godrons, acanthes, masques, paquets de fruits, cuirs et guirlandes de lauriers appartiennent aussi à la tradition bellifontaine, dont les dessins et gravures d'Étienne Delaune nous ont gardé l'image ; de même, l'anse en double balustre du seau, enrichie d'acanthes, évoque franchement celles que l'on trouve sur les rares

objets parisiens de l'époque de François Ier. Le bassin à burettes, en forme de cuvette ovale n'est pas sans évoquer les formes, encore si peu connues, de l'orfèvrerie profane et de la vaisselle. En revanche, la croix et les flambeaux portés par des bases tripodes présentent des enroulements et des têtes d'angelot bien caractéristiques de l'orfèvrerie religieuse des premières décennies du XVIIe siècle.

Plus encore, l'importance accordée aux décors historiés traduit fortement l'influence des prescriptions du concile de Trente. Si le décor de l'aiguière surprend par ses thèmes profanes, les Quatre Saisons, celui de chacune des autres pièces juxtapose, selon un rigoureux parallèle, des scènes tirées des deux Testaments, d'après des gravures de Goltzius. Sur la clochette : Moïse recevant les tables de la Loi, et Jésus devant les docteurs ; sur le baiser de paix, la Descente de Croix ; sur la patène, la Résurrection ; sur l'un des bassins, Moïse frappant le rocher, l'Arche d'alliance et la Circoncision ; sur l'autre bassin, le baptême de Jésus, la Guérison du Paralytique et la tempête sur le lac de Tibériade ; sur le seau, l'histoire d'Élie et Élisée ; sur le calice, le Christ au jardin des Oliviers, le Baiser de Judas, Jésus devant Caïphe et la Flagellation ; sur la fausse coupe du même calice : le Couronnement d'épines, le Portement de Croix, la Crucifixion et la Résurrection ; sur les burettes, les Noces de Cana et Jésus et la Samaritaine ; sur le bassin à burettes, la Manne et la Pêche miraculeuse. Sur les pieds des flambeaux et de la croix, se trouvent des représentations des prophètes et de saints évêques.

L'ensemble de la chapelle constitue, par son importance historique, sa provenance illustre, la diversité de ses formes et la richesse de son décor un témoignage tout à fait unique de la somptuosité des objets liturgiques dont pouvaient, au début du XVIIe siècle, disposer certains prélats.

M. B.-P. et G. M.

145

Pot verseur

Paris, 1617-1618 | Argent fondu, estampé, ciselé, partiellement doré

H. 0,190 ; D. du pied 0,099 | Poinçons sous le fond : lettre *M…* sous une fleur de lis couronnée accostée de deux grains, poinçon d'orfèvre parisien indéterminé ; lettre *V* couronnée, poinçon de jurande de Paris pour 1617-1618 | Armoiries sur la panse : armoiries du baron Jérôme Pichon gravées au XIXe siècle à l'emplacement d'armoiries anciennes

Hist. : collection du baron Pichon, XIXe siècle ; ancienne collection David David-Weill.
Bibl. : Nocq, Alfassa et Guérin, 1926, pl. VI B ; Dennis, 1960, n° 344.
Exp. : Paris, 1926, n° 720, 1960, n° 376, 1995(2), n° 39.

Collection particulière

Le pied, circulaire, est orné de deux moulures ciselées de frises de palmettes et de coquilles et dorées. Le corps, uni et monté d'une seule pièce, présente une panse ventrue qui porte un écusson armorié rehaussé de dorure. Le col, tronconique et marqué d'un léger pincement faisant bec, est bordé d'un bandeau mouluré doré orné d'une frise de palmettes distinctes de celles de la base. L'anse, courbe et creuse, est appliquée au col et à la panse, ébauchant à son extrémité inférieure l'amorce d'une crosse.

Ce pot, à eau ou à vin, doit être considéré comme l'un des très rares exemplaires de la vaisselle ordinaire à l'usage de la noblesse du XVIIe siècle, ainsi que le suggère la trace d'anciennes armoiries gravées sur la panse. Il peut être comparé à deux autres de la même époque marqués de poinçons rémois, l'un provenant de l'Hôtel-Dieu de Reims, repéré en France dans une collection particulière

(cat. exp. Paris, 1995[2], n° 40), l'autre conservé au château de Brodick en Écosse, provenant de la collection du duc de Hamilton (1767-1854), gendre de William Beckford (cat. exp. Bruxelles, 1992, n^o H42). Si les formes des trois aiguières sont à peu près semblables, les décors des frises diffèrent toutefois, puisque chaque atelier disposait de ses propres modèles. La rareté de cette vaisselle n'avait pas échappé au baron Pichon, qui en fit l'acquisition au XIXe siècle et dut probablement l'utiliser à son propre usage ; les armoiries gravées à son instigation ont rendu impossible l'identification des premiers possesseurs de cet objet.

M. B.-P.

146 (a et b)

René Cousturier (actif 1613 – ?)
et Antoinette Marqueron, veuve de
Nicolas de Villiers (active 1613 – ?)

Aiguière et bassin d'Henriette-Marie de France

Paris, 1625 | Argent repoussé, ciselé, fondu, doré

H. aiguière 0,450 ; D. bassin 0,750 | Poinçons : sur l'aiguière, lettres *R C* séparées par une rose sous une fleur de lis couronnée accostée de deux grains, poinçon de l'orfèvre parisien René Cousturier, et lettre *D* couronnée, poinçon de jurande de Paris pour 1624-1625 ; sur le bassin, un lion rampant tenant une palme sous une fleur de lis couronnée accostée de deux grains, poinçon d'Antoinette Marqueron, veuve de l'orfèvre parisien Nicolas de Villiers ; lettre *D* couronnée, poinçon de jurande de Paris pour 1624-1625 | Inscriptions : sous la base de chaque objet, inscription gravée en lettres cyrilliques

relatant le don par l'ambassade anglaise au Tsar en 1664

Hist. : Henriette-Marie de France (1609-1669), fiill d'Henri IV et de Marie de Médicis, mariée en 1625 à Charles Ier d'Angleterre, reine d'Angleterre ; Garde-Meuble de la Couronne anglaise ; don au tsar Alexis Mikhaïlovitch de Russie par Charles Howard, 4e comte de Carlisle, ambassadeur d'Angleterre à Moscou, février 1664 ; trésor impérial de Russie.
Bibl. : Jones, 1909, pl. XXXII ; Oman, 1961, p. 39 ; Hernmarck, 1977, II, pl. 661-662 ; Markova, 1978, pl. 118 et 121 ; Bimbenet-Privat, 2001.
Exp. : Paris, 1974, n°s 524 et 525 ; Indianapolis, 2001, n°s 66 a et b, p. 246-249.

Moscou, musée du Kremlin, palais des Armures. Inv. MZ 1780 (bassin) et MZ 1781 (aiguière)

L'aiguière est montée sur un pied à dix pans orné d'oves repoussés, surmonté d'une terrasse et, au collet, d'une petite collerette découpée à pans. La panse présente une forme ovoïde avec un épaulement marqué dans sa partie supérieure. Sa surface est entièrement repoussée et ciselée d'un décor réparti en trois zones superposées. À la base, un culot d'ornements sinueux faits d'enroulements, d'étirements, de plissés et de superpositions de cuirs découpés ; dans la partie centrale, un large bandeau délimite dix cartouches ovales verticaux bordés de cuirs découpés, chacun occupé par une Muse en pied habillée d'une longue robe aux plis savants, la tête coiffée d'un voile, jouant d'un instrument chaque fois différent : luth, viole, flûte, triangle, crécelle, tambourin, etc. ; au registre supérieur de la panse, une frise de saisissantes têtes de bélier à cornes entrelacées dont le museau, légèrement saillant, épouse la corniche supérieure de chaque cartouche. Le col, très étroit, est composé de dix pans ciselés d'enroulements de cuirs. Le bec, largement ouvert et ourlé de cuirs découpés, est ciselé d'un grand masque barbu. L'anse, en argent fondu, présente l'apparence d'une patte d'animal à l'attache de la panse, d'un personnage féminin engainé dans sa section centrale, d'un rinceau d'acanthe à la jonction du col. Le bassin, circulaire, présente dix-huit lobes bordés d'une frise godronnée, occupés par dix-huit masques grotesques feuillus et autant de gros godrons repoussés et polis entre lesquels sont ciselés et repoussés des termes masculins coiffés d'une aigrette. La partie centrale du bassin est délimitée par une couronne de feuilles de laurier nouée de rubans à laquelle est appliqué un médaillon décoré de cuirs, aujourd'hui vide, mais qui probablement portait des armoiries. Au centre est ciselée une scène en bas relief où l'on reconnaît, au premier plan, des cavaliers harnachés et coiffés à l'antique ; plus loin, un cavalier coiffé d'une couronne pointue semble se diriger vers une cité ceinte de murailles et de grosses tours, qui occupe le fond de la scène. Au sommet d'une tour, on distingue une forme féminine qui semble se pencher vers le royal cavalier.

Nous avons retracé ailleurs les tribulations de ces deux objets, qui furent offerts au Tsar lors de la grande ambassade anglaise de 1664 et sont demeurés depuis au Kremlin (Bimbenet-Privat, 2001). Leur confection, à Paris, se situe quelques semaines avant le mariage d'Henriette-Marie de France

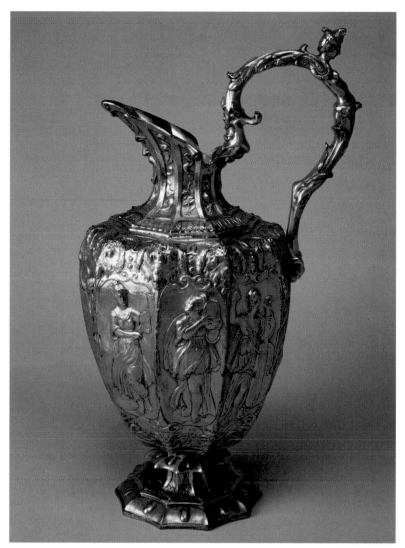

(1605-1669), fille d'Henri IV et de Marie de Médicis et sœur de Louis XIII, qui épousa, en 1625, le prince de Galles, futur Charles Ier d'Angleterre. La dot de la princesse (75 kilos d'or et 980 kilos d'argent) avait été constituée dans l'urgence *ex nihilo,* aussi les objets furent-ils livrés par deux orfèvres parisiens peu connus, sous-traitants des orfèvres du Roi. L'aiguière et le bassin constituent donc les uniques exemples encore conservés des buffets royaux français de cette époque. Par leur fonction et leur forme, ils s'apparentent encore aux vases et bassins de la Renaissance française. Leur vocation ostentatoire justifiait qu'on leur donnât un poids de métal important, des dimensions considérables, un décor magnifique. La savante construction des objets joue sur le rapport des volumes et les juxtapositions des lobes et des cartouches. La référence aux modèles de l'Antiquité romaine s'impose. Elle affecte la forme générale de l'aiguière, inspirée par les découvertes archéologiques du XVIe siècle, diffusées par la suite avec plus ou moins de fantaisie ou d'exactitude par les gravures d'Agostino de Musi, d'Enea Vico ou de Polidoro da Caravaggio. Cependant, une autre partie des ornements trouve son inspiration dans le style septentrional dit auriculaire, initié au début du XVIIe siècle à Utrecht par les orfèvres Van Vianen : caractère hybride des masques mi-feuillus, mi-animaliers du bassin, impression de continuelles transformations que le regard éprouve à suivre le dessin de l'anse de l'aiguière et les détails des cartouches de la panse, étirements de cuirs et de peaux aux plissés élastiques et mobiles. À la lumière des circonstances du mariage princier, le choix iconographique de la scène ciselée au centre du bassin prend toute sa signification. Cette scène a été parfois interprétée comme un épisode de *la Jérusalem délivrée* du Tasse ; mais il semble que l'on puisse plus vraisemblablement y reconnaître un épisode des légendes athéniennes repris dans les *Métamorphoses* d'Ovide, l'histoire de Scylla, la fille du roi Nisus qui régnait sur Nisa, une cité voisine d'Athènes. Venu conquérir l'Attique, Minos, le roi de Crète, assiège Nisa. La capacité de résistance de Nisus dépend d'un cheveu pourpre qu'il porte, mais Scylla, sa fille, amoureuse de Minos pour l'avoir vu caracoler à ses pieds du haut des remparts de la ville, coupe le cheveu de son père pendant qu'il dort et l'offre à Minos en gage d'amour. Minos prend donc la ville, mais chasse Scylla par mépris pour sa trahison. Les dieux punissent le couple en métamorphosant Scylla en alouette et Minos en épervier. Ce récit de la traîtrise d'une princesse mythique n'est-elle pas une mise en garde directe adressée à Henriette-Marie, dont on craint l'isolement dans un pays traditionnellement si hostile aux Français et aux catholiques ? De même, si le choix s'est porté sur les figures des Muses musiciennes pour animer les flancs de l'aiguière, c'est pour mieux évoquer la concorde des Muses, symbole d'harmonie générale associé souvent au thème du bon mariage.

M. B.-P.

*147

Denis Débonnaire (actif 1598-1641)

Calice

Paris, 1622-1623 | Argent fondu, ciselé et doré

H. 0,260 ; D. coupe 0,150 | Poinçons sous la base et sur la coupe : lettres *DDB* encadrant une flèche sous une fleur de lis couronnée accostée de deux grains, poinçon de l'orfèvre parisien Denis Débonnaire ; lettre *B* couronnée, poinçon de jurande de Paris pour 1622-1623

Hist. : classé monument historique le 25 octobre 1919.
Bibl. : Auzas, 1955, p. 37, n° 28 ; Saulnier, 1991, n° 42, 44, 370 ; Bimbenet-Privat, 1992, n° 65, p. 356-357.
Exp. : Paris, 1965, n° 287.

Saint-Médard-sur-Ille (Ille-et-Vilaine), église paroissiale

Le pied, circulaire, est bordé d'une frise de feuilles découpées renforcée par un jonc uni. Le dessus du pied est entièrement orné d'un décor repoussé en semis, composé de fleurs de lis et de papillons de taille croissante disposés en lignes concentriques depuis la base de la tige jusqu'à la périphérie. Une petite croix unie est appliquée sur le dessus du pied. Le nœud, ovoïde, placé entre deux collerettes fondues ornées de trois têtes d'ange, et la fausse coupe, bordée d'une frise de feuilles d'eau découpées, présentent le même décor de semis. Cette ornementation très particulière peut être interprétée comme une référence héraldique et, effectivement, les papillons évoquent un commanditaire de la famille locale des Barrin, seigneurs de Boisgeffroy (paroisse de Saint-Médard-sur-Ille), qui portaient « D'azur à trois papillons d'or ». D'après le *Pouillé historique de l'archevêché de Rennes*, VI, p. 173, c'est André Barrin, conseiller au parlement de Bretagne, qui aurait offert le calice ainsi qu'un ciboire et un ostensoir en argent doré à ses armes, à sa paroisse de Saint-Médard, en 1644, à l'occasion de l'érection de sa terre de Boisgeffroy en marquisat (communication de M. Philippe Palasi). Mais le calice se trouvait chez les Barrin bien auparavant, puisqu'il avait été confectionné en 1622-1623. M. Palasi propose de reconnaître comme son premier commanditaire Renée Barrin, sœur d'André Barrin et veuve, en 1619, de Jean Delbène. Ce dernier portait « D'azur à deux sceptres d'argent fleurdelisés en haut et racinés en bas, passés en sautoir », d'où la juxtaposition très plausible des meubles des Barrin et des Delbène dans les armoiries de la veuve.

Œuvre originale, le calice de Denis Débonnaire se démarque des calices parisiens de la même époque, plus fréquemment ciselés au pied, au nœud et sur la fausse coupe d'un décor narratif (scènes de l'Ancien et du Nouveau Testament). Il illustre également l'évolution des formes achevée sous le règne de Louis XIII, rompant définitivement avec la composition à pied polylobé, nœud à bossettes et large coupe qui traditionnellement caractérisait les calices français de la Renaissance.

M. B.-P.

148 (a et b)

Aiguière et bassin

Paris (?), vers 1630 | Argent fondu, repoussé et ciselé

Aiguière : H. 0,244 ; Pr. 0,110 ;
D. pied 0,090 | Bassin : H. 0,040 ; L. 0,440 ;
Pr. 0,315 | Chiffre gravé dans un cartouche, sous le bec de l'aiguière : sous un chapeau de cardinal, *JBB*

Hist. : Mgr de Belzunce, évêque de Marseille (?) ; cardinal Jean-Baptiste de Belloy, archevêque de Paris de 1802 à 1808.
Bibl. : Auzas, 1989, p. 30, repr. p. 20.

Paris, trésor de la cathédrale Notre-Dame

L'aiguière repose sur un pied circulaire à bordure de feuilles ajourées, enrichi de paquets de fruits et agrémenté d'une collerette godronnée. La panse, de forme ovoïde, est ornée, à sa partie basse, de feuilles d'acanthe, et, à sa partie haute, d'un motif de campane, de godrons et de glands ; entre ces deux registres, sur la surface entière de l'aiguière est représenté, au repoussé, le Baptême du Christ, entre trois anges portant des linges ; à l'arrière-plan, parmi un paysage montagneux de rochers et d'arbres, se distingue un édifice à tours crénelées. L'anse, en S, est formée d'une figure d'angelot en gaine, bordé d'un motif de cosse de pois ; le col, orné de têtes de chérubin et de fruits, porte un cartouche et un bec fortement relevé. Le bassin, de forme ovale, présente en son milieu un haut-relief figurant le Lavement des pieds, devant une architecture à pilastres corinthiens portant une voûte en plein cintre. La chute présente un décor d'enroulements feuillagés ciselés au tracé-mati. Tout autour, l'aile montre une large frise de rinceaux, enroulements, fleurs, fruits, et cosses de pois, en repoussé sur fond amati, que scandent quatre têtes de chérubin ; un tore de lauriers ponctué de quatre agrafes isole une bordure ondoyante de feuilles d'acanthe découpées. Ces deux objets, dont l'histoire reste mal connue, ne portent aucun poinçon ; leur style, cependant, semble tout à fait parisien. L'importance des scènes historiées, empruntées à la vie du Christ, s'apparente pleinement à ce que nous connaissons, à travers de nombreux inventaires, de l'inspiration des orfèvres de la première moitié du XVIIe siècle ; par ailleurs, le canon étiré des diverses figures, très marquées par le maniérisme, témoigne encore nettement de l'influence durable de la seconde école de Fontainebleau, ce que peut expliquer l'utilisation de modèles gravés. Enfin, certains détails de l'ornementation, tels les cosses de pois ou les enroulements de type auriculaire, évoquent l'ambiance du premier tiers du siècle, ce qui nous inciterait à dater l'ensemble des années 1630.

G. M.

149

François Ier Roberday

Maître orfèvre à Paris en 1621, mort en 1651

Flambeau à deux bobèches

Paris, vers 1630 | Argent fondu, repercé, repoussé et ciselé

H. 0,140 ; L. 0,170 ; Pr. 0,095 ; P. 0,302 |
Poinçons : maître (*F. R.*, un rocher [?]) ; maison commune, Paris, date indéterminée (lettre illisible couronnée)

Hist. : collection Andrieux ; don de M. Pierre Jourdan-Barry, en souvenir de ses parents, Raymond et Mireille Jourdan-Barry, 1993.
Exp. : Paris, 1995, n° 39, repr.

Paris, musée du Louvre, département des Objets d'art. Inv. OA 11373

Le flambeau repose sur un pied circulaire fondu et ajouré ; à l'intérieur d'un cercle uni se succèdent de manière concentrique deux registres de cartouches évidés ; de taille supérieure, les motifs du registre central sont partiellement amatis. Au centre du pied, au milieu d'une corolle de six feuilles lancéolées et recourbées, se dresse un bouquet de tiges stylisées et symétriques, agrémentées de vrilles et de feuilles ajourées et découpées, évoquant des cosses de pois. La tige centrale, rectiligne et verticale, se termine par une corolle de petites feuilles ajourées et retombantes, surmontées d'une prise en forme de grappe, percée d'un orifice. De part et d'autre, les branches latérales, arquées, portent chacune une bobèche découpée à la manière d'un feuillage ; au centre de chaque bobèche est fixé un binet à six pans et six pétales, rappelant une fleur de campanule. Encore mal connue, en raison du très petit nombre d'œuvres conservées, l'orfèvrerie française de la première moitié du XVIIe siècle semble avoir suivi diverses tendances, dont l'une des plus ignorées a été récemment mise en évidence par Daniel Alcouffe. Les nombreux « *bouquets d'orfèvrerie* » que montrent les gravures publiées par Balthazar Moncornet, François Langlois, Laurent Légaré ou Isaac Briot, vers 1625-1635, semblent avoir en effet diffusé un style bien caractérisé, peut-être issu des mauresques du siècle précédent, et dont l'inspiration végétale, curieusement stylisée, se manifeste par un foisonnement de feuilles découpées ou ajourées, de graines, de cosses de pois, de tiges élancées ou vrillées, de graines et de fleurs. Des orfèvres comme Gédéon Légaré ou Pierre Delabarre ont également laissé des compositions comparables et même parfois des ouvrages d'orfèvrerie : telles sont les montures d'or émaillé exécu-

tées par ce dernier pour diverses gemmes provenant des collections royales (cat. 169 et 170). Aujourd'hui isolé, ce petit flambeau pourrait avoir appartenu à une toilette plus vaste. Alors que le poinçon de maître de François Roberday figure très lisiblement sur chacune des bobèches, celui de maison commune, situé aux mêmes emplacements, est malheureusement incomplet ; plusieurs lectures possibles – C, G ou S –, peuvent correspondre aux années 1623-1624, 1627-1628 ou 1638-1639. Vers 1631, François Roberday est dit « *maître orfèvre et valet de garderobe de Monseigneur, frère unique du Roi* [Gaston d'Orléans] » ; à partir de 1631, il habite au palais des Tuileries. En 1634, il est cité comme maître orfèvre au Louvre ; travaillant pour le Roi, il semble s'être fait une spécialité de ce genre d'ouvrages ; ainsi trouve-t-on dans l'inventaire des collections de Mazarin, dressé en 1653 (Aumale, 1861, p. 89), la description de deux « *cassolettes d'argent de Paris façon de Roberdet, ornées de feuilles de bugloze et lauriers à jour avec grains…* » ; c'est là la preuve que ce style, associé à la personnalité de ce prestigieux orfèvre, connaissait alors une réelle diffusion.

G. M.

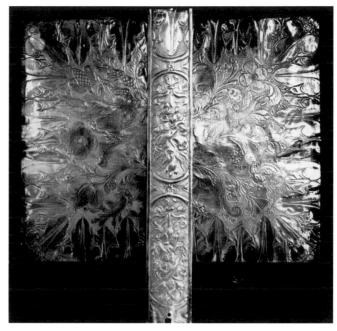

Revers du cat. 150

*150

François Roberday, attribué à

Miroir de toilette

Paris, vers 1630-1635 | Argent découpé, repoussé, ciselé, estampé, sur âme de bois

H. 0,360 ; L. 0,415 | Aucun poinçon

Bibl. : Alcouffe, 1988, fig. 26, p. 55 ; Bimbenet-Privat, 2002, n° 3.

Collection particulière

Le cadre de ce miroir à tain ancien de forme rectangulaire est composé d'un bandeau ornemental de cinq centimètres de largeur reproduisant en frise continue (sauf aux angles où le motif est posé à l'oblique) huit motifs de cosses de pois sur chaque longueur, sept sur chaque largeur, tous séparés par un motif plus étroit, ces différents éléments étant placés tête-bêche. Le terme cosses de pois désigne ces ornements très particuliers composés de cosses de pois découpées et parsemées d'une ligne de graines. Ils sont constitués de deux feuilles d'argent repercées, superposées et soudées l'une à l'autre par plusieurs points, puis fixées à deux bordures d'argent rectilignes et moulurées. L'effet de relief et de superpositions multiples est donné par un travail complexe de repoussé et de ciselure et un traitement à l'amati des ornements de la plaque d'argent inférieure. Au revers, l'encadrement de bois est recouvert d'un velours ancien, autrefois vert, aujourd'hui brun-gris. La partie centrale du revers est doublée d'une fine feuille d'argent estampée décorée d'une bordure de frise de feuilles droites et au centre d'un décor de feuilles et de fleurs stylisées sur un fond amati. La barre d'appui de bois (H. 0,312 ; L. 0,045)

est également recouverte d'une fine feuille d'argent légèrement repliée sur les côtés, qui porte un décor estampé composé de deux cartouches ovales de bouquets de fruits disposés verticalement et du début d'un troisième cartouche, estampé d'une grande feuille semblable à celles de la plaque centrale du revers.

L'attribution de ce cadre de miroir à François Roberday a été signalée par Daniel Alcouffe dans l'étude qu'il a consacrée à Pierre Delabarre en 1988. En effet, les ornements et la technique sont bien caractéristiques du style de Roberday, même si les motifs en cosses de pois sont interprétés ici de façon plus systématique et davantage linéaire, avec plus de virtuosité mais moins de liberté que dans le cas du petit chandelier de l'ancienne collection Jourdan-Barry aujourd'hui conservé à Paris, au musée du Louvre (cat. 149). Le fait que le miroir ne soit marqué d'aucun poinçon n'est pas un obstacle majeur à l'identification de son auteur. On sait que Roberday, quand il était aux Tuileries, se dispensait volontiers des contrôles de sa communauté, au point que les gardes-orfèvres eurent à faire intervenir les juges de la Cour des monnaies, en février 1634, pour le contraindre à poinçonner et faire contrôler ses œuvres. La datation proposée tient compte de ces faits et peut être étayée en référence à une autre œuvre, cette fois signée du poinçon de Roberday, le bénitier confectionné en 1637-1638 (cat. 151). Pièce isolée aujourd'hui, le miroir présente toutes les apparences d'un miroir de toilette, avec sa barre d'appui caractéristique (le « valet ») ; il faisait probablement partie, à l'origine, d'un service de toilette de plusieurs pièces.

M. B.-P.

151

François Roberday

Bénitier à encadrement de cosses de pois

Paris, 1637-1638 | Argent découpé, repoussé, ciselé

H. 0,340 ; H. ovale 0,280 ; L. ovale 0,240 |
Poinçons sous le bénitier : lettres *F R*
avec un rocher au milieu sous une fleur
de lis couronnée accostée de deux grains,
poinçon de l'orfèvre parisien François
Roberday ; lettre *R* couronnée, poinçon
de jurande de Paris pour 1637-1638

Bibl. : Bimbenet-Privat, 1992, p. 378-379, no 77 ;
Fuhring et Bimbenet-Privat, 2002 ; Bimbenet-
Privat, 2002, no 112.
Exp. : Amsterdam, 1998, p. 24, no 9.

Collection particulière

Le bénitier est composé d'une plaque murale
ovale dont le centre manque, à la base de laquelle
est appliqué un petit récipient piriforme à couvercle articulé. La plaque présente huit petits et
huit grands ornements de « feuilles » dans le style
des cosses de pois, disposés en alternance tout
autour d'un ovale central moulure, orné de filets et
souligné par un jonc en forme de ruban tournant.
Les petits motifs sont composés de plaques d'argent découpées, repercées, repoussées et superposées, formant des feuilles ajourées alternativement
polies et amaties, dans l'axe desquelles court une
ligne de graines unies et polies de taille décroissante. Les grands motifs présentent le même décor,
prolongé en outre par une bordure de neuf roses
de tailles décroissantes découpées finement
ciselées, disposées en éventail. Le petit récipient
faisant office de bénitier, appliqué à la base de la
plaque, est doublé d'une monture assortie aux
ornements du cadre, composée de trois feuilles de
cosses de pois maintenues à la pointe par un culot
de feuilles unies. Son couvercle est repoussé et
ciselé de petites feuilles rayonnantes et surmonté,
au centre, d'un petit bouton moulé.

Les désastreuses destructions de l'orfèvrerie royale
ne permettent pas de connaître la production de
François Roberday dans son intégralité, mais nous
donnons à ce grand orfèvre quelques œuvres
exécutées en argent ou en argent doré et de magnifiques montures de pierres dures exécutées dans le
style cosses de pois. Toutes illustrent de façon
magistrale l'imagination fertile de cet artiste
prompt à innover sans cesse en jouant des possibilités de cet ornement aux infinies combinaisons
de formes et de découpes. Elles témoignent aussi
de son aptitude à construire des objets d'apparence si fragile à l'échelle du mobilier et de son
extraordinaire talent de plasticien, apte à faire jouer
différemment la lumière au moyen de surfaces
diversement orientées ou ciselées. Le bénitier est
l'unique pièce religieuse de Roberday encore
conservée ; il se situe dans le courant de dévotion
mariale si vif à cette époque, culminant précisément, en 1638, avec le vœu de Louis XIII. C'est du
moins ce que peuvent suggérer les roses du cadre,
souvent associées à la Vierge en référence à l'image
du buisson de roses du Cantique des cantiques.

On peut penser qu'une Vierge ou une Annonciation, en argent ciselé, en gouache sur parchemin ou en émail peint, était le sujet de la plaque
centrale aujourd'hui manquante. Deux bénitiers
de François Roberday sont décrits dans l'inventaire après décès de Marguerite de Sèvre, première
épouse de l'orfèvre, morte en 1640 ; tous deux sont
en argent « *avec un verre painct* » (un fixé sous-
verre ?). On comparera le bénitier de Roberday à
l'un des bénitiers cités dans l'inventaire du mobilier
de la Couronne en 1673 : « … *un bénistier d'argent
au milieu duquel est un tableau de mignature d'une
Vierge, orné tout autour de fleurs découpées, ouvrage
de Poujot ; le petit vaisseau de cristal de roche garni
d'argent vermeil doré, pesant le tout ensemble 4 m.
7 o.* » Barthélemy Poujot, qui travaillait à Paris
vers 1640-1650, semble avoir été l'un des sous-
traitants de l'orfèvre du Roi Antoine Lemercier. Il
est probable qu'il s'attachait à interpréter, comme
Roberday, les ornements en cosses de pois (no 454
du chapitre « Argent blanc », Guiffrey, 1885-1886,
I, p. 64).

M. B.-P.

152

Coffret

France, vers 1630 | Argent estampé,
bois, satin rose, galons d'argent

H. 0,950; L. 0,166; Pr. 0,115

M. Pierre Jourdan-Barry

Le coffret, fermant à charnière, est pourvu d'un couvercle bombé que surmonte une poignée fondue. Il est constitué d'une âme de bois sur laquelle sont fixées à l'aide de petits clous de minces plaquettes d'argent dont le décor en relief a été réalisé par estampage. Sur les quatre faces apparaissent des rinceaux symétriques agrémentés de fleurs, de fruits et de masques fantastiques. Au pourtour du couvercle, le décor de relief est constitué d'une frise de feuillages stylisés, godrons et cosses de pois, tout à fait caractéristique du style mis à l'honneur vers 1630 par Roberday et ses contemporains. Au-dessus court une petite frise de fleurs de lis disposées la pointe vers le bas.

G. M.

153

Aiguière à crosse

Paris, 1634-1635 | Argent repoussé,
ciselé, fondu

H. 0,216; L. 0,229; D. du pied 0,113;
D. de la coupe 0,162 | Poinçons sous le fond: lettre *I...* sous une fleur de lis couronnée accostée de deux grains, poinçon d'orfèvre parisien non identifié; lettre *O* couronnée, poinçon de jurande de Paris pour 1634-1635; traces d'un poinçon plus petit, indéterminé

> **Hist.:** vente à Paris, hôtel Drouot, salle 9, 26 mars 1984, nº 134; collection Pierre Jourdan-Barry.
> **Bibl.:** Bimbenet-Privat, 2002, nº 55.

Marie-Josée et Henry Kravis

Le pied, fondu et mouluré, est circulaire et présente un profil en doucine. Il est orné d'un jonc torsadé et d'une collerette de même au collet. La panse, cylindrique, porte à sa base un décor appliqué composé d'une frise de feuilles lancéolées; elle est ceinte aux deux tiers de sa hauteur d'un jonc torsadé semblable à celui du collet; elle s'évase dans sa section supérieure, un simple pincement de métal formant le bec. L'anse, à angle droit, est faite d'une feuille d'argent repliée, mais sa section inférieure, incurvée « en crosse » vers l'extérieur, est fondue. Sur le dessus de l'anse sont appliqués un ornement en forme de feuille lancéolée et un jonc torsadé, qui masque le point de soudure à la panse.

Cette aiguière, désignée sous le nom aiguière à crosse, est l'héritière des aiguières à anse tournée, dont quelques rares exemples permettent de suivre l'évolution depuis les années 1550 (cat. exp. Paris, 1995[2], nºs 108-111). Au XVIIᵉ siècle, ces aiguières présentent une silhouette plus massive, moins élancée qu'au XVIᵉ siècle et leur décor se restreint. Ainsi l'ornement de ceinture de la panse est-il surtout destiné à masquer la rupture entre les deux flancs d'argent qui en composent le cylindre. On peut s'étonner de découvrir sur cet exemplaire précoce un décor de feuilles en applique rarement attesté avant les années 1650. Doit-on considérer qu'il s'agit d'une première occurrence de cette pratique ornementale? Peut-être l'objet a-t-il été retravaillé ultérieurement, comme le suggère la trace d'un troisième poinçon relevée sous le fond.

M. B.-P.

154

André Régnier, maître orfèvre à Paris

Petite écuelle couverte

Paris, 1657-1658 | Argent doré

H. 0,060 ; D. 0,130 ; P. 0,450 | Poinçons :
maître (*A.R*, un monde) ; maison
commune, Paris, 1657-1658 (*N* couronné)

Hist. : collection Pierre Jourdan-Barry.

Marie-Josée et Henry Kravis

L'écuelle porte deux anses fondues et rapportées, formées par des enroulements et agrémentées
de cosses de pois ; à la partie inférieure sont appliquées des « feuilles découpées » ; le couvercle,
ceinturé d'un rebord ciselé en cordelette, présente
également une rosace de feuilles découpées ; au
centre se dresse une prise annulaire formée par
un serpent enroulé sur lui-même. Le poinçon du
maître orfèvre André Régnier, présent sur cette
écuelle, a été identifié par Michèle Bimbenet-
Privat ; or, c'est à ce même orfèvre que sont dues
certaines des pièces de la toilette de la princesse
Hedvig-Sofia (Copenhague, Rosenborg). À en

juger par ses dimensions réduites, l'écuelle
pourrait avoir fait partie d'un service de toilette ;
nous savons en effet que, dans leur habituelle
composition, ces derniers comprenaient volontiers l'un de ces ustensiles. De semblables écuelles
complètent encore aujourd'hui deux des toilettes
françaises parvenues jusqu'à nous. Parmi la
toilette de Marie II d'Angleterre (Chatsworth),
datée de 1670-1671, se trouve une petite écuelle
pourvue d'une prise de couvercle en serpent, mais
son décor de feuillage est plus riche et plus
moderne que celui de l'écuelle de Régnier. Enfin,
la petite écuelle de la toilette de la princesse
Hedvig-Sofia, datée de 1675-1676, portant le
poinçon de l'orfèvre Charles Bourguet, offre
encore un décor de feuilles découpées.

G. M.

155

Antoine Crochet (actif de 1620
à 1648) et Nicolas Dolin (actif
de 1648 à 1684)

Chapelle Colbert de Villacerf

Paris, 1637-1638 et 1665-1667 |
Argent fondu, repoussé, ciselé et
gravé

Calice : H. 0,304 | Patène : D. 0,192 |
Burettes : H. 0,160 | Bassin des burettes :
L. 0,230 ; Pr. 0,173 | Aiguière : H. 0,257 |
Plateau aiguière : L. 0,458 ; Pr. 0,336 |
Custode : H. 0,055 ; D. 0,125 | Croix :
H. 0,705 | Paire de flambeaux : H. 0,570 |
Sonnette : H. 0,140 | Poinçons : sur les
flambeaux, lettres *A C* avec un trèfle sous
une fleur de lis couronnée accostée de
deux grains, poinçon de l'orfèvre parisien
Antoine Crochet ; lettre *R* couronnée,
poinçon de jurande de Paris pour 1637-
1638 ; sur les bobèches des flambeaux,
poinçon *C D* non identifié ; sur le plateau,
lettre *V* couronnée, poinçon de jurande de
Paris pour 1665-1666 ; sur la patène, la
croix, la custode et l'aiguière, lettres *N D*
avec au milieu une tête d'aigle sous une
fleur de lis couronnée accostée de deux
grains, poinçon de l'orfèvre parisien
Nicolas Dolin ; lettre *X* couronnée, poin-
çon de jurande de Paris pour 1666-1667 |
Armoiries : les douze pièces sont gravées
aux armes d'Édouard Colbert, marquis de
Villacerf (1628-1699), surintendant des
Bâtiments du Roi à partir de 1691

Hist. : la chapelle se trouvait jusqu'à la Révolution
dans la chapelle du château de Villacerf (Aube),
propriété au XVIIe siècle d'Édouard Colbert marquis
de Villacerf ; confisqué comme bien national avec
son mobilier, le château fut vendu en 1793 et la
chapelle attribuée au trésor de la cathédrale à une
date indéterminée ; l'inventaire de 1873 la situe
dans la chapelle du Sacré-Cœur ; classé monument historique le 15 septembre 1894 (chapelle,
sans le calice) et le 6 février 1958 (calice).
Bibl. : Fichot, 1894, p. 427-428 ; *les Grands
Orfèvres...*, 1965, p. 74-75 ; Hany-Longuespé,
2000, p. 24-38 ; Bimbenet-Privat, 2002, n° 134.
Exp. : Paris, 1960, n° 236, 1965, n° 177 ;
La Nouvelle-Orléans, 1984, n° 69 ; Reims, 2001,
p. 470.

Troyes, trésor de la cathédrale. Inv. 113
à 124

La chapelle se compose d'un calice, d'une
patène, de deux burettes avec leur plateau, d'une
aiguière avec son bassin, d'une sonnette, d'une
custode et d'une parure d'autel (une croix et deux
flambeaux) à pieds tripodes. Hormis ces trois
derniers objets, qui présentent un décor fondu
uniquement composé de têtes d'ange, de rinceaux
et de feuilles d'acanthe, tous les éléments de la
chapelle sont repoussés et ciselés d'un décor
narratif relatant certains épisodes de l'Ancien et
du Nouveau Testament : les Noces de Cana
(burette à vin), Moïse faisant jaillir l'eau du rocher
(burette à eau), Jésus et la Samaritaine et Jésus
lavant les pieds de saint Pierre (bassin des burettes), la Manne (custode), la Passion et la Crucifixion (calice), la Pentecôte (patène), la Pêche
miraculeuse (aiguière), le baptême de Jésus et la

Guérison du Paralytique (bassin). Excellent ciseleur, l'orfèvre parisien Nicolas Dolin signe ici l'une des rares chapelles parisiennes du XVIIᵉ siècle qui soit encore conservée dans son intégrité originelle. À vrai dire, il manque un ostensoir pour que la chapelle soit tout à fait complète. On notera aussi que la croix et les chandeliers, exécutés par Antoine Crochet en 1637, sont un remploi, ce qui était fréquent s'agissant d'ensembles aussi importants qu'onéreux ; leurs bobèches, dont l'auteur n'a pas été identifié, ont sans doute été ajoutées vers 1666 quand la chapelle a été constituée. Il est bon de noter que les formes des objets ne sont pas innovantes : les burettes et l'aiguière, par exemple, sont encore fortement inspirées des vases à l'antique de la Renaissance, aux anses fondues et très ornées. La plupart des objets présentent un décor cohérent, formant des compositions savantes dont les différents plans sont finement rendus par le relief du repoussé, par les effets de perspective et les contrastes ménagés par l'orfèvre entre les parties polies et amaties. C'est cette unité de style qui autorise à donner à l'orfèvre Nicolas Dolin la totalité de la chapelle, bien que son poinçon ne figure pas sur tous les objets. L'autre signature de l'orfèvre est son choix d'une iconographie en adéquation avec l'usage de chaque objet. Cette caractéristique a déjà été relevée sur d'autres œuvres de Dolin, par exemple la chapelle de Mgr de Laval conservée à Québec (cat. exp. Ottawa, 1974, p. 92-93, nº 31). Il est possible que Dolin ait sous-traité la gravure des armoiries Colbert à un graveur sur métaux spécialisé : la gravure des cartouches armoriés est particulièrement fine et précise ; nous devons à M. Yves Carlier d'en avoir retrouvé les modèles dessinés et gravés par Sébastien Leclerc dans la collection Clairambault du département des Manuscrits et au département des Estampes de la Bibliothèque nationale de France (Préaud, 1980, p. 870, nº 869).

M. B.-P.

157

Claude de Viocourt (actif de 1644
à 1679)

Aiguière couverte à crosse

Paris, 1645-1646 | Argent fondu et
ciselé

H. 0,215 ; L. maximale 0,240 ; D. base 0,099
| Poinçons : (sous le fond et au revers du
couvercle) lettres *C D V* entrelacées dans
une couronne de lauriers sous une fleur de
lis couronnée accostée de deux grains,
poinçon de l'orfèvre parisien Claude de
Viocourt ; lettre *B* couronnée, poinçon de
jurande de Paris pour 1645-1646 |
Monogramme vertical gravé sur le dessus
du couvercle : chiffre *4* et lettre *R* réunis
par un trait, une croix pattée et un
symbole non identifié

> **Bibl.:** *Revue du Louvre*, 1993, 5-6, p. 165, repr. ;
> Bimbenet-Privat, 2002, nº 58.

Collection particulière

Le pied, circulaire, fondu et mouluré, est souligné de deux filets et orné au collet d'une petite
collerette plate unie. La panse, cylindrique et unie,
est ornée aux trois cinquièmes de sa hauteur d'un
jonc mouluré. Une feuille d'argent découpée repliée constitue le bec appliqué à la panse, dans
la paroi de laquelle a été pratiquée une double
découpe verticale ; le bec présente un profil en
talon droit ; il est évidé à son extrémité par un
repercé ovale. L'anse, creuse et de section semi-cylindrique, présente un angle légèrement inférieur

156

Deux chandeliers d'église

Paris, 1639-1640 | Argent

H. 0,335 ; D. base 0,132 ; P. 0,464 et 0,456 |
Poinçons : maître parisien non identifié
(incomplet) ; maison commune, Paris,
1639-1640 (*T* couronné) | Armoiries
indéterminées gravées sur un médaillon
ovale sur les pieds : parti : au 1er à trois
merlettes, surmontées d'une étoile,
au 2e d'azur à trois bandes d'argent, au
chef d'… chargé d'une aigle de sable

> **Hist.:** don de Mᵐᵉ Nicolas Landau, 1983.
> **Bibl.:** Mabille, 1984, nº 218, repr. ; Bimbenet-Privat
> et Fontaines, 1995, fig. 135.

Paris, musée des Arts décoratifs.
Inv. 53100

Le pied, circulaire, présente une frise ajourée
de feuillages stylisés, au-dessus de laquelle court
un rang de petits godrons. Plus haut, la base,
fortement bombée, est enrichie de divers ornements répartis sur un fond amati : enroulements,
trois têtes de chérubin, attributs de la Passion,
cartouche ovale gravé d'armoiries. Au centre
s'élève la tige, en forme de balustre, ornée à différents niveaux de feuilles d'acanthe, de godrons, de
fruits, de têtes de chérubin et de perles ; au
sommet, une large bobèche à bord godronné porte
en son centre un pique-cierge.

G. M.

à 90º suivi d'une section verticale puis d'une
crosse, dont la volute s'adosse à la panse. Le couvercle, circulaire à charnière, forme une terrasse
moulurée légèrement enfoncée en son centre et
ornée de filets. Il est surmonté d'un petit fretel
fondu et mouluré.

Cet exemplaire d'aiguière à crosse porte le
poinçon de Claude de Viocourt, un compagnon
orfèvre d'origine lorraine devenu maître à Paris

grâce aux statuts de l'hôpital de la Trinité, où il enseigna de 1636 à 1644. Le modèle, d'une remarquable sobriété, relève d'une vaisselle commune dite de service dont les formes ne sont pas propres à l'orfèvrerie parisienne. Peu influencées par la mode, ces aiguières ont connu une évolution très lente. Vers 1580, les deux aiguières confectionnées pour la vaisselle de l'ordre du Saint-Esprit s'ornaient déjà d'une anse comparable (musée du Louvre) ; la même anse peut être observée sur l'aiguière de l'ancienne collection Pichon au musée du Louvre, de 1597-1598, et sur celle de l'ancienne collection Jean-Jacques Reubell au musée des Arts décoratifs, de 1603-1604 (Mabille, 1984, no 216). Sous Louis XIII, des aiguières à crosse ont été représentées par les peintres parisiens de nature morte : Jacques Linard, dans *les Cinq Sens et les Quatre Éléments* (1627), a fait figurer une aiguière couverte gravée aux armes de Richelieu dont la matière semble être l'étain (fig. 1). En effet, en tant que vaisselle usuelle, le modèle a connu une très large diffusion auprès de plus nombreux clients, acheteurs pour leur part d'étain ou de laiton. Ces aiguières pouvaient s'accompagner d'un bassin. À notre connaissance, il n'existe plus aucun de ces bassins en argent, mais nous présentons ci-dessous une aiguière en laiton accompagnée de son bassin ovale à large bord plat orné d'une fine frise de feuilles d'acanthe. Ces deux objets, conservés dans une collection particulière, offrent une bonne illustration de ce qu'étaient ces ensembles si fréquents au XVIIe siècle, si rares aujourd'hui (fig. 2).

M. B.-P.

Fig. 1. Jacques Linard, *les Cinq Sens et les Quatre Éléments*, 1627. Paris, musée du Louvre, département des Peintures.

Fig. 2. Aiguière et bassin en laiton. Collection particulière.

158
Coffre dit d'Anne d'Autriche

Paris, milieu du XVIIe siècle | Or repoussé, ciselé et filigrané ; âme de bois gainée de satin bleu

H. 0,252 ; L. 0,475 ; Pr. 0,362 | Inscription gravée sous l'un des pieds : *298*

> **Hist. :** Anne d'Autriche (?) ; Louis XIV (?) ; figure dans l'inventaire des collections de la Couronne en 1729.
> **Bibl. :** *Inventaire des diamans de la Couronne…*, p. 146, no 298 ; Barbet de Jouy, 1866, no 110 ; Darcel, 1891, no 979 ; Marquet de Vasselot, s. d. [1914], no 415, pl. XXXII ; Bottineau, 1958, p. 5-6, no 4, repr. pl. I, fig. 1-3 ; *les Grands orfèvres…*, 1965, p. 54-55, repr. ; Castelluccio, 1998, II, p. 446.

Paris, musée du Louvre, département des Objets d'art. Inv. MS 159

Le coffre, porté par quatre pieds de lion en or reposant sur des galets circulaires, est pourvu d'un couvercle légèrement bombé et monté à charnière ; chacun des petits côtés porte une poignée également en or, retenue par deux boucles ; la face antérieure est munie d'une serrure. Toutes les arêtes du coffre et de son couvercle sont bordées d'une délicate frise figurant une guirlande de feuilles et de fleurs.

L'âme de bois, entièrement gainée de satin bleu, qui constitue l'essentiel du volume du coffret, est entièrement recouverte d'un extraordinaire décor ajouré, telle une résille d'or, dont l'inspiration purement végétale combine avec science et harmonie feuillages et fleurs, tulipes, tournesols ou œillets d'Inde, symétriquement disposés parmi un vertigineux foisonnement de rinceaux, tiges et vrilles.

En dépit de sa légendaire célébrité, qui n'a d'égales que sa rareté, sa préciosité et l'éblouissante qualité de son exécution, le coffre d'or est loin d'avoir révélé tous ses secrets. Pour qui, par qui et quand fut-il réalisé ? Autant de questions qui, aujourd'hui encore, restent sans réponses.

L'histoire du coffre n'est encore que partiellement connue. Lorsqu'il fut exposé dans le musée des Souverains, en 1852, Barbet de Jouy, le premier, fit état de la tradition selon laquelle il aurait été offert par Mazarin à Anne d'Autriche, en s'appuyant sur le souvenir d'une note manuscrite « *d'une ancienne écriture* », trouvée en 1830 à l'intérieur du coffre, alors placé dans la chambre du Roi aux Tuileries.

Les inventaires des Tuileries du XIXe siècle confirment en effet sa présence constante dans cette pièce. Le 23 avril 1810, il fut transféré du Garde-Meuble aux Tuileries, pour être placé dans la chambre de l'Empereur (AN, O² 610, fo 124) ; en 1816 (voir *ibid.*, AJ¹⁹ 146, fo 136vo), comme en 1826 (voir *ibid.*, AJ¹⁹ 155, fos 156vo-157vo), il était toujours dans la même pièce, alors chambre du Roi ; enfin, en 1833, bien que la chambre soit devenue salon de famille, il y figurait encore (voir *ibid.*, AJ¹⁹ 169, fo 249vo).

Barbet de Jouy avait aussi remarqué que le coffre apparaissait en 1791 dans l'inventaire des bijoux de la Couronne ; il y fut alors décrit comme un « *coffre de bois ayant seize pouces huit lignes de long sur douze pouces et demi de large, et neuf pouces neuf lignes de haut ; cinq de ses faces sont chargées de rinceaux de fleurs et de palmes d'or massif très bien*

travaillées ; les poignées sont d'or, ainsi que les quatre pieds de lion qui le supportent ; le coffre dans l'intérieur est doublé d'étoffe d'or et d'argent fond bleu. Les ornemens d'or qui enrichissent ce coffre sont à jour et posés sur un taffetas bleu ; ils rendent ce coffre un chef-d'œuvre d'orfèvrerie et de goût, estimé cent cinquante mille livres ».

L'histoire du coffre sous l'Ancien Régime, longtemps ignorée, se dévoile peu à peu. Ainsi, en 1784, il est compris dans un « *Devis de restauration des Bijoux du Gardemeuble de la Couronne par Ménière bijoutier du Roy…* » ; ce dernier proposait d'« *enlever les ornements d'or qui se trouve attachés par une immensité de petits clouds, remettre lesdits ornements en couleur, les rappliquer dessus un satin neuf…* » ; le travail ne fut finalement pas exécuté (AN, O¹ 3280).

Plus récemment encore, Stéphane Castelluccio a retrouvé mention du coffre dans l'inventaire général des meubles de la Couronne en 1729 (voir *ibid.*, O¹ 3341, fo 290, no 298) : « *Une très riche cassette de seize à dix-sept pouces de long sur douze pouces et demi de large et environ dix pouces par le plus haut, dont le dessus et les quatre côtés sont couverts en plein de fleurs, feuillages, rainceaux, branchages et ornemens d'or à jour sur fond de satin bleu ; les deux portans et l'anneau de dessus sont d'or, ainsi que les quatre griffes qui portent la cassette, laquelle est garnie en dedans de brocart or et argent fond bleu.* » L'anneau d'or du couvercle manque aujourd'hui, mais son attache reste bien visible sur le devant. Faut-il aussi identifier le coffre avec celui « *revestu d'or à jour d'un excellent ouvrage* », que Tessin admira en 1687 à Versailles dans la pièce de passage entre le Cabinet des Tableaux et la Petite Galerie du Petit Appartement du Roi (voir « Relation de la visite à Versailles… », *Revue de l'histoire de Versailles*, 1926, p. 283) ? Si tel est le cas, le coffre fit donc bien partie des collections de Louis XIV ; il est vrai que l'inventaire du mobilier de la Couronne n'en garde aucune trace, mais il se peut fort bien que l'objet ait appartenu personnellement au Roi. D'où ce dernier le tenait-il ? Il est clair qu'il ne l'hérita pas de sa mère, Anne d'Autriche ; en effet, l'inventaire après décès de celle-ci ne contient aucune mention susceptible d'en retrouver la trace. Louis XIV le reçut-il en cadeau ? C'est possible. Comme on le voit, l'origine même du coffre d'or nous échappe encore.

D'un point de vue purement stylistique, ce coffre d'or frappe par l'inspiration nettement réaliste de son décor floral, ce qui pourrait le rattacher aux alentours de 1660. Toutefois, les feuillages, larges et découpés, ainsi que les grosses fleurs – tulipes, tournesols ou œillets d'Inde –, offrent une indéniable parenté avec les gravures du *Livre des fleurs* de l'orfèvre François Lefebvre, gravé par Balthazar Moncornet et publié à Paris en 1635. Bien que d'un style essentiellement floral, ces dernières gravures ne sont pas sans intégrer des éléments du répertoire plus abstrait et plus stylisé de Roberday ou de Delabarre. Ainsi, le coffre pourrait aussi avoir été réalisé dès 1640-1650 ; il se situerait alors à mi-chemin de deux tendances qui pouvaient paraître contraire l'une à l'autre : le style végétal irréaliste des années 1625-1635 et le style floral naturaliste.

Aujourd'hui unique en son genre, le coffre fut sans doute dès sa création considéré comme un chef-d'œuvre. Les orfèvres de Paris étaient nombreux ; seul un petit nombre, cependant, était sans doute en mesure d'atteindre, dans une matière si riche, une telle perfection. Comment ne pas voir là l'œuvre de l'un des orfèvres du Louvre ? Parmi Ballin, les Delabarre, Gravet, lequel sut déployer tant d'art et de virtuosité ?

G. M.

159
Gobelet dit d'Anne d'Autriche

Paris, milieu du XVIIe siècle | Or repoussé, ciselé et gravé

H. 0,096 ; D. 0,070 ; P. 0,202 | Poinçon : importation des pays non contractants, or, depuis 1893 (hibou) | Inscription gravée sous le pied : *GOBELET D'ANNE D'AU-TRICHE. 1601-1666 /LIANCOURT*

Hist. : peut-être offert par Anne d'Autriche à Anne de Bouesset (vers 1620-1701), épouse de Jacques Gaboury, femme de chambre de la Reine en 1653 ; Geneviève-Thérèse Gaboury (morte en 1720), fille cadette de la précédente ; Gaspard-César-Charles Lescalopier (1706-1792), seigneur de Liancourt (Somme), petit-neveu et filleul de la précédente ; sa descendance ; vendu au commerce de l'art après la Première Guerre mondiale ; acquis par Louis-Victor Puiforcat ; collection Puiforcat, catalogue de vente, 1955, no 39, repr. ; donation Stavros S. Niarchos, 1955.
Bibl. : Nocq, Alfassa et Guérin, 1926, I, pl. VII B ; Bottineau, 1958, p. 6-7, no 5, repr. pl. II, fig. 4 ; *les Grands orfèvres...*, 1965, p. 38-39, repr. p. 38. ; Mabille, 1994, p. 41, no 1, repr. p. 25 et 41 ; Drouas, 1999, repr.
Exp. : Paris, 1926, no 267 ; New York, 1933, no 1, pl. VI ; Paris, 1967, no 245.

Paris, musée du Louvre, département des Objets d'art. Inv. OA 9638

Seule l'inscription gravée au cours du XVIIIe siècle (après 1720) au revers du pied témoigne de l'origine royale de ce merveilleux objet (fig. 1). Selon celle-ci, en effet, le gobelet aurait appartenu à la reine Anne d'Autriche (1601-1666). Les recherches récentes de Jacques de Drouas ont permis d'en préciser l'origine.

Le nom de Liancourt a longtemps passé pour désigner la terre de la famille de La Rochefoucauld dans l'Oise ; en fait, c'est celui d'un château homonyme, situé en Picardie, dans la Somme, qui appartint du XVIIe au XXe siècle à la famille Lescalopier. Or, Gaspard-César-Charles Lescalopier (1706-1792), maître des requêtes, intendant de Montauban puis de Tours et conseiller d'État, n'était autre que l'arrière-petit-neveu d'Anne de Bouesset. Cette dernière, filleule de la reine Anne d'Autriche, fut l'une des douze femmes de chambre de la souveraine pour l'année 1653. Elle avait épousé, en 1650, Jacques Gaboury, valet garde-robe du duc d'Anjou (Monsieur) et porte-manteau de la Reine. Celle-ci, dans des circonstances indéterminées, aurait donné le gobelet à sa suivante. Par la suite, le gobelet fut durablement conservé à Liancourt, comme en témoigne une étiquette manuscrite (du début du XIXe siècle ?), collée sous son écrin et ainsi rédigée : « *cet objet ne doit pas être considéré comme*

bijou. Il fait partie de l'argenterie. Il doit rester à Liancourt ».

De forme tulipe, reposant sur un pied étroit, le gobelet présente un décor particulièrement séduisant et raffiné de quinze godrons torses séparés par autant de côtes pincées ; sur chaque godron sont gravés des rinceaux de feuillages, agrémentés de fleurs variées, telles que tulipes, tournesols, violettes ou narcisses ; l'encolure et la base de la coupe présentent une frise de feuilles d'acanthe ; chacun des ressauts du pied est ciselé de fins guillochis.

Dépourvu de tout poinçon du XVIIe siècle, l'objet est anonyme ; peut-être est-il l'œuvre d'un des prestigieux orfèvres royaux qui étaient alors établis dans l'enceinte même du Louvre.

Sa datation précise est également impossible à établir, toutefois, à en juger par le réalisme de son décor floral, l'objet semble caractéristique des années 1650-1660.

Le gobelet d'or dit d'Anne d'Autriche constitue donc aujourd'hui un témoignage unique de ce que furent les vaisselles d'or des souverains et de leur entourage au XVIIe siècle.

G. M.

Fig. 1. Gobelet d'or dit d'Anne d'Autriche, revers du pied.

160

Paire de petits flambeaux en filigrane

Paris (?), vers 1650 | Argent filigrané ; buis sculpté et tourné

H. 0,145 ; L. 0,085 | Aucun poinçon

Hist.: don de Charlotte Séguier (1622-1704), duchesse de Sully puis (1668) duchesse de Verneuil aux carmélites de Pontoise, 1677.
Exp.: Cergy-Pontoise, 1980, n° 85.

Pontoise, monastère du carmel

Les flambeaux sont composés d'éléments de buis sculpté ou tourné montés en argent filigrané. Les fils d'argent, travaillés d'encoches et de torsades, disposés en rinceaux et soudés, forment des motifs ajourés en forme de consoles, de rinceaux et de dentelles. Les bases, tripodes, sont composées de trois éléments de buis triangulaires dont la face est sculptée d'un petit ange musicien jouant d'un instrument chaque fois différent : triangle, luth, contrebasse, cromorne, cornemuse et tambourin. Ces éléments de buis, disposés en pyramide et sertis dans des filigranes d'argent, portent six lumières axiales, trois basses et trois hautes, faites de deux petites sphères de buis tourné superposées, maintenues par des filigranes et sommées d'un binet de filigranes en forme de corolle de feuilles. Au centre de la pyramide s'élève une plus haute lumière, composée de quatre sphères de buis et sommée d'un grand binet de filigranes en forme de corolle de feuilles.

Les flambeaux de filigranes d'argent furent donnés en 1677 aux carmélites de Pontoise par Charlotte Séguier, duchesse de Verneuil, comme l'atteste le manuscrit de la *Chronique* du carmel, I, p. 607 : « *En ce même temps* [après le 23 septembre 1677] *Madame la duchesse de Verneuil dona le grand chandelier pasqual, deux chandeliers de filegrane et 10 pots d'argent à notre R. Mère pour son hermitage.* » La supérieure du carmel était précisément Madeleine-Françoise de Béthune-Sully, la propre fille de la duchesse de Verneuil. Auparavant, les flambeaux avaient été décrits avec deux autres, identiques, dans l'inventaire après décès du chancelier Séguier, père de la donatrice (« *quatre petits flambeaux de cabinet,* […] *le tout d'argent de filigrane* »), ce qui situe leur confection avant 1672, date de la mort de Pierre Séguier. Accessoires du cabinet d'étude du chancelier, élégamment sculptés d'allégories, les flambeaux n'avaient aucun usage religieux à l'origine bien que leur base tripode évoque la structure des flambeaux d'autel. Comme la plupart des filigranes, dont la finesse ne permettait pas la frappe d'un poinçon, ils sont restés anonymes, mais leur présence dans une grande famille parisienne localise très probablement leur réalisation dans la capitale française. Ils constituent aujourd'hui un très rare témoignage des nombreux objets de filigranes d'argent qui ornaient les hôtels de l'aristocratie parisienne sous Louis XIII.

M. B.-P.

161

Edme Leblond, maître orfèvre à Paris en 1642, mort en 1654

Aiguière

Paris, 1655-1656 | Argent repoussé

H. 0,177 ; L. 0,160 ; D. 0,120 ; P. 0,416 | Poinçons : maître (*E.L.B.*, une étoile) ; maison commune, Paris, 1655-1656 (*L* couronné) ; petite garantie, argent, Paris, depuis 1838 (tête de sanglier) | Inscription (poinçonnée) : fleur de lis *P* fleur de lis *P* fleur de lis

Hist.: collection Puiforcat, catalogue de vente 1955, n° 106, pl. IX. ; don sous réserve d'usufruit de Stavros S. Niarchos, 1955.
Bibl.: Bottineau, 1958, p. 13, n° 14, pl. II, fig. 7 ; Dennis, 1960, I, repr. p. 145, II, p. 76 ; *les Grands Orfèvres…*, 1965, p. 44, repr. ; Mabille, 1994, p. 42, n° 2, repr. p. 26 et 42 ; Bimbenet-Privat et Fontaines, 1995, fig. 150.
Exp.: New York, 1938 ; Paris, 1967, n° 246.

Paris, musée du Louvre, département des Objets d'art. Inv. OA 9695

Portée sur un pied circulaire formé par une large gorge, l'aiguière présente un corps parfaitement sphérique, que surmonte une haute et large encolure cylindrique, légèrement évasée à sa partie supérieure et pourvue d'un léger bec pincé à la face antérieure ; à l'opposé, l'anse, de section discrètement nervurée, dessine une ample courbe, depuis l'encolure jusqu'à mi-hauteur de la panse. Autrefois attribuée à Étienne Lebret et datée de 1677-1678, cette aiguière, ou pot à eau, dépourvue de tout décor, frappe par la pureté de ses volumes et de sa surface doucement martelée ; c'est un parfait exemple de ces « *aiguières tout unies* » qui abondent dans les inventaires de la première moitié du siècle, au chapitre de la vaisselle de service.

G. M.

162

Aiguière à crosse

Paris, 1656-1657 | Argent repoussé

H. 0,190 ; P. 0,960 | Poinçons : maître (incomplet et illisible) ; maison commune, Paris, 1656-1657 (*M* couronné) | Armoiries gravées sur la face antérieure, des familles Fitzgerald et Brown (?)

Hist.: collection des comtes de Lorgeril au château de La Bourbansais (Ille-et-Vilaine) ; vente à Monaco, Sotheby's, 3 décembre 1988, n° 1038, repr.
Bibl.: Lorgeril, 1984, p. 15-20, repr. p. 19.

Marie-Josée et Henry Kravis

L'aiguière, entièrement unie et dépourvue de tout décor ciselé, repose sur un pied circulaire, profilé en doucine et surmonté d'une discrète collerette. La coupe, de forme tulipe, évasée à sa partie supérieure, porte un bec verseur simplement pincé. L'anse, en équerre, présente une crosse à sa partie basse.

Appartenant à la longue lignée des aiguières à crosse, dont la forme, apparue vers 1550, devait faire preuve d'une remarquable longévité, cette aiguière en constitue un des exemples les plus tardifs. Selon une tradition familiale, l'aiguière

161

162

entra dans le patrimoine de la famille de Lorgeril en 1705, lors du mariage de Jean-François de Lorgeril avec Marie-Madeleine-Marthe Fitzgerald, fille de Nicolas Fitzgerald et Anne Malbranek. Or, Nicolas Fitzgerald fut le compagnon d'exil, en France, de Charles II ; il est fort possible que cette aiguière fût alors commandée par lui à un orfèvre parisien.

G. M.

163

Pierre Masse (vers 1619-après 1690)

Maître orfèvre à Paris en 1639

Deux flambeaux de toilette

Paris, 1660-1661 | Argent fondu et ciselé

H. 0,100 et 0,098 ; L. 0,100 et 0,098 ; P. 0,202 et 0,198 | Poinçons : maître (*P. M.*, deux masses entrecroisées) ; maison commune, Paris, 1660-1661 (Q couronné)

Hist. : collection Junius S. Morgan ; collection Puiforcat, catalogue de vente 1955, n° 89, pl. XXV ; don sous réserve d'usufruit de Stavros S. Niarchos, 1955.
Bibl. : Nocq, Alfassa et Guérin, 1926, I, pl. VII C ; Bottineau, 1958, p. 4, n° 2, pl. IX, fig. 19 ; Dennis, 1960, I, p. 230, n° 346, repr. II, pl. III ; Hernmarck, 1977, I, p. 737, II, repr. p. 281 ; Mabille, 1994, p. 42, n° 3, repr. p. 27 et 42.
Exp. : Paris, 1926, n° 268.

Paris, musée du Louvre, département des Objets d'art. Inv. OA 9680

Chaque flambeau repose sur un pied carré, bordé d'une doucine ornée d'une alternance d'oves et de feuilles d'acanthe. Dans un angle est gravé un cerf. Les tiges, en balustre, portent une

collerette également ornée d'oves et d'acanthes. Les binets, de forme cylindrique, sont percés de deux orifices latéraux et ornés d'enroulements feuillagés. Par leur forme et leurs dimensions, les deux flambeaux sont tout à fait caractéristiques de ceux qui figuraient dans les services de toilette. Ainsi, ils sont très semblables à ceux de la toilette d'Hedvig-Sofia de Suède, duchesse de Holstein-Gottorp, conservée à Copenhague, au château de Rosenborg ; quoique plus tardifs (vers 1675 ?), ces deux derniers flambeaux sont également l'œuvre de Pierre Masse.

G. M.

164

Miroir de toilette

Paris, 1660-1661 | Argent doré, fondu, repoussé et ciselé ; acajou, verre

H. 0,558 ; L. 0,550 ; P. 6,185 | Poinçons : maître parisien non identifié (incomplet et illisible, seule la couronne apparaît) ; maison commune, Paris, 1660-1661 (*Q* couronné) | Chiffre : *ADDY* figurant 5 fois, aux angles et au fronton

Hist. : Anne Hyde (1637-1671), fille du chancelier sir Edward Hyde, épouse en 1660 de Jacques, duc d'York (1633-1701), futur Jacques II, roi d'Angleterre de 1685 à 1688 ; barons Clifford of Chudleigh, Ugbrooke Park (Devon) ; vente à Londres, Christie's, 24 mars 1965, n° 87, repr. ; vente à Genève, Christie's, hôtel Richemond, 29 avril 1975, repr. ; acquis en 1982.
Bibl. : Hayward, 1966, p. 228-231, repr.
Exp. : Paris, 1985, n° 35, repr.

Paris, musée du Louvre, département des Objets d'art. Inv. OA 10906

Le miroir, sensiblement plus large que haut, présente un riche décor réalisé en plusieurs parties. L'encadrement proprement dit est constitué de huit éléments indépendants correspondant chacun à la moitié de chaque côté ; ces huit éléments, fondus et ciselés, ornés de fleurs et de feuilles entre-croisées se détachant en fort relief sur un fond amati, sont montés à vis sur le châssis de menuiserie ; leurs jonctions sont dissimulées, aux milieux, par de larges fleurons amovibles et, aux angles, par des appliques composées du chiffre couronné ADDY ; l'extérieur du cadre est souligné d'un tore de lauriers, et l'intérieur d'une frise de feuillages. Le fronton, réalisé au repoussé, offre une disposition symétrique d'enroulements de feuillages se détachant sur un fond amati ; au milieu, à l'intérieur d'une couronne de lauriers, le chiffre ADDY, entrecroisé de palmes, est surmonté d'une couronne de duc royal anglais ; quatre forts boulons en forme de fleurs assurent la fixation de l'élément sur le support de bois. Le revers, en acajou, est pourvu de deux appliques de vermeil en rosaces, munies d'anneaux circulaires, permettant d'accrocher le miroir ; ce dernier peut aussi se poser, grâce à la béquille centrale, montée à charnière et retenue par une chaînette, également de vermeil.

La mode des services de toilette d'orfèvrerie naquit, semble-t-il, durant la première moitié du siècle, à la cour de France, avant de se répandre à travers les cours européennes, dans les pays scandinaves et surtout en Angleterre. Le prototype en serait la toilette d'or d'Anne d'Autriche, œuvre perdue de Claude Ier Ballin. Trois toilettes françaises complètes subsistent aujourd'hui, à Copenhague (château de Rosenborg), à Chatsworth (collection du duc de Devonshire) et au musée d'Édimbourg. Le miroir du musée du Louvre a sans doute aussi appartenu à une toilette complète, dont, seul, il subsiste. Anne Hyde était sans aucun doute très au fait des usages de la cour de France, auprès de laquelle elle séjourna longuement, en 1648, puis entre 1653 et 1660.

Des rares miroirs de toilette français parvenus jusqu'à nous, celui de la duchesse d'York est le plus ancien. Faut-il y voir un reflet du miroir d'or d'Anne d'Autriche ? Dans la mesure où nous ignorons tout ou presque de celui-ci, comment l'affirmer ? Par ailleurs, le miroir d'Anne d'York, par son style, annonce fortement celui qui fut exécuté dix ans plus tard pour sa propre fille la princesse Marie, épouse de Guillaume d'Orange, par l'orfèvre parisien Pierre Prévost (Chatsworth).

Enfin, par son inspiration florale, aussi vigoureuse que réaliste, le miroir de la duchesse d'York témoigne clairement du plein épanouissement de ce style, avant même que ne débute le règne personnel de Louis XIV.

G. M.

L'orfèvrerie d'étain

Véronique Alémany-Dessaint

Considérée à tort comme « l'argenterie du pauvre », la poterie d'étain connaît son âge d'or au XVIIe siècle. Branche florissante de l'artisanat, elle est remarquable aussi bien par la diversité catégorielle que par la qualité technique et l'invention formelle de sa production, digne concurrente de celle de l'orfèvrerie d'argent.

La période du règne de Louis XIII et de la minorité de Louis XIV fut féconde pour la production d'étain. Elle donna lieu à diverses réglementations dans tout le royaume et plus particulièrement dans la généralité de Paris, où se tinrent, en 1614, les états généraux des potiers d'étain. Une sentence de 1643 rendit les poinçons de maître plus compréhensibles : l'apparition de leurs initiales sur les petits poinçons et de leur nom en toutes lettres sur les grands, accompagné de la date de leur accession à la maîtrise, témoigne de la reconnaissance sociale des potiers d'étain. Leur créativité, leur habileté et leur goût du bel objet utilitaire furent en effet exceptionnels dans la première moitié du XVIIe siècle.

Parmi les étains domestiques les plus répandus, se remarque surtout la platerie, vaisselle à usage alimentaire, avec l'apparition de pièces de qualité comme le plat « à la Mazarin » ou dit « à la cardinale », qui aurait été créé d'après un modèle en faïence apporté à Paris par le futur cardinal lors de sa nomination comme nonce, ou le plat à venaison, avec le plus souvent des armoiries gravées en son centre, pour présenter les pièces de gibier. Se développa aussi l'usage de l'assiette, de petite dimension, très plate avec un bord large et uni et un creux de profondeur à l'origine faible, puis s'incurvant pour recevoir les mets en sauce, de plus en plus appréciés. D'où l'apparition du couvercle, pour en conserver la chaleur, sur les écuelles.

À côté des objets pour la cuisine et le service de la table, fabriqués aussi bien pour des particuliers que pour des communautés religieuses et des hôpitaux, la production de matériel hospitalier est abondante : pots pharmaceutiques et ustensiles médicaux.

*165
Plat

France, milieu du XVIIᵉ siècle | Étain forgé à partir d'une rouelle ; plaque d'étain fondue, parfois avec moulure, montée au marteau pour obtenir la forme définitive de l'objet (forgeage)

D. 0,520 | Armoiries, gravées sur l'aile, d'Anne de Melun-Épinoy (1618-1679) | Monogramme de la Vierge, gravé au fond du plat, surmonté d'une couronne ducale et entouré d'un soleil à rayons alternativement droits et ondés : *M* et *A* | Poinçon au revers : couronne entourée du millésime *16/4 (2)*, date de l'accession du maître potier à la maîtrise ; au-dessus : *FIN/ETAIN* ; en dessous : *G...*, nom du potier d'étain, effacé ; poinçon répété deux fois

Hist. : utilisé dans la pharmacie de l'Hôtel-Dieu de Baugé (Maine-et-Loire) dont Anne de Melun fut cofondatrice en 1639, la pharmacie étant achevée en 1675 ; classé Monument historique en 1964.
Bibl. : Tardy, 1958, p. 194.
Exp. : Angers, 1996, nº 13.

Baugé, pharmacie historique de l'hôpital

V. A.-D.

166

Réserve à thériaque

France, 1624 | Étain, partiellement doré pour les décors ajoutés ; pièce octogonale sur piédouche circulaire, forgée et ciselée ; mufles de lion avec anneaux et bustes de femme à la base du couvercle, monté à charnières, moulés et dorés, rapportés par soudure

H. 0,910 ; D. 0,450 ; C. 45,000 l. | Sur la face antérieure, armes de France et de Navarre, gravées au trait, avec la devise *Pax et Iustitia* | Inscription, en dessous : *THERIACA MAGNA ANDROMACHI SENIORIS* | Inscription des noms de médecins représentés, à la base du couvercle, en forme de dôme, à décor de tuiles au sommet : *Andromachus Senior, Haby, Cornelius Celus, Scribonius Targus, Hypocrates, Galenus, Paulus Egi, Avicenna* | Inscription, sur la face postérieure : *1624-THERIACA MAGNA ANDROMACHI SENIORIS* ; armes de la famille de Galabert de La Peyre d'Haumont

> **Hist.:** dans la pharmacie ouverte, vers 1621, au collège des jésuites de Toulouse, et en activité jusqu'en 1762 ; achat, en 1901, par Mme Irisson ; achat par la ville de Toulouse, vers 1910 (?).
> **Bibl.:** Boucaud et Frégnac, 1980 p. 254-255, n° 388 ; Bidault, 1981, p. 15 ; Richard, 1988 ; Lescure, 1995, p. 14-15.
> **Exp.:** Toulouse, 1991, n° 13.

Toulouse, musée Paul Dupuy. Inv. 10765

Cet objet utilitaire est exceptionnel par sa qualité, tant technique qu'esthétique, et par sa rarcté. Cc vase médical contenait la drogue la plus renommée de l'apothicairerie, qui proposait aux malades les produits de sa pharmacopée : la thériaque. Fabriquée par les jésuites, c'est un remède dont l'invention est attribuée au roi Mithridate, perfectionnée et popularisée par Andromachus de Crète, médecin de l'empereur Néron. À base d'une soixantaine de composants essentiellement végétaux, c'est pourquoi les faces du vase sont décorées de rameaux fleuris et de scènes de récolte de plantes. Entraient aussi dans la composition quelques éléments minéraux et animaux (thériaque signifie : bête féroce venimeuse, à savoir la vipère). Ce calmant opiacé, prescrit dans de nombreuses maladies et les empoisonnements jusqu'au XIXe siècle, consistait en un liquide pâteux.

V. A.-D.

167

Jean Réallier ou Réallière

Maître potier d'étain à Paris, actif
de 1642 à 1663, juré en 1647-1648

Paire de plats à venaison

Paris, 1643 | Étain forgé

L. 0,484 | Sur l'un : petit poinçon du
maître : marteau couronné, initiales *I. R,*
une feuille de lierre ; grand poinçon de
propriété figurant des armoiries non iden-
tifiées | Sur l'autre, au centre, armoiries
non identifiées gravées au trait ; poinçons
du maître : deux petits auquel a été ajoutée
la lettre *P,* pour Paris, et un grand avec le
nom du potier, la mention *ESTAIN FIN* et
la date *1643* et trois feuilles de lierre

Hist. : collection Douroff.
Bibl. : Boucaud et Frégnac, 1980, p. 166 et
fig. 232.

Collection Boucaud

Le second plat, qui s'emboîte sur le premier,
fut fabriqué après la publication d'une sentence
rendue au Châtelet, le 5 août 1643, imposant la
réfection des poinçons et la frappe de trois poinçons.

Chacune des pièces présente une large moulure,
sur l'aile pour l'un, au-dessous pour l'autre, afin de
les emboîter. Cette exceptionnelle paire de plats
ovales illustre la qualité des objets de platerie au
XVIIᵉ siècle. C'est un des premiers et rares exemples
de l'apparition, vers le milieu de ce siècle, du plat
dit à venaison, qui perdura jusqu'au premier tiers
du XVIIIᵉ siècle. Ces pièces servaient à présenter
aux convives des morceaux de gibier ou de volaille
apprêtés. Cette paire était destinée à une cantine de
voyage.

V. A.-D.

Les montures de gemmes

Daniel Alcouffe

P aris compta de grands collectionneurs de vases en pierres dures pendant la première moitié du XVIIe siècle : le connétable de Luynes, la chancelière Séguier, le surintendant des Finances Abel Servien, le cardinal Mazarin, entre autres[1]. La collection de gemmes de Louis XIV, dont proviennent les pièces exposées ici, bénéficia plus tard de leur travail.

L'existence de tels amateurs encouragea probablement la création de montures d'orfèvrerie destinées à enrichir ces objets. Elles s'appliquèrent soit à des vases en sardoine anciens – antiques ou byzantins –, curieusement nombreux à Paris alors, soit à des vases modernes, en agate de couleur claire ou en jaspe, à la forme simple et à la surface unie, vraisemblablement exécutés en France, étant donné leur abondance dans la collection royale.

Deux styles de monture se succédèrent : un style que l'on pourrait appeler Delabarre, du nom de l'un de ses propagateurs, puis un style plus classique.

Plusieurs ornemanistes publièrent autour de 1630, à l'intention des orfèvres et des bijoutiers, des recueils de modèles de bouquets composés de petites feuilles d'un dessin très particulier. Elles offrent un contour découpé, souvent trilobé, pointu ou arrondi à l'extrémité, et sont souvent évidées, ce qui permet éventuellement d'insérer dans l'échancrure une seconde feuille du même type ; elles sont mêlées à des files de graines aux dimensions décroissantes et à des cosses de pois et sont accompagnées de pierres précieuses. Parmi ces ornemanistes figure Pierre Delabarre, reçu maître orfèvre à Paris en 1625, logé près du Louvre, rue Béthisy, qui mit ses modèles à exécution puisqu'il transposa en or émaillé ces petites feuilles en les mêlant à des rubis, comme le prouve la signature figurant sur le vase cat. 169.

À l'étape suivante le décor des montures en or émaillé consista en frises de petites feuilles en émail blanc découpées, souvent évidées, décorées ou flanquées de graines, sur lesquelles l'influence de Pierre Delabarre et de ses émules est encore visible, mais qui alternent avec des feuilles d'acanthe en émail vert translucide de dessin classique. Ces montures, exécutées probablement dans un même atelier, ne présentent plus de rubis. Quatre des vases de la collection de Louis XIV arborant ce type de monture viennent du cardinal Mazarin (cat. 175 et 176), deux autres ont gagné la collection royale avant 1673[2]. Il semble donc permis de situer vers 1650 l'élaboration de ces objets, de toute façon antérieurs à 1660.

Les montures comportent fréquemment des intailles (cat. 168, 175 et 176) qui sont vraisemblablement parisiennes et confirment l'existence de graveurs en pierres fines talentueux à Paris à l'époque (voir cat. 177 et 180).

1. Voir leurs inventaires après décès. AN, MN, VII, 11, 22 mars 1622 ; LI, 435, 22 février 1683 ; LXIV, 104, 19 mars 1659 ; BnF, Mss, Mélanges Colbert 75.
2. Voir Alcouffe, 2001.

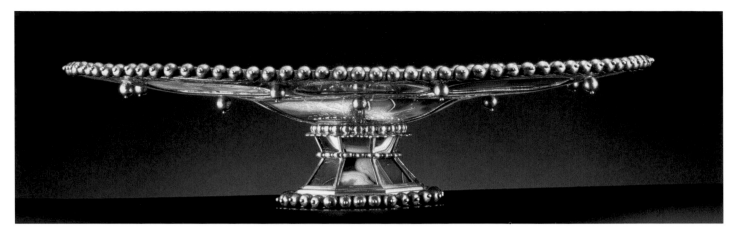

Détail

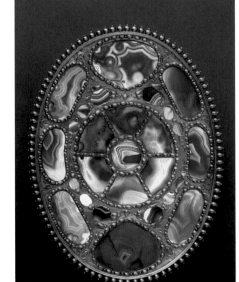

Détail

168
Gantière

Paris, vers 1630-1635 | Sardoine, argent doré

H. 0,077; L. 0,305; Pr. 0,234 | Numéro gravé au revers, à deux reprises : *338* (Inventaire des gemmes de la Couronne sous Louis XVI)

Hist. : collection du cardinal Mazarin ; collection de Louis XIV ; attribuée au musée en 1796.
Bibl. : Alcouffe, 2001, n° 183 (avec biblio).

Paris, musée du Louvre, département des Objets d'art. Inv. MR 250

La gantière était formée de quarante-trois plaques de sardoine (l'une d'elles a disparu), dont deux sont gravées d'une intaille. La plus grande des deux représente une femme tenant une corne d'abondance et brandissant une clé auprès de laquelle un Amour recueille dans un panier des fleurs qui tombent du ciel. Les montures d'autres vases de la collection de Louis XIV, un peu postérieures, comprennent des intailles de même style, au contenu aussi hermétique, vraisemblablement exécutées à Paris (cat. 175 et 176 ; et Alcouffe, 2001, n°s 23 et 194).

La gantière est encore montée en argent doré comme les gemmes françaises du XVIe siècle – type de monture qui disparaîtra un long moment au bénéfice des montures en or émaillé. Les plaques sont enchâssées entre deux armatures d'argent doré, présentant, à l'extérieur, un décor repoussé pour celle du dessus, un décor gravé pour celle du dessous.

Le décor repoussé de petites fleurs reflète le style végétal répandu par Pierre Delabarre et ses émules (voir cat. 169). Le décor de feuilles gravé au revers de la gantière est plus naturaliste.

169

Pierre Delabarre

Maître orfèvre à Paris en 1625

Aiguière

Paris, vers 1630-1635 (vase : Ier siècle avant J.-C. – Ier siècle après J.-C.) | Sardoine, or émaillé, rubis

H. 0,275 ; L. 0,165 ; Pr. 0,105 | Signé sur la base : *P. DELABARRE.F* | Numéro gravé sous le bord de la base : *408* (Inventaire des gemmes de la Couronne sous Louis XVI)

Hist. : entrée dans la collection de Louis XIV entre 1681 et 1684 ; attribuée au musée en 1796 ; au palais des Tuileries au XIXe siècle.
Bibl. : Alcouffe, 2001, n° 1 (avec biblio).

Paris, musée du Louvre, département des Objets d'art. Inv. MR 445

Delabarre, qui signa fièrement la monture de cette aiguière, s'était vu confier un vase-camée antique spectaculaire, autrefois sculpté de deux masques barbus, mais très endommagé. Seuls subsistent, d'une part, la partie inférieure du vase, recollée, encore pourvue de l'extrémité de l'une des deux anses, d'autre part, des fragments de la partie supérieure.

L'orfèvre dut pourvoir l'objet d'une anse complète, d'un bec, d'un pied et d'un couvercle. Le morceau d'anse existant devint la queue du dragon formant la nouvelle anse et les fragments sculptés de la partie supérieure composèrent le couvercle.

La monture est ornée de petites feuilles polychromes caractéristiques du style de Delabarre, rehaussées par des rubis isolés ou groupés. Au décor végétal est associé un autre aspect de l'art de Delabarre : les figures, humaines, animales ou monstrueuses – buste de Minerve surmontant le couvercle, figure féminines ornant le masque de Minerve, dragons, masques.

Le pied est formé, comme souvent sur les montures parisiennes, d'éléments remployés juxtaposés : six godrons de sardoine pour le pied, dix oves de sardoine pour la base.

D. A.

D. A.

170

Pierre Delabarre

Aiguière

Paris, vers 1630-1635 | Sardoine, or émaillé, rubis, diamants, émeraudes, opales

H. 0,261 ; L. 0,134 ; Pr. 6,900 | Numéro gravé sous le bord de la base : *410* (Inventaire des gemmes de la Couronne sous Louis XVI)

Hist. : entrée dans la collection de Louis XIV avant 1673 ; attribuée au musée du Louvre en 1796 ; volée au Louvre le 29 juillet 1830 ; François-Louis Debruge-Duménil (?) ; Henry Philip Hope ; Louisa, vicomtesse Beresford ; Alexandre James Beresford Beresford-Hope ; barons Gustave puis Robert de Rothschild ; galerie Rosenberg and Stiebel ; acquise en 1971 sur les arrérages du legs James H. Hyde.
Bibl. : Alcouffe, 2001, nº 186 (avec biblio).

Paris, musée du Louvre, département des Objets d'art. Inv. MR 130, OA 10409

La parenté de la monture de cette aiguière avec l'aiguière cat. 169 désigne Delabarre comme son auteur. Il a assemblé ici deux coupes ovales en sardoine taillées de godrons, de date inconnue, vraisemblablement antiques ou byzantines, et une base ovale en sardoine qui était peut-être une coupe à l'origine.

Le décor végétal de Delabarre, parsemé de rubis et de diamants, apparaît ici non seulement en relief mais aussi en émail champlevé à l'intérieur du bec, comme sur le vase cat. 173. Les figures sont là encore nombreuses : dragon proche de ceux de l'aiguière cat. 169, sirène, femme nue allongée, deux termes casqués, deux termes de satyre, deux oiseaux fantastiques, nombreux masques.

Sur la bordure de la base, des barrettes d'émeraudes ont remplacé les barrettes de diamants originelles au XIXᵉ siècle.

D. A.

Détail

171

Plaque de lumière

Paris, vers 1630 | Sardoine, quinze
camées en sardonyx, un camée en gre-
nat, or émaillé, laiton doré

H. 0,453 ; L. 0,240 ; Pr. 0,073 | Numéro
gravé au revers : *292* (Inventaire des
gemmes de la Couronne sous Louis XVI)

Hist.: acquise par Louis XIV au marchand parisien
Le Brun en 1684 avec le miroir cat. 172 ; attribuée
au musée en 1796.
Bibl.: Alcouffe, 2001, n° 187 (avec biblio).

Paris, musée du Louvre, département des
Objets d'art. Inv. MR 251, MS 148

La plaque et le miroir cat. 172, plus ou moins
assortis, constituent comme une mosaïque de
morceaux de sardoine découpés en fonction des
besoins et assemblés sur une plaque en laiton doré.
Ils comprennent beaucoup de remplois, notamment sur la plaque : d'une part, les camées, datant
de la Renaissance, dont un représentant Henri IV
et Marie de Médicis ; d'autre part, comme sur le
pied de l'aiguière cat. 169, des perles en sardoine,
ovoïdes ou rondes, appartenant à l'origine à des
chapelets ou à des bijoux, qui ont été sciées en
deux, ainsi que le prouvent les perforations visibles
au revers. La console supportant la bobèche faisait
partie d'une anse de vase antique rappelant celle
du vase-camée cat. 169.

Fait à souligner, l'objet englobe aussi de petites
feuilles en sardoine taillées au moment où il a été
conçu car elles adoptent le même dessin que les
feuilles d'or émaillé de la monture.

Celles-ci, du style des feuilles de Delabarre,
évidées ou non, en émail blanc ou en émail
polychrome translucide, circulent, ainsi que des
graines blanches, entre les divers éléments de
sardoine. Le décor est particulièrement proche
sur le coffret octogonal du musée du Prado
provenant de Mazarin, autre dactyliothèque, sur
lequel sont fixées cent cinquante-deux pierres
gravées séparées par une ornementation végétale
analogue (fig. 1).

D. A.

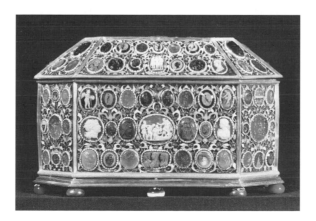

Fig. 1. Coffret en or émaillé. Madrid, musée du Prado.

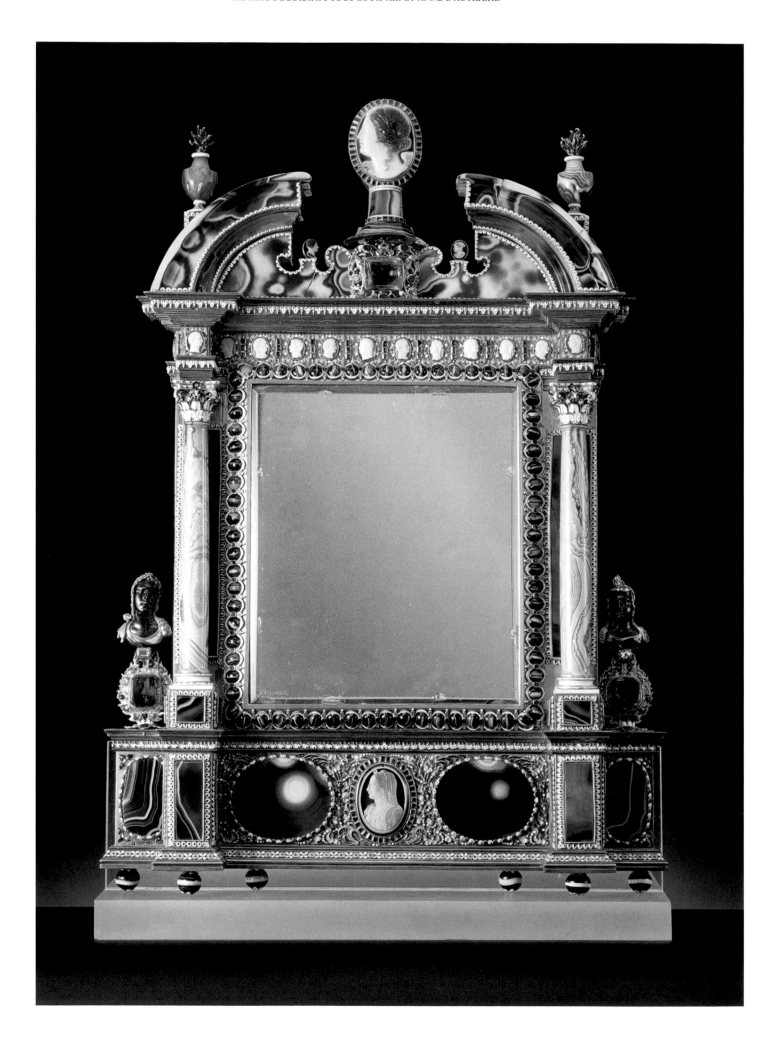

172

Miroir

Paris, vers 1630-1635 | Cristal de roche, sardoine, agate, seize camées en sardonyx, deux camées en grenat, émeraudes, rubis, diamants, or émaillé, laiton doré

H. 0,400 ; L. 0,283 ; Pr. 5,000 | Numéro gravé au revers : *291* (Inventaire des gemmes de la Couronne sous Louis XVI) | Étiquette manuscrite au revers : *291*

Hist. : voir le cat. 171.
Bibl. : Alcouffe, 2001, n° 188 (avec biblio).

Paris, musée du Louvre, département des Objets d'art. Inv. MR 252, MS 147

Le miroir, en cristal de roche, est mis en valeur par un encadrement composé de morceaux de sardoine. Celui-ci inclut des remplois, comme sur la plaque cat. 171, tels les éléments moulurés du fronton, provenant peut-être de vases antiques, les deux colonnes en agate grise – prévues pour décorer un cabinet ? –, les deux petits vases du sommet, qui semblent taillés dans deux oves en sardoine et les camées datant de la Renaissance.

Le décor d'or émaillé comprend des feuilles et des graines dans le style de Pierre Delabarre, mais de dimensions moindres que celles de la plaque, et à certains endroits seulement : autour de l'émeraude qui orne le milieu du fronton, sur la frise, sur la partie centrale de la base. Mais sur la frise, où les feuilles sont très petites, les feuilles ajourées sont peu nombreuses, de même que les graines. Autour des deux émeraudes qui surmontent les extrémités de la base, les feuilles, différentes des feuilles habituelles, sont plus réalistes et non évidées, tandis que les graines sont absentes. À la différence de la plaque, le miroir comporte de nombreuses pierres précieuses.

D. A.

173

Vase rond couvert

Paris, vers 1630 (vase : Milan, vers 1535) | « Prime d'émeraude » (chromojadéite), or émaillé

H. 0,128 ; L. 0,130 ; D. 0,097 | Numéro gravé sous la base : *451* (Inventaire des gemmes de la Couronne sous Louis XVI)

Hist. : collection du cardinal Mazarin ; collection de Louis XIV ; attribué au musée en 1796.
Bibl. : Alcouffe, 2001, n° 61 (avec biblio).

Paris, musée du Louvre, département des Objets d'art. Inv. MR 163

Rares sont les vases italiens du XVIe siècle dont les montures ont été remises au goût du jour à Paris au XVIIe siècle. Le bord de ce vase étant ébréché, on a souhaité camoufler l'éclat au moyen d'un bord en or, ce qui a vraisemblablement entraîné la réfection totale de la monture. Elle a été exécutée en émail champlevé, le décor étant partiellement composé de petites feuilles pointues trilobées et ajourées qui rappellent le style de Delabarre.

Le Metropolitan Museum, à New York, conserve un médaillon en or émaillé dont le décor champlevé est proche de celui du vase (*Linsky Collection*, 1984, n° 106 ; voir fig. 1, p. 286).

D. A.

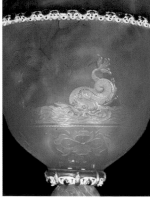

Détail

174

Jean Vangrol

Aiguière

Paris, vers 1640 | Agate, or émaillé,
argent doré, rubis

H. 0,34; L. 0,122; D. 0,105 | Signé sur
le registre intermédiaire de la panse, dans
les vagues: *WFS*[culpsit?] | Étiquette
manuscrite, au revers de la base: *T 6316*

> **Hist.:** chez Jean Vangrol en 1644; entrée dans la
> collection de Louis XIV entre 1681 et 1684; attri-
> buée au musée en 1796; au palais des Tuileries
> puis au palais de Saint-Cloud au XIXᵉ siècle.
> **Bibl.:** Alcouffe, 2001, nº 190 (avec biblio).

Paris, musée du Louvre, département des
Objets d'art. Inv. OA 40

Comme l'a découvert Mᵐᵉ Michèle Bimbenet-
Privat, l'aiguière est décrite en 1644 avec d'autres
vases en pierres dures, en agate surtout, dans
l'inventaire après décès de l'orfèvre Jean Vangrol,
valet de chambre ordinaire de la reine mère Marie
de Médicis, qui demeurait rue Béthisy, où il était
sous-locataire de Pierre Delabarre: « *Item un grand
vase d'agathe d'Orient garny d'or & de ruby, estant
au nombre de cent soixante & quatorze rubis, icelluy
vase gravé sur le corps* », 1 200 livres.

L'aiguière, ovoïde, est formée de six éléments en
agate à dominante jaune: un col, une coupe renversée, une deuxième coupe munie d'un petit pied
mouluré, une boule formant balustre, un petit
anneau, une troisième petite coupe servant de
pied, assujettie vers 1941 pour remplacer le pied
d'origine, disparu au XIXᵉ siècle. Les deux coupes
formant la panse sont ornées de magnifiques
gravures dues à un mystérieux maître signant
WFS, auteur aussi des gravures de même inspiration ornant un vase en cristal de roche de la collection de Louis XIV (Alcouffe, 2001, nº 38). Elles
représentent ici sur deux registres des scènes
marines. Dessous s'épanouissent quatre grandes
palmettes, différentes les unes des autres, formées
de feuilles déchiquetées évidées et de graines, de
même style que les feuilles de la monture, ce qui
prouve que le décor gravé est contemporain de
celle-ci.

Influencées par le style de Delabarre, les petites
feuilles en or émaillé découpées, à extrémité pointue, se détachent en émail noir sur fond blanc. Le
petit pied de la coupe inférieure est enveloppé par
un talon en or émaillé comme plus tard les
montures des nefs cat. 175 et 176. L'anse, dont la
partie supérieure se ramifie en volutes – volutes
en émail bleu, volutes formées de rubis ou de
graines blanches –, est surmontée par un buste de
femme. La base originelle était ornée de rubis. La
mise en place de la base actuelle en argent doré a
permis à l'objet de retrouver sa hauteur d'origine.

D. A.

175

Coupe ovale

Paris, vers 1650 | Agate, or émaillé

H. 0,183 ; L. 0,280 ; Pr. 0,086 | Numéro
gravé sous le bord de la base : *311*
(Inventaire des gemmes de la Couronne
sous Louis XVI)

Hist. : collection du cardinal Mazarin ; collection de
Louis XIV ; attribuée au musée en 1796.
Bibl. : Alcouffe, 2001, n° 197 (avec biblio).

Paris, musée du Louvre, département des
Objets d'art. Inv. MR 223

La coupe, ovale, en forme de nef, en agate
jaune, est munie d'une petite base ovale dans la
masse. Le balustre, rond, et la base, ovale, sont en
agate grise.

La base, comme celle de la coupe cat. 176 de forme
voisine, est décorée au revers d'une intaille proche
d'une de celles de la gantière cat. 168 : une pluie de
fleurs tombe à la fois sur la Fortune tenant une
roue et sur un Amour aux yeux bandés qui brandit
une clé et entretient un feu en brûlant ses flèches.

Le talon en or émaillé enserrant la partie inférieure
de la nef et les deux anneaux du balustre sont
décorés de petites feuilles blanches à graines noires.
On en retrouve sur le bord de la base, inscrivant
des graines blanches et alternant avec des feuilles
d'acanthe en émail vert translucide. Le bord de la
base n'est pas ajouré. La composition de l'anse,
complexe, formée par un faisceau de volutes et de
files de graines en émail blanc à motifs noirs,
égayée de feuilles vertes et orangées, rappelle celle
de l'aiguière cat. 174.

D. A.

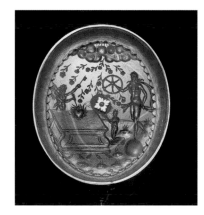

Détail du cat. 175

Détail du cat. 176

176

Coupe ovale

Paris, vers 1650

H. 0,173 ; L. 0,164 ; Pr. 0,094 | Numéro
gravé à l'extérieur du bord de la base : *365*
(Inventaire des gemmes de la Couronne
sous Louis XVI)

Hist. : collection du cardinal Mazarin ; collection de
Louis XIV ; attribuée au musée en 1796.
Bibl. : Alcouffe, 2001, n° 196 (avec biblio).

Paris, musée du Louvre, département des
Objets d'art. Inv. MR 224

La coupe, en agate jaune, est pourvue d'une
petite base dans la masse. La panse est animée de
côtes verticales. Le balustre, rond, en agate grise,
repose sur deux bases, en agate orangée et en agate
grise, superposées, mastiquées l'une sur l'autre. La
base inférieure est gravée au revers d'une scène
représentant une femme allongée en direction de
laquelle l'Amour décoche une flèche.

La petite base est enserrée dans une corolle de
feuilles d'acanthe en émail vert translucide. Le reste
du décor de la monture comprend essentiellement
deux sortes de feuilles alternant : des feuilles en
émail vert translucide ; des feuilles découpées
blanches à graines noires inscrivant une seconde
feuille et des graines blanches. Le bord de la base
est ajouré.

L'anse est décorée d'un petit masque, de feuilles
polychromes et de graines blanches.

D. A.

La bijouterie

Catherine Gougeon

La fantaisie et l'exubérance ornementale des bijoux de la Renaissance vont durant le premier quart du XVIIe siècle être éclipsées par l'épanouissement d'un naturalisme raffiné caractéristique des années 1610-1650. Les ornements zoomorphes et anthropomorphes traités parfois comme de véritables petites rondes-bosses vont passer de mode, laissant la place à un traitement assez graphique que l'on pressent dès le début du siècle dans les gravures de Jacques Hurtu, publiées en 1614 et en 1619. Les modèles très imaginatifs des orfèvres Jacques Caillart, Balthazar Le Mercier ou Pierre Delabarre ont largement diffusé le goût pour les ornements dits cosses de pois, dont un somptueux exemple est la broche du Victoria and Albert Museum (cat. 181). Plus modeste, le médaillon en or de la collection Linsky au Metropolitan Museum, de New York (fig. 1), est un exemple de ce motif dans la technique des émaux champlevés.

Cet ornement semble parfois mentionné pour désigner un type de bijou, par exemple dans l'inventaire des meubles précieux de l'hôtel de Guise en 1644 : « *Item deux cosses de pois garnis de perles*[1]. »

Certains bijoux portés au début du siècle, comme celui que Louis XIII enfant se voit offrir par la Reine le 12 juin 1605, « *une enseigne de diamants avec ung bouquet de plumes d'aigrette*[2] », disparaissent des inventaires postérieurs. Les nœuds, les galants, les bracelets ornés de pierreries et d'émaux souvent très colorés deviendront les joyaux les plus appréciés. Le numéro 323 de l'inventaire des meubles précieux de l'hôtel de Guise (1644) mentionne : « *Item, trois grands nœuds de diamant en chacun desquels il y a trente-six assez grands diamants en table et dix-huit autres petits taillés à facettes, prisés 5 000 livres.* »

Correspondant à cet esprit, les recueils de François Lefebvre, *Livre Nouveau de Toutes Sortes d'Ouvrages d'Orfèvrerie Receuillies des Meilleurs Ouvriers de ce Temps*, imprimé en 1665, et celui de Gilles Légaré de 1663, mettent en évidence le rôle essentiel des pierreries dans la conception et l'esthétique des bijoux du XVIIe siècle. Les espèces florales y sont représentées avec un souci accru du détail dans un esprit assez proche des ouvrages de botanique. Les lis, dahlias, fritillaires, jonquilles et roses des recueils gravés se retrouvent régulièrement sur des boîtiers de montres datées des années 1640.

1. Guiffrey, 1896, p. 194.
2. Héroard, 1989, I, p. 683.

Fig. 1. Médaillon, or et émail. New York, The Metropolitan Museum of Art, collection Linsky.

Fig. 2. Jean Iᵉʳ Petitot, *Portrait du cardinal Mazarin,* vers 1660. Genève, musée de l'Horlogerie et de l'Émaillerie.

Fig. 3. *Louis XIII enfant,* camée sur opale. Paris, Bibliothèque nationale de France, département des Médailles et Monnaies.

Dans le même temps, les boîtes à portrait décorées d'émaux, à l'image de celle que mentionne l'inventaire après décès d'Anne d'Autriche, « *Item, une boiste d'or esmaillée de bleu où est un pourtrait, prisée 40 l.*[3] », ou bien ornées de diamants, sont de plus en plus appréciées. Dans l'inventaire après décès de Richelieu, établi en 1642, le numéro 1319, « *Item, une aultre boitte d'or à laquelle est le portraict dudit seigneur soubz un cristal taillé à rozette au dos duquel sont six diamens carrés foibles, six diamens en triangles et douze petitz diamens en table aussy foibles, au derrière duquel est représenté une Vierge, prisé la somme de 160 lt.*[4] », est un exemple de l'association fréquente des portraits et des pierreries.

Le médaillon orné du portrait du cardinal Mazarin (fig. 2) conservé au musée de l'Horlogerie et de l'Émaillerie de Genève est l'œuvre de Jean Iᵉʳ Petitot. Né en 1607 à Genève, peintre en émail à la cour de Charles Iᵉʳ avec son coreligionnaire Jacques Bordier, Petitot, dans la lignée des membres de la famille Toutin, excella dans l'art du portrait peint sur émail. Actif à Paris entre les années 1643 et 1687, il exécuta de nombreuses miniatures d'après des portraits de Pierre Mignard[5] ou de Charles Le Brun. Le cadre en or ajouré et ciselé, orné d'émail blanc et de diamants, est attribué à l'orfèvre Gilles Légaré. Celui-ci, membre d'une illustre famille d'orfèvres active depuis trois générations, a exécuté de nombreux cadres de médaillons en or émaillé, qui lui sont attribués par comparaison aux modèles très similaires gravés dans son recueil publié en 1663, *Livre des ouvrages d'orfévrerie.* L'association des émaux de Petitot et des cadres de Gilles Légaré est assez courante[6] ; on y retrouve, tout comme dans le médaillon de Genève, daté vers 1660, un style emprunt de naturalisme où le décor floral enrichi de diamants alterne avec les feuilles d'acanthe, si caractéristiques des années 1650-1660.

En contrepoint à l'épanouissement spectaculaire de la joaillerie, la glyptique entame au XVIIᵉ siècle une période de déclin. La plupart des graveurs en pierres fines mentionnés pendant le règne de Louis XIII achevaient une carrière qu'Henri IV avait plus favorisée que son fils. Les sujets mythologiques et bibliques si largement illustrés au XVIᵉ siècle ne semblent plus avoir séduit les graveurs ; en revanche, l'art du portrait, comme dans le domaine de la médaille, connut encore un succès certain. Les pierres gravées conservées au cabinet des Médailles de la Bibliothèque nationale de France et au musée d'État de l'Ermitage, à Saint-Pétersbourg, en sont les témoins subsistant. Des quelques portraits du Roi, de Marie de Médicis et d'Anne d'Autriche et, encore plus rares, de Richelieu et de Mazarin, le plus spectaculaire est le très raffiné camée sur opale de Louis XIII enfant (fig. 3). La pierre, gravée dans les premières années du siècle, fut sans doute agrémentée plus tardivement d'une monture en or émaillé reprenant les motifs de cosse de pois, typiques des années 1620-1630.

Quelques graveurs sont connus par des mentions d'archives. Olivier Coldoré ou Codoré cité dès 1571, célébré par Mariette[7], dut terminer sa carrière sous Louis XIII.

Julien de Fontenay figure en 1590 comme graveur en pierres fines sur l'état de la maison du Roi. Dans les « *lettres patentes du roi Henri IV obtenues au profit des maîtres des arts et métiers établis par sa majesté en sa galerie du Louvre* » le 22 décembre 1608, accordant privilège à ces artistes, il est cité comme « *nostre graveur en pierres précieuses et vallet de chambre*[8] ». En 1611, ses gages sont portés à cent livres. Sa réputation devait être importante car il figure dans un quatrain rédigé par l'abbé de Marolles en bonne place auprès d'orfèvres célèbres :

3. Cordey, 1930, p. 265.
4. Levi, 1985, p. 72.
5. L'émail du musée de Genève fut exécuté d'après le portrait du cardinal Mazarin par Pierre Mignard conservé au musée Condé, à Chantilly.
6. Grace, 1986, nº 353.
7. Mariette, 1750, I, p. 135.
8. Guiffrey, 1873, p. 19.

« *Quant à l'orfèvrerie, on y nomme La Barre* [voir cat. 169],

L'un et l'autre Courtois, les Baslins [cat. 144] *et Roussel;*

Vincent Petit, orfèvre, et Linse et Jean Vangrel[9],

Julien de Fonteine, en ses joyaux si rares[10]. »

Un certain nombre de camées ont été attribués à l'un des principaux graveurs en médaille de la période, Guillaume Dupré (vers 1574-1642)[11], qui s'est peut-être adonné à la glyptique au cours de sa carrière.

L'accroissement extrêmement réduit des pierres gravées du Cabinet du Roi, est la conséquence du faible nombre d'artistes travaillant dans ce domaine et du peu d'intérêt que Louis XIII porta à ses collections.

9. Voir le cat. 174.
10. Chabouillet, 1875, p. 40.
11. Idem, *op. cit.*, p. 37-46.

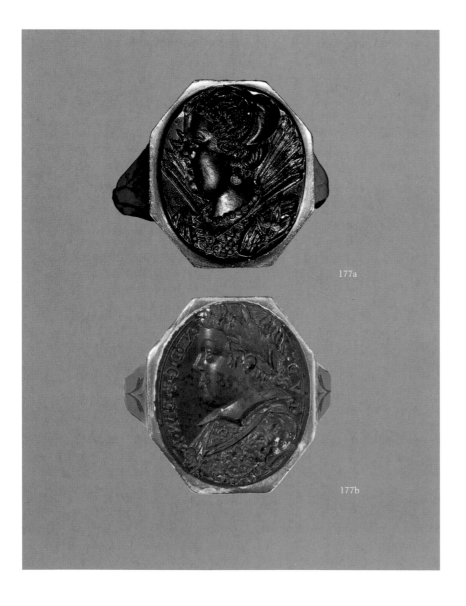

177a

177b

177 (a et b)
Deux bagues

a- Bague à l'effigie de Marie de Médicis

France, vers 1610 | Intaille octogonale de jaspe vert sanguin; or émaillé

Intaille: H. 1,800; L. 1,400; L. bague 2,200

Hist.: n⁰ 209, 12ᵉ tablette de l'Inventaire des pierres gravées du Cabinet du Roi, s. d. [1722-1723].
Bibl.: Mariette, 1750, II, pl. 123; Chabouillet, 1858, n⁰ 2493; Babelon, 1902, p. 147, pl. IX, fig. 13; Scarisbrick, 1993, repr. p. 97.

Paris, Bibliothèque nationale de France, département des Médailles et Monnaies. Inv. Chabouillet 2493

Le portrait occupe toute la surface de la pierre, la gravure en est extrêmement précise, faisant apparaître les détails du costume et des bijoux. La Reine porte le chaperon, signe distinctif des veuves, et un costume caractéristique des années 1610-1620, le corsage très ouvert entouré de la large et haute collerette Médicis ou collet monté.

b- Bague à l'effigie de Louis XIII

France, vers 1610 | Intaille octogonale de jaspe vert sanguin; or émaillé

Intaille: H. 1,900; L. 1,500; L. bague 2,200 | Légende: *LVD. XIII. D. G. F. ET. N. R.* (Louis XIII par la grâce de Dieu, roi de France et de Navarre)

Hist.: n⁰ 203, 12ᵉ tablette de l'Inventaire des pierres gravées du Cabinet du Roi, s. d. [1722-1723].
Bibl.: Mariette, 1750, II, pl. 124; Chabouillet, 1858, n⁰ 2494; Babelon, 1902, p. 147, pl. IX, fig. 14.

Paris, Bibliothèque nationale de France, département des Médailles et Monnaies. Inv. Chabouillet 2494

Le Roi, très jeune, couronné de lauriers, en armure, arborant la croix de l'ordre du Saint-Esprit, est représenté sans doute très peu de temps après son avènement. Son visage, aux joues rondes, s'apparente à ceux que modèle Guillaume Dupré dans les années 1610.

Fig. 1. Mariette, 1750, II, *les Pierres gravées du Cabinet du Roi*, pl. 123.

Fig. 2. Mariette, 1750, II, *les Pierres gravées du Cabinet du Roi*, pl. 124.

L'association de Louis XIII et de sa mère se retrouve sur un camée en onyx de l'ancienne collection Pierre Crozat, acquis par Catherine II de Russie (Saint-Pétersbourg, collections du musée d'État de l'Ermitage, inv. K 992) ; le rôle important de la régence de Marie de Médicis est particulièrement mis en exergue dans ces deux œuvres.

Ces deux intailles sont très proches des planches gravées signées « Coldoré », reproduites dans l'ouvrage de Mariette *les Pierres gravées du Cabinet du Roi. Seconde partie, contenant les Testes*, Paris, 1750 (voir fig. 1 et 2) ; elles n'en diffèrent que par la forme et la répartition de l'inscription autour du profil du Roi.

Oliver Coldoré fut l'un des graveurs sur pierres fines qui, mentionné en 1571 lors de l'entrée de Charles IX à Paris, travailla essentiellement durant le règne d'Henri IV. Il acheva peut-être sa carrière sous Louis XIII. Mariette précise que ses gravures étaient « *tantôt en creux, tantôt en relief, toujours avec une finesse d'outil sans égale, et toujours avec le même succès pour la ressemblance* ». Il paraît pourtant bien difficile de lui attribuer des œuvres précises.

Les deux anneaux d'or sont identiques, ils présentent un très beau décor végétal d'émail opaque bleu lavande, avec à l'extérieur des motifs de feuillages assez stylisés alors qu'au revers du chaton serpentent deux branches feuillues d'un traitement beaucoup plus naturaliste. L'esprit de ces ornements n'est pas très éloigné de celui des modèles gravés par Jean Toutin en 1619.

Ne pourrait-on voir un rapport entre ces deux bagues et le numéro 1363 de l'inventaire après décès du cardinal de Richelieu, effectué en 1642, et mentionnant parmi le contenu d'une cassette inventoriée au petit Luxembourg : « *deux aultres anneaux d'or ausquelz sont en chacun un jaspe gravé du roy et de la reyne* » (Levi, 1985, p. 73) ?

C. G.

178
Louis XIII

France, vers 1630 | Camée en cornaline en forme de cœur | Éléments subsistant de l'anneau et de la bélière en or ; le système d'accrochage a disparu

H. 4,700 ; L. 3,900

Hist. : acquis par le roi Louis XIV en mars 1699

pour 200 livres ; n° 316, 8ᵉ tablette de l'Inventaire des pierres gravées du Cabinet du Roi, s. d. [1722-1723].
Bibl. : Chabouillet, 1858, n° 338 ; Babelon, 1897, p. 340, n° 793, pl. LXXIII, 1902, p. 148, pl. X, fig. 8.

Paris, Bibliothèque nationale de France, département des Médailles et Monnaies. Inv. Babelon 793

L'originalité de ce camée réside dans la sculpture effectuée des deux côtés de la pierre. Il est monté à jour, ce qui semble d'après Mariette (Paris, 1750, I, p. 185) assez couramment effectué lorsque la pierre est d'un grain fin et d'une matière presque transparente.

Sur la face, le buste tourné vers la droite, le Roi est vêtu d'un costume civil, dont on distingue bien le grand collet de lingerie et de dentelle largement étalé sur les épaules. L'épaulière de la cuirasse, ornée d'un animal monstrueux, apparaît en dessous de l'écharpe de commandement. La coiffure correspond à celles qui se portaient dans les années 1620 ; les cheveux sont longs et frisés avec une mèche descendant sur l'épaule gauche. Selon la mode lancée par le Roi lui-même, la barbe est taillée à la royale et les moustaches relevées en coquille.

Au revers est sculptée la croix de l'ordre du Saint-Esprit.

La finesse et la précision de la sculpture, perceptibles dans l'importance accordée aux moindres détails, le traitement mat du visage du Roi, renforçant ainsi l'acuité psychologique du portrait, font de ce camée une œuvre de grande qualité prouvant que, malgré le peu d'exemples conservés, il subsista à Paris durant le règne de Louis XIII une glyptique méconnue de belle facture.

C. G.

179

Louis XIII

France, vers 1640 | Camée en sardonyx à quatre couches de forme octogonale ; monture en or fixée par quatre griffes | Le système d'accrochage a disparu

H. 4,000 ; L. 3,400 | Au revers : étiquette manuscrite de l'Inventaire du Cabinet du Roi, *Louis XIII* ; et petite étiquette indépendante, 5

Hist. : n° 293, 8ᵉ tablette de l'Inventaire des pierres gravées du Cabinet du Roi, s. d. [1722-1723].
Bibl. : Chabouillet, 1858, n° 339 ; Babelon, 1897, p. 340, n° 794, pl. LXXIV.

Paris, Bibliothèque nationale de France, département des Médailles et Monnaies. Inv. Babelon 794

Le buste tourné vers la gauche, le Roi est vêtu d'un costume contemporain et d'une cuirasse dont l'épaulière, ornée d'un animal monstrueux, apparaît sous l'écharpe de commandement. On retrouve la même coiffure que sur le camée en cornaline (cat. 178) ; la tête du Roi est ici ceinte d'une couronne de lauriers.

La représentation de Louis XIII, très classique, perpétue une tradition du portrait royal sur pierre gravée déjà bien établie sous Henri IV, comme le prouve, par exemple, l'intaille en jaspe sanguin de la collection du musée d'État de l'Ermitage, à Saint-Pétersbourg, inv. 3674, représentant Henri IV.

C. G.

180

Anne d'Autriche

France, milieu du XVIIᵉ siècle | Camée ovale en sardonyx à deux couches ; cadre en or émaillé d'un motif de torsades alternant émail blanc opaque et émail noir translucide, fixé par six griffes | Le système d'accrochage a disparu

H. 5,600 ; L. 4,000 | Au revers : étiquette manuscrite de l'Inventaire du Cabinet du Roi, *La reine mère* ; et petite étiquette indépendante, 10

Hist. : n° 292, 8ᵉ tablette de l'Inventaire des pierres gravées du Cabinet du Roi, s. d. [1722-1723].
Bibl. : Chabouillet, 1858, n° 341 ; Babelon, 1897, p. 342, n° 919, pl. LXXIII, 1902, p. 148, pl. XII, fig. 3.

Paris, Bibliothèque nationale de France, département des Médailles et Monnaies. Inv. Babelon 919

La Reine, vêtue d'un costume à l'antique, retenu par une fibule sur chaque épaule, est tournée vers la droite. Sa coiffure est caractéristique de celle qui fut adoptée à la fin du règne de Louis XIII, vers 1635-1640, des « serpenteaux » ou longues anglaises tombent le long des joues et sur les épaules ; le reste des cheveux est relevé en chignon sur l'arrière de la tête.

Les traits alourdis du visage de la Reine permettent de situer l'exécution de ce camée vers 1640-1650.

179

180

La présence d'émail blanc et d'émail noir alternés sur un encadrement se retrouve fréquemment sur les objets précieux de la première moitié du XVIIe siècle, comme les médaillons ou les boîtiers de montre.

C. G.

181

Broche

France, vers 1620 | Or ; diamants ; émail

H. 12,600 ; L. 7,300

Hist.: don Dame Joan Evans, 1975.
Bibl.: Guiffrey, 1896, p. 156-246 ; Evans, 1970, p. 134, pl. 114.
Exp.: Londres, 1980, no 114 ; Anvers, 1993, no 39.

Londres, Victoria and Albert Museum.
Inv. M. 143-1975

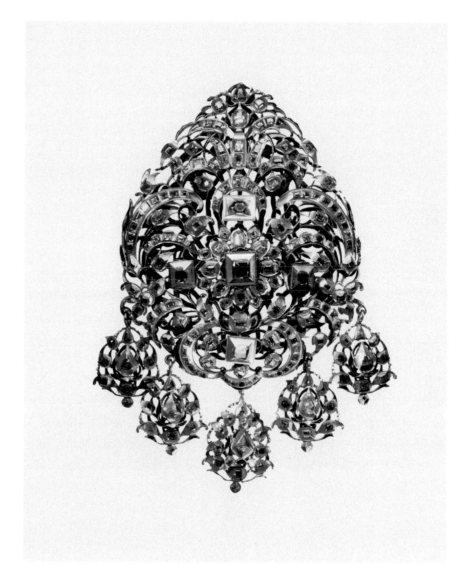

Cette broche est composée de trois parties superposées : une composition rayonnante de feuilles d'or découpées à jour, émaillées de noir, sert de base à un assemblage de motifs végétaux stylisés, légèrement ornés d'émaux noir et blanc, sur lesquels sont sertis les diamants. La troisième partie est le motif central, constitué de dix-sept diamants évoquant une fleur largement épanouie. Cinq pendants sont accrochés à la base du bijou. Seuls les revers des pendants sont ornés d'émaux noir et blanc. Les deux cent huit diamants, montés sur feuille d'or, sont pour la plupart taillés en table, sauf six à neuf facettes et cinq à trois facettes.

Ce somptueux bijou est l'un des rares exemples conservés pouvant être attribués aux joailliers parisiens du premier quart du XVIIe siècle. Sa composition et son style évoquent les planches gravées des « Bouquets d'orfèvrerie », recueils publiés à Paris entre 1624 et 1634. La page de titre de celui de Jacques Caillart, *Livre de toutes sorte de feuilles pour servir a l'art d'orfebvrie* (voir cat. 30), gravé en 1629, présente une structure très proche alliée au motif de cosse de pois si apprécié par les orfèvres et les joailliers parisiens. On retrouve les découpes sinueuses et dentelées des feuilles et des gousses ; les graines, prolongeant avec légèreté les courbes du motif, sont matérialisées sur la broche par les gouttelettes d'émail blanc.

Sur la page de titre du *Livre de toutes sortes de feüilles servant a l'orphèvrerie* (voir cat. 29), Pierre Delabarre, dans un style plus sec et incisif, intègre des barrettes de pierres précieuses aux cosses. La taille et la disposition des pierres y sont nettement indiquées.

Il est hélas impossible d'établir une relation directe avec des œuvres mentionnées à l'époque, les inventaires ne donnant qu'une idée très approximative des objets. Le numéro 1323 de l'inventaire après décès de Richelieu, établi en 1642 (Levi, 1985, p. 72), « *Item, un nœud d'or esmaillé de noir et blanc au milieu duquel est un diament carré espois et autour cinq branches sur lesquelles sont sur chacune trois diamens aussy espois et sur le tour sont appliquez cent petitz diamens aussy carrez et espois, prisé ledit nœud la somme de 3000 lt* », pourrait correspondre à un bijou complexe dans l'esprit de ceux qui furent gravés vers 1620-1630.

La présence de bijoux en plusieurs parties se repère parfois dans les inventaires de la période ; dans l'*Inventaire des meubles précieux de l'hôtel de Guise,* établi en 1644 (Guiffrey, 1896, p. 198), nous lisons : n° 320, « *Item une autre pièce qui a servi audit cordon sur laquelle sont appliqués quarante-quatre diamants en table, parties foibles, partie espois, prisé 500 liv.* », et le n° 321, complémentaire, « *Item, un grand diamant long en table, un peu jaulne, et un chatton, qui a servi au milieu de la pièce ci-dessus, prisé 8.000 liv* ». Les différents éléments de la broche exposée se portaient peut-être en bijoux séparés.

L'utilisation croissante des diamants dans la joaillerie est l'une des caractéristiques des premières années du XVIIᵉ siècle ; ils supplanteront bientôt les rubis et les perles si répandus sur les bijoux de la Renaissance. Taillés en table carrée ou rectangulaire, en miroir pour les pierres peu épaisses ayant une table de grandes dimensions, en pointe et en rose un peu plus tard, les diamants verront leur forme et leur emploi se transformer au cours du siècle. Les orfèvres François Dujardin et Corneille Roger travaillant pour les membres de la famille royale sont les plus connus de ces nombreux lapidaires, souvent originaires des Flandres, qui, formés dans les ateliers réputés d'Anvers, s'installent à Paris, protégés dorénavant par leurs statuts enregistrés en 1600 par le parlement de Paris (Paris, 2001, p. 242-243).

À partir de la seconde moitié du XVIᵉ siècle, ils seront à l'origine de nouvelles tendances dans l'art de la joaillerie parisienne, relayés par de grands amateurs de pierreries.

Anne d'Autriche, dont les bijoux sont décrits dans son inventaire après décès en 1666 (Cordey, 1930), possédait une quantité impressionnante de joyaux, où les diamants sont presque toujours associés aux turquoises, rubis, émeraudes, cornalines, par exemple sur les onze bracelets les plus beaux, inventoriés du numéro 208 au numéro 215, ou montés seuls sur les sept croix prisées en même temps. Mazarin, grand amateur de diamants (Michel, 1999, p. 495), a associé de façon magistrale la première moitié du XVIIᵉ siècle et ce type de pierre en léguant au Roi, en 1661, les plus beaux exemplaires de son temps, les dix-huit Mazarins.

C. G.

182
Boîte ovale

France, vers 1620 | Or, émail

H. 0,077 ; L. 5,000 ; Ép. 5,000

Hist. : don Joan Evans, 1975.
Exp. : Londres, 1980, n° 92.

Londres, Victoria and Albert Museum.
Inv. M 246-1975

Sur le couvercle, ouvrant à charnière, et sur le fond apparaît la même composition symétrique. Des émaux champlevés, blancs et noirs, forment un décor végétal stylisé, inspiré des cosses de pois. Serpentant sur le fond noir, les tiges se détachent en or réservé. L'intérieur en or strié de manière rayonnante est orné d'une guirlande de lauriers nouée.

Directement inspiré des gravures de Jean Toutin publiées en 1619, ce décor épuré et élégant connaît une faveur particulière dans les années 1620-1630, comme le prouvent plusieurs exemples telle la monture en cosses de pois, composée d'émaux noirs, blancs et verts du camée de Louis XIII enfant en opale, conservé à Paris, au département Médailles et Monnaies de la Bibliothèque nationale de France (Babelon, 1897, n° 791).

C. C.

182

*183

Petit cylindre porte-almanach

Paris, 1647 | Or ; miniature sur émail

H. 3,200 ; D. 1,700 | Aucun poinçon

Hist. : collection royale danoise, probablement par
la comtesse Leonora Christina, 1647 ; figure dans
l'inventaire de Rosenborg de 1696, p. 50, n° 9.
Bibl. : Hein, 1988, p. 34, fig. 20 ; Hein et
Kristiansen, 1994, p. 90.
Exp. : Paris, 1978, n° 2 ; Copenhague, 1988, n° 721
(J. Hein).

Copenhague, château de Rosenborg,
collection des rois de Danemark.
Inv. 3.97.

Ce petit cylindre en or est revêtu d'émaux
peints de fleurs naturalistes (tulipes, pensées,
pivoines, etc.) rouges, orangées et bleues, représentées avec leurs tiges et leurs feuilles, vertes, sur
fond blanc. Il contient un rouleau de papier dont
le déroulement est actionné par une petite
manivelle située sur l'une des extrémités du
cylindre, au centre d'une fleur à pétales bleu
turquoise en or découpé rapportée sur une pivoine
en émaux peints de couleur orangée. L'extrémité
opposée du cylindre est ornée d'un myosotis en
émaux peints. Le texte imprimé sur le rouleau de
papier a pour titre « *Almanach Curieux, Pour
l'Année 1647. Epacte 24. De l'Imprimerie de Thomas
la Carrière, ruë S. Iacq. près S. Yves* ».

Cette « galanterie » bien représentative des articles
de Paris proposés dans les boutiques de la capitale
française au XVIIe siècle est issue des collections
historiques de la famille royale danoise. Sa provenance est induite par la date de l'almanach
imprimé sur le rouleau de papier, 1647, qui correspond à celle d'un voyage que fit à Paris Leonora
Christina de Danemark, fille naturelle du roi
Christian IV (1588-1648), venue en France en
1647, à l'occasion d'une ambassade de son mari, le
premier ministre Corfitz Ulfeldt. Le cylindre n'est
pas une œuvre de prestige et il semble peu
probable qu'il ait été offert en présent à la fille du
Roi danois ; au contraire, il illustre la production
d'orfèvrerie, par exemple, des boutiques d'orfèvres
et de merciers du palais de la Cité, lieu de prome-
nade apprécié des visiteurs étrangers.

M. B.-P.

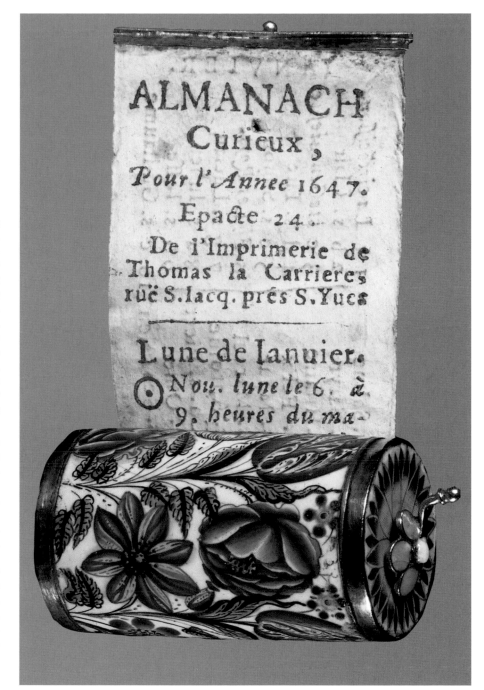

L'horlogerie

Catherine Cardinal

Dans l'histoire de l'horlogerie française, la première moitié du XVIIe siècle se distingue surtout par la décoration exceptionnelle des montres, celle-ci évinçant par son intérêt l'ornementation des horloges. Ce constat ressort d'autant plus que l'époque n'est pas marquée par des progrès techniques améliorant de manière décisive la mesure du temps[1]. Du point de vue économique et social, les années 1610 à 1660 correspondent à un développement remarquable de l'industrie horlogère, comme en témoignent la puissance des corporations d'horlogers, à Paris, Blois et Rouen, la croissance de la production et la vitalité du commerce.

La variété ainsi que le raffinement des formes, des sujets et des techniques caractérisent le décor des boîtiers, conférant aux montres de la période Louis XIII une fonction décorative égale à leur utilité première, celle de donner l'heure. Les pierres précieuses et dures, les émaux translucides et opaques, appliqués de diverses manières, les ornements gravés sont utilisés seuls ou ensemble dans des compositions dont la sûreté de l'exécution et l'imagination du dessin inspirent l'admiration. Des peintures et des gravures révèlent que les montres sont le plus souvent portées sur le costume, suspendues à la taille par une chaîne ou un cordon de soie[2].

Sur les boîtiers en laiton ou en argent, juxtaposant parfois les deux matières, des rinceaux à fleurs de fraisier, peuplés d'animaux, des figures allégoriques, des scènes d'histoire, des paysages gravés composent un décor généralement réparti dans des médaillons et des frises qui soulignent la forme ovale ou octogonale de la boîte. Les graveurs puisent leurs modèles dans les planches publiées par Étienne Delaune, Théodore de Bry, Antoine Jacquard, Jacques Hurtu, Michel Le Blon[3] (fig. 1 [inv. OA 7025] et 2 ; fig. 3 [inv. OA 7044]).

1. Sur le mécanisme des montres et horloges de table des années 1500 à 1650, voir Cardinal, 1984, p. 28-29, 1985, p. 69-75.
2. L'œuvre des peintres hollandais et flamands en offre les exemples les plus nombreux.
3. Cardinal, *op. cit.*, p. 114-119.

Fig. 1. Montre ovale, Salomon Chesnon, Blois, début du XVIIe siècle. Paris, musée du Louvre, département des Objets d'art.

Fig. 2. Étienne Delaune, *Diane avec ses chiens*. Paris, Bibliothèque nationale de France, département des Estampes.

Fig. 3. Montre octogonale, *Lapidation de saint Étienne*, P. Durant, Rouen, 1er quart du XVIIe siècle. Paris, musée du Louvre, département des Objets d'art.

Fig. 4. Montre ronde avec le portrait de Philippe IV d'Espagne, or émaillé, Edme Burnot, Bruxelles, vers 1665. La Chaux-de-Fonds, musée international d'Horlogerie.

Les collections permettent d'étudier un nombre relativement élevé de pièces ainsi décorées. Les boîtes contiennent indifféremment des mouvements signés par des horlogers établis non seulement en France mais aussi en Allemagne, en Angleterre, en Suisse. La diffusion des estampes à travers l'Europe, l'émigration des orfèvres huguenots et, dans une moindre mesure, l'importance des commandes passées aux orfèvres blésois expliquent le caractère international du style décoratif de ces montres à la forme allongée.

Entre le début et le milieu du XVIIe siècle, l'art de l'émail appliqué à la décoration des montres connaît la phase la plus brillante de son histoire. Étroitement lié à l'art de l'orfèvre et du joaillier, il donne naissance à des chefs-d'œuvre dont la perfection technique et l'élégance décorative sont évoquées par quelques pièces visibles dans les musées ou présentées dans des expositions éphémères[4].

Les émaux translucides et opaques sont généralement employés selon la technique du champlevé dans des compositions polychromes de rinceaux, de fleurons stylisés, de fleurettes, d'oiseaux, de libellules dans le style des modèles, gravés en silhouette sur fond noir, de Jacques Hurtu, de Stéphane Carteron, de Jean Toutin et de Pierre Nolin, datés de 1614 à 1619, ou dans le genre des bouquets, formés de cosses de pois, d'Alexandre Vivot et de Balthazar Le Mersier, datant respectivement de 1623 et de 1625[5]. Dans de tels décors, les émaux sont souvent associés à des pierres dures ou précieuses. Les boîtes peuvent avoir la forme d'une fleur, d'une coquille, d'une croix ou d'un cœur.

Dans la technique de l'émail sur ronde-bosse d'or, les émaux translucides et opaques recouvrent des fleurs et des rinceaux découpés à jour dans l'or repoussé ou fondu. Ce procédé de décoration est appliqué à des compositions de fleurs: guirlandes ponctuées de nœuds ou bouquets d'essences variées copiés d'après les modèles de Jacques Vauquer et de Gilles Légaré. Quelques montres témoignent de sa mode dans l'horlogerie[6] (inv. I-1120; fig. 4).

Parfois, l'émail opaque et l'émail translucide sont étendus de manière monochrome sur de larges surfaces afin de faire ressortir l'éclat de leur couleur. Des boîtiers ornés en plein d'émail opaque bleu-turquoise sont en vogue notamment dans le second quart du siècle. De petites turquoises, des diamants, des rubis peuvent accentuer leur effet décoratif, comme le prouvent des exemplaires conservés[7]. En 1637, Louis XIII reçut une montre de ce genre, fabriquée à Blois, « *très petite et émaillée de bleu*[8] ». Des boîtes et des cadrans en or guilloché, recouverts d'émail translucide, d'une couleur vive, sont aussi appréciés à la même époque. Leur coloris est souvent mis en valeur par des motifs en or gravé et réservé ou des ornements émaillés en relief[9].

L'émail translucide apparaît aussi dans un procédé qui semble plus rarement employé si l'on en juge par le très petit nombre d'exemplaires conservés. Rappelant l'art du vitrail, l'émail en résille sur verre – apparenté à l'émail cloisonné à jour – est caractérisé par des émaux colorés translucides insérés entre les fils d'or d'une résille dessinant des rinceaux[10].

Le deuxième quart du siècle est étroitement associé, dans l'histoire décorative de l'horlogerie, à la mise au point de la peinture sur émail et à ses premières créations[11].

Apparue vers 1620-1630, la technique renouvelle la décoration des boîtiers. Grâce à des couleurs vitrifiables, formées d'oxydes végétaux ou minéraux réduits en une poudre très fine et dilués soit avec de

4. Genève, 1983; Avignon, 1998; La Chaux-de-Fonds, 1999; Cardinal, 1984, p. 130-136.
5. Voir le cat. 182 et 187.
6. Citons en particulier la montre représentant Philippe IV du musée international d'Horlogerie, de La Chaux-de-Fonds (Cardinal et Piguet, 1999, p 134-135). Voir aussi le cat. 202.
7. Une montre de Gamot à Paris (cat. exp. Avignon, 1998, n° 120; coll. part.). Une montre de Théodore Girard à Blois, musée d'Horlogerie Beyer, Zurich (inv. 435-67). Une montre d'Edward East à Londres, Victoria and Albert Museum (inv. 14-1888). Une montre de Pierre Foucher à Paris, une montre de Pierre Vernède à Paris, conservée au Patek Philippe Museum (inv. S 131 et S 136). Une montre de Jehan Cremsdorff à Paris, vendue par Christie's, Genève, en mai 1986. Voir aussi le cat 189.
8. *Mémoires de Mademoiselle de Montpensier,* Paris, 1858.
9. Voir le cat. 190 et 192.
10. Deux montres de Thorelet à Rouen (Cardinal, 2000, n° 112); une montre blésoise (Londres, Victoria and Albert Museum, inv. 2553-1855).
11. Voir Cardinal, 1985, étude consacrée aux montres ornées de peintures sur émail, p. 136-155.

Fig. 5. Montre ronde, boîtier peint par Henry Toutin, mouvement d'Antoine Mazurier, Paris, vers 1641. Amsterdam, Rijksmuseum.

Fig. 6. Montre ronde, boîtier peint par Henry Toutin, mouvement d'Antoine Mazurier, Paris, vers 1641 (vue ouverte). Amsterdam, Rijksmuseum.

l'essence, soit avec de l'huile, l'émailleur exécute au pinceau des tableaux en miniature. La mise au point du procédé revient à Jean Toutin (1578-1644), orfèvre-émailleur actif dans sa ville natale, Châteaudun, à Blois et à Paris. Félibien met en évidence les deux innovations du premier peintre sur émail : au XVIe siècle, « *tous les ouvrages d'émail, tant sur l'or que sur l'argent et sur le cuivre n'estoient ordinairement que d'Emaux clairs et transparens. Et quand on employoit des Emaux épais on couchoit seulement chaque couleur à plat et séparément… Mais on n'avoit pas trouvé la manière de peindre comme l'on fait aujourd'huy avec des Emaux épais et opaques ny le secret d'en composer toutes les Couleurs dont on se sert à présent*[12] ». La nouveauté de la technique est aussi soulignée dans le plus ancien traité connu à ce jour. Ce manuscrit, intitulé *Des Emaulx*, conservé à Londres, au British Museum dans le fonds Sloane, a sans doute été écrit par les émailleurs Jean Petitot et Jacques Bordier entre 1638 et 1644[13]. La nouvelle manière de peindre y est décrite comme une « *méthode très rare et curieuse pour se servir des Esmaulx de mesme que de la Couleur en l'Enluminure* ».

Dès 1630, le procédé est couramment employé par des orfèvres-émailleurs de Blois[14]. Isaac Gribelin (mort en 1651), formé par Jean Toutin, est un portraitiste renommé. Christophe Morlière (mort en 1644), orfèvre et graveur de Gaston d'Orléans, est également réputé. Élève de Morlière, Robert Vauquer (1625-1670), frère du graveur Jacques Vauquer, a laissé sa signature sur quelques boîtiers témoignant aussi de son habileté.

La signature des fils de Jean Toutin, Henry (né en 1614) et Jean (né en 1619), apparaît sur de rares pièces conservées, en particulier des boîtes de montre[15]. Le premier a signé le magnifique décor de la montre exécutée en 1641, à l'occasion du mariage de Guillaume d'Orange et Marie Stuart (fig. 5 et 6 [inv. NM 638]). Remarquons que, selon Félibien, « *Après la mort du feu roi Louis XIII, il fit pour la reine régente une boîte de montre d'or, émaillée de figures blanches sur fond noir*[16] ». La signature de son frère figure sur trois boîtiers de montre remarquables par l'éclat des couleurs et la dextérité du dessin, inspirés de paysages italianisants du peintre Poelenburgh[17].

Entre 1630 et 1660, la peinture sur émail fait la réputation des orfèvres-émailleurs de Blois. En 1637, Mademoiselle de Montpensier choisit d'offrir à Anne d'Autriche une montre blésoise « *émaillée et c'étaient des figures selon l'usage de ce temps*[18] ». En 1643, les échevins de la ville font le même choix pour célébrer le retour de Marguerite de Lorraine : « *Suivant ce qui a esté ci-devant advisé de faire ung présent à Mme la duchesse d'Orléans, il est résolu que la ville fera faire, par Morlière, une montre à boiste d'or esmaillée à figures et personnaiges et y employer jusques à la somme de XIIc l.*[19] »

Grâce aux archives et aux œuvres conservées, nous constatons que les peintres sur émail, tels ceux dont nous avons cité le nom, exécutent avec le même talent des décors de fleurs, des portraits, des combats de cavaliers, des scènes tirées de l'histoire sainte et de la mythologie[20]. Ils puisent leurs modèles dans l'œuvre des peintres à la mode, Simon Vouet, Sébastien Bourdon, Charles Poerson, Laurent de La Hyre,

12. Félibien, 1676, p. 420.
13. Lightbown, 1969.
14. Develle, 1894 ; Clouzot, 1924, 1928, p. 5-27.
15. Cardinal, 1985, p. 139-140.
16. Félibien, *op. cit.*, p. 431.
17. Voir le cat. 204.
18. *Mémoires de Mademoiselle de Montpensier*, Paris, 1858.
19. Develle, 1917, p. 35.
20. De nombreux exemples appartiennent au musée du Louvre (Cardinal, 1984, 2000), au Metropolitan Museum of Art, à New York (Williamson, 1912), au musée international d'Horlogerie, à La Chaux-de-Fonds (Cardinal et Piguet, 1999), au Walters Art Museum, à Baltimore, au Patek Philippe Museum, à Genève.

Jacques Blanchard[21]. Ils utilisent largement les recueils gravés vers 1630 à l'intention des orfèvres, comme ceux de Jacques Caillard, François Lefebvre, qui proposent d'élégantes compositions de fleurs minutieusement représentées, puis, après 1650, les planches gravées de riches décors fleuris qui assurent notamment le succès de Jacques Vauquer et de Gilles Légaré.

Le développement économique de l'horlogerie sous le règne de Louis XIII est à l'unisson de sa floraison artistique[22]. À la demande de la cour, de la noblesse et de la bourgeoisie du royaume s'ajoute la forte demande d'une clientèle étrangère. Paris, Blois et Lyon concentrent la plus grande partie de la production des montres et des petites horloges. Mais l'industrie horlogère est aussi prospère à Rouen, La Rochelle, Sedan.

Les horlogers parisiens ont la faveur du pouvoir et finissent par obtenir, en 1646, de nouveaux statuts qui les protègent de la concurrence des orfèvres et des marchands merciers-joailliers[23]. Certains ont le privilège de disposer d'un logement dans la Galerie du bord de l'eau du Louvre et de jouir des avantages attachés à la charge d'horloger et valet de chambre du Roi. Parmi eux, citons Denis Martinot père et fils, Antoine Ferrier et son fils Guillaume, Claude Bidault père et fils, Antoine Femeritté.

À Blois, les horlogers bénéficient aussi des faveurs de la cour. Nicolas Lemaindre est nommé horloger de la reine Marie de Médicis. Notons que cet horloger recevait, en 1631, 2 135 livres pour son « *paiement d'avoir fourni et livré à sa Majesté sept montres en boîtiers d'or, émaillés de figures contenues dans ses parties[24]* ». Abraham Gribelin est horloger de Louis XIII. Plusieurs portent le titre d'horloger de Gaston d'Orléans. Dans l'inventaire après décès de Mazarin, sur les cinq montres qui appartenaient au cardinal, quatre étaient l'œuvre d'horlogers de Blois, Macé, Grégoire, Pierre Le Roux, Jean Rou[25]. L'inventaire de ses meubles, dressé en 1653, mentionnait aussi « *le mouvement de la monstre de diamants de la feue Reyne Mère faicte par le Mindre de Blois, avec son cadran émaillé de vert et noir, dans son estui de maroquin de levant doré* », estimé 600 livres[26].

Hormis les souvenirs de maîtres horlogers célèbres associés à des commandes exceptionnelles, l'établissement de dizaines d'horlogers dans toute la France, l'importance de leur production révélée par les archives et les pièces conservées attestent la vitalité de l'horlogerie française dans les deux premiers tiers du XVIIe siècle.

21. Certains peintres comme Bourdon et Poerson créent de petits tableaux circulaires religieux ou mythologiques qui peuvent être aisément reproduits grâce à la technique de la peinture sur émail, comme le prouvent les exemples conservés. Cette production a incité Philippe Malgouyres à émettre l'hypothèse que ces *tondi* ont été conçus pour servir de modèles aux émailleurs (cat. exp. Rouen, 2000, p. 24). La série gravée par Jacques Vauquer (cat. exp. Montpellier, 2000, p. 478) contient des éléments de réponse non encore élucidés. Voir les cat. 199 et 202.
22. Cardinal, 1985, p. 27-34.
23. Paris, BnF, Mss, Fr. 21795, fos 258-260.
24. Paris, AN, KK 191.
25. Paris, BnF, Mélanges Colbert no 75, fos 6 et 7.
26. Aumale, 1861, p. 62.

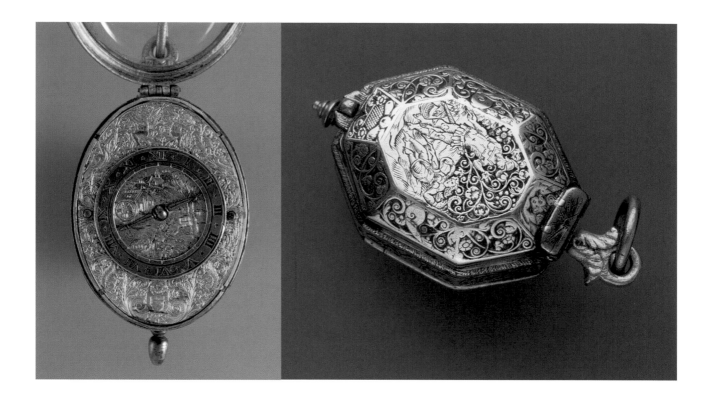

184

Denis Martinot

Horloger parisien

Montre ovale à cadran solaire

Paris, premier quart du XVIIe siècle |
Cristal de roche, argent, laiton

H. 7,000 ; L. 3,600 ; Ép. 2,400 | Mouvement
signé : *D/Martinot/AParis*

> **Hist. :** collection Gavet ; don Paul Garnier, 1916.
> **Bibl. :** Cardinal, 2000, p. 105-106, nº 89.

Paris, musée du Louvre, département des
Objets d'art. Inv. OA 7029

Le boîtier est formé de deux couvercles. L'un,
en argent poli, contient un cadran solaire et une
boussole. L'autre, protégeant le cadran, est un
cristal de roche maintenu par une armature en
laiton. La carrure présente une frise en argent
gravée de rinceaux animés de scènes rustiques. La
plaque du cadran, en laiton, est gravée de rinceaux
peuplés ; au centre, la figure de l'oiseleur est copiée
d'après une gravure d'Étienne Delaune (Robert-
Dumesnil, 1865, nº 260 ; fig. 1) Le mouvement
possède un échappement à roue de rencontre, une
fusée avec corde à boyau, un coq et un cliquet
ajourés et gravés de rinceaux à fleurs de fraisier.

Remarquable par ses décors gravés, cette montre
peut être attribuée soit à Denis Martinot le père, né
vers 1550, horloger d'Henri IV puis de Louis XIII,
entre 1605 et 1611, soit à son fils également pré-
nommé Denis, né vers 1585, qui succéda à son père
dans sa charge d'horloger du Roi jusqu'en 1636.

Fig. 1. Étienne Delaune, *Un oiseleur.*
Paris, Bibliothèque nationale de
France, département des Estampes.

185

Zacharie Fonnereau

Horloger

Montre octogonale

La Rochelle, vers 1650 | Argent, laiton

H. 5,100 ; L. 2,800 ; Ép. 2,000 | Mouvement
signé : *FONNEREAU A LA ROCHELLE*

> **Hist. :** collection Paul Garnier, vente Paris, hôtel
> Drouot, salles nºs 9 et 10, 18-23 décembre 1916,
> nº 136 : legs Mme Claudius Côte, 1961.
> **Bibl. :** Cardinal, 2000, p. 110-111, nº 97.

Paris, musée du Louvre, département des
Objets d'art. Inv. OA 10052

Le boîtier, à pans coupés, en laiton, porte des
médaillons rapportés en argent gravé. Sur le
couvercle apparaît *Persée délivrant Andromède*, sur
le fond *Persée combattant le dragon*. Les figures se
détachent au milieu de rinceaux fleuris. Un décor
végétal similaire orne les autres parties de la boîte.
La plaque, en laiton, du cadran est gravée de
rinceaux peuplés d'animaux. Le cercle horaire, en
argent, présente des chiffres romains. Le mouvement possède un échappement à roue de
rencontre, une fusée avec corde à boyau, un coq et
un cliquet ajourés et gravés de rinceaux.

Le boîtier est un bon exemple du goût de l'époque
pour les décors de rinceaux fleuris. La signature
de Fonnereau ou Fornereau apparaît sur quatre
autres montres (voir Cardinal, 2000) ; elle peut être
attribuée à Zacharie Fonnereau, établi comme
maître vers 1640, à La Rochelle.

C. C.

C. C.

186

Denis Martinot

Horloger parisien

Montre en forme de tête de mort

Paris, vers 1620 | Buis, laiton, fer

H. 4,400 ; L. 3,200 ; Ép. 3,800 | Mouvement
signé : *D. Martinot A Paris*

Hist. : collection Baudot, vente à Dijon, 1852,
n° 379.
Bibl. : Chapiro et *alii,* 1989, p. 61-62, n° 42.

Écouen, musée national de la
Renaissance. Inv. E.Cl. 2161

La tête de mort, en buis, enchâsse une montre
octogonale, dont le couvercle est inséré dans la
mâchoire inférieure. Le cadran est gravé d'un
paysage, de rinceaux et des chiffres romains
indiquant les heures. Le mouvement, circulaire,
possède un échappement à roue de rencontre, une
fusée avec corde à boyau, un cliquet et un coq
ovale, tous deux ajourés et gravés de rinceaux (la
roue de rochet manque).

Plusieurs exemples de montre en forme de crâne
humain sont conservés, témoignant du goût de
l'époque pour les symboles de la fuite du temps et
les Vanités. Celle-ci, d'une composition originale,
est à rapprocher d'une montre de Martinot
mentionnée dans l'inventaire après décès de Louis
Hesselin : « *une autre monstre enchâssée en une teste
de mort dor faite par Martineau…* » (Leopold et
Vincent, 1993).

C. C.

187

Josias Jolly

Horloger parisien

Montre en forme de tulipe

Paris, vers 1620-1640 | Or, laiton, émail

H. 4,200 ; L. 2,900 ; Ép. 2,900 | Mouvement signé : *J. Jolly A Paris*

Hist. : collection du prince Soltykoff, vente à Paris, hôtel Drouot, 8 avril – 1er mai 1861, no 400 ; collection du baron Achille Seillière ; don Paul Garnier, 1916.
Bibl. : Cardinal, 2000, p. 60, 62-63, no 25.

Paris, musée du Louvre, département des Objets d'art. Inv. OA 7032

Les trois pétales de tulipe formant la boîte, émaillés de blanc opaque, sont soulignés de nervures en or réservé et décorés de rinceaux fleuris. Les fleurs et les feuilles apparaissent en émail translucide rouge et vert tandis que les tiges sont en or réservé. Le cadran offre un décor similaire. Le mouvement possède un échappement à roue de rencontre, une fusée avec corde à boyau, un coq et un cliquet ajourés et gravés.

En métal poli ou émaillé, en cristal de roche, les montres en forme de tulipe connaissent une vogue particulière dans le deuxième quart du XVIIe siècle, ainsi que l'attestent de nombreux exemplaires conservés. Le musée du Louvre possède deux autres montres de l'horloger Jolly (inv. OA 679 et 8428).

C. C.

188

Abraham Gribelin

Blois, 1589-1671 (horloger du Roi, maître horloger en 1614)

Montre ovale

Blois, deuxième quart du XVIIe siècle | Or, laiton, émail

H. 3,200 ; L. 2,600 ; Ép. 1,800 | Mouvement signé : *Gribelin / A Blois*

Hist. : Jules-René Olivier ; legs Marie-Julie Olivier, 1935.
Bibl. : Cardinal, 1984, p. 37-38, no 9.

Paris, musée du Louvre, département des Objets d'art. Inv. OA 8305

Le fond est gravé de fleurs de fraisier suspendues à un ruban et encadrées de larges palmes maintenues par un nœud. La carrure est décorée d'une guirlande composée de fleurs de lis, de couronnes fleurdelisées, de L entrelacés. Le cercle des heures, en émail blanc, à chiffres romains, se détache sur une plaque guillo-chée et couverte d'émail translucide vert. Le centre de l'aiguille est orné de deux boutons de tulipe. Le mouvement possède un échappement à roue de rencontre, une fusée avec corde à boyau, un coq ajouré et gravé de rinceaux fleuris, un cliquet. Étui en maroquin noir clouté.

Les motifs décorant la carrure, les palmes figurant sur le boîtier, le fait qu'Abraham Gribelin ait été horloger de Louis XIII laissent supposer une provenance royale pour cette montre. L'extrême rareté des montres conservées possédant une boîte en or renforce son caractère exceptionnel.

C. C.

189

Auguste Bretonneau

Reçu maître horloger à Paris en 1638

Montre ronde

Paris, second quart du XVIIᵉ siècle | Or, laiton, émail

D. 3,200 ; Ép. 1,500 | Mouvement signé :
Bretonneau / Aparis

> **Hist. :** vente d'objets d'art provenant du musée Carnavalet, Paris, hôtel Drouot, salle, 24-29 janvier 1881, nº 193 ; Jules-René Olivier ; legs Marie-Julie Olivier, 1935.
> **Bibl. :** Cardinal, 1984, p. 40, nº 12.

Paris, musée du Louvre, département des Objets d'art. Inv. OA 8293

Un médaillon gravé de fleurs pêle-mêle orne le centre du fond et du couvercle. Autour, des palmes nouées par des rubans se détachent en or gravé sur un émail opaque bleu-turquoise. Le pourtour du boîtier est pareillement décoré de cinq médaillons ovales. Le centre du cadran est recouvert du même émail ; le cercle horaire, en émail blanc, porte les chiffres romains en émail noir. Le mouvement possède un échappement à roue de rencontre, une fusée avec corde à boyau, un coq, une vis-sans-fin.

L'émail opaque de couleur turquoise connut une faveur particulière dans la décoration des montres vers 1640, ainsi que l'attestent plusieurs exemples conservés. Ici, sa couleur est rehaussée par l'or gravé : dans d'autres cas, il s'harmonise à des pierres, notamment des turquoises, ou à des peintures en camaïeu.

C. C.

190

Charles Sarrabat

Horloger parisien, mort avant 1692 (il avait dans son proche entourage familial le graveur Abraham Bosse, mari de sa sœur, et l'horloger du Roi Isaac Thuret, un autre beau-frère)

Montre ronde

Paris, vers 1650 | Or, laiton, cristal de roche, émail

D. 3,000 ; Ép. 1,500 | Mouvement signé :
Sarrabat / Aparis

> **Hist. :** Jules-René Olivier ; legs Marie-Julie Olivier, 1935.
> **Bibl. :** Cardinal, 1984, p. 41, nº 14.

Paris, musée du Louvre, département des Objets d'art. Inv. OA 8306

Le fond du boîtier, martelé, est couvert d'un émail translucide vert sur lequel se détachent, en or réservé et gravé, des rinceaux fleuris et quatre oiseaux perchés. La carrure est pareillement décorée. Le centre du cadran est gravé de rinceaux fleuris. Le mouvement est muni d'un échappement à roue de rencontre, d'une fusée avec chaînette en acier, d'un coq ovale à un pied ajouré et gravé, d'une vis-sans-fin. Étui en maroquin noir clouté.

L'émail translucide de couleur vert émeraude, mis en valeur par le fond en or martelé et les motifs en or gravé, confère à cette montre la préciosité d'un bijou.

C. C.

191

Pierre de Baufre

Horloger parisien (il émigra à Londres après la révocation de l'édit de Nantes ; il y mit au point la fabrication des rubis percés)

Montre ronde

Paris, vers 1650 | Or, laiton, fer, émail, diamants

D. 4,300 ; Ép. 2,300 | Mouvement signé : *De Baufre Paris*

> **Hist. :** legs baronne Salomon de Rothschild, 1922.
> **Bibl. :** Chapiro et *alii*, 1989, p. 67, nº 51.

Écouen, musée national de la Renaissance. Inv. E.Cl. 20546

Un décor symétrique de fleurs et de feuilles en émail opaque sur ronde-bosse d'or recouvre le fond et le couvercle, eux-mêmes couverts d'un émail translucide rouge. Des diamants rehaussent cette composition fleurie. Une guirlande de fleurs en émail noir orne l'intérieur du couvercle. Le centre du cadran est pareillement décoré.

Plusieurs boîtes de montre témoignent, comme celle-ci, de la vogue de l'émail sur ronde-bosse d'or, vers le milieu du XVIIe siècle, appliqué à des compositions fleuries inspirées de Jacques Vauquer ou de Gilles Légaré. La plus célèbre est sans doute la montre du musée international d'Horlogerie, à La Chaux-de-Fonds, décorée du portrait de Philippe IV d'après Velázquez (inv. I-1120).

C. C.

192

Nicolas Lemaindre

Horloger blésois

Montre carrée à devises

Blois, vers 1650 | Or, laiton, émail, verre

Côté 3,100 ; Ép. 1,500 | Mouvement signé : *N. Lemaindre/Blois*

> **Hist. :** don Paul Garnier, 1916.
> **Bibl. :** Cardinal, 2000, p. 81-83, nº 52.

Paris, musée du Louvre, département des Objets d'art. Inv. OA 7026

Le boîtier, carré, en partie couvert d'un émail vert translucide sur guilloché, est décoré de motifs (cordelettes, fleurs, feuillages, rubans, carquois, trophées) en or réservé et gravé. Au milieu de cette décoration se détachent des médaillons en émail peint contenant des devises inscrites dans des banderoles et des Amours également en or réservé et gravé. Sur le fond, deux Amours présentent un cœur sous une banderole marquée « POINCT NE ME TOUCHE » ; sur un côté, un Amour tient deux cœurs sous la devise « IL SE TROVER UNI » ; sur un autre, un Amour choisit un cœur dans un panier, surmonté de l'inscription « JE LE TREVE ». Le cadran est orné d'un paysage où se détachent un Amour assis brandissant un cœur qu'un chien tente de saisir et la banderole « IE NE CRAINT RIEN ». Les chiffres romains des heures sont peints sur un anneau en émail blanc. Le mouvement comporte un échappement à roue de rencontre et une fusée avec corde à boyau.

Ornée de devises amoureuses, cette montre est un précieux témoignage d'une mode caractéristique de l'époque. Sa forme carrée, son décor raffiné, son remarquable état de conservation renforcent son caractère exceptionnel.

Nicolas I Lemaindre, établi comme maître à Blois dès 1600, était valet de chambre et horloger de la reine mère Marie de Médicis, à laquelle il fournit de nombreuses commandes ; il mourut en 1652-1653. Nicolas II Lemaindre, son neveu, était aussi un horloger réputé dans le deuxième quart du XVIIe siècle ; il portait le titre d'horloger du duc Gaston d'Orléans.

C. C.

193

Nicolas Lemaindre

Horloger blésois

Montre de carrosse

Blois, 1630 | Laiton

D. 10,000 ; Ép. 3,700 | Mouvement signé : *Blois Nicolas Lemaindre 1630*

Hist. : collection Bernal (Bohn, 1857, n° 3913).

Londres, Victoria and Albert Museum. Inv. 2366-1855

Le fond de la boîte, en laiton, est amati et gravé de godrons. Sur le pourtour, des fleurs variées, gravées et repercées, apparaissent entre ces godrons, qui se prolongent sur la lunette. Le cadran, en laiton, est gravé d'un cercle horaire à chiffres romains et, au centre, d'une scène d'après une œuvre de Lucas de Leyde, *l'Ensevelissement du Christ*. L'aiguille est en acier. Le mouvement à sonnerie des heures possède un échappement à roue de rencontre, une fusée avec chaîne, un système de réglage avance-retard pour le balancier à ressort-spiral-réglant, postérieurement ajouté. Il est aussi muni d'une roue de compte, d'un coq et d'un cliquet gravés de rinceaux et de fleurs de fraisier.

La remarquable exécution de la scène gravée, dont on peut souligner la finesse du trait et le subtil rendu des ombres et des lumières, s'accorde à la belle qualité du mouvement. Les graveurs blésois étaient particulièrement actifs et renommés pour leurs travaux vers 1630 (Develle, 1978, p. 124-142).

C. C.

194

François de Hecq

Horloger orléanais

Montre de carrosse aux armes du cardinal de Richelieu

Orléans, vers 1640 | Argent, laiton

D. 10,400 ; Ép. 4,800 | Mouvement signé : *De Hecq AOrleans* | Armoiries du cardinal gravées sur le pourtour de la cuvette, à l'opposé du pendant : d'argent à trois chevrons de gueules

M. Pierre Jourdan-Barry

Le pourtour de la boîte, en argent, est ajouré et gravé d'une frise présentant deux putti allongés dans un décor de fleurs. La cloche est vissée dans le fond. Le cadran du réveil, en argent et à chiffres arabes, est gravé de fleurs pêle-mêle au centre. Le cercle des heures, en laiton, présente des chiffres romains en émail noir. Le mouvement à sonnerie des heures et à réveil possède une roue de compte en argent, une vis-sans-fin avec rosette de réglage, un coq ovale à un pied ajouré et gravé de rinceaux fleuris et d'une tête de chien au centre. Le mouvement possède un échappement à roue de rencontre, une fusée avec corde à boyau, trois barillets, dont deux sont ornés de rinceaux.

La décoration florale du boîtier, fréquente dans le deuxième tiers du XVIIe siècle, se distingue par la force et la précision de son exécution. La signature de l'horloger François de Hecq à Orléans, sans doute apparenté au graveur Gérard de Heck, a été relevée par l'abbé Develle sur une montre appartenant à Paul Garnier (1978, p. 192).

C. C.

195

Robert Chevallier

Horloger blésois (apprenti chez Marc Girard, maître en 1579)

1564-1636

Montre ronde

Paris, vers 1630-1635 | Or, laiton, émail

H. 5,000 ; Ép. 1,600 | Mouvement signé :
R. Chevallier / Ablois

> **Hist.:** Jules-René Olivier ; legs Marie-Julie Olivier, 1935.
> **Bibl.:** Cardinal, 1984, p. 38-39, n° 10.

Paris, musée du Louvre, département des Objets d'art. Inv. OA 8429

Deux peintures sur émail, *l'Enlèvement d'Amphitrite par Neptune* et *Persée délivrant Andromède*, ornent l'extérieur du boîtier. Deux scènes champêtres en décorent les faces intérieures. La carrure présente un paysage continu, traversé par une rivière, animé par des personnages. Au centre du cadran, trois Amours fleurissent un arbre. Cette scène reproduit un détail de la gravure *l'Enfant Jésus vainqueur du serpent par la croix* gravée par Laurent de La Hyre, d'après lui-même, datée de 1630. Le cercle horaire, en émail blanc, est peint de chiffres romains. Aiguille en acier bleu. Le mouvement possède un échappement à roue de rencontre et une fusée munie d'une corde à boyau. Le coq et le cliquet sont repercés et gravés de rinceaux à fleurs de fraisier.

Cette montre est un précieux témoignage du style des premières peintures sur émail exécutées par les orfèvres blésois. La signature de son mouvement la situe en effet dans les années 1630-1635.

C. C.

196

Jehan Augier

Maître horloger à Paris dès 1600

Montre ronde

Paris, vers 1630-1640 | Or, laiton,
émail

H. 5,600 ; L. 4,800 ; Ép. 2,000 | Mouvement
signé : *Jehan Augier / Aparis*

Hist. : don Paul Garnier, 1916.
Bibl. : Cardinal, 2000, p. 122-125, nº 113

Paris, musée du Louvre, département des
Objets d'art. Inv. OA 7074

Sur le fond, une peinture sur émail représente
la Vision de saint Hubert d'après une œuvre de
Johan Wierix (Paris, BnF, département des
Estampes, Ec 67a, fº 115) gravée par Cornelis I
Galle (1576-1650 ; fig. 1). Le patron des chasseurs
est agenouillé face au cerf qu'il poursuivait, entre
les bois duquel le Christ sur la Croix apparaît. Le
contre-émail est orné d'une vue maritime, le centre
du cadran d'une scène de chasse au cerf. Les
chiffres romains des heures sont peints sur un
cercle en émail blanc. Le mouvement possède un
échappement à roue de rencontre, une fusée, un
coq ovale ajouré et gravé, une vis-sans-fin.

L'émail blanc opaque du fond, laissé visible par
endroits, met en valeur la fraîcheur des couleurs,
dégradées du brun au rose pâle, du bleu outremer
au bleu-turquoise. Cette montre témoigne de la
technique des premiers peintres sur émail. La signature de Jehan Augier figure sur trois autres montres
décorées de peintures (voir Cardinal, 2000).

C. C.

Fig. 1. *La Vision de saint Hubert*, gravure
de Cornelis I Galle d'après Johan Wierix.
Paris, Bibliothèque nationale de France,
département des Estampes.

197

Josias Jolly

Reçu maître horloger à Paris en 1609, mort à Paris en 1637

Montre ronde

Paris, vers 1635-1640 | Or, laiton, émail

D. 5,800 ; Ép. 1,800 | Mouvement signé : *Jolly Aparis*

> **Hist. :** Jules-René Olivier ; legs de Marie-Julie Olivier, 1935.
> **Bibl. :** Cardinal, 1984, p. 39-40, nº 11.

Paris, musée du Louvre, département des Objets d'art. Inv. OA 8428

Le boîtier est orné de scènes inspirées de la vie de la Vierge : à l'intérieur, *la Visitation* et *le Mariage de la Vierge ;* à l'extérieur, *la Vierge à l'Enfant* d'après une œuvre de Simon Vouet (1590-1649) gravée par Michel Lasne (fig. 1) et *la Vierge et l'Enfant avec saint Jean-Baptiste et sainte Élisabeth* d'après une gravure de Petrus II de Jode d'après Erasmus II Quellin (1607-1678). Le centre du cadran représente l'Espérance sous les traits d'une femme, bras croisés sur la poitrine, près d'une ancre. Le cercle horaire, en émail blanc, offre des chiffres romains en émail noir. Le mouvement possède un échappement à roue de rencontre, une fusée avec corde à boyau ainsi qu'un cliquet et un coq ovale ornés de fleurs de fraisier.

Le style des peintures de cette montre, remarquable par la fermeté du modelé des figures, les franches oppositions des couleurs, est caractéristique des années 1630-1640. On le retrouve sur les boîtiers des montres de Robert Chevallier et de Guillaume Ferrier.

C. C.

Fig. 1. *Vierge à l'enfant,* peinture de Simon Vouet gravée par Michel Lasne. Paris, Bibliothèque nationale de France, département des Estampes.

198

Guillaume Ferrier

Horloger du Roi, mort après 1664

Montre ronde

Paris, vers 1640-1650 | Or, laiton,
émail

D. 5,900 ; Ép. 1,900 | Mouvement signé :
G Ferrier A Paris

> **Hist.** : legs baronne Salomon de Rothschild, 1922.
> **Bibl.** : Chapiro et *alii*, 1989, p. 70, n° 54.

Écouen, musée national de la
Renaissance. Inv. E.Cl. 20901

Les faces extérieures sont ornées de peintures sur émail copiées d'après deux *Vierge à l'Enfant* de Simon Vouet (1590-1649). Sur le fond : *la Madone à la rose* (fig. 1), gravée en 1638 par Claude Mellan, conservée à Marseille, au musée des Beaux-Arts. Sur le couvercle : un autre portrait, dont une gravure très proche, présentant de manière identique les deux têtes accolées et l'attitude de l'Enfant, est conservé (BnF, département des Estampes, Da 8, f° 31). Les contre-émaux et la carrure sont décorés de paysages. Le centre du cadran représente l'Annonciation. Le mouvement possède un échappement à roue de rencontre, une fusée avec une chaîne, ayant remplacé la corde à boyau d'origine, un balancier muni d'un ressort-spiral-réglant postérieur.

Une montre de Goullons, conservée à La Chaux-de-Fonds, au musée international d'Horlogerie (inv. I-551), est aussi ornée d'une peinture copiée d'après *la Madone à la rose* (cat. exp. La Chaux-de-Fonds, 1999, n° 48). Notons la rareté des montres conservées de Guillaume Ferrier, nommé horloger du Roi en 1622, charge dont il héritait de son père, Antoine, décédé en 1622. Il disposait d'un logement au Louvre et fut actif au moins jusqu'en 1664.

C. C.

Fig. 1. *La Madone à la rose,* gravure de Claude Mellan d'après Simon Vouet. Paris, Bibliothèque nationale de France, département des Estampes.

199

Grégoire Gamot

Maître horloger parisien (signa en 1645, avec cinq autres confrères, la liste des nouveaux statuts de la corporation des horlogers, approuvés en février 1646, mort en 1673)

Montre ronde

Paris, vers 1650 | Or, laiton, émail

D. 6,300 ; Ép. 3,000 | Mouvement signé : *G Gamot/AParis*

> **Hist. :** deuxième vente Mme X…[Gauchez], Paris, hôtel Drouot, 14 mai 1892, no 5 ; Jules-René Olivier ; legs Marie-Julie Olivier, 1935.
> **Bibl. :** Cardinal, 1984, p. 44-45, no 21.

Paris, musée du Louvre, département des Objets d'art. Inv. OA 8318

Le boîtier, peint sur émail, est orné de scènes inspirées du roman d'Héliodore, *les Amours de Théagène et Chariclée*. Le fond représente un épisode copié d'après une peinture de Charles Poerson (1609-1667) : *le Mariage de Théagène et Chariclée* (Paris, collection particulière). Sur le couvercle figure *l'Embarquement de Chariclée* d'après une toile de Poerson conservée à Paris, au musée du Louvre (inv. RF 1974-16 ; fig. 1). Le cadran, à chiffres romains, montre l'Amour préparant son arc, sur un fond de paysage. Le mouvement possède un échappement à roue de rencontre, un cliquet ajouré et gravé de rinceaux à fleurs de fraisier. Le coq, circulaire, à feuilles d'acanthe, protège un balancier à ressort-spiral-réglant postérieur.

Plusieurs boîtiers de montre de la même époque, au moins une dizaine à notre connaissance, sont pareillement décorés (voir Cardinal, 1984, p. 45 et 98) d'après des *tondi* à l'huile sur cuivre de Poerson (cat. exp. Metz, 1997, nos 3 à 5). Citons notamment une montre du musée Paul Dupuy, à Toulouse, dont le revers du couvercle présente *la Reconnaissance de Chariclée*. Sur de nombreux exemplaires, la fidélité des copies en émail par rapport aux originaux à l'huile, en particulier la similitude des couleurs – que nous ne constatons pas dans le cas de scènes émaillées d'après des gravures – paraît assez étonnante pour soulever des questions sur les conditions d'utilisation des *tondi* de Poerson.

C. C.

Fig. 1. Charles Poerson, *l'Embarquement de Chariclée*. Paris, musée du Louvre, département des Peintures.

200

Jacques Goullons

Maître horloger à Paris dès 1626,
mort en 1671 (horloger calviniste
proche du milieu des peintres et des
émailleurs)

Montre ronde ornée des portraits de Louis XIII et de Richelieu

Paris, vers 1640 | Or, laiton, émail

D. 6,000 ; Ép. 1,900 | Mouvement signé :
Goullons Aparis

Londres, Victoria and Albert Museum.
Inv. 7543-61

La boîte, peinte sur émail, est formée de deux couvercles ouvrant à charnière et d'une carrure. Du côté du mouvement, le couvercle porte une *Sainte Famille avec sainte Anne* d'après une œuvre de Rubens (Madrid, musée du Prado) et, à l'intérieur, un portrait de Richelieu. Du côté du cadran, le couvercle est orné d'une *Vierge à l'enfant* de l'atelier de Vouet et, à l'intérieur, d'un portrait de Louis XIII. L'extérieur de la carrure figure *la Fuite en Égypte* et *le Repos pendant la fuite en Égypte* ;

son contre-émail est décoré d'une frise continue représentant des scènes de la vie campagnarde. Le cadran, à chiffres romains, présente un paysage au centre. La bélière est émaillée bleu-turquoise comme les charnières. Le mouvement possède un échappement à roue de rencontre, une fusée munie d'une chaînette, un coq ovale à un pied gravé et repercé de rinceaux. Il présente aussi un balancier à ressort-spiral-réglant ajouté postérieurement comme le mécanisme de réglage, dont le cadran cache en partie la signature.

Cette pièce parisienne offre le rare exemple conservé d'une boîte de montre ornée de portraits, de surcroît ceux du Roi et de son premier ministre. Leur attribution traditionnelle à Henry Toutin demande encore à être prouvée. *La Vierge à l'Enfant* reproduit exactement un tableau figurant dans le catalogue d'une vente aux enchères en 1982 (Sotheby Parke Bernet Monaco, Sporting d'hiver, Monte-Carlo, 13 juin). La famille de Jacques Goullons, entrant dans le cercle d'artisans et d'artistes vivant autour du peintre Sébastien Bourdon, a été l'objet d'une récente étude de M. Jean Rivet, encore manuscrite, intitulée *Autour de Sébastien Bourdon*.

C. C.

201

Montre ronde à portrait

France, vers 1640-1650 (boîtier) | La Haye, vers 1750 (mouvement) | Or, laiton, émail

D. 6,200 ; Ép. 2,200 | Mouvement postérieur signé : *LAMBT VRIJTHOFF HAGAE*
Bibl. : Leopold et Vincent, 1993.

New York, The Metropolitan Museum of Art. Inv. 17.190.1413

Le boîtier est orné, à l'extérieur, de deux peintures sur émail copiées d'après des œuvres de Simon Vouet (1570-1649), gravées en 1642 par Michel Dorigny : sur le couvercle, *l'Enlèvement d'Europe*, peinture appartenant à la collection Thyssen-Bornemisza, à Madrid ; sur le fond, *Mercure et les trois Grâces*. À l'intérieur, sur le contre-émail du couvercle, apparaît une scène de bataille dans le style mis à la mode par Jules Romain. Le contre-émail du fond reproduit le *Portrait de Louis Hesselin* (vers 1597-1662), gravé par Robert Nanteuil vers 1650. Les armoiries du personnage sont peintes au centre du cadran.

Cette pièce apparaît dans l'inventaire après décès de son propriétaire, Louis Hesselin, avec cinq autres montres (voir l'article cité où Clare Vincent et John Leopold brossent la personnalité originale de ce collectionneur, créateur de ballets pour le Roi). Soulignons que sa boîte offre un intéressant aperçu des décors prisés vers 1640-1660 : modèles empruntés à l'œuvre de Vouet, scènes de bataille d'après Tempesta, Courtois, portraits.

C. C.

202

Robert Vauquer (?)

1625-1670 (vécut à Blois), peintre sur émail

Boîtier de montre avec cadran

Blois, vers 1650 | Or, laiton, émail

H. 5,100 ; L. 4,300 ; Ép. 1,800
Hist. : don Paul Garnier, 1916.
Bibl. : Cardinal, 2000, p. 126, 128-129, n° 114.

Paris, musée du Louvre, département des Objets d'art. Inv. OA 7076

Sur le fond, *l'Adoration des Mages* est copiée d'après une gravure de Jacques Vauquer (fig. 1) reproduisant une œuvre de Sébastien Bourdon (?). Sur le couvercle, *la Nativité* met en scène la Vierge, l'Enfant, Joseph et deux anges ; à son revers, *l'Annonciation*. La carrure est décorée de quatre médaillons contenant des paysages animés de personnages, séparés par des tulipes. Le centre du cadran représente un chevrier jouant de la flûte.

L'attribution des peintures sur émail à Robert Vauquer est fondée sur le fait que l'une des peintures est la copie d'une scène gravée par son frère Jacques. Le contre-émail du couvercle d'une montre, conservée à Écouen, au musée national de la Renaissance (voir cat. 203), représente la même œuvre (BnF, département des Estampes, Da 32, f° 104). Ces pièces peuvent être rapprochées d'une montre de la collection Sandberg (vente Genève, Antiquorum, 1er avril 2001, n° 253), ornée d'un détail de *la Fuite en Égypte* sur le cadran, *tondo* également gravé par Jacques Vauquer (BnF, département des Estampes, Da 32, f° 104), et, sur le fond, d'une nativité dont la figure de la Vierge est similaire par plusieurs détails à celle qui orne le couvercle de notre boîtier. *L'Adoration des Mages* et *la Fuite en Égypte* apparaissent dans une série de *tondi* gravée par Vauquer où l'on reconnaît deux œuvres documentées de Sébastien Bourdon :

Fig. 1. Jacques Vauquer, *l'Adoration des Mages*. Paris, Bibliothèque nationale de France, département des Estampes.

le repos de la Sainte Famille avec sainte Catherine, Suzanne et les vieillards (cat. exp. Montpellier, 2000, nº 253 et nº 105). La signature de Vauquer est illisible sur deux montres ornées de scènes de bataille (voir Cardinal, 2000, p. 127, et le catalogue de la vente Sandberg, ci-dessus mentionné, nº 188).

C. C.

203

Montre ronde

France, vers 1650 (boîtier) | Autriche, XVIIIe siècle (mouvement) | Or, émail, laiton

D. 5,700 ; Ép. 2,500 | Mouvement postérieur signé : *Johann Romel a Graz*

Hist. : legs baronne Salomon de Rothschild, 1922.
Bibl. : Chapiro et *alii*, 1989, p. 70, nº 54.

Écouen, musée national de la Renaissance. Inv. E.Cl. 20900

Le boîtier est décoré de onze peintures sur émail représentant des scènes du Nouveau Testament. Le couvercle porte une *Vierge à l'Enfant avec saint Jean-Baptiste*, sans doute inspirée de *la Vierge à la chaise* de Raphaël. Sur le contre-émail apparaît un *tondo*, *l'Adoration des Mages*, peint d'après une gravure de Jacques Vauquer (BnF, département des Estampes, Da 32, fº 104). Sur le fond, *l'Éducation de la Vierge*, et sur son contre-émail, *le Repos de la Sainte Famille*. Sur la carrure, six médaillons avec *la Visitation*, *l'Annonce faite aux bergers*, *la Nativité*, *le Songe de Joseph*, *la Sainte Famille*. Le centre du cadran est décoré de *l'Annonciation*.

Jacques Vauquer était horloger et graveur à Blois, où il vécut de 1621 à 1686 ; son frère Robert, peintre sur émail, vécut aussi à Blois de 1625 à 1680. Remarquons que la copie de la gravure de Vauquer est beaucoup plus fidèle, par le style et la composition, dans cette version que dans celle de la montre du musée du Louvre (cat. 202). Sébastien Bourdon (1616-1671), lié au milieu horloger par son beau-frère Jacques Goullons, exécuta plusieurs petits tableaux circulaires dont certains apparaissent sur des montres conservées. Charles Poerson (voir cat. 199) a aussi peint de petits *tondi* reproduits sur des montres.

C. C.

204

Jean II Toutin

Châteaudun, 1619 – après 1660 (émailleur, fils de l'émailleur Jean Toutin et frère d'Henry Toutin, également émailleur)

Boîtier de montre

France, vers 1650 | Or, laiton, émail

H. 5,400 ; L. 4,700 ; Ép. 2,000 | Signature sur le contre-émail du fond, en bas : *J. Toutin*

> **Hist. :** don Paul Garnier, 1916.
> **Bibl. :** Cardinal, 2000, p. 130, 132, nº 116.

Paris, musée du Louvre, département des Objets d'art. Inv. OA 7075

À l'extérieur du couvercle, un banquet champêtre réunit *Cérès, Bacchus, Vénus et l'Amour* d'après une œuvre de Cornelis Van Poelenburgh

(1587-1667). Sur le fond, une scène bucolique au bord de l'eau, *l'Éducation de Bacchus* d'après une œuvre du même peintre (fig. 1). Les contre-émaux sont décorés de paysages copiés d'après Gabriel Pérelle. Le pourtour est orné de quatre paysages – dont deux également inspirés de Pérelle – dans des médaillons.

Jean II Toutin a signé trois autres boîtiers similaires par leur iconographie : l'un, détruit pendant la Seconde Guerre mondiale, appartenait au British Museum ; un deuxième, passé en vente chez Christie's, à Genève, 15 novembre 1989, nº 345, est conservé à Genève, au Patek Philippe Museum (inv. S 178) ; un troisième appartient à la Walters Art Gallery, à Baltimore (inv. 58.136 ; fig. 2). Grâce aux recherches de M. Hans Boeckh, les modèles sont précisément identifiés (voir Cardinal, 2000, p. 130).

C. C.

Fig.1. Cornelis Van Poelenburgh, *l'Éducation de Bacchus*, lavis. Vienne, graphische Sammlung Albertina.

Fig. 2. Jean II Toutin, boîtier de montre. Baltimore, Walters Art Museum.

*205

Paul Viet

1604 – avant 1656 (horloger établi à Blois avant 1638, année de son mariage avec Marie Papin, par lequel il devint l'oncle de Denis Papin)

Montre ronde

Blois, vers 1640 | Or, laiton, émail

D. 5,200; Ép. 1,900 | Mouvement signé : *Paul Viet/Blois* | Inscription : *HIST.D'APIAN*

Hist. : ancienne collection Octavius Morgan.
Bibl. : *Archeological Journal…*, XIX, 1862, p. 293 ; Develle, 1917, pl. XXIV ; Clouzot, 1928, p. 26-27 ; Tait, 1983, p. 48-49.

Londres, British Museum.
Inv. 88,1201.217

La montre présente trois scènes d'histoire, deux peintes sur les faces extérieures de son boîtier, une sur son cadran. Le couvercle est maintenu par une charnière sur laquelle est inscrite la mention « HIST.D'APIAN ». Il est orné d'une scène d'enlèvement à la lisière d'un bosquet, opposant deux femmes à trois hommes masqués et armés, sous les yeux d'un homme, représenté près d'un cheval. Le fond offre un combat sur l'eau : au centre, un homme casqué et armé, parvenu à accoster un bateau, dans lequel gisent deux hommes, affronte un adversaire également armé. Au centre du cadran, à chiffres romains, un homme dévêtu attend le coup fatal d'un prêtre brandissant un glaive tandis qu'à ses côtés, lui tenant la main, une jeune femme s'apprête à se poignarder ; la scène se déroule devant un attroupement de femmes et

de soldats armés de lances. Complétant ces épisodes, sur le pourtour de la boîte, une frise présente une ville fortifiée, en proie aux flammes, d'où une cavalière semble s'échapper, accompagnée d'un homme à pied. Les contre-émaux sont décorés de paysages : une scène pastorale près d'une côte maritime ; un bord de rivière animé d'un cavalier et d'un paysan. Le mouvement possède un échappement à roue de rencontre, une fusée pour corde à boyau. Il est muni d'un cliquet et d'un coq ovale ajourés et gravés de rinceaux à fleurs de fraisier.

Les couleurs, éclatantes, se détachant sur un fond clair, le style vif et précis servent la représentation de ces scènes mouvementées auquel l'accoutrement des personnages confère un caractère théâtral. Les épisodes choisis sans doute dans l'histoire d'Appianus, comme l'indique la mention, donnent à cette pièce une originalité qui la distingue de la majorité des boîtiers contemporains, ornés de scènes religieuses ou mythologiques connues. Son rapprochement, déjà fait par Clouzot (1928, p. 26), avec la montre signée deux fois Henry Toutin, conservée à Amsterdam, au Rijksmuseum, a convaincu Hugh Tait de l'attribuer à cet émailleur.

C. C.

206

Anonyme

Boîtier de montre

Blois ou Paris, vers 1645-1650 | Or, émail

D. 5,800

Hist. : collection Marfels ; collection J. Pierpont Morgan.
Bibl. : Williamson, 1912, p. 84, n° 78, pl. XXXIV ; Vincent, 2002.

New York, The Metropolitan Museum of Art. Inv. 17.190.1583

Un décor polychrome de fleurs variées (œillets, tulipes, roses, narcisses…) peint sur fond d'émail blanc recouvre l'extérieur du boîtier. Deux peintures sur émail, *le Massacre des Innocents* et *le Repos pendant la fuite en Égypte*, ornent respectivement les faces intérieures de la cuvette et du couvercle.

Le naturalisme et la minutie qui caractérisent le décor floral rapprochent cette pièce d'une série de montres exécutées dans les années 1640-1650. La composition symétrique de la peinture autour d'une fleur épanouie l'apparente plus précisément à deux montres de l'horloger Grégoire Gamot, l'une dans la collection Gschwind (cat. exp. Genève, 1983, n° 18), l'autre à Baltimore, à la Walters Art Gallery (inv. 58.148). On peut aussi citer deux montres du musée international d'Horlogerie (Cardinal et Piguet, 1999, p. 128-129, n°s 126-127) dont le style des scènes bibliques est en outre comparable à celui des peintures religieuses des contre-émaux du présent boîtier. Son attribution à l'émailleur blésois Christophe Morlière (voir Williamson, 1912, p. 84) est rejetée par Clare Vincent. Dans une étude récente, celle-ci a en effet constaté que certaines fleurs sont copiées d'après des gravures appartenant à une série publiée en 1645, soit après la mort de Morlière.

C. C.

207

Pierre Noytolon

1588 – avant 1646 (horloger, membre
d'une famille d'horlogers lyonnaise,
il fut reçu maître en 1612)

Horloge de table triangulaire surmontée d'une sphère armillaire

Lyon, début du XVIIe siècle | Laiton,
argent, acier

H. 12,300 ; côté 7,000 | Mouvement signé :
Pierre Noytolon Alyon

> **Hist. :** collection Maxmaron, Dijon ; collection
> Chabrières-Arlès, Paris, legs Mme Claudius Côte,
> 1961.
> **Bibl. :** Cardinal, 2000, p. 36, nº 6.

Paris, musée du Louvre, département des
Objets d'art. Inv. OA 10143

La forme, triangulaire, de la boîte est soulignée de moulures, d'écoinçons et de stries.

Les cadrans indiquent les mois, les signes astrolo-
giques, l'âge et les phases de la lune, les heures. Un
carré astrologique est gravé sur un disque en laiton.
Le mouvement possède un foliot annulaire en
acier, un échappement à roue de rencontre et une
fusée avec corde à boyau. Le coq, à un pied, et le
cliquet sont ajourés et gravés de rinceaux fleuris.
Trois colonnettes séparent les platines.

Supportée par trois volutes, la sphère, mobile, est
composée des cercles méridien, arctique, antarc-
tique et de l'écliptique. Elle présente aussi les
tropiques du Cancer et du Capricorne, l'équateur
et le cercle du zodiaque.

C. C.

208

Noël II Cusin

Actif à Autun entre 1587 et 1656
(horloger, fils de l'horloger Noël
Cusin [1539-1585] ; son frère Charles,
également horloger, préféra émigrer à
Genève)

Horloge de table cubique

Autun, 1622 | Laiton, argent

H. 8,800 ; côté 9,300 | Mouvement signé :
AUTVN NOEL CVSIN | Armoiries et
devise gravées sur le couvercle inférieur
de la boîte : de gueules au lion d'hermines
armé, lampassé et couronné d'or
(Chabannes), heaume cimé d'un lion
issant surmonté de la devise *Leo. Est. in
Via. Salom. Prou* (Proverbes, 22-3 et 26-13)

Hist. : don Paul Garnier, 1916.
Bibl. : Cardinal, 2000, p. 34-35, n° 5.

Paris, musée du Louvre, département des
Objets d'art. Inv. OA 7015

Sur chaque côté de la boîte, en laiton gravé, se
détache la figure d'un guerrier couronné, caracolant sur sa monture à l'avant-plan d'une ville. Une
frise ajourée de rinceaux et de mascarons gravés
laisse voir la cloche de la sonnerie. Le cercle horaire,
en argent, gravé de chiffres romains, est appliqué
en relief sur la face horizontale gravée de rinceaux,
de fleurs, de fruits et de têtes fantastiques. Aux
angles de la partie médiane, des médaillons repré-

sentent les évangélistes : celui de saint Jean porte
la date 1622. Sous le couvercle inférieur apparaît
le mouvement à sonnerie des heures, comportant
une roue de compte en acier numérotée, un foliot
annulaire en acier maintenu par un coq en forme
de S, le cliquet, orné d'une plaque repercée et
gravée de rinceaux fleuris, une fusée avec corde à
boyau, un échappement à roue de rencontre.

Le pourtour présente peut-être les capitaines de la
famille de Chabannes. Selon Philippe Palasi, si
cette hypothèse paraît sérieuse, elle n'exclut
pourtant pas d'envisager une autre origine, en
liaison avec la famille d'Aubigné, qui porte les
mêmes armes avec des variantes autour de la
couronne (voir Cardinal, 2000).

C. C.

209

Pierre Sevin

Cadran polyédrique

Paris, 1662 | Alliage cuivreux, alliage
cuivreux argenté, verre, acier bleu

H. 25,000 (sans les pieds) ; H. 3,500 (pieds) ;
L. 16,300 ; L. 8,200 (cadrans) | Signé et daté :
sur le cadran septentrional, *Pierre Seuin AParis* ;
et sur la base, *Pierre Seuin A Paris 1662* |
Inscription, sous la base, à la pointe-sèche :
Louis XIV est mort le 1er septembre / 1715 |
Armoiries, sur le cadran vertical septentrional,

d'Anne-Marie-Louise d'Orléans, dite la Grande
Mademoiselle : écu en losange timbré d'une
couronne de prince du sang, d'azur à trois
fleurs de lis d'or au lambel de gueules

Hist. : Anne-Marie-Louise d'Orléans, dite la Grande
Mademoiselle ; M. Arquembourg (1936) ; collection Nicolas
Landau, Paris ; don de Mme Nicolas Landau, 1979.
Bibl. : Demoriane, 1974, p. 40 ; Frémontier-Murphy,
2002, n° 80.
Exp. : Paris, 1936, n° 89, 1980-1981, n° 119,
1996-1997, n° 128, p. 311.

Paris, musée du Louvre, département des
Objets d'art. Inv. OA 10 676

Les cadrans polyédriques, apparus à la
Renaissance, ont perduré jusqu'au XIXe siècle grâce
à leur forme attrayante, qui leur assura un grand
succès auprès des collectionneurs.

Celui du département des Objets d'art est composé
sur ses différentes faces de cinq cadrans (un
horizontal et quatre verticaux – un septentrional,
un oriental, un méridional et un occidental) qui
donnent tous la même heure à Paris (c'est-à-dire
à la latitude de 49° nord) ; ils s'orientent grâce à la
boussole sur leur base, et se mettent à niveau, à
l'aide du plomb et des pieds à vis.

Le matériau, le laiton (ou un alliage assimilé), est
caractéristique de la ville de Paris, où seuls les
membres de la corporation des fondeurs avaient le
droit, depuis peu (1656 précisément), de fabriquer
les instruments dits de mathématiques. Au début
du siècle, la demande n'étant pas suffisante pour
faire l'objet d'une production spécialisée, ces
instruments pouvaient encore se trouver chez les
tabletiers, les horlogers ou les artisans du métal
parfois liés au milieu de l'édition. Avec les nouvelles
inventions du XVIe siècle et l'expansion du marché
qui s'ensuit, certains artisans purent finalement se
consacrer exclusivement à leur fabrication ; les
fondeurs, qui en exigèrent le monopole, portèrent
dès lors le titre « *d'ingénieurs et fabricateurs d'instruments de mathématiques, de globes et sphères* ».
Pierre Sevin obtint aussi le titre d'ingénieur du Roi
et fournit entre 1669 et 1683 des instruments pour
les expéditions organisées par les astronomes de
l'Académie royale des sciences, fondée en 1666.

Au début de sa carrière, il reçut la commande de ce
cadran destiné à la Grande Mademoiselle (1627-
1693), nièce de Louis XIII. L'une des princesses les
plus riches d'Europe, elle avait hérité de la fortune
considérable de sa mère, Marie de Bourbon-
Montpensier, morte quelques jours après sa
naissance. Son père, Gaston d'Orléans, s'était illustré par la remarquable collection de curiosités qu'il
avait constituée à Blois, où il s'était aussi aménagé
un observatoire. Ce cabinet comprenant des cartes,
des médailles, des pierres gravées, des coquilles,
des vélins de fleurs et d'animaux, n'était comparable à aucun autre dans la famille royale. Il revint
à Louis XIV et servit de noyau à sa propre collection.

C. F-M.

Les armes en France dans la première partie du XVIIᵉ siècle

Jean-Pierre Reverseau

La production armurière qui résulte de l'activité guerrière et trouve dans toutes les violences du temps des motifs de prospérité et de développement a connu en France, au XVIᵉ siècle, un large essor ; elle s'est poursuivie activement, avec l'encouragement des souverains durant la première partie du XVIIᵉ siècle, en suivant une double évolution, apparemment contradictoire, associant les progrès des armes à feu individuelles au déclin de l'armure complète. À l'inverse de certains domaines spécifiques de l'artisanat dont l'approche nécessite le recours presque exclusif aux sources écrites et figurées, l'étude des armes anciennes s'appuie sur les nombreuses pièces de référence conservées dans les collections publiques. Une large part d'entre elles, militaires ou cynégétiques, résultent des commandes de la Couronne ou des principaux acteurs de l'époque. Leur destination usuelle ne les exempt pas de la richesse décorative et de la préciosité des matériaux rares. Les armes dont les apparences esthétiques restent toujours subordonnées aux données et finalités techniques participent, en effet, d'une culture des apparences et d'une certaine symbolique du pouvoir. Parfois observe-t-on, pour la période des cinquante années qui précèdent le cap de 1630, et dans certains secteurs artistiques, une forme de léthargie et de ralentissement ; une telle appréciation péjorative ne saurait s'appliquer à l'arquebuserie, qui connaît alors un véritable âge d'or identifié par l'émergence d'un style national dégagé des influences étrangères et rehaussé sur le plan technique par l'éclat d'innovations exceptionnelles.

Armes et armures, construction et décor

Les transformations qui s'opèrent au début du XVIIᵉ siècle, dans l'art de la guerre, sous l'influence notamment des réformes de Maurice d'Orange, privilégient le rôle des unités de pied et l'emploi accru des armes à feu individuelles. Ces changements n'ont pas induit le déclin immédiat de l'armure comme protection complète du cavalier. En France, les ordonnances royales rappellent périodiquement aux gentilshommes, l'obligation de ne point « *aller combattre en pourpoint des ennemis armés depuis les pieds jusqu'à la tête…* » (Daniel, 1721, I, p. 401).

Le harnois, « les armes », selon la terminologie de l'époque reste donc l'outil, le vêtement professionnel des gens de guerre montés et ses formes et ornementations reflètent les tendances de la mode et les principaux courants artistiques contemporains. Jusqu'au premier quart du XVIIᵉ siècle s'affirme l'emprise du décor à bandes gravées initié par les armuriers milanais et issu de la tradition maniériste dont témoigne le harnois du duc d'Épernon (cat. 210). Postérieurement, l'armure de Louis XIII (cat. 218) apparaît comme l'un des témoignages les plus significatifs de l'art tardif de l'armure en France. Délaissant l'opulence ornementale antérieure, le harnois, dans ses ultimes productions, extériorise ainsi une austérité toute fonctionnelle. C'est de l'abandon progressif de la lance qu'a résulté la mise au point de « l'armure de cuirassier » recouverte d'une coloration sombre peut-être inspirée du goût traditionnel espagnol, dont les formes lourdes seront bientôt standardisées à toute l'Europe.

Il n'est pas excessif d'évoquer un véritable « *âge d'or du rouet français* » pour souligner la qualité et la beauté des armes à feu produites par les ateliers français au début du XVIIᵉ siècle. La fiabilité du mécanisme s'allie sur ces pièces à l'extrême élégance des formes et au raffinement des décors. Le tracé des montures se subordonne aux contours des mécanismes, définissant un profil caractéristique, et les harmonies soutenues des bois fruitiers incrustés de filigranes de laiton et d'argent permettent de délicates oppositions chromatiques avec l'éclat et le bleu des aciers.

Le climat de la Renaissance avait été propice aux progrès industriels et, par la suite, Henri IV s'était tout particulièrement intéressé aux arts mécaniques et à tous les perfectionnements liés aux métiers (Babelon, 1982, p. 791). Les célèbres lettres patentes du 22 décembre 1608 qui créèrent, dans les galeries du Louvre, une communauté de maîtres appartenant à toutes les disciplines, dont celles qui sont liées aux métiers du fer, fut en France de la plus grande conséquence pour l'évolution de l'arquebuserie ; ainsi les premières armes qui témoignent du nouveau système de mise à feu correspondent-elles à des commandes royales.

Au plan technique, on sait que la platine à rouet mise au point dès le début du XVIe siècle s'est répandue dans l'ensemble de l'Europe et qu'elle a été montée tout d'abord sur les seules armes de qualité. Contemporain du système à mèche, le mécanisme à rouet, techniquement moins complexe et donc plus économique, équipe les armes à usage strictement militaire ; il est élaboré selon le principe du briquet, l'étincelle est produite par la rencontre et le frottement d'une pyrite de métal disposée à l'extrémité du chien, avec un disque de métal, le « rouet », dont le déplacement rapide résulte de l'action d'un grand ressort interne.

Les ateliers d'où sont issues alors tant de pièces remarquables se répartissent dans l'ensemble du pays, depuis la Normandie avec Lisieux, jusqu'à Grenoble, dans le Dauphiné, en passant par Épinal, les villes de l'Est, sous le contrôle ou dans la mouvance française. Sedan, Metz, etc., situées sur les routes d'exil empruntées par les très nombreux artisans protestants, deviennent des centres actifs et réputés. Dans le premier tiers du siècle, des noms vont émerger de l'habituel anonymat des artisans, ceux de Poumerol, Habert, Colas, Bergier, Le Bourgeois, Cordier… et ceux d'ornemanistes, Henequin, Picquot… Dans le contexte de cette production armurière en plein essor sera élaborée la platine à silex à la française, qui correspond à une étape déterminante dans le processus d'évolution des armes à feu à l'échelle de l'Europe.

À l'inverse du mécanisme à rouet, le chien de la platine à silex percute verticalement la plaque de batterie disposée au-dessus du réceptacle à poudre, provoquant ainsi l'étincelle. Cette disposition facilite grandement le tir au vol puisque couvre-bassinet et plaque de batterie constituent une unique pièce s'ouvrant au choc du silex, évitant ainsi, dans un positionnement vertical de l'arme, la dispersion de la poudre. La simplification des organes mécaniques internes devait assurer également le succès du nouveau système, qui se maintiendra, sans transformation importante, jusqu'au début du XIXe siècle, à des fins militaire et cynégétique.

On admet aujourd'hui que ce nouveau système procède principalement du chenapan hollandais en usage dans les régions du Nord et que le nom des Le Bourgeois de Lisieux reste attaché à sa mise au point. Mais la contribution du centre lexovien à l'histoire des armes à feu n'a pas cessé, en 1634, avec la disparition de Marin Le Bourgeois, l'influence et les goûts artistiques du maître et de ses frères se sont transmis à d'autres personnalités de talent, notamment l'ornemaniste Thomas Picquot et l'arquebusier François Duclos, actifs entre 1630 et 1640.

Dans la suite de l'évolution générale du « silex » français se place la production des Cordier, arquebusiers et ornemanistes. Ils précèdent de quelques années l'œuvre de Lecouvreux et le « style Thuraine et Le Hollandois », prologue au grand style parisien défini par Lenk (1939, éd. 1965, chap. 9) comme le « Louis XIV classique ».

Le cabinet des armes de Louis XIII

On connaît la passion d'Henri IV pour la chasse, qu'il transmettra à son fils, qui dès lors, tout autant qu'il aimera « *le jeu de la guerre* », en éprouvera l'immense attrait. Les mémorialistes sont intarissables sur les activités et les succès cynégétiques de Louis XIII (Chevalier, 1979, chap. 3). Héroard, si sollicité aujourd'hui des historiens, ne laisse rien ignorer de l'intérêt du futur souverain pour la chasse et les armes. L'arquebusier Jumeau lui a révélé toutes les particularités des mécanismes, dont il est devenu un spécialiste ; en professionnel, il démonte et répare les pièces ; durant les quarante-deux ans de sa courte existence, l'inclination du Roi s'est donc portée sans discontinuité sur les armes à feu, preuve certaine d'un intérêt avéré pour la pratique du tir. L'immense armurerie qu'il a rassemblée a été inventoriée en 1673 dans le cadre de la section « armes et armures de diverses sortes » (AN, O¹3333), partie intégrante de l'*Inventaire général du mobilier de la Couronne sous Louis XIV,* publié par Jules Guiffrey en 1885-1886. Cette collection, qui jouit auprès des spécialistes et des amateurs d'un très grand prestige, est habituellement désignée sous l'appellation quelque peu réductrice de « *cabinet des armes de Louis XIII* », bien qu'elle réunisse des pièces dont certaines sont chronologiquement antérieures et parfois postérieures au règne du souverain. Le premier inventaire établi par l'intendant et contrôleur général Du Metz comprend 347 numéros; en 1729 (O¹3337), sont mentionnés 455 numéros, et 488 en 1775 (O¹3349-50). La grande majorité des pièces décrites sur ces documents correspond à des armes à feu, armes d'épaule et de poing (arquebuses, « fuzils », mousquets, pistolets…); figurent également des armes blanches (épées, etc.) et des armes de jet (arbalètes, etc.), de coup (masses d'armes, etc.) ainsi que des armures en nombre réduit, la plus tardive étant celle qu'offrit la République de Venise à Louis XIV en 1668. Très brefs, plus que succincts, classés rationnellement par typologie et mécanismes, les descriptifs apportent des informations utiles sur le plan technique et stylistique, notamment concernant la connaissance des premières armes à silex de conception française. Les armes « *toutes simples* » (n° 3) côtoient au n° 21 « *une arquebuse extra-ordinaire…* »; d'autres exemplaires se singularisent par leur construction originale ou expérimentale (n° 240, pistolet à trois canons muni de deux platines à rouet, etc.). Les noms des arquebusiers et la localisation géographique de leurs ateliers sont également générateurs d'informations. Sur le plan quanti-tatif, l'inventaire de Du Metz, daté 1673, qui intègre nécessairement les pièces utilisées par Louis XIII, correspond en effectuant le décompte des numéros collectifs (n° 5, « *quarante neuf arquebuses* », etc.) à plus de cinq cents pièces. Aujourd'hui, nous en connaissons environ cent cinquante: une centaine dont nous suivons les itinéraires et vicissitudes sont conservées à Paris, dans les collections du musée de l'Armée.

210
Demi-armure du duc d'Épernon

France, 1606 | Fer gravé et doré, cuir

H. 0,900; L. 0,700

Hist.: 1799, réputée avoir été envoyée de l'arsenal de la ville de Strasbourg, à Paris, au dépôt d'Artillerie.
Bibl.: *Notice abrégée…*, 1825, n° 9, 1828, n° 71, 1835, n° 6*bis*, 1845, n° 42; Saulcy, 1854, 1855, n° 136; Penguilly l'Haridon, 1862, G 87; Robert, II, 1890, G 106; Charles, 1957, p. 5-15; Reverseau, 1979, p. 217-219, 1982, p. 107.
Exp.: Paris, 1947, n° 93.

Paris, musée de l'Armée. Inv. G 106

Demi-harnois à destination militaire. La défense de la tête est assurée par une bourguignotte au timbre surélevé d'une haute crête, dont la protection pour le visage correspond à une visière mobile. Le corselet est constitué d'un plastron en fort métal partagé par une arête centrale pronon-cée, déterminant au niveau de la ceinture un busc saillant, et d'une dossière complémentaire forgée dans un métal plus léger. Les tassettes montées de dix lames prennent appui, selon la construction française, sur le ressaut ménagé à la base du plastron. Les épaulières et les défenses de bras sont égales.

La garniture interne a disparu. L'ensemble du décor repose sur l'utilisation de registres verticaux gravés et dorés alternant avec des zones polies au blanc. Particularité très exceptionnelle en France, figurent, au-dessus de la braconnière, une date, 1606, et gravées au niveau de l'encolure, sous couronne et entourées du collier du Saint-Esprit, des armes qui ont permis d'identifier le destina-

taire de ce harnois: Jean-Louis de Nogaret de La Valette, duc d'Épernon (1554-1642), colonel général de l'Infanterie française, gouverneur de Metz. Robert-Jean Charles a démontré à l'appui de sources convaincantes que ce harnois aurait été offert à la suite de la campagne de 1605 contre le duc de Bouillon, par le duc d'Épernon, à Jean-Philippe Bocklin, premier magistrat de Strasbourg, pour attester des intentions pacifiques d'Henri IV à l'égard de sa cité.

En raison de son décor, utilisant une profusion de motifs caractéristiques, trophées d'armes, lauriers, palmes…, ce harnois témoigne de la technique décorative spécifique aux armuriers français de la fin du XVI siècle. Les armures dites de Guillaume de Saulx-Tavannes (inv. G 95), de César de Vaulserre, baron des Adrets (inv. G 107), appar-tiennent à ce même courant stylistique, dont une variante, résultant probablement des édits somp-tuaires du temps, prohibant l'emploi de métaux précieux, a substitué à l'emploi habituel de la dorure l'éclat de vives couleurs peintes (armure aux chapeaux de palmes, musée de l'Armée, inv. G PO 457).

J.-P. R.

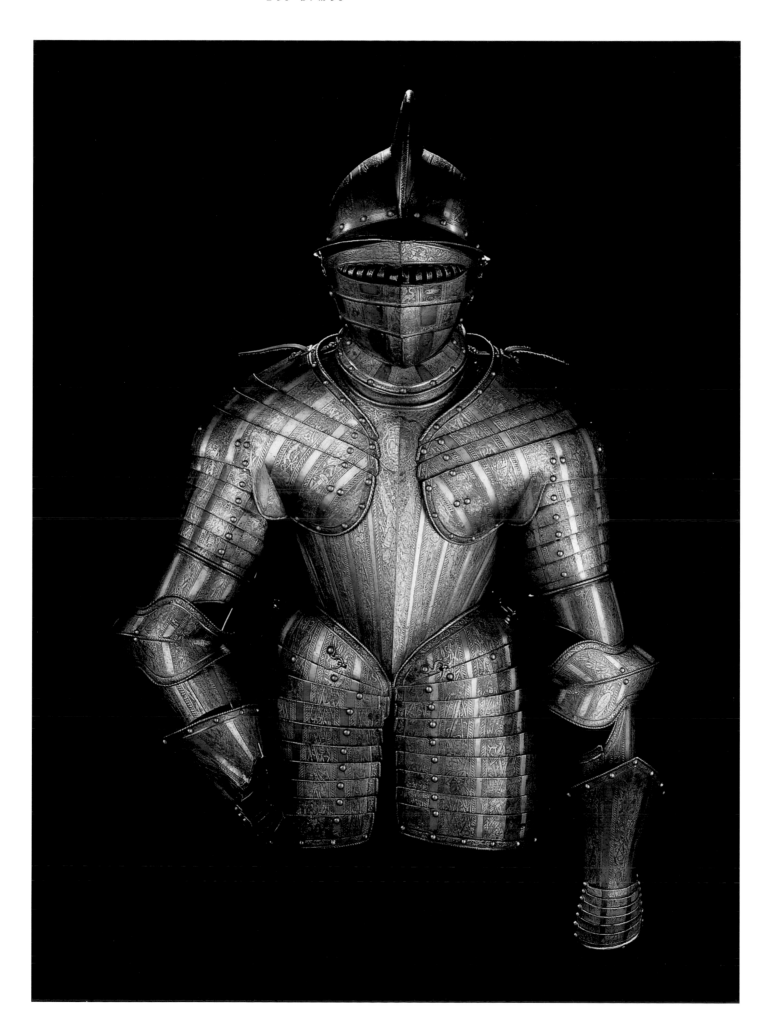

211

Nicolas Colas

Arquebusier à Sedan (actif dans
la première moitié du XVIIᵉ siècle)

Mousquet à mèche

Sedan, vers 1610-1620 | Fer, bois

l. 1,395 ; cal. 0,017 ; P. 5,900 | Signé sur la
platine : *Nicolas Colas* | Inscription : *POUR
LA VILLE DE PARIS* | Armoiries, sur la
platine, de la Ville de Paris et armoiries
inconnues

Bibl. : Penguilly l'Haridon, 1862, M 20 ; Robert,
1893, IV, M 7.

Paris, musée de l'Armée. Inv. M 7

Nicolas Colas appartient à une famille d'arquebusiers réputés, vraisemblablement de confession
protestante, installée à Sedan. Il passe habituellement à tort pour être le fils du fameux Ézéchias
Colas ; cette filiation contestable semble devoir être
inversée, Ézéchias étant plus probablement le fils
ou le frère de Nicolas, dont l'œuvre la plus remarquable est la paire de pistolets à silex du musée
Bardini à Florence (inv. 14916 a et b), réalisée
vers 1650.

La commande, passée par la Ville de Paris, de ce
mousquet ainsi que la mention de sa signature sur
une arquebuse à transformation des collections de
Louis XIII (1673 ; nᵒ 95 ; Guiffrey, 1885-1886, II,
p. 54) attestent du bon renom de ce maître.

L'inscription et les armoiries municipales gravées
sur le mécanisme prouvent que cette arme fut
vraisemblablement destinée à l'usage du guet
parisien. Ses formes massives offrent un profil qui
s'incurve en arrière vers une crosse aux contours
triangulaires soulignée de forts renforts latéraux.
Le canon percé d'une âme lisse, taillé à pans au
niveau de la culasse, qui soutient une visée
tubulaire, est insculpé de la lettre C. La platine, au
corps plat allongé en pointe à ses extrémités, porte
également gravées des armoiries, restées sans
identification précise.

Par l'austérité de sa construction, soignée mais
dépourvue d'ornementation et son mécanisme à
mèche, ce mousquet peut apparaître comme le
prototype des armes à finalité exclusivement
militaire complétant l'équipement des gens de
pied, dans la première partie du XVIIᵉ siècle.
L'influence hollandaise alors caractéristique de la
production des grands ateliers de l'Est semble
absente de cette pièce.

J.-P. R.

212

François Poumerol

Arquebusier (vers 1580 – vers 1640)

Arquebuse à rouet

1613 | Fer bleui, gravé, damasquiné,
bois fruitier

l. 1,287 ; cal. 0,016 ; P. 2,185 | Signé sur
le canon et la platine : *FP* | Daté sur
le canon : *1613* | Inscription : *FAIT AV
MONTEL*

Hist. : 1673, collection de la Couronne, nᵒ 40 :

*« Une carabine de 4 pieds, le canon rond, couleur
d'eau, avec un fiillet enrichy de petits ornement
d'or et de rapport sur les deux bouts ;
la visière, la culasse et les petits ornements de
la platine dorez ; le bois enrichy de petits ornemens
argent et des armes de France et de Navarre
sur la plaque de la crosse »* (Guiffrey, 1885-1886,
II, p. 47) ; 1793, *État…*, nᵒ 40 ; sous le second
Empire, musée des Souverains au Louvre ; à la
dissolution de celui-ci, attribué au musée
d'Artillerie le 29 juin 1872.

Bibl. : Barbet de Jouy, 1868, nᵒ 106 ; Robert, 1893,
IV, M 95 ; Mariaux, 1927, pl. XXIX ; Hayward, 1963,
I, p. 151 ; Reverseau, 1982, p. 98.

Paris, musée de l'Armée. Inv. M 95

François Poumerol est né en Auvergne vers
1580 ; à l'âge de douze ans, il entre en apprentissage
chez un fourbisseur ; très vite il délaisse les armes
blanches pour les armes à feu et apparemment
connaît, dans ce domaine, un succès rapide puisque,
dès 1613, il réalise cette commande à l'usage du
jeune Louis XIII, attestant ainsi de sa précoce
maîtrise technique et de ses qualités artistiques ; à la
même époque, il œuvre pour la cour de Danemark.
Sa production figure à Londres, à la Wallace
Collection (un pistolet à rouet, inv. A 1177), aux
Royal Armouries de Leeds (une paire de pistolets à
rouet, inv. XII-1263/4), au château de Rosenborg
(une paire de pistolets à rouet à la demande de la
reine Anne-Catherine de Danemark, inv. 7-
137/147), dans la collection Odescalchi à Rome (une
paire de pistolets à rouet, inv. 49-50), à Florence, au
musée Stibbert (une paire de pistolets à rouet,
inv. 3327). Le musée de l'Armée possède également
de Poumerol une arquebuse à rouet, inv. M 144
(collection de la Couronne, nᵒ 50), et un pistolet à
rouet (inv. M 05050) dépourvu du poinçon de
l'arquebusier (collection de la Couronne, nᵒ 221). Il
meurt vraisemblablement vers 1640, pensionné par
Gaston d'Orléans.

Le canon de la présente arquebuse, qui a conservé
son bleu, porte sur toute sa longueur une ligne de
visée saillante. Se lit au niveau du tonnerre, gravée
dans un phylactère, l'inscription accompagnée des
initiales FP et la date, 1613. Sur le corps de platine
« tout uny » s'enlève le rouet externe et figurent à
nouveau, répétées, les lettres FP. La monture, en bois
de poirier d'une coloration soutenue, est délicatement moulurée à l'arrière du bréchet et s'élargit
pour constituer une crosse triangulaire surmontée
d'une crête arrondie ; au voisinage du pontet s'enlève
la double représentation du fermesse ; la plaque de
couche porte gravée les armes de France et de
Navarre attestant précisément d'une commande
personnelle du jeune souverain.

L'élégance de cette ornementation établie principalement sur les effets et les contrastes chromatiques souligne toute la perfection des formes.
Outre la qualité exceptionnelle de sa production,
que prouve pleinement cette pièce, la notoriété de
François Poumerol, auprès des spécialistes, s'établit
sur ses célèbres *« Quatrains au Roy sur la façon des
Harquebuses et pistolets… »* adressés en 1631 au
souverain (Lenk, 1939, éd. Hayward, 1965, p. 28-
29), accompagnés d'un fusil à chenapan et d'un
pistolet à rouet. L'analyse de ce texte, qui fait de
lui le véritable théoricien des armes à feu contemporaines, révèle les utiles réflexions d'un expert et
d'un inventeur concernant les mérites respectifs

des nouveaux mécanismes de mise à feu, déterminant également que, à cette date, systèmes à
chenapan et à silex restaient encore des nouveautés alors que triomphait le mécanisme à rouet,
qu'illustre si parfaitement cette pièce.

J.-P. R.

213

Jean Habert

Arquebusier à Nancy (début
du XVIIᵉ siècle)

Arquebuse à rouet

Nancy, vers 1615-1620 | Bois
fruitier, fer bleui, damasquiné, doré,
argenté, ciselé

l. 1,235 ; cal. 0,010 ; P. 2,520 | Signé :
J. Haber, à Nancy

Hist. : 1673, collection de la Couronne, nᵒ 43.
*« Une carabine de 3 pieds, 9 pouces, le canon
couleur d'eau, enrichy d'or et d'argent, où sont
deux aigles dans le milieu, le rouet uny sur un
bois de poirier garny de petits ornements
d'argent, faite par Haber, à Nancy »* (Guiffrey,
1885-1886, II, p. 47) ; collection Georges
Pauilhac ; legs de G. Pauilhac, 1966.
Bibl. : Lenk, 1939, éd. Hayward, 1965, p. 156 ;
Lenk, 1943, fig. 8 ; Brissac et Charles, 1968,
p. 59.

Paris, musée de l'Armée. Inv. M PO 2842

La production de ce maître important n'est
connue que par cette arquebuse. Le nom d'Habert
figure à une autre reprise dans l'inventaire des
collections d'armes de la Couronne (nᵒ 247, *« un
pistolet à rouet… »*).

Le canon, à âme lisse, taillé à pans sur sa plus
grande longueur, accueille, au niveau du tonnerre,
où se discerne gravée la signature de l'arquebusier,
et en plusieurs autres places des plages ornées de
motifs damasquinés repris et gravés simulant des
rinceaux dorés et argentés s'enlevant en fort relief
sur un champ bleui à couleur d'eau ; une ornementation d'inspiration et de technique similaires
recouvre le pontet de sous-garde et la contre-
platine.

La monture, en bois fruitier fortement coloré, est
incrustée de filigranes d'or et d'argent traçant sur
la crosse, principalement en arrière de la culasse, au
col, au talon, des arabesques aux graphismes
complexes ponctuées de placages d'ébène. Contrastant avec l'éclat de ces matériaux, le sobre poli du
mécanisme est délicatement gravé de rinceaux
feuillagés.

À l'évidence, cette pièce correspond à l'une des plus
belles réussites esthétiques de l'arquebuserie
contemporaine. Sur le plan technique, l'influence
allemande reste sensible au niveau de la construction du couvre-bassinet. Une ornementation
semblable et d'une ampleur décorative comparable,
inhabituelle sur une arme française, se déploie sur
une autre pièce, un pistolet à rouet, daté vers 1610,
provenant de l'ancienne armurerie du margrave de
Bade (Karlsruhe, Landesmuseum, inv. G 640 ;
Thomas, 1975, p. 92). L'appartenance ancienne de
l'arquebuse aux collections de la Couronne est
confirmée par le numéro 43 gravé sur la crosse, au
centre de la joue de droite.

J.-P. R.

211

212

213

214

Marin Le Bourgeois

Arquebusier à Lisieux et à Paris (mort en 1633)

Fusil à silex

Paris, vers 1620 | Fer bleui, damasquiné d'or, bois fruitier, peinture

l. 1,450 ; cal. 0,037 ; P. 6,500 | Signé sur la plaque de couche : *M. LE BOURGOIS*

Hist. : 1673, collection de la Couronne, nᵒ 122 : « *Un fusil de très gros calibre, de 4 pieds 4 pouces, le canon couleur d'eau, doré de rinceaux sur le bout et sur la culasse ; la platine gravée en taille d'espargne sur un bois de poirier, dont la crosse est vuidée en consolle, peinte de rinceaux d'or sur un fond rouge des deux costez, dans laquelle il y a un crapau de plomb* » (Guiffrey, 1885-1886, II, p. 58) ; 1827, musée d'Artillerie.
Bibl. : *Notice abrégée…*, 1827, nᵒ 70, 1845, nᵒ 2161 ; Saulcy, 1855, nᵒ 2289 ; Penguilly l'Haridon, 1862, M 1663 ; Robert, 1893, IV, M 435 ; Lenk, 1939, éd. Hayward, 1965, chap. 3 et chap. 11, fig. 11 ; Hayward, 1962, I, p. 150-153 ; Lindsay, 1967, p. 86 ; Hoff, 1969, I, p. 153 ; Reverseau, 1982, p. 104-107.

Paris, musée de l'Armée. Inv. M 435

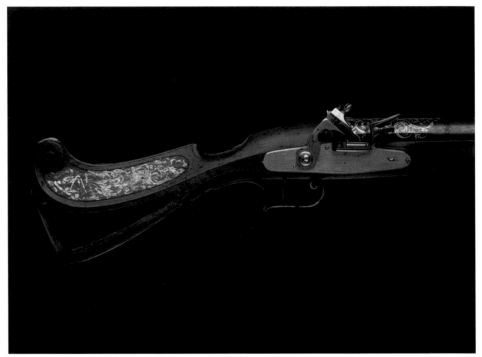

Détail

Ils furent au moins trois frères, Jean, Pierre et Marin, appartenant à une famille d'horlogers et d'arquebusiers de Lisieux (Huard, 1913 et 1926). Les documents prouvent que la personnalité exceptionnelle de Marin dépasse très largement la seule réalisation des armes, qu'elle s'est exprimée dans plusieurs disciplines artistiques et techniques. Curieux d'inventions mécaniques, Le Bourgeois fut le créateur d'un « globe céleste »… En 1583, il peignit des armoiries pour célébrer l'entrée du duc de Joyeuse à Lisieux. En 1591, il est mentionné comme « *Peintre ordinaire du duc de Montpensier* ». En 1594, sa carrière fut transformée par la faveur royale, il reçut une pension de peintre et le titre de valet de chambre du Roi (Janneau, 1965, p. 13). En 1605, Marin présenta à Henri IV une arbalète et un fusil, il est mentionné comme arquebusier, et, en décembre 1608, il reçut le privilège envié du brevet de logement aux galeries du Louvre ; il est alors connu comme « *peintre, et valet de chambre et ouvrier en globes mouvans, sculpteur et autres inventions mécaniques* ». Deux œuvres peintes (Béguin, 1990, p. 41-61) et deux armes portent sa signature, le fusil, aux armes de France et de Navarre, conservé à Saint-Pétersbourg, au musée d'État de l'Ermitage (inv. 94 ; 1673, nᵒ 152) et le présent fusil ; deux autres pièces superbes conservées aux Invalides, un mousquet à mèche (inv. M 369 ; 1673, nᵒ 176) et un fusil (inv. M 529 ; 1673, nᵒ 157), lui sont attribuées.

La présence sur le mécanisme de ce dernier fusil d'un poinçon étranger à celui que l'on attribue aux Le Bourgeois a conduit à s'interroger sur la part précise qui revient à Marin dans la réalisation de ces pièces. Certes, il est admis que les premiers silex français mis au point à partir de la platine à chenapan hollandais apparaissent en France sur les armes des Le Bourgeois ; pour autant, convient-il d'en accorder à Marin exclusivement, en raison de sa qualité reconnue de « mécanicien », la géniale interprétation et adoption sur les armes que lui ou son frère Pierre ont signées ? Faut-il admettre que son rôle s'est limité à celui d'un génial décorateur et que l'« *invention* » du silex est le terme d'une entreprise collective ?

La signature du présent fusil a échappé à l'attention du rédacteur de l'inventaire de Louis XIV. Le canon, de très fort calibre, à l'usage vraisemblable de canardière, offre une âme lisse et développe extérieurement un aplat où se dispose la visée tubulaire ; l'ensemble est bleui et des arabesques damasquinées et dorées se répartissent en deux zones vers la bouche et le tonnerre. La platine, le pontet de sous-garde et la plaque de couche sont gravés à l'acide d'un fin décor végétal exempt de toute dorure, dans le dessein de créer un contraste chromatique avec les autres éléments métalliques de l'arme. La monture est en bois de poirier rouge, dont les contours sont soulignés de minces filigranes de laiton. La crosse, qui s'allonge en volute, est évidée d'une large ouverture triangulaire destinée à retenir « *le crapau de plomb* » ou contre-poids, aujourd'hui disparu ; des feuillages dorés se détachent d'un fond vermillon sur les joues de la crosse.

Des deux pièces signées de Marin, ce fusil se situe chronologiquement, dans le processus de leur évolution technique, à la suite du fusil de l'Ermitage, en raison de la simplification relative de son mécanisme, attestée par la disparition de la butée d'arrêt du chien et de la zone lisse de décor simulant, sur le fusil de l'Ermitage, le pare-étincelle caractéristique des mécanismes à chenapan. Le traitement des damasquines, dont les arabesques se décèleront sur les planches de Thomas Picquot, *Livre de diverses ordonnances de feuillages, moresques…* (1638), le travail de la monture et l'utilisation de décors peints témoignent pleinement des remarquables talents artistiques que l'historiographie reconnaît au maître de Lisieux. Tout aussi original apparaît le travail de la monture. Le fusil de l'Ermitage était ainsi pourvu d'un étrange prolongement dessinant le pied d'un cervidé servant d'appui à une cariatide de bronze doré, motif que reprendra, en 1636, François Duclos (inv. M 410 ; 1673, nᵒ 151) ; en écho, l'inventaire décrit au nᵒ 127 « *un beau fusil* […] *fait à Lizieux,* […] *la crosse faite d'une patte d'aigle…* », au nᵒ 143 « *un beau fusil* […] *une grosse teste de cocq de cuivre doré fait à Lizieux par Bourgeois…* », conférant à ces armes, un caractère singulier et une étrange séduction.

J.-P. R.

215

Attribué à Pierre Le Bourgeois

Arquebusier à Lisieux (mort en 1627)

Fusil à silex de Louis XIII

Lisieux, vers 1610-1620 | Fer damasquiné d'or, bleui, cuivre, argent, nacre, bronze, bois de poirier noirci

l. 1,400; cal. 0,015 | Poinçon: *PB*

Hist.: 1673, collection de la Couronne, nº 134 : « *Un beau fusil de 4 pieds, 4 pouces, fait à Lisieux, le canon rond, couleur d'eau, ayant une arreste sur le devant et à pams sur le derrière, doré de rinceaux en trois endroits, la platine unie ornée de quelques petittes pièces dorées sur un beau bois de poirier noircy, enrichy de plusieurs petits ornemens d'argent et de nacre de perle, la crosse terminée en consolle par le dessous, sur laquelle, il y a une longue fueüille de cuivre doré de rapport, et, sur le poulcier un mascaron d'argent et une L couronnée vis à vis de la lumière* » (Guiffrey, 1885-1886, II, p. 59-60); an II, *Armes manquantes...*, nº 134; 1920, collection W. G. Renwick; vente Renwick 2, Londres, 21 novembre 1972, nº 21; acquis par le Metropolitan Museum of Art.
Bibl.: Lenk, 1939, éd. Hayward, 1965, chap. 3, fig. 9; Hayward, 1963, p. 153-155; Hoff, 1969, I, p. 246-250; Hayward, 1979, p. 246-247; Blackmore, 1983; Tarassuk, 1986, p. 88-93.
Exp.: Saint Louis, 1940, pl. Ic.; New York, 1931.

New York, The Metropolitan Museum of Art. Inv. 1972.223

Frère cadet de Jean, mort en 1615, Pierre Le Bourgeois disparut en 1627, sept ans avant son célèbre frère Marin. À son aîné Jean, on attribue le monogramme IB à l'arbalète, identifié sur un pistolet à double rouet (collection de la Couronne, nº 238, musée d'Armes de Liège, inv. S 10238 – Ej 1/8) et une paire de pistolets à rouet – nº 211 – partagée entre Berlin (pavillon de Grünewald, inv. 9178) et Londres (The Wallace Collection, inv. A 1176); depuis la nouvelle lecture et interprétation par Hayward, en 1972, du poinçon insculpé sur le présent fusil, on admet que les lettres initiales PB reviennent à Pierre Le Bourgeois. Sa production apparaît égale en qualité à celle de Marin, dont elle n'atteint cependant pas l'extrême richesse inventive. Le musée de l'Armée a acquis récemment de Pierre Le Bourgeois une arquebuse à rouet à trans-

formation (inv. M 994.350; collection de la Couronne, nº 93; Reverseau, 1995), et sont conservés de ce maître exceptionnel, outre le fusil à silex du Metropolitan Museum, une arquebuse de la Wallace Collection (collection de la Couronne, nº 61; inv. A 1110) et un fusil au château de Forchenstein (Burgenland) dont l'attribution est restée discutée.

Le fusil étudié ici présente une construction originale d'un exceptionnel effet esthétique. La monture, en bois de poirier noirci, s'achève sur une crosse dessinant une volute soulignée de motifs perlés en nacre à laquelle sont accolées des ornementations de cuivre et bois simulant les contours de larges acanthes. Le goût des crosses travaillées commun aux Le Bourgeois s'exprime pleinement sur cette pièce, qui n'est pas cependant sans évoquer la typologie caractéristique d'une suite d'arquebuses réalisées vers 1600 par un grand arquebusier de Dresde, Balthasar Iᵉʳ Dressler, à l'usage des gardes du futur empereur Mathias (Paris, musée de l'Armée, inv. M 89). Des filigranes de métal doré et argenté s'étendent sur le fût; ils tracent des rinceaux habités de nombreux volatiles puisant dans une inspiration commune avec celle qui agrémente l'arquebuse à transformation de Pierre Le Bourgeois du musée de l'Armée (inv. M 994-350), l'arquebuse à rouet de la Wallace Collection (inv. A 1110) et le fusil à silex de l'Ermitage. Il est utile de souligner que le répertoire de ces ornementations, constitué en majorité de sarments de vignes, inclut à plusieurs reprises des feuilles et des graines analogues à celles qui apparaissent dans les bouquets d'orfèvrerie gravés par Balthazar Moncornet (Alcouffe, 1988, p. 50). Au revers de l'arme figurent, incrustés, le L sous couronne, des putti ailés et, au niveau de la pièce de pouce, un médaillon représentant le jeune souverain. La damasquine du tonnerre, où se trouve insculpé le poinçon PB, diffère du traitement et du répertoire ornemental de la monture par des tracés plus géométriques, plus archaïques et peut-être moins libres, que l'on discerne aussi sur le canon de l'arquebuse de la Wallace Collection (inv. A 1110).

Les principales pièces du mécanisme, le chien à haute hampe et face plate, dont la base circulaire

rencontre la buttée d'épaulement, le bassinet et les organes internes, noix, bride, ressort, etc. sont similaires à ceux du fusil de l'Ermitage. Ces analogies d'ordre technique et les données stylistiques ont conduit Gusler et Lavin (1977), prenant en compte l'identification du poinçon de Pierre Le Bourgeois, par Hayward, à remettre en cause la chronologie établie par Lenk en 1939, et partant, à conclure que le silex n'a été mis au point, en France, que dans la troisième décennie du XVIIᵉ siècle... et qu'en conséquence le fusil nº 134 de l'Inventaire précède les deux armes signées par Marin; Hayward (1979), nous-même (1982) et Tarassuk (1986) ont refusé cette hypothèse qui, *de facto*, situerait dans une même phase chronologique les mécanismes montés sur les fusils du Metropolitan Museum signé de Pierre Le Bourgeois et du musée de l'Armée portant en 1636 la signature de François Duclos (inv. M 410).

J.-P. R.

216

Paire de pistolets à rouet

France, vers 1620-1630 | Fer, bois, dorure, bleui

l. 0,720; cal. 0,013; P. 1,100 | Poinçon: *NB*

Hist.: musée national du Moyen Âge – Thermes de Cluny, nº 5584-85, 1949.
Bibl.: Reverseau, 1982, p. 97.

Paris, musée de l'Armée. Inv. M 05050

Les longs canons (0,520 mètre), à âme lisse, sont damasquinés au tonnerre d'arabesques dorées s'enlevant sur un champ bleu et insculpés d'un poinçon resté sans identification précise, associant les lettres initiales N et B avec la représentation d'une arbalète, symbole identitaire, à l'époque, de la production des Le Bourgeois de Lisieux. Autour de la platine, de dimensions réduites, s'arrondit la monture également libre de tout décor; au revers, le porte-vis, simplifié à l'extrême, retrouve sa fonction exclusivement utilitaire – assurer le maintien de l'extrémité de l'axe central permet-

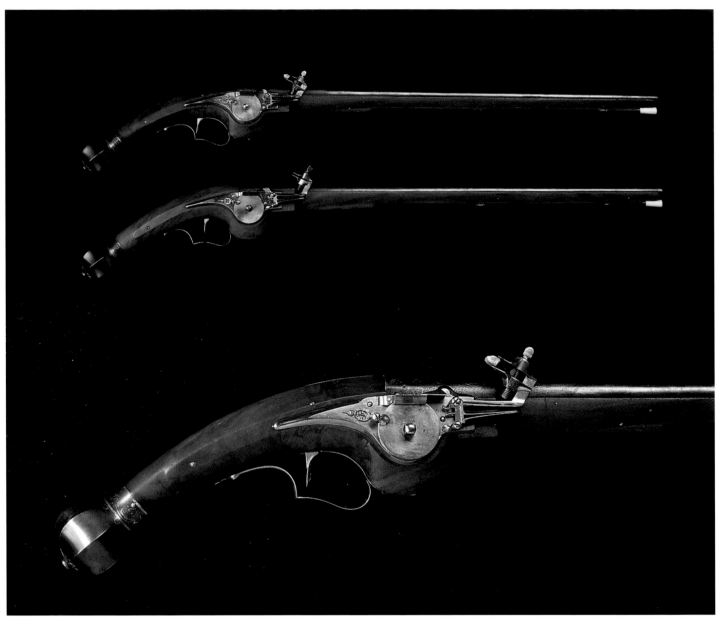

216

tant le remontage du rouet. En arrière, le pommeau est façonné aux contours d'une grenade taillée à pans ; cette construction originale, qui apparaît sur certaines gardes d'épée, se décèle sur une paire de pistolets à rouet signés de l'arquebusier néerlandais (?) Jean Vadenouge (Vienne, Kunsthistorisches Museum, inv. A 1111-12 ; Schedelmann, 1972, p. 95).

La simplification du mécanisme, l'allongement et la souplesse des formes, la discrétion et le raffinement des rares ornementations préludent directement à la construction et au style décoratif caractéristique des silex français des années 1630-1640. À l'époque où Paris, dans ce domaine précis de l'arquebuserie, n'a pas encore pris le pas, les œuvres d'Ézéchias Colas de Sedan, de Pierre Thomas, François Duclos de Paris, etc., paraissent issues de tels modèles.

J.-P. R.

217

Jean Simonin

Arquebusier à Lunéville

Arquebuse à rouet

Lunéville, 1627 | Bois de Sainte-Lucie (?), fer gravé

l. 1,390 ; cal. 0,017 ; P. 3,500 | Poinçon : *LS*

Bibl. : Saulcy, 1855, nº 1521 ; Penguilly l'Haridon, 1862, M 95 ; Robert, 1893, IV, M 131 ; Mariaux, 1927, p. 130-131 ; Charles et Brissac, 1967, p. 61 ; Reverseau, 1982, p. 64.

Paris, musée de l'Armée. Inv. M 131

De la production de Jean Simonin à Lunéville, nous ne connaissons que cette arquebuse dont la signature atteste d'une activité localisée à Lunéville, à proximité de Metz, Sedan, Nancy... Il est très probable cependant que cet arquebusier puisse être lié à l'importante famille dans laquelle se range Jacques Simonin, actif à Montbéliard et à Genève vers 1575-1616, père d'un second (?) Jean Simonin dont l'apprentissage aurait débuté auprès d'Abraham Munier de Genève. Postérieurement, il faut citer le célèbre Claude Simonin auteur du recueil

intitulé *Plusieurs pièces et ornements d'arquebuserie...*, Paris, 1684.

Le canon de l'arquebuse, taillé à six pans sur l'ensemble de sa longueur, est insculpé au niveau du tonnerre d'un poinçon figurant les lettres initiales LS (*Der neue Stockel*, 1979, II, p. 1173). La platine porte gravée, à l'extrémité de la queue de culasse, le chiffre c 44, correspondant à la cote d'appartenance d'une ancienne armurerie. Sur l'ensemble du mécanisme court une fine gravure à la pointe simulant des feuilles d'acanthe. Au revers, le porte-vis (contre-platine) est constitué de deux branches traçant un V.

Délaissant l'ornementation d'un goût plus discret et austère habituelle chez les maîtres français, la monture de cette pièce offre l'aspect d'un travail en « *bois de Bagard* ». La tendance à ces décors abondants obtenus par le travail de bois aux tonalités sombres se retrouve sur d'autres œuvres : « l'arquebuse Dijon » (musée de l'Armée, inv. M 12840 ; Reverseau, 1986, p. 11-18) et l'ensemble signé Claude Thomas à Épinal daté 1623 du musée de Saint Louis (Hoopes, 1954, p. 36) présentent dans l'ornementation de leurs montures des thématiques analogues.

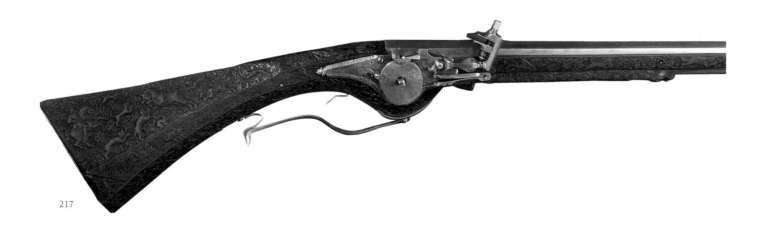

217

Aux joues de l'arquebuse de Simonin se déploie tout un foisonnement de feuillages, fleurs, oiseaux, sculpté en faible saillie qui entoure des scènes figurant une chasse au taureau sauvage; ces compositions traitées dans l'esprit des œuvres contemporaines de Tempesta, qui lui-même reprenait le thème précédemment utilisé par Stradan, auraient pu également être inspirées par des spectacles contemporains; en 1649, Mazarin organisa, pour le jeune souverain, des chasses qui se clôturèrent par un combat de taureaux et de dogues. C'est à ce type d'activités cynégétiques et plus précisément à la pratique de la chasse au tir que, à l'instar des pièces signées de Poumerol ou d'Habert, était destinée cette arme semblable dans son apparence aux travaux réalisés en « *bois de Bagard* », bien que la grande période de diffusion de cette technique décorative soit chronologiquement nettement postérieure.

J.-P. R.

218

Armure du roi Louis XIII

France, vers 1630 | Fer, cuivre doré

H. 1,400; L. 0,740

Hist.: 1673, collection de la Couronne, n⁰ 324 : « *Les armes de Louis XIII à l'espreuve, complettes, à l'exception des jambes, parsemées de petittes fleurs de lis dorées* » (Guiffrey, 1885-1886, II, p. 82); 1793, n⁰ 324; 1795, Museum des arts de la Bibliothèque nationale; 1797, *État descriptif...*, n⁰ 324; 1852, musée des Souverains; 24 juin 1872, restitué à la Bibliothèque nationale; juin 1892, musée d'Artillerie.
Bibl.: Barbet de Jouy, 1868, n⁰ 104; Robert, 1890, II, G 123; Robiquet, 1916, p. 44; Niox, 1917, p. 59, pl. XXVI; Reverseau, 1982, p. 97-98.

Paris, musée de l'Armée. Inv. G 123

Demi-harnois dont la surface externe anciennement noircie laisse apparaître des zones de tonalités bleuies résultant de l'ultime chauffe du métal. La protection de la tête est assurée par une bourguignotte au timbre complété d'un long couvre-nuque articulé et la protection du visage par un nasal suggérant, à ses extrémités, les contours d'une fleur de lis et d'une volute. Le plastron est doublé d'un lourd renfort portant l'impact de la balle d'épreuve et la dossière s'élargit en un grand garde-rein. Les épaulières sont symétriques, les défenses de bras entièrement closes; les longs cuissards sont articulés de vingt lames. Les décors reposent sur l'emploi de motifs repoussés, lauriers dorés s'enlevant au timbre de la bourguignotte, cabochons au niveau des cubitières et genouillères, et découpes traçant des fleurs de lis sur les bords externes des lames; de multiples petites fleurs de lis, de cuivre doré, posées en appliques, complètent l'ornementation.

L'appartenance de ce harnois au roi Louis XIII semble peu discutable; les termes dans lesquels il a été décrit dans les inventaires royaux sont probants, et le souverain a été portraituré par Philippe de Champaigne (Paris, musée du Louvre, inv. 1135), revêtu d'un harnois comparable, fournissant ainsi un élément chronologique appréciable. Il convient de préciser que le harnois porté par le Roi sur cette effigie officielle commémorant la prise de La Rochelle en 1628, diffère, cependant, au niveau de son décor, du harnois conservé aux Invalides; sont absents du portrait les fleurs de lis découpées en bordure des lames, les cabochons

218

repoussés, les « mouvements » (lames) qui protègent la saignée des bras et les filets verticaux gravés sur le plastron. La peinture nous renseigne sur la teinte sombre de la surface externe, de la garniture interne (1797, « *doublé de velours rouge…* »), des cuirs recouverts d'un tissu bleu, aujourd'hui disparu – et nous permet d'apprécier les accessoires vestimentaires et cérémoniels – grand col et manchettes de dentelle, hautes bottes de cuir jaune, collier du Saint-Esprit, bâton et grande écharpe de commandement blanche brodée d'or. L'iconographie royale livre d'autres évocations du souverain en armes, telle que l'allégorie *Louis XIII entre la France et la Navarre*, attribuée à Simon Vouet (Paris, musée du Louvre, inv. 8506), sur laquelle le harnois du Roi ne diffère de l'original que par quelques détails ornementaux. Dans la peinture *Louis XIII vainqueur au pas de Suze* (collection particulière, cat. exp. Paris, 1989, nᵒ 009), variation iconographique du portrait de Champaigne, le harnois est identique. Tout autant retrouvons-nous une armure similaire endossée par Gaston d'Orléans sur le portrait de l'ancienne collection Malengret, au musée d'Armes de Liège. À l'évidence, Louis XIII et vraisemblablement son frère disposaient de plusieurs harnois d'une construction similaire, et d'un poids très élevé (28 kilos) induisant leur utilisation militaire, dont attestent ces représentations officielles et symboliques. D'autres pièces appartiennent à la production de ce même atelier : la bourguignotte du Metropolitan Museum of Art (inv. 14-256604 ; Dean, 1930, fig. 86), qui pourrait apparaître comme une pièce complémentaire, l'armure d'adolescent identique bien que dépourvue d'emblématique (collection de la Couronne, nᵒ 326 ; musée de l'Armée, inv. G 196). La bourguignotte de la collection Odescalchi, à Rome (cat. exp. Rome, 1969, nᵒ 99), l'exemplaire de la Wallace Collection (inv. A 111 ; Mann, I, 1962, p. 114), le demi-harnois de la Higgins Armory à Worcester (inv. 702 ; Grancsay, 1961, p. 112), la bourguignotte à l'antique récemment acquise par le Metropolitan Museum (inv. 1997 341) confirment toute l'importance de cet atelier.

J.-P. R.

219

Colletin de Louis XIII

France, vers 1630 | Argent fondu, repoussé, ciselé, bruni, velours, satin galonné d'or

H. 0,180 ; L. 0,350 ; D. 0,120 ; P. 1,300 | Inscription : *LUDOVICUS XIII SOLUS REGNO IMPERIOQUE TOTIUS ORBIS DIGNUS* (Louis XIII, seul digne de la Royauté et de l'Empire du monde entier)

Hist. : 1673, collection de la Couronne, nᵒ 333 : « *Un haussecol d'argent, ciselé pardevant du Roy Louis XIIIe sur un throsne et des quatre Parties du monde qui luy offrent des présens* » (Guiffrey, 1885-1886, II, p. 83) ; 1797, *État descriptif…*, nᵒ 333 ; juillet 1798, versé au dépôt d'Artillerie ; 1852, déposé au musée des Souverains ; 24 juin 1872, restitué à la Bibliothèque nationale ; restitué au musée d'Artillerie par la Bibliothèque nationale ; restauré en 2000.
Bibl. : Barbet de Jouy, 1868, nᵒ 105 ; Robert, 1890, II, G 249 ; Robiquet, 1916, p. 45 ; Niox, 1919,

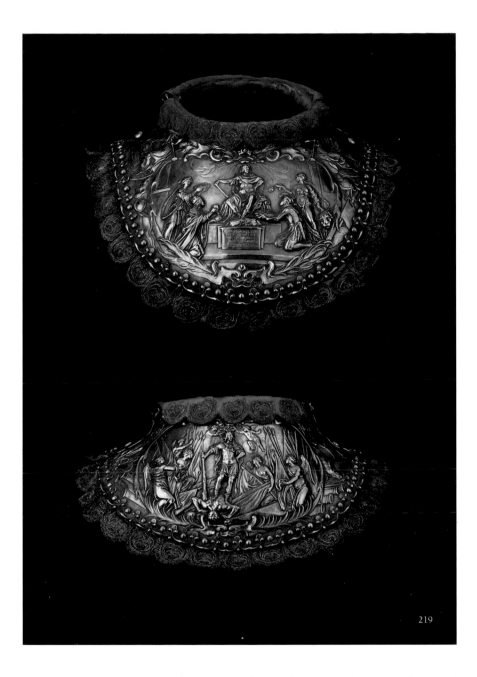

219

p. 61-62 ; Laking, 1922, V, fig. 1459 ; Reverseau, 1982, p. 105-106.

Paris, musée de l'Armée. Inv. G 249

En argent repoussé et ciselé, cette pièce constitue un remarquable témoignage des techniques de l'orfèvrerie civile en France au début du XVIIᵉ siècle. L'ensemble est constitué de deux éléments autonomes accueillant des compositions inspirées des thèmes traditionnels de l'hommage et du triomphe du souverain. Sur la partie avant est ainsi figurée, dans l'appareil d'une scénographie complexe et d'un environnement de trophées et de renommées soutenant l'écu aux armes de France, l'offrande au Roi, des présents des quatre parties du monde. Un cartouche porte l'inscription gravée. Au centre de l'élément arrière, le Roi en Hercule vainqueur, couronné par des putti ailés, terrasse de sa massue un personnage renversé et des Victoires déposent à ses pieds les emblèmes des vaincus. Les bords externes des deux pièces, que retiennent latéralement des fermetures à œillets, sont rythmés par des motifs curvilignes alternativement scandés de fleurons. La garniture interne en velours, anciennement d'un bleu soutenu, doublé de satin piqué, bordée de festons brodés d'or, a subsisté.

L'usage du colletin, chez les gens de guerre, s'est développé vers la fin du XVIᵉ siècle. D'une construction toute fonctionnelle à ses débuts (H. Goltzius, *Henri IV au grand chapeau et colletin*, gravure au burin, Pau musée national du château, inv. P 1350), il a évolué jusqu'à se transformer en un accessoire ornemental du costume civil, plus ou moins symbolique de la condition militaire ; citons, par exemple, les compositions de Tempesta (Godoy, 1989) reprises sur l'ornementation de nombreux colletins devenus le prétexte à un faste guerrier ostentatoire.

L'intention est évidente ici d'exalter, dans le contexte événementiel d'un important succès militaire ou diplomatique, la victoire du Roi sur ses adversaires. L'analyse iconographique ne permet pas de conclusion précise et tout autant l'examen des traits, sur la physionomie du Roi, ne facilite pas les approches chronologiques. Le thème d'Hercule terrassant l'hydre de Lerne appartient, vers 1625-1635, à l'iconographie consacrée à Louis XIII et son interprétation suggère la lutte du Roi contre l'hydre de la discorde civile et plus précisément ses succès sur les Réformés de La Rochelle, en 1628.

Les sources esthétiques ne se laissent pas cerner plus aisément. Le canon gracile et nerveux des personnages peut offrir quelques analogies avec les figures de Jacques Stella (*le Triomphe de Louis XIII sur les ennemis de la Religion*, musée national du château de Versailles, 1642). Le traitement des cartouches ovales enfermant les compositions de leurs courbes feuillagées et incluant dans la partie inférieure un mascaron central évoque le goût du temps pour les formes « *grasses* », pour ne pas dire « *visqueuses* » (Du Colombier, 1941, p. 12). On songe aux cartouches de Daniel Rabel (1632), du père Derand (1643), aux masques agrémentant le frontispice du recueil de Thomas Picquot, *Livre de diverses ordonnances de feuillages, moresques, grotesques, arabesques et autres…*, 1638. Ce maître, parfois mentionné comme orfèvre, lié avec des personnalités de premier plan de l'arquebuserie, tel Marin Le Bourgeois, a partagé son logement des galeries du Louvre avec l'arquebusier François Duclos, élève de Marin. Dans ce foyer culturel et artistique a officié également Vincent Petit, orfèvre, sculpteur, enrichisseur d'armes, appartenant à une grande dynastie d'armuriers. Selon Michèle Bimbenet-Privat, c'est vraisemblablement de ce contexte que cette œuvre importante pourrait être issue.

J.-P. R.

220
Pierre Bergier

Arquebusier à Grenoble

Paire de pistolets à rouet

Grenoble, vers 1635 | Fer, bois, laiton, dorure

l. 0,535 ; cal. 0,014 ; P. 1,125 (chaque pièce) | Signé : *A GRENOBLE PAR PIERRE BERGIER HORLOGER/ INVENTEUR AVEC PRIVILEGE DU ROY*

Hist. : Bibliothèque nationale.
Bibl. : Robert, 1893, IV, G 1659 ; Buttin, 1958 ; Hayward, 1963, I, p. 138-139 ; Blair, 1968, nº 486 ; Reverseau, 1982, p. 100.

Paris, musée de l'Armée. Inv. M 1659

Fils de l'horloger Abraham Bergier, protestant originaire de Lyon installé à Grenoble en 1597, Pierre Bergier est mentionné en 1633 pour la commande d'une montre. C'est à cette date qu'il met au point le nouveau système de rouet destiné « à tirer dans l'eau » qui lui assura la faveur royale. En 1635, il présenta à Louis XIII une arquebuse équipée de ce même mécanisme permettant de tirer quatre coups et une autre arme conçue pour lâcher deux coups. Le souverain dans ses lettres patentes fait état des « *belles rares et curieuses inventions auxquelles Pierre Bergier s'est adonnée de longue main…* » (Giraud, 1901). Les productions de Bergier qui subsistent comptent deux paires de pistolets signés conservées à Paris, au musée de l'Armée (inv. M 1659-1660), des pistolets au Zeughaus de Berlin (inv. AD 13364), et des exemplaires non signés à Karlsruhe, au Badisches Landes-

museum (inv. G 638-639), anciennement au château de Löwenburg, à Cassel, et au Museo nazionale di Capodimonte (inv. 9. 103). Il faut signaler, notamment, dans des mains privées, deux autres paires provenant des collections Spitzer, Renwick (Arizona) et K. Neal (Guernesey).

Sur nos pistolets, le mécanisme de mise à feu entièrement clos et hermétique qui permet de « *tirer dans l'eau* » – en fait, sous la pluie –, dissimule sous la plaque de la platine les principaux organes, bassinets, chien… ; il donne également la possibilité de tirer, selon le principe des charges juxtaposées, deux coups successifs chargés dans l'unique canon, commandé par des détentes séparées. Les rouets se remontent du côté gauche de l'arme, par des ouvertures pratiquées dans la contre-platine, dont l'avers offre l'aspect d'une plaque de laiton doré portant la signature. Ce double système est actionné par de petits ressorts en spirale, créations habituelles des horlogers. L'inventaire de la Couronne, en 1673, mentionne ces armes sophistiquées : au nº 102, « *Une grande arquebuse pour tirer dedans l'eau… qui tire quatre coups sur un seul canon […] faite par Pierre Berger en 1634* » ; nº 103, « *Une autre arquebuse, aussy pour tirer dedans l'eau* » ; nº 104 « *… pour tirer deux fois dans l'eau, faite à Grenoble en 1635…* » ; nº 203, « *Une paire de pistolets […] A Grenoble, par Pierre Bergier Horloger…* » ; nº 204, « *Une autre paire…* ». Ces descriptions ne semblent pas pouvoir correspondre avec les pistolets du système Bergier conservés de nos jours au musée de l'Armée.

Vers la même époque, un autre armurier français a mis au point un système de mise à feu comparable, qu'atteste le pistolet de la Wallace Collection (inv. A 1182 ; Mann, II, 1962, p. 561-562), « *FAICT A MOURGES PAR LA FONTEYNE INVENTEUR 1645* ». Ce maître est également l'auteur d'une superbe paire de rouets analogues portant les armes des Médicis (1645 ; Museum Mesta Prahy, Prague, inv. 2272 ; Hoff, 1969, I, p. 115).

J.-P. R.

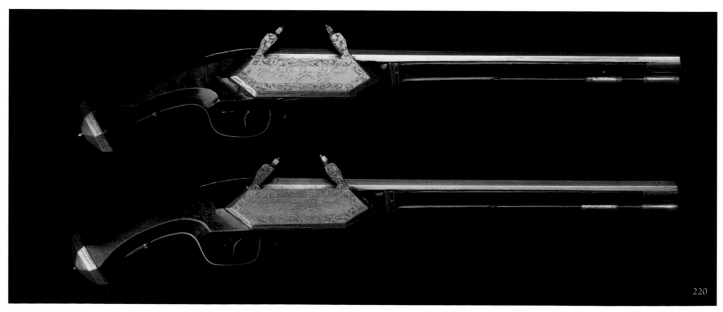

220

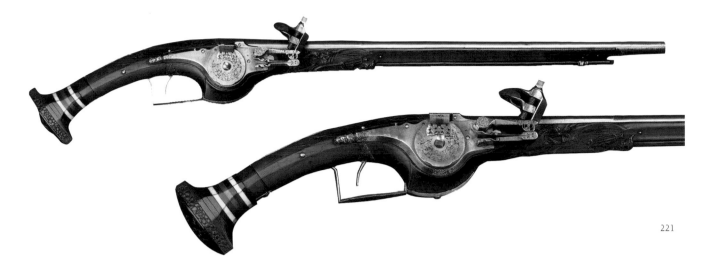

221

221

P. Cistéron

Arquebusier à Figeac (paraît avoir été actif entre 1630 et 1660)

Pistolet à rouet

Figeac, vers 1630 | Fer, bois, ivoire, dorure

l. 0,700 ; l. du canon 0,495 ; cal. 0,014 ; P. 1,100 | Signé : *P. Cistéron, Figeac*

> **Hist.:** XIXᵉ siècle, Florence, collection Ressmann (?) ; vente R.-J. Charles, Paris, 13 mai 1993, nº 18 ; acquis par le musée de l'Armée.
> **Bibl.:** Gusler et Lavin, 1977, nº 5 ; Reverseau, 1993, p. 68-71.

Paris, musée de l'Armée. Inv. M 993.363

P. Cistéron est originaire de Figeac, du nom de la localité qui accompagne habituellement sa signature. Nous connaissons de lui une paire de pistolets à rouet appartenant à la Wallace Collection (inv. A 1180-1181), un pistolet à rouet de l'ancienne collection Bedford en Virginie, le pistolet acquis par le musée de l'Armée étudié ici et le fusil mentionné ci-dessous.

Le canon du pistolet, taillé à pans au niveau du tonnerre et sur le tiers arrière, se prolonge en section circulaire jusqu'à la bouche. La platine, dont l'extrémité est ciselée aux contours d'un masque, est montée avec un rouet extérieur soutenu par une bride en métal ajouré. Un décor gravé de motifs floraux limité par un marli d'aspect poli recouvre le plat du rouet. La contre-platine s'allonge pour dessiner une esse stylisée. Le grand ressort du rouet est insculpé du poinçon, rassemblant de part et d'autre d'un compas, les lettres initiales A et G (*Der neue Stockel*, 1978, I, p. 475, nº 7631). La monture, en bois fruitier aux contours adoucis par des moulures, est complétée d'un pommeau servant d'appui à une calotte en ébène sculptée aux contours d'une tête de monstre.

Les œuvres de Cistéron appartiennent à la phase du rouet tardif, qui évolue vers une certaine simplification des formes et une réduction des organes techniques : le couvre-bassinet perd son bouton pressoir, le porte-vis abandonne sa construction angulaire au profit de contours souples et déliés, la hampe du chien s'élargit sur sa base, le diamètre du calibre tend à augmenter, le grand ressort placé à l'intérieur, caractéristique fondamental du rouet français, conserve son positionnement inchangé. Autant de particularités qui se discernent sur cette œuvre que nous estimons faire paire d'armes avec le pistolet de l'ancienne collection Bedford (Gustler et Lavin, 1977, nº 5).

Les décors, d'une bonne qualité d'exécution, puisent dans le répertoire commun des arquebusiers français du temps ; le motif alors original de la tête de monstre paraît tiré des planches de Jean Henequin, vers 1620 (Lenk, 1939, éd. Hayward, 1965, fig. 102-103).

À l'exemple d'un autre maître important, Gabriel Gourinal (*Der neue Stockel*, 1978, I, p. 450), actif vers 1640 à Périgueux et à Sedan, œuvrant dans cette phase de transition entre le rouet et le silex, Cistéron n'a pas méconnu le système à silex et a laissé un remarquable fusil réalisé vers 1660 (Turin, Armeria Reale, inv. M 38 ; Bertolotto, 1982, p. 383) ; il s'y montre attentif aux projets des ornemanistes, depuis ceux d'Antonio Tempesta jusqu'à ceux des Parisiens Marcou (1657) et Jacquinet (1660).

J.-P. R.

222

Isaac Cordier

Arquebusier à Fontenay-le-Comte (milieu du XVIIᵉ siècle)

Paire de pistolets à silex

Fontenay-le-Comte, vers 1640-1650 | Bois, fer bleui et doré

l. 0,470 ; cal. 0,145 ; P. 0,900 (chaque pièce) | Signé : sur le canon, *ISAAC CORDIER A FONTENAY*, sur la platine, *Cordier fecit*

> **Hist.:** collection Pauilhac ; acquise en 1964.
> **Bibl.:** Charles, 1968, p. 117 ; Reverseau, 1982, p. 108.

Paris, musée de l'Armée. Inv. M PO 819

Philippe Cordier Daubigny, qui s'est exprimé dans les projets pour la décoration des armes à feu, est originaire de Fontenay-le-Comte en Poitou, vers 1600 ; il appartenait à une famille d'arquebusiers comptant au moins deux autres maîtres, Jean, dont l'œuvre n'a pas subsisté, et Isaac, qui a laissé de superbes témoignages, pour cette phase du milieu du siècle où les pièces sont si rares. Les projets de Philippe Cordier pour la décoration des armes sont contemporains de la production de

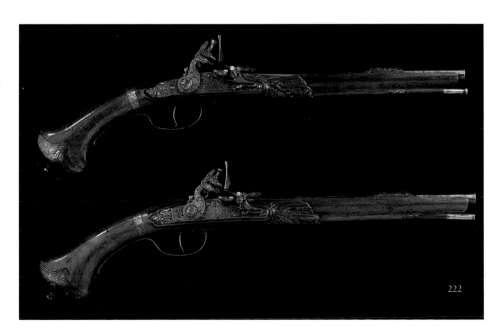

222

François Duclos et consistent en une suite de seize planches datées entre 1634 et 1637 et rééditées postérieurement, en 1665, dont les sources se trouvent chez Antoine Jacquard de Poitiers et Jean Henequin de Metz. Ces planches, postérieures d'une dizaine d'années à celles de Jean Henequin de Metz, ont le grand intérêt de fournir les plus anciens projets décoratifs destinés à des armes à silex (Lenk, 1939, éd. Hayward, 1965, p. 102-103).

Les canons des présents pistolets, de section circulaire, à âme lisse, bleuis et partiellement damasquinés, furent raccourcis postérieurement pour être adaptés au goût de la fin du XVIIe siècle ; ils portent sur l'aplat des tubes la signature et répétées sur les bassinets les inscriptions. Les platines sont entièrement gravées et ciselées de compositions (lion de Némée, allégorie de la Victoire…) qui empruntent leur thématique et mise en pages aux planches de Philippe Cordier ; quant aux hures de sanglier et têtes de monstre, ces motifs sont repris des projets de Jean Henequin (Hayward, 1963, I, p. 264-265). Les contre-platines sont annonciatrices des multiples variations et reprises postérieures de telles formes, ondulantes et serpentines. Les montures sont en bois de violette *(« bois de Brésil »)*, et les garnitures de métal, pontets de sousgarde, calottes de pommeau sont décorées en suite. Isaac Cordier a signé une autre paire de pistolets équipée de mécanismes à rouet du Museum für deutsche Geschichte, Berlin (Müller, 1986, p. 70), d'une exceptionnelle qualité esthétique, et Mann (1962, II, p. 574-575) a estimé que le décor de la paire de pistolets à silex signés de l'arquebusier parisien Leconte (Londres, The Wallace Collection, inv. A 1207-08) pouvait lui être attribuée, complétant ainsi d'une autre pièce importante le catalogue de cet arquebusier.

J.-P. R.

223
Canon de Richelieu

France (?), après 1627 | Bronze

l. 2,725 ; calibre : 0,108 ; P. : 872 |

Inscription : *ARMAND CARDINAL DUC DE RICHELIEU*

Hist. : réputé avoir fait partie d'une batterie de six pièces disposées sur un bastion du château de Richelieu, en Poitou.
Bibl. : *Notice abrégée…,* 1835, nº 2607, 1839, nº 2596, 1840, nº 2556, 1845, nº 2526 ; Saulcy, 1855 ; Penguilly l'Haridon, 1862, N 66 ; Marion-Martin de Brettes, 1856, fig. 9 ; Robert, 1890, V, N 341 ; Lenotre, 1934, p. 95-100 ; Denoix, 1963, p. 13 ; Hurtaut, 1980, p. 46-49 ; Reverseau, 1985, p. 15.

Paris, musée de l'Armée. Inv. N 341 (N 82)

À l'inverse d'une opinion largement répandue, ce canon de 8 à l'ornementation fastueuse et insolite correspond à une authentique pièce d'artillerie apte à fonctionner. Le tube est effectivement percé sur toute sa longueur, ce qui peut justifier de cette autre tradition tout aussi infondée qui l'identifiait avec la célèbre *Marie-Jeanne*, artillerie légendaire utilisée par les Vendéens en 1793.

L'ensemble, aux lignes pures, remarquablement conservé, est agrémenté d'une patine brune. Le décor, de qualité et d'une extrême richesse, se détache du fût, au profil légèrement tronconique. En arrière, le bouton de culasse épouse les contours d'une figure de Méduse traitée avec vigueur. La plate-bande, percée en son centre du conduit de lumière anciennement obstrué, accueille une frise d'oves et de rinceaux. Sur le premier renfort s'enlève un cartouche disposé au-dessus de l'ancre, enfermant, sous le chapeau cardinalice, la couronne ducale, un masque de putto, les armes de Richelieu cernées du collier de l'ordre du Saint-Esprit. Une mince frise de rosettes et un large

Détail

223

bandeau représentant des esses entrelacées et dragonnées définissent la ceinture, où prennent appui les anses façonnées aux formes de dauphins saisissant des brochets. Sur la volée, que sépare un double bandeau de masques et de putti, un cartouche également en relief porte l'inscription sur un fond de branche de gui. À la bouche, le chapiteau associe, dans une curieuse composition non exempte d'influences extrême-orientales, des rinceaux habités de figures de faune et de rostres d'ours.

Les inscriptions et l'héraldique font référence à la charge de « surintendant général de la navigation et du commerce de France » exercée par Richelieu à partir de 1627. D'autres pièces, des canons de marine, subsistent, rappelant l'action du cardinal, rénovateur de la marine royale, dans la première partie du XVIIe siècle ; fondus par Jean de Gindertal, au Havre, en 1636 (Paris, musée de l'Armée, inv. N 342 [N 82], et Tour de Londres, inv. XIX 237), identifiés par l'inscription « *CARDINAL DE RICHELIEU* », l'ancre, le L sous couronne, ils présentent un aspect fonctionnel, distinct et bien éloigné de notre pièce, véritable bronze d'art, et monument conçu à la gloire exclusive du cardinal.

J.-P. R.

224

Épée de ville

France, vers 1635-1645 | Fer gravé

l. 1,130 ; L. 0,120 ; P. 0,725 | Inscriptions :
SEBASTIANO ERNANTZ / SAHAGUM DEL VIEGO

Hist. : collection J.-J. Reubell ; collection Pauilhac ; acquise en 1964.

Paris, musée de l'Armée. Inv. J PO 1547

La construction de la garde, qu'inspire le goût hollandais contemporain pour les formes amincies et simplifiées, offre une rigueur déjà classique. La fusée, montée à deux corps, sert d'appui à un pommeau piriforme et sa base sert d'entablement à l'arc de jointure et au quillon de parade dessinant l'anneau de garde ; des balustres symétriques et des olives scandent les branches ; la fusée est gravée de motifs feuillagés peut-être issus du répertoire de Philippe Cordier.

La lame, remplacée à une date ancienne et vraisemblablement postérieure à la chronologie de la garde, est taillée en carrelet sur sa plus grande longueur ; elle porte gravées en creux, sur chaque face de la gouttière supérieure, des inscriptions que l'on peut interpréter, comme étant les patronymes, associés irrationnellement, de Fernández et de Sahagún, correspondant à ceux de deux familles d'artisans figurant sur la liste des fourbisseurs réputés de Tolède au XVIIIe siècle (Seitz, 1968, I, p. 266). L'orthographe fantaisiste de ces noms et l'absence des poinçons prouvent à l'évidence la contrefaçon d'une lame de Tolède, pratique habituelle en Allemagne au XVIIe siècle.

J.-P. R.

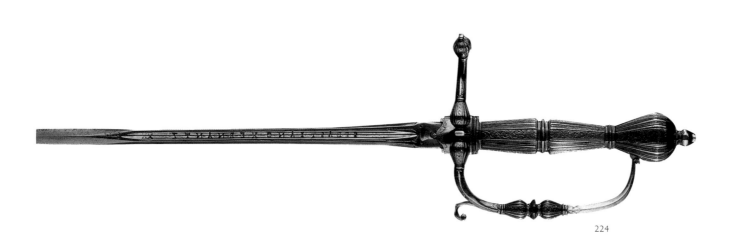

224

225

François Le Couvreux

Arquebusier à Paris (mort en 1658)

Fusil à silex

Paris, vers 1655 | Fer damasquiné d'or
et d'argent, bois de noyer

l. 1,660; cal. 0,016; P. 3,400 | Signé: sur le
canon, *LECOUVREUX A PARIS*; sur la
platine, *LECOUVREUX AU PALAIS
ROYAL* | Poinçon sur le canon: en forme
d'abeille | Armoiries sur la contre-platine:
d'azur au lévrier courant d'argent
(Nicolay)

Hist. : musée d'Artillerie.
Bibl. : *Notice abrégée…*, Paris, 1827, n° 33, 1836,
n° 1836, 1846, n° 1646; Saulcy, 1855, n° 1863;
Penguilly l'Haridon, 1862, M 962; Robert, 1893, IV,
M 588; Lenk, 1939, p. 86; Brissac et Charles,
1967, p. 65; Reverseau, 1982, p. 109.

Paris, musée de l'Armée. Inv. M 588

François Le Couvreux est l'aîné d'une dynastie qui comprend, outre son neveu Philippe, son fils Jean, avec lequel il a pu se partager la réalisation de cette arme. Singulièrement, le nom des Le Couvreux ne figure pas parmi ceux des principaux arquebusiers de l'époque cités dans ce véritable répertoire de l'arquebuserie parisienne établi par le graveur Claude Jacquinet en tête de son recueil *Plusieurs Models des plus nouvelles manières qui sont en usage en l'art d'Arquebuzerie* […] *tirés des œuvres de Thuraine et Le Hollandois,* dont son art utilise et transpose les novations (1660).

François Le Couvreux est connu non seulement comme arquebusier mais aussi comme ingénieur pour avoir mis au point une machine de guerre apte à tirer deux cent cinquante coups en moins d'un quart d'heure. Cette invention lui a probablement permis d'obtenir, en 1653, la faveur d'un logement, d'une forge et d'une boutique au Palais-Royal. Ces installations revinrent après son décès à son fils, le 20 avril 1658, et à son petit-fils, le 15 février 1697.

La monture du fusil, en bois de noyer blond, dessine une courbe régulière et la crosse qu'enserre, à la manière italienne, une résille d'argent, est alourdie, pour faciliter l'épaulement. Le busc, au centre du fût, s'efface et la poignée est recouverte d'incrustations d'argent traçant des arabesques, guirlandes et masques. La contre-platine, en argent repercé, repris et ciselé, définit une véritable composition associant la représentation du héros Thésée et sous couronne les armoiries du destinataire de l'arme, Nicolas de Nicolay, marquis de Goussainville, seigneur de Presles (vers 1630-1686), qui exerça la charge de premier président de la Chambre des comptes en 1649.

Le canon, sur lequel se déplace une hausse mobile en argent montée sur un anneau glissant, est entièrement bleui et, au niveau du tonnerre, damasquiné de motifs floraux, il porte en accompagnement de la signature un poinçon en forme d'abeille. Les garnitures, le pontet de sous-garde gravé du monogramme NN, la plaque de couche sont délicatement gravés. La platine a conservé le profil et les surfaces planes des œuvres françaises de la première partie du XVIIᵉ siècle; elle répète également la signature de l'arquebusier.

Les décors qui ornent cette pièce puisent leur inspiration dans les planches de Claude Jacquinet citées ci-dessus, qui résument l'expérience de travaux antérieurs. On y retrouve les masques ciselés en arrière de la platine, les chiens en S retenus par une vis à la tête agrémentée d'une fleur épanouie (Lenk, 1939, fig. 116). Le goût de Jean Berain (1637-1711) est sensible dans le traitement du personnage représenté au centre de la platine; le nom de ce grand artiste, auteur à dix-neuf ans du recueil *Diverses Pièces très utiles pour les arquebuziers…* (1659), était associé alors à celui de Leconte pour la réalisation d'une pièce majeure du milieu du siècle, le fusil à canons tournants (Stockholm, Livrustkammaren, inv. 3888) qui a fait partie du présent d'armes de Louis XIV au roi de Suède. C'est donc aux sources culturelles les plus choisies de l'arquebuserie parisienne que puise le fusil de Le Couvreux dont les formes harmonieuses et déliées et le système ornemental précèdent les grandes œuvres parisiennes de l'époque classique.

J.-P. R.

L' art de la céramique en France au siècle de Louis XIII

Marie-Laure de Rochebrune

S i l'on en croit la peinture française de la première moitié du XVIIe siècle, la céramique produite en France semble occuper une place bien mineure. Seules les belles jattes blanches de Nevers peintes par Louise Moillon ou Lubin Baugin vers 1630 témoignent de l'activité faïencière du royaume (inv. RF 1982-21 ; fig. 1). La terre vernissée, pourtant la technique la plus répandue à cette époque, en est singulièrement absente. En revanche, la porcelaine de Chine se taille la part du lion dans la peinture comme dans les inventaires contemporains. Or, les très nombreuses pièces conservées et les documents d'archives nous montrent que la réalité fut tout autre. La France du temps de Louis XIII fut un pays de céramique fort actif, dominé par deux techniques principales, la terre vernissée et la faïence. La première, fabriquée depuis l'Antiquité dans l'ensemble du royaume, y était toujours produite en abondance. La seconde, qui s'était déjà développée au siècle précédent, devait s'imposer à cette époque à part entière, connaître à Nevers un véritable âge d'or jamais égalé par la suite et renaître, sous la régence d'Anne d'Autriche, à Rouen, où elle s'était éteinte après la mort de Masséot Abaquesne, quelque quatre-vingts ans plus tôt.

L'art de la terre vernissée

La terre vernissée, appelée autrefois *plommure,* était une technique céramique déjà ancienne en France sous le règne de Louis XIII, puisqu'elle y était en usage depuis l'époque gallo-romaine. Fabriquée dans l'ensemble du royaume à la fin du Moyen Âge et à l'époque de la Renaissance, elle avait connu des heures de gloire dans la seconde moitié du XVIe siècle avec l'œuvre emblématique de Bernard Palissy (1510-1590). Le goût et la pratique de la terre vernissée ne s'éteignirent pas à la mort de l'artiste, et cette technique était encore très prisée au début du siècle suivant. Une partie de la production de cette période a d'ailleurs longtemps été confondue avec l'œuvre de Palissy et de nombreuses pièces lui ont été attribuées abusivement[1]. Depuis la fin du XIXe siècle, les historiens s'efforcent de redonner aux ateliers actifs dans la première moitié du XVIIe siècle la part qui leur revient. La terre vernissée au temps de Louis XIII était généralement fabriquée dans des régions aux anciennes traditions céramiques comme la Saintonge, le

---

1. Notamment les pièces à revers jaspé ou les rustiques figulines.

Fig. 1. Louise Moillon (1610-1696), *Coupe de cerises, prunes et melon,* 163(3 ?), huile sur bois. Paris, musée du Louvre, département des Peintures.

Fig. 2   Fig. 3

Fig. 2. Cruche anthropomorphe, Saintonge, première moitié du XVIIe siècle, terre vernissée. Paris, musée national des Arts et Traditions populaires.

Fig. 3. Paire d'épis de faîtage provenant du manoir de Percy en Auge (Calvados), atelier du pays d'Auge, première moitié du XVIIe siècle. Caen, musée de Normandie.

Beauvaisis ou la Normandie mais aussi en Artois, en Picardie, dans les Flandres, ou encore dans des ateliers proches de la cour, comme ceux de Fontainebleau.

En Saintonge, à La Chapelle-des-Pots notamment, l'art céramique a toujours bénéficié de matières premières abondantes et de débouchés commerciaux facilités par la proximité de la Charente et du port de La Rochelle. Au XVIe siècle, on y produisait des pièces d'apparat luxueuses destinées à de grands amateurs, comme Anne de Montmorency[2]. Bernard Palissy, lui-même, s'était initié à l'art de la terre en Saintonge à la fin des années 1530[3]. La production de terre vernissée ne s'interrompit pas après son départ, malgré les guerres de Religion, et présente dans la première moitié du siècle suivant certaines caractéristiques bien spécifiques. Les objets aux formes souvent complexes (plats, aiguières, verseuses, biberons…), revêtus d'une belle glaçure verte, aux décors armoriés finement moulés, hérités du siècle précédent, sont encore fabriqués en grand nombre par les potiers saintongeais du temps de Louis XIII. Ceux-ci excellent également dans l'exécution de petites pièces pleines de fantaisie, à la fonction plus décorative qu'utilitaire, comme ces cruches anthropomorphes, vêtues en costume contemporain, dont le musée national des Arts et Traditions populaires conserve un savoureux exemple (inv. 981.4.1 ; fig. 2).

Dans le pays d'Auge, à Manerbe et au Pré-d'Auge (Calvados), deux localités situées près de Lisieux, la pratique de la terre vernissée constitue également une activité très ancienne au début du XVIIe siècle, attestée depuis l'époque romaine[4]. Les deux centres y ont depuis toujours bénéficié d'une argile de qualité, particulièrement plastique, et se sont spécialisés depuis l'époque de saint Louis dans la fabrication de carreaux de pavement. À la fin du XVe siècle, une nouvelle production, qui devait bientôt devenir emblématique de la région, se fit jour, celle des épis de faîtage, destinés à couronner les colombiers seigneuriaux, les crêtes des toits et les pignons des manoirs du pays d'Auge. Leur fabrication fut poursuivie aux XVIe et XVIIe siècles par deux très anciennes familles de potiers, les Bocage et les Vattier, dont l'activité est attestée depuis la fin du Moyen Âge[5]. La fabrication des épis de faîtage prit une ampleur considérable au temps de Louis XIII. Elle requérait une grande dextérité dans l'exécution, notamment dans l'assemblage des différents éléments et dans la qualité des glaçures. De forme pyramidale, les épis étaient le plus souvent constitués de trois éléments principaux fixés autour d'une tige de fer : la base ou tuile faîtière ; le motif central, composé d'une coupe godronnée ou d'un vase de fleurs ou de fruits ; et le couronnement, formé d'un oiseau, d'un croissant, d'un personnage ou encore d'un animal héraldique ou symbolique. La belle paire d'épis provenant du manoir de Percy en Auge conservée au musée de Normandie, à Caen, montre un étage supplémentaire, situé entre le vase, de forme ovoïde, et le couronnement final, en forme d'oiseau (inv. 92.4.1 et 2 ; fig. 3). La fabrication des épis en terre vernissée déclina dans la seconde moitié du XVIIe siècle au profit des épis en plomb. Les historiens attribuent aussi au pays d'Auge une partie de la production dite de la suite de Palissy, notamment des pièces historiées, à décor biblique ou mythologique, moulées en léger relief avec une relative maladresse, que l'on retrouve en grand nombre dans les collections publiques et privées de Normandie.

Dans le Beauvaisis, région aux anciennes traditions céramiques, riche en argiles variées, la terre vernissée avait connu un véritable âge d'or au début du XVIe siècle, notamment avec la production des fameux plats de la Passion, peut-être une commande royale. On y pratiquait aussi abondamment la super-

2. Voir à ce sujet une gourde en terre vernissée à ses armes, conservée à Paris, musée du Louvre, département des Objets d'art, inv. OA 1409.
3. Amico, 1996, p. 16.
4. Deville, 1927, p. 6-7.
5. Idem, *op. cit.*, p. 14-16.

Fig. 4

Fig. 5

Fig. 4. Plat à la tulipe, Beauvaisis, première moitié du XVIIᵉ siècle, terre vernissée. Sèvres, musée national de Céramique.

Fig. 5. Plat à la Crucifixion, Pas-de-Calais, première moitié du XVIIᵉ siècle, terre vernissée. Boulogne-sur-Mer, château-musée.

position d'engobes de couleurs différentes et le décor dit *a sgraffiato*. Ce type de décor, inspiré par les terres vernissées italiennes médiévales, devait persister durant le règne de Louis XIII, comme en témoigne le beau plat à la tulipe, conservé à Sèvres, au musée national de Céramique (inv. MNC 41 00 ; fig. 4).

La production des ateliers du nord de la France, de l'Artois au Pas-de-Calais, remise à l'honneur lors d'une récente exposition[6], se caractérise, au temps de Louis XIII, par une prédilection pour le décor à la corne (inv. 457 ; fig. 5), peu pratiqué en revanche dans le reste du royaume, et pour les décors *a sgraffiato*, à la manière du Beauvaisis, développés sur de grands plats d'apparat, d'inspiration profane ou religieuse.

De nombreux points obscurs entourent encore aujourd'hui la connaissance de la production de terre vernissée dans la cité royale de Fontainebleau. Le nombre d'ateliers en activité et leur emplacement précis ne sont pas connus aujourd'hui. Si nous savons avec certitude que l'« *émailleur du roi sur terre* » protestant, Jean II Chipault (mort en 1611), le fils de Jean I Chipault qui avait travaillé avec Palissy aux Tuileries[7], dirigeait à Fontainebleau, au début du siècle, un atelier de terre vernissée, nous ignorons aujourd'hui l'emplacement exact de ce dernier. Peut-être était-il tout simplement situé au sein même de la résidence royale de Fontainebleau. En effet, Jean II Chipault était associé avec un autre émailleur sur terre protestant, originaire de Lorraine, Claude Berthélémy, qui reçut, en 1602, des lettres de naturalisation dans lesquelles il est dit par Henri IV œuvrer « *en nostre maison et chasteau de Fontainebleau*[8] ». Cette mention laisse supposer que l'atelier de terre vernissée fut peut-être quelque temps établi dans une dépendance de la résidence favorite d'Henri IV. Le *Journal* de Jean Héroard nous enseigne que le Dauphin, le futur Louis XIII, rendait fréquemment visite « *à la poterie* » de Fontainebleau, mais le médecin ne précise jamais l'emplacement géographique de l'établissement[9]. La dénomination d'Avon, donnée depuis une date ancienne aux terres vernissées fabriquées dans l'atelier de Fontainebleau, s'explique peut-être par le fait que jusqu'en 1661 le château comme le bourg de Fontainebleau relevaient de la paroisse d'Avon, localité mitoyenne[10]. L'église Saint-Louis de Fontainebleau, dont la construction débuta sous le règne d'Henri IV, ne devint église paroissiale que le 31 octobre 1661, soit dix-huit ans après la mort de Louis XIII. Vers 1620, l'atelier, dirigé désormais par Claude Berthélémy, n'était plus situé, semble-t-il, dans le domaine royal mais dans la propre maison de l'artiste, localisée dans la grande rue de Fontainebleau[11]. Le déménagement de l'atelier avait peut-être été provoqué par le déclin de la faveur royale à l'égard des artistes protestants[12]. L'inventaire dressé en 1620 dans la maison de l'émailleur montre que l'on y fabriquait des pièces jaspées, des terres sigillées (c'est-à-dire des pièces moulées à décor historié) et des figurines, dont les modèles étaient vraisemblablement donnés par des sculpteurs[13]. En 1620 toujours, un certain Jean Berthélémy, un neveu de Claude Berthélémy, maître émailleur sur terre, actif à Rouen depuis 1608, vint rejoindre l'atelier de son oncle à Fontainebleau[14]. Claude Berthélémy cessa ses activités en 1626. L'atelier fut alors dirigé par Claude Beaulat, un autre associé de Jean II Chipault puis, après sa mort, en 1637, par sa veuve, Anne Beaulat, qui s'associa avec Antoine de Clérissy, le maître verrier. Des descendants des Berthélémy auraient encore été en activité à Fontainebleau jusque dans les années 1660[15].

Peut-être y eut-il un autre atelier de terre vernissée à Fontainebleau. En effet, dans le récit du voyage en France du célèbre collectionneur romain d'origine génoise Vincenzo Giustiniani, rédigé en 1606 par Bernardo Bizoni, ce dernier raconte qu'à côté de leur logis, à Fontainebleau, se trouvait un atelier de

6. Sèvres, 1999-2000, et Arras, 2000, p. 66-91.
7. Mac Nab, 1987, p. 75.
8. Herbet, 1897, p. 218, cité par Mac Nab, *op. cit.*, p. 73.
9. Ainsi, le 15 juillet 1607, « *Mené* [le Dauphin] *par dehors du jardin au grand ferrare, puis en la poterie et, à six heurs, en sa chambre* », Héroard, 1989, 1, p. 1257.
10. Information aimablement communiquée par Vincent Droguet et Yves Carlier.
11. Nous le savons grâce à un inventaire dressé dans la maison de Berthélémy en 1620, publié par Herbet, 1897, p. 215-217, cité par Mac Nab, *op. cit.*, p. 75.
12. Mac Nab, *op. cit., loc. cit.*
13. Herbet, *op. cit.*, p. 223.
14. Mac Nab, *op. cit., loc. cit.*
15. Mac Nab, *op. cit.*, p. 76.

poterie, dirigé par un frère, souvent visité par la Reine, qui produisait des objets très variés « *des vases de toutes sortes* [...], *des animaux divers pour verser aux fontaines, des bassins,* [...], *des chandeliers*[16]... » Le musée du Louvre conserve dans ses collections deux dauphins en ronde bosse, munis d'un orifice, qui sont peut-être des exemples de ces animaux utilisés en guise de fontaines[17], ainsi qu'une paire de chandeliers de l'ancienne collection Sauvageot qui proviennent peut-être de cet atelier[18].

Le triomphe de la faïence

La date d'introduction de la technique de la faïence en France est constamment reculée par les historiens et les archéologues. Ceux-ci la font remonter aujourd'hui au début du XIIIe siècle, à Marseille. Elle connut un premier véritable essor à Lyon puis à Rouen dans la première moitié du XVIe siècle. À Lyon, elle fut d'abord pratiquée par des faïenciers italiens et reçut au milieu du siècle le soutien du cardinal de Tournon, devenu archevêque de Lyon en 1551. À Rouen, elle était pratiquée par Masséot Abaquesne, qui exécuta pour Anne de Montmorency et Claude d'Urfé les plus beaux carreaux historiés de la Renaissance française. Essentiellement ornée de décors mythologiques ou bibliques inspirés par les modèles italiens de Faenza ou d'Urbino, la faïence se répandit sous les règnes d'Henri II et de ses fils dans d'autres lieux comme Nevers, Nîmes ou encore Montpellier.

Nevers se révéla être le principal centre français de la faïence au temps d'Henri IV et de Louis XIII. L'histoire de la faïence y est indissociable du gouvernement des Gonzague, devenus ducs de Nevers et de Rethel et pairs de France en 1565, à la suite du mariage de Louis de Gonzague (1539-1595), le troisième fils du premier duc de Mantoue, Frédéric II, avec Henriette de Clèves. L'avènement de ce prince, amateur et protecteur des arts, entraîna leur floraison à Nevers. Durant les trente années de son gouvernement, la capitale du Nivernais connut sa plus belle époque de splendeur et une période de croissance économique. Louis de Gonzague favorisa la venue à Nevers de nombreux artistes italiens, verriers, faïenciers, imprimeurs, émailleurs. Son fils, Charles I (1580-1637), hérita de ses goûts et poursuivit sa politique de mécénat. Mais il mourut subitement après avoir vu disparaître précocement son fils, Charles, duc de Rethel. Son successeur fut son petit-fils Charles, alors âgé de huit ans. Le 30 octobre 1647, le nouveau duc, Charles II (1629-1665), fut installé au gouvernement, mais il se désintéressa rapidement de ses possessions françaises et vendit, en 1659, son duché de Nevers au cardinal Mazarin.

L'essor tout particulier de la faïence à Nevers se produisit à partir des années 1580, décisives à bien des titres. Il résulta en partie des grandes difficultés et du déclin que connut alors Lyon, à la suite des épidémies de peste qui frappèrent la ville, de la disparition de franchises commerciales très favorables et des troubles religieux[19].

Louis de Gonzague encouragea la venue de faïenciers originaires de Ligurie et de Faenza. L'un des premiers représentants de la famille ligurienne des Conrade, à qui l'on doit l'essor de la faïence nivernaise, Dominique, est cité à Nevers dès 1578. Peut-être est-ce lui qui fit venir à Nevers, en 1584, son parent Augustin (mort en 1611 ou 1612), originaire d'Albisola, petit village situé près de Savone en Ligurie. Ce dernier s'associa d'abord avec des maîtres verriers, notamment avec Jacques de Sarode[20], puis, en 1588, avec le peintre-faïencier faentin Jules Gambin, qui avait séjourné quelque temps à Lyon. On doit sans doute à leur association l'exécution du célèbre plat du Louvre, daté 1589, *le Triomphe de Galatée* (inv. OA 9247 ; fig. 6)[21]. Tous deux s'installèrent au logis Saint-Gildas, qu'ils agrandirent bientôt de la maison de Bethléem,

16. Bizoni, 1995, p. 104.
17. Inv. MR 2343 et 2344.
18. Inv. OA 1402.
19. Taburet, 1981, p. 31-35.
20. Idem, *op. cit.*, p. 43.
21. Inv. OA 9247.

Fig. 6. *Le Triomphe de Galatée,* Nevers, 1589, faïence de grand feu. Paris, musée du Louvre, département des Objets d'art.

Fig. 7. Paire de pots couverts, Nevers, début du XVIIe siècle, faïence de grand feu. Sèvres, musée national de Céramique.

située également rue de la Tartre, qui devint par la suite le quartier des faïenciers[22]. Leur association fut éphémère puisqu'elle fut dissoute dès 1589. Jules Gambin conserva jusqu'à sa mort, en 1615, la maison de Bethléem. Le propre neveu d'Augustin Conrade, Dominique, s'associa à son tour avec Jules Gambin, en 1609, à l'auberge des Trois Rois. Son fils, Antoine (1604-1648), dit « *Me potier en vaysselle de fayence*[23] » en 1636, devait devenir le plus célèbre faïencier de Nevers. Un autre neveu d'Augustin Conrade, Bernardin, créa de son côté, en 1595, un atelier de faïence à Cosne-sur-Loire, en Nivernais.

Les historiens ont longtemps écrit que les Conrade avaient reçu, au tournant du siècle, un privilège de fabrication d'Henri IV. Ce document n'est plus connu aujourd'hui mais son existence, en ce temps où toutes les industries artistiques étaient strictement réglementées et protégées par un souverain soucieux au premier chef de la reconstruction du royaume, est plus que vraisemblable. Il fut sans doute peu respecté car d'autres manufactures sont attestées à Nevers dès l'année de la mort d'Henri IV (notamment celle de Nicolas Lefebvre en 1610[24]). Selon Gabriel Montagnon, cinq ateliers étaient en activité à Nevers en 1626 et huit en 1640[25]. Ces chiffres font de Nevers le plus important centre faïencier du royaume au temps de Louis XIII. Les manufactures, comme celle de l'Autruche, fondée en 1619 et dirigée un temps par Denis Lefebvre[26], étaient toutes installées dans le même quartier, rue Saint-Genest ou rue de la Tartre, à proximité immédiate de l'hôtel de la Verrerie. Les objets exécutés à Nevers étaient alors vendus dans l'ensemble du royaume.

L'essor de la faïence de Nevers fut aussi favorisé par la présence, non loin de la capitale nivernaise, d'un sable de grande qualité, utilisé dans la fabrication de l'émail, et par des facilités de débouchés commerciaux dues notamment aux travaux du canal de Briare, dont la construction, ordonnée en 1605 par Henri IV et par Sully, fut achevée en 1642.

Les premiers décors exécutés à Nevers portent la marque évidente de l'Italie et en particulier de la production historiée d'Urbino. *Le Triomphe de Galatée,* le plat du Louvre de l'ancienne collection Damiron, marqué et daté « 1589 FESI A NEVRS », est la première pièce datée connue. Il sert de pièce de référence et a permis d'attribuer à Nevers des pièces historiées à fond ondé, à décor de putti ou de tritons, d'inspiration mythologique ou biblique, anciennement données à Urbino ou à Lyon qui montrent une parenté évidente avec le plat du Louvre. C'est le cas de la magnifique paire de pots couverts du musée de Sèvres (inv. MNC 22740[1] et [2] ; fig. 7) et des deux vases-rouleaux du musée des Arts décoratifs de Paris, présentés à l'exposition (cat. 232). Le décor *a istoriato* devait perdurer à Nevers tardivement dans le siècle, jusque sous le règne de Louis XIV, comme en témoignent les grandes aiguières du Louvre, peintes d'après Michel Dorigny[27]. De la même façon, le grand plat du British Museum, *Aaron et Pharaon,* exécuté à Lyon en 1582, permet d'attribuer aux ateliers lyonnais des objets autrefois donnés à Urbino. Quelques pièces, portant au revers des inscriptions en français, échappent cependant à cette classification et sont données tantôt à l'un ou tantôt à l'autre de ces centres. Il en est ainsi des deux grands plats à décor biblique du Louvre, de l'ancienne collection Fountaine, dont l'un, *la Pluie de cailles dans le désert,* est présenté ici (cat. 231).

Comme Urbino dans les années 1560, Nevers n'échappa pas, au temps de Louis XIII, à la mode des motifs dits *a raffaellesche,* évoquée par le grand plat du musée de Nevers, *Vénus et l'Amour* (cat. 234). Ce

22. Montagnon, 1987, p. 10.
23. Dans le contrat de commande des carreaux du château de Thouars, destinés à la duchesse de La Trémoille (publié par Roudier, 2000, p. 176).
24. Rosen, 2000, p. 65.
25. Montagnon, 1987, p. 12.
26. Rosen, 2001, p. 203.
27. Inv. OA 5013.

type de décor, qui combine à la fois des ornements inspirés de l'Antiquité et de petites scènes historiées, appartient à un genre qui se répandit à Urbino, en réaction contre les décors historiés en plein qui recouvraient totalement la surface des pièces de majolique. Les motifs décoratifs de grotesques peints dans les ateliers d'Urbino s'inspiraient largement des ornements antiquisants, créés par Raphaël et Giovanni da Udine aux Loges du Vatican ou à la villa Madame, à Rome, d'où leur nom de décor *a raffaellesche*. Ce nouveau répertoire se répandit dès la fin du XVIe siècle dans d'autres ateliers italiens, notamment à Deruta ou dans la région de Savone en Ligurie.

Les premiers faïenciers de Nevers, les Conrade, introduisirent avec eux un style très particulier, bien éloigné de la production d'Urbino. Ce style dit, pour simplifier, à la manière de Savone, appelé en Italie *calligrafico naturalistico*, était alors pratiqué à Albisola, à Savone ou encore à Gênes à la fin du XVIe siècle. Les historiens lui donnent de vraisemblables origines orientales car on le retrouve dans la céramique persane contemporaine[28]. Il consiste en la disposition en semis, sans échelle de grandeur, de petits motifs animaliers divers – lapins, biches, volatiles variés – et de plantes aquatiques. Il fut sans doute en usage à Nevers dès les années 1630 et pratiqué jusqu'à la fin des années 1650. Il s'enrichit parfois d'une distribution du décor en compartiments qui évoque à la fois les décors *a quartieri* de Faenza et les compartiments de la *Kraaksporselein*[29]. Un peu plus tardivement, on le trouve aussi associé à de petites scènes historiées nivernaises, fort savoureuses.

Les faïenciers nivernais n'échappèrent pas non plus au temps de Louis XIII à la mode italienne du décor *a compendiario,* né à Faenza au milieu du XVIe siècle. Ce décor, qui, comme le décor *a raffaellesche,* se fit jour sans doute aussi en réaction contre l'invasion du décor historié et qui se répandit largement dans d'autres manufactures italiennes comme Deruta ou Castelli, laissait une large part au fond blanc de la faïence et mettait en œuvre des décors très légers et aériens (motifs naturalistes, Amours, armoiries…) exécutés dans une palette simplifiée, réduite au jaune et au bleu. Le décor *a compendiario* franchit rapidement les frontières de l'Italie au début du XVIIe siècle et se répandit aussi dans la faïence nordique de Haarlem ou de Delft. Il eut un grand succès à Nevers, où il fut pratiqué à la fois sur des pièces de service, notamment des coupes à godrons, sur des plaques de faïence à sujets religieux ou profanes et enfin sur des pièces de sculpture, comme en témoigne la célèbre *Vierge à la pomme* du musée de Nevers (cat. 240). De récentes fouilles archéologiques ont mis en évidence à Nevers des pièces *a compendiario* mais aussi de nombreuses pièces laissées en blanc, sans décor. Celles-ci furent sans doute réalisées dès la fin des années 1620. Les historiens attribuent ainsi à la production nivernaise de cette décennie les belles coupes blanches à godrons retrouvées lors des fouilles de la cour Napoléon, au Louvre, à l'emplacement de l'hôtel de Béringhen ou dans la maison au Portrait de Louis XIII (inv. 7.401.7435 ; fig. 8)[30].

La grande nouveauté qui fit réellement la gloire de Nevers au XVIIe siècle et lui permit de se démarquer de l'influence italienne fut la mise en œuvre à une date discutée aujourd'hui par les historiens, entre 1630 et 1650, des fonds bleu profond d'une qualité remarquable. Les différents décors qui furent appliqués en blanc fixe sur les pièces à fond bleu furent dits persans au XIXe siècle, peut-être parce que l'on redécouvrait à la même époque des pièces iraniennes contemporaines également à fond bleu. Celui-ci était loin d'être une nouveauté dans la céramique européenne. Il avait été pratiqué abondamment au

28. Voir à ce sujet le cat. 235.
29. Ce terme désigne les porcelaines de Chine de la période Wanli, importées au début du XVIIe siècle par la Compagnie néerlandaise des Indes orientales.
30. Un ensemble exceptionnel de trente-neuf coupes à godrons d'une grande variété de formes a été découvert lors de fouilles à cet emplacement (Paris, 2001, p. 146-148).

Fig. 8. Coupe à godrons retrouvée à l'emplacement de la maison au Portrait de Louis XIII, Nevers, vers 1630-1650. Paris, musée du Louvre.

siècle précédent à Faenza, à Venise, à Castelli, mais il devait atteindre à Nevers une profondeur et une intensité jamais égalées. Les fonds bleus furent exécutés durant plusieurs décennies. Dans les années 1680, ils
s'enrichirent de motifs chinois, qui témoignaient d'un goût plus général pour les formes et les décors
d'Extrême-Orient. Contemporaines des objets à fond bleu sont les pièces à fond jaune obscur, au décor
exécuté en bleu et en blanc fixe, et les pièces peintes en camaïeu vert, rehaussées de motifs ocre et noirs,
qui rappellent les décors de nielles contemporains, dont des exemples sont présentés à l'exposition. L'âge
d'or de la faïence de Nevers devait durer jusque dans les années 1680, date à laquelle elle subit la concurrence conjuguée de manufactures nouvellement créées comme Rouen ou Moustiers.

La période de la régence d'Anne d'Autriche vit la renaissance de la faïence rouennaise[31], qui avait
connu un siècle plus tôt les somptueuses réalisations de Masséot Abaquesne. Le 25 novembre 1645, en
effet, le jeune Louis XIV octroya par lettres patentes un privilège à Nicolas Poirel de Grandval, huissier
du Cabinet de la Reine, pour « *faire faire en la province de Normandie, toute sorte de vaisselle de faïence
blanche et couverte de toute couleur, pour l'utilité publique*[32] ». Poirel concéda son privilège de fabrication
au faïencier d'origine champenoise Edme Poterat (1612-1687). Les trois incunables de la première
production de ce dernier, tous trois datés 1647, sont présentés ici (cat. 248, 249 et 250). Les trois pièces,
décorées *a compendiario,* montrent que cette mode venue d'Italie qui eut un grand succès à Nevers
n'épargna pas le nord de la France. Un grand plat à godrons, émaillé en blanc, sans décor peint, retrouvé
à l'emplacement de l'atelier Poterat, indique aussi que la production rouennaise n'échappa pas à cette autre
mode italienne qui exigeait une qualité d'émail exceptionnelle, atteinte dès les premières années de
production par cet atelier.

Au temps de Louis XIII, la faïence française est curieusement totalement absente des inventaires
connus des membres de la famille royale, des principaux ministres et des membres de la haute noblesse,
alors que les pièces conservées et les fouilles archéologiques témoignent de l'étendue de la production.
Ainsi, dans l'inventaire après décès d'Anne d'Autriche, dressé en 1666, n'est-il question que de « *pourceline*[33] ? » Il s'agit bien entendu de porcelaine de Chine, importée en grande quantité en Europe au début
du XVIIe siècle, par la Compagnie néerlandaise des Indes orientales, la célèbre VOC *(Verenigde Oost-
Indische Compagnie).* Seul un inventaire plus tardif, celui qui fut dressé à partir du 16 février 1671, au
Palais-Royal, après la mort d'Henriette d'Angleterre, duchesse d'Orléans, mentionne une « *urne de fayence
de nevers* », parmi des pièces de Delft (nous remercions Michèle Bimbenet-Privat d'avoir attiré notre attention sur cet inventaire si riche par ailleurs). De même, aucune pièce de faïence ne figure dans l'inventaire
après décès de Richelieu, dressé après sa mort, survenue en 1642[34]. Si des pièces en majolique d'Urbino,
sans doute dues à l'atelier des Fontana, apparaissent dans l'inventaire de Mazarin, rédigé en 1661, en
revanche aucune pièce de faïence française n'y est mentionnée[35]. Les quelques inventaires de membres
de la noblesse française que nous avons étudiés ne signalent jamais non plus de pièces en faïence française.

31. Voir la contribution de Gilles Grandjean,
p. 365.
32. Publié par Pottier en 1870, p. 69-70.
33. Cordey, 1930, p. 255, 4 février 1666, dans
l'ancien appartement de la Reine au Louvre :
« *Item, la pourceline garnie d'or, pesante neuf
onces d'or ou environ, prisée 500 l.* »
34. Levi, 1985.
35. Voir à ce sujet Michel, 1999, p. 495.

226

Plat ovale : *Henri IV et sa famille*

France, atelier de Fontainebleau dit d'Avon, vers 1602-1610 | Terre vernissée

H. 0,060 ; L. 0,340 ; l. 0,270 | Étiquette ancienne rectangulaire : *851* | Étiquette ancienne ronde : *106*

> **Hist. :** ancienne collection Charles Sauvageot ; don de Charles Sauvageot, 1856.
> **Bibl. :** Sauzay, 1861, p. 203, n° 851 ; Tainturier, 1863, p. 105, n° 123 ; Clément de Ris, 1875, n° 209 ; Migeon, 1901, p. 50, n° 106 ; Gibbon, 1986, p. 118, n° 82 ; Gutman, 1995, n° 18.
> **Exp. :** Québec, 1984, p. 190, n° 87 ; Pau, 1989, et Paris, 1989-1990, p. 228, n° 290.

Paris, musée du Louvre, département des Objets d'art. Inv. OA 1351

Le bassin de ce plat ovale est orné d'une scène historiée finement moulée en léger relief, composée de neuf personnages. Deux personnages principaux se détachent de l'ensemble, Henri IV et Marie de Médicis. Le Roi, qui porte la croix du Saint-Esprit et un chapeau à plumet blanc, est assis sur une chaise à bras. Son manteau est posé négligemment sur une table couverte d'un tapis. Au premier plan, on distingue deux enfants. Le plus jeune, vêtu de blanc, est assis sur les genoux de sa gouvernante et donne la main gauche au souverain. Le second, plus âgé, tient un chapeau dans sa main droite et se tient debout devant Henri IV. Quatre grands seigneurs, chevaliers du Saint-Esprit, entourent au troisième plan la famille royale. L'aile est décorée de godrons séparés par

des fleurons stylisés. Le revers et le talon du plat sont entièrement jaspés.

Cette pièce a été exécutée d'après une estampe célèbre de Léonard Gaultier, *la Famille d'Henri IV*, gravée au burin d'après un tableau de François Quesnel et publiée à Paris, chez Jean Leclerc, en 1602 (inv. Ed 12h ; fig. 1). Cette estampe, qui porte en exergue un poème en l'honneur du Dauphin, premier fils d'Henri IV, fut réalisée un an après la naissance de l'enfant. Elle a été l'objet depuis sa publication de plusieurs hypothèses dans l'interprétation des personnages représentés. Les historiens pensaient autrefois que les deux petits enfants figurés au premier plan étaient les premiers enfants d'Henri IV et de Marie de Médicis, Louis et Élisabeth, nés respectivement en 1601 et en 1602. Or, la taille des enfants représentés suggère une autre explication, proposée en 1932 par Eugène Bouvy. Si le plus jeune enfant est très vraisemblablement le Dauphin âgé d'un an, assis sur les genoux de sa gouvernante, Mme de Monglat, l'enfant plus âgé, figuré debout, est plus probablement César de Vendôme, fils du souverain et de Gabrielle d'Estrées, né sept ans plus tôt, en 1594, et légitimé l'année suivante.

Un véritable message politique, destiné à asseoir la nouvelle dynastie, dans des temps encore très troublés, sous-tend cette représentation toute pacifique du Roi et de sa famille, où le Dauphin est figuré plus grand que César de Vendôme, pourtant plus âgé que lui. Le caractère dynastique affirmé de cette pièce laisse penser qu'elle fut créée à Fontainebleau, où se trouvait un atelier de terre vernissée proche de la cour, peut-être à la demande même du souverain.

Fig. 1. Léonard Gaultier d'après François Quesnel, *la Famille d'Henri IV*, 1602, gravure au burin, publiée par Jean Leclerc. Paris, Bibliothèque nationale de France, département des Estampes.

Plusieurs exemplaires de ce plat, exécutés d'après la gravure de Léonard Gaultier, avec des variantes dans le décor de l'aile, sont connus aujourd'hui et conservés dans les collections publiques françaises (Écouen, musée national de la Renaissance, inv. E. Cl. 1146 ; Rouen, musée de la Céramique, inv. 712 ; Limoges, musée Adrien-Dubouché, inv. ADL 7603 ; Avignon, musée Calvet, inv. R 230 ; et Paris, musée du Petit Palais, inv. 0. Dut. 1141). Il en existe même un exemplaire au musée national de Cracovie, dans la collection Czartoryski (inv. XIII 3081). Le musée de Lisieux conserve également une version plus médiocre qui laisse supposer que les moules, exécutés primitivement à Fontainebleau, en milieu de cour, ont été copiés plus maladroitement et plus tardivement en Normandie, à Manerbe ou au Pré-d'Auge.

Le motif floral qui orne l'aile du plat du Louvre se retrouve sur d'autres pièces attribuées à l'atelier de Fontainebleau, notamment sur un plat à la médaille de Louis XIII, conservé au musée Adrien-Dubouché, à Limoges (cat. 228), ou encore sur un plat circulaire de l'ancienne collection Sauvageot, orné d'une scène pastorale, conservé au musée du Louvre (inv. OA 1350).

M.-L. R.

227

Le Dauphin, futur Louis XIII, à cheval

France, atelier de Fontainebleau dit d'Avon, vers 1608-1610 | Statuette | Terre vernissée, cuir

H. 0,280 ; L. 0,240 ; l. 0,085

Hist. : ancienne collection Dupont Auberville ;
acquis en 1885.
Bibl. : Migeon, 1901, p. 63-64, n° 155.
Exp. : Fontainebleau, 1978.

Paris, musée du Louvre, département des Objets d'art. Inv. OA 2735

Le Dauphin, vêtu d'une armure émaillée en blanc, l'épée au côté, est représenté tête nue, le cou entouré d'une fraise. Il monte un lourd cheval gris pommelé qui marche au pas, levant la jambe antérieure droite. La robe du cheval est peinte dans une palette très nuancée qui va du gris au brun violacé. Le socle, rectangulaire, sur lequel repose le groupe est recouvert de jaspures bleues et brunes. L'intérieur du socle, en revanche, n'est pas émaillé.

Cette petite figure en terre vernissée, où l'on peut retrouver les traits du visage du futur Louis XIII, connus par les portraits peints de François Pourbus (1569-1622) ou les gravures d'Isaac Briot (1585-1670 ; inv. LR 13963, portefeuille 346 ; fig. 1), participe comme l'objet précédent (cat. 226) au rôle de soutien à la nouvelle dynastie joué par l'atelier de Fontainebleau à travers un certain nombre de statuettes et de pièces historiées ayant trait à l'illustration des Bourbon et de la personne même du Dauphin. Plusieurs figures de Neptune,

Fig. 1. Isaac Briot (1585-1670), *Portrait de Louis XIII à cheval,* 1622, gravure. Paris, musée du Louvre, département des Arts graphiques, collection Edmond de Rothschild.

représenté avec son trident, peut-être sous les traits d'Henri IV, chevauchant un cheval marin et portant dans ses bras un petit dauphin, figurent dans les collections françaises. L'une d'elle, placée sur un socle soutenu par trois dauphins, est conservée au musée du Louvre (inv. OA 1311). Une autre se trouve dans les collections du musée des Antiquités de Rouen (inv. 1709, publiée par Allinne, 1928, p. 80). On connaît aussi d'autres figurines sculptées, de musiciens notamment, qui reposent sur des dauphins, symboles par excellence de la continuité royale (voir à ce sujet le cat. 229).

Les statuettes d'enfant ou d'animal en terre vernissée étaient sans doute une spécialité de l'atelier de Fontainebleau puisque dans l'inventaire de la maison de Claude Berthélémy, l'un des émailleurs en terre œuvrant pour le Roi, dressé, en 1620, à l'occasion de la mort de sa femme, sont cités « *huit figures de terre, deux petitz enffant et quatre chiens* » (Herbet, 1897, p. 223).

Cette statuette témoigne à sa manière de l'importance de l'équitation dans l'éducation du futur roi de France, discipline essentielle qui devait lui permettre à la fois de se déplacer, de paraître en public, de suivre la chasse et de participer à la guerre. Le *Journal* de Jean Héroard, le fidèle médecin du futur Louis XIII, nous offre de multiples informations sur cet aspect primordial de la formation du Dauphin et nous apprend que celui-ci monta à cheval pour la première fois de sa vie en 1608, à l'âge de sept ans, et se révéla rapidement un excellent cavalier. L'année suivante, il reçut ses premiers rudiments de dressage et, à partir de 1615, bénéficia des leçons du meilleur écuyer de son temps, Antoine de Pluvinel, qui introduisit de multiples innovations dans l'art du dressage et publia, en 1623, à Paris, un ouvrage essentiel sur le sujet, illustré par Crispin de Passe (*Manège royal où l'on peut remarquer le défaut et la perfection du cavalier en l'exercice de cet art digne des princes fait et pratiqué en l'instruction du roy*; voir à ce sujet, Héroard, 1989, I, p. 122-123).

Les mentions de statuette en terre vernissée ayant appartenu au futur Louis XIII sont très fréquentes dans le *Journal* de Jean Héroard, qui constitue un témoignage essentiel sur la vie quotidienne du Dauphin. Il nous indique notamment que celui-ci disposait, à Fontainebleau, de divers jouets « *de poterie* », constitués par de petites figures sculptées et en particulier des animaux, des chiens, des chevaux, des renards, des blaireaux, un lion, « *une vache de poterie* » qu'il s'amuse à traîner (idem, *op. cit.*, 11 janvier 1607, p. 1150), des soldats (le 7 novembre 1606, le Dauphin « *s'amuse à mettre en bataille file à file, toute sa compagnie de pièces de poterie* » [idem, *op. cit.*, p. 1104]) ou bien encore des moines (idem, *op. cit.*, 5 février 1607, p. 1169).

M.-L. R.

228
Plat à la médaille
de Louis XIII

France, atelier de Fontainebleau dit d'Avon, après 1610 | Terre vernissée

H. 0,047 ; L. 0,268 ; l. 0,232

Hist. : acquis en 1883 chez le marchand Mannheim.

Limoges, musée national Adrien-Dubouché. Inv. ADL 7587

Le bassin de ce plat ovale à fond bleu est orné d'un portrait lauré du jeune Louis XIII inspiré par une médaille. Le profil du Roi, qui s'inscrit dans un cartouche ovale, est sommé d'une couronne royale fermée. Il est porté par deux figures ailées, émaillées en blanc, tenant des palmes. L'effigie royale est entourée de la légende suivante : *LUDOVI-CUS XIII D G FRANCORUM* [ET] *NAVARUM* [REX] (« Louis XIII par la grâce de Dieu [roi] de France [et] de Navarre »). L'aile du plat est enrichie de petits motifs en léger relief de fleurettes et de godrons, émaillés en vert et blanc. Le bord extérieur du plat est rehaussé d'un filet jaune.

La médaille de Louis XIII qui a servi de modèle pour cette pièce n'est pas précisément identifiée aujourd'hui. Le mot REX qui devrait figurer dans le corps de la légende en est curieusement absent. Les figures ailées qui entourent ici le profil du jeune Roi ne se trouvent pas habituellement sur les médailles portant son portrait. On les observe en revanche fréquemment à l'avers de monnaies contemporaines, de part et d'autre des armes de France, et notamment sur un essai d'argent, daté d'environ 1622-1623 (informations aimablement communiquées par Béatrice Coullaré). Tous ces éléments nous laissent supposer que l'auteur du moule utilisé pour l'exécution de ce plat s'est inspiré de diverses médailles et monnaies contemporaines et non d'un modèle en particulier.

Quelques pièces en terre vernissée, particulièrement liées à la représentation du jeune Louis XIII, sont encore connues de nos jours. Il existe ainsi à Autun, au musée Rolin, un plat très proche inspiré par une médaille légèrement différente, représentant le Roi de profil, entouré de l'inscription suivante, cette fois complète : *LUDOVICUS. XIII. D. G. FRANCORUM. ET. NA* [*VARUM*] *REX* (« Louis XIII par la grâce de Dieu roi de France et de Navarre » ; inv. CH 679). Le plat d'Autun est lui aussi forcément postérieur à 1610, date de l'avènement du souverain (cat. exp. Autun, 1983, n° 27). Une plaque à la médaille de Louis XIII en terre vernissée figurait autrefois dans la collection de Charles Sauvageot, donnée au Louvre en 1856 (inv. OA 1355). Déposée au château d'Azay-le-Rideau en 1907, elle a malheureusement disparu depuis (Sauzay, 1861, p. 204, n° 855).

Deux plats ovales aux armes de France qui font partie de ce même groupe lié à l'illustration de la monarchie sont connus. L'un d'entre eux est conservé à Limoges, au musée Adrien-Dubouché (inv. ADL 7588 ; fig. 1). Le second figure dans les collections du musée des Antiquités de Rouen (inv. 1638 ; publié par Allinne en 1928, pl. XLIV, fig. 88). Tous deux présentent le même bord godronné et découpé. Nous ne savons rien, en revanche, de la diffusion de ces objets, et si ceux-ci étaient destinés seulement à la famille royale, à la cour ou encore à un plus large public.

L'utilisation de médailles comme source d'inspiration pour la céramique n'était pas une nouveauté en France au temps de Louis XIII, puisque Bernard Palissy, lui-même, y avait eu recours. La fouille de son atelier des Tuileries a livré en effet des médaillons en terre vernissée aux effigies des personnages les plus célèbres de son temps, notamment Charles Quint, Henri II, Catherine de Médicis, Louis de Gonzague ou encore Anne de Montmorency (voir à ce sujet Dufay, Kisch, Poulain, Roumégoux et Trombetta, 1987, p. 48-54).

M.-L. R.

229
Statuette : *Un joueur de vielle*
France, atelier de Fontainebleau dit d'Avon, premier quart du XVIIe siècle | Terre vernissée

H. 0,390 ; L. 0,120

Hist. : ancienne collection Charles Sauvageot ; don de Charles Sauvageot, 1856.
Bibl. : Sauzay, 1861, p. 196, n° 812 ; Clément de Ris, 1875, p. 34, n° H. 26 ; Migeon, 1901, p. 59-60, n° 138 ; Ballot, 1923, ill. 43.
Exp. : Fontainebleau, 1978 ; Paris, 1987, p. 72, n° 50 ; Pau, 1989, et Paris, 1989-1990, p. 291, n° 368a.

Paris, musée du Louvre, département des Objets d'art. Inv. OA 1312

Le vielleur, à l'expression mélancolique, est figuré debout, vêtu d'un justaucorps en émail blanc, d'une cape brune doublée de vert, d'un chapeau brun, de bas bleus et de souliers verts. L'instrument dont il est en train de jouer a été émaillé en jaune. Le musicien ambulant repose sur un socle triangulaire, porté par trois dauphins accolés aux écailles simulées.

Le joueur de vielle est associé dans les collections du Louvre à un joueur de cornemuse qui repose sur un socle identique (inv. OA 1313 ; fig. 1). Ces deux statuettes furent offertes au Louvre, en 1856, par Charles Sauvageot. Le musée du Louvre conserve deux autres figurines de joueur de vielle (inv. OA 4042 et N 225) et deux autres statuettes de joueur de cornemuse, de plus petites dimensions (OA 1317 et MR 2351), d'un modèle plus simple, démunies de socle, mais également attribuées à l'atelier de Fontainebleau. Quelques autres statuettes de vielleur en terre vernissée sont connues aujourd'hui, dispersées dans le monde entier. L'une d'entre elles est conservée à Washington, à la Corcoran Gallery (inv. 26.482). Un joueur de vielle était mentionné autrefois dans la collection Soltykoff par Tainturier (1863, p. 114, n° 147).

Selon Philippe Malgouyres, le thème du joueur de vielle, associé au joueur de cornemuse, est d'origine nordique. Il a été traité au XVIe siècle en bronze par Jean Bologne et en ivoire par les sculpteurs flamands. On le trouve également dans la peinture et le dessin du temps de Louis XIII, notamment dans les œuvres de Louis Testelin (1615-1653) et de Georges de La Tour (1593-1652).

Au début du XVIIe siècle, la vielle, apparue à l'époque médiévale en Europe, était encore un instrument populaire et non un instrument de cour comme elle le devint sous le règne de

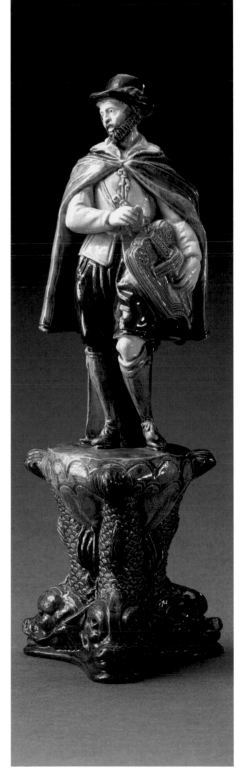

Fig. 1. *Plat aux armes de France,* atelier de Fontainebleau dit d'Avon, première moitié du XVIIe siècle, terre vernissée. Limoges, musée national Adrien-Dubouché.

Fig. 1. *Un joueur de cornemuse,* atelier de Fontainebleau dit d'Avon, premier quart du XVIIe siècle, terre vernissée. Paris, musée du Louvre, département des Objets d'art.

Louis XIV. Elle n'est jamais citée en effet parmi les instruments joués dans l'entourage du Dauphin dans sa jeunesse (voir à ce sujet Héroard, 1989, I, p. 182-183).

Nous l'avons vu plus haut, Louis XIII, enfant, disposait, à Fontainebleau, de nombreux jouets en terre vernissée parmi lesquels figuraient des « *musiciens de poterie* ». Jean Héroard nous apprend par exemple que, le 27 mai 1612, le jeune Roi « *faict porter des musiciens de poterie, s'amuse a les renger sur ung grand libvre comme pour chanter en concert* » (idem, *op. cit.,* p. 2023).

L'exécution de figurines en terre vernissée devait être l'une des attractions principales de l'atelier de Fontainebleau, où le futur Louis XIII se rendait souvent. En 1608, le Dauphin avait offert à sa cousine, Mademoiselle de Montpensier, une figurine de nourrice dont le modèle avait sans doute été donné à la poterie par Guillaume Dupré (idem, *op. cit., loc. cit.,* 24 avril 1608, p. 1421). Le Dauphin lui-même s'était essayé à l'art de la terre puisque, le 20 décembre 1607, Héroard nous raconte qu'il « *S'amuse a faire des vases avec de la terre a potier, les faict cuire auprès du feu* » (idem, *op. cit.,* I, p. 1348). Certaines figurines étaient peut-être aussi fabriquées dans les Flandres. En effet, Jean Héroard nous raconte que, le 1er mars 1605, il a offert au Dauphin « *ung* [petit homme] *a cheval et ung marmoset de Flandre faict de poterie* » (idem, *op. cit., loc. cit.,* 1er mars 1605, p. 605).

M.-L. R.

230

Plaque porte-lumière

France, atelier de Fontainebleau dit d'Avon (?), vers 1640-1650 | Terre vernissée, cuivre

H. 0,380 ; L. 0,315 ; Pr. 0,120

Hist. : ancienne collection Charles Sauvageot ; don de Charles Sauvageot, 1856.
Bibl. : Sauzay, 1861, p. 313, no 905 ; Clément de Ris, 1875, p. 37, no H. 36.

Paris, musée du Louvre, département des Objets d'art. Inv. OA 1405

Cette plaque est formée de deux éléments principaux. Le fond, bleu, jaune et brun chantourné, orné de deux mascarons à têtes de lion, simule un cuir découpé qui rappelle l'art de Fontainebleau et sert d'applique à l'ensemble. Un jeune homme en buste, sculpté en haut relief, se détache de ce support. De la main gauche, il tient une bobèche en cuivre en forme de tulipe et de la main droite retient une cape de couleur. L'ensemble de la plaque est rehaussé de glaçures de couleurs brune, bleue, jaune et verte. Les moindres détails du costume (crevés, boutons, col en dentelle) sont soigneusement rendus par un minutieux travail de gravure. La glaçure blanche qui recouvre le visage a sans doute été opacifiée et blanchie à l'oxyde d'étain, technique que l'on rencontre déjà au siècle précédent dans des œuvres attribuées à Bernard Palissy. Le revers de la plaque n'est pas émaillé.

La datation de cet objet, autrefois attribué par A. Sauzay et Louis Clément de Ris à Bernard Palissy, peut être précisée par l'étude du costume du personnage en buste (Sauzay, 1861, p. 213, no 905, et Clément de Ris, 1875, p. 37, no H. 36). En effet, le personnage figuré porte sous son pourpoint de couleur brune une chemise blanche dont le col est fermé par des cordons. Ce type de col est très souvent visible dans la gravure et la peinture françaises et européennes des années 1640-1650. On le retrouve ainsi dans les gravures de Louis Testelin ou dans un tableau du Louvre, peint par un membre de l'entourage des Le Nain vers 1650, *les Joueurs de tric-trac*.

Des plaques porte-lumière furent également exécutées au temps de Louis XIII en faïence à Nevers. Tous les exemplaires connus, conservés notamment à Paris, au musée du Louvre, à Sèvres, à Saumur ou à Nevers, sont ornés d'un léger décor *a compendiario*.

M.-L. R.

231
Plat rond : *La Pluie de cailles dans le désert*

France, Lyon ou Nevers (?), vers 1600
| Faïence de grand feu

H. 0,082 ; D. 0,465 | Marques incisées au revers dans l'émail : *af ; 34* | Inscription peinte au revers : *Les. Caillés. Envoyes.aus. anfans. disrael.au.Desers Exode. Chapitre.16.*

Hist.: ancienne collection de sir Andrew Fountalne (1676-1753) à Narford Hall (Suffolk) ; par descendance Andrew Fountaine IV (1808-1873) ; vente Fountaine à Londres, Christie's, Manson and Woods, 16-18 juin 1884, nº 350 ; vente à Londres, Phillips, Blenstock House, 15 juin 1983, nº 102 ; don de la Société des amis du Louvre, 1986.
Bibl.: Moore, 1988, p. 436, 440, fig. 53 ; Gaigneron, 1990, p. 86.
Exp.: Paris, 1990, nº 46, 1997, nº 216 a.

Paris, musée du Louvre, département des Objets d'art. Inv. OA 11044

Ce grand plat circulaire est décoré en plein d'une scène historiée d'inspiration biblique représentant le campement des Hébreux dans le désert. Ces derniers, figurés devant leurs tentes, sont saisis d'étonnement à la vue de la pluie de cailles miraculeusement envoyée par Yahvé. L'ensemble du décor est peint dans une palette très nuancée de bleu, de jaune orangé, de vert et de manganèse. Le bord du plat est cerné d'un filet jaune. Le revers porte une inscription peinte en manganèse qui identifie le sujet de la scène. Il est également orné de filets concentriques, peints en jaune orangé.

L'inscription, en français, peinte au dos de cet objet, nous indique que le décor s'inspire d'un verset du chapitre XVI du livre de l'Exode, « *Le soir, des cailles montèrent et couvrirent le camp, et au matin, il y avait une couche de rosée tout autour du camp* » (la Bible de Jérusalem, Paris, 1994, l'Exode, XVI, 13). La scène a été peinte très exactement d'après une gravure de Bernard Salomon, qui illustre les *Quadrins historiques de la Bible*, ouvrage célèbre, publié à Lyon par Jean de Tournes, en 1553.

Cet objet était associé lors de son entrée dans les collections du Louvre à un second plat circulaire à sujet biblique (inv. OA 11045 ; fig. 1), *Moïse et les filles de Jethro*, dont le décor reprend une autre gravure de Bernard Salomon provenant aussi des *Quadrins historiques de la Bible*, destinée à illustrer cette fois les versets 16 et 17 du chapitre II du livre de l'Exode. Les deux pièces proviennent de la célèbre collection de majoliques constituée au début du XVIIIe siècle par Andrew Fountaine (1676-1753), l'un des plus anciens collectionneurs connus de ce type de céramiques. La marque af qui est incisée sur les deux objets est le monogramme de l'un de ses descendants, Andrew Fountaine IV (1808-1873). Le numéro 34 est celui du second inventaire de la collection de ce dernier, dressé entre 1855 et 1873 (cat. exp. Paris, 1990, p. 94).

Ces deux grands plats posent le problème de la provenance lyonnaise ou nivernaise des majoliques françaises du début du XVIIe siècle. La forme, le mode de décor et la présence au revers de filets jaunes, tous ces éléments viennent de l'Italie et existent à Urbino, dans la production des Fontana, dans la seconde moitié du XVIe siècle. En revanche, quelques éléments ne se retrouvent jamais dans la majolique d'Urbino et semblent relever de l'art français, comme l'inscription en langue française, une palette de couleurs assez différente et enfin une disposition du décor très ordonnée en plans successifs qui pourrait être la marque d'un esprit français. La provenance lyonnaise de ces deux plats est rendue plausible par la source iconographique des deux scènes peintes, les *Quadrins historiques de la Bible*. Mais cet ouvrage a beaucoup circulé en France comme en Italie et pouvait aussi être connu des faïenciers de Nevers au début du XVIIe siècle.

Selon Pierre Ennès (cat. exp. Paris, 1990, p. 94-96), ces deux objets étaient inédits au moment de leur mise en vente. Leurs dimensions exceptionnelles, leur source iconographique et leur vraisemblable fabrication dans un centre français en font des objets de première importance pour la connaissance de la faïence française.

M.-L. R.

Fig. 1. Plat, *Moïse et les filles de Jethro*, Lyon ou Nevers, vers 1600, faïence de grand feu. Paris, musée du Louvre, département des Objets d'art.

232
Paire de vases-rouleaux

Nevers, premier quart du XVIIe siècle |
Faïence de grand feu, montures en
bronze doré postérieures

H. 0,443 avec couvercle ; H. 0,382 sans
couvercle ; D. base 0,112

Hist. : legs Louise Grandjean, 1910.
Exp. : Paris, 1932, nº 58 ; Amsterdam, 1957,
nº 138.

Paris, musée des Arts décoratifs.
Inv. Gr. 187 et Gr. 188

Ces deux grands vases cylindriques couverts,
légèrement renflés à la partie haute, sont presque
entièrement revêtus d'un fond bleu ondé, enrichi
de motifs de tritons soufflant dans des cornes et
d'Amours portant des corbeilles fleuries chevauchant des lions ou des chevaux marins. Sur l'un
des vases, on devine à la partie supérieure un rivage
et quelques architectures (Gr. 187). Les bases, les
cols et les couvercles des deux pièces sont dotés de
montures en bronze doré visiblement postérieures.
Le décor de chaque vase a été exécuté dans une
palette réduite aux quatre couleurs principales de
grand feu : le bleu de cobalt, le jaune d'antimoine,
le vert de cuivre et le brun de manganèse.

Le décor de fond ondé, les motifs marins et architecturaux, la palette très particulière mise en œuvre
sur ces objets autorisent par comparaison avec le
célèbre plat du Louvre daté 1589, *le Triomphe de
Galatée* (OA 9247), de les attribuer à la production historiée de Nevers du début du XVIIe siècle. Ce
plat, qui est en effet la première pièce datée connue
de Nevers, sert d'objet de référence et a permis
d'attribuer à ce centre un certain nombre de pièces
historiées, anciennement données à Urbino ou à
Lyon, qui montrent une parenté certaine avec lui.
On peut ainsi attribuer pour les mêmes raisons à
Nevers la célèbre paire de pots couverts du musée
de Sèvres, au décor inspiré par une gravure des
Quadrins historiques de la Bible, « le Déluge »
(inv. MNC 22740[1] et 22740[2] voir fig. 7, p. 339).

La forme de ces deux vases-rouleaux est d'origine
chinoise. Elle est courante dans les garnitures de
vases importés en grand nombre au début du
XVIIe siècle par la Compagnie néerlandaise des
Indes orientales, la VOC. Ces objets constituent
donc l'une des manifestations les plus anciennes
du goût pour la « chinoiserie » dans l'art français.
Les deux pièces étaient certainement dépourvues
à l'origine de couvercles, comme leurs modèles
chinois. Ceux-ci semblent en effet postérieurs.

M.-L. R.

233

Gourde : *Romulus et Rémus*

Nevers, première moitié du
XVIIe siècle | Faïence de grand feu

H. 0,440

Hist. : ancienne collection Gilbert Lévy ; vente à
Paris, hôtel George V, 10 décembre 1996, p. 58,
no 84 ; acquis à cette vente par le musée Frédéric
Blandin.

Nevers, musée municipal Frédéric
Blandin. Inv. NF 996.2.2

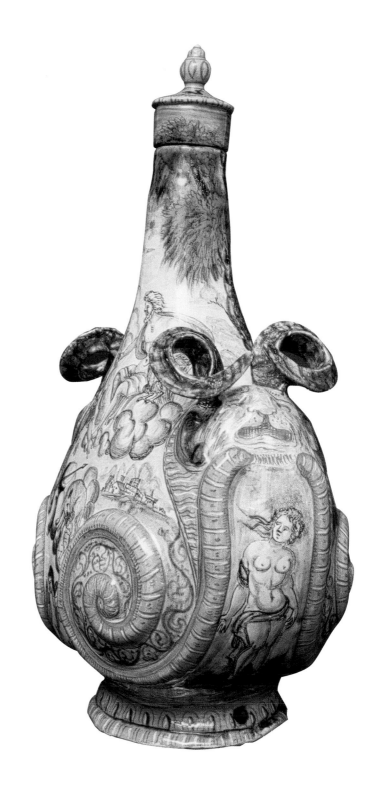

Cette gourde à la panse très aplatie est décorée
sur les deux faces principales de scènes historiées,
inspirées par la mythologie et l'histoire romaine.
D'un côté, on distingue Jupiter dans les nuées,
protégeant Rémus et Romulus, nourris par la
louve. De l'autre, la scène figure Méléagre remettant
à Atalante la hure du sanglier de Calydon. Les deux
petits côtés de l'objet sont ornés d'enroulements en
relief, également peints en jaune, qui se terminent
par des têtes de lion, sommées de cornes de bélier,
peintes en manganèse. Des figures féminines nues,
peintes sur un fond ondé, s'inscrivent entre les
enroulements. La gourde est fermée par un
couvercle visiblement postérieur. Elle repose sur
un piédouche circulaire, peint en jaune.

Cette superbe gourde, dont la forme d'origine
italienne était bien connue à Urbino dans les
années 1570 (voir notamment une gourde du
service d'Alphonse d'Este, vers 1579, conservée à
Florence dans la collection Frizzi Baccioni),
témoigne de la persistance des formes italiennes et
du décor historié dans la production de Nevers
de la première moitié du XVIIe siècle. Ici, le décor
a istoriato est associé au fond ondé, ce qui permet
de l'attribuer à l'un des ateliers actifs dans la
capitale du Nivernais, dans la première moitié du
XVIIe siècle.

Peu de gourdes de cette forme furent exécutées à
Nevers. Nous pouvons toutefois citer à titre
d'exemple une pièce de l'ancienne collection
Banmeyer, à décor mythologique, publiée autrefois dans le *Répertoire de la faïence française* (1933,
pl. 12 B).

M.-L. R.

234

Plat rond : *Vénus et l'Amour*

France, Nevers, début du XVIIe siècle,
après 1617 | Plat à décor
a raffaellesche | Faïence de grand feu

D. 0,445 | Marques au revers : *A.O.*

Hist. : acquis à une date inconnue ; présent au
musée en 1942.
Bibl. : Damiron, 1926, pl. XXII, nº 99 ; Fourest,
1960, n. p. ; Fourest et Giacomotti, 1966, p. 39,
fig. 3 ; Duret-Robert, 1974, p. 6 ; Taburet, 1981,
p. 11 ; Faÿ-Hallé, 1996, p. 14 ; Guillemé-Brulon,
1997, p. 44 ; Rosen, 2000(1), p. 39, fig. 6.
Exp. : Paris, 1960, p. 2, nº 2 ; Nevers, 1965, p. 7,
nº 9 ; Auxerre, 1999, n. p. ; Mantoue, 1999, n. p. ;
Nevers, 2001, n. p.

Nevers, musée municipal Frédéric
Blandin. Inv. NF 1311

Ce grand plat circulaire est orné sur deux
rangs de figures de grotesques polychromes, exécutées sur le fond blanc de la faïence, à la fois sur
l'aile et sur le bassin. Ces motifs sont enrichis sur
le bassin de quatre cuirs découpés contenant de
petites divinités païennes allongées, peintes en bleu
et blanc, à la manière de camées antiques. Les
motifs de grotesques sont disposés autour d'un
médaillon central, contenant une scène peinte
d'après une gravure d'Odoardo Fialetti, publiée à
Venise en 1617, *Vénus et l'Amour* (fig. 1).

Ce décor, qui combine à la fois des motifs inspirés
de l'Antiquité et une scène historiée, appartient au
genre dit *a raffaellesche*. Celui-ci se répandit dans
les années 1560, dans la faïence d'Urbino, dans
l'atelier Fontana puis dans celui des Patanazzi, en

réaction contre les décors historiés en plein, qui
recouvraient totalement la surface des pièces de
majolique. Il fut mis en œuvre lors de l'exécution
du grand service d'Alphonse II d'Este, duc de
Ferrare, en 1579, à l'occasion de son mariage avec
Marguerite de Gonzague. Les motifs décoratifs de
grotesques peints dans les ateliers d'Urbino s'inspirent largement des ornements antiquisants, créés
par Raphaël et Giovanni da Udine aux Loges du
Vatican ou à la villa Madame, à Rome, d'où leur
nom de décor *a raffaellesche*. Ce nouveau répertoire ornemental, qui lui-même tirait son origine
des peintures antiques de la Maison dorée, à Rome,
eut un succès certain à Urbino et s'introduisit
dès la fin du XVIe siècle dans d'autres ateliers
italiens, notamment à Deruta ou en Ligurie, mais
également en France dans les deux manufactures
qui furent le plus fortement marquées par la
production d'Urbino, Lyon puis Nevers. Le musée
du Louvre conserve ainsi un plat ovale attribué
aux ateliers lyonnais, *Neptune et Amphitrite*, daté
des années 1570-1580, orné de cette manière
(inv. MR 2207).

Si le décor de cet objet s'inspire bien évidemment
des motifs italiens, notamment dans la représentation des camées antiques, il est loin d'avoir la
finesse et la fantaisie des modèles d'Urbino. Selon
Antoinette Faÿ-Hallé, il n'eut guère de succès à
Nevers, où il fut sans doute jugé trop strict et
laissant trop peu de liberté à l'artiste qui le réalisait.

M.-L. R.

Fig. 1. Odoardo Fialetti, *Vénus et l'Amour*, 1617,
gravure.

235

Plat ovale

Nevers, manufacture des Trois Mores (?), vers 1630-1646 | Faïence de grand feu

L. 0,480 ; l. 0,390 | Signé au revers, sous l'aile, en manganèse : *de Conrade A Nevers*

Hist. : ancienne collection Charles Lair ; legs Charles Lair, 1919.
Bibl. : Giacomotti, 1963, p. 46-47, fig. 9a et b ; Fourest et Giacomotti, 1966, p. 50-51, fig. 1 ; Frégnac, 1976, p. 134, nº 177 ; Faÿ-Hallé et Lahaussois, 1986, p. 37, nº 16 ; Estienne, 1987, 6, p. 14-15, nº 486 ; Mongellaz et Hau-Balignac, 1996, p. 31, nº 32.
Exp. : 1980(2), p. 149, nº 192.

Saumur, château-musée. Inv. 919.1.1.0283

Le décor de ce grand plat ovale, aux contours légèrement irréguliers, a été entièrement exécuté en camaïeu bleu. Il consiste en un semis en plein, sur l'aile comme sur le bassin, de plantes aquatiques et d'animaux variés, une biche, des poissons, des volatiles, des lapins, des escargots… L'aile du plat est entourée de deux filets peints en bleu. La bordure externe a été laissée volontairement en blanc. Le revers du plat est convexe et sans talon (voir fig. 1). Il est orné de motifs géométriques et naturalistes, disposés dans huit quartiers matérialisés par des filets bleus parallèles. Au centre, sous le bassin, des motifs de vagues évoquent les fonds ondés des pièces historiées nivernaises.

Le décor en semis, qui semble jeter les motifs au hasard sur la surface du plat et ne tient aucun compte des différences d'échelle entre eux, était courant dans la production ligurienne de Savone, d'Albisola et de Gênes, à la fin du XVIe siècle comme au début du siècle suivant. Peut-être était-il lui-même issu de la céramique orientale, importée en Italie par Venise. En Ligurie, d'où étaient originaires les Conrade, qui développèrent la technique de la faïence à Nevers, ce type de décor appartenait à un genre nommé aujourd'hui *calligrafico naturalistico*. Son introduction à Nevers est attribuée généralement à Antoine Conrade, le fils de Dominique I Conrade, né en 1604 et actif à la fabrique des Trois Mores jusqu'en 1646 (Rosen, 2001, p. 209). Il était logique que des faïenciers originaires de Ligurie apportent avec eux ce répertoire décoratif, conçu dans leur pays d'origine. Ce décor, dit pour simplifier à la manière de Savone, devait avoir avec de nombreuses variantes un immense succès à Nevers pendant plusieurs décennies. Sa date d'introduction demeure difficile à préciser aujourd'hui.

Très curieusement, ce décor en semis se retrouve dans la céramique persane contemporaine, ainsi l'observons-nous sur une coupe en pâte siliceuse du musée de Sèvres (inv. MNC 7821), datée d'environ 1620 (inv. MNC 7821 ; fig. 2). On distingue par ailleurs sur cette coupe des volatiles, papillons et

Fig. 1. Plat signé, *de Conrade A Nevers,* Nevers, manufacture des Trois Mores (?), vers 1630-1646, faïence de grand feu, revers. Saumur, château-musée.

Fig. 2. Coupe, Perse, vers 1620, pâte siliceuse. Sèvres, musée national de Céramique.

insectes que l'on retrouve fréquemment dans les pièces exécutées à Nevers à la manière de Savone.

Nous connaissons quelques autres pièces en camaïeu bleu à décor en semis portant la marque des Conrade, notamment un *tondino* à décor d'animaux (comprenant une biche, des volatiles variés et des poissons), qui figure également dans les collections du château-musée de Saumur (collection Lair, inv. 282). Le musée national de Céramique conserve aussi un *tondino*, dont l'aile est organisée en compartiments qui évoquent à la fois les décors *a quartieri* de Deruta et les compartiments de la *Kraaksporselein*, alors largement importée en Europe par la Compagnie néerlandaise des Indes orientales (inv. MNC 8614).

M.-L. R.

236

Tondino au petit cavalier

Nevers, manufacture des Trois Mores (?), vers 1630-1646 | Faïence de grand feu

D. 0,290 | Signé au revers, sous le talon : *de Conrade A Nevers*

Hist.: don Boyer de Sainte-Suzanne, 1863.
Bibl.: Estienne, 1980, t. II, p. 170 ; 1987, p. 24-25, n° 496 ; Faÿ-Hallé, 1996, p. 18.

Sèvres, musée national de Céramique. Inv. MNC 6008

L'aile assez large de ce *tondino*, entièrement peint en camaïeu bleu, est ornée de petits animaux disposés en semis (un cerf, un chien, un lapin, un escargot, plusieurs volatiles…). L'aile est séparée du bassin par une bande laissée en blanc, cernée de filets bleus. Au centre du plat, on distingue un cavalier caracolant sur un pont, au milieu d'architectures placées au sommet de montagnes. Le personnage est surmonté d'un gros insecte volant et d'une fleur poussant sur un tertre. Ces éléments sont presque aussi hauts que lui. Au revers, le plat est rehaussé de motifs géométriques peints en camaïeu bleu.

La forme de ce petit plat est bien évidemment italienne ainsi que l'inspiration très naturaliste du décor, venu de la faïence de Savone en Ligurie. On attribue l'introduction de ce type de décor à la famille Conrade, représentée d'abord par Dominique et Augustin puis par leurs descendants et neveux, qui en était originaire. Une influence nivernaise, en revanche, se lit dans la figure du cavalier et dans le paysage qui l'entoure. Mais la disposition en semis toute fantaisiste du décor qui l'entoure reste très ligurienne.

Le goût pour le camaïeu bleu qui règne dans cet objet comme dans le précédent (cat. 235) témoigne de la diffusion des porcelaines chinoises en bleu et blanc de l'époque Wanli, qui affluaient alors en Europe par l'intermédiaire de la Compagnie néerlandaise des Indes orientales, la VOC.

M.-L. R.

237

237

Plaque-épitaphe
de Jules Gambin

Nevers, manufacture de Bethléem,
vers 1615 | Faïence de grand feu

H. 0,445 ; L. 0,257

Hist. : ancienne collection Victor Sanson ; acquise
en 1980.
Bibl. : Faÿ-Hallé et Lahaussois, 1986, p. 3 ; Taburet,
1996, p. 11 ; Guillemé-Brulon, 1997, p. 46.

Sèvres, musée national de Céramique.
Inv. MNC 24941

Cette plaque-épitaphe, sculptée en forme
d'édicule porté par des colonnes, est ornée d'un
décor dit *a compendiario* peint en bleu, vert et
jaune, rehaussé de touches d'ocre et de manganèse, qui se détache bien nettement sur le fond
blanc de la faïence. À la partie supérieure de l'édifice, on distingue, entre les deux enroulements, les
initiales du défunt, IG (Jules Gambin), inscrites

au milieu de deux branches de feuillage. La partie
principale de la plaque, enserrée entre les colonnes
aux cannelures simulées, porte la scène de la
Crucifixion. Marie et Jean se tiennent debout au
pied du Christ. Derrière la Croix se développe un
paysage urbain peint en bleu et jaune, surmonté du
soleil et de la lune, assez naïvement figurés sous
des traits humains. Sous la représentation du
Calvaire est peinte l'inscription suivante en guise
d'épitaphe : « *Sur Le trespas de Honnorable homme
Iulles Gambin ME potier en uaiselle de fayence
Epitaphe La parque sembleroit engloutir la memoire
D'ung que Pallas ornoit de lauriers uerdissans/ Si
comme le phsenix, il n'emportoit la gloire La hault
par son esprit, ça bas par ses enfens* ».

Cette plaque a sans doute été exécutée à la
mémoire de Jules Gambin peu de temps après sa
mort, survenue en 1615. Le caractère flatteur de
l'inscription conduit à se demander si cet objet
était destiné à la dévotion privée ou plutôt à

perpétuer le souvenir de son activité à la manufacture de Bethléem. Gambin, qui était un peintre
de faïence originaire de Faenza, fonda d'abord
une faïencerie à Lyon, en 1574, puis s'associa avec
Augustin Conrade, à Nevers, de 1588 à 1589. On
doit vraisemblablement à leur collaboration l'exécution du célèbre plat du Louvre, *le Triomphe de
Galatée*, déjà cité. Les deux associés étaient installés au logis Saint-Gildas et à la maison de Bethléem, situés rue de la Tartre, dans le quartier qui
allait bientôt devenir celui des faïenciers. Après
leur séparation, Gambin conserva la fabrique de
Bethléem. Il mourut à Nevers, en 1615, ce qui
permet de dater cette plaque peut-être de cette
année-là.

Cet objet témoigne de l'introduction précoce à
Nevers du décor dit *a compendiario*, qui écono-
mise au maximum les couleurs mises en œuvre
par le peintre, privilégie la simplicité du dessin et
laisse la part belle à l'émail blanc de la faïence. Ce
décor se développa d'abord à Faenza dès les
années 1550 puis il s'introduisit dans d'autres
manufactures italiennes et européennes, où il
connut un succès durable jusque dans la seconde
moitié du XVIIe siècle. Il fut en effet le premier
décor exécuté à Rouen dans l'atelier d'Edme
Poterat, en 1647, ce qui montre l'importance qui
lui était alors accordée (voir à ce sujet les cat. 249
à 251).

M.-L. R.

238

Plaque : *le Voyage de Tobie*

Nevers, première moitié du
XVIIe siècle | Faïence de grand feu

H. 0,315 ; L. 0,275 ; Ép. 0,040

Hist. : acquis en 1990.
Bibl. : Mongellaz et Hau-Balignac, 1996, p. 33,
nº 33.

Saumur, château-musée. Inv. 990-2-1

Cette plaque rectangulaire contient une scène
peinte représentant Tobie et l'ange. Celle-ci s'inscrit dans un cadre simulé, formé de trois moulures
successives, peintes en jaune et bleu et rehaussées
de filets de manganèse. Les deux figures bibliques
sont montrées cheminant côte à côte dans un
paysage foisonnant, le long d'une rivière. L'ensemble a été exécuté selon le principe du décor
a compendiario en bleu, jaune et orangé, et laisse
une belle place au fond blanc de la faïence. Tous
les motifs peints sont finement cernés de manganèse. Le revers de la plaque n'est pas émaillé.

La plaque illustre l'épisode au cours duquel l'ange
Raphaël, qui s'est fait passer pour un Israélite de
la parenté du jeune Tobie, accompagne ce dernier
sur la route de Rhagès en Médie récupérer le bien
de son père, Tobit. L'enfant tient dans la main
droite un bâton et un poisson rappelant l'aventure
qui lui est arrivée en chemin et qui est racontée au
chapitre VI du livre de Tobie : « *L'enfant partit avec
l'ange, et le chien suivit derrière. Ils marchèrent tous
les deux, et quand vint le premier soir, ils campèrent
le long du Tigre. L'enfant descendit au fleuve se laver
les pieds, quand un gros poisson sauta de l'eau et*

faillit lui avaler le pied. Le garçon cria, et l'ange lui dit : "Attrape le poisson, et ne le lâche pas !" Le garçon vint à bout du poisson et le tira sur la rive... » (la Bible de Jérusalem, 1994, Tobie, VI, 3-4).

Un nombre relativement élevé de plaques de faïence en léger relief à sujet religieux fut réalisé à Nevers à la manière italienne, dans la première moitié du XVIIᵉ siècle. Nous pouvons supposer que ces objets étaient exécutés pour des chapelles ou des oratoires particuliers. Le musée Frédéric Blandin, à Nevers, conserve ainsi deux plaques formant pendants, la *Flagellation* et la *Crucifixion,* sans doute destinées à la dévotion privée (inv. NF 45 et NF 186).

M.-L. R.

238

239

Plaque en forme d'enseigne

Nevers, 1658 | Faïence de grand feu

H. 0,350 ; L. 0,350

Hist. : acquise en 1885.
Bibl. : Faÿ-Hallé, 1996, p. 17 ; Guillemé-Brulon, 1997, p. 46.
Exp. : Nevers, 1937, p. 23, nº 110 ; 1980(2), p. 148, nº 189.

Sèvres, musée national de Céramique.
Inv. MNC 8330

Cette plaque de forme carrée, exécutée pour un marchand de faïence qui n'est pas identifié, est décorée d'une scène exécutée *a compendiario* en bleu, jaune et brun. On y distingue deux personnages vus de profil, un homme et une femme qui se font face, de part et d'autre d'un grand vase de fleurs, peint en jaune. Ils sont vêtus dans l'esprit des figures pastorales qui illustrent le roman d'Honoré d'Urfé, très célèbre en son temps, l'*Astrée,* dans l'édition de Tavernier, datant de 1642. Sous les deux personnages, se lit cette inscription : *CEANSSE FAICT ET VEN / DE TOVTE SORTE DE FA / IANCE 1658.* La scène et l'inscription sont entourées d'un galon formé de rinceaux et de motifs naturalistes que l'on retrouve fréquemment dans les coupes godronnées nivernaises.

Cette plaque constitue l'un des rares objets bien daté en faïence de Nevers. Sa datation tardive témoigne du succès durable du décor *a compendiario* dans la production de Nevers, jusque dans la seconde moitié du XVIIᵉ siècle. Les plaques à décor profane sont généralement plus rares que les plaques à décor religieux. Si l'on peut penser que d'autres plaques vantant la production de faïenciers nivernais furent exécutées au XVIIᵉ siècle, celle-ci constitue le seul exemple connu aujourd'hui.

M.-L. R.

239

240

241

240

Denis Lefebvre

Statue : *Vierge à la pomme*

Nevers, manufacture de l'Autruche,
1636 | Faïence de grand feu

H. 1,100 | L. 0,370 | Signé en manganèse,
à l'intérieur du socle : *DLF* (Denis Lefebvre
fecit) | Inscription et date peintes
en manganèse, sur le socle :
*1636 / SANCTA.MARIA.ORA / PRO
NOBIS* (« Sainte Marie, prie pour nous »)

Hist. : don Jacques Gallois, 1847.
Bibl. : Broc de Segange, 1863, p. 185, n° 43 et
fig. IV ; *Répertoire…*, 1933, I, p. 162-163, II,
pl. 17A ; Fourest, 1960, n. p. ; Kjellberg, 1963,
p. 76-85, n° 131 ; Fourest et Giacomotti, 1966,
p. 42, fig. 1 ; Taburet, 1981, p. 61 ; Reginster, 1996,
p. 64 ; Guillemé-Brulon, 1997, p. 45 ; Rosen,
2000(1), p. 39, fig. 7, 2000(2), p. 65, fig. 79.
Exp. : Nevers, 1937, p. 26, n° 142, 1960, p. 3,
n° 11 ; Paris, 1965(2), p. 9, n° 26 ; Nevers, 1967,
p. 4, n° 50.

Nevers, musée municipal Frédéric
Blandin. Inv. NF 27

Cette statue célèbre, de très grande dimension,
montre la Vierge légèrement déhanchée, tenant
l'enfant Jésus sur le bras gauche et lui offrant une
pomme de la main droite. Elle repose sur un socle
quadrangulaire, accosté sur trois côtés de têtes
d'angelots ailés, sculptées en haut relief. La statue
est entièrement recouverte d'un magnifique émail
blanc, très épais, et est rehaussée d'un léger décor
peint en bleu, jaune et brun de manganèse. Celui-
ci est seulement destiné à figurer les cheveux, les
traits des visages, les bords et le revers des vêtements de la Vierge. Le socle de la statue, à la partie
antérieure, porte la date 1636. La partie supérieure
du socle n'est pas émaillée.

Le décor très aéré et très simplifié qui orne cette
statue et qui laisse une grande part au fond blanc
de la faïence appartient au type déjà rencontré dit
a compendiario. Ici, l'inspiration italienne est
évidemment double, à la fois par la présence du
décor *a compendiario* et par le principe de la sculpture en ronde bosse de faïence mis en œuvre à
Florence par la dynastie des della Robbia et introduit en France, au début du XVIe siècle, par Giro-
lamo della Robbia au château de Madrid, pour
François Ier.

Les initiales DL peintes à l'intérieur du socle sont,
selon toute vraisemblance, celles du peintre Denis
Lefebvre qui fut actif à la manufacture de l'Autruche, à partir de 1633. La statue de la Vierge
du musée de Nevers est l'une des rares œuvres
de cette manufacture à être datées et donne ainsi
un précieux jalon de datation à la chronologie si
embrouillée de Nevers. La signature de Denis
Lefebvre est peu courante. On la rencontre toutefois au moins sur deux autres objets : un vase
couvert, conservé à Cambridge, au musée Fitzwilliam (inv. GL 2314), et un plat à décor mythologique de la collection Georges Lefebvre, à Paris,
le Jugement de Pâris (Rosen, 2001, p. 204).

La statue de la Vierge, qui était, au XIXe siècle, l'une
des pièces les plus importantes de la collection de
Jacques Gallois, est réputée provenir d'une chapelle
de la cathédrale Saint-Cyr de Nevers. La collection

Gallois fut donnée au musée de Nevers en 1847 et
forme le noyau principal des collections du musée
Frédéric Blandin. Cet objet majeur est depuis
longtemps emblématique de la production de
Nevers du temps de Louis XIII, ce qui lui a valu
d'être beaucoup copié, notamment par l'atelier
Samson, à Paris, au XIXe siècle. Une douzaine de
copies est à l'heure actuelle identifiée dans le
monde. L'une d'entre elles se trouvait dans la
première moitié du XXe siècle à la cathédrale Saint-
Cyr. Elle a été détruite lors des bombardements de
la Seconde Guerre mondiale (informations aimablement communiquées par Mme Reginster).

Cette statue est avec celle de *Saint Sébastien*,
conservée au musée de Sèvres (voir cat. 241),
l'une des œuvres les plus ambitieuses et l'une des
plus grandes réussites de la sculpture de faïence
à Nevers. Nous pouvons rapprocher de la Vierge
deux objets, également conservés au musée
Frédéric Blandin, une statue de *Sainte Madeleine*,
datée de 1637, qui présente un visage poupin très
proche (inv. 1726 ; fig. 1), et un autel portatif
figurant la Crucifixion et un angelot en haut relief,
exécuté dans le même esprit (inv. NF 21).

Au temps de Louis XIII, la statuaire en faïence
exécutée à Nevers est essentiellement d'inspiration religieuse et témoigne tout particulièrement
de l'importance du culte rendu à la mère du
Christ, deux ans avant la consécration par
Louis XIII du royaume à la Vierge.

M.-L. R.

Fig. 1. *Sainte Madeleine*, Nevers, manufacture de
l'Autruche, 1637, statue en faïence de grand feu.
Nevers, musée municipal Frédéric Blandin.

241

Saint Sébastien

Nevers, vers 1640 | Faïence de grand
feu

H. 1,110

Hist. : réputé provenir d'une chapelle de la cathé-
drale d'Auxerre ; acquis en 1849.
Bibl. : Broc de Segange, 1863, p. 185, n° 44,
Garnier, 1897, n° Da 443 ; Fourest et Giacomotti,
1966, p. 42-43, fig. 3.
Exp. : Paris, 1980(2), p. 147, n° 185.

Sèvres, musée national de Céramique.
Inv. MNC 4047

Saint Sébastien est représenté debout, simplement vêtu d'un *perizonium* et attaché à un arbre,
alors qu'il vient de subir son premier supplice.
Son corps porte les marques des plaies laissées par
les flèches dont il a été criblé. La statue, de dimension inhabituelle, est entièrement recouverte d'un
superbe émail blanc très gras et n'est rehaussée
d'aucune tache de couleur.

Sébastien, commandant de la garde prétorienne
de l'empereur Dioclétien (284-305), se convertit
au christianisme et fut à l'origine de nombreuses
guérisons miraculeuses. Il fut condamné par
Dioclétien, à la fin du IIIe siècle, à mourir le corps
percé de flèches. Soigné par Irène, il survécut à
son martyre et fut assassiné quelque temps plus
tard.

Le saint, longtemps invoqué contre la peste, est
représenté par le sculpteur selon un mode apparu
au XIIIe siècle, en Italie, figuré comme un jeune
homme à la beauté idéale, attaché à une colonne
ou à un arbre. Ici, Sébastien, ligoté à un arbre, lève
un regard d'offrande vers le Ciel, comme l'ont
dépeint, au XVe siècle, Rogier van der Weyden,
Botticelli et Mantegna. La bouche ouverte et la
torsion de son corps expriment la souffrance du
martyr. Le parti pris choisi par le sculpteur
rappelle très précisément la composition d'un
tableau du Dominiquin, exécuté vers 1605-1610,
conservé à Dresde, dans les collections de la
Gemäldegalerie Alte Meister (*Saint Sébastien*,
inv. 319).

Cependant, les accents très naturalistes de cette
représentation, notamment les trous des flèches et
l'expression du visage, accentués par la
monochromie, permettent, selon Henri-Pierre
Fourest, d'attribuer cette sculpture à la production de Nevers.

Cette statue confirme à la fois l'importance du
culte des saints en France, à l'issue du concile de
Trente, dans le climat foisonnant de la Réforme
catholique, et le succès particulier de la représentation de saint Sébastien dans l'art français du
XVIIe siècle, comme en témoignent les différentes
versions du *Saint Sébastien soigné par Irène* de
Georges de La Tour (1593-1652), dont l'une,
disparue aujourd'hui, se trouvait dans la chambre
de Louis XIII (l'emplacement de ce tableau, cité
par dom Calmet en 1751, demeure problématique
aujourd'hui ; voir à ce sujet Cuzin, 1998, p. 9-18).
L'autre version, peut-être destinée au maréchal de
La Ferté, gouverneur de Lorraine, est conservée
au musée du Louvre (inv. RF 1979-53).

Nous ignorons tout de nos jours du commanditaire et de la destination de cette œuvre exceptionnelle dans la production de Nevers.

M.-L. R.

242

Panneau composé de vingt-trois carreaux de pavement

Nevers, milieu du XVIIe siècle | Faïence de grand feu

H. 0,930 ; L. 0,540 | Inscriptions peintes sur quatre carreaux : *Femme vestue a la surienne*, [F]*emme Persienn*[e], *Sultane en Son sérail*, *Gentille femme Turqu*[e]

Hist. : ancienne collection Jacques Gallois ; don Jacques Gallois, 1847.
Bibl. : *Répertoire...*, 1933, I, p. 165 ; Fourest, 1960, n. p. ; Fourest et Giacomotti, 1966, p. 46-47, fig. 2 ; Taburet, 1981, p. 41 ; Reginster, 1996, p. 62-63 ; Guillemé-Brulon, 1997, p. 59-60.
Exp. : Nevers, 1960, no 20 ; Paris, 1965(2), p. 11, no 37 ; Paris, 1980(2), p. 145, no 180.

Nevers, musée municipal Frédéric Blandin. Inv. NF 17

Ce panneau est composé de l'assemblage de douze carreaux de forme carrée, ornés de sept figures costumées à la turque, de neuf carreaux rectangulaires, représentant des Amours ailés, et enfin de deux carreaux ornés de petits Amours composant le cortège de Bacchus. L'ensemble a été exécuté en camaïeu bleu avec des rehauts de vert et de manganèse pour les Amours. Le décor se détache très vivement sur un très beau fond jaune orangé, posé au pinceau. Deux des personnages turcs, un homme enturbanné et une femme, sont peints en buste sur un seul carreau. Les cinq autres figures en pied sont constituées par la superposition de deux carreaux. Les carreaux ornés d'Amours sont d'un format différent et sont disposés en frise.

Nous ignorons aujourd'hui quelle était la disposition des carreaux quand ils furent offerts au musée, en 1847, par Jacques Gallois. En effet, le montage actuel date d'une restauration ancienne (information communiquée par Françoise Reginster). La description qui est faite dans le catalogue de la collection Gallois, dressé en 1847, ne donne malheureusement guère de détails sur leur agencement : « *Un cadre contenant des carreaux, peinture bleue et verte et blanche sur fond jaune. Groupes d'amours, portraits* » (p. 1, no 7). Quelques incohérences dans le montage de ces carreaux laissent penser que ceux-ci n'étaient pas disposés de la même façon à l'origine et ne proviennent peut-être pas du même ensemble. Deux autres carreaux à décor turc, visiblement issus de la même série orientale, sont conservés au musée de Sèvres, auquel ils furent également donnés par Jacques Gallois.

Quatre des sept figures orientales sont accompagnées d'inscriptions qui ont permis d'identifier précisément leur source iconographique. Les sept figures ont été peintes d'après des gravures qui illustrent l'ouvrage de Nicolas de Nicolaï, le *Navigationi et viaggi fatti nella Turchia*, publié à Venise en italien, en 1580. Cet ouvrage, qui relate le voyage dans l'empire ottoman de celui qui fut valet de chambre et géographe d'Henri III, est illustré de soixante gravures sur bois de J. Danet. Chacune des gravures est accompagnée d'un titre qui a été parfois retenu par le peintre.

Les figures de petits Amours ailés qui tombent en grappe dans les carreaux qui encadrent les figures turques ont une source iconographique tout autre,

Fig. 1. Louis Elle dit Ferdinand (1612-1689), d'après Louis Testelin (1615-1655), *Chute de putti*. Paris, Bibliothèque nationale de France, département des Estampes.

Fig. 2. Louis Elle dit Ferdinand (1612-1689), d'après Louis Testelin (1615-1655), *Putti, guirlandes et masque.* Paris, Bibliothèque nationale de France, département des Estampes.

identifiée par C. Meyer en 1936, les gravures du peintre et graveur Louis Elle dit Ferdinand (1612-1689), conservées au département des Estampes de la Bibliothèque nationale de France (inv. DA 31 – in-f°, E 062461, et inv. DA 31 – in-f°, E 062452 ; fig. 1 et 2). Celles-ci furent exécutées vers 1645, d'après des dessins de Louis Testelin (Meyer, 1936, p. 77). La date des gravures autorise donc à ne pas envisager une datation antérieure à 1645 pour les carreaux décorés d'Amours. Cette datation tardive conduit à penser que cet ensemble de carreaux ne fut peut-être pas, comme on l'a souvent écrit, destiné au petit château de la Gloriette, dépendance du palais ducal, élevée par Charles Iᵉʳ de Gonzague à partir de 1601, dont les travaux s'achevèrent à sa mort, en 1637. En effet, son petit-fils Charles II se désintéressa totalement de son duché de Nevers et il est peu probable qu'il ait poursuivi les travaux d'embellissement commencés par son grand-père.

En revanche, la source des deux carreaux à caractère bachique n'est pas connue aujourd'hui. En effet, elle ne se retrouve pas dans les gravures de Louis Ferdinand exécutées d'après Testelin.

Le fond jaune a été réalisé au pinceau en ménageant des réserves dévolues au décor et non selon le procédé du fond jaune obscur, dans lequel les objets étaient totalement immergés. Les pièces à fond jaune orangé sont peu nombreuses à Nevers. On peut toutefois citer à titre d'exemples un vase-rouleau à décor pastoral, conservé dans la même collection (NF 3) et la gourde étudiée à la notice suivante (cat. 243).

La fabrication de carreaux de pavement fut une activité importante des faïenciers de Nevers, mise en valeur par une récente exposition (Brou, 2000). Peu d'ensembles peuvent être attribués cependant en toute certitude à une manufacture nivernaise déterminée, à l'exception des carreaux de pavement à décor héraldique, commandés par Marie de La Tour d'Auvergne, duchesse de La Trémoille, en 1636, à Antoine Conrade, pour son château de Thouars, en Poitou (Roudier, 2000, p. 177-178). L'ensemble a été dispersé au XIXᵉ siècle. Le Louvre en conserve un élément (OA 928) et quelques-uns d'entre eux se trouvent dans les collections du musée Sainte-Croix, à Poitiers, et donnent une bonne idée de la qualité de la composition.

M.-L. R.

243

Gourde à fond jaune orangé et à décor d'Amours en camaïeu bleu

France, Nevers, milieu du XVIIᵉ siècle | Faïence de grand feu

H. 0,360 ; L. 0,270 ; Pr. 0,170 | Étiquettes anciennes : *Rétrospective des céramiques nivernaises Nevers 1937 ; C 444* et *Porcelaines et Faïences anciennes Gilbert Lévy 72, Faub. St-Honoré Paris*

Hist. : ancienne collection Gilbert Lévy ; vente Paris, hôtel Drouot, 12 novembre 1984, nº 79 ; acquise par l'actuel propriétaire à cette vente.
Exp. : Paris, 1937 (hors cat.).

Paris, collection Georges Lefebvre

Cette somptueuse gourde très plate est presque entièrement revêtue d'un fond jaune orangé posé au pinceau. Les deux côtés principaux sont ornés de motifs de petits Amours composant le cortège de Bacchus, peints en réserve en camaïeu bleu, en vert et en manganèse. D'un côté, on distingue le jeune Bacchus lauré, porté par trois putti et, à leurs pieds, un petit satyre jouant avec une cruche. De l'autre côté, on retrouve le même Bacchus, accompagné cette fois de quatre Amours jouant avec un bouc. Des motifs de feuillage peints en vert épinard enrichissent l'ensemble. La gourde est décorée sur les deux faces principales de gros enroulements en relief qui se rejoignent sur les côtés pour former des mascarons et se terminent en branchages en relief. L'objet repose sur un piédouche circulaire, peint en bleu.

Le motif du jeune Bacchus porté par d'autres Amours peint sur cette gourde se retrouve sur l'un des carreaux du panneau du musée de Nevers, étudié à la notice précédente (cat. 242). Il a vraisemblablement été exécuté d'après le même poncif, dans le même atelier. Sa source exacte n'a pas encore été identifiée à ce jour.

Cet objet a été décoré, comme le panneau de carreaux de Nevers, d'un fond jaune posé au pinceau et non totalement immergé dans un bain d'émail, comme les pièces dites à fond jaune obscur. Les gourdes à fond jaune posé au pinceau sont rares à Nevers, nous pouvons toutefois citer à titre de comparaison deux gourdes à passants, à décor pastoral et à décor turc, conservées à Lyon, au Musée historique (publiées par Taburet, 1981, p. 53, 126).

La forme des gourdes à enroulements est rare à Nevers et vient, comme nous l'avons vu plus haut, d'Urbino.

M.-L. R.

encore controversée, entre 1630 et 1650. Ils sont d'une profondeur et d'une intensité remarquables. Ils furent dits persans au XIXᵉ siècle sans doute parce que les historiens furent frappés par leur similitude avec des céramiques persanes contemporaines, à fond bleu, que l'on redécouvrait alors. Les fonds bleus, rehaussés de motifs peints en blanc fixe ou en jaune et blanc, eurent un succès durable à Nevers puisqu'ils étaient encore largement exécutés dans les années 1680, enrichis dans ces années-là de motifs chinois.

Le fond bleu n'était pas une nouveauté dans la céramique européenne du temps de Louis XIII. Il était fréquent au début du XVIᵉ siècle à Faenza, où il était dit *a berettino*, à Venise ou, encore plus tardivement, à Castelli. Mais jamais aucune manufacture de faïence n'était parvenue à atteindre la qualité de celui qui fut mis en œuvre à Nevers. Les fonds bleus de Nevers furent copiés à Rouen au XVIIIᵉ siècle mais l'effet obtenu était bien différent. L'origine des bleus de Nevers est peut-être à chercher dans les grès bleus de la Puisaye, dits de Saint-Vérain, dans le Nivernais, où ils furent mis en œuvre dès le XVIᵉ siècle.

Le blanc fixe au moyen duquel a été posé le décor de ce vase est une couleur plus chargée en étain que l'émail blanc ordinaire. Pour cette raison, il fuse moins dans les fonds de couleurs. C'est pourquoi il fut utilisé à Nevers pour les décors en blanc sur le fond bleu. Les bleus de Nevers présentent ainsi la particularité paradoxale d'être quasiment translucides alors que le décor exécuté en blanc est opaque. Les fonds bleus furent aussi fréquemment rehaussés de décors naturalistes, exécutés en jaune et blanc, ou plus tardivement, sans doute seulement après 1660, de décors tachetés de blanc, dits à la bougie, qui s'inspiraient peut-être de pièces de verrerie contemporaines, exécutées à Nevers.

La forme de ce vase est chinoise et témoigne de la diffusion des porcelaines originaires de ce pays en France, dans la première moitié du XVIIᵉ siècle, et de la volonté manifeste de les imiter. Grâce au témoignage de Jean Héroard, nous savons que le jeune Louis XIII buvait fréquemment son bouillon du matin dans une écuelle de « pourceline » ou de « porcellaine », dont le médecin lui vantait le caractère princier (Héroard, 1989, I, p. 1282, 16 août 1607). Ainsi, le 23 janvier 1613, le roi a « humé une pleine escuelle de bouillon, faict chez la Rne, dans une escuelle de porcellaine » (idem, *op. cit.*, II, p. 2089). Richelieu, le principal ministre de Louis XIII de 1629 à 1642, possédait au Palais-Cardinal, au moment de sa mort, un cabinet de porcelaine, composé de près de quatre cents pièces chinoises, vases et pièces de service (voir Levi, 1985, p. 52-53). La porcelaine chinoise était donc un modèle largement mis à la disposition des faïenciers de Nevers.

En revanche, la disposition en semis du décor exécuté sur ce vase vient d'Italie et plus particulièrement de Ligurie. Elle se retrouve sur quelques autres pièces à fond bleu contemporaines de grande qualité comme un très beau plat ovale, conservé à Paris, au musée des Arts décoratifs (inv. 3952 ; fig. 1).

Fig. 1. Plat, Nevers, manufacture de l'Autruche (?), milieu du XVIIᵉ siècle, faïence de grand feu. Paris, musée des Arts décoratifs.

244
Vase couvert à décor de fleurs et d'oiseaux

Nevers, manufacture de l'Autruche (?), milieu du XVIIᵉ siècle | Faïence de grand feu

H. 0,610

Hist. : legs A. Gérard, 1900.
Bibl. : *Répertoire…*, 1933, II, pl. 27 B.
Exp. : Paris, 1932, nº 963.

Sèvres, musée national de Céramique. Inv. MNC 10448

Ce grand vase-balustre est entièrement recouvert d'un magnifique fond bleu profond, rehaussé d'un décor floral et naturaliste exécuté en blanc fixe. Le décor de la panse est organisé en deux registres superposés contenant des fleurs et des oiseaux voletant, disposés en semis. Les deux registres sont séparés par des bandes de rinceaux de fleurs, peints en blanc.

Les fonds bleus furent sans doute créés à Nevers à la manufacture de l'Autruche, à une date qui est

M.-L. R.

Fig. 1. Plat, Nevers, milieu du XVIIᵉ siècle, faïence de grand feu. Nevers, musée municipal Frédéric Blandin.

245

Paire de gourdes à décor peint en vert, jaune et noir sur fond blanc

Nevers, milieu du XVIIᵉ siècle | Faïence

H. 0,350 ; L. 0,230 ; Pr. 0,100 | Étiquette ancienne, sous les deux gourdes : *musée Napoléon* | Étiquette ancienne, sous la gourde 2258 : *Nᵒ 108* (inventaire de 1857)

Hist. : ancienne collection Edme Durand ; acquise en 1825.
Bibl. : Broc de Segange, 1863, p. 192 ; Darcel, 1864, nᵒ G. 691-692 ; Migeon, 1901, nᵒ M. 183 ; Ballot, 1925, p. 9, pl. 6a ; *Répertoire…*, 1933, II, pl. 32C ; Fourest et Giacomotti, 1966, p. 54, fig. 1 ; Faÿ-Hallé et Lahaussois, 1986, repr. p. 37, nᵒ 15 ; Cazar, 1996, p. 63.
Exp. : Paris, 1932, nᵒ 1023.

Paris, musée du Louvre, département des Objets d'art. Inv. MR 2257 et MR 2258

Chaque face de ces deux gourdes très plates porte un décor peint en camaïeu vert de bouquet de fleurs, agrémenté de papillons, d'insectes, d'oiseaux posés sur des branches, et même d'un lapin, qui se détache bien nettement sur le fond blanc de la faïence. Le col de chaque gourde est décoré de deux bandes peintes en jaune, rehaussées

d'ornements en noir. La base est enrichie d'une bande ocre de même type. Le piédouche est orné de motifs de dentelures peints en vert. Les deux gourdes sont munies de quatre passants en faïence peints en jaune et tachetés de noir.

L'inspiration générale du décor exécuté sur ces deux objets est à trouver dans la production de Savone. Les petits animaux disposés en semis rappellent les pièces en camaïeu bleu des Conrade. En revanche, l'exécution en camaïeu vert est une grande nouveauté de Nevers, on ne la trouve jamais dans la production ligurienne. Les bandes peintes en jaune à rehauts noirs évoquent d'une certaine manière les nielles d'orfèvrerie contemporains et seront repris plus tard à Rouen.

Quelques autres gourdes, au décor naturaliste très proche, sont connues aujourd'hui. Une paire est conservée à Paris, au musée des Arts décoratifs (inv. 34657 A et B). Une autre gourde figure à Nevers, dans les collections du musée Frédéric Blandin (inv. NF 52), qui possède également une vasque (inv. NF 1727) et un superbe plat circulaire, portant un décor en camaïeu vert, très semblable (inv. NF 54 ; fig. 1).

M.-L. R.

246

Gourde à passants

Nevers, vers 1630-1660 | Faïence de grand feu

H. 0,260; L. 0,160; Pr. 0,100 | Étiquette rectangulaire imprimée: *Nicolier, expert, 7, quai Voltaire Paris* | Inscription illisible peinte sur le fond de la gourde

Hist.: ancienne collection du Dʳ Néro.

Paris, collection Georges Lefebvre

Cette gourde est ornée d'un décor finement exécuté en vert et en ocre qui se détache avec beaucoup d'éclat sur le fond blanc de la faïence. Sur la face principale, on distingue dans un médaillon circulaire à fond vert le portrait en camaïeu bleu d'une jeune femme en buste, vêtue à la manière des années 1630. Le médaillon est entouré d'un ruban jaune, enrichi de rinceaux peints à l'ocre et cantonné symétriquement de branches de feuillage, cernées de manganèse. Sur l'autre face se développe un très beau bouquet de fleurs et de feuillage, peuplé de quelques insectes et volatiles. Le col est orné de trois filets parallèles peints en vert. La gourde est munie à l'épaule de deux petits passants, rehaussés de traits peints en vert.

La palette très particulière mise en œuvre sur cet objet permet de le rattacher, comme les deux précédents (cat. 245), au groupe de décors peints en vert et à l'ocre. En revanche, l'association du camaïeu bleu avec le camaïeu vert est tout à fait exceptionnelle dans la production nivernaise connue.

La disposition en semis du décor naturaliste réalisé sur cette gourde rappelle les décors à la manière de Savone exécutés à Nevers dès le début du siècle par les Conrade. Le style graphique très appuyé qui caractérise à la fois le portrait de la jeune femme et le décor environnant se retrouve sur d'autres pièces de Nevers, et notamment dans les figures féminines peintes sur un grand plat circulaire de l'ancienne collection Gilbert Lévy, récemment acquis par le musée Frédéric Blandin, de Nevers, *le Jugement de Salomon* (inv. 996.2.1).

M.-L. R.

247

Vase ovoïde

Nevers, milieu du XVIIᵉ siècle | Faïence

H. 0,306 ; D. 0,185

Hist. : acquis en 1969.
Bibl. : Guillemé-Brulon, 1997, p. 67.

Sèvres, musée national de Céramique.
Inv. MNC 23384

Ce vase de forme ovoïde est entièrement recouvert d'un fond jaune profond très brillant. Un décor de fleurs et de papillons, peint en blanc fixe et en bleu et encadré en haut et en bas de filets blancs, orne la panse.

Ce fond jaune obscur, si particulier à Nevers, a été obtenu par la coloration de la glaçure à l'aide d'oxyde d'antimoine. La pièce a été entièrement immergée dans un bain de glaçure ainsi colorée. La technique mise en œuvre ici est donc différente de celle qui fut utilisée pour les carreaux de pavement ou la gourde à fond jaune (cat. 242 et 243), où le fond de couleur a été posé au pinceau. Ici, les rehauts de bleu ont été posés sur une couche de blanc fixe qui a empêché le bleu de fuser dans l'émail jaune et ainsi de devenir vert.

La forme de ce vase est chinoise et témoigne de ce goût de la « chinoiserie » qui se fit jour dans la céramique nivernaise dès la première moitié du XVIIᵉ siècle. Elle fut aussi employée à Nevers pour des pièces recouvertes de fond bleu dit persan (un vase du musée de Saumur, inv. Lair 297).

Les pièces nivernaises à fond jaune connues aujourd'hui sont d'une extrême rareté. Un autre vase ovoïde, à décor de fleurs et d'oiseaux en blanc et bleu, est conservé à Lyon, au Musée historique (inv. 42.375 ; legs René Franc, publié par Faÿ-Hallé et Lahausssois, en 1986, p. 39, fig. 20, et exposé à Paris, 1980, p. 156, nᵒ 208). Un troisième, de même forme, figure à Paris, dans les collections du musée des Arts décoratifs (inv. A. 36397). Le musée national de Céramique conserve par ailleurs un petit vase piriforme, décoré selon le même principe. Enfin, une magnifique bouquetière, à fond jaune et à décor floral, est conservée au château de Saumur (inv. Lair 315 ; fig. 1).

M.-L. R.

Fig. 1. Bouquetière, Nevers, milieu du XVIIᵉ siècle, faïence de grand feu. Saumur, château-musée.

Rouen, le renouveau de sa production de faïence

Gilles Grandjean

Le brillant épisode de Masséot Abaquesne, qui fit éclore à Rouen une production de faïence exceptionnellement raffinée pendant le deuxième tiers du XVIᵉ siècle, se termina au moment où les guerres de Religion plongeaient la ville dans la désolation, dès 1562.

Trois quarts de siècle plus tard, sans continuité avec la précédente, la production de faïence reprit à Rouen lorsque la reine Anne d'Autriche octroya à un huissier de son cabinet, Nicolas Poirel de Grandval, un privilège[1] pour « *faire faire en la province de Normandie toute sorte de vaisselle blanche et couverte d'émail de toute couleur pour l'utilité publique* ». Au terme de discussions difficiles entre le pouvoir royal et le parlement de Normandie, la durée du privilège fut fixée à cinquante ans à compter de son enregistrement, le 29 février 1648. Grandval confia la direction technique de la nouvelle fabrique à Edme Poterat, sieur de Saint-Étienne (1612-1687), qui sut d'emblée placer sa production au meilleur niveau. La fabrique Poirel-Poterat se situait faubourg Saint-Sever, rue d'Elbeuf, sur la rive opposée au cœur de la ville, afin d'écarter les risques d'incendie. Des fouilles archéologiques, entreprises sur ce site entre 1988 et 1991, ont livré un important matériel, qui reste à étudier mais qui permet déjà de cerner la production des débuts de la fabrication, grâce à la grande quantité de tessons et aux moules découverts à cette occasion[2].

Nous connaissons par ailleurs depuis le XIXᵉ siècle trois pièces datées 1647, qui sont réunies pour la première fois, depuis fort longtemps, à l'occasion de cette exposition. Le privilège ayant été enregistré en 1648, ces pièces témoignent de l'organisation de la production dès avant cette date. Elles furent vraisemblablement présentées au parlement de Normandie pour attester la capacité de la nouvelle fabrique et justifier l'octroi d'un privilège assorti de conditions de durée extrêmement avantageuses.

Ces pièces ont en commun une admirable qualité de l'émail, qui est blanc, pur et épais, et un style fortement influencé par la production italo-nivernaise.

La bouteille et le plat sont décorés dans le style *a compendiario*, qui limite les couleurs au bleu et au jaune sur le fond blanc, qu'elles mettent bien en valeur.

D'emblée la production de la fabrique rouennaise a été diversifiée, novatrice et de la meilleure qualité.

---

1. Pottier, 1870, p. 69-76 ; copie aux AN, G⁷ 494.
2. Vaudour et Halbout, 1984, p. 54-60 ; Deleau, 1991 ; Saint-Sever, 1996.

248
Bouteille

Rouen, fabrique Poirel de Grandval (fabrication Poterat), 1647 | Faïence, décor de grand feu

H. 0,270 ; D. base 0,100 | Sur la panse : *A. Nenuphar* ; sous le talon : *faict à Rouen / 1647*

> **Hist. :** achetée par André Pottier en février 1855 au marché du clos Saint-Marc de Rouen ; acquise avec la collection Pottier, 1861.
> **Bibl. :** Baudry, 1864, p. 4 ; Giacomotti, 1963, p. 55 ; Fourest, 1966, p. 88 ; Pottier, 1986, nº 10 ; Deleau, 1991, p. 171 ; Grandjean, 2001, p. 39.
> **Exp. :** Rouen, 1952, nº 35 ; Paris, 1980(2), nº 280.

Rouen, musée de la Céramique. Inv. 12

Les vases de pharmacie ouvraient un débouché important pour les faïenceries, et il n'est pas surprenant d'en trouver un au nombre des premières pièces produites par Poterat. Cette bouteille est destinée à contenir de l'eau de fleur de nénuphar, connue pour ses qualités astringentes. L'indication du contenu, « A. [acqua] Nenuphar », prend place dans un cartouche de branches de myrte agrafées par des têtes de séraphin et compose tout le décor de la pièce.

G. G.

249

249
Plat

Rouen, fabrique Poirel de Grandval
(fabrication Poterat), 1647 | Faïence,
décor de grand feu

H. 0,060 ; D. 0,320 | Sous le talon : *faict à
Rouen / 1647*

Hist. : dans les collections du musée avant 1883.
Bibl. : Pottier, 1870, pl. III ; Le Breton, 1883, p. 11 ;
Répertoire…, 1935, III, pl. 7 A et B ; Giacomotti,
1963, p. 55 ; Fourest, 1966, p. 88 ; Vaudour, 1984,
p. 23 ; Pottier, 1986, Grandjean, 2001, p. 38.
Exp. : Paris, 1932, n° 139 ; Rouen, 1952, n° 37 ;
Paris, 1980(2), n° 281, Rouen, 1999, p. 16, fig. 6.

Rouen, musée de la Céramique. Inv. 228

Ce plat à large bord de type *tondo* est simplement décoré d'armoiries. Celles-ci appartiennent
vraisemblablement à la famille Poterat, bien que le
métal du chevron, d'argent au lieu d'or, diffère des
armes telles qu'elles apparaissent dans l'armorial
de Normandie (manuscrit, bibliothèque municipale de Rouen, ms Y 135), mais la précocité de la
pièce et la présence de Poterat, travaillant à Rouen
dès cette époque, accréditent cette identification.

G. G.

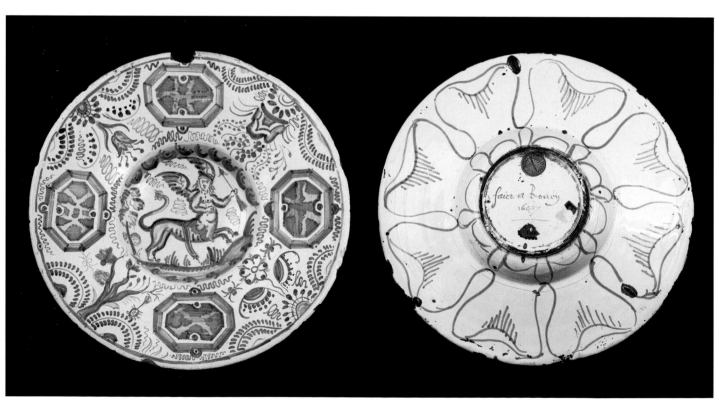

250

251

250
Plat

Rouen, fabrique Poirel de Grandval
(fabrication Poterat), 1647 | Faïence,
décor de grand feu

H. 0,060 ; D. 0,310 | Sous le talon : *faict à
Rouen / 1647*

Hist. : anciennes collections Gouellain et Sanson.
Bibl. : Du Broc de Segange, 1863, pl. XVII, p. 65 ;
Pottier, 1870, pl. II ; Milet, 1898, frontispice ; *Répertoire…,* 1935, III, pl. 7 A et B ; Pottier, 1986, nº 8,
n. p. ; Deleau, 1991, pl. 37 ; Grandjean, 2001, p. 34.
Exp. : Paris, 1932, nº 140 ; Rouen, 1999, p. 16,
fig. 5.

Collection particulière

Ce plat bleu, de même forme que le plat précédent (cat. 249), est décoré en son centre d'une
centauresse brandissant une flèche, figure probablement allégorique, qui ne se retrouve toutefois
pas dans l'*Iconologie* de Cesare Ripa. Le rebord est
marqué par quatre cartouches en forme de miroirs,
il est décoré d'arbres, de tertres, de plantes géantes
et de rubans. Cette organisation du décor rejoint
celle des plats des Conrade de Nevers, inspirés eux-
mêmes par les décors en semis de Savone. Il appartient de la même façon au nouveau style qui se
développe alors en Europe occidentale et dominera
la seconde moitié du siècle. Poterat est attentif à
l'évolution du goût qui fera abandonner pour une
longue période les décors polychromes d'origine
italienne pour le camaïeu inspiré des porcelaines
extrême-orientales. C'est probablement l'une des
initiatives qui lui permettront d'imposer rapidement sa fabrique parmi les meilleures du royaume.

G. G.

251
Plat

Rouen, fabrique Poirel de Grandval
(fabrication Poterat), vers 1650 |
Faïence, décor de grand feu

H. 0,060 ; D. 0,490

Hist. : découvert lors des fouilles de la fabrique
Poterat en 1988-1991.
Bibl. : Deleau, 1991, p. 140 ; Grandjean, 2001,
p. 40.

Dépôt du service régional de
l'Archéologie de la Haute-Normandie

Les fouilles ont révélé un grand nombre de
pièces de platerie à décor en relief jusqu'alors
inconnu de la production rouennaise. Le bassin, à
ombilic entouré de trois rangs de feuilles imbriquées en écailles et aile découpée, formée d'oves et
de canaux alternativement grands et petits, est
caractéristique d'un groupe de pièces dont on a
découvert des tessons en biscuit ou émaillés, des
pièces complètes ainsi que des moules (Deleau,
1991, p. 139).

Les formes sont proches de celles des pièces produites par Nevers et Saint-Jean-du-Désert à la
même époque. Des tessons d'aiguière (idem, *op.
cit.,* p. 142) ou buires, à panse en forme de tulipe
et anse en angle droit, ont été trouvés également et
pouvaient correspondre à ces bassins.

Les fouilles ont livré aussi de nombreux exemples
de coupes godronnées émaillées en blanc, parfois
décorées *a compendiario*. Enfin, de beaux décors de
marbrures (idem, *op. cit.,* p. 190) ont été révélés
également et pourraient permettre d'attribuer à
Poterat deux plats à godrons du musée municipal

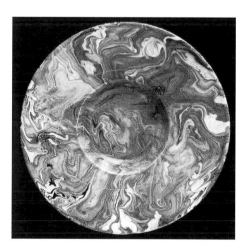

Fig. 1. Plat en forme de *tondo*, attribué à Rouen,
fabrique Poirel de Grandval (fabrication Poterat),
vers 1650, faïence à décor de grand feu. Sèvres,
musée national de Céramique.

de Bernay (inv. 866.1.124 ; H. 0,065 ; D. 0,310 ; et
inv. 866.1.125 ; H. 0,060 ; D. 0,029) et un plat en
forme de tondo du musée national de Céramique,
à Sèvres (inv. MNC 27162 ; H. 0,048 ; D. 0,29 ;
fig. 1 ; *Revue du Louvre,* 1998, nº 5, p. 85) dont la
texture de l'émail et le profil sont identiques à ceux
du *tondo* Poterat.

G. G.

L'art du verre au temps de Louis XIII

Marie-Laure de Rochebrune

L'art du verre est une activité très anciennement attestée en France, qui connut à l'époque gallo-romaine un véritable âge d'or et fut protégée dès le IVe siècle par les plus hautes autorités[1]. Aux temps médiévaux, des verriers étaient établis dans l'ensemble du territoire actuel de la France et Charles VI fut l'un des premiers souverains français à s'intéresser à leur art et à en reconnaître l'ancienneté. Si celui-ci n'octroyait pas automatiquement la noblesse à qui le pratiquait, ce métier ne pouvait pourtant être exercé que par des membres de familles nobles et n'entraînait pas de dérogeance. Le 24 janvier 1399, le Roi accorda leurs premiers privilèges par lettres royales aux verriers de la seigneurie du Parc de Mouchamps, en Bas-Poitou[2]. Par cet acte, il reconnaissait « *la noblesse du dict mestier* » aux maîtres issus de vieilles familles de verriers et les dispensait notamment de tous tailles et fouages[3]. Ces dispositions devaient demeurer en vigueur jusqu'à la fin de l'Ancien Régime et être renouvelées à plusieurs reprises par Henri IV et par Louis XIII. Le premier, soucieux de protéger l'art du verre comme d'autres industries de luxe, dans le cadre plus général de la reconstruction du royaume, se chargea en 1603 de régler définitivement en leur faveur la question des privilèges des gentilshommes verriers[4]. Il octroya aussi à certains d'entre eux des monopoles de fabrication dotés de compétences géographiques considérables, qui tous furent confirmés par Louis XIII. Cependant, les « *Messieurs*[5] », souvent en butte aux sarcasmes du reste de la noblesse et aux jalousies de leur voisinage, durent se battre âprement pendant toute cette période pour la sauvegarde de privilèges en réalité bien fragiles.

La diaspora italienne

Le fait le plus important qui marqua l'histoire du verre en France, dans la première moitié du XVIIe siècle, fut l'extension de la diaspora italienne dans l'ensemble du royaume. Dès le milieu du XVe siècle, des verriers venus d'Italie, notamment d'Altare dans le Montferrat, s'étaient installés en France. Ainsi, l'Altariste Ferro était-il au service de René d'Anjou dès 1443, en Provence[6]. Mais à la fin du XVIe siècle et dans la première moitié du siècle suivant, notamment sous l'impulsion de Louis de Gonzague, à Nevers, puis d'Henri IV, cette diaspora se répandit dans tout le pays. Cela eut bien sûr des conséquences sur la production, qui s'aligna en partie sur les modèles italiens et fut dite pour cette raison à la « façon de Venise ». Des verriers italiens s'établirent aussi en Angleterre, en Autriche, dans les Pays-Bas et en Espagne. Les modèles et les modes de fabrication étaient rarement propagés par les Vénitiens eux-mêmes, tenus de ne pas quitter la lagune sous peine de mort, mais plutôt par des verriers issus d'autres régions d'Italie ou par des Lorrains ayant assimilé les techniques vénitiennes. En 1551, Henri II avait implanté une verrerie de luxe à Saint-Germain-en-Laye sous la direction du Bolonais Teseo Mutio, à qui il avait accordé un privilège de dix ans afin qu'« *il seul puisse faire en nostre dict royaume* [...] *verres, mirouers, canons* [d'émail] *et autres espèces de verreries à la façon de Venise*[7] ». Au XVIe siècle, seuls en Europe, le grand-duc Côme I de Médicis et l'archiduc Ferdinand de Tyrol étaient parvenus à attirer des verriers vénitiens avec l'accord officiel de la Sérénissime. Toutefois, bravant les interdits, quelques Vénitiens s'étaient établis à Anvers, en Lorraine, en Poitou, comme les Salviati, à Saint-Germain-en-Laye, dans la principauté de Liège ou encore à Londres, comme le fameux Verzelini. Ce mouvement s'intensifia au XVIIe siècle. À Liège, dans la verrerie des Bonhomme, entre 1638 et 1687, furent engagés encore quatorze Vénitiens et vingt-six Altaristes[8].

1. *Codex Theodosianus*, lib. XII, tit. IV ; cité par Garnier, 1885, p. 65. Selon ce dernier, en 337, l'empereur Constantin rendit un arrêt qui exemptait les verriers, comme les architectes et les lapidaires, de toutes charges publiques et en faisait en quelque sorte une caste privilégiée. Cet arrêt est à l'origine des prétentions à la noblesse qui se firent jour en France, chez les maîtres verriers, dès le temps de saint Louis.
2. Dugast-Matifeux, 1861, p. 213 ; cité par Garnier, *op. cit.*, p. 66.
3. Garnier, *op. cit., loc. cit.*
4. Rose-Villequey, 1971, p. 443. Ces privilèges avaient déjà été confirmés en 1598, 1599 et 1601.
5. C'est ainsi qu'étaient souvent nommés dans les documents du temps les gentilshommes verriers normands et italiens.
6. Gaynor, 1991, p. 73.
7. Gaynor, *op. cit., loc. cit.*
8. Van Heule, 1959, p. 133-135.

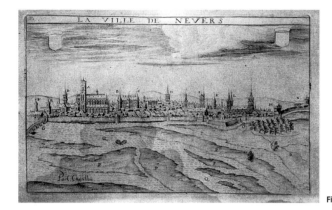

Fig. 1   Fig. 2

Fig. 1. Claude Chastillon, *Vue de Nevers au XVIIᵉ siècle,* XVIIIᵉ siècle. Nevers, musée Frédéric Blandin.

Fig. 2. École de Du Monstier, *Portrait de Charles Iᵉʳ de Gonzague,* XVIIᵉ siècle, huile sur toile. Charleville, musée de l'Ardenne.

L'invasion altariste qui toucha plus particulièrement la France[9] connut un franc succès puisqu'en 1597, au camp d'Amiens, Henri IV louait « *la perfection de leurs ouvraiges* » et notait qu'à la cour on utilisait essentiellement leurs productions, exécutées à Lyon ou à Nevers[10]. Les Altaristes se répandirent dans d'autres régions dès avant le règne de Louis XIII, notamment à Nantes, où ils étaient présents en 1572, à Paris, en Normandie, en Bordelais ou en Poitou. Ils s'installaient parfois en pleine ville, ce qui entraînait de sérieux problèmes de combustible et des risques d'incendie.

La prééminence de Nevers

Nevers fut sans doute le principal centre de production de verre à la façon de Venise dans la France de la première moitié du XVIIᵉ siècle (fig. 1). L'art du verre y bénéficia dès le dernier tiers du XVIᵉ siècle du soutien de Louis de Gonzague (1539-1595), fils cadet du premier duc de Mantoue, Frédéric II, et petit-fils d'Isabelle d'Este, qui devint duc de Nevers en 1565 par son mariage avec Henriette de Clèves, héritière des duchés de Nevers et de Rethel. Le duc Louis, qui avait reçu dans sa jeunesse une éducation raffinée à la cour d'Henri II, favorisa l'installation à Nevers de faïenciers et d'imprimeurs italiens mais facilita en premier lieu, dès le début des années 1570, l'établissement de verriers issus du duché de Montferrat, possession des Gonzague depuis 1533[11]. Son fils aîné, Charles Iᵉʳ (1580-1637), hérita de son goût pour les arts et poursuivit sa politique de mécénat (fig. 2). À plusieurs reprises au cours de son règne, il renouvela son soutien à la verrerie créée à Nevers au temps de son père[12] et suscita, en 1612, la fondation d'une autre verrerie à Charleville, cité idéale élevée de toutes pièces à partir de 1608, dans sa principauté d'Arches[13].

Les autorités d'Altare, à l'inverse de celles de Venise, acceptaient volontiers de laisser partir des gentilshommes verriers souffler du verre à la manière vénitienne dans le reste de l'Europe, à condition, toutefois, que ceux-ci ne transmettent pas leurs secrets de fabrication. Parmi les Altaristes présents à Nevers à la fin du XVIᵉ siècle, sont signalés les Ponti, les frères Sarodo, Jacopo[14] et Vincenzo, appelés de Lyon par Louis de Gonzague, puis les Castellano, les Perrotto[15] et enfin les Borniolo, qui tous s'empressèrent de faire franciser leurs noms et d'obtenir des lettres de naturalisation. Nevers devint ainsi le principal relais altariste du royaume. La verrerie de Nevers reçut, sans doute peu après sa fondation, un monopole de fabrication dans un rayon de vingt lieues[16].

La renommée des Sarode était telle dès la fin du XVIᵉ siècle que, en 1590, Louis de Gonzague envoya le plus entreprenant des deux frères, Jacques, fonder une verrerie dans le duché de Montferrat. Il demanda par lettre à son neveu, Vincent Iᵉʳ de Gonzague, duc de Mantoue (1562-1612), d'accorder à ce dernier un privilège de vingt ans pour « *faire des verres polis et clairs, pour servir aux verreries comme on fait ici en France*[17] ». On peut supposer que les objets soufflés chez les Sarode étaient d'une telle qualité qu'ils pouvaient aisément rivaliser avec le fameux cristallo vénitien. Depuis Nevers, les Messieurs essaimèrent vers Paris, Melun (?)[18], Rouen, Orléans, Bordeaux…

Au début du XVIIᵉ siècle, située à l'hôtel de la Verrerie, rue de la Tartre[19], dans le quartier des faïenciers, la verrerie fut dirigée par Horace Ponte, le propre neveu des Sarode, et connut alors sa plus belle époque[20]. Après une courte interruption à la mort de Ponte, en 1645, elle fut reprise en main, en 1647, par l'Altariste Jean Castellan, établi précédemment à Liège. Castellan obtint à son tour, en 1661, un privi-

9. Il semble bien qu'après l'expérience Salviati aucun verrier vénitien n'ait exercé ses talents en France dans la première moitié du XVIIᵉ siècle.
10. AN, registre des ordonnances, X1a 864, fº 59vº ; document publié par l'abbé Boutillier en 1885, p. 17.
11. Marguerite Paléologue (1510-1566), l'épouse de Frédéric II de Mantoue (1500-1540), avait apporté aux Gonzague le duché de Montferrat, dont elle avait hérité en 1533.
12. Notamment en 1619 quand la verrerie fut attaquée par un concurrent, Bernard Dubuisson. La verrerie était alors dirigée par Vincent de Sarode et Horace Ponte. Boutillier, *op. cit.,* p. 32.
13. Un traité fut passé devant notaire, à l'hôtel de Nevers, à Paris, le 22 août 1612, entre Charles de Gonzague, duc de Nevers, et Pierre Esherard, marchand bourgeois de Paris, pour l'établissement d'une verrerie et la construction d'un fourneau pour faire des verres à la façon de Venise « en ses terres souveraines d'Arches », AN, MC des notaires, LXXIII, 281, fº 23*bis*.
14. Le nom de Jacques de Sarode est cité pour la première fois dans les registres de la paroisse Saint-Laurent le 20 août 1587, lors du baptême de son fils, Jehan (Boutillier, *op. cit.,* p. 4). On ne connaît pas la date exacte de son arrivée à Nevers. Celle-ci se situe entre 1582, date à laquelle il est encore mentionné à Lyon, et 1587, date de l'acte paroissial cité plus haut.
15. Rose-Villequey, 1971, p. 483.
16. Barrelet, 1953, p. 75 ; la date précise du privilège n'est pas mentionnée par cet auteur.
17. Voir cat. exp. Nevers, 1999, p. 24. Dans cette lettre, Jacques de Sarode est dit résider à Nevers déjà depuis plusieurs années, archives d'État de Mantoue, fonds Gonzague, liasse 663, fºs 410-411.
18. Il n'est pas certain que le projet de Jacques de Sarode de fonder une verrerie à Melun, avec la promesse d'un privilège accordée par Henri IV à Amiens, en 1597, ait été mené à bien.
19. Celui-ci existe toujours aujourd'hui. La rue de la Tartre est devenue rue Saint-Genest.
20. Roumegoux, 1991, p. 135.

lège de Mazarin pour fournir en verre à la façon de Venise toutes les villes situées sur les bords de la Loire et de ses affluents, de Nevers à Poitiers, privilège qu'il partagea quelque temps avec son neveu, Bernard Perrot, avant que celui-ci ne devienne, à Orléans, le plus grand verrier du temps de Louis XIV.

Au temps d'Henri IV et de Louis XIII, les familles altaristes étaient unies par de nombreux liens familiaux. Ainsi, le 28 février 1601, était signé à Paris le contrat de mariage entre François Ponte, gentilhomme verrier originaire du Montferrat, et Marie de Sarode[21]. L'Altariste Jean Castellan, qui reprit la verrerie de Nevers en 1647, était l'époux de Marie Ponte[22]. Enfin, leur propre fille, Marie, épousa en 1658 un autre Altariste, Marc de Borniol[23]. Ces familles étaient aussi liées par des contrats professionnels. Le 12 mars 1601, Jacques de Sarode, établi également en 1598 en la verrerie de Saint-Germain-des-Prés à Paris, s'associait de nouveau avec son neveu Horace Ponte, déjà son partenaire à Nevers, tandis que son frère, Vincent, gardait la codirection de la verrerie nivernaise[24].

La vente du duché de Nevers, en 1659, par le duc Charles II au cardinal Mazarin, et le départ, en 1662, de Bernard Perrot pour Orléans contribuèrent sans doute au déclin de l'art du verre dans la capitale nivernaise. Celle-ci demeura toutefois une ville verrière à la fin du XVIIIe siècle, époque à laquelle elle était encore surnommée « *le petit Muran de Venise* », alors que les verriers qui y exerçaient leurs talents étaient essentiellement originaires de Ligurie[25].

Les Lorrains

À la fin du XVIe siècle et encore sous le règne de Louis XIII, la France s'enrichit aussi de la venue de nombreux verriers lorrains, qui bénéficiaient pourtant dans leur terre d'origine de privilèges considérables[26]. Certains, chassés à la fois par les tracasseries de l'administration fiscale ducale et par les dramatiques conflits que connut alors cette terre d'empire, s'installèrent en Thiérache, en Bourgogne ou en Champagne, comme les Condé, à Bar-sur-Seine[27]. D'autres, comme les Finance ou les Hennezel, évitèrent Nevers, devenu fief altariste, mais s'établirent néanmoins en Nivernais, à La Nocle ou à Prunevaux[28]. Dans la première moitié du XVIIe siècle, des membres de ces deux familles étaient aussi actifs en Bourbonnais, notamment à Moulins[29].

Les verriers lorrains, traditionnellement spécialisés dans le gros verre, c'est-à-dire le verre à vitre, s'étaient aussi initiés à la fabrication du verre creux à la façon de Venise et contribuèrent sans nul doute à répandre la nouvelle technique dans le royaume. Ainsi, le 24 juin 1618 le marchand verrier lorrain Claude Thomas s'engageait-il à fournir « *des verres de Venise* » au marchand parisien Judas Deguerre[30].

Les Français

Ces nombreux mouvements de verriers italiens et lorrains ne sauraient occulter la grande activité qui régnait aussi, dans la première moitié du siècle, dans d'antiques verreries forestières françaises. Celles-ci étaient dirigées par de très anciennes familles originaires du Midi, comme les Azémar, les Robert, les Riols, les Virgille, ou de Normandie, comme les Le Vaillant, les Brossard, les Bongars ou les Cacqueray.

En Languedoc, depuis le XVe siècle, les rapports entre les gentilshommes verriers étaient réglés par les institutions de Sommières, sorte de tribunal interne présidé par un capitaine-viguier, toujours en activité au temps de Louis XIII[31]. Les verriers formaient un véritable corps régi par des règles et des traditions qu'expliquait leur très ancienne noblesse. Dans la première moitié du XVIIe siècle, ils étaient également unis par un réseau serré d'alliances. Toujours en Languedoc, où presque tous les verriers étaient protestants, les Robert, actifs dans la région de Sorèze, étaient alliés aux Riols, dont les nombreuses branches dirigeaient des verreries forestières, en particulier à Moussans, dans l'Hérault[32].

Si ces trois communautés principales de verriers ne furent guère liées au temps d'Henri IV et de Louis XIII par des alliances matrimoniales, il y eut entre elles des accords commerciaux. Ainsi, le 16 septembre 1603, les frères Sarode, actifs à la fois à Nevers et à Paris, sous-traitèrent-ils auprès des Hennezel la fabrication de « *12 000 liens de verres de vitres*[33] ». De même en 1611, Abraham de Hennezel, à la verrerie de La Nocle, était lui aussi réputé collaborer avec des verriers italiens[34]. Des gentilshommes lorrains furent même engagés à la verrerie italienne de Montenotte, près d'Altare, pour y fabriquer du verre plat[35]. Enfin, des Altaristes furent à plusieurs reprises embauchés dans des verreries françaises. Le 19 septembre 1626, Jean de Borniol, gentilhomme verrier demeurant à Nevers, se mit, au service de Pierre d'Azémar, maître de la verrerie de Rouen depuis 1619[36].

21. AN, MC des notaires, XXIII, 219, fᵒˢ 128-129.
22. Boutillier, 1885, p. 62.
23. Idem, *op. cit.*, p. 72.
24. AN, MC des notaires, XXIII, 219, fᵒ 159. Vincent de Sarode est dit dans un document, daté du 13 octobre 1600, « M[aître] *des verriers de la Verrerie de Nevers* » (AN, MC des notaires, XXIII, 218, fᵒ 633).
25. Thomas Corneille, cité par Honey, 1946, p. 137, aurait employé l'expression en 1708. Au moment de la première fermeture de la verrerie, en 1726, celle-ci était dirigée par Marie Gentil, tutrice des enfants de Michel Castellan, mort en 1721 (Boutillier, *op. cit.*, p. 87). L'établissement reprit ses activités à l'initiative de Bernard de Borniol, un neveu de Michel Castellan. Les derniers feux s'éteignirent en 1780.
26. Une charte très favorable leur avait été octroyée en 1448.
27. Rose-Villequey, 1971, p. 436.
28. Idem, *op. cit.*, p. 437.
29. Idem, *op. cit.*, p. 438.
30. AN, MC des notaires, XXIII, 256, fᵒ 410.
31. Voir à ce propos Riols de Fonclare, 1925, p. 28.
32. Voir à ce propos idem, *op. cit.*, p. 74 et 115.
33. AN, MC des notaires, XI, 86, fᵒ 212rᵒ et vᵒ.
34. Rose-Villequey, *op. cit.*, p. 487.
35. Boutillier, *op. cit.*, p. 139. Charles de Hennezel, l'un des maîtres de Bois-Giset en Nivernais, s'engagea à fournir à Jérôme et à Jacques de Sarode, gentilshommes verriers demeurant à Montenotte près d'Altare, des verriers susceptibles de fabriquer douze mille liens de verre plat.
36. Boutillier, *op. cit.*, p. 30.

Les quatre grands monopoles

Après l'extinction des troubles de la Ligue, l'art du verre bénéficia aussi des mesures très favorables d'Henri IV, décidé à le protéger comme d'autres arts. En 1598, le Roi facilita la création d'une verrerie à Rouen par deux Italiens originaires du duché de Mantoue, Vincent Buzzone et Thomas Bertoluzzi, en leur accordant un privilège de fabrication qui s'étendait à vingt lieues à l'entour pour fabriquer du « *verre de cristail, verres dorez, esmaux et autres ouvraiges qui se font à Venize*[37]... ». Les deux verriers ne profitèrent guère de ce privilège, qui fut dévolu en 1605 à un gentilhomme provençal, François de Garsonnet. Le monopole fut confirmé par Louis XIII, le 4 mai 1613[38]. En 1619, Garsonnet céda à son tour ses droits à Jean et Pierre d'Azémar, tous deux issus d'une antique famille languedocienne[39]. Ceux-ci s'engagèrent à n'utiliser que du charbon de terre pour alimenter leurs fourneaux. Le privilège des Azémar fut renouvelé par le Roi en 1623, 1627, 1635 et 1642[40].

À Paris, Jean Maréchal, « *porte caban ordinaire du roi* », associé au valet de chambre d'Henri IV, Pierre de Béringhen[41], reçut du souverain, en 1606, un monopole exclusif pour la fabrication et la vente du verre à la façon de Venise, à Paris et à trente lieues à la ronde, dont il bénéficia jusqu'à sa mort, en 1650, acculant à la ruine certains de ses concurrents, comme Antoine de Clérissy[42]. Ce monopole fut confirmé en 1612 par Louis XIII, puis en 1650 par le jeune Louis XIV[43].

L'Altariste Jean Ferro avait obtenu d'Henri IV un privilège comparable pour la région nantaise, qui lui permit de créer tour à tour quatre établissements. Celui de La Fosse, fondé en 1598, resta en activité pendant plus de deux siècles sous la direction des Sarode[44]. Ces derniers, nous l'avons vu plus haut, avaient bénéficié d'un monopole semblable dans leur verrerie de Nevers, lors de sa création. Ils s'installèrent également en Bas-Poitou, à Vendrennes, où leurs descendants exerçaient encore leurs talents au XVIIIe siècle, ainsi qu'à Bordeaux, où ils sont signalés en 1605[45].

La production

Les historiens du verre français de la première moitié du XVIIe siècle se sont toujours heurtés à de grandes difficultés pour identifier la véritable production de cette période. Ce que nous savions jusqu'à une date récente du verre français de cette période reposait essentiellement sur la tradition orale, sur des descriptions du temps, sur la peinture contemporaine (notamment sur les œuvres des frères Le Nain, de Jacques Linard ou de Lubin Baugin) et sur quelques trop rares objets conservés dans des collections régionales françaises, réputés dater du temps de Louis XIII. Cet ensemble était loin d'être satisfaisant.

Par ailleurs, si l'on examine les inventaires après décès des membres de la famille royale, quand ceux-ci existent, l'art du verre semble singulièrement absent de leurs collections. L'état des collections de Louis XIII, au moment de son décès, n'est plus connu aujourd'hui et aucune pièce en verre lui ayant appartenu n'a pu être mise en évidence. En revanche, l'inventaire des biens d'Anne d'Autriche, dressé après sa mort, au Louvre le 20 janvier 1666, est bien identifié et a été publié au début du XXe siècle[46]. Il ne mentionne malheureusement aucun objet en verre français et seulement des miroirs de toilette, garnis d'or ou d'argent, vraisemblablement fabriqués à Venise[47]. Si le mot cristal apparaît à de nombreuses reprises dans ce document, c'est bien entendu de cristal de roche qu'il s'agit. L'absence de pièces de verre dans l'inventaire des collections de la Reine est assez surprenante pour être soulignée quand on se souvient que des verres vénitiens ou français figuraient en bonne place, en 1589, dans l'inventaire après décès de Catherine de Médicis[48].

Si l'état des biens de Gaston d'Orléans au moment de sa mort n'est plus connu aujourd'hui dans son ensemble, des pans entiers de ses collections demeurent toutefois conservés à la Bibliothèque nationale de France, comme ses fonds de vélins, de médailles ou sa bibliothèque, légués au Roi après sa disparition, en 1660. Un splendide plat en verre gravé à la pointe de diamant, portant son chiffre, qui provient vraisemblablement de ses collections, est présenté à l'exposition (cat. 252).

Les inventaires des somptueuses collections des principaux ministres de Louis XIII, Richelieu[49] et Mazarin[50], ne signalent hélas aucune pièce de verre. Enfin, les quelques sondages réalisés dans la sphère de la haute noblesse ne sont guère plus gratifiants[51].

Les rares bonnes surprises en la matière nous sont venues de l'étude d'inventaires dressés dans des milieux beaucoup plus simples, notamment de l'examen de celui de Suzanne Castillon, la première épouse du peintre Jacques Blanchard, qui fut rédigé en 1637. Y apparaît en effet une mention de verre intéressante bien qu'un peu énigmatique : « *Item six vaiseaux de ver rayez de blanc, prisé vingt cinq livres*[52]... ». Il demeure en effet impossible aujourd'hui de préciser si ces pièces décorées *a filigrane* ont été fabriquées

37. Archives du parlement de Rouen, rapports civils, 26 février 1598, publié par Le Vaillant de la Fieffe, 1971, p. 276.
38. Idem, *op. cit.*, p. 277.
39. Idem, *op. cit.*, p. 279.
40. Idem, *op. cit.*, p. 280, 285 et 287.
41. Pierre de Béringhen fut successivement valet de chambre d'Henri IV puis de Louis XIII de 1596 à 1620 (Griselle, 1912, p. 35).
42. Bondois, 1936-1937, p. 55, 57.
43. Idem, *op. cit.*, p. 57 et 71-72.
44. Barrelet, 1953, p. 77.
45. Bellanger, 1988, p. 145.
46. *BSHAF*, année 1930, 1930.
47. *Ibid.*, notamment les nos 80 et 81.
48. Voir à ce sujet Crépin-Leblond, 1995-1996, p. 91.
49. Bien connu depuis sa publication *in extenso* par Levi (1985).
50. Les collections de Mazarin sont l'objet depuis de nombreuses années des études fort détaillées de Madeleine Laurain-Portemer et de Patrick Michel.
51. Notamment l'inventaire des biens de Marie de Bourbon, princesse de Carignan, dressé en 1624 à l'occasion de son mariage avec le prince Thomas de Savoie (Turin, 1880) ; l'inventaire du marquis de Bassompierre, dressé de 1632 à 1637 (Nancy, 1867-1868) ; l'inventaire de Charles de Lorraine, prince de Joinville et quatrième duc de Guise, dressé en 1644 (*Nouvelles Archives de l'art français*, 1896).
52. Beresford, 1985, p. 121.

Fig. 3. Verre à ailettes, première moitié du XVIIe siècle, verre soufflé. Paris, musée du Louvre, fouilles de la cour Napoléon.

Fig. 4. Lubin Baugin (vers 1610-1663), *Dessert de gaufrettes,* vers 1630-1635, huile sur bois. Paris, musée du Louvre, département des Peintures.

à Venise ou en France, à la façon de Venise, par des Altaristes œuvrant dans le royaume. Dans l'inventaire après décès de Jacques Blanchard, dressé un an plus tard[53], on retrouve les mêmes objets : « *Item six pièces de verre rayées, prisez ensemble vingt livres* ».

Jusqu'à une date récente, en l'absence de fouilles archéologiques concernant l'époque moderne, régnait donc, pour les raisons énoncées ci-dessus, une profonde méconnaissance des objets alors exécutés en France. Si la généalogie des gentilshommes verriers et la question de leurs privilèges n'avaient pas de secret pour les historiens du XIXe siècle, ceux-ci s'étaient le plus souvent gardés de déterminer une quelconque production[54]. Or, depuis plusieurs années, de nombreux chantiers de fouilles ont livré, à l'emplacement de demeures parisiennes ou provinciales, des pièces en verre creux, datées avec certitude de la première moitié du XVIIe siècle, qui ont bien souvent confirmé les intuitions des chercheurs, les mentions d'archives et les représentations figurées[55]. Parmi les objets découverts récemment à Paris, Lyon, Nevers, Metz, Épinal, Châlons… figurent de multiples pièces exécutées en verre *cristallo* « à la façon de Venise » que la plupart des auteurs s'accordent désormais pour attribuer à la France car on ne les rencontre jamais dans les fouilles vénitiennes, liégeoises, flamandes, anglaises, allemandes ou espagnoles, ni dans la peinture contemporaine de ces différents pays. Leur provenance géographique précise demeure, en revanche, bien incertaine en l'absence de résultats fiables à l'emplacement des sites verriers producteurs.

En matière de gobeleterie, les découvertes archéologiques récentes montrent que les objets datés de la première moitié du XVIIe siècle ont généralement hérité des innovations de la Renaissance. Les pièces entièrement moulées ont le plus souvent été abandonnées au profit d'objets soufflés à la volée, décorés après le soufflage. Dans le domaine spécifique du verre à boire se développent des objets dont la jambe est souvent réduite à un simple nœud plus ou moins aplati, côtelé ou non. Les parois lisses sont souvent préférées pour la coupe car elles autorisent une plus grande liberté dans le décor (gravure à la pointe de diamant, filets rapportés, émail, filigranes, picots). Beaucoup de verres à boire présentent un buvant large et profond, circulaire, conique ou polygonal[56] et montrent d'infinies variations dans le décor. D'autres sont munis de balustres, moulés ou non, parfois renversés. Le métal, souvent très léger, est parfois ambré, légèrement bleuté ou brun, voire gris.

Dans certains chantiers de fouilles, ont été retrouvés plus rarement des verres munis de balustres à mufles de lion, parfois dorés, objets rencontrés également à cette période dans toute l'Europe, de l'Italie et de l'Espagne à l'Angleterre et aux Pays-Bas, et dont il demeure encore difficile aujourd'hui d'affirmer s'ils sont ou non de fabrication française[57].

Les fouilles de la cour Napoléon, au Louvre, ont aussi livré des verres à ailettes ou à serpents asymétriques d'une grande qualité (n° 5487-17 ; fig. 3)[58], bien différents des types connus en Flandres ou dans les Pays-Bas à la même époque, qui laissent penser qu'ils ont peut-être été soufflés en France par les Altaristes[59]. Nous pouvons nous demander par exemple si le somptueux verre à pans et à ailettes, peint vers 1630-1635 par Lubin Baugin dans le *Dessert de gaufrettes* (inv. RF 1954-23 ; fig. 4)[60], n'est pas justement l'un de ces verres « *extraordinaires* », exécutés en France par les Italiens « à la façon de Venise » parfois cités dans les documents contemporains.

53. Beresford, 1985, p. 128.
54. À l'exception méritoire de l'abbé Boutillier pour Nevers et d'Henri Schuermans pour l'ensemble de la France.
55. Notamment à Nevers, Lyon, Metz, Châlons en Champagne, Épinal…
56. Notamment les verres de type 14, découverts dans les fouilles de la cour Napoléon, au Louvre, publiés en 1988 par Barrera, p. 354, fig. 10, n°s 30-34, p. 354, type 15, fig. 11, n°s 35-37.
57. Notamment à Paris, dans la cour Napoléon, idem, *op. cit.,* p. 356, type 16, fig. 12, n° 38, repr. ; un autre exemplaire a été trouvé à Metz à l'espace Serpenoise (Cabart, 1990, p. 226, n° 47, fig. 3).
58. Barrera, *op. cit.,* p. 357, type 17, fig. 13, n°s 39-41.
59. Cette supposition s'appuie aussi sur les analyses chimiques pratiquées par Velde (2000, p. 16).
60. Inv. RF 1954-23.

Fig. 5. Aiguière émaillée, 1625, verre soufflé émaillé. Londres, British Museum.

Il semble, enfin, que la production de verres émaillés à la manière vénitienne, bien établie en France au siècle précédent, n'ait pas été abandonnée au temps de Louis XIII. Suzanne Gaynor attribue en effet à des ateliers français de cette période deux aiguières émaillées, aux formes quasi identiques[61]. L'une d'entre elles, conservée à Londres, au British Museum (inv. 1863 581), porte en effet une inscription en français et la date 1625 (fig. 5).

Les documents complètent bien souvent les résultats des fouilles et nous enseignent que dans le domaine du verre creux coexistaient au XVIIe siècle à la fois une production commune, nommée pivette ou chambourin, sans doute soufflée dans un verre potassique assez impur dans les anciennes verreries forestières et dans certaines verreries lorraines[62], et une production plus luxueuse, vraisemblablement exécutée essentiellement par les Altaristes et les Lorrains, en verre cristallin, à la manière de Venise.

Les Altaristes de Nevers étaient aussi réputés exécuter à la façon vénitienne des verres imitant les pierres précieuses ou les pierres dures comme l'émeraude, la topaze, l'aigue-marine, l'agate ou la calcédoine. Enfin, l'une de leurs activités primordiales était la création des « *canons d'esmail* », nécessaires au travail du verre filé, réalisé à la pince et à la lampe par les émailleurs. La technique du verre filé avait sans doute été introduite en France par les Italiens au siècle précédent puisque Teseo Mutio, en 1551, avait reçu un privilège en sa verrerie de Saint-Germain-en-Laye, notamment pour fabriquer des canons d'émail[63]. Selon Broc de Segange, un premier émailleur, Thomas Dagu (peut-être un Italien), se serait installé à Nevers dès avant 1577[64]. À la fin du XVIe siècle, à Nevers, sont cités les noms de deux autres émailleurs, Jean et Léon Prestereau. Au début du siècle suivant, Barthélémy Bourcier, qui devait fonder en 1632 une faïencerie à Nevers[65], fut émailleur de 1626 à 1631 et portait le titre de « *maistre esmailleur de la mère reyne* [Marie de Médicis, ainsi appelée jusqu'à son départ en exil, en 1631][66] ». Les objets en verre émaillé faisaient couramment l'objet de cadeaux aux princes de passage à Nevers. Ainsi, aurait-on offert, en 1622, à Louis XIII « *un ouvrage d'émail* » représentant sa victoire contre les protestants de l'île de Ré[67]. Ce dernier, enfant, semble avoir possédé quelques figures en verre filé ou en « *esmail* », en guise de jouets. Jean Héroard nous enseigne par exemple que, le 13 septembre 1605, sa femme a offert au tout jeune Dauphin « *des petits chiens de verre et autres animaux faict a Nevers*[68] ». Le médecin du Roi nous apprend encore, que le 21 janvier 1615, Louis XIII s'amuse « *avec ses petits marmosets d'aismal*[69] ».

La production française à la façon de Venise du temps de Louis XIII, telle qu'elle se dessine aujourd'hui à la fois à travers les documents, les résultats de fouilles, les objets conservés et la peinture contemporaine paraît en tout cas témoigner d'une exceptionnelle faculté d'adaptation des verriers altaristes et lorrains au goût français.

61. Conservées à Cologne, au Kunstgewerbemuseum, et à Londres, au British Museum, Gaynor, 1991, p. 58-59. 62. Les marchands verriers lorrains vendaient à leurs confrères parisiens aussi bien du verre pivette que du verre « à la façon de Venise ». Le 7 août 1625, « *Marin Corbières et Michel Lonfroy, mds verriers à Ferrières près de Domfront, se faisaient fort* […] *de livrer dans Paris* […] *6 charges de cheval de verre de cristal commun appelé pivette...* » (AN, MC, XXXV, 202, fo 549). Le 5 février 1628, un autre marchand lorrain, J. P. Mareschal, passait contrat avec des marchands parisiens pour la livraison « […] *de 2 courbes de verre de Venise...* » (AN, MC, XXXV, 205, fo 103). 63. Voir à ce sujet la note 8. 64. Broc de Segange, 1863, p. 248. 65. Idem, *op. cit.*, p. 64 et 249. 66. Idem, *op. cit.*, p. 64. 67. Idem, *op. cit.*, p. 249. 68. Héroard, 1989, I, 13 septembre 1605, p. 754. 69. Idem, *op. cit.*, 21 janvier 1615, p. 2263.

252

Plat au chiffre de Gaston d'Orléans

France (?), milieu du XVIIe siècle | Verre *cristallo* soufflé et gravé à la pointe de diamant

H. 0,062 ; D. 0,488

Hist. : ancienne collection de Gaston d'Orléans (?) ; acquis par le Corning Museum of Glass en 1977.
Bibl. : Charleston, 1980, p. 123, no 53.

Corning (New York), Corning Museum of Glass. Inv. 77.3.34

Ce grand plat circulaire est décoré en plein de motifs gravés à la pointe de diamant. On distingue au milieu du bassin un chiffre entrelacé, GG,

sommé d'une couronne fleurdelisée ouverte, surmontée d'un œil situé dans des nuées d'où s'échappent des rayons. L'ensemble s'inscrit au centre d'une guirlande de feuillage enrubannée qui prend naissance dans une double corne d'abondance, remplie de fleurs et de fruits. L'aile du plat est ornée de huit cartouches ovales et rectangulaires, entourés de guirlandes de feuillage. Des motifs d'insectes scandent les espaces qui les séparent. Les réserves ovales sont décorées d'emblèmes (un globe crucifère, un obélisque, un palmier et un terme en buste), accompagnés respectivement des devises latines suivantes : *ABRUMPAM ; TE STANTE VIREBO ; VERITAS PREMITUR NON OPPRIMITUR ; CONCEDO*

252

NULLI (« Je romprai ; tant que tu tiendras, je serai vigoureux ; la vérité est retenue non étouffée ; je ne le cède a personne »). Les cartouches rectangulaires ne sont pas décorés.

La technique de la gravure à la pointe de diamant est très ancienne puisqu'elle était connue dans le monde romain au IIe siècle de notre ère. Elle réapparut dans l'art du verre à Venise, dans les années 1530, d'où elle se répandit rapidement en Autriche, en Allemagne, en Bohême, en Angleterre et aux Pays-Bas (Charleston, 1980, p. 123). Elle ne nécessite pas un matériel important, un simple petit diamant fixé au bout d'une tige suffit (Pelliot, 1931, p. 309), mais requiert de grands talents de dessinateur.

Le très haut niveau de qualité de la gravure exécutée sur ce plat ne permet pas de l'attribuer à une quelconque école de gravure connue dans la première moitié du XVIIe siècle. Les graveurs sur verre étaient aussi itinérants que les verriers. Il est

donc difficile d'avancer une provenance géographique précise pour cet objet. Toutefois, certains éléments du décor de cette pièce, comme les insectes voletant ou les fruits qui rappellent l'art de Fontainebleau, se retrouvent respectivement dans des gravures d'ornements françaises, destinées aux orfèvres, et dans des bordures de tapisseries françaises, contemporaines (information aimablement communiquée par Emmanuel Coquery). Ces éléments n'excluent donc pas une réalisation en France.

Quelques autres exemples d'assiettes ou de plats gravés à la pointe de diamant, monogrammés ou armoriés, sont connus aux XVIe et XVIIe siècles, à Venise (notamment quelques pièces aux armes du pape Pie IV, exécutées vers 1559-1565, dont une assiette conservée à Cologne, au Kunstgewerbemuseum, inv. F 394) ou aux Pays-Bas (un plat au chiffre de J. Van Heemskerk et de A. Conink, Amsterdam, Rijksmuseum, inv. N.M. 764), mais

aucun n'atteint la qualité et les dimensions de celui du Corning Museum of Art.

Les quatre emblèmes gravés sur ce plat trouvent leur source d'inspiration dans un recueil de gravures de Crispin de Passe, publié en 1613, à Utrecht, par Gabriel Rollenhagen, *Selectorum Emblematum Centuria Secunda* [seconde centurie d'emblèmes choisis], n°s 27, 38, 55, 68, (information aimablement confirmée par Jean-Marc Chatelain). Selon ce dernier, le motif gravé au-dessus du chiffre, au centre du plat, qui représente un œil rayonnant à la manière d'un soleil, s'inspire d'un cinquième emblème, publié par Rollenhagen dans la même centurie, au n° 65.

Ce plat, exceptionnel par son décor extrêmement savant, par la qualité de la gravure et par ses dimensions, fut vraisemblablement exécuté pour Gaston d'Orléans (1608-1660), troisième fils d'Henri IV et frère cadet de Louis XIII (fig. 1), car il porte son chiffre et la couronne fleurdelisée ouverte des

Fig. 1. Antoine Van Dyck (1599-1641), *Portrait de Gaston d'Orléans,* huile sur toile. Chantilly, musée Condé.

enfants de France. Si la médiocrité politique de Gaston d'Orléans a été souvent soulignée par les historiens, on connaît moins, en revanche, ses qualités d'érudit et de collectionneur. Gaston d'Orléans s'intéressa aux mathématiques, à l'astronomie, à l'histoire, à la botanique, aux statues antiques, aux monnaies et aux médailles. Ses collections étaient réparties entre son château de Blois et le palais du Luxembourg, à Paris. Il légua au Roi, en 1660, sa collection de médailles, le noyau du cabinet des Médailles actuel. Gaston d'Orléans possédait par ailleurs, à Blois, une bibliothèque très riche dans laquelle figuraient les deux centuries d'emblèmes, publiées successivement par Rollenhagen à Cologne, en 1611, et à Utrecht, en 1613. La reliure commune de ces deux recueils, conservée aujourd'hui à la Bibliothèque nationale de France avec l'ensemble de la bibliothèque de Gaston d'Orléans, porte son chiffre et montre l'intérêt du frère du Roi pour les ouvrages savamment illustrés (information aimablement communiquée par Jean-Marc Chatelain).

Le plat du Corning Museum of Art constitue à l'heure actuelle la seule pièce de verre d'origine royale connue dans le monde pour cette période.

M.-L. R.

253

Bouteille à long col

France, Nevers (?), « à la façon de Venise », première moitié du XVIIe siècle | Verre bleu transparent soufflé, filets de verre rouge et de verre *lattimo*

H. 0,295 ; D. 0,150 ; D. embouchure : 0,060

Hist. : acquise par l'actuel propriétaire à Vichy, en 1997.

Paris, collection Barbara Wirth. Inv. 16 V

Cette grande bouteille piriforme a été soufflée en une seule paraison de verre bleu transparent. Elle présente un long col étroit, entouré d'un ruban pincé de même verre. L'ensemble est décoré de peignés exécutés en verre blanc de lait et en verre rouge qui forment de grands ramages symétriques.

On ne connaît aujourd'hui qu'un très petit nombre de bouteilles portant ce décor obtenu par l'application dans la paraison encore molle de filets de verre de couleur. Deux d'entre elles, soufflées en verre bleu, portent des ramages blancs. L'une figure dans les collections du Victoria and Albert Museum

(Honey, p. 59, fig. 30). La seconde, en verre bleu clair, de l'ancienne collection Wormser, se trouve depuis peu dans une collection particulière parisienne (Drouot-Montaigne, 23 juin 2000, p. 50, no 256). Trois exemplaires au moins ont été exécutés en verre blanc et présentent des ramages blancs en verre *lattimo* (New York, The Metropolitan Museum of Art ; Paris, collection particulière, et ancienne collection Wormser, Drouot-Montaigne, 23 juin 2000, p. 51, no 257). Une sixième bouteille, également conservée au Metropolitan Museum, est en verre blanc à ramages rouges et blancs. La bouteille présentée à l'exposition est à notre connaissance la seule soufflée en verre bleu à porter un décor de peignés en verre rouge et en verre *lattimo*.

Un gobelet daté de la première moitié du XVIIe siècle, portant ce type de décor, dit en plumes d'oiseaux par les archéologues, a été découvert dans les fouilles de la Cour des comptes de Nevers (Roumegoux, 1991, p. 136 et 138, fig. 3). Cet objet permet d'attribuer ce type de décor aux Altaristes de Nevers.

M.-L. R.

254

254

Gourde en verre tacheté

France, Nevers (?), « à la façon
de Venise », première moitié
du XVIIe siècle | Verre bleu opaque
soufflé et tacheté

H. 0,230 ; L. 0,180

Bibl. : Courteault, 1935, p. 19 ; Barrelet, 1953,
p. 90-91, pl. XLV.

Bordeaux, musée des Arts décoratifs.
Inv. 7554, ancien fonds

Cette gourde réniforme a été soufflée en une
seule paraison de verre bleu opaque. Elle présente
un long col étroit et est munie à l'épaule de petites
anses rapportées, façonnées également en verre
bleu. L'ensemble de la pièce est entièrement orné
de taches de verre de couleur, bleu-vert, rouge et
blanc. Au col, les taches sont étirées en spirale.

La technique de décor mise en œuvre sur cette
pièce est très ancienne puisqu'elle était connue
sous l'empire romain. Elle consiste en l'inclusion
en cours de soufflage, dans la paraison encore
molle, de petits fragments de verre cassé de différentes couleurs. Pour obtenir leur parfaite pénétra-
tion dans la paraison, la pièce a été roulée à
plusieurs reprises sur ces fragments disposés sur le
marbre et soufflée à l'ouvreau. L'étirement du col
et les rotations subies par la gourde, au moment du
soufflage, expliquent l'aspect spiralé qu'ont alors
pris les taches de couleur à la hauteur du col.

On connaît quelques autres exemples de gourdes
en verre tacheté, conservées dans de grandes
collections publiques et privées européennes et
américaines (Paris, musée des Arts décoratifs ;
Toulouse, musée Paul-Dupuy ; Naples, Museo di
Capodimonte ; Londres, Victoria and Albert
Museum ; New York, The Metropolitan Museum
of Art…). La forme de cette gourde est traditionnelle en France à la fois dans les domaines du
verre, de la céramique et de l'orfèvrerie depuis le
XVIe siècle.

On connaît aussi d'autres formes de bouteille
présentant le même décor de taches de couleur.
Ainsi, une bouteille de la forme étudiée à la notice
précédente (cat. 253), portant exactement le même
décor tacheté, est conservée à New York, au
Metropolitan Museum of Art. Ce dernier élément
permet d'envisager une éventuelle exécution de
cette série de gourdes à Nevers, si l'on admet que
les grandes bouteilles à ramages ont bien été
soufflées par les Altaristes de Nevers, comme le
laisse penser l'archéologie.

Ces gourdes étaient autrefois attribuées aux
ateliers de la Margeride (Courteault, 1935, p. 19).
Cette hypothèse n'est plus retenue aujourd'hui
(Bellanger, 1988, p. 98).

M.-L. R.

255

255

Aiguière

France, « à la façon de Venise »,
première moitié du XVIIe siècle | Verre
cristallo soufflé légèrement gris, anse
et filets appliqués

H. 0,165 ; D. coupe 0,145

Hist. : acquise par le musée des Arts décoratifs
à Vichy, en 1997.
Bibl. : Olivié, 1998, p. 87, no 14.
Exp. : Paris, 2000-2001, p. 50-51, no 48.

Paris, musée des Arts décoratifs.
Inv. 997.143.1

Cette aiguière est constituée de trois paraisons
soufflées séparément et assemblées à chaud par le
maître verrier : la panse, la jambe et le pied. La
panse est décorée à la base d'un filet spiralé, recouvert d'un second filet, pincé et formant résille. La
partie supérieure est ornée d'épais filets de verre
entrecroisés créant un décor de losanges, surmontés d'un filet horizontal, rapporté sur la pièce.
L'embouchure est simplement pincée pour former
un bec. La panse est raccordée au pied par une

jambe en forme de nœud aplati, à côtes spiralées,
obtenu par moulage. Le rebord du pied, circulaire, est refermé vers l'intérieur. L'aiguière est
munie d'une anse très fine, façonnée à part, qui lui
est rattachée en deux endroits, au bord supérieur
et au tiers inférieur.

La présence de ce type de nœud en forme de
citrouille aplatie (avérée dans de nombreux verres
retrouvés en fouilles dans des demeures françaises
de la première moitié du XVIIe siècle), la couleur
un peu grisâtre et la finesse du métal permettent
de rattacher cette aiguière à la production
française de verre à la façon de Venise de la
première moitié du siècle. Sa forme permet par
ailleurs de la considérer comme l'un des premiers
exemples d'aiguière française en verre, précédant
la fameuse aiguière casque, qui s'épanouira sous
le règne de Louis XIV, à la suite de l'orfèvrerie et
de la faïence. La complexité et certaines mala-
dresses du décor de filets rapportés font de cet
objet une sorte de prototype tout à fait passion-
nant.

M.-L. R.

256

256

Verre à jambe

France, « à la façon de Venise », début du XVIIe siècle | Verre *lattimo* soufflé et marbré

H. 0,144 ; D. coupe 0,078 ; D. pied 0,078

Hist. : don de Mme Patrice Salin, 1902.
Bibl. : Bellanger, 1988, p. 221.

Paris, musée des Arts décoratifs.
Inv. 10353

Ce verre à jambe est constitué de trois paraisons en verre blanc de lait, soufflées à part et réunies à chaud par le maître verrier : la coupe ou buvant, la jambe et le pied. La coupe, cylindrique, très profonde, est ornée de taches de couleur irrégulières – jaunes, rouges et bleues – qui forment un très beau décor de marbrures. Elle est séparée de la jambe par un disque de verre blanc opaque sans décor. La jambe est constituée d'un nœud, composé de dix-huit côtes fines et régulières. Le pied, circulaire, est presque plat. Son rebord est replié par-dessous. Les deux derniers éléments, en verre *lattimo,* n'ont pas reçu de décor tacheté.

Pour obtenir le décor de taches de couleur irrégulières qui caractérise la coupe de ce verre, on a sans doute roulé la paraison sur de petits fragments de verre cassé, disposés sur le marbre. Les rotations imprimées à la paraison en cours de soufflage expliquent l'aspect spiralé pris par les marbrures de couleur.

Nous ne connaissons aucun autre exemplaire de ce verre qui nous paraît se rattacher à la production française de la première moitié du XVIIe siècle, à la fois par sa silhouette générale, son nœud côtelé et par le grand équilibre qui règne dans le décor.

M.-L. R.

257

Coupe dite tazza

France, « à la façon de Venise », première moitié du XVIIe siècle | Verre *cristallo* soufflé, légèrement grisâtre

H. 0,120 ; D. : 0,210

Hist. : ancienne collection Édouard Evrard de Fayolle (1862-1913) ; don Édouard Evrard de Fayolle en 1911.
Bibl. : Bellanger, 1988, p. 53 et 322.

Bordeaux, musée des Arts décoratifs.
Inv. 7560

Cette *tazza* est composée de trois paraisons qui ont été soufflées séparément et assemblées à chaud par le maître verrier : la coupe, la jambe et le pied. La coupe, soufflée dans un moule, au large diamètre, est peu profonde et présente une surface ondulée qui évoque une corolle de fleur. La jambe est constituée d'un balustre renflé, vraisemblablement moulé car il est décoré de motifs de gouttes d'une grande régularité. Le pied, circulaire, est presque plat.

Cette coupe à boire à la silhouette exceptionnelle, dont la forme générale est italienne, est réputée, depuis son entrée au musée des Arts décoratifs de Bordeaux, avoir été exécutée « à la façon de Venise » dans l'une des nombreuses verreries

257

actives dans le sud-ouest de la France, dans la première moitié du XVIIᵉ siècle, qui bénéficiaient à Bordeaux à la fois d'un marché considérable et d'un port ouvert à l'exportation. D'autres pièces, qui proviennent d'anciennes collections bordelaises ou toulousaines, présentent un balustre différent mais orné du même décor moulé de gouttes (notamment deux verres à jambe du musée des Arts décoratifs de Bordeaux, inv. 78.3.6 et 7606). L'origine de ces objets (tous proviennent d'anciennes collections du sud-ouest de la France) contribue à l'établissement de cette hypothèse.

On sait qu'Henri IV avait confirmé par lettres patentes, enregistrées à Bordeaux en 1596, les nombreuses exemptions auxquelles les gentilshommes verriers bordelais et leurs ouvriers avaient droit depuis le XIVᵉ siècle (Dupin, 1993, p. 17). Par ailleurs, des membres de la famille Sarode, bien connue dans d'autres centres verriers français du temps de Louis XIII, étaient actifs à Bordeaux dans la première moitié du XVIIᵉ siècle (Bellanger, 1988, p. 145). Des verriers français étaient également présents en grand nombre en Périgord, en Agenais et en Bazadais depuis la fin du siècle précédent, mais il demeure difficile de déterminer aujourd'hui, en l'absence de résultats de fouilles à l'emplacement des sites producteurs, s'ils avaient ou non adopté la nouvelle technique « à la façon de Venise ». Si l'on peut raisonnablement attribuer l'exécution de cette *tazza*, comme celle du petit groupe de verres qui s'en rapproche, au sud-ouest de la France, il est donc délicat de préciser sa provenance.

M.-L. R.

258

258

Coupe dite tazza

France, « à la façon de Venise »,
première moitié du XVIIᵉ siècle | Verre
cristallo soufflé, légèrement gris

H. 0,157 ; D. 0,180

Hist. : vente Toulouse, ancienne collection Sevin, 14 novembre 1991, nº 113 ; acquise par l'actuel propriétaire en 1991 dans le marché de l'art parisien.

Paris, collection particulière. Inv. K 27a

Cette *tazza* est composée, de la même façon que la précédente (cat. 257), de trois éléments soufflés séparément par le maître verrier et réunis à chaud : la coupe, la jambe et le pied. La coupe, soufflée dans un moule, est plus profonde que dans le cas précédent et présente une allure de corolle, composée de douze vagues. Elle est unie à la jambe par un disque de verre transparent. La jambe est constituée d'un balustre creux, soufflé, au renflement bulbeux très particulier qui évoque quelque peu la silhouette d'un champignon. Le pied est circulaire et presque plat.

Si cette *tazza* est proche de la précédente par sa coupe en forme de corolle, son balustre en est très différent à la fois par sa construction et par l'absence de décor moulé qui le caractérise. Le musée des Arts décoratifs de Bordeaux conserve dans ses collections deux verres à jambe reposant sur un balustre construit de façon similaire (inv. 78.3.6 et 7606). Ces deux objets présentent, en revanche, un décor moulé de gouttes qui rappelle la *tazza* étudiée à la notice précédente.

Cette coupe en forme de corolle est, comme l'objet précédent (cat. 257), réputée provenir du sud-ouest de la France, où de nombreux verriers altaristes ou français étaient actifs au temps de Louis XIII et avaient reçu des privilèges considérables de la part d'Henri IV, dès la fin du XVIᵉ siècle. Ce genre d'objet n'a jamais été retrouvé par les archéologues dans les fouilles exécutées à Paris, dans le centre ou l'est de la France et pourrait donc bien être spécifique de cette région.

M.-L. R.

259

(Londres, The National Gallery ; fig. 1), l'un des enfants tient-il dans la main gauche un verre à bouton creux, en forme de citrouille, au buvant profond, très proche de l'objet exposé. On retrouve également ce verre avec un buvant plus étroit et plus conique dans *le Repas de paysans* conservé au musée du Louvre (inv. M.I. 1088 ; fig. 2).

Ce verre est peut-être aussi celui du modèle représenté par le peintre strasbourgeois Sébastien Stoskopff dans un tableau intitulé *Corbeille de verres et pâté*, peint à Paris, vers 1630-1640 (Strasbourg, musée de l'Œuvre Notre-Dame, inv. Mba 1776 ; fig. 3). L'artiste, né en terre d'Empire, fut sans doute, avec Pieter Claesz (vers 1597-1661) et Clara Peters (1594 – vers 1640), l'un des plus grands peintres européens de verres du XVIIᵉ siècle. Selon Birgit Hahn-Woenle, sur soixante-dix œuvres connues de lui aujourd'hui, trente-cinq représentent des verres et neuf plus spécialement des corbeilles de verres (cat. exp. Strasbourg, 1997, p. 118-125). Les pièces représentées habituellement par l'artiste sont des verres « à la façon de Venise », fabriqués dans les Flandres ou dans les Pays-Bas du Nord, ou bien encore des verres allemands du type *römer*, que l'on rencontre aussi chez des artistes comme William Claesz Heda. Or, lors de son second séjour parisien, de 1630 à 1640, Stoskopff a peint cette corbeille unique, contenant des verres bien différents des somptueux verres très ouvragés d'origine flamande dont il était coutumier. Il s'agit là, en effet, de verres français, caractérisés par leur simplicité de ligne, leur coupe profonde et leur jambe en forme de simple nœud côtelé.

M.-L. R

259
Verre à jambe

France, Sud-Ouest (?), « à la façon de Venise », première moitié du XVIIᵉ siècle | Verre *cristallo* soufflé, légèrement gris

H. 0,178 ; D. coupe 0,110 ; D. pied 0,095

Paris, collection Barbara Wirth. Inv. 6

Ce grand verre à boire est composé de trois éléments soufflés à part et réunis à chaud par le maître verrier : la coupe, la jambe et le pied. La coupe, en forme de tulipe, a été soufflée dans un moule. Son décor forme un motif de nid d'abeilles à la partie supérieure et de gouttes allongées. Elle est unie à la jambe par un disque plat de verre transparent. La jambe est constituée d'un balustre renversé. Le pied, circulaire, est presque plat et sans rebord.

Un verre présentant la même construction et la même couleur de verre est conservé aujourd'hui à Bordeaux, au musée des Arts décoratifs (inv. 7259). Un troisième est conservé à Paris, au musée des Arts décoratifs (inv. 22741). Si la silhouette de ce dernier est très proche et si ses dimensions sont quasi identiques, en revanche, le décor moulé de la

coupe est plus simple et ne présente pas le même motif de nid d'abeilles.

Ces trois verres sont comme les deux précédents (cat. 257 et 258) réputés provenir du sud-ouest de la France.

M.-L. R.

260
Verre à jambe

France, « à la façon de Venise », première moitié du XVIIᵉ siècle | Verre *cristallo* soufflé, légèrement rosé

H. 0,160 ; D. 0,132 ; D. pied 0,066

Paris, collection Barbara Wirth. Inv. 39

Ce verre à boire a été soufflé en trois paraisons différentes réunies à chaud par le verrier. Il est composé d'une coupe campaniforme très évasée, d'une jambe en forme de boule creuse à quatorze côtes et d'un pied circulaire presque plat. Le métal est légèrement rosé.

Cet objet est proche par sa silhouette et sa construction d'un verre représenté à plusieurs reprises dans ses œuvres par l'un des frères Le Nain, Louis ou Antoine. Ainsi, dans *Femme avec cinq enfants*

Fig. 1. Louis ou Antoine Le Nain (vers 1600-1610 – 1648), *Femme avec cinq enfants*, 1642, huile sur toile. Londres, The National Gallery.

260

261

Fig. 2. Louis ou Antoine Le Nain (vers 1600-1610 – 1648), *le Repas de paysans*, 1642, huile sur toile. Paris, musée du Louvre, département des Peintures.

Fig. 3. Sébastien Stoskopff (1597-1657), *Corbeille de verres et pâté*, vers 1630-1640, huile sur toile. Strasbourg, musée de l'Œuvre Notre-Dame.

261

Verre à jambe

France, « à la façon de Venise », première moitié du XVIIe siècle | Verre *cristallo* soufflé, légèrement jaunâtre

H. 0,235 ; D. coupe 0,095 ; D. pied 0,081

Paris, collection Barbara Wirth. Inv. 23

Cette grande flûte est constituée de trois paraisons soufflées séparément et assemblées à chaud par le maître verrier : la coupe, la jambe et le pied. Le buvant, très allongé, s'évase légèrement à la partie supérieure. Il est orné à la partie basse d'un décor de larmes en relief et d'un filet pincé rapporté. Il est uni à la jambe côtelée, en forme de citrouille aplatie, par un disque de verre transparent. Le pied est circulaire et presque plat. Le rebord est replié par-dessus.

Cet objet appartient vraisemblablement au même groupe que le précédent (cat. 260) car il est cons-

263

truit selon le même procédé. La forme à la fois élancée et légèrement évasée de la flûte est cependant tout à fait exceptionnelle et témoigne avec son décor en relief et son filet rapporté de la variété de décor qui régnait dans ce type de verre français dans la première moitié du siècle. Cette flûte se différencie en tout cas bien nettement des très nombreuses flûtes flamandes et hollandaises contemporaines, bien connues à la fois par les fouilles archéologiques, les objets conservés et par la peinture du temps.

M.-L. R.

262

Verre à jambe octogonal

France, « à la façon de Venise »,
première moitié du XVIIe siècle | Verre
cristallo soufflé gris-brun

H. 0,162 ; D. coupe 0,153 ; D. pied 0,080

Hist. : ancienne collection de Mme Wormser ; sa vente à Paris, Drouot-Montaigne, 23 juin 2000 ; acquis à cette vente par le musée des Arts décoratifs.
Bibl. : Olivié, 2001, 4, p. 92, n° 20 ; Baumgartner, 2002.
Exp. : Paris, 1951(2), p. 81, n° 88.

Paris, musée des Arts décoratifs.
Inv. 2000.1.1

Ce verre très profond à huit pans a été soufflé dans un verre cristallin incolore. Il est constitué de trois éléments principaux : la coupe proprement dite, la jambe et le pied. La coupe, soufflée dans un moule de forme octogonale, est ornée à la base d'un cordon plissé. Elle est séparée de la jambe par un disque de verre transparent. La jambe est composée d'un bouton côtelé creux, moulé en forme de citrouille aplatie. Les côtes sont légè-

rement spiralées. Le piédouche, circulaire, est presque plat. Son rebord est replié par-dessous.

Cet objet était autrefois daté du XVIe siècle et attribué sans plus de précision à la production « à la façon de Venise ». Le nœud moulé très particulier de cette coupe et l'ampleur considérable du buvant nous permettent, semble-t-il, de le rapprocher d'un ensemble de verres français dont d'autres exemplaires sont exposés ici (voir les cat. 255, 258 à 261, 263), qui tous possèdent une construction semblable et ce nœud très caractéristique, en forme de citrouille aplatie, que nous distinguons dans certains verres représentés dans des natures mortes françaises contemporaines.

On ne connaît aujourd'hui aucun autre exemplaire d'un verre d'une dimension aussi ample dans les collections publiques de verre français. En revanche, un autre verre à neuf pans, présentant une coupe plus étroite mais une jambe très proche, se trouvait récemment dans le commerce de l'art autrichien (galerie Kovacek, 1993, p. 17, n° 6 ; information aimablement communiquée par Jean-Luc Olivié).

M.-L. R.

263

Coupe sur piédouche

France, « à la façon de Venise »,
première moitié du XVIIe siècle | Verre
cristallo soufflé, légèrement ambré

H. 0,07 ; D. coupe 0,205 ; D. pied 0,072

Hist. : ancienne collection de Pierre Révoil, acquise en 1828 par le musée du Louvre.
Bibl. : Sauzay, 1867, p. 8, n° F 7.

Paris, musée du Louvre, département
des Objets d'art. Inv. MRR 128

Cette coupe presque plate est composée de trois paraisons réunies à chaud par le maître verrier : la coupe proprement dite, la jambe et le piédouche. La coupe, très évasée, est très peu profonde et unie. Elle est montée sur une jambe très courte, constituée d'une petite tige massive, implantée dans un nœud creux aplati, aux côtes torsadées. Le piédouche est plat, circulaire, uni et sans ourlet. Le verre blanc, légèrement ambré, contient beaucoup de petites bulles.

Cette coupe, qui faisait peut-être au départ office de drageoir, était datée, au siècle dernier, du XVIe siècle et attribuée à la production de Venise (Sauzay, 1867, p. 8, n° F 7). Elle présente un certain nombre de caractéristiques qui laissent supposer que son origine est plutôt française que vénitienne et que ce type d'objet a été fabriqué plutôt dans la première moitié du XVIIe siècle qu'au siècle précédent. La teinte légèrement ambrée du verre, la légèreté du métal et, enfin, la présence du nœud godronné, en forme de citrouille aplatie (avéré dans des verres français bien datés de la première moitié du XVIIe siècle), tous ces éléments, précisément, contribuent à une attribution à une production française et à une datation dans la première moitié du XVIIe siècle. En revanche, rien ne permet d'attribuer cet objet à un atelier plus qu'à un autre.

Une coupe au profil très proche et aux dimensions presque identiques a été découverte par Hubert Cabart à l'emplacement du palais de justice d'Épinal, parmi d'autres verres datés de la première moitié du XVIIe siècle (Cabart, 2000, p. 11, 7069, n° 4 ; rapprochement aimablement confirmé oralement par l'auteur en septembre 2001).

M.-L. R.

Le vitrail au temps de Louis XIII

Françoise Perrot

E nvisagé dans sa définition traditionnelle de clôture transparente faite de pièces de verre assemblées dans un réseau de plomb, support éventuel d'un décor peint, le vitrail a été associé d'une façon presque exclusive au Moyen Âge classique par les archéologues du XIXᵉ siècle, qui voyaient dans les vitraux tardifs de simples transpositions de tableau. Le plus éminent d'entre-eux, Eugène Viollet-le-Duc, considérait que, dès la fin du XVᵉ siècle, « *l'école d'Ile-de-France reporte sur verre des compositions qui conviendraient aussi bien et mieux même, peintes sur surfaces opaques* » (*Dictionnaire*, article « Vitrail », p. 441) ; selon lui, la décadence de la peinture sur verre s'explique par la complexité du traitement pictural, l'utilisation excessive des émaux de couleur, ou couleurs d'apprêt, ayant ruiné définitivement « *l'effet décoratif* ». C'est à l'historien du vitrail, Jean Lafond, que revient l'honneur d'avoir réhabilité les œuvres de la fin du XVIᵉ et du XVIIᵉ siècle (1958), renouant en quelque sorte avec la position de Félibien (1676) ou encore de Pierre Le Vieil (1774, rédigé dès 1668), qui avaient fait preuve d'un enthousiasme certain pour les réalisations de l'âge classique.

Si l'on considère la longue histoire de la technique de la peinture sur le verre, l'emploi des émaux de couleur n'en constitue qu'une péripétie. Pour comprendre cette évolution, il n'est pas superflu de rappeler la règle fondatrice du vitrail, qui ne subit pratiquement aucune exception jusqu'à la fin du XIIIᵉ siècle : la couleur étant donnée par un verre teinté dans la masse, deux couleurs différentes devaient nécessairement être séparées par un plomb. Or, autour de 1300, le vitrail connut la plus importante mutation de son histoire. Le verre, plus transparent, est taillé en pièces plus grandes, où la peinture, qui fait naître les formes, est travaillée de manière plus savante et, surtout, le jaune d'argent, une teinture à base de sel d'argent « *inventée* » au tournant du XIVᵉ siècle, permet de teinter tout ou partie d'un verre blanc en jaune, ce qui allège le dessin – un visage peut ainsi être encadré d'une chevelure blonde sur une même pièce de verre – et autorise la multiplication des détails rehaussés d'or, spécialement dans les parties décoratives.

Au jaune d'argent, le XVᵉ siècle joignit la sanguine, sorte d'émail qui donne du rouge sur un verre blanc. L'entrée en scène des émaux de couleur vers 1530-1540 – le premier vitrail « daté » a été repéré en 1542 à Montfort-l'Amaury – apparaît comme l'ultime étape de cette évolution, alors que la pratique en était connue depuis le XIIᵉ siècle pour la gobeleterie. D'abord utilisés parcimonieusement, pour apporter une touche de couleur ici ou là aux verrières religieuses, les émaux seront surtout appréciés dans le traitement des rondels, petits panneaux servant dans le domaine civil, où ils rivaliseront avec la gamme colorée des tableaux sur support opaque. Sont-ils à l'origine de la désaffection pour le verre de couleur ? Jean Lafond attribuait ce changement plutôt à une difficulté d'approvisionnement. Cependant, si les verreries de Lorraine furent dévastées par la guerre de Trente Ans, celles de Normandie, de Bretagne, du Val-de-Loire, du Nivernais étaient en mesure de pallier cette défaillance.

En fait, ce qui eut raison du vitrail, ce fut la conception du décor qui accompagna l'architecture nouvelle, dont les transformations touchèrent à la fois les édifices civils et les édifices religieux. En effet, dans les églises relevant de l'architecture classique, le décor intérieur fut dominé par les deux arts majeurs, la peinture et la sculpture, qui nécessitaient une lumière régulière : dans les larges baies sans meneau, les vitreries, assemblages de pièces de verre sans peinture encadrés par une large bordure peinte qui assurait le passage entre le mur en maçonnerie et la source lumineuse, répondirent à cette attente. À Paris, l'église

Saint-Paul-Saint-Louis en conserve de beaux exemples (vers 1640); au Val-de-Grâce, construit par
Le Muet sous le patronage de la reine mère Anne d'Autriche, le marché passé le 6 juillet 1663 requiert la
peinture des « *chiffres et armes de sa majesté* » dans les vitreries dont les motifs sont précisés dans des dessins
annexes (Mignot, 1981). La variété des combinaisons géométriques a été recensée par Félibien, repris par
Le Vieil (1996). Les mêmes motifs sont destinés aux fenêtres des demeures – en principe, car dans la
pratique, les losanges sont les plus employés.

Jean-François Belhoste et Guy-Michel Leproux, s'appuyant sur de nombreux marchés, documents
figurés, etc., ont étudié minutieusement l'évolution de la fenêtre dans les demeures parisiennes à l'époque
classique. Le renouveau avait été annoncé dès 1567 par Philibert de L'Orme, qui souhaitait déjà « *donner
la clarté et recevoir tant de lumière que faire se pourra* ». Au temps de Louis XIII, la baie était partagée par
des meneaux de bois déterminant des compartiments, appelés guichets, où des châssis en bois recevaient
des panneaux de vitrerie, suivant les modèles utilisés dans les églises, qui pouvaient accueillir des rondels
historiés (cat. 267) ou portant des armoiries. Plus rarement, mais rejoignant une tradition ancienne, tous
les panneaux garnissant une fenêtre pouvaient recevoir une histoire et même former une suite, comme
à l'hôtel de l'Arquebuse de Troyes (cat. 266 a et b).

Bien que moins sollicitée par l'architecture nouvelle, la peinture sur verre connut encore quelques
heures de gloire au XVIIe siècle. En fait, la demande pour le vitrail ne s'est pas tarie d'un coup. Les propriétaires de chapelles fondées dans les édifices religieux de construction ancienne, dont ils souhaitaient
renouveler le décor, ont maintenu la tradition de les orner de vitraux peints. Parmi d'assez nombreux
exemples disséminés en France, citons, à la cathédrale de Bourges, dans la chapelle des fonts reconstruite, en 1611, par François de La Grange, seigneur de Montigny, maréchal de France, la verrière offerte,
en 1619, par sa veuve, Gabrielle de Cravant (fig. 1). Ses qualités de composition et de peinture la recom-
mandent à l'attention : les donateurs, superbement rendus dans leur costume d'apparat, ont pris place
au registre inférieur, sous une *Assomption de la Vierge* inspirée d'une gravure de Taddeo Zuccaro. En
Normandie, où l'histoire du vitrail remonte au VIIe siècle, quelques verrières rouennaises sont elles aussi
dignes d'intérêt – une suite de personnages peints en grisaille en 1624 et en 1625 pour l'église Saint-Patrice
de Rouen, ou la Visitation exécutée en 1625 pour Saint-Nicolas (passée depuis à la cathédrale d'York).

La Champagne connaît une situation particulière. Comme l'expliquait Francis Salet, le calcaire
utilisé dans la région ayant une durée de vie de trois à quatre siècles, les monuments de l'époque gothique
nécessitaient bien souvent leur remplacement au XVIe siècle, entraînant de longues campagnes de vitrerie, parfois prolongées au XVIIe siècle. Dans l'église Saint-Martin-ès-Vignes de Troyes, reconstruite
entre 1592 et 1641 à la place d'un édifice démoli pour protéger la ville, menacée de siège, le chœur et le
transept présentent, à côté d'œuvres conservées de l'ancienne église, une suite de verrières assez précisément datées par des inscriptions qui indiquent l'identité des donateurs et celle des exécutants, se
laissant appréhender par comparaison avec d'autres œuvres bien documentées. Ce fut en effet le terrain
d'élection des Gontier, le plus célèbre des ateliers troyens de cette époque, qui fournit sept verrières.
S'appuyant sur les riches archives troyennes, Nicole Hany a retracé la carrière de cette famille de peintres
verriers. La personnalité centrale en était Linard Gontier (1565 – après 1642), qui avait épousé la fille de
Charles Verrat, verrier attaché à la cathédrale dont il prit la succession. Son activité en compagnie de ses
fils éclipsa celle des autres verriers troyens, dont les Macadré, qui comptaient pourtant trois générations
de peintres verriers actifs dans la région. Un seul de ses fils survécut à Linard père, Jean Gontier, député
de la corporation en 1650 et en 1651, mort après 1654 dans l'oubli. Leur notoriété ne s'arrêtait pas à la
seule ville de Troyes, et ils ont travaillé pour Sainte-Maure, Rumilly-lès-Vaudes et Dienville, et même pour
Paris : Linard jeune avait dans son atelier au moment de son décès neuf panneaux qu'il avait « *marchan-
dés* » pour l'église Saint-Paul (inventaire du 26 février 1635).

Paris, capitale du royaume, n'était pas en reste et comptait à cette même époque quelques grandes
familles de peintres verriers, fort sollicitées. Henri Sauval (1623-1676), leur presque contemporain, a
signalé leurs œuvres. La famille Pinaigrier a retenu très tôt l'attention des chercheurs, jusqu'à ce que
Guy-Michel Leproux remette définitivement en ordre leur généalogie et ait pu associer œuvres et
documents, en particulier pour Saint-Gervais et Saint-Étienne-du-Mont.

Cette dernière église conserve encore une partie des galeries du charnier, que les vitraux hauts en
couleur isolaient du cimetière. La construction d'un charnier au nord et à l'est de l'église Saint-Étienne-
du-Mont fut projetée en 1604 et les vitraux en furent achevés en 1622 (Le Vieil, 1774, p. 67b). Des vingt-
deux verrières, il n'en reste que douze environ qui semblent appartenir au programme d'origine, mettant

Fig. 1. *Le Maréchal et la maréchale
de Montigny,* 1619, vitrail. Bourges,
cathédrale.

Fig. 2. *Le Pressoir mystique,* vitrail. Paris, église Saint-Étienne-du-Mont.

en rapport l'Ancienne et la Nouvelle Loi, reprenant le schéma typologique bien connu du Moyen Âge classique, que les nouveautés inspirées du Concile n'ont pas aboli (Mâle, 1932, p. 335 et *sqq.*). Les transformations qui ont affecté cet ensemble ne permettent plus d'en retrouver le dessein initial. Toutefois, les thèmes traités montrent que le programme était imprégné de l'esprit issu du concile de Trente (1545-1563), qui avait accompli un immense travail sur les sacrements et tout particulièrement sur l'Eucharistie, thème traité dans sept des verrières conservées. Or, à partir du début du XVIIᵉ siècle, c'est dans les charniers que se donnait la communion, comme le signale Henri Sauval pour plusieurs églises parisiennes (Saint-Jacques-de-la-Boucherie, Saint-Paul, Saint-Étienne-du-Mont, Saint-Séverin), avant que ne soient construites des chapelles de la communion. Leur travail sur les sacrements conduisit les pères conciliaires à réaffirmer le rôle de ceux qui les administrent : le clergé, dont la dimension pastorale est confortée au sein de la hiérarchie de l'Église. C'est à cet aspect que renvoie le vitrail du vaisseau de l'Église, à Saint-Étienne-du-Mont, qui met en parallèle l'arche de Noé, traditionnellement assimilée à la figure de l'Église, et un vaisseau gouverné par le Christ ressuscité montrant ses plaies, et dans lequel a pris place saint Louis, suivi du Pape et du peuple des croyants, et où se trouvent des portraits de bourgeois donateurs, malheureusement non identifiés. La fragilité de ces œuvres n'autorise pas leur déplacement, mais une visite sur la Montagne-Sainte-Geneviève permettra au visiteur de voir dans leur environnement ces œuvres, qui méritent la considération et l'intérêt (fig. 2).

264

Condamnation de saint Pierre (Actes 12, 3-4) ou *Saint Paul chassé du Temple* (Actes 21, 30)

Paris, entre 1606 et 1627 | Vitrail composé de six panneaux formant une scène ; verres blancs et verres de couleur (bleu, rouge, rosé, vert et jaune) teintés dans la masse, peints à la grisaille, au jaune d'argent, à la sanguine, avec émaux de couleur (vert, bleu, violet)

H. totale 1,630 ; L. 1,180 | Signé, au-dessus de la niche : *LP N*

> **Hist.:** provient du charnier de l'église Saint-Paul à Paris ; déposé en 1794 et exposé au musée des Monuments français d'Alexandre Lenoir, jusqu'à la fermeture, en 1816 ; transporté après 1843 au musée des Thermes et de l'hôtel de Cluny ; passé, après 1977, au musée national de la Renaissance, au château d'Écouen, avec les collections du musée de Cluny postérieures à 1500.
> **Bibl.:** Sauval, 1733, I, p. 441-445 ; Le Vieil, 1774, p. 65-67 ; Lenoir, an IV, p. 109 ; Dufour, 1866, p. 10-11 ; Collard, 1972 et *Notes*; Perrot, 1973, p. 233-238 ; Leproux, 1985, p. 107.
> **Œuvre en rapport:** une autre scène du même ensemble est conservée au musée national de la Renaissance, inv. EC 188 b (fig. 1).

Écouen, musée national de la Renaissance. Inv. E. Cl. 188 a

L'ancienne église Saint-Paul à Paris, détruite en 1797, était complétée vers l'est et le sud-est par un vaste cimetière, dont les galeries du charnier ont fait l'objet de plusieurs campagnes de reconstruction entre 1571 et 1628, puis encore en 1654 (Collard, *Notes*). Un « *projet pour un rallongement de l'église* » vers l'est (AN, NII Seine 10936) a donné lieu à un relevé du cimetière, sur lequel le nouveau chœur aurait empiété ; ce plan datant des années 1719-1739 permet de mesurer l'étendue

des charniers : un rectangle fermé, sur chacun des grands côtés, par douze ouvertures doubles, auxquelles s'ajoutent six baies à l'est et deux autres refermant l'enclos au sud de l'église. L'abbé Dufour a décrit, avant leur destruction, les dispositions d'origine : des piles carrées posées sur un muret, tous les trois mètres, portaient l'entablement, qui recevait le toit ; elles étaient ornées de chaque côté d'une console formant chapiteau et alternaient avec des colonnes cylindriques et monolithes. La scène exposée fermait la partie gauche d'une arcade : la forme du bouche-trou, en haut, à gauche, correspond en effet à l'emplacement du corbeau d'une pile carrée.

Pour les vitraux, deux marchés sont conservés : le premier du 29 décembre 1606, passé avec Louis Pinaigrier et Nicolas Charnus (AN, MC, CXV, 15, aimablement communiqué par Catherine Grodecki) ; le second, du 8 décembre 1633, avec les verriers Jean Mahault et Pierre Legros (*ibid.*, LXXII, 9 ; Collard, *Notes),* où il est précisé que les dispositions antérieures seront suivies, en particulier « *les enroullemens, armes et escriptures* […] *au bas de chacune desdictes vitres* » – encore visibles sous la scène présentée.

Ces vitraux ont fait l'admiration d'Henri Sauval (1623-1676), puis de Pierre Le Vieil (1708-1772), qui ont transmis quelques indications sur les sujets traités et sur leurs auteurs. L'histoire de saint Paul, dont sept scènes occupaient le côté nord, a surtout retenu l'attention. Mais plusieurs épisodes se rapportant à saint Pierre, dont son martyre, sont également mentionnés. Le sujet présenté, lié à la condamnation d'un saint, pourrait s'appliquer à Pierre comme à Paul, le type physique des deux apôtres s'étant rapproché pendant la Contre-Réforme (Mâle, 1932, p. 233).

Quant à l'identification du peintre verrier, elle demeure problématique malgré la présence d'une

signature : toutes les lettres, cuites sur le verre, sont contemporaines. L. P. pourrait renvoyer à Louis Pinaigrier, plusieurs membres de cette famille de peintres verriers étant associés à l'entreprise des charniers ; mais comment interpréter le N qui suit ? La comparaison avec les vitraux de cette époque bien documentés est rendue délicate, notamment par la différence d'échelle.

F. P.

265

Attribué à Linard Gontier (Troyes, 1565 – dernière mention, 18 juillet 1642)

Le Mariage de sainte Anne

Troyes, 1623 | Deux panneaux de vitrail formant une scène ; verres blancs et de couleur peints à la grisaille, au jaune d'argent, à la sanguine ; émail bleu

H. 1,500 ; L. 1,000 environ | Inscription : *SAINCTE [A]NNE EN AGE FUST PAR LE VOULOIR DIVIN / CONJOINC[TE EN] MARIAGE AU SAINCT HOMME JOACHIM*

> **Hist.:** don d'Odart Marot et de sa femme, Martine Choiselat. À son emplacement d'origine au centre du registre inférieur dans la verrière de sainte Anne (chapelle sud du déambulatoire du chœur).
> **Bibl.:** Hany-Longuespé, 1979, p. 214-228, 1981, p. 57 ; *les Vitraux...,* 1992, p. 251 et fig. 237.

Troyes, église Saint-Martin-ès-Vignes

La verrière de sainte Anne est l'un des trésors de l'église Saint-Martin-ès-Vignes, à Troyes, par l'équilibre des compositions et la qualité du traitement pictural, bien conservés. La principale restauration touche la date, inscrite sur les marches de l'escalier dans l'*Entrée de la Vierge au Temple :* les

Fig. 1. Autre scène du même ensemble.

264

265

deux derniers chiffres du millésime 1623 auraient été rétablis sur le témoignage de documents anciens avant la fin du XIXe siècle. Les six scènes, distribuées sur les deux registres qui occupent les trois lancettes, se lisent à partir du coin inférieur gauche en allant vers la droite : la *Naissance de sainte Anne*, son *Mariage*, les *Offrandes rejetées ;* au-dessus, toujours de gauche à droite : l'*Apparition de l'ange à Joachim*, la *Rencontre à la porte Dorée*, l'*Entrée de la Vierge au Temple ;* au tympan figure la *Mort de sainte Anne*. Ces scènes, à l'exception de la première, sont directement inspirées de la *Vie de la Vierge* gravée par Albert Dürer.

Dans la scène présentée ici, c'est donc l'inscription qui permet d'identifier le mariage des parents de la Vierge. En effet, mis à part l'attribut de Joseph, l'ensemble est calqué sur le mariage de la Vierge. Cependant, la scène a été réactualisée par le décor et par les costumes. Ceux-ci mêlent des détails empruntés à l'époque de la réalisation (le haut des vêtements masculins ou le corselet que porte sainte Anne) à d'autres imaginaires (les étoffes drapées ou les coiffures féminines), comme au théâtre. La scène est située dans le Temple, lui aussi démarqué de l'architecture classique contemporaine (la croisée du transept indiquée par les colonnes signalant l'entrée des croisillons, les niches des autels latéraux) ; derrière le grand prêtre, le chœur est précisément rendu, limité latéralement par des rideaux et occupé par l'autel que surmontent les tables de la Loi inscrites dans un retable et, dans la lunette supérieure, le sacrifice d'Isaac.

L'œuvre n'est pas signée, mais Hany-Longuespé (1979, p. 217) l'attribue à juste titre à l'atelier des Gontier, qui a fourni d'autres verrières à Saint-Martin-ès-Vignes. Celle qui est dédiée à saint Pierre, conservée dans le haut chœur, est documentée par le marché du 14 novembre 1633, passé par Pierre Le Courtois, conseiller du Roi, avec Linard jeune (idem, *op. cit.*, p. 167-168). Ce qui plaide en faveur de l'attribution à l'atelier Gontier, c'est la délicatesse de la peinture, sensible dans le rendu des visages, aux expressions individualisées, aussi bien que dans les ornements volontiers peints à la sanguine combinée au jaune d'argent (par exemple, pour le corselet et la jupe de sainte Anne, ou pour le châle drapé sur les épaules du grand prêtre). Le jaune d'argent est parfaitement maîtrisé par l'artiste, qui sait en utiliser la grande variété des nuances et des valeurs. L'épaulette ornée de la manche de sainte Anne offre un exemple particulièrement raffiné de ce savoir-faire. Les émaux de couleur n'ont qu'un rôle secondaire et limité à quelques détails, comme la mitre du grand prêtre et ses chaussures. Cette connaissance du métier se manifeste enfin dans la distribution du réseau de plomb, plus difficile à apprécier maintenant à cause des plombs de casse, qui sont venus troubler l'ordre initial.

F. P.

266a

266b

266 (a et b)

Attribué à Linard Gontier
(Troyes, 1565 – dernière mention,
18 juillet 1642)

**a- *Louis XIII (?) en armure
romaine sur un champ de
bataille***

b- *Combat de deux cavaliers*

Troyes, 1620-1624 | Deux panneaux
de vitrail ; verre blanc peint à la
grisaille, au jaune d'argent, à la
sanguine et avec des émaux de
couleur

H. 0,340 (chaque panneau)

Hist. : panneaux de vitrail peints pour les fenêtres
de l'hôtel de l'Arquebuse, construit à Troyes,
entre 1620 et 1624, sous les auspices de Charles
de Gonzague, duc de Nevers et gouverneur de
Champagne, pour abriter la compagnie des arquebusiers ; déposés avant l'adjudication de l'hôtel
comme bien national le 15 brumaire an IV
(6 novembre 1795) avec l'ensemble des vitraux ;
montés dans une fenêtre de la bibliothèque municipale (ancienne salle des manuscrits) en 1820 ;
déposés entre 1861 et 1888 dans les réserves de
l'hôtel de Vauluisant, où ils sont de nouveau présentés.
Bibl. : Babeau, 1888, p. 140 ; Lafond, 1956, p. 27-
28 ; Hany-Longuespé, 1979, p. 64-81, 105-106,
114-115, 1981, p. 52-53 ; *les Vitraux…*, 1992,
p. 290-292 ; Pornin, 1998, p. 17-18, 51.

Troyes, musée de Vauluisant. Inv. 850.1.66
et inv. 850.1.68

Une quarantaine de panneaux provenant des
fenêtres de l'hôtel de l'Arquebuse sont actuellement installés dans l'ancienne abbaye Saint-Loup
(XVIIe siècle), partagés entre la salle de lecture de la
bibliothèque municipale et le pavillon Audiffred,
siège de la société académique de l'Aube, auxquels
s'ajoutent les quatre éléments de l'hôtel de Vauluisant. Ils constituent l'ensemble de vitraux domestiques le plus célèbre de cette époque (Lafond,
1956, p. 27-28). Dès la fin du XVIIe siècle, leurs
qualités esthétiques leur ont valu d'être attribués
par la tradition locale à l'atelier de Linard Gontier
(Hany-Longuespé, 1979, p. 64-75).

L'iconographie est liée à la destination militaire du
monument : outre les entrées d'Henri IV et de
Louis XIII à Paris, Henri IV armant son fils, les
portraits équestres des deux souverains, plusieurs
épisodes des guerres de la Ligue sont représentés
(bataille d'Ivry, siège de Saint-Jean-d'Angély, etc.)
et des représentations de soldats maniant les
armes – ces dernières souvent inspirées des
planches de Jacob de Gheyn, *Maniement d'armes,
d'arquebuses, de mousquets et de piques* (traduction française publiée à La Haye en 1608).

Les deux scènes exposées constituent des échan-
tillons spécialement bien conservés de l'art de la
peinture sur verre domestique. Chacune, peinte
sur une seule pièce de verre, est encadrée d'une
bordure, faite à l'origine de quatre pièces où le
jaune d'argent surligne le plomb ; des trophées en
forment le décor, réunissant des éléments de
cuirasses et des armes (piques, mousquets avec
leur fourquine). Dans la première scène, un jeune
guerrier apparaît debout sur un rocher, en costume
romain, la tête ceinte de lauriers ; il est armé d'un
bouclier et d'une sorte de glaive – à la manière du
jeune David après sa victoire sur Goliath. On peut
y voir, comme Hany-Longuespé (*op. cit.,* p. 105-
196), une représentation allégorique du jeune
Louis XIII.

Dans l'autre panneau se déroule un combat entre
deux cavaliers, sur un arrière-plan de bataille
devant les murailles d'une ville, non identifiée.

Dans ces vitraux destinés à être vus de près, la
vigueur du dessin s'allie à un sens du détail que
les émaux vitrifiables, à côté de la grisaille, du jaune
d'argent et de la sanguine, ont permis de rendre
dans une variété de couleurs, sans pour autant
surcharger d'un réseau de plomb la composition.
Les Gontier faisaient l'admiration d'un praticien
comme Pierre Le Vieil pour la qualité des émaux,
qui n'étaient pas craquelés.

F. P.

267

L'Hiver ou *les Crêpes*

France, vers 1635 | Vitrail civil; pein-
ture sur verre à la grisaille,
au jaune d'argent, à la sanguine,
à l'émail bleu

H. 0,175; L. 0,170

Hist.: entré au musée des Thermes et de l'hôtel de
Cluny vraisemblablement en 1842 avec la collection Alexandre du Sommerard; passé après 1977
au musée national de la Renaissance, au château
d'Écouen, avec les collections du musée de Cluny
postérieures à 1500.
Bibl.: Du Sommerard, 1883, nº 2038; *Vitraux parisiens…*, 1993, p. 161, notice par Pierre Jacky.
Exp.: Paris, 2001-2002, nº 110, repr.

Écouen, musée national de la
Renaissance. Inv. E. Cl. 149

Ce rondel offre un bon exemple d'élément
figuratif utilisé au centre de la vitrerie géométrique
qui pouvait garnir les battants d'une fenêtre dans
un édifice civil. Le sujet est une allégorie de l'hiver,
inspirée de la partie gauche d'une gravure
d'Abraham Bosse: un cavalier rend visite à des
jeunes femmes occupées à faire des crêpes dans la
cheminée. La scène est peinte sur une seule pièce
de verre (maintenant cassée), ce qui explique le
recours à divers artifices de peinture permettant
de rendre les détails de couleur.

F. P.

L'émail de limoges au temps de Louis XIII

Sophie Baratte

Fig. 1. Jean Limosin, *Portrait de Louis XIII*. Londres, The Wallace collection.

Fig. 2. François Limosin, *Saint Bruno*, 1636. Limoges, musée municipal de l'Evêché.

1. Il arrive que la signature d'Hélie Poncet soit également surmontée d'une fleur de lis, Tripon, 1837, p. 186; vente La Sayette, Paris, 13-28 avril 1860, nº 158.
2. Texier, 1857, col. 1152; Thomas, 1882, GG 2-5 11 et 15; Guibert, 1908, nᵒˢ 855-856.
3. Idem, *op. cit.*, nᵒˢ 855-857, 876. Nous remercions Mᵐᵉ Maryvonne Cassan pour ces renseignements, fruits de ses recherches d'archives pour sa thèse sur les émailleurs de Limoges de la fin du XVIᵉ et du XVIIᵉ siècle.
4. *Registres consulaires…*, 1884.
5. Guibert, *op. cit.*, p. 196-197.

Les émaux peints de Limoges sous Louis XIII et Anne d'Autriche: qu'en est-il de cette production spécifique qui avait connu une diffusion européenne au milieu du XVIᵉ siècle? L'étude de l'iconographie de Louis XIII dans ce domaine peut servir d'approche à cette étude: outre la salière OA 993 (cat. 270), il y a eu une production importante de petits portraits du jeune Roi, sans doute destinés à orner de petits objets comme le miroir OA 11063 (cat. 269). Une plaque octogonale fort endommagée qui devait orner également un miroir est conservée à Copenhague (Nationalmuseet, inv. D 496/1982), c'est le même principe du portrait dans un encadrement ovale à décor sur paillons, le portrait, très proche du OA 11063 à première vue, révèle en réalité un jeune Roi, peut-être un peu plus âgé, les joues moins pleines, le cheveu un peu plus long mais il est possible que ce soit dû à une main différente s'inspirant de la même gravure. Le Tiroler Landesmuseum Ferdinandeum, à Innsbruck, conserve une petite plaque ovale (inv. K 1022, H. 0,063; L. 0,045), d'un style moins soigné, dépourvue d'encadrement: le Roi y semble plus âgé que sur les deux premiers. Cette série semble se terminer avec la plaque rectangulaire de la Wallace Collection, de Londres, qui montre le Roi vers l'âge de vingt-cinq ans (fig. 1): le portrait ovale est placé dans un encadrement formé d'un décor polychrome sur paillons et d'une bande blanche avec l'identification du modèle – « LOUIS XIII ROY DE FRANCE ET DE NAVARRE » – et les initiales IL séparées par une fleur de lis, œuvre de Jean ou Joseph Limosin (inv. III F 251; H. 0,090; L. 0,070). Nous ignorons la destination de cette plaque, décor de reliure ou de boîte? Ces portraits donnent des exemples de la production limougeaude pendant la jeunesse du Roi; les plaques de miroir pour lesquelles il existe des pendants avec le portrait de la jeune Anne d'Autriche peuvent être datées de 1615, date du mariage, la petite plaque du British Museum, également (cat. 268). Quant au coffret du Victoria and Albert Museum, il s'agit sans doute d'un coffret de mariage qui n'a rien à voir avec Anne d'Autriche, le fond violet de certaines plaques de ce coffret se retrouve sur l'une des assiettes des mois signées IL de Berlin (Kunstgewerbemuseum, inv. K 5000) et nous suggérons une datation dans les années 1620, c'est-à-dire à un moment où celui qui signe le portrait de la Wallace Collection continue à utiliser le fond noir à décor d'or et d'émaux translucides sur paillons. Il enrichit ses initiales d'une fleur de lis, sans que l'on puisse interpréter ce fait comme un lien avec le Léonard Limosin du XVIᵉ siècle ou avec la cour[1]. D'autres émailleurs portent alors le nom de Limosin: deux Léonard dont l'un a fait un mariage malheureux avant 1623[2] et François II, le fils de ce dernier, sans doute né en 1599, qui a signé et daté 1633 de petites plaques (cat. 275) et 1636, un *Saint Bruno* du musée de Limoges (inv. 37; H. 0,126; L. 0,095; fig. 2)[3]. Bien qu'il soit difficile de faire des rapprochements stylistiques, un émailleur portant le même prénom est l'auteur des grands plats ovales du Victoria and Albert Museum (cat. 277) et de Baltimore (inv. 44-183; H; 0,301; L. 0,388; revers: H. 0,300; L. 0,390; fig. 3 et 4) que nous proposons donc de dater des années 1630. Joseph Limosin, attesté en 1621 et décédé entre 1635 et 1641, a signé en toutes lettres une plaque, non localisée, pour Jeanne-Baptiste de Bourbon, fille légitimée, en 1608, d'Henri IV et abbesse de Fontevraud de 1637 à 1670: est-ce le même qui a signé une salière du Louvre (MR 2497)? Un Jean Limosin est mentionné dans les registres des consuls, il figure dans la liste des prudhommes chargés d'élire les consuls de Limoges le 7 décembre 1623, et il n'est pas sûr qu'il soit émailleur[4].

En effet, pour cette période, ce sont les registres paroissiaux qui fournissent un grand nombre de noms d'émailleur, maître émailleur, « *marchand émailleur, orfèvre et émailleur*[5] », pour certains, nous

Fig. 3

Fig. 4

Fig. 3. François Limosin, plat ovale, *la Cène*. Baltimore, Walters art Gallery.

Fig. 4. François Limosin, plat ovale, *la Cène,* revers. Baltimore, Walters art Gallery

Fig. 5. Maître IC, *Saint Benoît*. Baltimore, Walters Art Gallery

Fig. 5

6. Il ne faut pas oublier que presque toutes les familles bourgeoises de Limoges portaient des armoiries, comme en témoigne le recueil d'armoiries limousines de Philippe Poncet, peintre et émailleur, père d'Hélie Poncet, mort vers 1670 ; voir Lecler et Guibert, 1902, LII, p. 425-484, pl. LIV, 1905, p. 337-426.

7. Nous adopterons cette orthographe.

8. Le problème de l'identification de ce maître IC, déjà difficile au XVIe siècle (voir Baratte, 2000, chap. VI), est tout aussi obscur au siècle suivant ; le même émailleur, identifié par son épouse, est appelé en 1610-1611 Jean Court ou Jean Court dit Vigier ; un autre ou le même mais avec une autre épouse est nommé entre 1614 et 1627 Jean Court dict Vigier, Jean Vigier ou Jean Cour dit le Jeune, voir Thomas, 1882.

9. Nadaud, 1880, IV, p. 632 : il fut pourvu de la charge du trésorier général de France en la généralité de Limoges en 1627 et vendit son office en 1652 (renseignement donné par Mme Cassan).

10. *Registres consulaires…, op. cit.,* p. 192, 236, 251, 255, 262, 274, 285, 287, 309, 311, 315, 317, 319, 325, 346, 354, 356, 358.

11. Baltimore, Walters Art Gallery, inv. 44-192 ; voir fig. 1, cat. 273.

12. Dans les collections du Louvre se trouvent deux figures de femmes vêtues selon la mode de l'époque ; l'une des plaques, qui montre un paysage au revers, devait faire partie d'un couvercle* de boîte ou de montre (OA 997 et OA 998 ; Baratte, *op. cit.*, p. 418-419).

ignorons tout de leur production ; il existe, de plus, des noms très répandus dans différentes professions ; il faut donc croiser les renseignements apportés par les objets et par les archives : François Guibert s'est marié en 1650 (voir cat. 280), Hélie Poncet est mort le 19 novembre 1668 (cat. 278 et 279). Certains objets portent des armoiries[6], comme les grands plats de François Limosin ou les plaques avec les armoiries des Verthamon[7], celle de Limoges (cat. 274, signée LL) et les *Saint Bruno* du Victoria and Albert Museum, de Londres, et *Saint Benoît* de Baltimore signés IC (inv. 44-285 ; H. 0,254 ; L. 0,170 ; fig. 5)[8] ; à ces objets, il faut ajouter les petites plaques de l'*Eucharistie* du Louvre et du British Museum signées IR qui portent le nom de Verthamon au revers (cat. 273). La difficulté est de distinguer le commanditaire de ces œuvres ; plutôt qu'un conseiller au parlement de Paris, la titulature des plaques de l'*Eucharistie* (voir cat. 273) pourrait désigner un membre d'une branche de cette famille restée à Limoges[9]. Mais le Verthamon de la plaque de Limoges (cat. 274) pourrait être l'un de ceux qui figurent à plusieurs reprises parmi les notables entre 1616 et 1650[10]. L'émailleur Jean Reymond des plaques de l'*Eucharistie* serait celui qui avait signé les plaques de 1625 signalées dans la vente Didier Petit en 1843.

Pour cette période, Limoges a une production toujours très diversifiée, dans laquelle figure un petit triptyque à sujet religieux[11], des sujets pieux, des références à l'antique, des éléments de vaisselle parmi lesquels se multiplient les petites coupes, des objets qui peuvent avoir une utilité réelle – revers de miroir, boîtes[12], râpes à tabac – ainsi que des plaques dont nous ignorons l'utilisation. La multiplication des petits objets et le recours à des sujets contemporains traduisent vraisemblablement des difficultés de diffusion que les archives ne laissent pas deviner. Le rayonnement qu'avait connu la production au milieu du XVIe siècle, à la cour et dans tout le royaume, jusqu'à l'étranger, semble avoir disparu. Les personnes commanditaires ou bénéficiaires identifiées sont la plupart du temps en relation avec la région de Limoges, comme l'indiquent les saints évêques de la plaque Verthamon.

Il est amusant de constater que, si la production ne sort plus du Limousin, les collectionneurs commencent à s'intéresser aux objets en émail peint du XVIᵉ siècle : Pierre Bonnard, conseiller et intendant général des Meubles de la Couronne possédait « *un petit tableau rond d'émail de Limoges sur cuivre, représentant une Nativité de Notre seigneur, de deux pieds de diamètre* », mentionné dans son inventaire après décès rédigé, le 29 octobre 1642[13]. Pierre Borel, dans son volume sur les Antiquités de Castres, publié en 1649, note la présence dans son cabinet d'« *une salière antique émaillée de l'ouvrage des Penicaux* [et de] *douze Césars aussi de cuivre esmaillé* » et François Filhol, vers 1658, compare des pièces de sa collection : « *douze césars touchés d'une excellente main et bien différents de ceux qu'on nous apporte aujourd'huy de Lymoges*[14] », ce qui permettrait de penser qu'ont été produites à cette époque les séries d'empereurs, très maladroites, considérées souvent comme une production médiocre du XVIᵉ siècle. C'est de cette période que datent les premiers documents montrant l'intérêt des principautés nordiques pour les émaux, par l'intermédiaire du marchand Philippe Hainhofer, dont le fils habitait Paris : il envoie en 1639 au duc de Brunswick, Auguste le Jeune, une coupe émaillée de Limoges[15]. Si les chefs-d'œuvre du XVIᵉ siècle appartiennent au passé, s'ouvre dès le règne de Louis XIII la période des grandes collections qui entraînera, au XIXᵉ siècle, une industrie de faux.

13. Fleury, 1969, p. 722, sous nᵒ 175.
14. Bonnaffé, 1884, p. 31-32, 107-109.
15. Netzer, 1999, p. 22.

*268

Mariage de Louis XIII et d'Anne d'Autriche

Limoges, 1615 | Plaque | Émail peint sur cuivre

Plaque : H. 0,071 ; L. 0,127 |
Objet : H. 0,076 ; L. 0,132

Hist. : vente Ralph Bernal, Londres, 1855, nᵒ 1487 ; acquis en 1855.
Bibl. : Bohn, 1857, p. 156.

Londres, British Museum, Department of Mediæval and Later Antiquities.
Inv. BL 1487-1855

Cette plaque polychrome montre, debout au centre, Louis et Anne, un ange unissant leurs mains sous une colombe – représentation de l'Esprit-Saint –, Marie de Médicis en veuve et un personnage barbu en noir avec la Toison d'or. Le contre-émail est en fondant avec des taches grises.

La plaque a été pliée à peu près au milieu du long côté, et une restauration dans la zone médiane a causé des modifications de dessin : on ne voit qu'une des jambes du Roi, vêtu d'un costume de satin blanc brodé d'or avec une capeline et une grande fraise. La jeune Reine porte le manteau royal et une couronne close à l'impériale avec une fleur de lis. La Reine mère, vêtue de noir, fait contraste par la sévérité de son costume de veuve, dépourvu du moindre rehaut d'or, avec la richesse de la tenue de l'accompagnateur espagnol.

Cet émail, de petites dimensions, est traité avec un grand souci du détail et un raffinement dans l'exécution avec des teintes diverses et de nombreux rehauts d'or, mais sans utilisation de paillons d'argent. Il est difficile de proposer une attribution à cause du caractère unique de cet objet.

S. B.

269

Attribué à Jean Limosin (peut-être attesté en 1619)

Miroir avec le jeune Louis XIII

Limoges, vers 1615 | Verre étamé, argent doré, émail peint sur cuivre avec paillons, toile verte

H. 0,110 ; L. 0,067

Hist. : vente Marczell von Nemes, Munich, 16-19 juin 1931, nᵒ 502, pl. 90. Don de M. Cyril Humphris, 1986.
Bibl. : Baratte, 1988, p. 102-103, fig. 1, 1990, p. 100-101, 2000, p. 379.
Exp. : Paris, 1990, nᵒ 54, 1991, nᵒ 83.

Paris, musée du Louvre, département des Objets d'art. Inv. OA 11063

Ce miroir ouvrant de forme octogonale est orné, sur la face opposée au miroir, d'une plaque d'émail peint qui présente dans un ovale le portrait du jeune Louis XIII au moment de son mariage avec Anne d'Autriche. L'identité du personnage, vêtu d'un pourpoint bleu clair avec une collerette et traversé d'un cordon bleu, est indiquée par la couronne dorée placée au-dessus, dans l'encadrement, qui montre sur fond noir un décor de végétaux et d'oiseaux dont les émaux translucides sont placés sur de petits paillons carrés, pratique que l'on rencontre à partir du tournant du siècle. Il existe plusieurs exemples de ces petits portraits du Roi ou de son épouse (Copenhague, Innsbruck) ; comme pour la salière OA 993 (cat. 270), il est probable que les émailleurs aient profité du voyage méridional du Roi, à l'occasion de son mariage, pour adapter leur production aux centres d'intérêt de la clientèle. Jean Limosin a signé un portrait du Roi, plus âgé d'une dizaine d'années, conservé dans la Wallace Collection, de Londres (inv. III F 251 ; H. 0,09 ; L. 0,07).

S. B.

270

Salière avec Louis XIII et les vertus

Limoges, vers 1615 | Émail peint sur cuivre avec paillons

H. 0,093 ; D. 0,079 (partie supérieure) ; D. base 0,122

Hist. : collection Charles Sauvageot (acquis en 1832) ; don de Charles Sauvageot, 1856.
Bibl. : Sauzay, 1861, nᵒ 1166 ; Darcel, 1867, nᵒ D 388 ; Marquet de Vasselot, [1914], nᵒ 746 ; Baratte, 1990, p. 34, fig. 10, 2000, p. 394.

Paris, musée du Louvre, département des Objets d'art. Inv. OA 993

Ce type d'objet ne porte jamais de date. La présence dans le saleron de la représentation de profil du jeune Roi est donc très importante. Cette salière est un cône évasé vers le bas divisé en cinq panneaux, forme rarement rencontrée, portant des représentations de Vertus : la Charité, la Justice, la Tempérance, la Force – dans l'attitude d'Hercule portant les colonnes de Gadès – et la Prudence, suivant des modèles iconographiques plusieurs fois répétés mais dont l'origine précise n'a pas été retrouvée. Les figures féminines se dressent sur un sol vert, contre un ciel noir parsemé de points d'or. Cet objet, dont le saleron est accidenté, semble dépourvu, dès sa réalisation, de bandes décoratives à la partie inférieure. Dans le saleron, le jeune Roi est couronné de lauriers, il porte une boucle d'oreille ainsi que le cordon et la croix de l'ordre du Saint-Esprit sur une cuirasse que surmonte une collerette.

S. B.

271

Jean Limosin (peut-être attesté
en 1619)

Coffret de mariage

Limoges, vers 1620 | Émail peint
sur cuivre avec paillons

H. 0,225 ; L. 0,323 ; Pr. 0,152 | Signé sur la
plaque antérieure : *I* fleur de lis *L*

Hist. : collection Debruge-Duménil ; collection
Soltykoff, vente Paris, 8 avril-15 mai 1861, n° 352 ;
collection Whitehead ; acquis en 1864.
Bibl. : Du Sommerard, V, 1846, p. 189, pl. XXXXIV,
9e série ; Labarte, 1847, n° 774, p. 608 ; Laborde,
1857, p. 292, note 3 ; Ardant, 1859, p. 104 ;
Bourdery, 1888, p. 26-29 ; Hobson, 1923, p. 86 ;
Baratte, 1988, p. 104.
Exp. : Londres, 1862, n° 1865.

Londres, Victoria and Albert Museum,
Department of Ceramics. Inv. 13-1864

Il s'agit d'un très grand coffret, dont on ne
connaît aucun autre exemple dans l'émail peint de
Limoges. Pour trouver des objets de ce volume, il
faut se référer aux grandes châsses en émail
champlevé de la fin du XIIe siècle, comme les deux
avec la Crucifixion du Metropolitan Museum, de
New York (cat. exp. Paris et New York, 1995-1996,
n°s 24 et 28). Le sujet principal est une farandole de
danseuses et de danseurs, sur la plaque antérieure
et sur les deux plaques latérales sur un fond

violacé ; le bord supérieur est orné de six festons
verts et de quatre couronnes de palmes, et neuf
papillons volettent au-dessus des danseurs. Cette
plaque présente un gonflement à la partie inférieure
mais sans dommage pour l'émail : faut-il en
conclure que le coffret a été monté aussitôt après la
cuisson de l'émail ? Sur les côtés, les danseurs
portent des cols blancs et des tenues plus recherchées que sur la face principale. La plaque arrière est
émaillée de bleu sur une couche blanche ; au centre,
une rosace brun-rouge sur une tige portant quatre
feuilles vertes ; est reproduit quatre fois en grand
et quarante fois en petit un motif composé soit de
deux A en sens opposé, soit d'un A surmonté
d'un V. À ces motifs, il faut ajouter environ quatre
cents fermesses, motif en forme de S barré. Aux
quatre angles sont placés des papillons. Le couvercle
est composé de cinq plaques émaillées, deux avec
un fond bleu, de forme trapézoïdale : à gauche, une
femme nue allongée (ou assise), tenant une palme,
en compagnie d'un lion, d'un reptile bleu et d'un
éléphant blanc ; à droite, une figure aux longs
cheveux, assise, est vue de dos, avec un collier vert,
une draperie bleue sur les cuisses, avec une paire de
cerfs blancs et un lion, elle a un coffret gainé de
vert ouvert entre les jambes. Des trois plaques allongées, seule la plaque antérieure a un fond violet
comme celui de la farandole, avec le triomphe de
Bacchus ; la plaque supérieure, sur fond bleu

comme la plaque postérieure, a pour sujet une
chasse au cerf ; la plaque postérieure montre le
triomphe de Cérès, accompagnée de la Renommée
et de Cupidon. Les fonds sont constellés de petites
étoiles d'or.

C'est à tort que le motif des fermesses a parfois été
considéré comme un emblème des Bourbon, c'est
un symbole de fidélité couramment employé et, si
ce coffret est sans doute bien lié à un mariage, les
initiales décoratives sont trop courantes pour relier
cet objet à la famille royale, même si celle-ci a
recouru aux fermesses. Le fait que les emblèmes
soient placés sur la plaque postérieure, de manière
purement décorative à la façon de châsses médiévales, montre qu'ils sont secondaires. La farandole
de danseurs se retrouve sur deux aiguières signées IL
(Saint-Pétersbourg, musée d'État de l'Ermitage,
inv. F-316, provenant de la collection Basilevski,
H. 0,180 ; Angers, musées, inv. MTC 1170 ; H. 0,320 ;
L. 0,140) ; sur ces aiguières de formes très différentes, les personnages se meuvent sur un fond noir
orné de petits motifs végétaux dorés et de fleurs à
quatre ou six pétales en émail translucide sur des
paillons d'argent pour la pièce russe et d'oiseaux et
de fleurs circulaires sur paillons pour celle d'Angers.
Faut-il voir dans les fonds noir et violet un élément
de chronologie ?

S. B.

272

*MUM CREDIDIT UNA FIDES UNAQUE
SPES PROSTANT QUI TOT MONIMEN-
TA SALUTIS AD QUAE PERDUCIT
SOLUS ET UNUS AMOR*; au revers,
M. F. VERTHAMON C. D. R.

Hist.: collection Daugny ; acquis à la vente, Paris,
8-11 mars 1858, n° 82.
Bibl.: Darcel, 1857, D 495 ; Ardant, 1861, p. 41 ;
Bourdery, 1888(2), p. 70 ; Marquet de Vasselot,
[1914], n° 727 ; Baratte, 2000, p. 368-369.

Paris, musée du Louvre, département
des Objets d'art. Inv. OA 45

Cette plaque, au contre-émail en fondant, est
connue par un autre exemplaire entré en 1855 au
British Museum après la vente Bernal (inv. 1855,
12-1, 23 ; H. 0,112 ; L. 0,083). La comparaison avec
le petit triptyque de Baltimore signé IR (inv. 44-
192 ; H. 0,160 ; L. 0,250 ; Verdier, 1967, n° 205 ;
fig. 1) consacré à Ignace de Loyola – avant sa
canonisation, avec une référence au général des
jésuites Claudio Acquaviva (1581-1615) –, que
nous pouvons donc dater des années précédant
1615, que ce soit dans les personnages ou le groupe
de la Trinité dans les nuées, donne une indication
sur une datation possible, la référence à un
F Verthamon C.D.R. étant également difficile à
interpréter (voir p. 392).

S. B.

Fig. 1. Jean Reymond, *Vie de saint Ignace de Loyola*,
triptyque. Baltimore, Walters Art Gallery.

*272

Jean Limosin (peut-être attesté
en 1619)

Plat ovale : *La Prédication de
saint Jean-Baptiste*

Limoges, premières décennies du
XVIIe siècle | Émail peint sur cuivre

H. 0,385 ; L. 0,491 | Signé en noir, dans un
cartel blanc, au bas de la scène : *JEHAN
LIMOSIN* | Inscription, en or au revers,
dans un cartouche, sous la tête centrale : *X*

Hist.: collection Turpin de Crissé ; legs, 1859.
Bibl.: *Inventaire général des richesses d'art…*,
1885, p. 290, n° 3 ; Recouvreur, 1930, p. 11,
n° 1169 ; Chancel, 1990, p. [10-11].
Exp.: Paris, 1867, n° 3073.

Angers, musées. Inv. MTC 1169

Ce grand plat qui existe au moins en deux
exemplaires porte, selon l'habitude, la signature
« JEHAN LIMOSIN » dans un cartel blanc placé
sur la scène principale. La gamme des teintes, le
décor de l'aile et du revers sont ceux du plat du
musée du Louvre (inv. N 1389) qui provient de
Brunswick. Depuis 1885, on a cru lire au revers les
chiffres 1515 XV, transformés en 1615 pour obtenir
une datation possible ; mais, alors qu'il n'y a pas de
raison pour que l'inscription ait été usée depuis
cette époque, rien de tel n'est vraiment visible à
l'exception d'un X ; de surcroît, ce qui avait été lu
n'a pas trouvé d'explication. Il faut donc considérer que ce plat n'a jamais été daté, d'autant plus
qu'aucun plat de Jean Limosin n'a d'inscription
au revers. Ce plat fait partie de la série des grands
plats ovales de Jean Limosin sans que nous ayons
des éléments de datation.

S. B.

273

Jean II Reymond (actif vers 1615 –
vers 1632)

Plaque : *Eucharistie*

Limoges, vers 1615 | Émail peint sur
cuivre

H. 0,116 ; L. 0,096 | Inscriptions en noir :
*GLORIA PATRI ET FILIO ET SPIRITUI
SANCTO – I H S – O SALUTARIS HOS-
TIA O DULCEDO ATTRAHE HOS AD
TE – O BONITAS MANIFESTA TE ISTIS* ;
sous la base de la colonne de gauche du
monument, *I R* ; et *S MATHEUS –
S MARCUS – S LUCAS – S JOANNES* |
Inscriptions en or : à la partie inférieure,
*UNA SALUS TRIADIS WULTUS SPECTA-
RE VERENDOS QUAM MONADEM PRI-*

273

274

274

Léonard Limosin (vivant dans les années 1620)

Plaque : *Monsieur de Verthamon présente un placet à saint Martial*

Limoges, après 1622 | Émail peint sur cuivre avec paillons d'argent

H. 0,233 ; L. 0,341 | Signé dans le coin inférieur gauche : *LL* fleur de lis | Inscriptions en or : *S MARTIALIS, M VERTHAMOND, S LOUP, S XAVIER, S AURELLIENT, S IGNACE* | Armoiries à la partie inférieure de la scène centrale : au 1 de gueules au lion passant lampassé d'or ; au 2 et 3 échiqueté d'or et d'azur, au 4 de gueules (Verthamon)

Hist. : don de la Société royale d'agriculture, 1846.
Bibl. : Tripon, 1837, p. 182-184, repr. ; Texier, 1842, p. 280-282 ; Guibert-Mieusement, s. d., n° XXXVII, repr. ; Bourdery, 1888(2), p. 345-348 ; [Louvrier de Lajolais], 1905, p. 19-20.
Exp. : Paris, 1867, n° 3766 ; Limoges, 1886, n° 70 ; Gien, 1992, n° 114.

Limoges, musée municipal de l'Évêché. Inv. 10

Cette plaque, au contre-émail en fondant, est exceptionnelle par ses dimensions dans la production limougeaude de la première moitié du XVIIe siècle mais elle s'inscrit parfaitement dans les caractéristiques de la production contemporaine : plusieurs saints récemment canonisés, en 1622, sont représentés, saint Ignace de Loyola et saint François Xavier, ce qui apporte un élément de datation. Elle est manifestement destinée à une utilisation locale : sont représentés saint Martial, premier évêque de Limoges et évangélisateur du Limousin, saint Aurélien, compagnon et successeur de saint Martial, et saint Loup, évêque de Limoges de 614 à 632. Pouvons-nous la mettre en relation avec les confréries, nombreuses à Limoges, à cause du nombre de laïcs représentés, huit hommes agenouillés présentant des suppliques,

en plus de M. de Verthamon, dont la plaque porte les armoiries ? En l'absence de toute indication sur le prénom, il nous est impossible de choisir entre les Guillaume, Mathieu, Jean ou Jehan des registres consulaires, sans oublier les François conseillers du Roi. Cette plaque montre la maîtrise d'un Léonard Limosin dans la troisième décennie du XVIIe siècle ; est-ce celui qui s'inscrit comme « *esmailleur du Roi* » en 1619 (Guibert, 1908, n°s 855-856) plutôt que celui qui est mentionné comme maître émailleur en 1664 (idem, *op. cit.*, n° 891) ?

S. B.

275

François II Limosin (1599 ? – après 1636)

Plaque : *Neptune*

Limoges, 1633 | Émail peint sur cuivre avec paillons

H. 0,090 ; L. 0,140 | Signé et daté, en bas, à gauche : *FL 1633*

Hist. : collection chevalier Edme-Antoine Durand ; acquise en 1825.
Bibl. : Laborde, 1853, n° 447 ; Ardant, 1859, p. 115 ; Darcel, 1867, D. 393 ; Courajod, 1888, p. 47, n° 53-2509-2510 ; Bourdery, 1888(2), p. 349-352, 1890, p. 11 ; Molinier, 1891, p. 300 ; Marquet de Vasselot, [1914], n° 737 ; Verdier, 1967, p. XXIII ; Baratte, 1992, p. 39, 2000, p. 399.

Paris, musée du Louvre, département des Objets d'art. Inv. MR 2510

Il s'agit d'une plaque polychrome avec des paillons d'argent sous le manteau de Neptune. Le contre-émail est en fondant. L'émailleur qui signe FL est un François Limosin qui doit être distingué d'un homonyme qui a signé des objets en 1582 et en 1593 ; il peut être le fils, né en 1599, de Léonard Limosin, maître émailleur, et de Marguerite Deschamps (Guibert, 1908, n°s 855-856). Cette plaque, connue par d'autres exemplaires (Londres, British Museum, inv. Waddesdon

Bequest 21 ; H. 0,09 ; L. 0,137), fait partie d'un ensemble de plaques de dimensions analogues, toutes de tonalités soutenues, ayant des sujets à références mythologiques. Le format de ces plaques permet de penser à une utilisation comme décor de coffret : le seul coffret orné de plaques à sujets de ce type dont il soit fait mention est celui qui fut présenté à l'exposition de l'Union centrale de 1865, mais dont la description laisse à penser qu'il s'agit d'un montage moderne (n° 2507). Curieusement le bleu clair du ciel montre de petits cratères, marques de la détérioration du verre (voir aussi le cat. 276).

S. B.

276

François II Limosin

Plaque : *Apollon et Daphné*

Limoges, 1633 | Émail peint sur cuivre

H. 0,085 ; L. 0,140 | Signé en or, en bas, au milieu : *FL 1633*

Hist. : collection Louise Grandjean ; legs en 1910.
Bibl. : Verdier, 1967, p. 392.
Exp. : Paris, 1889, n° 1091.

Paris, musée des Arts décoratifs. Inv. Gr. 20

Cette plaque, au contre-émail en fondant, montre la même gamme de teintes assez foncées que les plaques de Neptune (cat. 275). L'émail bleu clair du ciel présente également des traces de début d'altération. Comme pour le plat de Phaéton (cat. 277), la scène est tirée du premier livre des *Métamorphoses* d'Ovide. Le modèle iconographique du groupe des deux figures est issu d'une gravure de Crispin de Passe, publiée en 1602, reproduisant en l'inversant une œuvre de Goltzius réalisée vers 1589 (Paris, BnF, département des Estampes, S 17).

S. B.

275

276

277

François II Limosin

Plat : *Clyméné montrant à Phaéton le char d'Hélios, son père*

Limoges, vers 1630 | Émail peint sur cuivre

H. 0,298 ; L. 0,382 | Signé, sur le bord inférieur de la scène : *FRANCOIS LIMOSIN FECIT* | Armoiries au revers : d'azur à un oiseau perché sur la souche d'un arbre entre trois poires d'or

> **Hist. :** vente d'Espaulart du Mans, Paris, hôtel Drouot, 7-9 mai 1857, nº 4 ; acquis en 1857.
> **Exp. :** Londres, 1874, nº 693.

Londres, Victoria and Albert Museum. Inv. 4547-1857

La scène illustre un épisode du premier livre des *Métamorphoses* d'Ovide, dont la source iconographique est une gravure de Crispin de Passe de 1602, sans doute inspirée d'une œuvre de Goltzius (Paris, BnF, département des Estampes, S 20). Les armoiries du revers ont été utilisées par des familles Du Périer en Béarn, Bretagne, Prusse, Provence, Périgord, Guyenne… (Rietstap, s. d., II, p. 413). Ce revers évoque celui du plat de la Walters Art Gallery, de Baltimore, signé « Franciscus Limosinus Fecit » qui représente la Cène (inv. 44-183 ; H. 0,388 ; L. 0,301 ; Verdier, 1967, nº 204), mais une comparaison stylistique se révèle difficile. En l'absence de tout élément chronologique, il est tentant de proposer une datation dans le deuxième

quart du XVIIᵉ siècle pour ce type de plat à revers héraldique, à cause des dates portées sur des œuvres de François Limosin. Le thème mythologique de ce plat, moins fréquent que les figures de Neptune ou de Daphné du même émailleur (cat. 275 et 276), est un témoin de la culture du milieu auquel ces grands éléments de vaisselle étaient destinés.

S. B.

Revers du cat. 277

278

Hélie Poncet
(mort le 19 novembre 1668)

Plaque octogonale : *Ecce Homo*

Émail peint sur cuivre

H. 0,108 ; L. 0,089 | Signé en noir, au revers : *HPONCET* | Inscription en or, en bas : *ECCE HOMO*

> **Hist. :** vente Ardant, 1847, nº 40 ; acquise par la Société archéologique et historique du Limousin ; déposé au musée Adrien-Dubouché jusqu'en 1951, puis au musée de l'Évêché.
> **Bibl. :** Tripon, 1837, p. 186 ; Ardant, 1863, p. 164 ; Bourdery, 1888(2), p. 108 ; [Louvrier de Lajolais], 1905, p. 41, 1919, p. 44.
> **Exp. :** Paris, 1867, nº 3769 ; Limoges, 1886, IV, nº 100.

Limoges, musée municipal de l'Évêché. Inv. 60

Dans les archives, Hélie Poncet est qualifié de peintre ou d'émailleur. Parce que, lors de son décès, seul son père, Philippe, est mentionné comme émailleur, on a parfois voulu lire dans le monogramme HP les initiales du père ; sur l'une des deux plaques de Brunswick (inv. Lim. 107), se trouve, au revers, l'indication qu'Hélie est émailleur près l'église Saint-Michel[-des-lions] à Limoges. Il n'est pas permis de croire qu'il est mort très jeune car il avait déjà déposé des testaments chez un notaire. On peut raisonnablement penser qu'il était en activité au milieu du siècle. Les émaux signés HP sont soit des grisailles – parfois d'assez grandes dimensions comme celles de Brunswick, de Baltimore ou d'Écouen – soit de petites plaques polychromes, souvent des figures de saints jésuites. Les deux plaques de Limoges (voir cat. 279) sont les seuls exemples de plaques octogonales, d'une dimension qui rappelle les revers de miroir que l'on date du début du siècle. Le contre-émail est en fondant. Derrière le Christ, on voit, à gauche, un juif barbu qui le désigne au spectateur et tient un bâton épineux. Le sujet religieux de ces deux plaques permet de supposer une utilisation en rapport avec une dévotion, au moins privée.

S. B.

279

Hélie Poncet

Plaque octogonale : *Saint Léonard délivrant un prisonnier*

Émail peint sur cuivre

H. 0,109 ; L. 0,089 | Signé au revers : *HPONCET*

> **Hist. :** vente Ardant, 1847, n° 41 ; acquise par la Société archéologique et historique du Limousin ; déposé au musée Adrien-Dubouché jusqu'en 1951, puis au musée de l'Évêché.
> **Bibl. :** Tripon, 1837, p. 186 ; Ardant, 1863, p. 164-165 ; Bourdery, 1888(2), p. 108 ; [Louvrier de Lajolais], 1905, p. 42, 1919, p. 44.
> **Exp. :** Limoges, 1886, IV, n° 99 ; Paris, 1993-1994, n° 40.

Limoges, musée municipal de l'Évêché.
Inv. 59

Saint Léonard, mort vers 560, serait le fondateur de l'abbaye de Noblat mais n'est mentionné qu'à partir du XIᵉ siècle. Il tient de la main droite les fers car il était réputé pour la libération souvent spectaculaire des prisonniers (Collin, 1672, p. 355-358). À Limoges, des cérémonies marquaient, tous les sept ans, la vénération de ses reliques. Le contre-émail est en fondant. Dans la collection Czartoryski, au château de Goluchow, était conservé un médaillon du même sujet signé IP dans lequel le détenu porte encore les fers (D. 0,074 ; Molinier, 1903, n° 213, pl. XV).

S. B.

280

François Guibert (mentionné à partir de 1650-1684)

Plaque : *Portrait de Matthieu Molé (1584-1656)*

Limoges, 1656 | Émail peint sur cuivre avec paillons d'argent

H. 0,160 ; L. 0,107 | Signé et daté, en or, sur la tablette inférieure : *FG 1656* | Inscription en or, sur fond noir : *MESIRE MATHIEV MOLLE CHR CONER DU ROY* puis en cursives *en ses conseils premier president en parlement de paris* | Armoiries en haut à gauche surmontées d'un heaume : 1 et 4 : sur fond d'azur, au croissant d'argent surmonté de deux étoiles ; 2 et 3 : sur fond d'azur, au lion rampant d'or

> **Hist. :** collection Taillefer, n° 14 ; cercle de l'Union et Turgot, 1892 ; acquise en 1984.
> **Bibl. :** Ardant, 1860, p. 78 ; Bonnaffé, 1884, p. 220 ; Marbouty, 1885, p. 82 ; Bourdery, 1888(2), p. 110-111 ; Molinier, 1891, p. 323 ; Guibert, 1893 ; Demartial, 1908, n° 4 ; *Guide du Musée municipal*, 1986, p. 71.
> **Exp. :** Limoges, 1886, n° 91 ; Paris, 1905(1), n° 245 ; Limoges, 1992, n° 42, pl. 44.

Limoges, musée municipal de l'Évêché.
Inv. 84-404

Cette plaque en émaux polychromes avec des rehauts d'or, au contre-émail gris pâle, montre un portrait sans doute posthume puisque le personnage est mort le 3 janvier de l'année portée sur la plaque, dans un ovale blanc sur fond noir. Se détachant sur une draperie bleue, il laisse voir, à l'arrière-plan, une scène rurale avec des cavaliers. Cette iconographie et l'inscription avec sa diversité de caractères reproduisent fidèlement un portrait de Mathieu Molé gravé par Balthazar Moncornet (vers 1600-1668) conservé à la Bibliothèque nationale de France (département des Estampes, N 2), dont une planche porte l'indication de sa charge de garde des Sceaux en 1651. L'émailleur François Guibert (Guibert, 1908, n° 735) n'a pas compris la scène de chasse dans le paysage, sur la gauche, et a transformé un grand chien clair en un nageur. Le haut magistrat, premier président au parlement de Paris et garde des Sceaux, était réputé pour sa rigueur morale et son impassibilité. Des portraits gravés plus tardifs montrent une chevelure de neige et une modification dans les armoiries. Au point de vue de la technique, nous avons ici, avec la reproduction des ombres des hachures de la gravure, une façon originale de rendre la physionomie d'une personne âgée, en particulier dans le traitement des yeux : les rides sont indiquées à l'aiguille et par l'épaisseur du blanc sur le fond noir. Cette plaque datée montre combien serait sans fondement une datation établie sur les seuls critères stylistiques.

S. B.

280

La reliure française dans la première moitié du XVIIᵉ siècle

Jean-Marc Chatelain

À partir des années 1570, l'invention décorative qui avait caractérisé la reliure française de la Renaissance marque assez brutalement le pas. Cette situation se poursuit au XVIIᵉ siècle. Quelques grandes personnalités dominent la production de luxe (Le Gascon, Macé Ruette, l'anonyme Maître doreur, Florimond Badier), de grands décors sont produits, leur espace même s'agrandit en gagnant aussi, à partir des années 1640, les contreplats recouverts de cuir de certains volumes particulièrement somptueux, mais, du strict point de vue de l'histoire des décors, cette activité s'inscrit avant tout dans la gestion d'un héritage : on adapte des formules qui remontent le plus souvent au milieu du XVIᵉ siècle, beaucoup plus qu'on n'en crée de neuves. Leur nombre est par ailleurs relativement limité, puisqu'en dehors du décor soigné mais ordinaire dit à la Du Seuil (fig. 1 ; Rés. A. 20*bis* [2]) – deux encadrements rectangulaires de trois filets, l'un au bord des plats et l'autre au milieu, agrémenté de fleurons à ses angles –, les décors plus développés peuvent être récapitulés en quatre grands types, dans le cadre desquels l'invention se décline surtout sur les modes mineurs de la variante et de la dérivation :

1– Le semé, qui emprunte son nom à l'héraldique, consiste à répéter sur tout le plat une figure héraldique ou emblématique, un chiffre ou une alternance de l'un et de l'autre. Répandu surtout des années 1580 aux années 1650, c'est le plus simple et le plus courant des décors sortant de l'ordinaire. Sa diffusion est notamment liée à la pratique de la dédicace : manifestant l'hommage avant la propriété, c'est le décor usuel auquel l'auteur ou l'éditeur recourt pour faire orner l'exemplaire destiné au protecteur à qui le livre est dédié.

2– Plus élaboré, le décor à centre et coins est, dans sa forme classique, surtout en vigueur dans le premier tiers du siècle : un grand losange est dessiné au centre, tandis que les angles des plats ou de l'encadrement rectangulaire dans lequel est inscrit le losange sont ornés d'un décor triangulaire. Il arrive

Fig. 1. *Biblia hebraïca, samaritana, chaldaïca…* [éd. par Guy-Michel Le Jay], II *(Pentateuchus syriacus, arabicus et samaritanus)*, Paris, A. Vitré, 1645. in-2°. Reliure en maroquin rouge à encadrement à la Du Seuil redoublé, aux armes de Louis XIV, attribuée à l'atelier de Le Gascon (plat supérieur). Paris, Bibliothèque nationale de France.

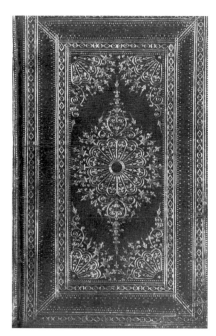

Fig. 2   **Fig. 3**

que, par simplification, les coins soient laissés vides, mais deux dérivations du motif central ont plus d'importance et manifestent plus d'originalité. La première consiste à remplacer le losange par une rosace formée de pétales à terminaison arrondie, donnant lieu au décor dit à l'éventail (Rés. D. 25626 ; fig. 2). La seconde connut une fortune plus durable et s'émancipa plus nettement de son modèle initial : d'un compartiment central, souvent un petit quadrilobe, partent et s'épanouissent des compositions de fers formant des sortes de bouquets. Aussi parle-t-on de décor à gerbes, ou parfois à lobes. Les premiers témoins connus ont été réalisés dans les années 1620 par l'atelier de Macé Ruette pour le compte du futur académicien Henri-Louis Habert de Montmort (1600-1679), pour orner sa collection de livres de petit format sortis des presses des Elzevier et de quelques autres typographes hollandais (Rés. 8° Z. Adler 343 ; fig. 3). De fait, le dessin de ces premières gerbes s'inspire directement des fleurons employés dans la typographie elzévirienne. Plus tard, dans les années 1640, telles qu'elles sont notamment pratiquées dans l'atelier de Badier et dans celui que patronne le libraire Rocolet, les gerbes s'éloignent de cette source d'inspiration et, faites de compositions de volutes, prennent beaucoup plus d'ampleur.

3– Le décor à la fanfare est le plus important de tous : hérité d'un schéma qui s'est imposé dans le dernier tiers du XVIᵉ siècle, il consiste à dessiner sur la surface des plats, à partir d'un ovale central, un réseau de compartiments reliés les uns aux autres par des entrelacs délimités par trois filets (un filet simple du côté intérieur, un filet double du côté extérieur), en ornant de compositions de petits fers l'espace intérieur des compartiments tandis que l'espace entre ces derniers est orné de feuillages, de volutes et de points d'or. Au XVIIᵉ siècle, le tracé des entrelacs se fait plus rigide, les formes du cartouche central se compliquent, deviennent plus angulaires, et, à partir des années 1630, les feuillages se raréfient. Le décor aux petits fers évolue de deux manières : soit, comme chez le Maître doreur au cours des années 1620, il devient très dense et remplit tout l'espace disponible à l'exception du ruban des entrelacs, soit il devient aéré et laisse largement apparaître le maroquin utilisé pour le corps d'ouvrage, cette seconde évolution étant d'une large dizaine d'années postérieure à la précédente.

4– Le décor à bordure en dentelle (VII. A. 70 ; fig. 4), enfin, est la seule création entièrement neuve du XVIIᵉ siècle et poursuit une tendance consistant à développer les éléments d'encadrement. Il se concentre en effet sur le pourtour des plats et est formé d'une suite de larges fleurons placés perpendiculairement aux côtés, orientés vers l'intérieur. Des exemples sont connus dès le milieu des années 1630, qui empruntent leur dessin à des figures de broderie. La dentelle y reste peu profuse et rigoureusement alignée, contrairement aux formes ondulées qu'affectera le véritable décor à la dentelle du XVIIIᵉ siècle. Mais même ainsi mesurée, la bordure en dentelle employée comme décor autonome demeure rare avant le dernier tiers du XVIIᵉ siècle : l'habitude est plutôt d'en faire un simple élément d'ornementation encadrant un autre décor.

Si l'effort de création est donc limité du point de vue du dessin général des décors, l'usage de compositions de fers en groupes de plus en plus denses, dans les bouquets des décors à gerbes et les fanfares, est lié à une modification plus radicale du dessin de ces fers, qui s'allège de beaucoup : l'introduction du fer filigrané, qui substitue au trait continu un pointillé très serré et est ainsi nommé par analogie avec un procédé d'orfèvrerie, est l'innovation principale qui affecte le décor des reliures à partir des années 1620. C'est à Macé Ruette qu'en revient vraisemblablement l'initiative : les premiers fers filigranés apparaissent en même temps que les premiers décors à gerbes, sur les éditions elzéviriennes de Habert de Montmort. Les formes qu'ils prennent ensuite ne varient guère : volutes, spirales et fleurons essentiellement, à quoi il faut ajouter une famille de fers figuratifs représentant un visage d'homme de profil, dont on dénombre trois modèles et qui furent en usage de 1630 à 1660 environ.

Aucun des grands collectionneurs de livres du XVIIᵉ siècle n'a eu, dans le domaine de la reliure, un rôle de commande et d'impulsion comparable à celui que jouèrent au siècle précédent un Jean Grolier ou un Thomas Mahieu. Dans les plus belles bibliothèques du temps, celles de Gaston d'Orléans, du prince de Condé ou de Mazarin, la reliure à grand décor semble n'occuper qu'une place secondaire et être représentée par des volumes offerts beaucoup plus que par des volumes choisis. Cette situation n'est sans doute pas étrangère au faible renouvellement des décors : au XVIIᵉ siècle, la production des grands décors est moins soutenue par le phénomène de la collection que par différents rites de solennité, tant religieux que séculiers (sacralisation des grands livres liturgiques, remise d'exemplaires de dédicace ou de présent), dont le caractère traditionnel est peu propice à l'essai de formules décoratives foncièrement neuves. Aussi le rôle joué par Habert de Montmort auprès de Ruette fait-il presque figure d'exception. Il faut néanmoins citer, comme autres commanditaires importants, les frères Pierre et Jacques Dupuy (1582-1651 et 1591-1656) : leur correspondance montre que, pour les volumes auxquels ils tenaient le plus, ils s'adressaient de préférence, comme leur ami l'érudit aixois Nicolas-Claude Fabri de Peiresc (1580-1637), à Le Gascon, qui eut des années 1620 jusqu'au milieu des années 1640 la réputation d'être le plus habile relieur de Paris – à défaut d'être le plus inventif. Mais Le Gascon perdit ensuite cette exclusivité : les frères Dupuy eurent également recours aux services d'« *un second Le Gascon* », qu'il faut sans doute identifier avec Florimond Badier. C'est aussi dans ces années 1640 que l'hôtel Séguier s'imposa comme un autre foyer de commande, avec le chancelier lui-même pour des livres de sa bibliothèque et, pour les besoins d'exemplaires de dédicace ou de présent, son médecin Marin Cureau de La Chambre. La commande de l'hôtel Séguier semble s'être orientée de manière privilégiée, mais non pas exclusive, vers l'atelier patronné par le libraire Pierre Rocolet, actif à partir de 1638 environ.

Notons enfin que l'exercice consistant à attribuer une reliure à un atelier reste en large partie hypothétique. La certitude qu'apporte une signature est exceptionnelle : au XVIIᵉ siècle, signer une reliure est si rare que, pour la période antérieure à 1660, on ne connaît que trois exemples, tous dus au seul Badier. Dans ces conditions, les attributions proposées doivent être prises avec d'autant plus de prudence qu'elles reposent avant tout sur le repérage des fers. Or non seulement ceux-ci pouvaient circuler d'un atelier à l'autre dans des conditions que chaque fois nous ignorons (succession ? rachat ? simple prêt d'un atelier à un autre ?), mais rien n'interdit non plus que des ateliers différents aient au même moment utilisé des fers de même dessin, puisque la pratique consistant à fondre des fers à partir d'une matrice plutôt que de les graver est attestée dès la fin du XVIᵉ siècle[1]. Aussi l'empreinte d'un fer sur une reliure n'est-elle pas forcément assimilable à une marque d'origine aussi indubitable qu'une signature.

1. Je remercie Fabienne Le Bars, à qui je dois cette information.

L'exposition comporte aussi deux reliures brodées (cat. 120 et 121)

281

Pierre Moysson, *Le Sainct mont de Calvaire de Romans en Dauphiné*, Tournon, Claude Michel, 1615, in-12

Tournon ou Lyon, 1615 | Maroquin fauve et olive, tranches dorées, sac en peau mégissée

H. 0,148 ; L. 0,088

Hist.: « *de Chaptal, née Legentil* » ; Grace Whitney Hoff (cat., I, 1933, n⁰ 133) ; John Roland Abbey, vente, Londres, 21 juin 1967, n⁰ 2041 ; acquis à la vente Van der Elst, Monaco, 13 mai 1985, n⁰ 136.

Paris, Bibliothèque nationale de France, Réserve des livres rares. Rés. p. D. 155

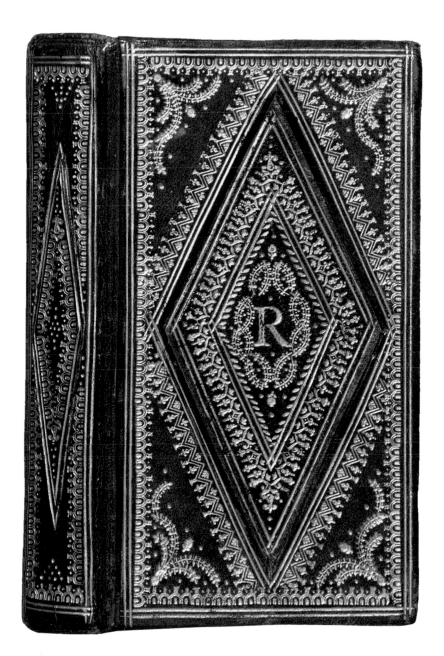

Cette reliure a peut-être été réalisée à Tournon, où a été imprimée l'édition qu'elle recouvre. Elle est en tout cas de facture provinciale et présente la particularité d'avoir des plats à double épaisseur, évidés en leur centre pour y placer une pièce de maroquin d'une teinte différente de celle du pourtour. On connaît plusieurs exemples de reliure à panneau central en creux à la bibliothèque royale de Fontainebleau, au milieu du XVIᵉ siècle, mais cette technique fut surtout employée ensuite, dans les années 1580, par des relieurs établis à Lyon ou à Genève. Au début du XVIIᵉ siècle, elle apparaît comme un archaïsme.

Quant au décor doré, il n'est pas sans rappeler ce qui se pratiquait à Lyon à la même époque : dessin à losange central et coins (ici constitués de feuillages), soulignement des encadrements de filets par des frises à motifs géométriques exécutées à la roulette, répétition en petit du décor des plats sur la surface longue du dos. La grande capitale R frappée au milieu des losanges centraux désigne la ville de Romans : c'est en effet pour être offerte au corps de ville du lieu que cette reliure a été exécutée, comme l'atteste la dédicace manuscrite que l'auteur a jointe à l'exemplaire, datée « Tournon ce 6e apvril 1615 ». Le sac en forme d'aumônière dans lequel le volume était placé a été exceptionnellement conservé.

J. M. C.

282

282

Recueil de planches de la colonne Trajane, Rome, [1576-1616], atlas oblong

Paris, vers 1627 (?) | Maroquin orange
à décor floral imprimé,
colorié au pochoir

H. 0,338 ; L. 0,470

Hist. : legs de Pierre et Jacques Dupuy à la
Bibliothèque royale, reçu en 1657.
Bibl. : Peiresc, 1888, p. 183 ; Le Bars, 1996.

Paris, Bibliothèque nationale de France,
Réserve des livres rares. Rés. Atlas J. 1

Les reliures à décor imprimé n'ont longtemps
été connues que par celles de la bibliothèque de
Jacques-Auguste de Thou, qui en comptait près
de trente, réalisées entre 1602 et 1617 à l'exception
d'une seule. On en recense désormais une vingtaine d'autres : les plus anciens exemples français,
aux armes d'Henri II, remontent au milieu du
XVIᵉ siècle et les plus tardifs aux années 1620.

Parmi les amateurs séduits par ces peaux figurent
les frères Dupuy, comme l'atteste leur correspondance du printemps de 1627 avec leur ami Peiresc,
celui-ci évoquant « *cette nouvelle peinture de fleurs
si bien représentées au vif* » et ceux-là renchéris-
sant : « *les fleurs peintes sur le marroquin réussissent
fort bien et mesme en relieure, et le marroquin est
assez riche sans qu'il soit besoin de dorure* ». Ces
propos qualifient exactement la reliure présentée
ici, explicitement décrite en 1656 dans l'inventaire
de la bibliothèque des Dupuy. Nulle dorure en effet
sur cette pièce, dont les dimensions rendent plus
remarquable encore le riche décor multicolore, qui
exceptionnellement offre un dessin en continu où

se combinent harmonieusement les représentations au naturel de feuilles, tulipes, œillets et autres
boutons de fleurs.

Le caractère oriental de ces motifs, où se retrouvent
tous les traits propres aux arts décoratifs de la cour
ottomane, est indiscutable. Importés de Turquie
ou imités en Italie, ces cuirs étaient à l'origine destinés à la confection de tentures murales ou à
l'ameublement et ornés selon une technique peu
onéreuse, utilisée pour les tissus : les contours des
motifs sont gravés en relief sur une planche de
bois, qui est ensuite encrée et appliquée sur le cuir,
la mise en couleurs étant réalisée au pochoir.
L'usage de ces cuirs en reliure relèverait donc
surtout de l'initiative de quelques collectionneurs
esthètes, amateurs de curiosités.

F. L. B.

283

Atelier de Clovis Ève ?

Pierre Bertius, *Theatri geographiae veteris tomus prior [-posterior]…*, Amsterdam, Jodocus Hondius, 1618-1619, in-2º

Paris, vers 1620 | Maroquin olive,
tranches dorées

H. 0,440 ; L. 0,300

Hist. : Louis XIII ; transféré du Cabinet du Roi au
Louvre à la Bibliothèque royale vers 1724.
Exp. : Paris, 1929, nº 228.

Paris, Bibliothèque nationale de France,
Réserve des livres rares. Rés. G. 49

En reconnaissance du titre de « cosmographe
du Roi » qui lui avait été décerné, l'humaniste
flamand Pierre Bertius dédia à Louis XIII les deux
tomes de son *Theatrum geographiae veteris*, édition
savante de la *Géographie* de Ptolémée : une formule
de dédicace au Roi est imprimée sur un feuillet à
part, en tête du premier tome, rédigée sur le mode
antique et héroïque d'une inscription épigraphique. Le volume spécialement destiné au Roi est
revêtu du décor le plus habituellement pratiqué
sur les exemplaires de dédicace adressés à
Louis XIII : un semé de fleurs de lis disposées en
quinconce recouvre dos et plats et n'est interrompu
qu'au centre de ces derniers par le bloc des armes
royales et dans la partie supérieure du dos par la
mention du titre. La reliure elle-même se caractérise par un dos long : les nerfs de couture sont dissimulés au lieu de faire saillie et de diviser l'espace en
compartiments, selon une manière qui devenait
de moins en moins fréquente depuis la fin du
XVIᵉ siècle et, dans le premier tiers du XVIIᵉ, se
maintenait surtout pour de semblables exemplaires
de dédicace.

Bien que l'édition ait été imprimée à Amsterdam,
la reliure de ce volume est de facture parisienne.
Le caractère standardisé du décor rend difficile
une attribution formelle, mais il est néanmoins
probable que cette œuvre provienne de l'atelier
de Clovis Ève : ce dernier, actif jusqu'en 1634 et
doté du titre de relieur du Roi, produisit en effet
bon nombre des reliures royales à semé.

J. M. C.

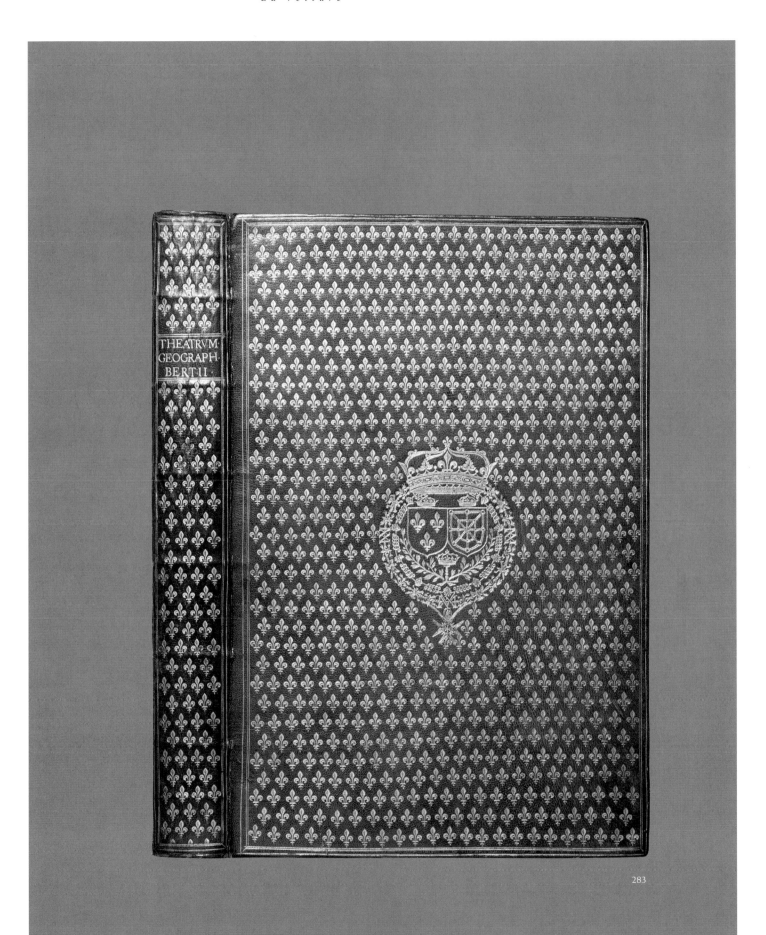

283

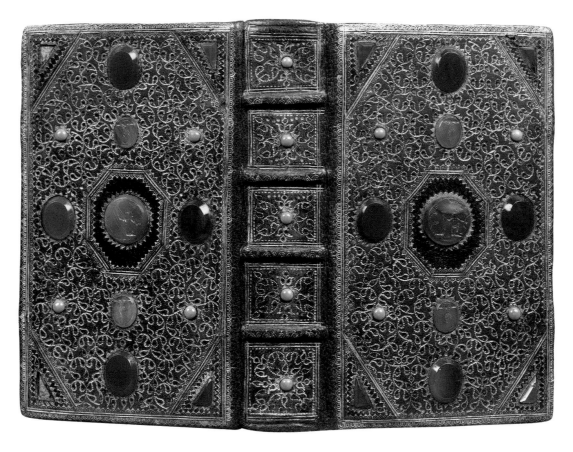

284

284

**Officium beatae Mariae
virginis. Nuper reformatum,
Pii V. Pont. Maxim. jussu
editum…, Paris, Sébastien
Huré, 1623, in-12**

Paris, vers 1625 | Maroquin havane
mosaïqué de maroquin rouge,
avec incrustation d'intailles,
de turquoises et de cornalines,
tranches dorées, traces de fermoirs

H. 0,130 ; L. 0,080

Hist. : vente, Monaco, Sotheby's, 20 octobre 1986,
n° 531.

Collection particulière

Chaque plat de ce volume est orné en son
centre d'une intaille circulaire (représentant saint
Jérôme au plat supérieur, la stigmatisation de saint
François au plat inférieur), et, entourant ce motif
central, de deux petites intailles ovales où est
gravée la Crucifixion. L'insertion de ces six
intailles, de seize plaquettes en cornaline taillées en
table (huit ovales et huit triangles, dont deux,
placées aux angles extérieurs du second plat, ont
désormais disparu) et de treize clous en turquoise
(quatre sur chaque plat et cinq au dos) fait de cette
reliure une pièce très singulière au XVIIᵉ siècle : elle
donne le sentiment qu'on a voulu reproduire, à
une date très tardive et sur un petit livre de piété
recouvert de cuir, un mode d'enrichissement qui
se pratiquait au Moyen Âge sur des reliures d'orfèvrerie, pour de grands livres liturgiques (sacra-
mentaires, évangéliaires, épistoliers). Le décor doré
du maroquin participe du même effet : non seule-

ment la petite roulette à motif d'engrêlure qui
borde les pierres apparaît comme un sertissage en
trompe l'œil, mais surtout le décor exécuté aux
petits fers filigranés, agrémenté de points d'argent
désormais oxydés, rappelle le décor d'orfèvrerie
travaillé en filigrane dans lequel il était fréquent
que fussent prises les pierres enchâssées dans ces
reliures précieuses du Moyen Âge. Il vient ainsi
justifier davantage encore l'analogie avec le travail
d'orfèvrerie qui a incité les historiens de la reliure
à parler de fers filigranés pour désigner ce type
d'ornementation des cuirs, neuf au XVIIᵉ siècle.

J. M. C.

285

Atelier de Le Gascon

**Missale Romanum ex
decreto sacrosancti concilii
Tridentini restitutum…,
Cologne, Cornelis van
Egmondt, 1629, in-2°**

Paris, vers 1630 | Maroquin rouge,
gardes contrecollées en satin rouge,
tranches dorées

H. 0,438 ; L. 0,296

Hist. : entré à la Bibliothèque nationale avant 1818.
Bibl. : Esmerian, 1972(2), A-I, n° 3 ; Hobson, 1970,
p. 25, n° 200, p. 134.

Paris, Bibliothèque nationale de France,
Réserve des livres rares. Rés. B. 73

D'assez nombreux témoignages du second
quart du XVIIᵉ siècle nous ont gardé la mémoire
de la très haute estime dans laquelle le relieur
parisien Le Gascon était tenu par ses contempo-

rains. Si son habileté est indéniable, son talent
d'inventeur est moindre : Le Gascon emprunte des
formules éprouvées. Cette reliure est l'un des
meilleurs résultats de ce mélange de tradition et
de qualité d'exécution. Elle constitue en effet l'un
des exemples les plus tardifs de décor à la fanfare
de type traditionnel : à la structure compartimentée rayonnant à partir d'un ovale central sont
associés pour l'une des dernières fois des fers à
motif de feuillages. Leur diversité est remarquable,
puisqu'on relève des palmes et des rameaux de
laurier, de chêne, d'olivier et de lierre – dont
l'ensemble évoque symboliquement la gloire, la
paix et l'éternité : porté sur l'un des grands livres
liturgiques de la Contre-Réforme, ce décor est
parfaitement adapté à la célébration triomphante
de l'Église romaine. Mais, outre les feuillages, ce
sont les cornes d'abondance, les volutes aux tiges
très enroulées et rythmées de minuscules fleurons,
les volutes à queue placées généralement à l'angle
des compartiments ou encore les points de
diverses grosseurs jetés autour des volutes et des
feuillages qui sont autant d'éléments appartenant
à un vocabulaire ornemental et une syntaxe
décorative caractéristiques des reliures à la fanfare
traditionnelles. Quelques traits de modernité se
sont toutefois glissés ici et là : le choix d'un décor
de forme centre et coins pour orner les compartiments carrés, l'emploi de fers en petites spirales,
d'un dessin inconnu avant le XVIIᵉ siècle mais voué
dès lors à une grande vogue, enfin le soulignement de l'encadrement délimitant le décor des
plats, dont les trois filets traditionnels ont été non
seulement enrichis d'une ligne en pointillé, mais
encore rehaussés d'une bordure à la roulette.

J. M. C.

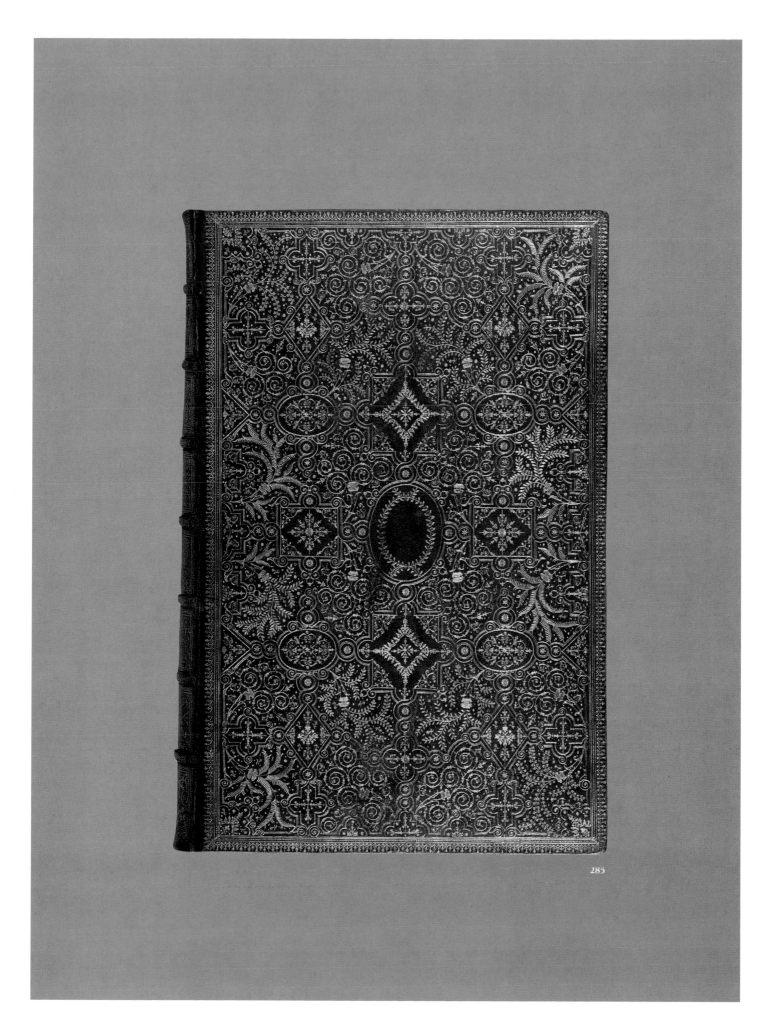

285

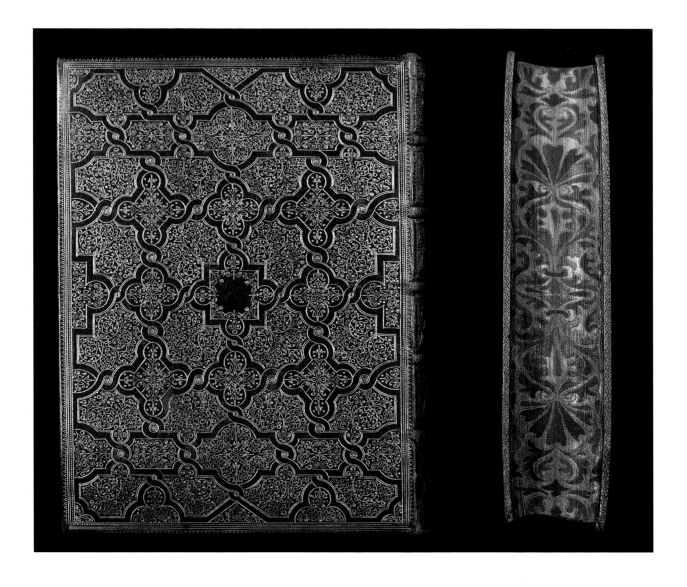

286

Atelier du Maître doreur

Officium beatae Mariae Virginis, Pii V. Pont. jussu editum…, Anvers, Balthazar Moretus, veuve Jean Moretus, Jean Meursius, 1622, in-4°

Paris, entre 1622 et 1630 environ | Maroquin rouge, tranches dorées, gravées et peintes

H. 0,245 ; L. 0,190

Hist. : P. Fulgence de Paris, capucin ; couvent des capucins de Saint-Honoré, à Paris ; saisie révolutionnaire.
Bibl. : Dacier, 1929-1933, p. 84 ; Esmerian, 1972(2), A-III, n° 1.
Exp. : Paris, 1929, n° 285.

Paris, Bibliothèque nationale de France, Réserve des livres rares. Inv. Rés. B. 2725.

Si c'est à Macé Ruette que revient probablement l'introduction des fers filigranés dans le décor des reliures, c'est à l'artiste qu'on nomme, faute d'une identification plus précise, le Maître doreur qu'on doit leur utilisation intensive. La virtuosité exceptionnelle dont il fait preuve dans l'exécution du travail de dorure se double d'une interprétation novatrice du décor à la fanfare : à l'exception de la surface des rubans, il remplit en effet toute la surface disponible d'un réseau très dense de motifs très finement filigranés, ponctués de gros points dorés. L'ordonnance ancienne du décor à la fanfare s'en trouve profondément modifiée et prend pour ainsi dire le visage moderne d'un jardin classique, réglé par l'opposition des parterres et des allées. Le contraste des pleins et des vides est d'autant plus sensible que l'emploi d'un maroquin très finement écrasé rend particulièrement lisse et brillante la surface vierge des rubans qui courent entre les compartiments.

Tant par le dessin des compartiments des plats et du dos que par la peinture des tranches (motifs floraux en rouge, vert et bleu), la présente reliure est très proche de celle que le Maître doreur réalisa en mosaïque sur la même édition, conservée à la bibliothèque Mazarine (cat. 287). Toutefois, au nombre des différences qui distinguent l'une de l'autre, on remarque ici l'emploi de fers figurant des profils d'homme – connus chez les historiens de la reliure sous la désignation de fers à la petite tête –, dissimulés dans le réseau du décor filigrané. C'est là la première occurrence connue de ce motif, que d'autres employèrent avec quelques variantes sur des livres mais aussi sur des coffrets, puis qui disparut autour de 1660.

J. M. C.

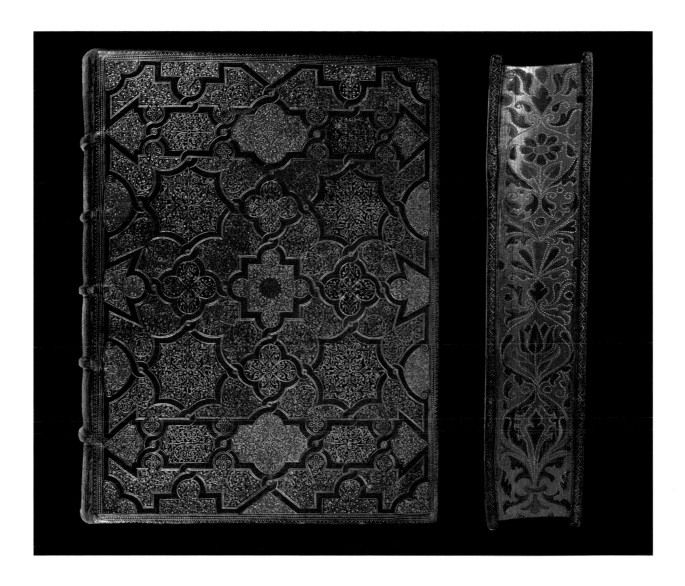

287

Atelier du Maître doreur

Officium beatae Mariae Virginis, Pii V. Pont. jussu editum..., Anvers, Balthazar Moretus, veuve Jean Moretus, Jean Meursius, 1622, in-4°

Paris, entre 1622 et 1630 environ | Maroquin rouge mosaïqué de maroquins citron, vert, brun clair et brun foncé, tranches dorées, gravées et peintes, traces de fermoirs

H. 0,241 ; L. 0,190

Hist. : Marie de Médicis ; cardinal Mazarin ; bibliothèque Mazarine.
Bibl. : Brunet, 1884, pl. 7 ; Esmerian, 1972(2), A-III, n° 2.
Exp. : Paris, 1929, n° 285, 1977, n° 35, 1989(1), n° 9.

Paris, bibliothèque Mazarine. Rés. 11900

Par son dessin et sa virtuosité, cette remarquable reliure, l'une des sept attribuées par Esmerian au génial artisan qu'il nomme le Maître doreur, est très proche de celle qui recouvre un exemplaire du même livre, conservé à la Réserve des livres rares de la Bibliothèque nationale de France (cat. 286). Elles présentent toutes deux la particularité technique tout à fait inhabituelle d'offrir, après une garde collée en papier marbré, des gardes volantes en papier verni rose pâle uni. La reliure de la Mazarine se distingue par l'utilisation de pièces de maroquin de différentes couleurs, selon un parti que l'on retrouve sur quatre des sept reliures du Maître doreur, notamment sur la grande reliure de la British Library (Chacon, *Historia*, 1616).

Les reliures de la Bibliothèque nationale de France et de la bibliothèque Mazarine sont également dépourvues d'armoiries ou de marque de possession contemporaine de leur exécution. La seconde, décrite dans un *Mémoire des livres les plus curieux que peut avoir Monsr Naudé de la Bibliothecque de Son Eminence* (BnF, Manuscrits, N. a. fr. 5765, f. 53) : « *Heures imprimées à Anvers couverts de marroquin rouge de plusieurs pieces raportées in 4o que (feue) la Reyne mere donna à Monseigneur* », est traditionnellement considérée comme un cadeau d'Anne d'Autriche à Mazarin. Mais comme ce mémoire doit à notre avis être daté des années 1644 à 1646, la Reine mère en question ne peut être que Marie de Médicis. Le cadeau date peut-être du court séjour de Mazarin à Paris (18 janvier – 16 février 1631), à moins qu'il n'ait été fait après le départ de la Reine en exil (juillet 1631), peut-être en septembre 1635, lorsque Marie tenta de renouer avec Louis XIII par l'intermédiaire du brillant et influent légat du Pape.

La reliure avait-elle été primitivement exécutée pour Marie de Médicis ? Cela n'est pas impossible : signalons une importante reliure également dépourvue d'armoiries, mais qui a certainement été exécutée pour elle par l'autre grand atelier français du début du XVIIe siècle, celui de Macé Ruette, sur un *Livre de prieres* manuscrit dont les bordures découpées au canif sont à son chiffre et à ses armes (Baltimore, Walters Art Gallery).

I. C.

288

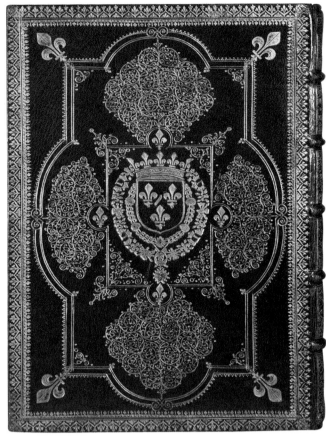

289

288

Atelier d'Antoine Ruette

Jean Puget de La Serre,
Le Nouveau Parnasse
ou les tragedies en prose
de Monsieur de La Serre...,
Paris, Antoine de
Sommaville, 1646, in-4º

Paris, 1646 | Maroquin rouge mosaï-
qué de maroquins olive, citron et
brun marbré, tranches dorées

H. 0,227 ; L. 0,172

Hist. : cardinal Mazarin ; marquis de Paulmy.
Exp. : Paris, 1929, nº 282, 1961, nº 578, 1980(1),
nº 182.

Paris, Bibliothèque nationale de France,
bibliothèque de l'Arsenal. 4º B. 3461 Rés

Carriériste des lettres grandi dans l'entourage
de Marie de Médicis puis de Gaston d'Orléans,
Puget de La Serre manifesta son ralliement tardif
à Mazarin en lui dédiant, en 1646, le recueil de ses
tragédies en prose – un genre littéraire qu'il avait
été au demeurant le premier à pratiquer. L'exemplaire de dédicace est revêtu d'une reliure mosaï-
quée commandée à l'atelier d'Antoine Ruette,
lequel ne devait d'ailleurs pas posséder de fer aux
armes du cardinal, puisque celles-ci sont dessinées
au filet. Le décor très géométrique, comme tiré au
cordeau, est rendu singulier à la fois par le dessin
inhabituel d'un très large encadrement bordé de
deux filets et par l'emploi, dans la partie centrale
des plats, d'une composition à losange et coins,

passée de mode depuis une vingtaine d'années.
Tant par ces deux traits que par le développement
donné au décor des angles extérieurs de la reliure,
Antoine Ruette répète avec une génération de
retard des formules qu'on rencontrait dans la
production de son père, le relieur du Roi Macé
Ruette. Ce caractère passéiste est encore accentué
par l'usage de motifs de feuillages (lauriers et
palmes), simplement modernisés par leur dessin
filigrané.

J. M. C.

289

Atelier de Florimond Badier

Marin Cureau de
La Chambre, *Traité de*
la connoissance des
animaux..., **Paris, Pierre**
Rocolet, 1648, in-4º

Paris, 1648 | Maroquin rouge,
tranches dorées sur marbrure

H. 0,249 ; L. 0,185

Hist. : Louis II de Bourbon, prince de Condé ; saisie
révolutionnaire.
Bibl. : Bouchot, 1888, pl. LXVI ; Esmerian, 1972(2),
A-IV, nº 17 ; Conihout, 1997.
Exp. : Paris, 1929, nº 295.

Paris, Bibliothèque nationale de France,
Réserve des livres rares. Rés. R. 1409

Médecin personnel de Séguier, Marin Cureau
de La Chambre comptait parmi les hommes les

plus influents de l'entourage du chancelier, qui
l'aida à devenir l'un des premiers membres de
l'Académie française. Homme de cour et sachant
faire sa cour, il avait coutume de faire relier ses
œuvres avec luxe pour en offrir des exemplaires
tant à son protecteur qu'aux autres personnages
puissants du moment. On connaît ainsi, de 1634
à 1668, plus de soixante-dix reliures à décor portées
sur des volumes de ses écrits : quelques encadrements à la Du Seuil, quelques reliures à semé, mais
surtout des décors à la fanfare et, plus encore, des
décors à gerbes. Au moins six ateliers se parta-
gèrent le travail de ce vaste ensemble, où la part
principale revient toutefois à celui que patronnait
le libraire Rocolet, éditeur des œuvres du médecin
jusqu'à 1660.

Des cinq reliures destinées au Grand Condé, celle
du *Traité de la connoissance des animaux* est la plus
ancienne et la plus magnifique. Elle occupe aussi
une place à part dans la mesure où, parmi les
décors réalisés pour Cureau de La Chambre, elle
constitue le premier exemple de décor à gerbes,
lequel devait ensuite, avec des variantes, devenir
le modèle prédominant de cet ensemble. L'œuvre
provient de l'atelier de Badier, dont c'est la seule
commande exécutée pour Cureau de La Chambre
avant le milieu des années 1660. Sans avoir aucune-
ment l'exclusivité des décors à gerbes, cet atelier
avait été le premier, dans les années 1630, à leur
donner une ampleur inédite en substituant aux
petits fleurons filigranés utilisés d'abord par Macé
Ruette de larges compositions de volutes.

J. M. C.

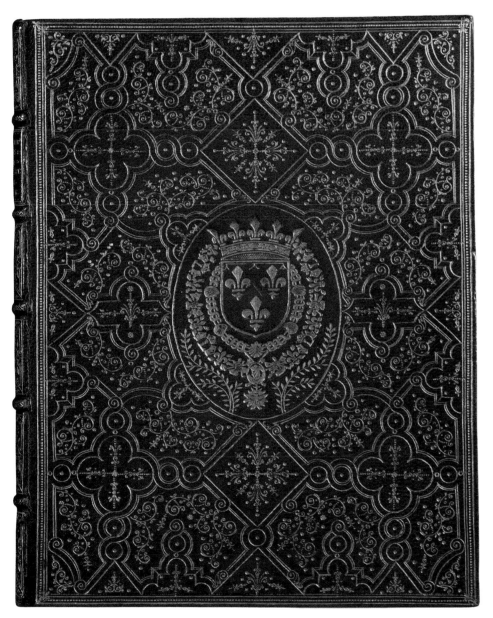

290

Atelier de Le Gascon

Arrien, Κυνηγετικος.
De venatione…, **Paris,**
Sébastien et Gabriel
Cramoisy, 1644, in-4º

Paris, 1644 | Maroquin rouge,
tranches dorées

H. 0,238 ; L. 0,187

Hist. : legs de Gaston d'Orléans à Louis XIV accepté
en 1661 ; transféré ensuite à la Bibliothèque
royale.
Bibl. : Bouchot, 1888, pl. LX ; Esmerian, 1972(2),
A-I, nº 6.
Exp. : Paris, 1929, nº 271.

Paris, Bibliothèque nationale de France,
Réserve des livres rares. Rés. S. 590

Le décor de cette reliure, d'une exécution
remarquable, est le plus tardif des décors à la
fanfare qu'on peut attribuer à Le Gascon. Les fers
employés sont d'un dessin très élégant mais, ne
cédant pas à la vogue des décors filigranés, restent
traditionnels : les éléments en pointillé se limitent
ici à de courtes terminaisons. Plus originale est la
répartition de ces fers sur les plats : comparée aux
autres fanfares issues du même atelier, celle-ci se
singularise par une plus grande aération du
décor – comme si, au moment où s'affirme la
concurrence de l'atelier de Badier, Le Gascon
réagissait en proclamant à la fois son refus du fer
filigrané et celui de la densité maximale du décor
doré, qui caractérise la production de son rival
dans les années 1640.

L'œuvre a été commandée en 1644 par les plus
importants libraires parisiens du temps, les frères
Sébastien et Gabriel Cramoisy, pour être offerte à
Gaston d'Orléans, à qui est adressée l'épître dédica-
toire qu'ils ont signée en tête de l'édition. L'acte
est éminemment politique : bénéficiaires de la
faveur royale qui les a placés à la tête de
l'Imprimerie royale quelques années plus tôt, les
frères Cramoisy font ici allégeance à celui qui, dans
l'incertitude politique consécutive à la mort de
Louis XIII et avant l'affirmation définitive du
pouvoir de Mazarin, apparaît comme le personnage le plus puissant au sein du Conseil du Roi.
Afin de lui être offert, l'exemplaire a d'ailleurs fait
l'objet d'une retouche : les armes frappées au centre
des plats étaient à l'origine celles du Grand Condé.
Elles ont été transformées en grattant très délicatement le bâton qui figure entre les lis des armes
des Condé et en dessinant au filet, dans la partie
supérieure de l'écu, le lambel des Orléans : soit qu'il
se fût agi d'une erreur du relieur, soit que celui-ci
ait ainsi procédé faute de posséder un bloc d'armes
de la famille d'Orléans.

J. M. C.

291

fanfare, où l'on peut reconnaître plusieurs fers en usage dans l'atelier dit de Rocolet, du nom du libraire qui le patronnait.

Dès les années 1640, quand l'atelier de Badier ne pratiquait encore que les fanfares à compartiments remplis, l'atelier de Rocolet produisit des fanfares à compartiments très aérés, évacuant aussi de ses motifs la forme dense de la volute, au risque d'obtenir des compositions grêles, où notamment s'équilibrent mal le bloc central des armes du possesseur et le reste du décor. En revanche, un fer filigrané se détache avec clarté de l'ensemble : celui de la tête d'homme de profil, d'un modèle légèrement différent de celui de Badier. Il est généralement appliqué dans l'atelier de Rocolet en adossant un profil à droite et un profil à gauche et complétant l'un et l'autre d'une spirale à la manière d'une langue bifide qui sort de la bouche des personnages.

Les armes de Séguier étant surmontées d'une couronne comtale, la reliure est nécessairement antérieure à janvier 1650, date de l'élévation du chancelier à la dignité ducale. La proximité qu'on note entre cette reliure et celle que le même atelier exécuta sur le deuxième volume des *Charactères des passions* de Cureau de La Chambre (Paris, Rocolet, 1645) destiné à Mazarin et conservé à la bibliothèque de l'Arsenal (4° S. 539. Rés. ; fig. 1) invite à dater plus précisément cette œuvre du milieu des années 1640.

J. M. C.

291

Atelier de Pierre Rocolet

[Guillaume de Lorris et Jean de Meung], *Le Rommant de la rose…*, Paris, Antoine Vérard [1497 ou 1498], in-2°

Paris, vers 1645 | Maroquin rouge, tranches dorées

H. 0,344 ; L. 0,240

Hist. : Le Fevre ; Pierre Séguier ; legs d'Henri du Cambout de Coislin à l'abbaye de Saint-Germain-des-Prés, à Paris ; saisie révolutionnaire.
Bibl. : Bouchot, 1888, pl. LXVII ; Dacier, 1929-1933, p. 87 ; Esmerian, 1972(2), A-V, n° 7 ; Van Praet, 1822-1828, IV, n° 224.
Exp. : Paris, 1929, n° 277, 1988, n° 3.

Paris, Bibliothèque nationale de France, Réserve des livres rares. Vélins 578

Le chancelier Séguier fut avec Gaston d'Orléans l'un des premiers collectionneurs d'œuvres littéraires françaises du Moyen Âge. Le *Roman de la rose* occupait une place de choix dans sa collection, représenté par plusieurs témoins manuscrits. Quant à l'édition incunable de Vérard, il devait y accorder d'autant plus de prix que son exemplaire était imprimé sur vélin et, surtout, abondamment enluminé. Aussi y a-t-il fait ajouter ses armes peintes au premier feuillet et l'a-t-il fait recouvrir, à la différence de ses exemplaires manuscrits, d'une reliure ornée d'un grand décor à la

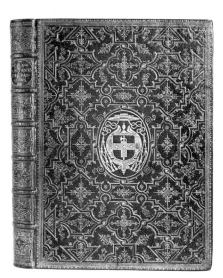

Fig. 1. Marin Cureau de La Chambre, *Les Characteres des passions. Volume II. Où il est traité de la nature et des effets des passions courageuses,* Paris, P. Rocolet, 1645, reliure en maroquin rouge aux armes de Mazarin (plat supérieur). Paris, Bibliothèque nationale de France, bibliothèque de l'Arsenal.

292

Florimond Badier

De imitatione Christi, Paris, Imprimerie royale, 1640, in-2°

Paris, vers 1655 | Plats en maroquin rouge mosaïqué de maroquins marbré, brun, havane, fauve et citron ; doublures en maroquin citron mosaïqué de maroquins rouge, fauve, olive clair et olive foncé ; tranches dorées

H. 0,387 ; L. 0,280 | Signé au contreplat supérieur : *Florimond Badier fecit inv*

Hist. : entré à la Bibliothèque nationale avant 1818.
Bibl. : Bouchot, 1888, pl. LXIV ; Dacier, 1933, n° 32 ; Meunier, 1914, pl. XXIII ; Esmerian, 1972(2), A-IV, n° 29.
Exp. : Paris, 1972, n° 670, 1998(1), n° 142.

Paris, Bibliothèque nationale de France, Réserve des livres rares. Rés. D. 714

Cette reliure très célèbre porte le plus spectaculaire des décors français du XVIIe siècle. Non seulement l'ornementation aux petits fers s'y trouve conjuguée à la pratique de la mosaïque de maroquins différents, remarquables par la très grande variété de leurs teintes, mais cette conjugaison est également étendue aux doublures du volume : sur fond de maroquin rouge, les plats présentent un décor de compartiments à la fanfare, les contreplats, sur fond de maroquin citron, un décor à gerbes et écoinçons de fers filigranés, avec

292   Contreplat supérieur du cat. 292.

Fig. 1. François de Sales, *Introduction à la vie dévote*, Paris, Imprimerie royale, 1641, in-2° (plat supérieur). Épinal, Bibliothèque municipale.

Fig. 2. François de Sales, *Introduction à la vie dévote*, Paris, Imprimerie royale, 1641, in-2° (contreplat supérieur). Épinal, Bibliothèque municipale.

une grande rosace pour motif central. Seule peut être rapprochée de cette pièce, par son luxe et le jeu alterné des décors mosaïqués à la fanfare et à gerbes entre plats et contreplats, la reliure de Badier conservée aujourd'hui à la bibliothèque municipale d'Épinal (fig. 1 et 2), également réalisée sur l'un des grands livres de piété publiés aux débuts de l'activité de l'Imprimerie royale (saint François de Sales, *Introduction à la vie dévote*, Paris, Imprimerie royale, 1641).

À la différence, cependant, de la reliure d'Épinal, Florimond Badier ici a signé son œuvre, au contreplat supérieur. Ce fait est en lui-même exceptionnel, puisqu'on ne connaît que trois exemples de signature dans la reliure française de la première moitié du XVIIe siècle, tous trois dus à Badier ; mais en outre la formule employée, « *Florimond Badier fecit inv*[enit] », calquée sur l'usage des peintres-graveurs, manifeste pour la première fois la prétention d'un relieur à dépasser le statut d'artisan et exécutant pour être reconnu comme créateur (« *inventeur* »), à l'égal d'un autre artiste.

En se fondant sur la date d'impression du livre recouvert, on date habituellement cette œuvre de 1640 environ. Cette date est en réalité peu vraisemblable : si l'on observe que le décor à fers espacés choisi pour les plats de ce volume n'est pratiqué par Badier qu'à partir des années 1650 et qu'au demeurant ses deux autres œuvres signées datent de 1657 et 1659, il est beaucoup plus probable que cette reliure a été exécutée vers le milieu des années 1650 seulement. Sa destination demeure néanmoins inconnue, bien que la présence d'un fer figurant la colombe du Saint-Esprit aux angles des plats invite à songer à un lien avec l'ordre du Saint-Esprit, toutefois impossible à préciser dans l'état actuel de nos connaissances.

J. M. C.

293

293

Atelier de Florimond Badier

Jean de La Fontaine, *Adonis. Poème*, manuscrit calligraphié par Nicolas Jarry pour Nicolas Foucquet, 1658

Paris, 1658 | Maroquin rouge, gardes contrecollées en satin bleu pâle, tranches dorées, traces de rubans

H. 0,322 ; L. 0,237

> **Hist. :** Nicolas Foucquet ; prince Galitzin (vente, Paris, 3 mars 1825, nº 78) ; Henri de La Bédoyère (vente, Paris, 21 février 1862, nº 1023) ; Eugène Dutuit ; legs d'Auguste Dutuit à la Ville de Paris.
> **Bibl. :** Esmerian, 1972(2), A-IV, nº 60 ; Portalis, 1897, nº 2 ; Rahir, 1899, nº 327.
> **Exp. :** Paris, 1995(4), nº 1.

Paris, Petit Palais, musée des Beaux-Arts de la Ville de Paris. Inv. L. Dut. 327

Recouvrant le plus célèbre des manuscrits calligraphiés par le maître parisien Nicolas Jarry, destiné à Foucquet, protecteur de La Fontaine, la présente reliure a été légèrement modifiée par rapport à son aspect initial : elle était à l'origine agrémentée de deux rubans dont les passages, recouverts plus tard de petites pièces de maroquin rouge, se devinent encore le long du grand côté extérieur des plats. Le décor doré est, quant à lui, très caractéristique de la production de l'atelier de Badier dans les années 1650 : Badier s'est converti aux décors à compartiments aérés, dont il pondère toutefois le vide en continuant de faire un usage abondant des fers à motifs de volutes. Employés en bouquets s'épanouissant à partir d'un petit fleuron, ceux-ci font l'effet d'un rappel du décor à

gerbes à l'intérieur d'une structure décorative à la fanfare, selon un parti qui semble propre à l'atelier de Badier.

Caractéristique est aussi le dessin des compartiments : comme sur la plupart des autres reliures à la fanfare de grand format sorties de cet atelier, la partie centrale des plats est beaucoup plus harmonieusement développée, alors que les parties supérieure et inférieure sont comme écrasées, dessinant des bandes étroites où s'enchaînent des compartiments dont la hauteur ne répond pas à la beaucoup plus grande longueur.

J. M. C.

294

Atelier de Florimond Badier

[Jacques Mercier], *Imago Galliarum administri Regi incomparabili comparabilis*, manuscrit calligraphié par Nicolas Jarry, 1659

Paris, 1659 | Maroquin rouge, gardes contrecollées en satin blanc, tranches dorées

H. 0,300 ; L. 0,225

> **Hist. :** cardinal Mazarin ; Jean-Baptiste Colbert ; vendu à la Bibliothèque du Roi par Charles-Éléonor Colbert, comte de Seignelay, en 1732.
> **Bibl. :** Portalis, 1897, nº 24 ; Brun, 1971 ; Esmerian, 1972(2), A-IV, nº 62.
> **Exp. :** Paris, 1961, nº 551.

Paris, Bibliothèque nationale de France, département des Manuscrits. Lat. 7816

Attribué à un certain Mercier dont on ne sait rien par ailleurs, ce panégyrique du cardinal Mazarin est connu par deux exemplaires manuscrits, tous deux exécutés par le calligraphe Nicolas Jarry : le premier, conservé à la bibliothèque Mazarine (MS. 2211 Rés. ; fig. 1), est daté 1658, et ce second de l'année suivante. À quelques variantes près, l'un et l'autre sont revêtus d'une reliure semblable, aux armes de Mazarin. Au titre des principales différences, la reliure de l'exemplaire de 1659 a accentué la signification héraldique du décor en plaçant, dans les compartiments en forme de losanges aux côtés incurvés et terminés à leurs pointes par des fleurs de lis, une étoile à cinq branches dont le motif est repris aux figures qui entrent dans la composition des armes du cardinal, au lieu d'une flammèche. Le rapprochement de l'étoile et des lis permet ainsi d'affirmer mieux, en accord avec le texte de l'éloge, le lien qui unit le ministre à son Roi.

On connaît à ce jour, de 1641 à 1659, seize manuscrits calligraphiés par Jarry dont la reliure fut confiée à l'atelier de Badier. Le présent exemplaire est le plus tardif de cet ensemble. Aussi le décor adopté est-il celui d'une fanfare à compartiments aérés, les décors à compartiments pleins devenant minoritaires dans la production de l'atelier à partir du milieu des années 1650. Le dessin d'ensemble renforce la tendance à privilégier les cartouches à angles droits, mais il est aussi mieux équilibré que dans les œuvres précédentes : trois registres superposés sont clairement définis, dont celui du centre – le plus développé puisqu'il est chargé d'accueillir les armes – se tient par rapport aux autres dans une proportion de un pour deux.

J. M. C.

Fig. 1. [Jacques Mercier], *Imago Cardinalis Julii Mazarini*, manuscrit calligraphié par Nicolas Jarry, 1658 (plat inférieur). Paris, bibliothèque Mazarine.

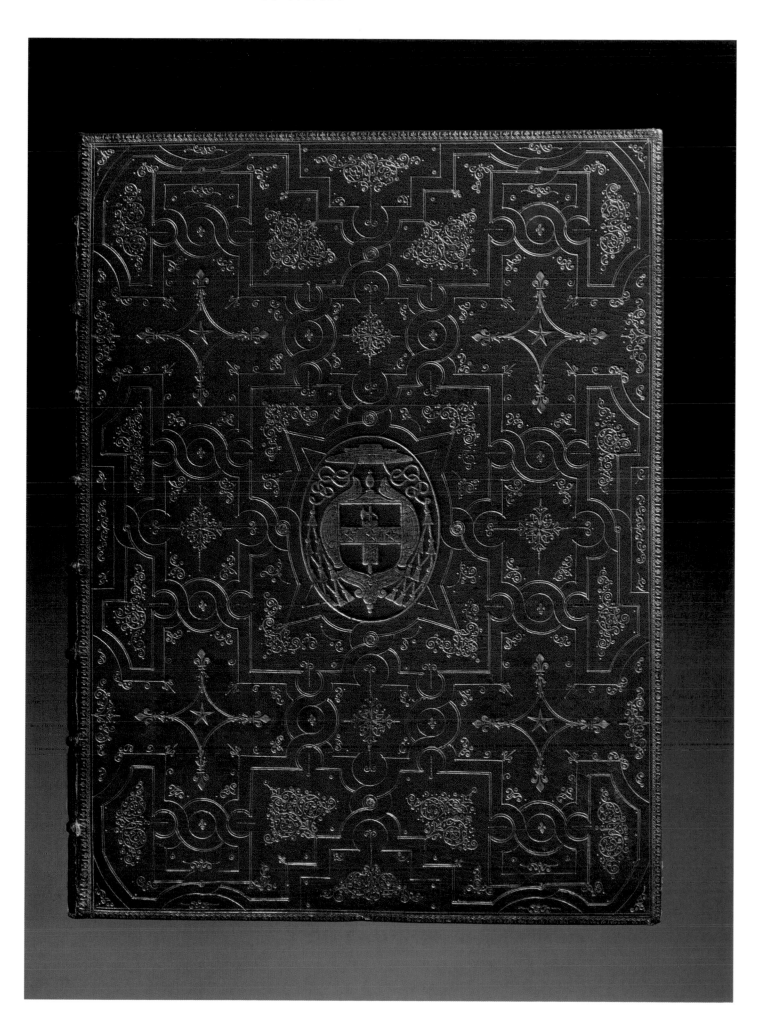

Les cuirs

Les statuts des gainiers parisiens avaient été confirmés par lettres patentes de François II du 21 septembre 1560 : « *Item, que nul maistre dudit mestier ne pourra faire aucuns coffres, cassettes, bouettes, cabinetz ny escriptoires, ny comptouères* [coffres à mettre de l'argent], *tant granz que petitz à mectre besongne de nuict, chapperons, bordures, damoiselles* [mannequins], *pappiers et besongnes d'orphaivrie ou autres choses, qu'ils ne soient couvertz de cuyr de veau* » (Lespinasse, 1886-1897, III, p. 489).

295

Clovis Ève (?)

Coffret aux armes des Duodo

Paris, 1620 | Âme de bois, cuir doré au petit fer, intérieur doublé de soie verte, clous en métal

H. 0,073 ; L. 0,300 ; Pr. 0,155 | Armes sur le couvercle : de gueules à la bande d'argent, chargée de trois fleurs de lis d'azur, posées chacune en barre | Inscription sur trois côtés du pourtour : *NULLI / PLUS / FORTUNA / QUAM / CON/SILIUM / VALET / MDCXX*

Hist. : vente du baron Jérôme Pichon, Paris, hôtel Drouot, 29 mars – 10 avril 1897, nº 856.
Exp. : Écouen, 2002.

Écouen, musée national de la Renaissance. Inv. E.Cl. 13590

Les armes figurant sur ce coffret sont traditionnellement attribuées à Pierre Duodo, ambassadeur de Venise à Paris entre 1594 et 1597. Ce Pierre Duodo, nous le savons, fut un grand collectionneur de livres. Il commanda à Paris, pendant son séjour, plus d'une centaine d'ouvrages à ses armes, probablement au célèbre relieur Clovis Ève. Cependant, cette commande ne fut sans doute pas honorée, l'ambassade de Pierre Duodo s'étant terminée avant qu'il n'eût le temps d'en prendre livraison (Needham, 1979, p. 301-304). De nombreux ouvrages aux armes de l'ambassadeur de Venise sont encore en circulation.

Le coffret est daté 1620, c'est donc probablement à un autre membre de la famille Duodo (Pierre Duodo mourut en 1611) qu'il faut attribuer la commande de ce coffret.

En tout état de cause et quelle que soit l'origine de la commande, nous sommes en présence d'un merveilleux exemple du travail des relieurs parisiens du début du XVIIᵉ siècle, qui travaillaient encore dans le style de la fin du XVIᵉ siècle. Un nom s'impose, sans que l'on puisse le prouver, le coffret n'étant pas signé : Clovis Ève, ou son atelier, le plus célèbre des relieurs de la période, le même artisan à qui Pierre Duodo passa son impressionnante commande.

Le riche décor de ce coffret est dit à la fanfare, une expression très floue du XIXᵉ siècle provenant d'un ouvrage appartenant à Charles Nodier, relié par Thouvenin.

Ce type de reliure, tout à fait typique de la fin du XVIᵉ siècle, se caractérise par des caissons, des rinceaux, des motifs couvrants souvent ornés de fleurs de lis.

P. E.

296
Coffret

Paris, premier tiers du XVIIe siècle |
Âme de bois, cuir rouge, soie, cuivre
doré

H. 0,150; L. 0,435; Pr. 0,290 | Chiffre: 2M
dont l'une renversée

Hist.: Marie de Médicis.

Collection particulière

Très proche des reliures par la composition
du décor, ce coffret arbore à plusieurs reprises le
chiffre de Marie de Médicis imprimé dans le cuir
ou gravé sur la serrure. On trouve le même chiffre,
surmonté ou non de la couronne royale, sur des
reliures exécutées pour la Reine (Olivier, Hermal et
Roton, 1924-1938, XXVI, pl. 2504).

Il est accompagné ici de symboles de fidélité traditionnels: fermesses, double phi enlacé. Le même
monogramme, entouré aussi de fermesses, figure
sur un autre coffret (fig. 1).

Le présent coffret renferme à la partie supérieure
trois casiers, dont deux sont munis d'un couvercle,
et à la partie inférieure deux tiroirs, qui, dissimulés par une paroi coulissante, ouvrent sur l'un des
petits côtés.

D. A.

296

Fig. 1. Coffret en cuir, vente à Paris, hôtel Drouot,
salles 5 et 6, 18 juin 1986, no 18.

297
Étui

Paris, vers 1630-1640 | Âme de bois,
cuir, velours, cuivre doré

H. 0,280; L. 0,140 | Chiffre: 2G (vingt et
une fois)

Hist.: Gaston, duc d'Orléans (1608-1660); collection du prince Pierre Soltykoff, vente à Paris, hôtel
Drouot, salle 7, 8 avril 1861 et jours suivants,
no 393; collection Malinet; collection d'Eugène et
d'Auguste Dutuit, donnée en 1902.
Bibl.: Smith, 1979, p. 89, repr.; Dubois, 1858,
pl. XX; Lapauze et Gronkowski, 1925, no 1462;
cat. exp. Avignon, 1998, no 52.
Exp.: Paris, 1865, 1996, no 127, repr.

Paris, Petit Palais, musée des Beaux-Arts
de la Ville de Paris. Inv. O.Dut. 1406

Cet étui, muni de deux serrures en cuivre doré,
protège, au moins depuis son passage dans la
collection Soltykoff, une horloge de table française
de la fin du XVIe siècle. Il est orné d'un semis de
fleur de lis et du chiffre aux deux G de Gaston
d'Orléans, présent sur les reliures du prince
(Olivier, Hermal et Roton, 1924-1938, XXVII,
pl. 2560) comme sur le bassin cat. 252. L'objet
permet de rappeler l'intérêt que le prince porta
aux horlogers de son apanage blésois (voir Develle,
1913).

D. A.

297

298

298

Coffret

Paris, première moitié du XVIIe siècle |
Âme de bois, cuir brun doré, laiton

H. 0,126 ; L. 0,563 ; Pr. 0,297 | Chiffre : *LA*

Hist. : Anne d'Autriche ; collection Frédéric Spitzer
(1815-1890) ; vente Frédéric Spitzer,
17 avril – 16 juin 1893, I, n° 871 ; vente Frédéric
Spitzer Collection, New York, The Anderson
Galleries, 9-12 janvier 1929, n° 159, repr.
Bibl. : *Collection Spitzer*, 1890-1892, II, n° 72,
p. 217.

Collection particulière

Le coffret est orné d'un semis de deux motifs
alternant : fleur de lis et monogramme LA de
Louis XIII et Anne d'Autriche.

D. A.

299

Cabinet en cuir

Paris, vers 1620 | Âme de bois, cuir,
or, soie, métal

H. 1,650 ; L. 1,090 ; Pr. 0,500

Hist. : acquis en 1864 de M. Arondal.
Bibl. : Du Sommerard, 1883, n° 1449.

Écouen, musée national de la
Renaissance. Inv. E. Cl. 7722

Il s'agit d'un meuble à deux corps composé
d'un cabinet à deux vantaux posé sur une table à
huit pieds. Le cabinet, indépendant, plus petit que
son support, est en retrait par rapport à ce dernier.
Ce cabinet renferme sept tiroirs. La table est rec
tangulaire. Elle présente une haute ceinture dans
laquelle sont dissimulés deux tiroirs biseautés. Un
important tablier pend de la partie centrale. Les
pieds, qui supportent l'ensemble, reliés à la partie
inférieure par des traverses, sont en forme de
quenouille et sont terminés par des boules.

Le décor de motifs de reliure travaillés au petit fer
et dorés est presque couvrant.

Nous savons, d'après des inventaires, que, depuis
le début de la Renaissance, les meubles gainés de
cuir étaient très en faveur. Délicats, fragiles à cause
des matériaux dont ils étaient composés, ces
meubles ont presque disparu en totalité. Seuls
subsistent des coffrets.

Si l'aspect général de ce meuble exceptionnel est
bien français, à l'analyse, il est hybride. Par bien
des aspects il rappelle les grands cabinets français

contemporains en ébène. Il lui manque pourtant
l'ampleur et, à l'intérieur, le caisson en forme de
théâtre, caractéristique de ces derniers.

Remarquons que le cabinet lui-même est non
seulement mobile, mais portable, témoin les poignées latérales que l'on retrouve sur les cabinets
d'Augsbourg contemporains.

La table, à la différence de ces derniers, est pourtant
visuellement solidaire du meuble et il est à douter
qu'ils étaient destinés à être séparés.

P. E.

La petite sculpture

Le petit bronze

Geneviève Bresc-Bautier

Après l'intense activité déployée sous le règne d'Henri IV par l'atelier de Barthélémy Prieur, les premières années du règne de Louis XIII font pâle figure. Ce n'est peut-être qu'une illusion, et la faute en est due simplement au manque de documents ou d'intérêt de la part des chercheurs. Mais on peut pourtant se demander si le passage entre le petit bronze encore maniériste du début du siècle, tributaire des modèles florentins, à un art plus animé et ample, que l'on dénomme par commodité baroque, n'a pas dérouté les sculpteurs et les fondeurs, à un moment où les grandes commandes se raréfiaient. À l'époque de Jacques Sarazin, de Simon Guillain et de leurs contemporains, la sculpture se cantonne principalement à l'art des châteaux, des jardins et des églises, au grand style majestueux, et délaisse le petit bronze. Le renouveau vient enfin de Michel Anguier, qui, dans les années 1650, donne la série ambitieuse des Dieux de l'Olympe, qui affirme l'élégance démonstrative d'une sculpture nourrie du contact avec les ateliers romains.

Barthélémy Prieur meurt en 1611. D'après son inventaire après décès[1], il était le spécialiste de petits bronzes délicats sur des sujets laïcs : baigneuses, tireuses d'épines, figures de paysan. Mais il avait aussi diffusé des images plus politiques : statuettes équestres d'Henri IV, inspirées du *Marc Aurèle* du Capitole, ou plus fougueuses sur un cheval cabré, terrassant ses ennemis ; statuettes du Roi et de la Reine en costume de sacre ou en dieux antiques ; petits bustes allégoriques de la France et de la Navarre[2]. Que devint tout cet ensemble après sa mort ? A-t-on continué à exécuter des bronzes d'après les modèles laissés dans l'atelier ? Nous ne savons pas si les héritiers, son fils Théodore Prieur, qui était sculpteur, l'autre, Paul, lapidaire, ou son gendre, Guillaume Dupré, plus médailleur que sculpteur, continuèrent l'entreprise. La tradition, qui ne remonte pas avant le XIXe siècle, a attribué à Dupré certains petits bronzes sans aucune raison : à partir d'une attribution émise à l'aveuglette, d'autres se sont surimposées. Il s'agit en général de statuettes et de bustes d'Henri IV et de Marie de Médicis, qui sont donc contemporains de Prieur, jamais de représentations de Louis XIII, alors que Dupré a une longue carrière à la cour, comme sculpteur ordinaire, contrôleur des poinçons, médailleur et directeur des fontes à l'Arsenal, jusqu'à sa mort, en 1642. S'il est certain que « *Dupré le bon sculpteur* », comme l'écrit l'abbé de Marolles, exerça l'art du marbre, il ne semble pas logique de lui attribuer une production de petits bronzes liés à la personne d'Henri IV.

Il est vrai que les statuettes de Louis XIII sont rares et de genres fort différents. La plus belle, conservée à Florence, le montre enfant encore sur un cheval cabré. Elle est attribuée à Pietro Tacca. Une autre, signée par Le Sueur et présentée ici (cat. 300), montre le faire un peu rustique d'un sculpteur qui sait davantage mettre en forme le bronze monumental que l'objet d'art. Restent deux statuettes dans le marché de l'art que nous considérons comme d'auteur inconnu : une présente le Roi enfant, l'autre, le souverain plus âgé[3].

Nombreux cependant sont les autres sculpteurs susceptibles de fondre de petits bronzes. À Pierre Francqueville a succédé son gendre, Francesco Bordoni, formé manifestement dans l'atelier de Jean Bologne. Connu pour ses bronzes monumentaux, fontaines à Fontainebleau, les anges de la chapelle du château de Fontainebleau ou ceux de Saint-Germain-l'Auxerrois, dont un seul subsiste à l'École nationale supérieure des beaux-arts, il a pratiqué le bronze de façon remarquable. C'est lui qui est le technicien des captifs du piédestal de la statue équestre d'Henri IV au Pont Neuf, conçu par son maître et

1. Lamy et Brière, 1949.
2. Seelig, 1992 ; Lefébure, 1992.
3. Avery, 1984.

beau-père. Il serait logique de lui attribuer de petits bronzes. Faute de documents – en particulier d'inventaire – le mystère demeure. Comme il est épais autour de la personnalité de Pierre Ier et Pierre II Biard, qui manièrent le bronze sans laisser de traces de petite statuaire.

Nous pouvons nous interroger aussi sur la production des fils de Matthieu Jacquet : Germain et Pierre Jacquet. Tous deux font exécuter par les fondeurs Abraham Prévost et Jérémie Manget deux figures d'enfant assis sur des dauphins, de deux pieds deux pouces en 1620[4], puis un troisième en 1621. Cette année-là, Germain Jacquet commande aux mêmes fondeurs un groupe assez ambitieux de *Neptune*, de deux pieds et demi de hauteur, accompagné de trois chevaux marins et d'un triton derrière[5]. La description correspond à peu près à celle d'un bronze inventorié en 1643, à la mort de Richelieu[6], puis en 1675 chez la duchesse d'Aiguillon, et qui est probablement passé dans la collection de François Girardon, où il a été gravé par Charpentier[7].

D'autres sculpteurs connus par les documents ont certainement produit de petits bronzes. Jean Mansart, mort en 1614, est très certainement un sculpteur-fondeur : il en a tout l'attirail, ainsi que des figures de cire couvertes de terre qui ne prêtent pas à confusion. Ses modèles en terre cuite correspondent aux petits groupes fondus, taureau ou copies d'antique, ou même « *embrassement de Mars et Vénus* », de saveur nettement florentine. Dans l'inventaire après décès de la femme de Toussaint Chenu (1645) se trouve le matériel du fondeur et de nombreuses statuettes, modèles de figure. Nous n'identifions malheureusement plus la production de ces artisans méconnus[8].

À côté des sculpteurs, les fondeurs ont probablement une production destinée au commerce de l'art, sans recevoir l'aval du sculpteur. En 1643, le fondeur Jacques Sergent promet à un marchand parisien de lui fournir deux gros chevaux, qui supporteront les figures du Roi, déjà remises, une effigie du Roi, deux chevaux cabrés, trois taureaux, trois sangliers, trois groupes des enfants à la chèvre de Philippe de Buyster[9]. Une partie correspond peut-être à des surmoulages de productions de Barthélémy Prieur ou de Jean Bologne, mais la référence aux « *trois chèvres de Bistelle avec les enfans et raisin à chacun, l'un sur l'autre et lesdits entre les pieds de devant* » montre bien une diffusion artisanale d'un sujet à la mode, hors de l'atelier du sculpteur.

Pour cette période, le seul sculpteur dont il nous reste quelques statuettes est Hubert Le Sueur (voir plus haut). Il a probablement fait un court apprentissage en Italie, et a été remarqué par l'administration royale, célèbre en son temps pour son habileté à fondre. On ne le connaîtrait que par des bustes et des statues de grand format, n'étaient une statuette signée (cat. 300a) et une autre très similaire (cat. 300b). Cela permet de lui attribuer quelques statuettes mythologiques de divinités féminines dénudées. Mais nous restons encore très hésitant sur la date de telles réalisations, dont les volumes assez schématiques et l'expression stéréotypée sont le fait du manque de subtilité du sculpteur et non d'un archaïsme conscient.

Malgré la certitude de l'existence de petits bronzes issus de l'activité de Philippe de Buyster et quelques reliefs de bronze assez décevants de Gérard Van Opstal (cat. 302), la production des sculpteurs du cercle de Jacques Sarazin demeure énigmatique. À leurs côtés, Michel Anguier frappera manifestement un grand coup avec les compositions mouvementées et monumentales de la série des Dieux (cat. 301). Désormais, ce n'est plus l'influence lointaine de l'atelier de Jean Bologne et de Tacca qui féconde la création parisienne, mais le maniérisme florentin et le classicisme romain. Réalisés vers 1650, ces bronzes, qui connurent le succès durant plus d'un siècle, annonçaient un art nouveau du métal. L'iconographie complexe, la composition en groupes qui se répondent et organisent un subtil jeu des gestes et des expressions n'est pas sans rappeler le souvenir du studiolo de Florence. Mais la grande élégance des corps et leur mouvement subtilement balancé sont à l'origine des canons de l'art académique sous Louis XIV.

4. Bresc-Bautier, 1989, no XII, p. 34.
5. Idem, *op. cit.*, no XIII.
6. « *Neptune assis sur une coquille accompagné de trois chevaux et un triton marin.* » Mais il est plus petit (21 pouces). Boislisle, 1881, p. 90.
7. Souchal, 1973, no 106, p. 64-65.
8. Sur Jean Mansart, voir Collart, 1963, et sur Chenu, Bresc-Bautier et Constant, 2001.
9. Bresc-Bautier, *op. cit.*, no XXIV, p. 40.

300 (a et b)

Hubert Le Sueur (connu de 1596 à 1658)

a- *Louis XIII adolescent*

Statuette équestre | Bronze

H. 0,205 ; L. 0,190 | Inscription sur la sous-ventrière du cheval : *LE SVEVER*

Hist.: vente Sotheby's, Londres, 9 décembre 1976, n° 77 ; marché de l'Art (Colnaghi, 1981) ; vente Sotheby's, Londres, 9 juillet 1992, n° 148 ; don des Trustees du Crescent Trust en mémoire de L. et R. J. Lewis, 1994.
Bibl.: Avery, 1979, p. 143, fig. 19-20, 1981, n° 88, 1982, n° 7, p. 140, 173, pl. 31bc-32a ; Bresc-Bautier, 1985, p. 40 ; Avery, 1988, n° 7, p. 149-150, 206, pl. 31b, 32a ; *la Gazette des Beaux-Arts*, 1995, p. 55 ; Evelyn, 1995, p. 85-87, fig. 33, 2000, p. 144-145, 156, fig. 3-4.

Londres, Victoria and Albert Museum. Inv. A.1-1994

b- *Philippe III d'Espagne ?*

Statuette équestre | Bronze

H. 0,211

Hist.: legs du Dr W. L. Hildburgh, F.S.A.
Bibl.: Avery, 1978, n° 163f, p. 247-248, 1979, p. 144, fig. 21-22, 1982, n° 8, p. 140, 173, pl. 32b, 1988, n° 8, p. 205 ; Evelyn, 1995, p. 88, 2000, p. 145.
Exp.: Vienne, 1978, n° 163f.

Londres, Victoria and Albert Museum. Inv. A.108-1956

L'habileté d'Hubert Le Sueur à fondre le bronze avait été reconnue par l'administration royale, qui lui renouvela ses gages annuels, en 1618 et en 1624, car « *ayant faict preuve de jecter excellement en bronze toutes sortes de figures* ». Il faut pourtant reconnaître que peu d'œuvres peuvent être directement mises en relation avec son activité à Paris. Après une courte carrière parisienne, de 1609 à 1625, il alla s'établir en Angleterre à la cour de Charles Ier, où il fait figure d'artiste officiel. Il y produisit de grands tombeaux, des statues royales et des bustes, et un certain nombre de copies des chefs-d'œuvre de l'art antique, dont il avait été chercher les modèles en Italie et en France. Il manifeste alors une haute technicité dans l'art de la fonte. De retour à Paris, entre 1641 et 1643, lors de la révolution du Commonwealth, il poursuit son activité de fondeur, exécutant la fonte du buste de Richelieu modelé par Warin et celle de grandes statues d'après l'antique.

Mais rares sont les statuettes qui peuvent lui être attribuées. Celle du Victoria and Albert Museum, représentant Louis XIII adolescent, est signée. La ressemblance de facture avec une autre statuette équestre du même musée a permis de réunir les deux œuvres sous la même attribution. Si l'expression du jeune Louis XIII est bien reconnaissable, avec le détail des lèvres gonflées, le visage de l'autre cavalier n'est pas suffisamment caractérisé pour permettre d'y voir la figure de Philippe III d'Espagne, comme cela a été proposé.

La fonte en deux parties du cheval et du cavalier permettait de proposer à divers clients de représenter qui il voulaient sur des chevaux déjà fondus.

La technique de ces figures rappelle un contrat passé entre le sculpteur et le maréchal Gilles de Souvré (1542-1626), qui prévoyait, en 1623, l'exécution de « *sa figure* [du commanditaire] *sur ung cheval de bronze pour mettre au cabinet dudit seigneur* », c'est-à-dire dans l'hôtel de Souvré, situé devant la façade occidentale du Louvre (Avery, 1982, p. 198). Dans la mesure où Souvré avait été gouverneur du Dauphin et était resté très proche du Roi, cette entreprise devait être du même genre que celles que Le Sueur exécutait pour le Roi, et dont la statuette de Louis XIII est probablement l'un des rares vestiges.

Nous connaissons quelques documents qui permettent d'imaginer un atelier d'exécution d'œuvres de petit format : en 1612, l'orfèvre René de La Haye refuse de lui payer les figures de cire qu'il a exécutées, prétextant une réalisation médiocre (Avery, 1982, doc. 11, p. 209) ; en 1625, l'érudit provençal Peiresc cherche à récupérer une caisse de figures et modèles qui appartiennent au fondeur aixois, Joseph Suchet.

À partir de la facture relativement naïve et simplifiée des statuettes équestres, les historiens ont cherché à constituer un ensemble de bronzes attribués à Le Sueur, en se fondant, notamment, sur la manière très rude d'exécuter les visages, au nez droit et sec. Ainsi les figures de *Diane* et de *Vénus* des collections de Louis XIV (cat. exp. Paris, Louvre, 1999, p. 124, 131, n° 169 et 182), une figure de *Vénus* nue accompagnée d'un Cupidon (Katz, 1995, n° 91), celles d'une *Diane* avec un chien (trois exemplaires, avec ou sans chien, Christie's, Londres, 25 juin 1980, n° 24 ; Pittsburgh, Frick Art Museum ; Auersperg, 1998, p. 60, n° 27) et d'*Apollon* en pendant (Minneapolis, Museum of Arts) ont été attribuées de façon assez convaincante. Leur date et leur lieu d'exécution restent encore à déterminer, dans la longue carrière du sculpteur, partagée entre Paris et Londres.

De même que les statuettes équestres reflètent de façon schématique les productions de Jean Bologne, ces petits bronzes suivent de façon assez rustique les types créés par Barthélémy Prieur et largement diffusés par les ateliers de bronziers.

G. B.-B.

301 (a, b, c, d, e, f, g et h)

D'après Michel Anguier

(Eu, vers 1614 – Paris, 1686)

Huit divinités

Paris, fin du XVIIᵉ siècle et XVIIIᵉ siècle

a- *Neptune agité*

Bronze

H. 0,520

> **Hist. :** collection particulière.
> **Œuvres en rapport :** nombreux bronzes de petite dimension. Grands exemplaires : New York, collection Altman, legs 1913 (H. 0,520) ; Londres, Victoria and Albert Museum (A 20-1946) ; Londres, collection Jennifer Montagu (H. 0,523) ; Paris, musée Carnavalet (H. 0,500) ; Toulouse, fondation Bemberg (H. 0,520) ; autres dans des collections privées. Petit marbre, vente Le Doux, 24 avril 1775, nº 76. Gravure de Desplaces.

Paris, collection particulière

b- *Amphitrite tranquille*

Bronze

H. 0,530 ; L. 0,160

> **Hist. :** don d'André Le Nôtre à Louis XIV, 1707 ; collection des bronzes de la Couronne, nº 180 ; Versailles, jusqu'en 1794 ; attribué au musée du Louvre ; Tuileries, avant 1847.
> **Bibl. :** Charageat, 1968, p. 114.
> **Exp. :** Paris, 1999, nº 180 ; Paris, 2001, nº 54.
> **Œuvres en rapport :** très nombreux bronzes de petite dimension, souvent en paire avec le *Bacchus* de Granier, plus rarement avec *Neptune*. Grands exemplaires : Baltimore, Walters Art Gallery ; Hambourg (H. 0,575) ; Montréal, musée des Beaux-Arts ; New York, The Metropolitan Museum of Art (inv. 14.40.960 ; H. 0,565) ; Paris, Petit Palais, musée des Beaux-Arts de la Ville de Paris (H. 0,500) ; Stockholm, National Museum (H. 0,545). Un grand marbre, réalisé en 1680 par Nicolas Massé pour le bosquet des Dômes à Versailles, d'après Anguier, actuellement au musée du château de Versailles. Petit marbre dans la collection Blondel d'Azincour, vente 18 avril 1770, nº 229. Grande pierre, XIXᵉ siècle (?), Toledo Museum. Terre cuite dans la collection de Girardon, gravée par Chevalier, passée probablement dans la collection La Live de Jully (vente Paris, 5 mai 1770, nº 177).

Paris, musée du Louvre, département des Objets d'art. Inv. OA 11897

c- *Pluton mélancolique*

Bronze

H. 0,570 ; L. 0,199 ; Pr. 0,158

> **Bibl. :** Black et Nadeau, 1990.
> **Œuvres en rapport :** autre exemplaire, musée Carnavalet, collection Bouvier (H. 0,500). Plusieurs bronzes plus petits : Dresde, acquis en 1699 ; Cassel, acquis en 1767. Marbre signé Legros, voir Black et Nadeau, 1990. Terres cuites, collection de Girardon, gravée par Chevalier ; collection particulière, New York. Gravures de Jean Pesne, de Desplaces.

Paris, collection particulière

301b

301e

d- *Cérès éplorée*

Bronze

H. 0,542

Hist.: vente Pourtalès, Paris, 4 février –
21 mars 1865.
Bibl.: Radcliffe, 1966, p. 109.
Exp.: Düsseldorf, 1971, nº 320, p. 352-353.
Œuvres en rapport: autres grands exemplaires en
bronze : collection particulière (auparavant en dépôt
au musée de Detroit, vente Sotheby's, 4 juillet 1996,
nº 46 ; H. 0,527) ; Baltimore, Walters Art Gallery
(54 696) ; Cambridge, Fitzwilliam Museum
(inv. M.I. 1970 ; H. 0,54) ; Saint-Pétersbourg,
musée d'État de l'Ermitage. Washington, National
Gallery of Art (inv. 1989.44.1 ; H. 0,539). Dessin,
musée des Beaux-Arts de Grenoble, auteur inconnu. Gravure de Desplaces.

Londres, Victoria and Albert Museum.
Inv. 85-1965

e- *Mars qui quitte les armes*

Bronze

H. 0,546 ; L. 0,232 ; Pr. 0,191

Hist.: saisie des ducs de Croy au château de
l'Ermitage à Condé, après 1792.
Bibl.: La Moureyre, 1994, p. 192.
Exp.: Londres, 1958, nº 342 ; Paris, 1958, nº 261 ;
Valenciennes, 1989, nº 69 (notice J. Kuhnmunch) ;
Paris, 2001, nº 51 (notice Ph. Malgouyres).
Œuvres en rapport: autres exemplaires : Dresde,
Skulpturen Sammlung (inv. H⁴ 154/2 ; H. 0,545) ;
Saint-Pétersbourg, musée d'État de l'Ermitage ;
collection de la Couronne, nº 283 (dans une collec-
tion parisienne?) ; Cheshire, Tatton Park. Dessiné
par Saint-Aubin, catalogue de la vente Chevalier,
26-27 novembre 1779, Philadelphia Museum of
Art, collection John G. Johnson.

Valenciennes, musée des Beaux-Arts.
Inv. S 86 163

f- *Jupiter foudroyant*

Bronze

H. 0,650 ; L. 0,340

Hist.: don d'André Le Nôtre à Louis XIV, 1693 ;
collection des bronzes de la Couronne, nº 191 ;
Versailles, jusqu'en 1720 ; Paris, Garde-Meuble ;
Tuileries, avant 1847 ; versement du Mobilier
national au Louvre en 1901.
Bibl.: Charageat, 1968, p. 114.
Exp.: La Nouvelle-Orléans et Washington, 1984,
nº 200 ; Paris, 1999, nº 191.
Œuvres en rapport: Oxford, Ashmolean Museum
(Penny, 1992, nº 337, p. 109 ; H. 0,623 ; sans
aigle) ; Los Angeles, J. P. Getty Museum
(inv. 94. SB21 ; H. 0,610).

Paris, musée du Louvre, département des
Objets d'art. Inv. OA 5086

g- *Junon jalouse*

Bronze

H. 0,536 ; L. 0,260

Hist.: don d'André Le Nôtre à Louis XIV, 1693 ;
collection des bronzes de la Couronne, nº 192 ;
Versailles, jusqu'en 1707, Paris, Garde-Meuble ;
Tuileries, avant 1847 ; versement du Mobilier natio-
nal au Louvre en 1901.
Bibl.: Charageat, 1968, p. 114.
Exp.: La Nouvelle-Orléans et Washington, 1984-
1985, nº 200 ; Paris, 1999, nº 192.
Œuvre en rapport: Washington, National Gallery
(H. 0,559).

Paris, musée du Louvre, département des
Objets d'art. Inv. OA 5087

301d

301g

301f

301h

h- *Hercule*

Bronze

H. 0,527 ; L. 0,197 ; Pr. 0,293

Hist. : saisie des ducs de Croy au château de l'Ermitage à Condé, après 1792.

Exp. : Londres, 1958, n° 340 ; Paris, 1958, n° 261 ; Valenciennes, 1989, n° 69 (notice J. Kuhnmunch).

Œuvres en rapport : Saint-Pétersbourg, musée d'État de l'Ermitage ; collection particulière (vente Christie's, 4 juillet 1995, n° 76). Dessiné par Saint-Aubin, catalogue de la vente Chevalier, 26-27 novembre 1779, Philadelphia Museum of Art, collection John G. Johnson. Une composition montrant Hercule portant les colonnes, conservée à Toulouse, fondation Bemberg, n'est pas en relation avec l'œuvre d'Anguier.

Valenciennes, musée des Beaux-Arts.
Inv. S 86 162

Le 6 mai 1690, Guillet de Saint-Georges (*Mémoires inédits*, 1855, p. 438) résumait devant l'Académie de peinture et de sculpture la vie de Michel Anguier, mort quatre ans plus tôt. Il précise : « *Monsieur Anguier fut occupé en 1652 aux modèles de six figures, chacune de 18 pouces qui ont été jetés en bronze et qui représentent un Jupiter foudroyant, une Junon jalouse, un Neptune agité, une Amphitrite tranquille, un Pluton mélancholique, un Mars qui quitte ses armes et une Cérès éplorée. Ces figures sont aujourd'hui à M. de Montarsis, joaillier du roi.* » La date, si précise, correspond sans doute à une information donnée soit par Anguier de son vivant, soit par sa famille, que Guillet de Saint-Georges connaissait sans doute. Il faut donc lui faire confiance en ce qui concerne la date de réalisation. En revanche, il faut s'interroger sur les deux autres assertions : le nombre de six statuettes, qui correspond à la description de sept dieux ; et l'appartenance au joaillier Montarsis. L'énigme se résout grâce aux archives du marquis de Seignelay, le fils de Colbert, qui ont été séquestrées à la Révolution. Jean-Baptiste II Colbert (1651-1690), puissant personnage, avait reçu la survivance du secrétariat d'État à la Marine et à la Maison du Roi, et avait dans son château de Sceaux mené belle vie, y accumulant une impressionnante collection d'objets d'art (Schnapper, 1994, p. 367-375). Un compte du 7 janvier 1689 donne la liste des petits bronzes acquis par le ministre de Pierre Le Tessier de Montarsy (AN, T 532-2). Cette longue liste compte trente-neuf petits bronzes qualifiés de mauvais, ou estimés un prix relativement bas, quatorze copies d'antique estimées chacune entre 200 et 500 livres, les chenets de l'Algarde, *Jupiter* et *Junon*, au prix faramineux de 2 908 livres, et surtout une liste de six figures prisées ensemble 1 615 livres : *Neptune, Amphitrite, Jupiter, Junon, Pluton* et *Cérès*. Ce sont, bien sûr, les figures d'Anguier, dont Seignelay acquit aussi trois figures de pierre de Troussy à sa veuve pour 850 livres. Montarsy était le fournisseur attitré du ministre, à qui il vendit porcelaines et girandoles, tableaux (dont des Poussin célèbres) et pierreries, pour plus de 92 000 livres. Comme l'a montré Antoine Schnapper, Pierre Le Tessier de Montarsy (1647-1710) était non seulement le joaillier et orfèvre du Roi, mais un collectionneur averti et un marchand avisé (1994, p. 100-102). Il rachetait à Seignelay certaines des œuvres dont il était peut-être fatigué, et fit probablement de même après la mort du ministre. Si le père du joaillier, Laurent de Montarsy, est un contemporain d'Anguier, il n'y a pas de raison de le considérer comme le commanditaire du sculpteur. Avec beaucoup de probabilité, Pierre de Montarsy vendit à Seignelay les six bronzes en janvier 1689, que Guillet de Saint-Georges considérait encore en mai 1690 comme de sa propriété, à moins qu'il ne les eût déjà rachetés au marquis, avant sa mort, en novembre.

On remarquera que les six statues de Seignelay et Montarsy forment trois couples divins et organisent un groupe fort cohérent. Chaque personnage exprime une action, rend compte d'un caractère qui s'oppose à celui qui lui fait face : *Neptune* agité et *Amphitrite* tranquille ; *Pluton* mélancolique et *Cérès* éplorée qui cherche sa fille ; *Jupiter*

foudroyant et *Junon* jalouse. Bien entendu, *Jupiter* et *Junon* ne sont pas des copies des chenets de l'Algarde, dont une paire est décrite dans la même liste. La plupart des figures correspondent à celles que décrit Anguier lui-même dans sa conférence à l'Académie de peinture et de sculpture en 1676, intitulée *De la manière de représenter les divinités selon leur tempérament* (éd. Stein, 1889, p. 589-592). Autant qu'à la médecine hippocratique, c'est au cœur des idées platoniciennes que s'inscrivent le discours et ces figures. Chaque groupe pourrait représenter un élément, ou, comme le dit Anguier, le chaud et le froid, le sec et l'humide : Jupiter (l'Air, le chaud et le sec) et Junon (l'Air), Neptune et Amphitrite (l'Eau), Pluton (la Terre, le froid et l'humide), Cérès (la Terre, le chaud et le sec). Chacun est pourvu de son animal : l'aigle de Jupiter (et peut-être le paon de Junon) ; l'hippocampe de Neptune et le dauphin d'Amphitrite ; Cerbère de Pluton et le dragon de Cérès.

Bien que citée par Guillet de Saint-Georges, il n'est pas sûr que la figure de *Mars* appartienne à l'ensemble. Elle n'est pas vendue à Seignelay. Elle n'a pas d'animal, hormis la tête de loup sur le trophée d'armes. Mais Anguier le décrit parfaitement dans sa conférence de 1676 : ce meurtrier des humains, brutal, cruel et impatient, « *son visage rouge et bouffi de colère, son front bas et renfrogné* », est aussi de tempérament chaud et sec. Il peut donc s'insérer dans le cercle des Olympiens. Pourtant, cette figure est par deux fois appairée avec un demi-dieu, sans expression particulière, *Hercule* portant les colonnes (par exemple, dans la vente Chevalier en 1779). Certes, l'*Hercule* pourrait être une réalisation postérieure, afin de constituer un groupe avec *Mars*, comme il fut d'usage au XVIIIe siècle pour la figure d'*Amphitrite*, qui fut mise en pendant avec le *Bacchus* de Granier. D'autant que l'on remarque une terrasse carrée, bien différente de celle du *Mars*, dont la plinthe polygonale et irrégulière est analogue à celle des meilleurs exemplaires. Mais l'attribution de l'*Hercule* à Anguier, même si elle n'est pas prouvée, est assez raisonnable.

Notons que la série la plus ancienne est caractérisée par une terrasse polygonale irrégulière pour certains (*Mars, Cérès, Jupiter, Junon, Pluton* dans la gravure de Desplaces), par une terrasse illusionniste pour *Neptune* et *Amphitrite*, où l'eau semble couler sur la plinthe. Cela laisserait supposer une première version avec une disposition bien spécifique, peut-être dans une niche débordante, ce que corroborerait la manière dont sont privilégiés les points de vue de face et de trois quarts.

La série a connu un succès divers selon les types. Alors que les statuettes de *Junon* et de *Jupiter* ne sont plus repérables qu'en peu d'exemplaires, nous connaissons de nombreuses répliques de certaines figures, dont des réductions (de 0,250 à 0,350) ont été largement produites au XVIIIe siècle et plus tard. Plus rares sont les bronzes, à socle polygonal, dont les dimensions correspondent aux modèles cités par Guillet de Saint-Georges, soit un peu plus de 0,500 mètre, puisque l'expression 18 pouces (0,487 mètre) s'applique à la proportion de la figure seule. En toute hypothèse, la plus grande

partie de ces bronzes sont des réalisations postérieures à la mort d'Anguier, alors que ses compositions connaissaient un grand engouement. D'ailleurs, des variations importantes au sein de chaque série sont dues aux initiatives des fondeurs successifs.

Dans cette logique, nous considérons que les meilleurs exemplaires sont : le *Jupiter* foudroyant qui correspond probablement à la statuette du J. P. Getty Museum et la *Junon* à celle de Washington, posées sur une terrasse polygonale. *Jupiter* est en effet tonnant, avec son foudre à la main, et *Junon*, jalouse, tient dans la main la pomme du concours de beauté qu'elle a perdu. *Mars* est connu par l'exemplaire des collections de Croy aujourd'hui à Valenciennes, et par trois autres exemplaires, grands et de terrasse polygonale. *Amphitrite* a été diffusée largement, en des tailles diverses, d'autant que vers 1680 le modèle servit à un agrandissement en marbre, réalisé par le marbrier Nicolas Massé pour le bosquet des Dômes du château de Versailles. L'exemplaire des collections royales donne la mesure des exemplaires les plus anciens. *Cérès* est mieux connue par un exemplaire qui a figuré longtemps au musée de Detroit, par celui de Washington et par l'exemplaire, exposé ici, de Londres. Celui-ci s'écarte autant des autres bronzes que du dessin de Grenoble (qui est peut-être réalisé d'après une statuette). Son drapé pincé, le dévoilement de la poitrine, des détails orfévrés de la ceinture manifestent une transposition de la composition sans doute plus tardive.

La date 1652 pour la conception de cet ensemble est fort vraisemblable. Michel Anguier avait été formé en France auprès de Simon Guillain, mais son long séjour à Rome lui avait permis de travailler aux côtés de l'Algarde, et de connaître la dynamique de l'art du Bernin. À son retour à Paris, en 1651, il était fortement influencé par l'art italien, dont on ressent les effets ici. Une série de bronzes de ce format n'est pas sans évoquer celle du studiolo de Florence. L'anatomie des personnages, en particulier celle de *Mars*, le mouvement à la fois puissant et retenu évoque l'Algarde. Mais tant le format que le type de terrasse, que le goût pour le tournoiement, particulièrement marqué dans les figures de *Mars* et de *Cérès*, pourraient manifester une connaissance des modèles de Vittoria et des bronzes vénitiens. Cette composante, formée de réminiscences du maniérisme et de participation au classique romain, s'unit à une excellente connaissance de l'art antique, qu'Anguier pratiquait par le moulage et la copie. La grande nouveauté est cette insistance sur le caractère des personnages, ou plus exactement sur leur complexion liée à la théorie des humeurs. Leur diversité représente le balancement cher aux artistes du XVIIe siècle. Il oppose la force brutale et statique de *Pluton* à la course échevelée de *Cérès*, le mouvement coléreux de *Neptune* à la grâce d'*Amphitrite*. Mais derrière ces morceaux de virtuosité se cache une excellente connaissance de l'art antique, dont Anguier avait rapporté à Paris des copies, en particulier celles du *Laocoon*, de la *Flore* et de l'*Hercule* Farnèse.

G. B.-B.

302 (a, b et c)

Gérard Van Opstal (Bruxelles, vers 1604 – Paris, 1668)

Trois bas-reliefs

Paris, vers 1640-1660

a- Six Enfants et Amours jouant avec une chèvre

Bronze

H. 0,300 ; L. 0,404 ; Pr. 0,015

> **Hist.:** atelier du sculpteur ; acquis par le Roi en 1669 ; Cabinet des dessins du Roi ; saisie révolutionnaire.
> **Bibl.:** Courajod, 1876, p. 11 ; *Sculptures françaises*, II, 1998, p. 605.
> **Exp.:** Brisbane, 1988, n° 15 ; Noyon, 1992, n° 31H.

Paris, musée du Louvre, département des Sculptures. Inv. MR 3385

b- Bacchus enfant tenant une coupe, soutenu par deux enfants

Bronze

H. 0,250 ; L. 0,239 ; Pr. 0,015

> **Hist.:** atelier du sculpteur ; acquis par le Roi en 1669 ; Cabinet des dessins du Roi ; saisie révolutionnaire.
> **Bibl.:** Courajod, 1876, p. 11 ; *Sculptures françaises*, II, 1998, p. 606.

Paris, musée du Louvre, département des Sculptures. Inv. MR 3387

c- Un Amour terrassant un enfant et un Amour embrassant une petite fille

Bronze

H. 0,230 ; L. 0,284 ; Pr. 0,015

> **Hist.:** atelier du sculpteur ; acquis par le Roi en 1669 ; Cabinet des dessins du Roi ; saisie révolutionnaire.
> **Bibl.:** Courajod, 1876, p. 11 ; *Sculptures françaises*, II, 1998, p. 606.

Paris, musée du Louvre, département des Sculptures. Inv. MR 3388

Fig. 1. Gérard van Opstal, *Un Amour terrassant un enfant et un Amour embrassant une petite fille,* marbre. Paris, musée du Louvre, département des Sculptures.

À la mort de Van Opstal, les œuvres en sa possession furent inventoriées. On y trouvait un ensemble de bas-reliefs en ivoire (voir cat. 331), en marbre et quelques-uns en bronze. Quarante-quatre pièces de sculptures « *tant bas-reliefs, groupes que figures de marbre, bronze et d'yvoire* » furent acquises de ses héritiers par les Bâtiments du Roi, pour la somme considérable de 18 350 livres, en 1669. Ils attestent de la volonté du sculpteur de multiplier les matériaux et de tirer profit de leurs qualités respectives. L'ensemble fut versé au Cabinet des dessins du Roi, que l'on venait de créer à l'hôtel de Gramont, situé au nord du Louvre, rue du Coq. Charles Le Brun, qui en rédigea l'inventaire dès 1683, puis Charles-Antoine Coypel en furent les gardes, et les reliefs figurent dans les inventaires dressés successivement. Dans l'inventaire de l'hôtel de Grammont, à la mort de Le Brun, le 15 février 1690 (AN, O[1] 1964[3], n° 4, *NAAF,* IV, 1883, p. 94), sont énumérés, outre un grand crucifix de bronze (H. 0,500), cinq reliefs de bronze : un figurant de petits enfants et une chèvre, deux autres reliefs montrant des Amours sur un tonneau, un relief avec « *des enfants qui luttent et deux qui se baisent* », et enfin un relief avec des Amours qui se battent et une chèvre. Ces reliefs de bronze, dont deux identiques, ont abouti au Louvre sous la Révolution. Mais seuls quatre subsistent. Leur iconographie, des jeux d'enfants bacchants, satyres ou Amours, est tout à fait comparable aux thèmes traités par Van Opstal en marbre, et en particulier à cinq reliefs du musée du Louvre. Un relief de marbre (inv. MR 2758 ; fig. 1) est d'ailleurs strictement identique au relief de bronze figurant un Amour terrassant un enfant et un autre embrassant une petite fille. Les bronzes, manifestement fondus au sable, sont très minces. Les reliefs peu développés, sans dépouilles ou contredépouilles, permettaient cette technique au sable, utilisée surtout pour les petits objets de décoration et rarement pour la sculpture. Mais il faut rappeler qu'à cette époque, les fondeurs portent le titre, en général, de fondeur en terre et sable. Nous identifions la technique par l'examen du revers où, par endroits, le relief est plus aigu que sur la face, et où certains détails de cheveux, de poils de la chèvre, sont très précis. Nous pouvons supposer que le creux a été obtenu en pressant le sable avec une autre face (bronze ou marbre ?), ce qui laisse place à l'hypothèse d'une réalisation en série. Le sculpteur a su jouer des effets de matière : si le poil de la chèvre, touffu, donne une impression un peu brouillonne, où le métal est frémissant, les chairs potelées des enfants sont lisses. La patine, de deux couleurs, a permis de mettre en valeur des parties plus colorées et des chairs plus claires. Ainsi, Van Opstal, formé dans l'orbite de Rubens à Anvers, a diffusé la légèreté d'un style joyeux, dans la lignée des Bacchanales que son compatriote à Rome, François Duquesnoy, sculptait avec plus d'autorité. Van Opstal a diffusé une production de petits reliefs anacréontiques pour une clientèle d'amateurs, à l'époque probablement de son second séjour à Paris, depuis le moment où il fut appelé, vers 1642, par Richelieu et le surintendant Sublet de Noyers, jusqu'à sa mort, en 1668.

G. B.-B.

L'art de la médaille sous Louis XIII

Sylvie de Turckheim-Pey

Les superbes effigies des mécènes qui apparaissent sur les médailles italiennes autour de 1450 ne peuvent être retenues que pour des portraits ; et, en France, il faut attendre près d'un siècle pour qu'une place officielle soit réservée au portrait métallique qui s'épanouira dès les premières années du XVIIe siècle avec toute sa puissance psychologique, son élégance et sa gravité.

C'est en effet à la Renaissance que le portrait avait pris de l'indépendance ; désormais il était souvent isolé dans un encadrement épigraphique plus ou moins ornementé, et vers la fin du XVIe siècle les graveurs-médailleurs entraient en concurrence avec les dessinateurs et les miniaturistes. Il n'existe aucune règle dans la composition des portraits gravés mais ils révèlent, au-delà de la pureté du dessin, un sentiment de l'harmonie à la fois puissant et discret. Les portraits exécutés *ad vivum* sont rares ; ce qui explique leur répétition jusqu'à la vulgarisation, et une regrettable uniformité. Certains graveurs ne se contentent pas seulement de rechercher la ressemblance ; ils cherchent aussi l'âme de leur modèle, dont les aspirations sont explicitées par des allusions plus ou moins « réalistes » figurées sur les revers. Deux préoccupations majeures guident alors les graveurs : d'une part, retravailler les costumes de fonction et la mode ; d'autre part, se familiariser avec les antiques et les monuments de Rome.

Pour les historiens de l'art, l'histoire de la médaille française n'a pas connu d'époque plus glorieuse que la première moitié du XVIIe siècle et le nom et l'œuvre de Guillaume Dupré y rayonnent, au-dessus d'une multiplicité de chefs-d'œuvre d'une extrême distinction. Que les graveurs soient primesautiers ou savants, la médaille devient précieuse et franche : « *c'est l'été de la médaille* », si l'on partage la sensibilité esthétique de Jean de Foville (1913, p. 757 et *sqq.*). La médaille bénéficie alors d'un moment de grande liberté créative avant que Louis XIV n'entraîne cet art dans un cortège officiel au service de la politique et du pouvoir royal.

Deux techniques, la fonte et la frappe, serviront cet aspect de la sculpture ; et comme les techniques monétaires se perfectionneront, l'évolution des métiers de l'art du métal profitera au savoir-faire des graveurs de coins pour les monnaies, les piéforts et les jetons autant que pour les médailles. Si l'artiste se préoccupe en premier du type monétaire royal ou du portrait, il n'en délaisse pas pour autant l'épigraphie qui comprend les poinçons des lettres ainsi que toute une épigraphie décorative qui apporte rythme et originalité aux œuvres. Pour les médaillons de grand module (environ 11 centimètres) qui sont des fontes, souvent retouchées, il n'est pas rare que l'épigraphie soit ajoutée avec des poinçons.

Pour illustrer le règne de Louis XIII, qui ne comprend pas une histoire métallique comme l'avait souhaité Rascas de Bagarris pour Henri IV, nous sommes redevables aux successeurs de Germain Pilon et des Danfrie père et fils, qui avaient occupé sous Henri IV les fonctions de contrôleur général des effigies et de tailleur général des monnaies. L'art du métal était directement lié à la confection des monnaies et des jetons ; comme si les médailles n'en étaient qu'une conséquence logique mais superbe ! Disparus entre les années 1590 et 1606, ces artistes de talent dont l'inspiration reflétait l'humanisme de la Renaissance ont ouvert la voie aux initiateurs du classicisme.

Nicolas Briot, Guillaume Dupré et Pierre Régnier, pour n'en citer que trois, conduiront la médaille au sommet de la perfection, faisant appel tout à la fois au dessin et au modelé. La maîtrise de l'expression sera parfois associée à une certaine exubérance de détails d'inspiration flamande que Claude et Jean Warin surtout insuffleront pour tenter d'outrepasser les limites sculpturales imposées par les dimensions du support.

En complément des portraits vifs, précis ou animés, on pourra dorénavant se réjouir de l'iconographie événementielle figurée sur les revers, parfois placée sous la protection du panthéon classique. C'est tout un ensemble stylistique qui se fait l'écho de cet art noble, dit mineur, inauguré en ce XVIIe siècle naissant. Digne de la plus grande considération, son acceptation unanime est toutefois nuancée comme l'attestait un procureur général du Roi en ces termes : « *l'art de graver n'est moins excellent que la peinture, mais plus difficile* » (AN, Z[IB] 644).

Avec un choix de près de trente médailles dues à des graveurs proches de l'atelier de la galerie du palais du Louvre, ou installés en province, nous tenterons de démontrer la place d'honneur qui revient à cet « objet d'art » dans la première moitié du Grand Siècle. C'est sans nul doute grâce à l'intérêt historique dont ces flans métalliques sont porteurs que Richelieu en a autorisé et encouragé la fabrication, dans la mesure où ces témoins privilégiés et indestructibles servaient autant la gloire du Roi que la réussite de son gouvernement.

303

Josias Belle

Joaillier à la cour ; graveur de sceaux, de jetons et médailleur

Claude Picard – Armoiries

Médaille | France, 1656 | Deux médaillons de bronze doré, coulés et rassemblés ; bélière ornementée

D. 8,000 | Portrait assis à droite, à mi-corps | Signé au droit, en bas, à gauche vers l'intérieur du motif : . J . BELLE . F . | Armoiries : écu timbré d'un heaume empanaché : une main dextre issant d'une nuée, tenant cinq épis de blé et accompagnée de trois étoiles | Légende du droit : . CL . PICARD . CONSIL . REG . ET . GEN . EXACTOR . OFFICII . DOM . SER . PRINCIPIS . DE CONTI | Dans le champ : . ÆT . 42 . | Légende du revers : fleur QVAERITE . PRIMVM . REGNVM . DEI . ET . IVSTITIAM . EIVS . ET . HAEC . OMNIA . ADIICIENTVR . VOBIS | Dans le champ : 1656

Hist.: vente Sommeson, 26 janvier 1848.
Bibl.: *TNG. Méd. Fr.,* 1836, I, pl. LXV, n° 2 ; Migeon, 1904, n° 618.

Paris, musée du Louvre, département des Objets d'art. Inv. LP 3468

Josias Belle a fait preuve d'une réelle originalité dans la composition de cette médaille en représentant le receveur général de la maison du prince de Conti dans son environnement de travail. L'ouverture de la scène sur un paysage de campagne offre à l'observateur l'illusion d'une œuvre picturale dans laquelle transparaît une grande spontanéité. Le revers, plus classique, illustre les armoiries du personnage dans la plus pure tradition héraldique pour rappeler l'anoblissement de Claude Picard, en 1656.

B. C. et S. T.-P.

Droit

Revers

Revers

304

Nicolas Briot (Damblain,
1579 – Oxford, 1646)

Tailleur général des monnaies de
France en 1605 ; en Angleterre à partir
de 1625, graveur en chef de la
Monnaie de la Tour de Londres
en 1633

Louis XIII – Reconstruction du pont Saint-Michel

Médaille | France, 1617 | Argent,
frappe

D. 5,200 | Portrait du Roi de profil
à droite, tête laurée | Sous le buste :
rose 1617 | Légende du droit : rose LVDO
rose XIII rose D rose G rose FR rose ET
rose NAVAR rose REX rose CHRIS . |
Le pont Saint-Michel | Légende du revers :
. rose EVERTIT . ET . ÆQVAT . XXI .
SEPTEMBR rose . 1617 .

> **Bibl.:** *TNG. Méd. Fr.,* 1834, II, pl. VI, n° 1 ;
> Mazerolle, 1902, II, n° 565 ; Migeon, 1904, n° 606 ;
> Babelon et Jacquiot, 1951, n° 60 ; Jones, 1988,
> p. 151, n° 120.
> **Œuvres en rapport :** le portrait du souverain ado-
> lescent exécuté par Nicolas Briot a été associé à
> plusieurs revers datés 1615 et 1617.

Paris, Bibliothèque nationale de France,
département des Médailles et Monnaies.
Inv. 414 série royale

Au droit, on remarque la rupture du cercle
épigraphique permettant au mufle léonin de la
cuirasse du Roi de se placer au tout premier plan
comme pour en accentuer l'importance, tout en
créant un effet de perspective. Le savoir-faire du
graveur monétaire explique la régularité du double
grènetis perlé délimitant les légendes, autant que
l'emploi de la ponctuation décorative.

Au revers, Briot insiste sur les tourbillons du fleuve
qui entraînèrent la destruction du pont en
janvier 1616. Autrefois en bois, cet ouvrage d'art
fut reconstruit en pierre, portant de chaque côté
trente-deux maisons. Le 21 septembre 1617,
Louis XIII en posa la première pierre.

B. C. et S. T.-P.

305

Attribué à Nicolas Briot

Louis XIII – Le Dauphin

Médaille | France, 1642 | Or, fonte

D. 4,600 | Buste du Roi de trois quarts
de face vers la droite, tête laurée | Légende
du droit : LVDOVICVS . XIII D G
FRANCORVM ET NAVA REX | Buste
du Dauphin de trois quarts de face vers la
gauche, tête coiffée d'un bonnet à plumes |
Légende du revers : MONSEIGNEVR
LE DAVPHIN FILS DE FRANCE 1642

> **Bibl.:** *Medallic Illustrations,* 1904, pl. XXI ; Jones,
> 1988, p. 165, n° 152.

Paris, Bibliothèque nationale de France,
département des Médailles et Monnaies.
Inv. 473 série royale

L'artiste fait preuve d'originalité en présentant les deux portraits royaux de Louis XIII et du
futur Louis XIV de face avec les bustes de trois
quarts. Louis XIII porte un col bordé de dentelles

qui descend sur la cuirasse ornée de la plaque du
Saint-Esprit. Sur l'autre face, le Dauphin âgé de
quatre ans porte sur des cheveux courts un bonnet
rond surmonté de trois plumes d'autruche qui lui
tombent dans la nuque. Sur son manteau d'hermine, le ruban et la plaque de l'ordre du Saint-
Esprit se détachent avec précision.

Sur les deux faces de cette médaille de moyen
module, datée 1642, les doubles cercles de grènetis, perlés et très incisifs, délimitent les légendes,
dont les lettres ont un fort relief.

Peu de médailleurs ont tenté de présenter de face
des portraits monétaires ou de médailles et de
jetons à l'exception de Guillaume Dupré sous
Henri IV (Mazerolle, 1902, II, n° 643 ; Feuardent,
1915, n° 11879 ; Scher, 1994, p. 343) mais cet
exemplaire pourrait être rapproché des
médaillettes émises en Angleterre sous le règne de
Charles Ier et qui auraient pu inspirer Nicolas Briot
lors de son court séjour à Paris en 1641-1642 (lord
et lady Baltimore ; Jones, 1988, n° 152).

B. C. et S. T.-P.

Droit

Droit *Revers*

306

Jean Darmand dit Lorfelin (vers 1600-1669)

Graveur de la monnaie de Riom ; tailleur général de la monnaie de Paris à partir de 1630

Anne d'Autriche – Couronne radiée dans une gloire

Médaille | France, vers 1642 | Bronze, fonte, patine brune

D. 4,900 | Buste de la Reine, de profil à droite | Signé au droit, sous la troncature de l'épaule : LORFELIN . F | Légende du droit : ANNA . AVSTRIACA . FRANC . ET . NAVAR . REGINA . | Couronne radiée dans une gloire illuminant un parterre de fleurs | Légende du revers : NON . EST . MORTALE . QVOD . OPTO

Hist. : don de Charles Sauvageot, 1856.
Bibl. : Lebeuf, 1757, p. 119 ; Clément de Ris, 1874, nº 159 ; Mazerolle, 1902, II, nº 780 ; Migeon, 1904, nº 616 ; Forrer, 1909, IV, p. 329 ; Pollard, 1967, nº 575 ; Jones, 1988, p. 179.

Paris, musée du Louvre, département des Objets d'art. Inv. OA 791

La Reine porte une robe ornée d'un large col en dentelle qui retombe sur ses épaules, laissant apparaître un manteau fleurdelisé. Son chignon est retenu par un cercle de perles assorti à son collier. La légende, inscrite à l'intérieur du cercle perlé, précise son identité.

Au revers, l'artiste a choisi une composition en deux registres : les nues et la terre séparées par un grand vide. Une couronne radiée est placée au centre de l'ellipse que forment les rayons et les étoiles que rejoignent les nuages. Au sol, quelques fleurs épanouies se dressent vers la lumière.

Le flan mince de cette médaille fait appel à la dextérité du médailleur de talent choisi par la Reine.

Cette médaille se rapporte à la transformation du prieuré-cure de Nanterre en prieuré conventuel par bulles du pape Urbain VIII et lettres patentes de Louis XIII enregistrées au Parlement. Anne d'Autriche voulut être la fondatrice de cette maison et vint en poser la première pierre le dimanche 16 mars 1642. Furent déposées dans cette pierre quelques médailles d'or et d'argent ornées du même portrait, et dont l'inscription du revers précise l'action conjuguée du Pape et du Roi (BnF, Méd., série royale 463-464).

B. C. et S. T.-P.

307

Guillaume Dupré (Sissonne, vers 1576 – Paris, 1640)

Louis XIII – Régence de Marie de Médicis

Médaille ovale | France, 1610 | Argent, fonte

H. 5,700 ; L. 4,250 | Portait du Roi de profil à droite, tête laurée | Signé au droit, sous la troncature de l'épaule : G. DVPRE. F. 1610 | Légende du droit : LVDOVIC . XIII . D . G . REX . CHR . GALL . ET . NAVAR . HENR . MAGNI . FIL . P . F . AVG | Légende du revers : ORIENS . AVGVSTI . TVTRICE . MINERVA | Exergue : ANN . NAT . CHR / CIƆIƆCX (1610)

Bibl. : *TNG. Méd. Fr.*, 1834, II, pl. IV, nº 5 ; Mazerolle, 1902, II, nº 663 ; Migeon, 1904, nº 590 ; Jones, 1988, p. 75, nº 32.

Paris, Bibliothèque nationale de France, département des Médailles et Monnaies. Inv. 373 série royale

Le charmant portrait royal figuré au droit occupe tout l'espace et impose déjà sa prestance. Au revers, Minerve casquée tient le foudre de la main gauche et brandit une branche d'olivier au-dessus du jeune Apollon, qui présente le globe crucifère aux armes de France. On notera l'importance et la place centrale occupée par le globe, aux trois lis, symbole de la Trinité mais aussi de la monarchie, guide de la chrétienté, pour exprimer comme autrefois la toute-puissance des empereurs du Saint-Empire romain germanique (Pelletier, 1995, p. 37).

La nudité du jeune souverain traduit la nécessité d'une protection que seule sa mère peut exprimer à travers l'allégorie.

B. C. et S. T.-P.

Revers

Droit

Revers

308

Guillaume Dupré

Marie de Médicis – La Reine en Cybèle dirigeant le navire de l'État

Médaille I France, 1615 I Bronze doré, fonte, pont et anneau de suspension

D. 6,200 I Buste de la Reine, de profil à droite I Signé au droit, sous la troncature de l'épaule : G DVPRE 1615 I Légende du droit : MARIA AVG . GALLIAE ET NAVARAE REGINA I La reine en Cybèle dirigeant le navire de l'État I Légende du revers : SERVANDO DEA FACTA DEOS

Hist.: collection du peintre Pierre Révoil, acquise par le musée du Louvre en 1828.
Bibl.: Bie, 1634, pl. 104, n° 13, pl. 106, n° 27, p. 319 ; *TNG. Méd. Fr.*, 1834, II, pl. V, n° 4 ; Courajod et Molinier, 1885, n° 330 ; Mazerolle, 1902, II, n° 680 ; Migeon, 1904, n° 596 ; Jones, 1988, p. 91, n° 48.

Paris, musée du Louvre, département des Objets d'art. Inv. MRR 349

Au droit de cette médaille, la facture légèrement concave accentue l'effet de perspective donné par le grand col en dentelle que porte la Reine mère au-dessus d'une robe rebrodée. La coiffure de veuve n'est pas complétée de son voile. La légende régulière et peu lisible s'appuie sur le grènetis perlé qui sert de cadre.

Au revers, la représentation du navire sous voile rappelle la galère au revers de la médaille de la Régente en 1611, mais aussi certaines médailles de Pisanello et de Leone Leoni. Le mât central, surmonté d'un pavillon aux armes de France, retient la grand-voile, dans laquelle soufflent violemment les vents contraires. La Reine, en Cybèle et portant une couronne murale, maintient le gouvernail contre la tempête tandis qu'elle rassure d'un geste six personnages nus aux visages tournés vers elle.

Cette médaille d'une grande richesse symbolique fait référence à l'habileté politique de Marie de Médicis à maîtriser en quelques jours les troubles de rébellion qui menaçaient l'État.

À l'époque de Guillaume Dupré, les médailleurs n'hésitaient pas à emprunter des éléments de compositions dont ils n'étaient pas les créateurs. Cette pratique rend d'autant plus hasardeuses les attributions mais elle confirme la qualité des échanges artistiques sur le plan européen.

B. C. et S. T.-P.

309

Guillaume Dupré

Le Président Pierre Jeannin

Grand médaillon sans revers I France, 1618 I Bronze, fonte, patine brune uniforme I Deux trous dans la toile au-dessus du grènetis

D. 19,100 I Buste de profil à droite I Signé vers l'intérieur, sous la troncature de l'épaule : . G . DVPRE . F . 1618 . I Légende : PETRVS IEANNIN . REG . CHRIST . A . SECR . CONS ET . SAC . AERA . PRAEF

Hist.: don de Charles Sauvageot, 1856.
Bibl.: *TNG. Méd. Fr.*, 1834, II, pl. XVI, n° 2 ; Sauzay, 1863, n° 544 ; Clément de Ris, 1874, n° 111 ; Mazerolle, 1902, II, n° 683 ; Migeon, 1904, n° 597 ; Babelon, 1946, pl. XXX ; Pollard, 1967, p. 106, n° 564 ; Jones, 1986, p. 37, 1988, p. 92-93, n° 50 ; Scher, 1994, p. 333-335, n° 149 ; Smolderen, 1990, p. 232-253 ; Turckheim-Pey, 1990, p. 510-511.
Exp.: Tokyo, 1991, p. 147, n° 76.

Paris, musée du Louvre, département des Objets d'art. Inv. OA 797

Pierre Jeannin (1540-1622) était contrôleur général des Finances quand Guillaume Dupré réalisa son portrait, après son retour d'Italie. Bourguignon d'origine modeste, il fut nommé président du parlement de Dijon en 1581 avant d'être nommé intendant des Finances par Henri IV en 1602. Sa très grande tolérance religieuse lui permit de se voir confier d'importantes missions diplomatiques aux Pays-Bas. Après l'assassinat du Roi, Marie de Médicis lui conserva toute sa confiance.

Ce grand médaillon fondu est certainement la plus belle œuvre de Guillaume Dupré car il s'agit d'une synthèse d'influences italiennes et septentrionales rappelant le génie de Germain Pilon. L'élégance de la typographie renforce l'ampleur et la majesté du buste, dont le costume aux lourds drapés traduit les qualités de modeleur de l'artiste. Deux médaillons légèrement différents de celui-ci ont été réalisés par l'artiste : une première version est conservée à Boston (Museum of Fine Arts, inv. 1984-531), la seconde à la Bibliothèque nationale de France (série iconographique 5063).

B. C. et S. T.-P.

Revers

Revers

Droit

310

Guillaume Dupré

Louis XIII – Anne d'Autriche

Médaille | France, 1623 | Bronze doré, fonte, bélière ornementée

D. 6,000 | Buste du Roi adolescent, de profil à droite | Signé au droit, sous la troncature de l'épaule : G. DVPRE 1623 | Légende du droit : LVDOVIC . XIII D . G . FRANCOR . ET NAVARÆ REX | Buste de la Reine, de profil à droite | Signé au revers, en bas, sous la troncature de l'épaule : G. DVPRE. F. 1620 | Légende du revers : ANNA AVGVS GALLIÆ ET NAVARÆ REGINA

> **Bibl. :** *TNG. Méd. Fr.,* 1834, II, pl. VI, nº 4 ; Mazerolle, 1902, II, nº 685, Pollard, 1967, nº 565 ; Jones, 1988, p. 95, nº 52.
> **Œuvres en rapport :** les portraits de cette médaille eurent un succès considérable, soit associés, soit unifaces.

Paris, Bibliothèque nationale de France, département des Médailles et Monnaies. Inv. 417 série royale

L'application avec laquelle Guillaume Dupré exprime les détails des costumes accentue la richesse et la somptuosité des étoffes. Grâce à une habile et élégante composition des portraits, l'artiste a réussi à occuper tout le champ du flan, ne laissant à l'épigraphie qu'une place secondaire confirmant l'identification des souverains.

Le chiffre 2 de la date mentionnée au revers est inversé, ce qui indique que Dupré a directement gravé cette date sur le moule et non sur le modèle. La mollesse de la facture tend à confirmer cette hypothèse.

B. C. et S. T.-P.

311

Guillaume Dupré

Louis XIII – Anne d'Autriche

Médaille | France, 1623 | Bronze, fonte, patine brun foncé manquant d'uniformité | Traces d'oxyde de cuivre

D. 6,080 | Buste du Roi adolescent, de profil à droite | Daté au droit, sous la troncature de l'épaule : 1623 | Légende du droit : LVDOVIC . XIII . D . G . FRANCOR . ET NAVARAE REX | Buste de la Reine, de profil à droite | Signé au revers, sous la troncature de l'épaule : G . DVPRE . F . 1620 | Légende du revers : ANNA AVGVS GALLIAE ET NAVARAE REGINA

> **Hist. :** legs du baron Charles Davillier, 1883.
> **Bibl. :** *TNG. Méd. Fr.,* 1834, II, pl. VI, nº 4 (revers) ; Courajod et Molinier, 1885, nº 230 ; Mazerolle, 1902, II, nº 685 ; Migeon, 1904, nº 598 ; Pollard, 1967, nº 565 ; Jones, 1988, p. 99, nºs 52 et 58 (droit).

Paris, musée du Louvre, département des Objets d'art. Inv. OA 2917

Le portrait du Roi est identique à celui du cat. 310. Le couple royal est représenté dans toute la force de sa jeunesse. L'artiste a essentiellement insisté sur la richesse des costumes. Quelque peu envahissante, elle fait oublier la personnalité intime des souverains, mais l'objectif n'est pas là. C'est avant tout la fonction qui prévaut.

B. C. et S. T.-P.

Revers

Revers

312

Guillaume Dupré

Louis XIII – La Justice

Médaille | France, 1623 | Bronze doré, fonte percée

D. 6,750 | Buste du Roi adolescent, de profil à droite | Signé au droit, sous la troncature de l'épaule : G DVPRE | Légende du droit : LVDOVIC . XIII D . G . FRANCOR . ET NAVARÆ REX | Allégorie de la Justice assise, de profil à droite | Exergue : 1623 | Légende du revers : VT . GENTES . TOLLAT . QVE . PREMAT . QVE

> **Bibl. :** *TNG. Méd. Fr.*, 1834, II, pl. VI, n° 3 ; Mazerolle, 1902, II, n° 689 ; Jones, 1988, p. 98, n° 58.

Paris, Bibliothèque nationale de France, département des Médailles et Monnaies. Inv. 429 série royale

Le portrait du Roi est semblable à celui de la médaille précédente (cat. 311) mais de plus grande dimension (+ 0,2 centimètre). Il s'agit peut-être de l'exemplaire « premier », dont le moule a servi à l'exécution de la médaille de module inférieur.

Au revers, on note la maîtrise parfaite de la perspective du siège, sur lequel est assise la figure de la Justice. La souplesse de son drapé rompt avec la rigueur des montants du fauteuil. L'épée imposante qu'elle tient trace une diagonale qui se poursuit jusque dans le prolongement de ses jambes. La balance parfaitement horizontale se détache nettement du champ comme pour traduire la volonté d'équité du souverain. La scène est placée sous la protection du symbole de la Justice, en bonne place parmi les étoiles. En effet, Louis XIII, dit le Juste, est né sous le signe de la Balance.

B. C. et S. T.-P.

313

Guillaume Dupré, attribué à

Louis XIII casqué à l'antique – Marie de Médicis en Minerve

Médaille ovale | France, vers 1623 | Bronze, fonte ; deux plaques réunies par un cercle en laiton, percé au sommet

H. 5,900 ; L. 4,700 | Buste cuirassé et drapé de Louis XIII de profil à droite ; la tête porte un casque lauré orné d'un cimier et d'un panache cuirassé | Anépigraphe | Buste cuirassé de la Reine de profil à droite ; la tête porte un casque orné surmonté d'un panache

> **Hist. :** acquise en 1892.
> **Œuvres en rapport :** Molinier, 1886, I, p. 22, n° 43 (pour le revers, qui représente Marie de Médicis en Minerve) ; La Tour, 1892, p. 491.

Paris, Bibliothèque nationale de France, département des Médailles et Monnaies. Inv.1892-1451

L'artiste fait référence ici à l'antique en plaçant le pouvoir royal sous la protection de Mars et de Minerve. Ces représentations quelque peu théâtrales mais néanmoins classiques traduisent l'influence italienne qui a marqué Guillaume Dupré lors de son séjour en Italie, en 1612-1613 (Turckheim-Pey, 1990, p. 510).

Ces deux médaillons ovales et légèrement bombés étaient peut-être destinés à orner le couvercle d'une boîte à moins que ces deux portraits ne fassent partie d'une sorte de Galerie royale car il existe un médaillon ovale de même facture à l'effigie d'Henri IV, conservé dans les collections de la Bibliothèque nationale de France.

B. C. et S. T.-P.

314

Claude Frémy
(avant 1611 – après 1639)

Méry de Vic

Grand médaillon uniface | France, 1621 | Bronze, fonte, patine rouge | Taches brunes sur le costume et dans le champ

D. 16,400 | Buste de profil à droite | Sous la troncature de l'épaule : M . VC . XXI suivi de .C . FREMY . F | Légende : MERICVS . DE . VIC . REG . CHRIST . A . SECR . CONS . VICEC . ERM . B . DE . FIENNES . ET . COET

> **Bibl. :** Bie, 1636, p. 4 ; *TNG. Méd. Fr.*, 1836, I, pl. LVII, n° 3 ; La Tour, 1892, p. 497 ; Mazerolle, 1902, II, n° 753 ; Tricou, 1958, p. 25 ; Jones, 1988, p. 120-121, n° 81.

Paris, Bibliothèque nationale de France, département des Médailles et Monnaies. Sans numéro d'inventaire

Méry de Vic fut nommé président du parlement de Toulouse en 1597 ; puis, en 1600, c'est en qualité d'ambassadeur qu'il partit pour la Suisse avant de devenir garde des Sceaux en 1621. Il mourut le 2 septembre 1622.

Il faut noter ici une grande disproportion entre la tête et le buste, qui sont bordés d'un léger creux comme si l'artiste souhaitait indiquer une ombre portée autour du personnage. Le traitement des détails est précis et raffiné comme le léger sourire qui anime l'expression attentive de ce visage au front plissé.

À l'intérieur d'un fort grènetis perlé, l'artiste a choisi une typographie mesurée pour le déroulement de la longue légende. Il se joue des difficultés des grandes fontes au relief discret, révélatrices de ses talents de sculpteur. Le médailleur Claude Frémy fut signalé par Jacques de Bie en 1636 comme un « *excellent ouvrier et ébaucheur de cire* ».

Seules trois médailles de cet artiste sont connues.

B. C. et S. T.-P.

315

Pierre Régnier (vers 1577 – vers 1640)

Tailleur général des monnaies de 1626 à 1628 ; conducteur et graveur de la monnaie du Moulin et tailleur particulier de la monnaie de Paris

Louis XIII – Le Louvre

Médaille | France, 1624 | Bronze doré, fonte

D. 3,700 | Portrait du Roi de profil à droite, tête laurée | Légende du droit : . LVD . XIII . D . G . FRANCORVM . ET . NAVARÆ . REX | Vue de la façade du Louvre | Exergue : . 1624 . | Légende du revers : . POSCEBANT HANC . FATA . MANVM .

> **Bibl. :** Bie, 1636, pl. 122, n° 75 et p. 367 ; *TNG. Méd. Fr.*, 1834, I, pl. XXXVII, n° 6 ; Mazerolle, 1902, II, n° 489 ; Migeon, 1904, n° 609 ; Forrer,

1912, V, p. 64 ; Babelon et Jacquiot, 1951, n° 62 ;
Jones, 1988, p. 136, n° 95 ; Turckheim-Pey, 2000,
p. 128-131.

Paris, Bibliothèque nationale de France,
département des Médailles et Monnaies.
Inv. 435 série royale

Le Roi prit la décision d'agrandir le palais du
Louvre en doublant l'aile ouest de la Cour carrée
et en construisant un pavillon central similaire au
pavillon du Roi, vu de derrière ici et surmonté
d'un dôme.

Cette médaille commémore la pose de la première
pierre de fondation et l'artiste a délibérément
représenté la façade très imposante de l'édifice
pour mettre en avant la politique architecturale
du souverain.

B. C. et S. T.-P.

Revers

316

Jacob Richier (Saint-Mihiel,
vers 1585 – vers 1640)

Marie de Vignon, marquise de Treffort

Médaillon sans revers | France, 1613 |
Bronze, fonte percée, uniface

D. 10,500 | Buste de profil à droite | Signé
sous la troncature de l'épaule :
I R . F . 1613 | Légende : MARIE DE
VIGNON MARQVISE DE TREFFORT

Bibl.: *TNG. Méd. Fr.,* 1836, I, pl. LV, n° 3 ; Rondot,
1885, p. 267 ; Mazerolle, 1902, II, n° 759 ;
Charvet, 1907, p. 280-282 ; Jones, 1988, p. 127,
n° 87 ; Scher, 1994, p. 336.

Paris, Bibliothèque nationale de France,
département des Médailles et Monnaies.
Inv. 5004 série iconographique

Petit-fils du sculpteur Ligier Richier, installé
à Grenoble en 1611, Jacob Richier travailla sous la
protection du duc de Lesdiguières au château de
Vizille. Il réalisa un relief équestre en bronze du
duc et reçut la commande du tombeau de sa
première épouse.

C'est sa seule médaille signée. Marie de Vignon,
qui avait épousé en premières noces le marchand
drapier Aymon Mathel, devint la seconde épouse
du duc de Lesdiguières en 1617. Le portrait tient
ici une place discrète malgré le déploiement en
éventail du col de la robe richement ornée de la
marquise, dont la stature semble plutôt frêle.
L'originalité de la coiffure, surmontée d'une
branche fleurie, a probablement une signification

symbolique pour la jeune femme, qui, en 1613,
était déjà la maîtresse du duc.

On remarquera l'extrême minceur du flan métallique, qui pourtant offre un relief suffisant pour
exprimer la courte perspective que l'artiste a voulu
donner. Pour pallier l'isolement du portrait dû en
partie à la minceur du modèle, Richier a posé un
encadrement typographique lourd et maladroit,
retenu par un bourrelet extérieur linéaire. Ces
volumes contrastés procurent à cette jolie fonte
une originalité qui la place parmi les œuvres
attachantes de ce début du XVIIe siècle.

B. C. et S. T.-P.

317

Pierre Robinet

Marin Le Pigny

Médaillon sans revers | France, 1621 | Bronze, fonte percée, patine brun foncé manquant d'uniformité dans le champ

D. 10,700 | Buste de profil à gauche | Signé sous le buste : . P . ROBINET . MEDICVS . /. FACIEBAT . | Légende : MARINVS. LE. PIGNY. REG. CONS. ELEEM. ECCL. ORD. CANON. ARCHID. ET. MEDIC. ROTH. DECANVS. 1621. (abrégée par le médailleur, la légende se développe ainsi : Marinus Le Pigny, regius consiliarius eleemosynarius ecclesiasticus ordinarius, canonicus, archidiaconus et medicorum rothomagensium decanus) | Dans le champ, sous le buste : AET 67 | Inscription en creux au dos : *Prince et fondateur du* [...] *aux pat*[...] *de Rouen en 161*[...]

> **Hist. :** collection Eugène Piot, vente à Paris, hôtel Drouot, salles 8 et 9, 21-24 mai 1890, n⁰ 801.
> **Bibl. :** Mazerolle, 1902, II, n⁰ 769 ; Migeon, 1904, n⁰ 608.

Paris, musée du Louvre, département des Objets d'art. Inv. OA 3243

Marin Le Pigny appartenait à une famille de médecins rouennais implantés depuis le XVIᵉ siècle. En tant que doyen, il rédigea les statuts organisant le collège des médecins de Rouen. La longue légende qui entoure ici son portrait permet de situer en 1621 ce personnage alors âgé de soixante-sept ans.

Pierre Robinet a fait preuve d'une très grande sobriété dans la représentation, presque monacale, du médecin. À ce titre, il s'inscrit dans la lignée des médailleurs italiens, et en particulier dans le goût d'Andrea della Robbia. Il fit même abstraction du traditionnel grènetis qui entoure le champ des médailles et des médaillons de cette époque pour n'insister que sur les volumes. Robinet, qui est aussi médecin, peut rejoindre la tradition des médecins numismates décrite dans l'excellente monographie de Léopold Renaudin (1851).

B. C. et S. T.-P.

318

Claude Warin (1612-1654)

Graveur en Angleterre entre 1630 et 1636 ; maître graveur de la Monnaie de Lyon en 1650

Jean Salian

Médaillon sans revers | France, vers 1640 | Bronze, fonte, patine brun rouge

D. 10,200 | Buste de profil à droite | Non signé | Légende : IOA NNES . SALIANVS * * * AVGVSTINIANVS . D . TH .

> **Hist. :** acquis en 1826.
> **Bibl. :** Rondot, 1888, p. 65, n⁰ 52 ; Forrer, VI, 1916, p. 357, n⁰ 52 ; Jones, 1988, p. 279, n⁰ 314 (variante).

Paris, Bibliothèque nationale de France, département des Médailles et Monnaies. Inv. 5012 série iconographique

Jean Salian, jésuite avignonnais, embrassa la règle de saint Ignace à l'âge de vingt-sept ans et enseigna la théologie dans différents collèges, y compris dans celui de Besançon, dont il fut nommé recteur. Il continua sa carrière à Paris, où il mourut en 1640.

Claude Warin aurait été en contact avec la congrégation des augustins, ce qui explique la réalisation de ce médaillon présentant le père Salian en habit des augustins.

Les reliefs saillants et les plis angulaires s'ajoutent aux traits accusés du visage pour donner de cet ecclésiastique l'image de clairvoyance et de vertu qui lui valait l'admiration de ses confrères. Le champ volontairement granuleux s'oppose au modelé lisse du vêtement et du visage, révélant une certaine modernité dans les qualités de portraitiste de cet artiste lyonnais.

B. C. et S. T.-P.

Revers

319

Claude Warin

Louise Perachon

Médaillon sans revers | France, vers 1640 | Bronze, fonte, patine brune. Anneau de suspension

D. 9,840 | Buste de profil à droite | Signé sous la troncature de l'épaule : C WARIN | Anépigraphe

> **Hist. :** don de Charles Sauvageot, 1856.
> **Bibl. :** *TNG. Méd. Fr.,* 1834, II, pl. XXXII, n⁰ 4 ; Sauzay, 1863, n⁰ 545 ; Clément de Ris, 1874, n⁰ 113 ; Rondot, 1888, p. 270, n⁰ 6 ; Tricou, 1958, n⁰ 93 ; Jones, 1988, n⁰ 313.

Paris, musée du Louvre, département des Objets d'art. Inv. OA 798

En 1636, Louise Perachon épousa Jacques Ferriol, dont les parents, Marc-Antoine et Marguerite Mazenod, entretenaient des liens d'amitié avec l'artiste. Il ne s'agit pas d'une commande officielle car Claude Warin n'a pas légendé sa médaille. Préférant garder l'anonymat de la jeune femme, il insiste davantage sur sa beauté, dont la fraîcheur est accentuée par la simplicité de la robe et de la coiffure. À la différence du médaillon représentant Jean Salian (cat. 318), l'artiste ne joue pas sur les effets de texture du matériau. Le modelé du buste et la douceur du bronze suffisent à traduire l'intérêt du médailleur pour son modèle.

B. C. et S. T.-P.

320

Jean Warin (Liège, 1606 – 1672), attribué à

Tabarin

Médaille ovale uniface | France, milieu du XVIIᵉ siècle | Bronze, fonte

H. 5,600 | L. 4,600 | Buste de face | Signé au droit, dans le champ à gauche : W | Légende du droit : TABARIN

> **Bibl. :** Foville, 1913, p. 771.

Paris, Bibliothèque nationale de France, département des Médailles et Monnaies. Inv. 2114 série iconographique

Cette médaille uniface, à patine caramel, surprend par l'originalité de son sujet et de sa fabrication. Seul le W permet d'en supposer l'attribution à Jean Warin. Le médailleur a choisi de présenter de face le comédien grimaçant qui était aussi un célèbre bouffon dans les premières années du règne de Louis XIII. Acteur avant tout, Tabarin n'a jamais écrit mais au moment où sa vogue était arrivée à son comble, il trouva des secrétaires qui recueillirent ses bons mots.

B. C. et S. T.-P.

321

Jean Warin

Garde et conducteur des engins de la monnaie du Moulin de Paris en 1629.

Le marquis d'Effiat – Hercule et Atlas

Médaille | France, 1622 | Argent, fonte

D. 6,600 | Buste orné de profil à droite | Légende du droit : A . RVZE . M . DEFFIAT . ET . D . LONIVMEAV . SVRᵀ DES . FINANCES . | Hercule et Atlas portant le globe terrestre | Exergue, date incuse : 1629 | Légende du revers : QVIDQVID . EST . IVSSVM . LEVE . EST .

> **Bibl. :** *TNG. Méd. Fr.,* 1834, II, pl. XIV, n⁰ 2 ; Mazerolle, 1902, II, n⁰ 702 ; Scher, 1994, p. 339 ; Jones, 1988, n⁰ 180.
> **Œuvre en rapport :** la médaille en argent conservée à Londres, au British Museum, porte au droit la signature incuse « WARIN » à la troncature du bras (Jones, 1988, p. 188, n⁰ 180).

Paris, Bibliothèque nationale de France, département des Médailles et Monnaies. Inv. 2111 série iconographique

Antoine Coiffier-Ruzé, marquis d'Effiat (1581-1632), figure parmi les dignitaires les plus talentueux placés aux affaires de l'État. La majesté et la somptuosité de son habit en témoignent, et Jean Warin n'a pas hésité à lui conférer une dimension herculéenne.

Figurés au revers, le mufle de lion et la masse d'Hercule sont posés à terre tandis qu'Atlas, représentant le Roi, fait basculer le globe – allusion au fardeau de la charge civile et militaire nécessitant une connaissance non limitée des affaires – sur les épaules d'Hercule, qui n'est autre que le protecteur du marquis d'Effiat. L'importance donnée au globe terrestre divisé en fuseaux rappelle l'intérêt suscité en ce premier quart du XVIIᵉ siècle pour la géographie sidérale et ses multiples représentations (Pelletier, 1995, p. 39).

Le fort relief avec lequel Jean Warin a présenté cet épisode héroïque est proche de la sculpture et fait de cette médaille un véritable chef-d'œuvre.

B. C. et S. T.-P.

Revers

322

Jean Warin

Louis XIII – Le Char de la France victorieuse

Médaille | France, 1630 | Argent, fonte

D. 7,100 | Buste du Roi de profil à gauche, cuirassé et drapé, tête laurée | Légende du droit : LVDOVICVS . XIII . D . G . FRANCORVM . ET . NAVARRÆ . REX | Signé au revers, à l'exergue : WARIN /. 1630 . | Légende du revers : TANDEM VICTA SEQVOR

Bibl. : *TNG. Méd. Fr.,* 1834, II, pl. XXI, n° 3 ; Mazerolle, 1932, I, n° 2 ; Pény, 1947, n° 1 ; Jones, 1988, p. 192, n° 185.
Œuvres en rapport : plusieurs médailles à l'effigie du cardinal de Richelieu présentent le même revers : Mazerolle, 1932, I, n°s 5-6 ; Jones, 1988, n°s 182 et 183 ; Scher, 1994, p. 341 ; BnF, série iconographique 4017 et 4018.

Paris, Bibliothèque nationale de France, département des Médailles et Monnaies. Inv. 2808 série royale

Le char de la France victorieuse figuré au revers de cette célèbre médaille est tiré par un quadrige que conduit une victoire ailée qui fait retentir la trompette de la Renommée. La scène se déroule dans les nuées, au-dessus de la terre, comme le suggère la ligne courbe sous laquelle est gravée la signature de l'artiste. La position centrale et la prédominance accordée à la Renommée accentuent et soulignent la courbe de la voûte céleste.

Comme pour magnifier les succès et les victoires, ont été réunies trois allégories victorieuses autour de la personnification de la France, qui tient une épée et une palme, accessoires complémentaires du vocabulaire iconographique de la réussite politique. L'allégorie la plus énigmatique suit le char de la France, les cheveux en désordre ; un pied enchaîné en signe de soumission, elle tient un voile gonflé par le vent, ce qui explique la légende du revers : « *Enfin soumise, je suis docilement* ». Il s'agit ici de satisfaire autant le souverain que son ministre, auprès desquels Warin a tout intérêt à se faire apprécier. Ce revers se rencontre aussi pour la médaille au portrait de Richelieu.

B. C. et S. T.-P.

Revers

323

Jean Warin

Richelieu – Un génie dirige la révolution des planètes

Médaille | France, 1631 | Argent, frappe

D. 5,400 | Buste du cardinal de profil à droite | Signé au droit, sous le buste : . I . WARIN . | Légende du droit : . ARMANVS IOAN . CARD . DE RICHELIEV . | Un génie dirige la révolution des planètes autour du globe terrestre | Exergue : rose 1631 rose | Légende du revers : . MENS SIDERA VOLVIT .

Bibl. : *TNG. Méd. Fr.,* 1834, II, pl. XXVIII, n° 1 ; Forrer, 1916, VI, p. 369 ; Mazerolle, 1932, I, n° 13 ; Jones, 1988, n° 187 ; Desnier, 1994(2), p. 683-697 ; Pelletier, 1995, p. 39.
Exp. : Paris, 1985, n° 252, 1995, p. 42-45.

Paris, Bibliothèque nationale de France, département des Médailles et Monnaies. Inv. 2132 série iconographique

Cet exemplaire indique l'intérêt de Jean Warin pour la technique de la frappe. Ce procédé mécanique nécessitant l'usage de deux matrices gravées en creux, utilisées simultanément pour imprimer un relief plus ou moins saillant à la surface d'un disque de métal, offre l'avantage de faire apparaître les détails du motif avec beaucoup plus de netteté que la fonte. Jean Warin aurait adapté cette technique, réservée d'abord à la fabrication des monnaies, à celle de la médaille artistique pour flatter le Roi et son ministre qui le soupçonnait du « *crime de fausse monnaie* » (Piganiol de La Force, 1765, II, p. 19-20). L'artiste exprime ici l'opacité du ciel par le recours au grisé, contrastant ainsi avec la brillance des étoiles.

L'une des devises du cardinal de Richelieu délimite le cercle planétaire, à l'intérieur duquel flotte le globe terrestre partagé par l'équateur. C'est bien le temps où le globe symbolise le poids du gouvernement, c'est-à-dire la partie contrôlable des événements, en opposition à l'immensité céleste que l'homme ne peut diriger (cat. exp. Paris, 1995, p. 42-45).

B. C. et S. T.-P.

324

Jean Warin

Richelieu

Matrice du sceau de l'Académie française | France, 1635 | Laiton, fonte

D. 8,030 | Buste du cardinal de Richelieu de profil à gauche | Légende, en creux : ARM . CARD . DE . RICHELIEU . PROTEC . DE LACAD . FRANCOISE . 1635

Bibl. : Masson, s. d., p. 25.

Paris, archives de l'Académie française

D'après ses statuts, « *l'Académie aura un sceau duquel seront scellés en cire bleue tous les actes qui s'expédieront par son ordre, dans lequel la figure de monseigneur le cardinal, duc de Richelieu, sera gravée avec ces mots à l'entour :* Armand, cardinal, duc de richelieu, protecteur de l'académie françoise établie l'an 1635 » (Statuts, 1635). L'Académie devait garantir l'authenticité des actes qu'elle produisait et prévenir les contrefaçons. Or, cette procédure ne pouvait se faire que par le scellement des parchemins. Malheureusement, en l'état actuel des recherches, rien ne permet de prouver l'utilisation de ce sceau sur un document officiel.

Dans le portrait de Richelieu se trouvent réunies toutes les qualités de modeler de Jean Warin, qui a fait preuve d'une grande originalité en substituant au grènetis traditionnel une couronne de lauriers, plus symbolique. La réalisation de la matrice valut à l'artiste, alors sous la protection du cardinal, la charge de garde général des monnaies de France, et par la suite celle de conducteur des monnaies.

B. C.

325

Jean Warin

Louis XIII – Gaston d'Orléans

Médaille | France, 1638 | Argent, fonte

D. 7,000 | Buste du Roi de profil à gauche, tête laurée | Légende du droit : LVDOVICVS . XIII . D . G . FRANCORVM . ET . NAVARRÆ . REX | Buste herculéen de profil à gauche | Daté sous la troncature de l'épaule : 1638 | Légende du revers : I . B . GASTON . DVC . DORLEANS .

Bibl. : *TNG. Méd. Fr.,* 1834, II, pl. XXII, n° 1 ; Mazerolle, 1932, I, n° 3 (pour le droit).
Œuvres en rapport : au droit, le portrait du Roi est identique à celui de la médaille du cat. 322.

Paris, Bibliothèque nationale de France, département des Médailles et Monnaies. Inv. 2809 série royale

Cette lourde médaille (218,03 grammes) nous offre la réunion de deux aspects de l'œuvre de Warin médailleur. Faisant référence au trait et au volume, on perçoit la hardiesse du dessin épais avec le portrait du Roi, tandis que le modelé sculptural s'impose dans l'attitude massive du duc

Revers

326

Jean Warin

Louis XIV – Anne d'Autriche

Médaille | France, 1643 | Or, frappe

D. 5,700 | Buste du Roi enfant de profil à droite, tête laurée | Signé au droit, sous la troncature de l'épaule : . WARIN . 1643 . | Légende du droit : . LVDOVICVS . XIIII . D . G . FR . ET . NAV . REX . | Buste d'Anne d'Autriche de profil à droite | Signé au revers, en bas, sous la troncature de l'épaule : WARIN | Légende du revers : ANNA . D . G . FR . ET . NAV . REG

Hist.: d'après l'inventaire de 1684, cette médaille figure dans les collections du Cabinet du Roi.
Bibl.: *TNG. Méd. Fr.*, 1834, II, pl. XXII, n° 4 ; *Musée monétaire*, n° 389 ; *Inventaire de la Monnaie*, n° 129 ; Mazerolle, 1932, I, n° 14 ; Jones, 1988, p. 201, n° 200.
Exp.: Paris, 1970, n° 118.

Paris, Bibliothèque nationale de France., département des Médailles et Monnaies Inv. 491 séric royale

Au droit comme au revers, on est frappé par l'importance donnée aux lettres des légendes inscrites à l'intérieur des grènetis perlés circulaires. Une ressemblance évidente unit la Reine et son fils, tous deux porteurs d'une sérénité que l'artiste suggère en donnant peu de relief à ces deux portraits.

Louis XIV fut éduqué à l'art monétaire par Jean Warin lui-même. La présence de l'atelier de frappe des médailles dans les galeries du palais du Louvre allait favoriser le goût du jeune souverain pour cet art particulier auquel il eut recours comme à un outil de propagande pour diffuser son effigie et commémorer les événements politiques et militaires de son règne.

B. C. et S. T.-P.

d'Orléans. Sur les deux faces, le grènetis incisif et épais délimite les larges lettres et s'ajoute à elles pour donner à cet objet un relief tel qu'il pourrait trouver sa place comme décor en haut relief pour une pièce d'orfèvrerie.

B. C. et S. T.-P.

Revers

Revers

Revers

327

Attribué à Jean Warin

Louis XIV et Anne d'Autriche – Le Val-de-Grâce

Médaille | France, 1645 | Argent, fonte

D. 9,600 | Anne d'Autriche portant Louis XIV enfant dans ses bras, les portraits sont affrontés. | Légende du droit : ANNA . D . G . FR . ET . NAV . REG . RE . R . MATER . LVD . XIV . D: G . FR . ET . NAV . REG . CHR | Façade de l'église du Val-de-Grâce | Exergue : . QVINTO . CAL . SEPT . /.1638. | Légende du revers : . OB . GRATIAM . DIV . DESIDERATI . REGII . ET . SECVNDI . PARTVS .

Bibl. : *TNG. Méd. Fr.*, 1834, II, pl. XXII, nº 2 ; Migeon, 1904, nº 612 ; Dumolin, 1930, p. 106-107 ; Mazerolle, 1932, I, nº 60 ; Jones, 1988, nº 208 ; Scher, 1994 p. 342.
Exp. : Paris, 1970, nº 130.

Paris, Bibliothèque nationale de France, département des Médailles et Monnaies. Inv. 2812a série royale

Médaille commémorative de la pose de la première pierre de l'église du Val-de-Grâce, le 1er avril 1645, par Anne d'Autriche accompagnée de son fils Louis XIV, alors âgé de sept ans. Un exemplaire semblable en or fut déposé par le jeune Roi. Le vœu de la Reine étant exaucé par la naissance royale tant désirée, Mansart choisit l'emplacement d'un ancien couvent de feuillantines pour y élever l'église. Lemercier, qui succéda à Mansart en 1646, transforma les plans initiaux et mena les travaux à leur terme en 1662.

Les deux portraits sont de grande dimension comme pour être visibles de loin lors d'une présentation. La mère et le fils, qui se ressemblent,

sont unis et réunis tant par les regards que par la position des mains, ainsi que par les plis des vêtements qui coulent avec douceur de l'un vers l'autre.

Au revers, l'artiste a présenté le projet parfait de l'élévation classique et académique.

B. C. et S. T.-P.

328

Anonyme

Saint Louis – Façade de l'église des jésuites

Médaille | France, 1627 | Argent, fonte

D. 5,700 | Buste du roi Louis IX de profil à droite, tête couronnée et nimbée | Légende du droit : PRO . SCEPTRIS . ARAS . DAT . TELLVS . ET . DEVS . ASTRA | Façade de l'église des jésuites | Légende du revers : LVDOVICVS . XIII . D . G . FRANCOR . ET . NA . REX . FVNDAVIT AN . MDCXXVII

Bibl. : *TNG. Méd. Fr.*, 1836, I, fig. XXXVI, nº 3 ; Mazerolle, 1902, II, nº 819 ; Jones, 1988, p. 296, nº 342.

Paris, Bibliothèque nationale de France, département des Médailles et Monnaies. Inv. 444 série royale

Cette médaille présente la façade de l'église Saint-Louis de la maison professe des jésuites dont la première pierre fut posée par Louis XIII le 7 mars 1627 et qui ne fut achevée que vers 1641. Une médaille semblable représentant le bâtiment avant sa construction fut sans doute déposée dans les fondations de l'édifice situé à Paris, rue Saint-Antoine (actuelle église Saint-Paul-Saint-Louis).

Placée sous la divine protection du Roi très saint, l'élévation architecturale du bâtiment est exprimée avec un fort relief qui, se dégageant du champ lisse, contraste avec le rythme modéré de l'épigraphie.

B. C. et S. T.-P.

Revers

329

Anonyme

Fondation de l'église de la Visitation

Médaille | France, 1632 | Bronze, fonte

D. 5,300 | L'église de la Visitation | Exergue : . 1632 . | Légende du droit : FVNDAMENTA EIVS IN MONTIBVS SANCTIS | Deux saintes | Légende du revers : ET VNDE HOC MIHI VT VENIAT MATER DNI. AD ME

Paris, Bibliothèque nationale de France, département des Médailles et Monnaies. Inv. 1979-302

À l'intérieur du cercle épigraphique, l'artiste demeuré anonyme a représenté l'église du couvent des filles de la Visitation, rue Saint-Antoine, élevée sur un plan centré. Un dôme à clocheton surplombe le bâtiment.

À l'intérieur de la légende latine qui complète celle du droit, sainte Élisabeth fait le geste de la Visitation en direction de la Vierge. Le traitement des drapés souligne avec discrétion et retenue l'attitude modeste des deux saintes.

La vue préfigure l'édifice conçu par François Mansart et financé par Noël Brulart de Sillery, dont la première pierre fut posée en cette année 1632.

B. C. et S. T.-P.

330

Guillaume Dupré (Sissonne, vers 1576 – Paris, 1640)

Nicolas Brulart de Sillery (1544-1624)

Médaillon uniface | France, 1613 | Bronze (alliage quaternaire : zinc, 1,10 % ; plomb, 4,27 % ; étain, 1,29 %).

D. 33,000 ; Ép. 4,200 | Signé sous la tranche de l'épaule : G.DVPRE.F.1613 | Inscription à l'exergue : NICOL . BRVLARTVS . A. SILLERY . FRANC . ET . NAVARÆ . CANCEL

> **Hist. :** entré au Louvre à une date indéterminée antérieure à 1855.
> **Bibl. :** Guiffrey, 1876, p. 177 ; Vitry et Brière, 1911, II, pl. CLXXXVII, fig. 1 ; Mazerolle, I, 1902, p. CXXX, II, p. 135. ; *Sculptures françaises*, 1998, II, p. 359.
> **Exp. :** Pau et Paris, 1989, n° 305b.

Paris, musée du Louvre, département des Sculptures. Inv. N 15242

Guillaume Dupré, gendre de Barthélémy Prieur et protestant comme lui, est surtout connu par son intense activité de médailleur, exercée à la cour d'Henri IV, puis en Toscane (1611-1613), et enfin de nouveau à Paris (voir cat. 307). Mais il était aussi sculpteur en marbre et auteur de grands médaillons, qui, s'ils doivent beaucoup à l'art de la médaille, manifestent un goût pour des volumes affirmés en grand format. Dupré représente ici Nicolas Brulart de Sillery, grand commis d'Henri III, puis d'Henri IV et de Louis XIII. Il avait commencé sa carrière comme conseiller au parlement de Paris (1573), ambassadeur en Suisse (1589, 1593). Il avait été suffisamment proche d'Henri IV pour négocier son union à Florence avec Marie de Médicis, après avoir introduit à Rome la cause d'annulation du précédent mariage, avec Marguerite de Valois. Le portrait le dépeint au moment où son étoile commence à pâlir. Chancelier de France depuis 1607, il est depuis 1612 écarté du Conseil du Roi sous l'influence de Concini. Il allait être définitivement disgracié lors de l'arrivée de Richelieu au pouvoir, en 1624.

C'est probablement à la fin de 1613 que Dupré réalise le médaillon, ainsi qu'une médaille strictement comparable, mais avec un revers figurant le char d'Apollon au-dessus du globe terrestre et des constellations. Il revient alors d'un séjour de trois ans à Florence. C'est l'apogée de son art. La force expressive du portrait se détache dans un relief accentué. La qualité de la mise en pages s'allie au souci d'expression et de réalisme. Le ciselage méticuleux, qui rend l'aspect des étoffes, des fourrures et décrit finement la chevelure, n'exclut pas la grande autorité qui se dégage de la figure en buste. On peut associer à cette pièce trois autres grands médaillons unifaces, ceux de Pierre Jeannin, surintendant des Finances, en 1618 (voir cat. 309), de Nicolas de Verdun, président au Parlement en 1622, qui se présente de trois quarts (Compiègne, musée Vivenel), et celui de Jean Héroard, médecin de Louis XIII, qui est de face (Vienne, Kunsthistorisches Museum).

G. B.-B.

Gérard Van Opstal et la sculpture en ivoire

Philippe Malgouyres

La sculpture en ivoire au XVIIe siècle en France reste très mal connue. Pourtant, les inventaires et quelques chefs-d'œuvre isolés témoignent de sa présence avant l'essor des ateliers dieppois. Qui est Jacques Lagneau, qui a signé en 1638 le *Martyre de saint Barthélémy* du musée d'Albi[1] (fig. 1)? Qui est ce « *Monsù Giorgio* », auteur d'un *Jugement de Pâris* et d'un *Crucifix* qui se trouvaient dans la collection Marchesini à Bologne en 1685? Nous ne connaissons plus grand-chose de l'abondante production de Jean-Baptiste Guillermin[2], fondateur et ancien de l'Académie, auteur en 1659 du superbe Christ des Pénitents de la Miséricorde (fig. 2), aujourd'hui au musée Calvet d'Avignon[3]. Quant au morceau de réception de Pierre-Simon Jaillot, un *Crucifix en ivoire*, présenté à l'Académie le 28 mai 1661 et envoyé à l'hôpital Saint-Germain-des-Prés à son exclusion, le 27 octobre 1673[4], on n'en trouve pas de traces, pas plus que de la belle réplique signée et datée 1664 qui se trouvait dans l'église d'Ailles[5]. Sa célébrité est néanmoins attestée par le grand nombre de copies existantes.

Les statuettes et reliefs en ivoire, comme les petits bronzes et la sculpture en bois dur, font partie du décor intérieur, « *pour mettre sur tables et cabinets* ». Mazarin en possédait quelques-uns, à côté de réductions d'antique et de bronzes florentins[6]. Inventoriés avec les peintures se trouvaient quatre reliefs en ivoire à sujets bachiques, décrits dans l'inventaire de 1661[7]: « *Un petit tableau dont le fondz est de velours noir, au dessus duquel velours est un Petit enfant et une chèvre d'ivoire, de relief, portant comme à cheval le dict enfant, hault de quatre pouces et demy, large de trois poulces, avecq sa bordure d'ébène noire, prisé la somme de trente livres [...] Un autre petit tableau sur velours noir, où est de relief d'ivoire un Cupidon tenant son arc en main, hault de trois pouces et demy, large de trois poulces, avecq sa bordure d'esbène noire [...] Un autre petit tableau sur velours noir, sur lequel sont de relief d'ivoire Deux Petits Enfans d'ivoire qui se tiennent par les cheveux, étant assis, hault de quatre pouces et demy, large de quatre poulces, avecq sa bordure d'ébène noire [...] Un autre petit tableau à fondz de velours noir, sur lequel sont de relief d'ivoire Deux Petits Enfans, un desquelz met sa main à la bouche de l'autre, hault de quatre poulces et demy, large* »

1. Albi, musée Toulouse-Lautrec, signé *Jacobus Agnesius Catuensis / 1638* ; Voir cat. exp. Paris, 1958, n° 275.
2. Lui-même fils de Jacques, « *sculpteur ordinaire du Roi en bois et en ivoire* » (voir Lamy, 1898 [1970], p. 255) ; Chennevières cite deux vases signés dans les collections impériales à Vienne (1875, p. 18). Il rapporte également l'admiration d'Antonio Canova devant le crucifix avignonnais.
3. Voir Deloye, 1881, p. 24-25, n° 60.
4. Sur cet épisode, voir Fontaine, 1914, p. 115-143.
5. Chermizi-Ailles (Aisne), voir Cherrier, 1904.
6. Voir Cosnac, 1885, p. 376, n°s 1514-1516.
7. Idem, *ibid.*, n°s 1329-1332 ; voir Michel, 1999, p. 366.

Fig. 1. Jacques Lagneau, *Martyre de saint Barthélémy*, ivoire. Albi, musée Toulouse-Lautrec.

Fig. 2. Jean-Baptiste Guillermin, *Crucifix des Pénitents de la Miséricorde*, ivoire, bois noirci. Avignon, musée Calvet.

8. L'artiste et son œuvre ont été étudiés par Geneviève Bué-Akar, *Contribution à la connaissance de Gérard Van Opstal, sculpteur du Roi (1605-1668)*, mémoire de l'école du Louvre, 1975.

9. Voir Bué-Akar, 1976, p. 139.

10. Le 4 juin 1667 sur le *Laocoon* puis le 4 février 1668 sur un petit torse d'une *Vénus antique*.

11. Chantelou, 2001, p. 259-260.

12. Kunsthistorisches Museum, inv. 67.62.

13. « *On voit dans la sacristie de la même église* [l'Assomption] *un crucifix d'ivoire qui est de la main de M. Van Opstal* », *Mémoires inédits*, 1854, I, p. 175.

14. *Ibid.*, p. 177 ; le comte de Caylus précise qu'il ne les a pas retrouvés.

15. Repr. dans Theuerkauff, 1984, nº 56, p. 108.

16. *Mémoires inédits*, op. cit., p. 147 : « *M. Van Opstal s'attacha particulièrement à faire des bas-reliefs et à travailler l'ivoire* » ; Caylus précise : « *Ce sont ses ouvrages d'ivoire qui ont commencé sa réputation ; il y excelloit lorsqu'il représentoit des enfants. Comme tous les flamands, il savait donner à la matière qu'il employoit le goût de la chair et cela sans trop bien dessiner…* »

17. Par P.-S. Jaillot pour les ivoires et Lerambert et Le Hongre pour le reste des sculptures. AN, O¹ 1976A, fᵒˢ 709-710 ; voir Bué-Akar, op. cit., p. 142-143.

18. Compte des Bâtiments du Roi, cité par Chennevières, 1875, p. 60.

19. *Mémoire des figures de ronde bosses, bas reliefs, yvoires et tableaux apartenans au Roy, trouvez dans le cabinet de Sa Majesté à l'ancien hôtel de Gramont* […] *en présence de René-Antoine Houasse…*, NAAF, 1883, p. 94-95.

20. « *Un autre groupe d'Enfans, d'yvoire demie bosse, du même auteur, aussi apliquez sur un fonds de velours noir, de 6 pouces et demi de hauteur, avec sa bordure d'ebeine./ Un autre groupe d'Enfans, d'yvoire demie bosse, du même auteur, aussi côlé sur un fonds de velours, de pareille hauteur que le précédent, avec sa bordure d'ebeine./ Un groupe d'yvoire représentant un homme et deux femmes qui s'embrassent, accompagnez de trois petits Amours, de 10 pouces de hauteur./ Un autre morceau d'yvoire représentant des Satires qui portent un Silène accompagné de trois Baccantes et deux petits Amours, de 10 pouces de hauteur./Un autre morceau d'yvoire représentant deux figures qui embrassent des femmes accompagnez de deux Amours, de 9 pouces de hauteur./ Un morceau d'yvoire représentant plusieurs Enfans qui se tiennent par les mains, de 7 pouces et demi de hauteur./ Trois autres morceaux d'yvoire représentant chacun quatre Enfans qui se tiennent par les mains, tous trois de cinq pouces et demi de hauteur./ Un morceau d'yvoire représentant plusieurs Enfans dont il y en a un monté sur une chèvre et l'autre sur un aigle, de 6 pouces et demi de hauteur./ Un morceau d'yvoire représentant de petits Enfans qui se jouent avec des Dauphins.* »

21. « *On y voit* [au Cabinet du Roi, dans l'ancien hôtel de Gramont] *aussi quatre bas-reliefs d'ivoir appliqués chacun sur un fond de velours noir, représentant différents sujets, et neuf groupes de figures d'ivoire ; quelques uns de ces groupes sont isolés et les autres en bas-reliefs, tout ce là sur divers sujets*, *Mémoires inédits*, 1854, I, p. 182.

22. Courajod, 1876, p. 10.

23. 8-12 décembre 1797, dans Cantarel-Besson, 1992, p. 188, 192.

24. Vente Jean-Baptiste Lebrun, Paris, 29 septembre 1806, C. P. Balbastre, 4, rue du Gros-Chenet, nº 194 · « *Un groupe de 4 Enfans enlacés et dansant autour d'un groupe de dauphins, morceau de 5 pouces et demi de hauteur, sur 3 pouces et demi de diamètre. Plusieurs de ces sortes de groupes ont été moulés, et quoiqu'ils fassent l'admiration des artistes, ils sont moins parfaits d'exécution que celui-ci* […] *Il seroit impossible de trouver rien de plus beau pour porter un buste, une coupe, un vase, ou pour faire la base d'une colonne. Cette collection d'ivoires, restés dans les dépôts de l'Académie, fut portée à la maison de Nesle, et donnée en paiement. Je les achetai tous et me réservai celui-ci comme le plus précieux.* »

de quatre poulces, avecq sa bordure d'ébène noire ». Les sujets, les dimensions et le type de présentation appellent le nom de Van Opstal.

C'est sur l'œuvre de ce dernier que nous avons choisi de nous arrêter. Gérard Van Opstal[8], né à Bruxelles vers 1604, serait présent à Paris vers 1642[9], à la date où Nicolas Poussin s'y trouve déjà, alors que l'on attend l'arrivée de François Duquesnoy. Selon Guillet de Saint-Georges, le cardinal de Richelieu le fit venir à Paris car Van Opstal était déjà réputé pour le travail de l'ivoire ; il s'était formé à cette technique à Anvers dans l'atelier de Jan Van Mildert, dont il épousa la fille le 31 mai 1637. Il fit partie des douze anciens, fondateurs de l'Académie, et participa à la vie de l'institution en prononçant des conférences[10]. Apparemment, il n'est guère apprécié de Le Brun, et se plaint d'être tenu à l'écart des commandes royales auxquelles il avait pourtant participé, au Louvre et aux Tuileries, à la grotte de Thétis à Versailles ainsi qu'au décor de la porte Saint-Antoine. C'est ce qu'explique l'abbé Butti au Bernin après que celui-ci a visité l'atelier du sculpteur, le 14 octobre 1667. Le Cavalier y avait vu « *divers ouvrages d'ivoire de femmes et d'enfants, qu'il a témoigné trouver beaux, disant qu'il ne savait personne dans Paris capable de faire de telles choses*[11] ». Nul doute que cette production précieuse et réjouissante s'adressait à un large public d'amateurs. De son œuvre religieux, on connaît peu de chose, et la superbe Assomption de Vienne[12] fait d'autant plus regretter cette lacune. Le crucifix d'ivoire qu'il offrit au couvent de l'*Assomption*, rue Saint-Honoré[13], où l'une de ses filles était religieuse, a disparu dès le XVIIIᵉ siècle, comme la statue en marbre de l'Enfant Jésus écrasant un serpent avec sa croix[14]. Parmi les reliefs conservés, la plus grande part figure des bacchanales ou des jeux d'enfants (le relief avec une femme, des enfants et des anges est tout à fait exceptionnel[15]). C'est là qu'est sa véritable spécialité, le travail de l'ivoire et les jeux d'enfants, c'est ce que retiennent Guillet de Saint-Georges et Caylus[16].

L'une des vicissitudes de sa carrière fut à l'origine d'un procès célèbre, dont l'issue fut favorable au sculpteur. Les faits sont rapportés par Guillet de Saint-Georges : « *Il fit à Bisseaux, qui est dans la Brie, pour M. Duchemin, intendant de son Altesse Royale Mademoiselle d'Orléans, huit bas-reliefs sur le sujet des travaux d'Hercule, et à la façade de la maison, quatre figures en demi-bosse, représentant la Prudence, la Justice, la Force et la Tempérance. Mais après la mort de M. Duchemin, il y eut un procès contre les héritiers pour la rétribution que M. Van Opstal prétendoit pour ce travail. La cause fut plaidée dans la grande chambre, et ce fut en cette occasion que M. de Basville, fils de M. le premier président de Lamoignon, et aujourd'hui conseiller d'État et intendant de la province du Languedoc, prononça, avec une éloquence et des applaudissements singuliers, ce fameux playdoyer sur l'excellence et les avantages de la peinture et de la sculpture, qui fut alors imprimé et qui se conserve curieusement dans les bibliothèques et les cabinets des gens de lettres.* » Cette plaidoirie, qui reconnaissait la spécificité de la création artistique, et l'émancipait des règles auxquels les artisans étaient astreints, eut un impact considérable, qui se fit sentir jusqu'au XVIIIᵉ siècle (voir cat. 334).

Les œuvres en ivoire qui apparaissent dans son inventaire après décès[17] ne sont pas identifiables à coup sûr, à l'exception de la chope (cat. 332). Une partie d'entre elles fut acquise par Louis XIV, et la Couronne versa à ses héritiers, en 1669, « *pour payement de quarante-quatre pièces de sculpture, tant bas-reliefs, groupes, que figures de marbre bronze et d'yvoire* […] *18350 liv.*[18] ». Les objets apparaissent dans l'inventaire des collections royales dressé à la mort de Charles Le Brun[19]. Le 15 février 1690, Houasse catalogue « *Quatre reliefs d'yvoir du même auteur, appliquez sur un fonds de velours noir entourez de petites bordures dorées, représentant divers sujets, de hauteur chacun de 6 pouces sur 1 pied de large* », et un ensemble de groupes en *demi-bosse* : deux sont aussi sur fond de velours noir, les autres étant simplement désignés comme « *morceau* »[20]. Ces objets ont été vus par Guillet de Saint-Georges[21], qui ne mentionne que neuf groupes d'ivoire, en plus des quatre bas-reliefs (l'inventaire de Houasse en comprend onze). Pourtant, l'ensemble dut être conservé tel quel jusqu'à la Révolution, et l'inventaire de 1792[22] cite encore nos quatre reliefs et treize groupes en « *demi-bosse* ». Lorsque l'administration demanda des comptes sur ces treize objets, à Jean-Claude Naigeon, conservateur du dépôt de l'hôtel de Nesle, il répondit qu'ils avaient été donnés en échange à De Noor Levaillant[23]. Au début du XIXᵉ siècle, ils auraient été tous acquis par le marchand Jean-Baptiste Lebrun : l'un de ces reliefs, figurant quatre enfants enlacés dansant autour d'un groupe de dauphins, fut vendu en 1806[24], et la notice indique que « *ces rares et précieux morceaux portaient dans leur origine, des girandoles en or massif, qui furent défaites et vendues* […] *sous Louis XV.* »

On ne connaît pas d'objet du XVIIᵉ siècle avec ce type de reliefs en ivoire montés, mais des montages postérieurs peuvent les évoquer. Les deux reliefs de la Wallace Collection[25] ont servi à décorer deux bases de bronze. La *Ronde de putti avec deux chèvres*[26], par son format très allongé, laisse supposer aussi un emploi sur un meuble ou un socle. La dimension et la structure en frise de nombre d'entre eux rappellent

Fig. 3. Gérard Van Opstal, *Bacchant, satyresse et putto.*
Écouen, musée national de la Renaissance.

le décor de cabinets (voir cat. 333a et b) ; deux de ceux-ci décoraient « une chaise ». Dans son catalogue des ivoires du Louvre, en 1896, Émile Molinier indique chaque fois : « *Bas-relief sans fond destiné à la décoration d'un meuble.* » Quoi qu'il en soit de leur usage postérieur, ils apparaissent dans les inventaires du XVIIe siècle comme des tableautins indépendants.

Ces reliefs, en entrant au musée du Louvre, perdirent curieusement leur identité, alors que certains portent le nom du sculpteur : ils furent inventoriés sous le nom du spécialiste des putti, François Duquesnoy[27]. Ceux qui furent vendus par Lebrun étaient attribués à Jacques Sarazin. Aucune de ces figures en demi bosse provenant des collections royales n'est identifiable avec certitude[28] : nous pouvons imaginer qu'elles se présentaient un peu comme le *Satyre et ménade* du musée de Rochester ou le *Bacchant, satyresse et putto* (fig. 3)[29], à moins que cette appellation ne désigne en fait des reliefs se déroulant sur un objet tridimensionnel, une panse de vidrecome par exemple[30].

L'activité de Van Opstal sculpteur sur ivoire est indissociable du reste de son œuvre, et l'on retrouve les mêmes thématiques dans d'autres matériaux, en stuc ou en pierre dans le décor architectural, en marbre ou en bronze (voir cat. 302). Il appartient à cette génération de sculpteurs, d'origine flamande, qui pratiquaient aussi bien la sculpture en grand, que la petite plastique en ivoire, en bronze ou en marbre. Michel Anguier, selon Guillet de Saint-Georges, avait lui aussi sculpté un *Christ* en ivoire[31]. Dans ce moment clé d'élaboration d'une doctrine de l'art français, cette ouverture était naturelle : Guillermin puis Jaillot furent aussi admis dans les rangs des académiciens. C'est une situation qui ne se prolongea pas, les sculpteurs sur ivoire formèrent une catégorie à part, appartenant plutôt à l'Académie de Saint-Luc, quand ce n'était pas à la « *communauté des maîtres peigneurs, tabletiers et tailleurs d'images d'yvoire* », se trouvant par là relégués dans les rangs des artisans et autres professions mécaniques.

25. Ils furent acquis à la vente de la collection Pourtalès en 1865, voir Mann, 1931, n°s 266-267.
26. Londres, Victoria and Albert Museum, inv. A 33-1930 ; H. 0,140 ; L. 0,685 ; le reproche que lui faisait Caylus de ne « *pas trop bien dessiner* » est ici particulièrement fondé.
27. Ils sont rendus à Van Opstal dans le catalogue de Sauzay, 1863, avec la curieuse indication « *fin du* XVIe *siècle* ».
28. Nous proposons toutefois d'y reconnaître la chope de la collection Thiers (cat. 332).
29. Écouen, provenant de la collection Du Sommerard (n° 1158) ; la qualité de ces deux groupes est décevante.
30. Ces « *demi-bosses* » sont désignées comme « *bas-reliefs sur dent d'éléphant* » dans l'inventaire de 1792, ce qui peut indiquer une forme cylindrique. Une chope passée en vente à Paris, palais Galliera, 30 novembre 1965, n° 199, provenant de la collection Adda (« *Würzburg,* XVIIe »), nous semble à rapprocher de notre artiste.
31. Cité par Chennevières, 1875, p. 11.

Gérard Van Opstal (Bruxelles, vers 1604 – Paris, 1668)

331 (a, b, c, d, e, f, g et h)

a- *Un putto donnant à boire à Silène et trois putti*

Ivoire

H. 0,140 ; L. 0,308 ; Pr. 0,035

> **Hist. :** collections royales ? (le relief ne paraît pas dans les inventaires avant 1806).
> **Bibl. :** Sauzay, 1863, A 106 ; Chennevières, 1875, p. 60 ; Molinier, 1896(1), n° 197 ; Tardy, 1966, p. 106.

Paris, musée du Louvre, département des Objets d'art. Inv. MR 360

b- *Enfants bacchants et satyreau*

Ivoire

H. 0,129 ; L. 0,272 ; Pr. 0,015 | Inscription en bas, à gauche : *G* (tronqué) *van ops*[…]

> **Hist. :** atelier du sculpteur ; acquis par Louis XIV en 1669 ; saisie révolutionnaire (inventaire de 1792 : n° 2).
> **Bibl. :** *Notice,* 1815, n° 533 ; Sauzay, 1863, A 102 ; Chennevières, 1875, p. 60 ; Courajod, 1876, p. 9 ; Molinier, 1896(1), n° 200 ; Van Bever, 1946, p. 20-21, repr. ; Tardy, 1966, p. 105.
> **Exp. :** Paris, 1954, n° 88 ; Bruxelles, 1977, n° 215.

Paris, musée du Louvre, département des Objets d'art. Inv. MR 361

c- *Amours défendant une femme contre deux centaures*

Ivoire

H. 0,146 ; L. 0,310 ; Pr. 0,023

> **Hist. :** atelier du sculpteur ; acquis par Louis XIV en 1669 ; saisie révolutionnaire (inventaire de 1792 : n° 3).
> **Bibl. :** *Notice,* 1815, n° 534 ; Sauzay, 1863, A 105 ; Chennevières, 1875, p. 60 ; Courajod, 1876, p. 9-10 ; Molinier, 1896(1), n° 199 ; Tardy, 1966, p. 106.
> **Œuvre en rapport :** relief en terre cuite, inscrit *VAN-OPSTAL. F,* plus grand (voir Theuerkauff, 1984, p. 109).

Paris, musée du Louvre, département des Objets d'art. Inv. MR 362

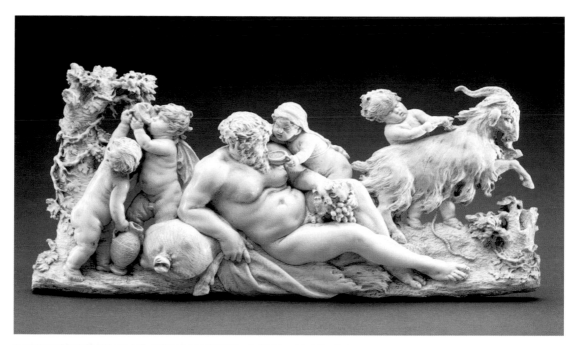

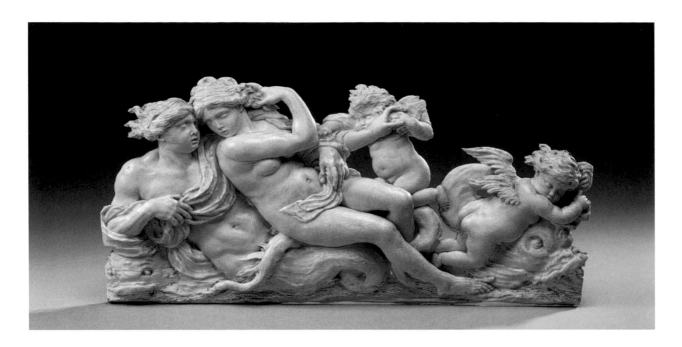

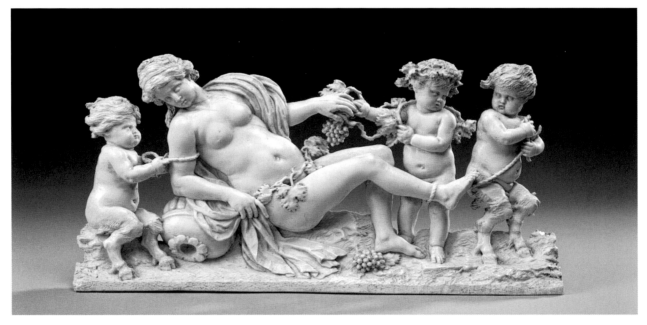

d- *Triton, naïade et deux Amours*

Ivoire

H. 0,130 ; L. 0,285 ; Pr. 0,025

Hist.: atelier du sculpteur ; acquis par Louis XIV en 1669 ; saisie révolutionnaire (inventaire de 1792 : n° 4).
Bibl.: *Notice*, 1815, n° 534 ; Sauzay, 1863, A 104 ; Chennevières, 1875, p. 60 ; Courajod, 1876, p. 10 ; Molinier, 1896(1), n° 198 (repr. p. 331) ; Tardy, 1966, p. 106.
Œuvres en rapport: gravure de Théodore Van Kessel d'après une composition de Rubens ; une gravure de la même série lui servit de modèle pour un relief en marbre (musée du Louvre, département des Sculptures, MR 2769).

Paris, musée du Louvre, département des Objets d'art. Inv. MR 363

e- *Bacchante enchaînée par deux satyreaux*

Ivoire

H. 0,131 ; L. 0,288 ; Pr. 0,020 | Inscription en bas, à gauche : *G* (tronqué) *R van OPSTal*

Hist.: atelier du sculpteur ; acquis par Louis XIV en 1669 ; saisie révolutionnaire (inventaire de 1792 : n° 1).
Bibl.: *Notice,* 1815, n° 532 ; Sauzay, 1863, A 103 ; Chennevières, 1875, p. 60 ; Courajod, 1876, p. 9 ; Molinier, 1896(1), n° 201, 1896(2), I, pl. XXIV ; Scherer, 1905, p. 36 et *sqq. ;* Van Bever, 1946, p. 19-23, pl. XI ; Tardy, 1966, p. 105 ; Bué-Akar, 1976 (l'identifie au n° 30 dans l'inventaire de 1690).
Exp.: Paris, 1954, n° 89 ; Anvers, 1956, n° 457a ; Düsseldorf, 1971, n° 352 ; Bruxelles, 1977, n° 214.

Paris, musée du Louvre, département des Objets d'art. Inv. MR 365

f- *Ivresse de Silène, avec cinq putti et deux satyreaux*

Ivoire

H. 0,138 ; L. 0,318 ; Pr. 0,020

Hist.: peut-être l'*Ivresse de Silène,* relief en ivoire, Paris, vente Barre, 25 novembre 1863, n° 135, à moins qu'il ne s'agisse du relief suivant (cat. 331h) ; legs baronne Salomon de Rothschild, 1922 (« *Pays-Bas du Sud, XVIIe siècle, sur un fond de velours noir moderne* »).

Paris, musée du Louvre, département des Objets d'art, dépôt du musée de Cluny. Inv. Cl. 20814

g- *Ivresse de Silène, avec deux putti et trois satyreaux*

Ivoire

L. 0,284 ; L. 0,145 ; Pr. 0,018

Hist.: « *chez M. Evans, marchand de curiosité du quai Voltaire* » (avant 1875) ; Paris, palais d'Orsay, vente 15 juin 1979, n° 4 (anonyme ; le bras du putto à gauche a disparu après cette date).
Bibl.: Chennevières, 1875, p. 61.

Paris, collection Mme Cordier

h- *Quatre Amours luttant, et une chèvre*

Ivoire

H. 0,120 ; L. 0,240

Hist. : vente, Londres, Marilyn Swain,
22 mars 1995, n° 475 (anonyme, XIXᵉ siècle).
Œuvre en rapport : Van Opstal a traité le même
thème en marbre (musée du Louvre, département
des Sculptures, MR 2761).

Londres, collection R. E. I.

Les bacchanales sont, de loin, la thématique de prédilection de Van Opstal lorsqu'il travaille l'ivoire. Il élargit le thème à la représentation fantasque de tritons, centaures, satyres et faunes, déclinés selon leur âge et leur sexe (voir la *Famille de satyres avec une ronde de putti*, Amsterdam, Rijksmuseum). À côté de l'âne, la monture de Silène, la chèvre occupe une place de choix, animal lubrique et turbulent, païen par excellence, l'antithèse du placide mouton chrétien. En dépit de quelques enlèvements, il ne montre guère la fureur bachique effrénée, mais préfère les joies paisibles de l'ivresse et du Sommeil ; Silène en fournit souvent le sujet, comme dans les gravures de Nicolas Chaperon ; on le transporte, ou bien il s'enivre, vautré sur une outre, comme la statue antique alors dans la collection Ludovisi.

Mais Van Opstal réserve la meilleure part de son inspiration aux jeux de putti et d'Amours, dont les activités rappellent ces transpositions enfantines sur des sarcophages antiques de thèmes « adultes » (thiases d'enfants, chasse ou mort de Méléagre).

Il n'est pas toujours aisé (et pertinent ?) d'analyser les détails de l'iconographie, et le sculpteur semble s'amuser à ces combinaisons infinies et ludiques. Le rapprochement des deux *Ivresse de Silène* (cat. 331f et 331g) montre ce jeu, certes pas celui d'un créateur de thème, mais d'un improvisateur de variations. Certains de ces reliefs semblent appartenir à la même « série », mais ont-ils vraiment un rapport autre que formel ? Y a-t-il une intention morale ou symbolique derrière les disputes des Amours autour d'une chèvre, ou celles du satyreau et des putti ? Faut-il lire les scènes d'enlèvement comme parties d'un même ensemble, la bacchante ligotée par un enfant et deux petits satyres, ou les Amours sauvant une femme de deux centaures ? Nous désignons ce répertoire sous le terme vague et commode de bacchanale, bien que nombre d'entre elles n'ait pas de rapport avec Bacchus ou Silène. Celles qui montrent tritons et néréides rappellent les sarcophages antiques à thiase marin, tels ceux de la basilique S. Crisogono à Rome, ou de la cathédrale de Sienne. Le trait commun à toutes ces scènes est la fascination pour cette nature primitive, peuplée de créatures fantastiques qui ne vivent qu'au gré de leurs passions et dont le caractère hybride marque l'animalité.

Dans les années trente du XVIIᵉ siècle, d'Anvers à Rome se manifeste un engouement général pour les sujets bachiques. On attribue un rôle central à la présence à Rome des bacchanales de Titien, alors dans la collection Ludovisi (et cela est sûrement vrai pour la représentation des jeux de putti ; selon Bellori, Duquesnoy s'était appliqué à les étudier).

Mais ce goût est si constant et si répandu qu'il a d'autres racines, plus profondes, peut-être la quête d'un monde de liberté et de plaisir, déraisonnable et sensuel.

Les objets antiques fournissaient un répertoire abondant sur ce thème, à travers des objets très divers, lampes à huile, intailles et sarcophages montrant le triomphe de Bacchus. Ces compositions en frises compactes et animées, connues par la gravure, ou à travers les réinterprétations maniéristes de Giulio Romano gravées par Antonio Fantuzzi, conditionnèrent les développements de la bacchanale peinte et sculptée. Les « peintres-graveurs » assurèrent la diffusion de cette thématique, Pierre Brébiette, Pietro Testa ou les élèves de Simon Vouet, Michel Dorigny, François Chauveau et Nicolas Chaperon. Sujet de délectation privée par excellence, il se prêtait particulièrement à la sculpture sur ivoire, précieuse et intime. François Duquesnoy, dont la culture est à la fois romaine et flamande, s'était fait une spécialité de ces jeux d'enfants : le cardinal Carlo Camillo Massimo possédait « *tre Quadretti baccanale de putti bassorilievo d'avorio con cornice d'Ebano di Fran.co Fiamengo* » inventoriés en 1677 dans son palais romain alle Quattro Fontane.

L'apport flamand à la culture romaine du temps n'est pas négligeable, alors que les bacchanales peintes, ou sculptées en ivoire sur les panses des chopes, connaissaient un vif succès dans les pays du Nord. La vigueur et l'enjouement du thème semblent trouver un écho naturel chez Rubens, Van Dyck ou Georg Petel, conjuguant ainsi goût de l'antique et naturalisme nordique.

L'art de Van Opstal montre la même richesse, qui caractérise bien le lieu de carrefour et d'élaboration qu'est Paris au milieu du siècle : la fascination pour le milieu romain lié à un goût renouvelé pour l'antique s'y mêle à une forte présence flamande, en particulier dans le domaine de la sculpture. Van Opstal sait montrer son intérêt pour Rubens (cat. 331d), mais marque aussi sa dette envers Simon Vouet, dont il reprend, après Sarazin, les putti ébouriffés.

D'une manière originale, Van Opstal abandonne le bas-relief avec un fond ou en cuvette pour une sculpture découpée et ajourée, se détachant sur un fond noir, solution qui confère à ses figures plus de dynamisme et de liberté spatiale. La matière dense et sensuelle de l'ivoire lui permet de différencier tactilement les matières, les carnations luisantes, les chevelures légères, les rochers plus mats, le pelage rugueux des animaux, grâce à un emploi très divers et vivant des outils (ce souci du rendu des textures apparaît aussi sur les reliefs en bronze, voir cat. 302). Ce travail sensible et la maîtrise des différents plans dans la profondeur permettent de souligner de grandes disparités qualitatives : le superbe *Putto donnant à boire à Silène et trois putti* (cat. 331a), l'un des plus beaux ivoires de Van Opstal, souple, avec ses raccourcis habiles et ses figures presque en ronde bosse, témoigne d'une assurance et d'une élégance que l'on ne retrouve pas dans l'*Ivresse de Silène, avec cinq putti et deux satyreaux*, beaucoup plus cru, et à la spatialité incertaine (cat. 331f). Les deux reliefs avec des jeux de putti (cat. 331b et h), pour la première fois côte à côte, montrent l'art de Van Opstal à son meilleur niveau, qui, par son raffinement et sa vivacité, appartient sans restriction à « l'atticisme parisien ».

Ph. M.

Gérard Van Opstal

332

Le Triomphe de Silène

Chope | Ivoire, bronze doré

H. 0,325 ; L. 0,308 ; D. 0,200

Hist.: inventaire après décès de l'atelier de l'artiste, n° 9, p. 9 (*« item un autre morceau d'yvoire aussi en forme de vaze et un nombre de figures autour d'iceluy 10 pouces et demy de hauteur* [soit 0,298 mètre] *numéro neuf prisé à la somme de trois cent livres »*); collections royales? ; collection comte de Pourtalès-Gorgier ; sa vente, 6 février-21 mars 1865, n° 1481 *(« attribué à François Flamand »)*, adjugé 13 100 francs à Mannheim, qui agissait pour Thiers ; legs Mme Adolphe Thiers, 1881.
Bibl.: Blanc, 1854, n° 153, p. 59-60, pl. 21 *(« Van Opstal »)*; Bué-Akar, 1976, p. 143, note 48, fig. 2, p. 142 ; Foucart-Walter, 2000, p. 51, note 90.
Œuvres en rapport: copie du cylindre en ivoire, monté en aiguière, Bordeaux, musée des Arts décoratifs (*« Allemagne, xviie siècle »*, inv. 70.1.1.A); copie, fin du xixe siècle, Londres, Sotheby's, 20-21 mars 1986, n° 130 (sans couvercle ; les parties métalliques de notre monture sont copiées en ivoire).

Paris, musée du Louvre, département des Objets d'art. Inv. TH 153

Inventorié chez l'artiste après sa mort, cet objet devait être considéré comme assez important par le sculpteur pour qu'il se fasse peindre avec lui par Lucas Franchoys (inv. MV 8930 ; fig. 1). Peut-être faut-il le reconnaître dans le « morceau d'ivoire » inventorié dans les collections royales après la mort de Charles Le Brun : « *Un autre morceau d'yvoire représentant des Satires qui portent un Silène accompagné de trois Baccantes et deux petits Amours, de 10 pouces de hauteur* », dont le sujet et les dimensions correspondent. L'inventaire de 1792 (voir Courajod, 1876, p. 10) le qualifie de « *bas-relief sur dent d'éléphant* » ; il faisait partie de ces groupes en demi bosse qui furent aliénés (voir p. 449).

Dans le portrait de Van Opstal, l'objet apparaît sans couvercle, anse, ni monture, comme dans les inventaires. Il est difficile d'être catégorique pour le couvercle, mais la monture et l'anse, à tête de félin, semblent appartenir au xixe siècle. Après avoir porté le nom, attendu, de François Duquesnoy dans la collection Pourtalès, il fut correctement rendu à Van Opstal par Charles Blanc, avant de retomber étrangement dans l'anonymat.

Un grand vidrecome de Georg Petel, vers 1630, conservé à Ausbourg, Städtische Kunstsammlungen, déploie un sujet proche : Silène ivre est soutenu par Hercule, mais le squelette de la Mort grimace derrière eux. Vanité des plaisirs chez le rubénien Petel, morale tout à fait absente des œuvres de notre Flamand. Le choix de la forme du verre à boire, support de prédilection des sculpteurs flamands et germaniques pour y dérouler une scène bachique, souligne les racines nordiques de son inspiration, un parti en cela très différent des reliefs classicisants traités comme des tableaux de cabinet.

Ph. M.

Fig. 1. Lucas Franchoys, *Gérard Van Opstal*, huile sur toile. Versailles, musée national du château.

Gérard Van Opstal

333 (a, b et c)

a- *Putto tétant une chèvre qui se nourrit de fruits*

Ivoire

H. 0,085 ; L. 0,230 ; Pr. 0,070

> **Hist.:** probablement collection Du Sommerard (inventorié en 1886, comme provenant du « *dossier d'un siège moderne* », mais déjà cité par Chennevières en 1875).
> **Bibl.:** Chennevières, 1875, p. 61 ; Tardy, 1966, p. 105.

Écouen, musée national de la Renaissance. Inv. Cl. 11 346

b- *Bacchanale de putti, dont un ivre porté par deux autres*

Ivoire

H. 0,078 ; L. 0,237 ; Pr. 0,070

> **Hist.:** probablement collection Du Sommerard (inventorié en 1886, « *fond ancien, encadrement moderne par H. Fourdinois* », comme provenant du « *dossier d'un siège moderne* », mais déjà cité par Chennevières en 1875).
> **Bibl.:** Chennevières, 1875, p. 61 ; Tardy, 1966, p. 105.

Écouen, musée national de la Renaissance. Inv. Cl. 11 347

c- *Femme trayant une chèvre*

Ivoire

H. 0,153 ; L. 0,226

> **Hist.:** collection Du Sommerard (nº 1137) mais
> inventorié en 1908.
> **Bibl.:** Chennevières, 1875, p. 61 *(« Éducation
> de Bacchus avec la chèvre Amalthée »)* ; Tardy,
> 1966, p. 104.
> **Œuvre en rapport:** un relief en marbre appartenant
> aux collections royales, disparu, montrait le même
> sujet.

Écouen, musée national de la
Renaissance. Inv. Cl. 17057

À côté des reliefs précédents, épais, charnus,
bien documentés, existe un ensemble cohérent de
reliefs beaucoup plus minces et d'une qualité, nous
semble-t-il, un peu moindre, présentant les mêmes
caractères thématiques et stylistiques. En raison
même de leur minceur, ils ont conservé leurs
supports d'origine, ce qui n'est pas le cas des précédents (cat. 331). Le relief reproduit ici (H. 0,188 ;
L. 0,342 ; relief : H. 0,08 ; L. 0,247 ; Pr. 0,003 ; fig. 1)
possède encore ce type de montage (au moins du
XVIIIe siècle) : le relief est cloué sur un fond de bois,
garni de velours noir, et le tout est encadré d'une
baguette en bois noirci.

Ces quelques exemples très similaires montrent
aussi le même type de composition ouverte, en
frise très accentuée, et dont le sujet paraît encore
plus vague que dans les précédents : on a davantage
l'impression de se trouver devant une frise décorative tirée de son contexte que face à une œuvre
indépendante. Deux d'entre eux décoraient un
siège à leur entrée au musée de Cluny. Cette
production, peut-être plus courante (deux autres
reliefs caractéristiques sont conservés à Vienne, au

Fig. 1. *Quatre Putti, dont deux s'embrassent, et une
chèvre*, ivoire. Paris, collection Eugène Becker.

Kunsthistorisches Museum, inv. 67-60, et à Francfort, Stadtliches Galerie, inv. St. G. 147 ; ce dernier
est la caricature du style de l'artiste), pose le
problème de l'activité de l'atelier de Van Opstal et
de ses collaborateurs. Son fils Louis était associé à
son travail, et apparemment sans démériter, si ce
n'est sur le plan de la morale, comme nous
l'apprend Le Comte : Gérard Van Opstal « *travail-
loit admirablement l'ivoire, mais s'il a eu un fils qui
ait imité la subtilité de son travail, il ne s'est guère
soucié de suivre sa conduite* ». Sont également cités
dans son atelier Josse du Camps, compagnon, et
Jean Rochefort, apprenti.

Fidèles aux types et aux sujets du maître, ces reliefs
ne semblent pas pouvoir tous lui revenir.

Ph. M.

Gérard Van Opstal

334

Le Président Guillaume de Lamoignon (1617-1677)

1659 | Ivoire

H. 0,187 (avec piédouche) ; H. 0,100 (sans piédouche) ; L. 0,085 ; Pr. 0,057 |
Inscription, sous l'épaule droite :
Aage / de / 41 ans / 22 (?) 9ᵇʳᵉ 1659

Paris, collection particulière

Fig. 1. Robert Nanteuil, *Guillaume de Lamoignon*. Paris, Bibliothèque nationale de France, département des Estampes.

Les traits de Guillaume de Lamoignon, né en 1617 et premier président du parlement de Paris le 2 octobre 1658, sont bien connus, par de multiples portraits gravés à différentes dates, principalement par ou d'après Nanteuil, dont le musée Carnavalet conserve un pastel. Ces effigies permettent de conforter l'identification traditionnelle de ce buste, et l'on retrouve le nez très caractéristique, le visage plein à la mâchoire pesante, ou l'insistance sur le regard clair et aigu, les paupières inférieures lourdement marquées. L'un de ces portraits porte la lettre *Nanteuil ad vivum faciebat 1659* et permet une comparaison très directe, ayant été réalisé la même année que notre buste (fig. 1). La physionomie du magistrat est la même, mais quel monde cependant entre ces deux portraits ! D'un côté, une image en costume officiel, respectueuse des conventions alors en vigueur : le large regard, l'imperceptible sourire, la pose de trois quarts face ; une image somme toute urbaine, aimable, même si le peu que l'on voit de la personnalité du modèle montre détermination et autorité. Van Opstal choisit de nous montrer Lamoignon d'une autre manière, sans complaisance, les traits accusés, sérieux jusqu'à la gravité ; les rides, la lourdeur du menton lui donnent un aspect immédiat, presque brutal, mais aussi plus familier. Son visage, austère et assez ingrat, est illuminé de ses yeux clairs et incisifs. Le parlementaire est très sobrement vêtu, comme un simple particulier, avec un large col à rabat sans dentelle. Ce petit buste donne peut-être plus fortement l'idée de la personnalité du modèle, courtisan médiocre et magistrat intransigeant, que ne le font les portraits gravés, plus conventionnels. Cette différence radicale d'approche s'explique bien sûr par les fonctions différentes de ces deux œuvres : d'un côté, un portrait destiné à être diffusé, présentant une image bienveillante et efficace de l'un des premiers personnages de l'État ; de l'autre, un portrait destiné au modèle ou à ses proches, un précieux objet de cabinet. Mais elle est aussi due aux racines flamandes de Van Opstal, dont les sujets mythologiques possèdent également cette crudité caractéristique. Un buste en marbre anonyme du musée de Bruxelles montre la même vision frontale, directe, sans l'élégant gonflement des cheveux ou la pose de trois quarts (fig. 2).

Par son matériau et sa nature, ce portrait reste un *unicum* dans la production de Gérard Van Opstal et dans la sculpture française du XVIIᵉ siècle. Van Opstal et Lamoignon étaient assez proches pour que l'un des fils du président, Nicolas de Basville, défendît l'artiste en 1668, lors d'un procès

Détail du cat. 334

Fig. 2. *Chevalier de la Toison d'or*, marbre. Bruxelles, Musées royaux.

Fig. 3. *Portrait d'homme*, ivoire. Londres, Victoria and Albert Museum.

qui l'opposait aux héritiers d'un commanditaire refusant un paiement (voir p. 449). Ce plaidoyer devint célèbre, fut imprimé, et selon Guillet de Saint-Georges « *se conserve curieusement dans les bibliothèques et les cabinets des gens de lettres* ». Le comte de Caylus aimait à souligner que « *Cette pièce fait trop d'honneur aux arts en général et à l'Académie en particulier pour ne pas la citer toutes les fois qu'elle le peut être* ». Lamoignon de Basville, défendant les Arts, plaidait qu'ils ne sauraient être assimilés à l'artisanat ou à une autre activité manuelle. Affirmant la dignité de la création artistique, préoccupation au cœur de la création de l'Académie royale et de ses démêlés avec les anciennes corporations, ce texte est fondamental pour cerner l'émergence d'un nouveau statut pour l'artiste et de la reconnaissance de la spécificité de son travail. Basville, jeune avocat enthousiaste, avait vingt ans, et ce fut l'occasion de faire valoir son éloquence alors que les plus brillantes carrières s'ouvraient à lui. Il devint intendant du Languedoc, laissant surtout le souvenir de ses persécutions contre les protestants.

Nous souhaiterions rapprocher ce buste d'un portrait d'ecclésiastique conservé à Londres, au Victoria and Albert Museum (fig. 3), lui aussi atypique, mais dont les caractères stylistiques et formels nous semblent assez proches pour envisager qu'il soit de la même main que celui du président de Lamoignon.

Ph. M.

Index des noms propres

Bibliographie

Adelsköld, 1948-1949
E. Adelsköld, « Christina Regina », *Historiska bilder*, Stockholm, 1948-1949, 2 vol.

Adelson, 1994
C. J. Adelson, *European Tapestry in The Minneapolis Institute of Arts*, Minneapolis, 1994.

Alcouffe, 1971
D. Alcouffe, « Les Macé, ébénistes et peintres », *Bulletin de la Société de l'histoire de l'art français*, 1971, p. 61-82.

Alcouffe, 1981
D. Alcouffe, *Il Mobile francese dal Rinascimento al Luigi XV*, Milan, 1981.

Alcouffe, 1988
D. Alcouffe, « Le "maître aux dragons" : les créations de l'orfèvre parisien Pierre Delabarre », *Revue de l'art*, 81, 1988, p. 47-56.

Alcouffe, 1991
D. Alcouffe, « Les débuts de l'ébénisterie » et « Le règne de Louis XIV », dans D. Alcouffe et G. de Bellaigue, *Le Mobilier français de la Renaissance à Louis XV*, Paris, 1991, p. 7-55 (Antiquités et Objets d'art).

Alcouffe, 1993
D. Alcouffe, A. Dion-Tenenbaum et A. Lefébure, *Le Mobilier du musée du Louvre*, I, Paris, 1993.

Alcouffe, 1999
D. Alcouffe, « François Guillemard : an Œuvre Awaiting Discovery », *Furniture History*, XXXV, 1999.

Alcouffe, 2001
D. Alcouffe, *Les Gemmes de la Couronne*, Paris, 2001.

Allemagne, 1943
H.-R. d'Allemagne, *Les Anciens Maîtres serruriers et leurs meilleurs travaux*, Paris, 1943, 2 vol.

Amico, 1996.
L. N. Amico, *À la recherche du paradis terrestre. Bernard Palissy et ses continuateurs*, Paris, 1996.

Andrews, 1971
K. Andrews, « Études préparatoires de Philippe de Champaigne pour les tapisseries de Saint-Gervais », *Revue de l'art*, 14, 1971, p. 78-82.

Androuet du Cerceau, 1576-1579
Androuet du Cerceau Jacques, *Les Plus Excellents Bastiments de France*, 2 vol. publiés entre 1576 et 1579 (rééd. D. Thompson, 1988).

Angulo, 1989
D. Angulo Iñiguez, *Catálogo de las Alhajas del Delfín*, nouv. éd., Madrid, 1989.

Ardant, 1859
M. Ardant, « Émailleurs limousins, les Limosin », *Bulletin de la Société archéologique et historique du Limousin*, IX, 3e livr., 1859, p. 97-123.

Ardant, 1860
M. Ardant, « Émailleurs limousins, François Guibert, Barthélémy Vergniaud, Pierre Courteys, Jehan Courteys, Martial Courteys », *Bulletin de la société archéologique et historique du Limousin*, X, 1860, p. 77-93, 147-160.

Ardant, 1863
M. Ardant, « Les Poncet, émailleurs », *Bulletin de la Société archéologique et historique du Limousin*, III, 3e livr., 1863, p. 163-167.

Arizzoli-Clémentel, 1986
P. Arizzoli-Clémentel, « Lyon. Musées des Tissus et des Arts décoratifs. Principales acquisitions », *La Revue du Louvre et des musées de France*, 1986, 4-5, p. 329-331.

Arizzoli-Clémentel, 1990
P. Arizzoli-Clémentel, « Une boiserie peinte et dorée du début du XVIIe siècle au musée des Arts décoratifs de Lyon : exemple de l'influence du graveur lyonnais Bernard Salomon sur les arts mineurs », *Bulletin des musées et monuments lyonnais*, 3, 1990, p. 6-9.

Arizzoli-Clémentel, 1991
P. Arizzoli-Clémentel, *Le Musée des Arts décoratifs, Lyon*, Lyon, 1991.

Arizzoli-Clémentel, 1996
P. Arizzoli-Clémentel, *L'Art du tapis dans le monde*, Paris, 1996 (ouvrage collectif).

Aubignac, 1654
Aubignac, Fr. Hédelin, abbé d', *La Pratique du théâtre*, Paris, 1654.

Audin et Vial, 1918-1919
M. Audin et E. Vial, *Dictionnaire des artistes et ouvriers d'art du Lyonnais*, Paris, 1918-1919, 2 vol.

Audin et Vial, 1919
M. Audin et E. Vial, *Dictionnaire des artistes et ouvriers d'art de la France*, Paris, 1919.

Auersperg, 1998
J. Auersperg, *Daniel Katz, European Sculpture*, New York et Londres, 1998.

Aumale, 1861
H. d'Orléans, duc d'Aumale, *Inventaire de tous les meubles du cardinal Mazarin dressé en 1653 et publié d'après l'original conservé dans les archives de Condé*, Londres, 1861.

Auzas, 1955
P.-M. Auzas, *L'Orfèvrerie religieuse bretonne*, Paris, 1955.

Auzas, 1989
P.-M. Auzas, *Notre-Dame de Paris, le trésor*, Paris, 1989.

Avery, 1979
Ch. Avery, « Hubert Le Sueur's Portraits of King Charles I in Bronze at Stourhead, Ickworth and Elsewhere », *National Trust Studies*, I, 1979, p. 128-147.

Avery, 1981
Ch. Avery, *Objects for a "Wunderkammer"*, Londres, 1981.

Avery, 1982
Ch. Avery, « Hubert Le Sueur, the "unworthy Praxiteles" of King Charles I », *Walpole Society*, 1982, p. 135-209, repris dans *Studies in European Sculpture*, II, Londres, 1988, p. 145-235.

Avery, 1988
Ch. Avery, « An Equestrian Statuette of Louis XIII, Attributed to Simon Guillain (1581-1638) », *The Burlington Magazine*, CXXVI, 1984, p. 553-556, repris dans *Studies in European Sculpture*, II, Londres, 1988, p. 236-240.

Babeau, 1888
A. Babeau, « Linard Gontier et ses fils, peintre-verrier », *Annuaire de l'Aube*, 1888, p. 101-151.

Babelon, 1897
E. Babelon, *Catalogue des camées antiques et modernes de la Bibliothèque nationale*, Paris, 1897, 2 vol.

Babelon, 1902
E. Babelon, *Histoire de la gravure sur gemmes en France depuis les origines jusqu'à l'époque contemporaine*, Paris, 1902.

Babelon, 1946
J. Babelon, *Portraits en médailles*, Paris, 1946.

Babelon, 1960
J.-P. Babelon, « L'hôtel de Rambouillet », *Paris et Ile-de-France. Mémoires*, XI, 1960, p. 313-361.

Babelon, 1964
J.-P. Babelon, « Les peintures de Claude Vignon à l'hôtel de Chevreuse-Longueville dans un acte de 1731 », *Bulletin de la Société de l'histoire de l'art français*, 1964, p. 189-192.

Babelon, 1966
J.-P. Babelon, « L'hôtel de l'Arsenal au XVIIe siècle », *L'Œil*, 143, novembre 1966, p. 26-36, 55 et 58.

Babelon, 1970
J.-P. Babelon, « Le palais de l'Arsenal à Paris. Étude architecturale et essai de répertoire iconographique critique », *Bulletin monumental*, 128, 1970, p. 267-310.

Babelon, 1972
J.-P. Babelon, « Nouveaux documents sur la décoration intérieure de l'hôtel Lambert », *Bulletin de la Société de l'histoire de l'art français*, 1972, p. 135-143.

Babelon, 1982
J.-P. Babelon, *Henri IV*, Paris, 1982.

Babelon, 1991
J.-P. Babelon, *Demeures parisiennes sous Henri IV et Louis XIII*, Paris, 1991.

Babelon et Jacquiot, 1951
J. Babelon et J. Jacquiot, *Histoire de Paris d'après les médailles de la Renaissance au XXe siècle*, Paris, 1951.

Babelon et Mignot, 1998
J.-P. Babelon et Cl. Mignot (sous la dir. de), *François Mansart, le génie de l'architecture*, Paris, 1998.

Ballot, 1923
M.-J. Ballot, *Musée du Louvre. La céramique française. Bernard Palissy et les fabriques du XVIe siècle*, Paris, 1923.

Balzac, 1652
J.-L. Guez de Balzac, *Dissertation, ou Diverses remarques sur divers escrits à Monsieur Conrart, conseiller et secrétaire du Roy*, Paris, 1652.

Baratte, 1988
S. Baratte, « Département des Objets d'art : nouvelles acquisitions d'émaux peints », *Revue du Louvre*, 1988, p. 97-104.

Baratte, 1990
S. Baratte, « Le collezioni del Louvre, Smalti dipinti del Cinquecento », *Casa Vogue Antiques*, mai 1990, p. 100-103.

Baratte, 1992
S. Baratte, « Remarques sur les émaux peints de Limoges sous Henri IV », *Avènement d'Henri IV, quatrième centenaire. V. Les Arts au temps d'Henri IV, Actes du colloque de Fontainebleau, 1989*, Pau, 1992, p. 27-39.

Baratte, 2000
S. Baratte, *Musée du Louvre, département des Objets d'art. Catalogue. Les Émaux peints de Limoges*, Paris, 2000.

Barber, 1984
G. Barber, « La reliure », *Histoire de l'édition française*, sous la dir. de R. Chartier et H.-J. Martin, II, Paris, 1984, p. 162-171.

Barbet de Jouy, 1866
H. Barbet de Jouy, *Notice des antiquités, objets du Moyen âge, de la Renaissance et des Temps modernes composant le musée des Souverains*, Paris, 1866.

Barbet de Jouy, 1868
H. Barbet de Jouy, *Notice des Antiquités, objets du Moyen âge, de la Renaissance et des Temps modernes composant le musée des Souverains*, 2e éd., Paris, 1868.

Barreau, 1998
J. Barreau, « Antonio Verrio à l'hôtel Brulart », *Revue de l'art*, 1998, 4, p. 64-71.

Barrelet, 1953.
J. Barrelet, *La Verrerie en France de l'époque gallo-romaine à nos jours*, Paris, 1953.

Barrera, 1988
J. Barrera, « Le verre à boire de la cour Napoléon du Louvre (Paris) », *Annales du 11e congrès de l'Association internationale pour l'histoire du verre*, Bâle, 29 août-3 septembre 1988.

Barrera, 1998
J. Barrera, *Aspects méconnus de la Renaissance en Ile-de-France*, Paris, 1998.

Baschet, 1862
A. Baschet, « Négociations d'œuvres de tapisseries de Flandre et de France par le nonce Bentivoglio pour le cardinal Borghese (1610-1621) », *Gazette des Beaux-Arts*, janvier 1862, p. 32-45.

Batiffol, s. d., 1906
L. Batiffol, *La Vie intime d'une reine de France au XVIIe s. Marie de Médicis*, Paris, s. d., nouv. éd., Paris, 1906, 2 vol.

Batiffol, 1937
L. Batiffol, *Autour de Richelieu*, Paris, 1937.

Baudouin-Matuszek, 1991
M.-N. Baudouin-Matuszek (sous la dir. de), *Marie de Médicis et le palais du Luxembourg*, Paris, 1991.

Baudry, 1864
P. Baudry, *Collection céramique du musée des Antiquités de Rouen*, Rouen, 1864.

Baumgartner, à paraître, 2002
E. Baumgartner, *Catalogue des verres de Venise et « à la façon de Venise » du musée des Arts décoratifs,* Paris, à paraître en 2002.

Béguin, 1992
S. Béguin, « Contribution à l'iconographie d'Henri IV », *Avènement d'Henri IV, quatrième centenaire. V. Les Arts au temps d'Henri IV, Actes du colloque de Fontainebleau, 1989,* Pau, 1992, p. 259-278.

Belevitch-Stankevitch, 1910
H. Belevitch-Stankevitch, *Le Goût chinois en France au temps de Louis XIV,* Paris, 1910.

Belhoste et Leproux, 1997
J.-Fr. Belhoste et G.-M. Leproux, « La fenêtre parisienne aux XVIIe et XVIIIe siècles : menuiserie, ferrure et vitrage », *Cahiers de la Rotonde,* 18, 1997, p. 14-43.

Bellanger, 1988
J. Bellanger, *Verre d'usage et de prestige, France 1500-1800,* Paris, 1988.

Bellori, 1672, 1976
G. P. Bellori, *Le Vite dei pittori, scultori e architetti moderni,* 1672, rééd. Turin, 1976.

Berain, 1659
J. Berain, *Diverses pièces très utiles pour les arquebuziers nouvellement inventées et gravées par Jean Berain le jeune et ce vendent chez l'auteur,* Paris, 1659.

Bercé, 1984
Fr. Bercé, « Marchés pour le Palais-Cardinal de 1628 à 1642 », *Archives de l'art français,* XXVI, 1984, p. 47-70.

Beresford, 1985
R. Beresford, « Deux inventaires de Jacques Blanchard 1638 », *Archives de l'art français,* XXVII, 1985, p. 107-134.

Beresford, 1988
R. Beresford, « Philippe de Champaigne : a Commission of 1630 », *The Burlington Magazine,* CXXX, 1022, mai 1988, p. 358-361.

Beresford, 1994
R. Beresford, *Domestic Interior Decoration in Paris, 1630-1660 : a Catalogue based on the Written Sources,* thèse non publiée, Courtauld Institute of Art, Londres, 1994.

Berliner, 1925-1926
R. Berliner, *Ornamentale Vorlageblätter des 15. bis 18. Jahrunderts,* Leipzig, 1925-1926.

Bersani, 1997
M.-H. Bersani, « L'hôtel Lauzun », *L'Ile Saint-Louis,* sous la dir. de B. de Andia et N. Courtin, Paris, 1997, p. 114-124.

Bertaux, 1933
E. Bertaux, *Institut de France. Musée Jacquemart-André. Catalogue itinéraire,* Paris, 1933.

Bidault, 1981
Abbé P. Bidault, *Étains médicaux et pharmaceutiques,* Paris, 1981.

Bidault, 1982
Abbé P. Bidault, *Les Étains du Maine des XVII, XVIII et XIXe siècles,* Le Mans, 1982.

Bie, 1636
J. de Bie, *Explication ou Description sommaire de la France métallique,* Paris, 1636.

Bimbenet-Privat, 1992
M. Bimbenet-Privat, *Les Orfèvres parisiens de la Renaissance. 1506-1620,* Paris, 1992.

Bimbenet-Privat, 2001
M. Bimbenet-Privat, « L'orfèvrerie d'Henriette-Marie de France, reine d'Angleterre. Identification d'œuvres françaises de provenance royale », *Études d'histoire de l'art offertes à Jacques Thirion,* Paris, 2001.

Bimbenet-Privat, 2002
M. Bimbenet-Privat, *Les Orfèvres et l'orfèvrerie de Paris au XVIIe siècle,* Paris, à paraître en 2002.

Bimbenet-Privat et Fontaines, 1995
M. Bimbenet-Privat et G. de Fontaines, *La Datation de l'orfèvrerie parisienne sous l'Ancien Régime. Poinçons de jurande et poinçons de la Marque, 1507-1792,* Paris, 1995.

Bimbenet-Privat et Fuhring, 2002
M. Bimbenet-Privat et P. Fuhring, « Le style "Cosses de pois". L'orfèvrerie et la gravure à Paris sous Louis XIII », *Gazette des Beaux-Arts,* janvier 2002, p. 1-224.

Binet, 1621
E. Binet, *Essay des merveilles de natures ou nobles artifices,* Rouen, 1621.

Black et Nadeau, 1990
B. Black et H.-W. Nadeau, *Michel Anguier's Pluto : The Marble of 1669. New Light on the French Sculptor's Career,* Londres, 1990.

Blackmore, 1983
H. L. Blackmore, *Les Plus belles armes de chasse du monde,* Milan, 1983.

Blanc, 1884
Ch. Blanc, *Collection d'objets d'art de M. Thiers léguée au musée du Louvre,* Paris, 1884.

Blumer, 1970
M.-L. Blumer, « Pierre Dupont », *Dictionnaire de biographie française,* XII, Paris, 1970, col. 451-452.

Boccardo, 1999
P. Boccardo, « Découvertes à propos de l'*Histoire de Diane* de Toussaint Dubreuil », *La Tapisserie au XVIIe siècle et les collections européennes. Actes du colloque international de Chambord, 18-19 octobre 1996,* Paris, 1999, p. 51-60.

Bohn, 1857
H. J. Bohn, *A Guide to the Knowledge of Pottery, Porcelain and Other Objects of Vertu, comprising an Illustrated Catalogue of the Bernal Collection of Works of Art,* Londres, 1857.

Boislisle, 1881
A. de Boislisle, « Les collections de sculptures du cardinal de Richelieu », *Mémoires de la Société nationale des Antiquaires de France,* XLII, 1881, p. 71-128.

Bondois, 1936-1937
P.-M. Bondois, « Le développement de l'industrie verrière dans la région parisienne de 1515 à 1665 », *Revue d'histoire économique et sociale,* I, 1936-1937.

Bonfait et Hénin, 2000
O. Bonfait et E. Hénin, « Peindre la *Jérusalem délivrée* au XVIIe siècle : poésie épique et représentation

tragique », cat. exp. *Autour de Poussin. Idéal classique et épopée baroque entre Paris et Rome,* Rome, Académie de France, 2000, p. 23-40.

Bonnaffé, 1874
Edm. Bonnaffé, *Inventaire des meubles de Catherine de Médicis en 1589,* Paris, 1874.

Bonnaffé, 1882
Edm. Bonnaffé, *Les Amateurs de l'ancienne France. Le surintendant Foucquet,* Paris et Londres, 1882.

Bonnaffé, 1883
Edm. Bonnaffé, *Recherches sur les collections des Richelieu,* Paris, 1883.

Bonnaffé, 1884
Edm. Bonnaffé, *Dictionnaire des amateurs français au XVIIe siècle,* Paris, 1884.

Bosse, 1647
A. Bosse, *Le Peintre converty aux précises et universelles règles de son art,* Paris, 1647, rééd. 1964.

Bossebœuf, 1903.
Abbé L.-A. Bossebœuf, *Le Château de Veretz, son histoire et ses souvenirs,* Tours, 1903.

Bossebœuf, 1904
Abbé L.-A. Bossebœuf, « La manufacture de tapisseries de Tours », *Bulletin et mémoires de la Société archéologique de Touraine. Mémoires,* XLIII, 1904, p. 173-362.

Both de Tauzia, 1879
Vicomte Both de Tauzia, *Notice supplémentaire des dessins, cartons, pastels et miniatures des diverses écoles exposés depuis 1869 [...] au musée national du Louvre,* Paris, 1879.

Bottineau, 1958
Y. Bottineau, *Musées nationaux, département des Objets d'art, musée du Louvre et musée de Cluny, Catalogue de l'orfèvrerie du XVIIe, du XVIIIe et du XIXe siècles,* Paris, 1958.

Boubli, 1988
L. Boubli, « Portrait d'un homme d'État collectionneur de peintures : le cardinal de Richelieu. Quelques questions à propos d'un inventaire après décès, dressé au Palais-Cardinal (1643) », *Destins d'objets,* sous la dir. de J. Cuisenier, Paris, 1988, p. 35-55 (École du Louvre – École du Patrimoine, collection « Études et Travaux », no 1).

Boucaud et Frégnac, 1978
Ph. Boucaud et Cl. Frégnac, *Les Étains,* Fribourg, 1978.

Boucher, 1996
Fr. Boucher, *Histoire du costume en Occident,* rééd., Paris, 1996.

Bouchot, 1888
H. Bouchot, *Les Reliures d'art à la Bibliothèque nationale,* Paris, 1888.

Bougeant, 1744
P. Bougeant, *Histoire des Guerres et des négociations qui precederent le Traité de Westphalie,* Paris, J. Mariette, II, 1744.

Boulanger, 1960
G. Boulanger, *L'Art de reconnaître les styles,* Paris, 1960.

Bourdery, 1888(1)
L. Bourdery, *Les Jean Limosin émailleurs,* Limoges, 1888.

Bourdery, 1888(2)
L. Bourdery, « Exposition rétrospective de Limoges en 1886, les émaux peints », *Bulletin de la Société archéologique et historique du Limousin,* 1888, p. 283-507 ou p. 1-230.

Bourdery, 1890
L. Bourdery, *Pierre II Nouailher (1657-1717),* Limoges, 1890 (extrait du *Limousin,* Limoges, 1890).

Boutillier, 1885
Abbé Boutillier, *La Verrerie et les gentils-hommes verriers de Nevers,* Nevers, 1885.

Bouvy, 1932
E. Bouvy, « La famille d'Henri IV, à propos d'une estampe de Léonard Gaultier », *L'Amateur d'estampes,* 6, décembre 1932.

Boyer, 1930
F. Boyer, « Deux amateurs romains de tapisseries françaises : le cardinal de Montalto et le cardinal Borghese (1606-1609) », *Bulletin de la Société de l'histoire de l'art français,* 1930, p. 23-35.

Boyer, 1988
J.-Cl. Boyer, « Notice de l'*Esaü cède son droit d'aînesse à Jacob,* par Michel Corneille », cat. exp. *De Nicolo dell'Abate à Nicolas Poussin : aux sources du classicisme, 1550-1650,* Meaux, musée Bossuet, 1988-1989, p. 163-164.

Boyer de Sainte-Suzanne, 1879
Baron Boyer de Sainte-Suzanne, *Les Tapisseries françaises. Notes d'un curieux,* Paris, 1879.

Braquenié et Magnac, 1924
L. Braquenié et J. Magnac, *La Manufacture de la Savonnerie du quai de Chaillot,* Paris, 1924.

Brejon de Lavergnée, 1984
B. Brejon de Lavergnée, « Contribution à la connaissance des décors peints à Paris et en Ile-de-France au XVIIe siècle : le cas de Michel Dorigny », *Bulletin de la Société de l'histoire de l'art français,* 1982, 1984, p. 69-82.

Brejon de Lavergnée, 1987
B. Brejon de Lavergnée, *Musée du Louvre. Cabinet des dessins. Inventaire général des dessins. École française. Dessins de Simon Vouet (1590-1649),* Paris, 1987.

Brejon de Lavergnée, 1998
B. Brejon de Lavergnée, « De Simon Vouet à Charles Le Brun », *Revue de l'art,* 122, 1998, 4, p. 38-54.

Brejon de Lavergnée, 2001
B. Brejon de Lavergnée, « De quelques annotations anciennes... », *Mélanges en hommage à Pierre Rosenberg,* Paris, 2001, p. 125-128.

Brejon de Lavergnée, Reyniès et Sainte Fare Garnot, 1997
B. Brejon de Lavergnée, N. de Reyniès et N. Sainte Fare Garnot, *Charles Poerson, 1609-1667,* Paris, 1997.

Bresc-Bautier, 1987
G. Bresc-Bautier, « L'activité parisienne d'Hubert Lesueur, sculpteur du Roi (connu de 1596- à 1658) », *Bulletin de la Société de l'histoire de l'art français,* 1985, 1987, p. 35-54.

Bresc-Bautier, 1989
G. Bresc-Bautier, « Problèmes du bronze français : fondeurs et sculpteurs à Paris (1600-1660) », *Archives de l'art français*, nouv. pér., XXX, 1989, p. 11-50.

Bresc-Bautier, 2001
G. Bresc-Bautier et M. Constans, « Toussaint Chenu, un sculpteur parisien si connu dans la ville », *Études d'histoire de l'art offertes à Jacques Thirion*, Paris, 2001, p. 197-212.

Brettes, 1856
M. de Brettes, *Recueil des bouches à feu les plus remarquables depuis l'origine de la poudre à canon jusqu'à nos jours*, commencé par le général Marion, Paris, 1856.

Brice, 1698
G. Brice, *Description de la ville de Paris*, 3e éd., Paris, 1698, 2 vol.

Brissac et Charles, 1967
Duc de Brissac et R.-J. Charles, *Armes de chasse*, Paris, 1967.

Broc de Segange, 1863
Voir Du Broc de Segange.

Brun, 1971
R. Brun, « Quatre reliures du cabinet des Manuscrits de la Bibliothèque nationale », *Bulletin du bibliophile*, 1971, p. 117-132.

Brunet, 1884
G. Brunet, *La Reliure ancienne et moderne*, Paris, 1884.

Brunhammer, 1964
Y. Brunhammer, *Cent Chefs-d'œuvre du musée des Arts décoratifs*, Paris, 1964.

Brüning, s. d.
A. Brüning, « Die Schmiedekunst seit dem Ende der Renaissance », *Monographien des Kunstgewerbes*, éd. J.-L. Sponsel, III, Leipzig, s. d.

BSHAF, 1930
Voir Cordey, 1930.

Bué-Akar, 1976
G. Bué-Akar, « Éléments nouveaux concernant la vie et l'œuvre de Gérard Van Opstal sculpteur ordinaire du Roi », *Bulletin de la Société d'histoire de l'art français*, 1975, 1976, p. 137-146.

Buttin, 1958
C. Buttin, « Pistolet de Louis XIII », *Armes anciennes*, II, 10, Genève, 1958.

Caldicott, 1983
C. E. J. Caldicott, « Gaston d'Orléans : mécène et esprit curieux », *L'Age d'or du mécénat (1598-1661)*, colloque du CNRS, 1983 (sous la dir. de R. Mousnier et J. Mesnard), Paris, 1985, p. 37-48.

Camerer Cuss et Patrizzi, 1998
T. Camerer Cuss et O. Patrizzi, *The Sandberg Watch Collection*, Genève, 1998.

Cantarel-Besson, 1992
Y. Cantarel-Besson, *Musée du Louvre (janvier 1797 – juin 1798). Procès-verbaux du Conseil d'administration du « Musée central des Arts »*, Paris, 1992 (Notes et documents des musées de France, 24).

Capitanio, 1996
A. Capitanio, « Oreficerie francesi nella Toscana occidentale : occasioni e trace », *Bolletino d'Arte*, suppl. au n° 95, 1996, p. 159-171.

Capitanio, 2001
A. Capitanio, *Arte Orafa e Controriforma*, Livourne, 2001.

Cardinal, 1984-2000
C. Cardinal, *Les Montres et horloges de table du musée du Louvre*, Paris, 1984-2000, 2 vol.

Cardinal, 1985
C. Cardinal, *La Montre des origines au XIXe siècle*, Fribourg, 1985.

Cardinal et Piguet, 1999
C. Cardinal et J.-M. Piguet, *Catalogue d'œuvres choisies. Musée international d'Horlogerie*, La Chaux-de-Fonds, 1999.

Carpegna, 1975
N. di Carpegna, *Fire Arms in the Princes Odescalchi Collection in Rome*, Rome, 1975.

Castellucio, 1998
St. Castelluccio, *L'Hôtel du Garde-Meuble de la Couronne…*, thèse de doctorat, université de Paris IV, 1998.

Castellucio, 1999
St. Castelluccio, « Les bronzes de la Couronne sous l'Ancien Régime », cat. exp. *Les Bronzes de la Couronne*, Paris, 1999, p. 13-25.

Catálogo, 1959
Catálogo de la exposición conmemorativa de la paz de los Pirineos, Fontarabie, 1959.

Cavallo, 1955
A. S. Cavallo, « The History of Coriolanus as Represented in Tapestries », *Bulletin. The Brooklyn Museum*, XVII, 1955, 1, p. 5-22.

Cazar, 1996
D.-M. Cazar, *La Faïence et la porcelaine dans le monde*, Edita, 1996.

Chabouillet, 1858
A. Chabouillet, *Catalogue général et raisonné des camées et pierres gravées de la Bibliothèque impériale*, Paris, 1858.

Champeaux, 1885
A. de Champeaux, *Le Meuble*, Paris, 1885, 2 vol.

Champier et Sandoz, 1900
V. Champier et G.-R. Sandoz, *Le Palais-Royal d'après des documents inédits (1624-1900)*, Paris, 1900, 2 vol.

Chancel, 1991
B. de Chancel, *Émaux peints. La collection des musées d'Angers*, Angers, 1991.

Chantelou, 1985
P. Fréart de Chantelou, *Diary of the Cavaliere Bernini's Visit to France*, Princeton, 1985.

Chantelou, 2001
P. Fréart de Chantelou, *Journal de voyage du cavalier Bernin en France*, éd. M. Stanic, Paris, 2001.

Chapelain, 1656
J. Chapelain, *La Pucelle, ou la France délivrée*, Paris, 1656.

Chapiro, Meslin-Perrier et Turner, 1989
A. Chapiro, Ch. Meslin-Perrier et A. Turner, *Horlogerie et instruments de précision, Musée national de la Renaissance, Écouen*, Paris, 1989.

Charageat, 1927
M. Charageat, « Notes sur cinq marchés passés par M. de Bullion, surintendant des finances du roi Louis XIII, avec Jacques Sarazin, Simon Vouet, Pierre

Collot, Charles Grouard, Charles David, Pierre Denis et Jean Le Boyteux et le rôle qu'y joue Le Mercier », *Bulletin de la Société de l'histoire de l'art français*, 1927, p. 179-207.

Charageat, 1968
M. Charageat, « La statue d'Amphitrite et la suite des dieux et des déesses de Michel Anguier », *Archives de l'art français*, XXIII, 1968, p. 111-123.

Charles, 1957
R.-J. Charles, « L'armure de Jean-Louis de Nogaret de la Valette, duc d'Épernon », *Revue de la Société des amis du musée de l'Armée*, 60, 1957.

Charleston, 1980
R. J. Charleston, *Masterpieces of Glass*, New York, 1980.

Charvet, 1907
J. Charvet, « Médailles et jetons de la Ville de Lyon », *Gazette numismatique*, 1907, p. 267-426.

Chassant et Tausin, 1998
A. Chassant et H. Tausin, *Dictionnaire des devises historiques et héraldiques avec figures et une table alphabétique des noms*, Paris, 1878, 3 vol.

Chauleur et Louis, 1998
A. Chauleur et P.-Y. Louis, *François Mansart. Le Bâtiment. Marchés de travaux (1623-1665)*, Paris, 1998.

Chaunu, 1984
P. Chaunu, *La Civilisation de l'Europe classique*, Paris, 1984.

Chennevières, 1875
Ph. de Chennevières, « Notes d'un compilateur sur les sculpteurs et les sculptures en ivoire », *La Picardie*, 3, 1875, p. 1-91.

Cherrier, 1904
H. Cherrier, « Une œuvre inconnue de Jaillot », *Revue de l'art ancien et moderne*, XV, 83, 10 février 1904, p. 151-153.

Chevalier, 1979
P. Chevalier, *Louis XIII*, Paris, 1979.

Christine de Suède, 1994
Chr. de Suède, *Apologies*, éd. J.-Fr. de Raymond, Paris, 1994.

Ciprut, 1965-1966
E.-J. Ciprut, « Documents inédits sur quelques châteaux de l'Ile-de-France », *Paris et Ile-de-France*, XVI-XVII, 1965-1966, p. 131-189.

Clément de Ris, 1874
L. Clément de Ris, *Musée du Louvre… Série C. Notice des objets de bronze, cuivre, étain, fer, etc*, Paris, 1874.

Clément de Ris, 1875
L. Clément de Ris, *Musée du Louvre… Série H. Notice des faïences françaises*, Paris, 1875.

Clouzot, 1910
H. Clouzot, *Antoine Jacquard et les graveurs poitevins au XVIIe siècle*, Paris, 1906.

Clouzot, 1924
H. Clouzot, *Dictionnaire des miniaturistes sur émail*, Paris, 1924.

Clouzot, 1925
H. Clouzot, *Cuirs décorés. II. Cuirs de Cordoue*, Paris, 1925.

Clouzot, s. d.
H. Clouzot, *La Miniature sur émail en France*, Paris, s. d. [1928].

Cojannot, 1999
A. Cojannot, « En relisant les devis et marchés de François Mansart », *Bibliothèque de l'École des Chartes*, CLVII, 1re livr., janvier-juin 1999, p. 230-238.

Cole, 1993
W. Cole, *A Catalogue of Netherlandish and North European Roundels in Britain*, Londres, 1993.

Collard, 1963
L.-H. Collard, « Jean Mansart, sculpteur ordinaire des Bâtiments du Roi », *Bulletin de la Société de l'histoire de l'art français*, 1963, p. 147-154.

Collard, 1972
L.-H. Collard, *L'Ancienne église Saint-Paul à Paris*, mémoire de l'École pratique des hautes études, IVe section, sous la dir. de M. Fleury, 1972.

Collard, *Notes*
L.-H. Collard, Notes manuscrites.

Collection Spitzer, 1890-1892
La Collection Spitzer, Paris, 1890-1892, 2 vol.

Collin, 1672
I. Collin, *Histoire sacrée de la vie des saints principaux et autres personnes plus vertueuses qui ont pris naissance, qui ont vécu, ou qui sont en vénération particulière en divers lieux du diocèse de Limoges*, Limoges, 1672.

Conan, 1981
A. Mollet, *Le Jardin de plaisir*, Paris, 1651, éd. M. Conan, Paris, 1981.

Conihout, 1997
I. de Conihout, « Les reliures de Marin Cureau de La Chambre et l'atelier "Rocolet" », *Le Livre et l'historien. Études offertes en l'honneur du professeur Henri-Jean Martin*, Genève, 1997, p. 235-258.

Coquery, 1992
E. Coquery, *Michel Corneille, vers 1603-1664*, mémoire de maîtrise dactylographié, université de Paris IV, 1992.

Coquery, 1996
E. Coquery, « Michel Corneille le père (vers 1603-1664) et la tapisserie », *Bulletin de la Société de l'histoire de l'art français*, 1995, 1996, p. 69-98.

Coquery, 2000
E. Coquery, « Les peintres français à Rome dans la première moitié du XVIIe siècle et l'antique », cat. exp. *Autour de Poussin. Idéal classique et épopée baroque entre Paris et Rome*, Rome, Académie de France, 2000, p. 41-53.

Cordey, 1924
J. Cordey, *Vaux le-Vicomte*, Paris, 1924.

Cordey, 1930
J. Cordey, « Inventaire après décès d'Anne d'Autriche et le mobilier du Louvre », *Bulletin de la Société de l'histoire de l'art français*, 1930, p. 209-275.

Cosnac, 1884, 1885
G.-J. de Cosnac, *Les Richesses du Palais Mazarin. Inventaire inédit dressé après la mort du cardinal Mazarin en 1661*, Paris, 1884, rééd. 1885.

Côte et Vial, 1927
Cl. Côte et E. Vial, *Les Horlogers lyonnais de 1550 à 1650*, Lyon, 1927.

Courajod, 1876
L. Courajod, *Sculptures de Gérard Van Obstal conservées au Musée du Louvre*, Paris, 1876 (inventaire de 1792 dans la galerie des dessins au Louvre).

Courajod, 1886
L. Courajod, « La collection Révoil du musée du Louvre », *Bulletin monumental*, 1886.

Courajod, 1888
L. Courajod, « La collection Durand et ses séries du moyen-age et de la Renaissance au musée du Louvre », *Bulletin monumental*, 1888.

Courajod et Molinier, 1885
L. Courajod et E. Molinier, *Direction des musées nationaux. Donation du baron Charles Davillier, Catalogue des objets exposés au musée du Louvre*, Paris, 1885.

Coural, 1967
J. Coural, cat. exp. *Chefs-d'œuvre de la tapisserie parisienne, 1597-1662*, Versailles, Orangerie, 1967.

Coural, 1989
J. Coural, *Les Gobelins*, Paris, 1989.

Courteault, 1935
P. Courteault, *Musée d'art ancien*, Bordeaux, 1935.

Courtin, 1998
N. Courtin, « L'hôtel Amelot de Bisseuil au Marais », *Revue de l'art*, 122, 1998-4, p. 55-61.

Cox, s. d.
R. Cox, *Musée historique des Tissus. Soieries et broderies : Renaissance, Louis XIV, Louis XV, Louis XVI, Directoire, Premier Empire*, Paris, s. d.

Crépin-Leblond, 1995-1996
Th. Crépin-Leblond, « Le service de Catherine de Médicis », cat. exp. *Le Dressoir du Prince, services d'apparat à la Renaissance*, Écouen, 1995-1996.

Crèvecœur, 1895
R. de Crèvecœur, « Louis Hesselin, amateur parisien, intendant des Plaisirs du Roi, 1600(?)-1662 », *Mémoires de la Société de l'histoire de Paris et de l'Ile-de-France*, XXII, 1895, p. 225-248.

Cueille, 1999
S. Cueille, « Maisons-Laffitte. Parc, paysage et villégiature. 1630-1930 », *L'Inventaire. Cahiers du patrimoine*, 53, avril 1999.

Dacier, 1929-1933
E. Dacier, « Autour de Le Gascon et de Florimond Badier », *Les Trésors des bibliothèques de France*, sous la dir. de R. Cantinelli et E. Dacier, III, Paris, 1929, p. 77-90, et IV, Paris, 1933, p. 177-186.

Dacier, 1933
E. Dacier, *Les Plus belles reliures de la réunion des bibliothèques nationales*, Paris, 1933.

Damiron, 1926
Ch. Damiron, *La Faïence de Lyon, Première époque. Le XVIᵉ siècle*, Lyon, 1926.

Daniel, 1721
R. P. Daniel, *Histoire de la Milice françoise et des changemens qui s'y font depuis l'établissement de la monarchie*

Françoise dans les Gaules, jusqu'à la fin du règne de Louis le Grand*, Paris, 1721.

Darcel, 1864
A. Darcel, *Musée de la Renaissance. Série G. Notice des faïences peintes italiennes, hispano-moresques et françaises et des terres cuites émaillées italiennes*, Paris, 1864.

Darcel, 1867
A. Darcel, *Musée du Moyen-Age et de la Renaissance. Série D. Notice des émaux et de l'orfèvrerie*, Paris, 1867.

Darcel, 1877
A. Darcel, « Exposition rétrospective de Lyon », *Gazette des Beaux-Arts*, XVI, 1877.

Darcel, 1885
A. Darcel, *Les Manufactures nationales de tapisserie des Gobelins et de tapis de la Savonnerie et Catalogue des tapisseries et des tapis*, Paris, 1885.

Darcel, 1888-1889
A. Darcel, « L'Art décoratif au musée de Cluny. Le Bois (suite. Les buffets) », *Revue des Arts décoratifs*, 1888-1889.

Darcel, 1891
A. Darcel, *Musée national du Louvre* [...] *Notice des émaux et de l'orfèvrerie*, dernière éd., Paris, 1891.

Darcel et Guiffrey, 1882
A. Darcel et J. Guiffrey, *La Stromatourgie de Pierre Dupont. Documents relatifs à la fabrication des tapis de Turquie en France au XVIIᵉ siècle*, Paris, 1882 (Société de l'histoire de l'art français).

Darcel et Guiffrey, 1902
A. Darcel et J. Guiffrey, « Manufacture nationale des Gobelins », *Ministère de l'Instruction publique et des Beaux-Arts. Inventaire général des richesses d'art de France. Paris. Monuments civils*, III, Paris, 1902, p. 79-184.

Daviler, 1691, 1710
A.-Ch. Daviler, *Cours d'architecture avec une ample explication de tous les termes*, Paris, 1691, 2ᵉ éd. par J.-B. Leblond, Paris, 1710.

Der neue Stockel, 1978-1982
E. Heer, *Der neue Stockel, Internationales Lexikon der Büchsenmacher, Feuerwaffenfabrikanten und Armbrustmacher von 1400-1900*, Schwabisch Hall, 1978 (I), 1979 (II), 1982 (III).

Deleau, 1991
M. Deleau, *Production de la manufacture Poterat à Rouen au XVIIᵉ siècle*, mémoire de fin d'études soutenu à l'université catholique de Philosophie et de Lettres de Louvain, département d'Histoire et d'Archéologie, août 1991.

Delmarcel, 1999
G. Delmarcel, *La Tapisserie flamande*, Tielt-Paris, 1999.

Deloye, 1881
A. Deloye, *Notices des statues, bustes, bas-reliefs et autres ouvrages de sculpture de la Renaissance et des temps modernes exposés dans les galeries du Muséum-Calvet à Avignon...*, Avignon, 1881.

Demartial, 1908
A. Demartial, *Catalogue des tableaux, sculptures et émaux composant la collection du Cercle de l'Union*, Limoges, 1908.

Demoriane, 1968
H. Demoriane, « Bois de Bagard »,

Connaissance des arts*, 191, janvier 1968, p. 91-92.

Demoriane, 1974
H. Demoriane, *L'Art de reconnaître les instruments scientifiques du temps passé*, Paris, 1974.

Denis, 1991, 1992
I. Denis, « L'Histoire d'Artémise, commanditaires et ateliers. Quelques précisions apportées par l'étude des bordures », *Bulletin de la Société de l'histoire de l'art français*, 1991, 1992, p. 21-36.

Denis, 1996
I. Denis, « Le répertoire décoratif des bordures », *Dossier de l'art*, 32, septembre 1996, p. 30-41.

Denis, 1998
I. Denis, « Vignon, Richelieu et la tapisserie », *Claude Vignon en son temps. Actes du colloque international de l'université de Tours (28-30 janvier 1994)*, réunis par Cl. Mignot et P. Pacht Bassani avec le concours de S. Kerspern, s. l., 1998, p. 215-236.

Denis, 1999
I. Denis, « Henri Lerambert et l'*Histoire d'Arthémise* et les collections européennes. Actes du colloque international de Chambord, 18-19 octobre 1996*, Paris, 1999, p. 33-50.

Dennis, 1960
F. Dennis, *Three Centuries of French Domestic Silver : its Makers and its Marks*, New York, 1960, 2 vol.

Denoix, 1963
L. Denoix, *Historique de l'artillerie de Marine. Mémorial de l'Artillerie française*, 4ᵉ fasc., 1963.

Desmarets de Saint-Sorlin, 1653
Desmarets de Saint-Sorlin, *Les Promenades de Richelieu*, 1653.

Desmarets de Saint-Sorlin, 1657
J. Desmarets de Saint-Sorlin, *Clovis, ou la France Chrétienne*, Paris, 1657.

Desnier, 1994
J.-L. Desnier, « "Rector orbis" ou le cardinal de Richelieu sur une médaille de Jean Varin », *MEFRIM*, 106, 1994, 2 (Italie et Méditerranée).

Desprechins, 1988
A. Desprechins, « La tapisserie comme interprète et agent de diffusion des textes littéraires », *Horizons européens de la littérature française au XVIIᵉ siècle*, Tübingen, 1988, p. 107-207.

Dessert, 1987
D. Dessert, *Foucquet*, Paris, 1989.

Dethan, 1981
G. Dethan, *Un homme de paix à l'âge baroque (1602-1661)*, Paris, 1981.

Develle, 1894, 1978
E. Develle, *Peintres en émail de Blois et de Châteaudun au XVIIᵉ siècle*, Blois, 1894, 2ᵉ éd., 1978.

Develle, 1913
E. Develle, *Les Horlogers blésois*, Blois, 1913.

Develle, 1917
E. Develle, *Les Horlogers blésois au XVIᵉ et au XVIIᵉ siècle*, 2ᵉ éd., Blois, 1917.

Deville, 1927
E. Deville, *La céramique du pays d'Auge, l'art de terre à Manerbe et au Pré d'Auge*, Paris et Bruxelles, 1927.

Dezallier d'Argenville, 1755
A.-N. Dezallier d'Argenville, *Voyage pittoresque des environs de Paris*, Paris, 1755.

Dielitz, 1888
J. Dielitz, *Die Wahl- und Denksprüche, Feldgeschreie, Losungen, Schlacht- und Volksrufe besonders des Mittelalters und der Neuzeit*, Francfort-sur-le-Main, 1888.

Dimier, 1908
L. Dimier, *Fontainebleau*, Paris, 1908.

Dimier, 1926
L. Dimier, *Histoire de la peinture française du retour de Vouet à la mort de Le Brun*, Paris et Bruxelles, 1926.

Dorival, 1972
B. Dorival, « Recherches sur les sujets sacrés et allégoriques gravés au XVIIᵉ et au XVIIIᵉ siècle d'après Philippe de Champaigne », *Gazette des Beaux-Arts*, 1972, 2, p. 5-60.

Dorival, 1976
B. Dorival, *Philippe de Champaigne 1602-1674. La vie, l'œuvre, et le catalogue raisonné de l'œuvre*, Paris, 1976, 2 vol.

Dowley, 1955
Fr. Dowley, « French Portraits of Ladies as Minerva », *Gazette des Beaux-Arts*, 1955, 1, p. 261-286.

Dreyfus, 1922
C. Dreyfus, *Musée national du Louvre. Catalogue sommaire du mobilier et des objets d'art du XVIIᵉ et du XVIIIᵉ siècle*, Paris, 1922.

Drouas, 1999
J. de Drouas, « Le gobelet d'or d'Anne d'Autriche », *L'Estampille-L'Objet d'art*, 333, février 1999, p. 80-82.

Drouyn, 1873
L. Drouyn, « Inventaire des meubles qui se trouvaient dans le château de Vayres (Gironde) en 1617 », *Revue des sociétés savantes des départements*, 5ᵉ série, IV, 1872, 1873, p. 318-322.

Dubois, 1858
P. Dubois, *Collection archéologique du prince Pierre Soltykoff. Horlogerie*, Paris, 1858.

Du Broc de Segange, 1863
L. du Broc de Segange, *La Faïence, les faïenciers et les émailleurs de Nevers*, Nevers, 1863.

Du Chazaud, 1994
G. du Chazaud, « De quelques œuvres mobilières issues du milieu artistique tourangeau », *Bulletin de la Société archéologique de Touraine*, XLIV, 1994, p. 221-228.

Du Colombier, 1941
P. du Colombier, *Le Style Henri IV-Louis XIII*, Paris, 1941.

Dufay, Kisch, Poulain, Roumégoux et Trombetta, 1987
B. Dufay, Y. de Kisch, D. Poulain, Y. Roumégoux et P.-J. Trombetta, « L'atelier parisien de Bernard Palissy », *Revue de l'art*, 78, 1987.

Dufet, 1949
M. Dufet, « À propos de l'exposition "Quatre Siècles de tapis français" au pavillon de Marsan, paravents et tapis français », *Le Décor d'aujourd'hui*, 52, 1949, p. 34-45.

469

B i b l i o g r a p h i e

Dufour, 1866
Abbé V. Dufour, *Monographies parisiennes. Les charniers des églises de Paris. I. Le charnier de l'ancien cimetière Saint-Paul*, Paris, 1866.

Dugast-Matifeux, 1861
Dugast-Matifeux, « Les gentilshommes verriers de Mouchamps en Bas-Poitou, 1399 », *Annales de la Société académique de Nantes*, XXXII, 1861.

Dulong, 1999
Cl. Dulong, *Mazarin*, Paris, 1999.

Dumolin, 1930
M. Dumolin, « La construction du Val-de-Grâce », *Bulletin de la Société de l'histoire de Paris*, 1930.

Dumolin, 1933
M. Dumolin, « Nouveaux documents sur l'église Saint-Gervais », *Bulletin de la Société de l'histoire de l'art français*, 1933, p. 45-73.

Du Pavillon, s. d.
A. du Pavillon, *Le Château de Beauregard en Blésois*, s. d. n. d.

Dupin, 1993
E. Dupin, *La Verrerie en verre blanc et la gobeleterie en Gironde au XVIIIᵉ siècle*, université de Bordeaux III, 1993.

Dupont, 1632
P. Dupont, *Stromatourgie, ou de l'excellence des tapis dits de Turquie*, Paris, 1632, rééd. dans A. Darcel et J. Guiffrey, *Documents relatifs à la fabrication des tapis de Turquie en France au XVIIᵉ siècle*, Paris, 1882.

Du Sommerard, 1838-1846
A. et E. du Sommerard, *Les Arts au Moyen-Age*, Paris, 1838-1846, 5 vol., 4 albums et un atlas.

Du Sommerard, 1883
E. du Sommerard, *Musée des Thermes et de l'hôtel de Cluny. Catalogue et description des œuvres d'art*, Paris, 1883.

Egger, 1981
G. Egger, *Ornamentale Vorlageblätter*, Munich, 1981, 3 vol.

Ekstrand, 1957
G. Ekstrand, *Karl X Gustavs dräkter I kungl. Livrustkammaren*, thèse manuscrite conservée au cabinet royal des Armes, 1957.

Ekstrand, 1960
G. Ekstrand, « 1600-talets vita kröningsdräkter », *Livrustkammaren*, VIII, 1960.

Ekstrand, 1966
G. Ekstrand, « Kristinatidens Karosser », *Livrustkammaren*, XI, 1966, résumé en anglais.

Ekstrand, 1987
G. Ekstrand, « Maktens klädsprak », dans Tydén-Jordan, 1987.

Ekstrand, 1991
G. Ekstrand, *Kronings dräkster*, Stockholm, 1991.

Erlande-Brandenburg, 1965
A. Erlande-Brandenburg, « Les appartements de la reine Marie de Médicis au Louvre », *Bulletin de la Société d'histoire de l'art français*, 1965, p. 105-113.

Esmerian, 1972(1)
Bibliothèque Raphaël Esmerian, 2ᵉ partie, cat. de vente, Paris, palais Galliera, 8 décembre 1972.

Esmerian, 1972(2)
R. Esmerian, *Douze Tableaux synoptiques sur la reliure au XVIIᵉ siècle*, Paris, 1972.

Esprit, 1678
J. Esprit, *La Fausseté des vertus humaines*, Paris, 1678, 2 vol.

Estienne, 1980
Fr. Estienne, *Le Décor champêtre des faïences de Nevers au siècle de Louis XIV*, mémoire de maîtrise, dactylographié, université de Paris IV, 1980.

Estienne, 1987
Fr. Estienne, thèse de doctorat, 1987.

Evans, 1970
Evans, *A History of Jewellery*, 2ᵉ éd., Londres, 1970.

Evelyn, 1955
J. Evelyn, *The Diary of John Evelyn*, III, *Kalendarium, 1650-1672*, Oxford, 1955.

Evelyn, 1995
P. Evelyn, « Hubert Le Sueur's Equestrian Bronzes at the Victoria and Albert Museum », *The Burlington Magazine*, CXXXVII, 1995, p. 85-92.

Evelyn, 2000
P. Evelyn, « The Equestrian Bronzes of Hubert Le Sueur », *Giambologna tra Firenze e l'Europa, Atti del convegno internazionale*, Florence, Istituto universitario olandese di Storia dell'Arte, 2000, p. 141-156.

Farcy, 1890
L. de Farcy, *La Broderie du XIᵉ siècle jusqu'à nos jours*, Angers, 1890.

Farcy, 1900-1919
L. de Farcy, *Suppléments à la broderie du XIᵉ siècle à nos jours* (1ᵉʳ suppl. : 1ᵉʳ mars 1900 ; 2ᵉ suppl. : 1ᵉʳ novembre 1919), Angers, 1919.

Faugère, 1899
A.-Pr. Faugère, *Journal du voyage de deux jeunes Hollandais à Paris en 1656-1658*, Paris, 1899.

Faÿ-Hallé, 1996
A. Faÿ-Hallé, « Les décors européens. Source et datation des faïences de Nevers », *Dossier de l'art*, 30, juin-juillet 1996.

Faÿ-Hallé, 1996
A. Faÿ-Hallé, « La faïence de Nevers », *Dossier de l'art*, 30, juin-juillet 1996.

Faÿ-Hallé et Lahaussois, 1986
A. Faÿ-Hallé et Chr. Lahaussois, *Le Grand Livre de la faïence française*, Paris, 1986.

Feldmann, 1982
D. Feldmann, « Das Hôtel de La Vrillière und die Räume "à l'italienne" bei Louis Le Vau », *Zeitschrift für Kunstgeschichte*, 45, 1982, p. 395-422.

Félibien, 1676
A. Félibien, *Principes de l'architecture, de la sculpture et des autres arts qui en dépendent*, 1676.

Félibien, 1685, 1688
A. Félibien, *Entretiens sur les vies et les ouvrages des plus excellens peintres anciens et modernes*, IV, 1685, V, 1688.

Fenaille, 1923
M. Fenaille, *État général des tapisseries de la manufacture des Gobelins depuis son origine jusqu'à nos jours. I. Les Ateliers parisiens au XVIIᵉ siècle, 1601-1662*, Paris, 1923.

Feuardent, 1915
Jetons et méreaux depuis Louis IX jusqu'à la fin du Consulat de Bonaparte, Paris, 1904-1915, 3 vol.

Ffoulke, 1913
Ch. M. Ffoulke (sous la dir. de), *The Ffoulke Collection of Tapestries*, New York, 1913.

Fichot, 1894
Ch. Fichot, *Troyes. Ses monuments civils et religieux*, Troyes, 1894.

Flamand-Christensen, 1940
S. Flamand-Christensen, *Kongedragterne fra 17. og 18 aarhundrede*, Copenhague, 1940, 2 vol.

Fleury, 1969
M.-A. Fleury, *Documents du Minutier central concernant les peintres, les sculpteurs et les graveurs au XVIIᵉ siècle (1600-1650)*, Paris, 1969.

Floret, 1994
E. Floret, « La Savonnerie », *Hali*, 78, décembre 1994, p. 82-87.

Floret, 1995
E. Floret, « Inventaires après décès de Simon Lourdet, directeur de la manufacture de la Savonnerie (1666), et de sa femme Françoise Carré (1665) », *Bulletin de la Société de l'histoire de l'art français*, 1995, 1996, p. 119-124.

Fontaine, 1914
A. Fontaine, *Académiciens d'autrefois*, Paris, 1914.

Fontenay, 1877
H. de Fontenay, « Notes historiques et descriptives sur les principaux objets exposés au Petit Séminaire d'Autun du 29 août au 17 septembre 1876 », *Congrès scientifique de France*, 42ᵉ session, Autun, 1877.

Forrer, 1904-1916
L. Forrer, *Biographical Dictionary of Medallists*, 6 vol., 1904-1916.

Fourest, 1960
H.-P. Fourest, « La faïence de Nevers au musée de Nevers », *La Revue française*, suppl. au nᵒ 118, brochure de 12 p., n. p., 1960.

Fourest et Giacomotti, 1966
H.-P. Fourest et J. Giacomotti, *L'Œuvre des faïenciers français du XVIᵉ siècle à la fin du XVIIIᵉ siècle*, Paris, 1966.

Fourrier, 2000
T. Fourrier, *Dictionnaire des horlogers de Blois*, Mosnes, 2000.

Foville, 1913
J. de Foville, « La médaille française au temps de Henri IV et de Louis XIII », *Histoire de l'art*, sous la dir. d'A. Michel, V, 2ᵉ partie, Paris, 1913.

Frégnac, 1976
Frégnac, *La Faïence européenne*, Fribourg, Paris, 1976.

Frémontier-Murphy, 2002
C. Frémontier-Murphy, *Musée du Louvre, département des Objets d'art. La collection d'instruments. Cadrans solaires, astrolabes, globes, nécessaires de mathématiques, instruments d'arpentage, microscopes, etc.*, Paris, à paraître en 2002.

Fuhring, 1987
P. Fuhring, « Compte-rendu de Rudolf Berliner et Gerhart Egger, "Ornamentale Vorlageblätter" », *Print Quarterly*, IV, 1987, p. 190-194.

Fuhring, 1992
P. Fuhring, « Daniel Boutemie, a Seventeenth Century Virtuoso », *Print Quarterly*, 9, 1, mars 1992, p. 46-55.

Fuhring, 1993
P. Fuhring, « Some Newly Identified Drawings of Ornament from the Seventeenth and Eighteenth Centuries in the Nationalmuseum, Stockholm », *Nationalmuseum Bulletin*, 17, 3, 1993, p. 11-25.

Fuhring, à paraître
P. Fuhring, *Catalogue des gravures d'ornement du Rijksmuseum, XVIIᵉ siècle*, à paraître.

Fuhring et Bimbenet-Privat, 2002
Voir Bimbenet-Privat et Fuhring.

Fumaroli, 1982
M. Fumaroli, « Des leurres qui persuadent les yeux », cat. exp. *La Peinture française du XVIIᵉ siècle dans les collections américaines*, Paris, New York et Chicago, 1982, p. 1-33.

Fumaroli, 1985
M. Fumaroli, « Le cardinal de Richelieu, fondateur de l'Académie française », *Richelieu et le monde de l'esprit*, sous la dir. d'A. Tuilier, Paris, 1985, p. 217-235.

Gady, 1998
A. Gady, « Poutres et solives peintes. Le plafond "à la française" », *Revue de l'art*, 122, 1998, 4, p. 9-20.

Gaigneron, 1990
A. de Gaigneron, « Louvre, Objets d'art, bilan d'une manne », *Connaissance des arts*, novembre 1990.

Gaillemin, 1996
J.-L. Gaillemin, « Groussay classé monument historique », *Connaissance des arts*, 534, décembre 1996, p. 50-57.

Garcia, 2000
J. Garcia, *Les Représentations gravées du cardinal Mazarin au XVIIᵉ siècle*, Paris, 2000.

Garnier, 1885
E. Garnier, « Les gentilshommes verriers », *Revue des Arts décoratifs*, 2, 3 et 4, septembre-octobre 1885.

Gaspard, 1867-1868
Gaspard, « Inventaire des biens provenant de la succession d'African de Bassompierre, marquis de Removille (1632-1637) », *Mémoires de la Société d'archéologie lorraine*, IX, 1867-1868.

Gaynor, 1991
S. Gaynor, « French Enameled Glass of the Renaissance », *Journal of Glass Studies*, XXXIII 33, 1991.

Gerspach, 1892
E. Gerspach, *La Manufacture nationale des Gobelins*, Paris, 1892.

Giacomotti, 1963
J. Giacomotti, *Faïences françaises*, Fribourg, 1963.

Gibbon, 1986
A. Gibbon, Céramiques de Bernard Palissy, Paris, 1986.

Giraud, 1901
J.-B. Giraud, Notes sur l'horlogerie antérieurement au XVIIIᵉ siècle, Lyon, 1901.

Giraudet, 1885
E. Giraudet, Les Artistes tourangeaux, Tours, 1885.

Glass, 1998
H. Glass (sous la dir. de), Bedeutende Goldledertapeten 1550-1900. Important Gilt-Leather Wallhangings 1550-1900, Essen, 1998.

Göbel, 1928
H. Göbel, Wandteppiche. II Teil. Die romanischen Länder, Leipzig, 1928.

Godard de Donville, 1978
L. Godard de Donville, Signification de la mode sous Louis XIII, Aix-en-Provence, 1978.

Godefroy, 1649
Th. Godefroy, Le Cérémonial françois contenant les cérémonies observées en France…, Paris, 1649, 2 vol.

Godoy, 1989
J. A. Godoy, « Quelques armes ornées d'une bataille d'Antonio Tempesta », Genève, XXXVII, 1989.

Goldstein, 1998
C. Golstein, « Looking in the Mirror of Abraham Bosse », cat. exp. French Prints from the Age of the Musketeers, Boston, 1998, p. 21-27.

Grace, 1986
P. Grace, « A Celebrated Miniature of the Comtesse d'Olonne », Philadelphia Museum of Art, Bulletin, LXXXIII, 53, 1986.

Grancsay, 1961
S. Y. Grancsay, Catalogue of Armours, the John Woodman Higgins Armory, Worcester, 1961.

Grancsay, 1970
S. Y. Grancsay, Master French Gunsmith's Designs of XVIIᵉ-XXᵉ, New York, 1970.

Grandjean, 1990
S. Grandjean, « France », Tapisseries, Paris, 1990, p. 6-27 (Antiquités et Objets d'art, 2).

Grandjean, 2001
G. Grandjean, Trésors du musée de la Céramique [de Rouen], Paris, 2001.

Les Grands Orfèvres, 1965
Les Grands Orfèvres de Louis XIII à Charles X, Paris, 1965.

Granges de Surgères, s. d.
A. L. M., marquis de Granges de Surgères, Les Artistes nantais du Moyen Age à la Révolution, s. d. [1898].

Grangette, 1966
E. Grangette et A. Sauvy, « À propos des influences de Bernard Salomon. Recherches sur une série de peintures des Métamorphoses d'Ovide », Histoire et Civilisation du Livre 1. Cinq études lyonnaises, Genève, Paris, 1966 (centre de recherches d'Histoire et de Philologie de la IVᵉ section de l'École pratique des hautes études).

Griselle, 1912
E. Griselle, État de la maison du roi Louis XIII, Paris, 1912.

Grivel, 1986
M. Grivel, Le Commerce de l'estampe à Paris au XVIIᵉ siècle, Paris, 1986.

Grodecki, 1963
C. Grodecki, « Les fresques d'Antoine Paillet à l'hôtel de Sully », Art de France, 1963, p. 91-102.

Grodecki, 1986
C. Grodecki, Archives nationales. Documents du Minutier central des notaires de Paris. Histoire de l'art au XVIᵉ siècle (1540-1600), II, Paris, 1986.

Grodecki, 1992
C. Grodecki, « Sébastien Zamet, amateur d'art », Avènement d'Henri IV, quatrième centenaire. V. Les Arts au temps d'Henri IV, Actes du colloque de Fontainebleau, 1989, Pau, 1992, p. 185-254.

Grouchy, 1892
Vicomte de Grouchy, « Notes sur les tapisseries aux XVIIᵉ et XVIIIᵉ siècles recueillies dans les minutes des notaires », Nouvelles Archives de l'art français, 3ᵉ série, VIII, 1892, p. 61-64.

Gruber, 1992
A. Gruber (sous la dir. d'), L'Art décoratif en Europe. II. Classique et baroque, Paris, 1992.

Guibert, s. d.
L. Guibert, Exposition rétrospective de Limoges, 1886, photographies par Mieusement, Paris, s. d.

Guibert, 1893
L. Guibert, Collections et collectionneurs limousins, la collection Taillefer, Limoges, 1893.

Guibert, 1908
L. Guibert, « Catalogue des artistes limousins », Bulletin de la Société archéologique et historique du Limousin, LVIII, 1908, p. 119-209.

Guide du Musée municipal, 1986
Guide du Musée municipal, collection égyptienne, émaux, Limoges, 1986.

Guide, 1989
Louvre. Guide des collections, Paris, 1989.

Guiffrey, 1876
J. Guiffrey, « Guillaume Dupré, sculpteur et graveur en médailles. Documents nouveaux (1603-1606) », Nouvelles Archives de l'art français, 1876, p. 172-224.

Guiffrey, 1883
J. Guiffrey, « Scellés et inventaires d'artistes, XXIII, Charles le Brun, premier peintre du Roi », Nouvelles Archives de l'art français, 1883, p. 83-154.

Guiffrey, 1885-1886
J. Guiffrey, Inventaire général du mobilier de la Couronne sous Louis XIV (1669-1705), Paris, 1885-1886, 2 vol.

Guiffrey, 1892
J. Guiffrey, Les Manufactures parisiennes de tapisseries au XVIIᵉ siècle, Paris, 1892 (extrait de Mémoires de la Société de l'histoire de Paris et de l'Ile-de-France, XIX, 1892).

Guiffrey, 1896(1)
J. Guiffrey, « Inventaire des meubles précieux de l'hôtel de Guise en 1644 et en 1688 et de l'hôtel de Soubise en 1787 », Nouvelles Archives de l'art français, XII, 1896.

Guiffrey, 1896(2)
J. Guiffrey, Les Modèles et le musée des Gobelins, Paris, s. d. [1896].

Guiffrey, 1898
J. Guiffrey, « Les broderies de la ville de Beaugency », Revue de l'Art ancien et moderne, 1898, p. 145-154.

Guiffrey, 1899 (1)
J. Guiffrey, « Scellé et inventaire des joyaux, meubles, argenterie, tapisserie, peintures, etc. appartenant au duc de La Meilleraye, grand maître de l'Artillerie et maréchal de France, décédé à l'Arsenal le 7 février 1664 », Nouvelles Archives de l'art français, XV, 1899.

Guiffrey, 1899 (2)
J. Guiffrey, « Inventaire de l'abbé d'Effiat, abbé commendataire de Saint-Sernin, 18 octobre 1698 », Nouvelles Archives de l'art français, XV, 1899, p. 182-214.

Guiffrey, [1900], 1913
J. Guiffrey, « Inventaire descriptif et méthodique des tapisseries du Garde-Meuble », [établi en 1900], Inventaire général des richesses d'art de la France. Paris. Monuments civils, IV, Paris, 1913, p. 3-204.

Guiffrey, 1873
J.-J. Guiffrey, « Logements d'artistes au Louvre », Nouvelles Archives de l'art français, II, 1873, p. 1-163.

Guiffrey, 1882
J.-J. Guiffrey, « Interrogatoire de Charles Errard au sujet de travaux exécutés sous ses ordres », Nouvelles Archives de l'art français, IX, 1882, p. 93-99.

Guiffrey et Marcel, 1921
J. Guiffrey et P. Marcel, Inventaire général des dessins du musée du Louvre et du musée de Versailles, IX, Paris, 1921.

Guillet de Saint-Georges, 1855
Guillet de Saint-Georges, « Michel Anguier », Mémoires inédits sur la vie et les œuvres des membres de l'Académie royale de peinture et de sculpture, I, éd. L. Dussieux, E. Soulié, Ph. de Chennevières, P. Mantz, A. de Montaiglon, Paris, 1855.

Guilmard, 1880-1881
D. Guilmard, Les Maîtres ornemanistes, Paris, 1880-1881, 2 vol.

Gusler et Lavin, 1977
W. B. Gusler et J. D. Lavin, Decorated Firearms 1540-1870 from the Collection of Clay P. Bedford, Williamsburg, 1977.

Gustin-Gomez, 1996
Cl. Gustin-Gomez, Tapisserie et églises à Paris au XVIIᵉ siècle, DEA, université de Paris IV, 1996 (inédit).

Gutman, 1995
L. Gutman, Rois et Empereurs au Louvre, Paris, 1995 (service culturel du musée du Louvre).

Hany-Longuespé, 1974-1977
N. Hany-Longuespé, « Linard Gontier et ses fils, peintres-verriers. L'œuvre de l'atelier : les vitraux civils », extrait de Mémoires de la Société académique de l'Aube, CVIII, 1974-1977.

Hany-Longuespé, 1979
N. Hany-Longuespé, Linard Gontier et ses fils, peintres-verriers. Les vitraux religieux de son atelier à Troyes, thèse de doctorat de 3ᵉ cycle, Paris X-Nanterre, 1979.

Hany-Longuespé, 1981
N. Hany-Longuespé, « Linard Gontier, peintre-verrier troyen (1565-après 1642). Sa vie et l'œuvre de son atelier », Bulletin de la Société de l'histoire de l'art français, 1979, 1981, p. 51-61.

Hany-Longuespé, 2000
N. Hany-Longuespé, « Les orfèvres représentés au trésor de la cathédrale », La Vie en Champagne, 21, janvier-mars 2000, p. 24-38.

Haraucourt, 1925
Edm. Haraucourt, Fr. de Montremy et E. Maillard, Musée des Thermes et de l'hôtel de Cluny. Catalogue des bois sculptés et meubles, Paris, 1925.

Harris, 1961
J. Harris, « Inigo Jones and his French Sources », Bulletin of the Metropolitan Museum, mai 1961.

Hautecœur, 1943-1957
L. Hautecœur, Histoire de l'architecture classique en France, Paris, 1943-1957, 9 vol.

Havard, 1887-1889
H. Havard, Dictionnaire de l'ameublement et de la décoration depuis le XIIIᵉ siècle jusqu'à nos jours, Paris, 1887-1889, 4 vol.

Hay du Chastelet, 1630
Hay du Chastelet, Response à un libelle contre les ministres de l'Estat, 1630, rééd. dans idem, Recueil de diverses pièces, 1640.

Hayward, 1962-1963
J. F. Hayward, The Art of the Gunmaker, Londres, 1962-1963, 2 vol., trad. : Les Armes à feu anciennes, Fribourg, 1963-1964, 2 vol.

Hayward, 1966
J. F. Hayward, « The Puzzle of a Royal Toilet Mirror », The Connoisseur, CLXII, 1966, p. 228-231.

Hayward, 1973
J. F. Hayward, « Notes on the cabinet d'armes de Louis XIII », Livrustkammaren, 13, 1973.

Hayward, 1979
J. F. Hayward, « Further Notes on the Invention of the Flintlock », Art, Arms and Armour. An International Anthology, I, Chiasso, 1979.

Heer, 1978-1982
Voir Der neue Stockel.

Hein, 1988
J. Hein, « Goldemail des Manierismus und Frühbarock. Kleinodien Christians IV von Dänemark-Norwegen im Schloss Rosenborg, Kopenhagen », 20. Deutsch Kunst-und Antiquitätenmesse Hannover-Herrenhausen, 16-24 April 1988, Hanovre, 1988, p. 26-37.

Hein et Kristiansen, 1994
J. Hein et P. Kristiansen, Rosenborg Palace. A Guide to the Chronological Collection of the Danish Kings, Copenhague, 1994.

Heinz, 1995
D. Heinz, *Europäische Tapisseriekunst des 17. und 18. Jahrhunderts. Die Geschichte ihrer Produktionsstätten und ihrer künstlerischen Zeilsetzungen,* Vienne, Cologne, Weimar, 1995.

Hennezel, 1929
H. d'Hennezel, *Musée historique des Tissus. Catalogue des principales pièces exposées,* Lyon, 1929.

Hennezel, 1930
H. d'Hennezel, *Pour comprendre les tissus d'art,* Paris, 1930.

Hernmarck, 1977
C. Hernmarck, *The Art of the European Silversmiths, 1430-1830,* Londres, 1977, 2 vol.

Héroard, 1989
Journal de Jean Héroard, médecin de Louis XIII, éd. M. Foisil, Paris, 1989, 2 vol.

Historiska bilder, 1948-1949
Historiska bilder, Stockholm, 1948-1949, 2 vol.

Hobson, 1970
G. D. Hobson, *Les Reliures à la fanfare et le problème de l'S fermé,* Londres, 1935, rééd. Londres, 1970.

Hoff, 1969
A. Hoff, *Feuerwaffen,* Brunswick, 1969, 2 vol.

Hoopes, 1954
T. T. Hoopes, *Armor and Arms. An Elementary Handbook and Guide to the Collection in the City Art Museum of St. Louis, Missouri,* 1954.

Huard, 1913
G. Huard, « Marin Bourgeoys, peintre du Roi », *Bulletin de la Société historique de Lisieux,* 1913.

Huard, 1927
G. Huard, « Marin Bourgeoys, peintre de Henri IV et de Louis XIII », *Bulletin de la Société de l'histoire de l'art français,* 1926, 1927.

Huard, 1939
G. Huard, « Les logements des artisans dans la Grande Galerie du Louvre sous Henri IV et Louis XIII », *Bulletin de la Société de l'histoire de l'art français,* 1939, 1940, p. 18-36.

Hurtaut, 1980
M. Hurtaut, « Quelle Marie-Jeanne ? », *Revue de la Société des amis du musée de l'Armée,* 84, 1980.

Hyde, 1924
J. H. Hyde, « L'iconographie des quatre parties du monde », *Gazette des Beaux-Arts,* 1924, II.

Inventaire général des richesses d'art de la France, 1885
Inventaire général des richesses d'art de la France, province, monuments civils, III, Paris, 1885.

Inventaire de la Monnaie
Voir Mazerolle, 1892.

Irmscher, 1984
G. Irmscher, *Kleine Kunstgeschichte des europäischen Ornaments seit der frühen Neuzeit, 1400-1900,* Darmstadt, 1984.

Jacquemart, 1876
A. Jacquemart, *Histoire du mobilier. Recherches et notes sur les objets d'art qui peuvent composer l'ameublement et les collections de l'homme du monde et du curieux,* Paris, 1876.

Jacquinet, 1660
C. Jacquinet, *Plusieurs models des plus nouuelles manières qui sont en usage en l'art d'arquebuzerie auec ses ornemens les plus conuenables. Le tout tiré des ouurages de Thuraine et le Hollandois Arquebuziers Ordinaires de sa majesté graué par C. Jacquinet,* 1660, 16 pl. in-4°.

Janneau, 1965
G. Janneau, *La Peinture française au XVIIe siècle,* Genève, 1965.

Janneau, 1967
G. Janneau, *Le Mobilier français. Les sièges,* Paris, 1967.

Janneau et Niclausse, 1938
G. Janneau et J. Niclausse, *Le Musée des Gobelins 1938,* Paris, 1938.

Jarlier, 1976
P. Jarlier, *Répertoire d'arquebusiers et de fourbisseurs français,* Saint-Julien-du-Sault, 1976.

Jarry, 1963
M. Jarry, « La tenture des Rinceaux », *L'Œil,* 105, septembre 1963, p. 12-19.

Jarry, 1969
M. Jarry, « Savonnerie Panels and Furnishing Materials of the Seventeenth and Eighteenth Centuries », *The Connoisseur,* CLXX, 686, avril 1969, p. 211-219.

Jarry et Devinoy, 1948
M. Jarry et P. Devinoy, *Le Siège en France du Moyen Âge à nos jours,* Paris, 1948.

Jervis, 1984
S. Jervis, *The Penguin Dictionary of Design and Designers,* Londres, 1984.

Jessen, 1894
P. Jessen, *Katalog der Ornamentstich-Sammlung des Kunstgewerbe Museums Berlin,* Leipzig, 1894.

Jessen, 1920
P. Jessen, *Der Ornamentstich : Geschichte der Vorlagen des Kunsthandwerks seit dem Mittelalter,* Berlin, 1920.

Jestaz, 1988
B. Jestaz, « Étiquette et distribution intérieure dans les maisons royales de la Renaissance », *Bulletin monumental,* 146, 1988.

Jones, 1909
A. E. Jones, *The Old English Plate of the Emperor of Russia,* Londres, 1909.

Jones, 1988
M. Jones, *A Catalogue of the French Medals in the British Museum,* II, Paris, 1988.

Jouanny, 1911
Ch. Jouanny, « Correspondance de Nicolas Poussin », *Archives de l'art français,* V, 1911.

Joubert et alii, 1995
F. Joubert, A. Lefébure et P.-Fr. Bertrand, *Histoire de la tapisserie en Europe, du Moyen Âge à nos jours,* Paris, 1995.

Jougla de Morenas, 1939
H. Jougla de Morenas, *Grand armorial de France. Catalogue général des armoiries des familles nobles de France...,* IV, Paris, 1939.

Kerviler, 1874
R. Kerviler, *Le Chancelier Séguier,* Nantes, 1874.

Kjellberg, 1963
P. Kjellberg, « Les plus beaux Nevers », *Connaissance des arts,* 131, janvier 1963.

Kraft, Heribert et Torsten, 1948-1949
S. Kraft, S. Heribert et L. Torsten, *Historiska bilder,* Stockholm, 1948-1949, 2 vol.

Kreisel, 1968
H. Kreisel, *Die Kunst des deutschen Möbels,* I, Munich, 1968.

Labarte, 1847
J. Labarte, *Description des objets d'art qui composent la collection Debruge-Duménil,* Paris, 1847.

Labbé, 1901
A. Labbé, *L'Inventaire du château de Richelieu en 1788,* Archives historiques du Poitou, 1901, XXXI.

Labbé et Bicart-Sée, 1987
J. Labbé et L. Bicart-Sée, *La Collection Saint-Morys au cabinet des dessins du musée du Louvre,* II, Paris, 1987.

Laborde, 1857
L. de Laborde, *Notice des émaux, bijoux et objets divers exposés dans les galeries du musée du Louvre,* Paris, 1857.

Lacronique, 1905
R. Lacronique, « Le docteur Paul Richer et ses prédécesseurs », *Gazette numismatique française,* 1905, p. 30 et ssq.

Lafond, 1919
J. Lafond, *Les Vitraux de Paris au Petit Palais,* Rouen, 1919.

Lafond, 1956
J. Lafond, « Le vitrail civil à l'église et au musée », *Médecine de France,* 77, 1956, p. 16-32.

Lafond, 1958
J. Lafond, « De 1560 à 1789 », *Le Vitrail français,* ouvrage collectif, Paris, 1958, p. 256-271.

La Fontaine, 1892
Œuvres de Jean de La Fontaine, éd. H. Régnier, Paris, 1883-1892, 11 vol.

Lallemend et Boinette, 1884
M. Lallemend et A. Boinette, *Jean Errard, de Bar le Duc, premier ingénieur du très chrestien roy de France et de Navarre Henri IV, sa vie, ses œuvres, sa fortification,* Paris, 1884.

La Moureyre, 1994
Fr. de La Moureyre, « L'*Hiver* au jardin du Luxembourg : une statue de Michel Anguier », *Gazette des Beaux-Arts,* avril 1994, p. 185-194.

Lamy, 1898, 1970
St. Lamy, *Dictionnaire des sculpteurs de l'École française du Moyen Âge au règne de Louis XIV,* Paris, 1898, reprint Genève, 1970.

Lamy et Brière, 1949
M. Lamy et G. Brière, « L'inventaire de B. Prieur, sculpteur du roi », *Société de l'histoire du protestantisme français, Bulletin,* 6e série, 25, 1949, p. 41-68.

Langeois, 1999
D. Langeois, *Quelques Chefs d'œuvre de la collection Djahanguir Riahi. Ameublement français du XVIIIe s.,* Paris, 1999.

Lapauze et Gronkowski, 1925
H. Lapauze et C. Gronkowski, *Palais des Beaux-Arts de la ville de Paris. Catalogue sommaire des collections Dutuit,* Paris, 1925.

La Tour, 1892
H. de La Tour, « Médailles modernes récemment acquises par le Cabinet de France », *Revue numismatique,* 1892, p. 478-504.

Laurain-Portemer, 1969
M. Laurain-Portemer, « Le mobilier du premier duc de Mazarin à Mayenne », *Bulletin de la Commission historique et archéologique de la Mayenne,* octobre-décembre 1969.

Laurain-Portemer, 1975
M. Laurain-Portemer, « Mazarin militant de l'art baroque au temps de Richelieu, 1634-1642 », *Bulletin de la Société d'histoire de l'art français,* 1975, 1976, p. 65-100.

Laurain-Portemer, 1981, 1997
M. Laurain-Portemer, *Études mazarines,* Paris, 1981-1997, 2 vol.

Lavalle, 1990
D. Lavalle, « Simon Vouet et la tapisserie », cat. exp. *Vouet,* Paris, Grand Palais, 1990-1991, p. 487-525.

Lavalle, 1996
D. Lavalle, « Tenture de l'Ancien Testament », cat. exp. *Lisses et délices. Chefs-d'œuvre de la tapisserie de Henri IV à Louis XIV,* Chambord, 1996-1997, p. 144-153.

Le Bars, 1996
F. Le Bars, « Une reliure en maroquin à décor floral imprimé (XVIIe siècle) », *Bulletin du bibliophile,* 1996, p. 379-392.

Lebeuf, 1757
Abbé Lebeuf, *Histoire du diocèse de Paris...,* VII, Paris, 1757.

Le Breton, 1883
G. Le Breton, *Le Musée céramique de Rouen,* Rouen, 1883.

Lecler et Guibert, 1902, 1905
A. Lecler et L. Guibert, « Recueil d'armoiries limousines de Philippe Poncet peintre et émailleur », *Bulletin de la Société archéologique et historique du Limousin,* LII, 1902, p. 425-484, fig., LIV, 1905, p. 337-426.

Le Comte, 1702
Fl. Le Comte, *Cabinet des singularitez d'architecture, peinture, sculpture et graveure...,* 2e éd., Bruxelles, 1702.

Ledoux-Lebard, 1989
D. Ledoux-Lebard, *Le Mobilier français du XIXe siècle, 1795-1889. Dictionnaire des ébénistes et des menuisiers,* Paris, 1989.

Lefébure, 1992
A. Lefébure, « L'Atelier de Barthélemy Prieur et l'imagerie royale sous le règne d'Henri IV », *Avènement d'Henri IV, quatrième centenaire. V. Les Arts au temps d'Henri IV, Actes du colloque de Fontainebleau, 1989,* Pau, 1992, p. 259-278.

Lefébure, 1993
D. Alcouffe, A. Lefébure et A. Dion-Tenenbaum, *Le Mobilier du musée du Louvre*, I, Dijon, 1993.

Le Goff, 1992
G. Le Goff, « Serrant, le dernier des grands châteaux de la Loire », *L'Estampille. L'Objet d'art*, 258, mai 1992, p. 40-57.

Lejeaux, 1948
J. Lejeaux, « La tenture de la vie de la Vierge à Strasbourg », *Gazette des Beaux-Arts*, décembre 1948, p. 405-418.

Le Moël, 1990
M. Le Moël, *L'Architecture privée à Paris au grand siècle*, Paris, 1990.

Le Muet, 1623, 1647, 1981
P. Le Muet, *Manière de bien bastir pour touttes sortes de personnes*, Paris, 1623, rééd. Paris, 1647, rééd. Cl. Mignot, Aix-en-Provence, 1981.

Lenk, 1965
T. Lenk, *Flintlåset, dess uppkomst och utveckling*, Stockholm, 1939, éd. J. F. Hayward, *The Flintlock, its Origin and Development*, Londres, 1965.

Lenoir, an IV
Al. Lenoir, *Notice historique des monumens des arts, réunis au dépôt national, rue des Petits Augustins*, Paris, an IV.

Lenôtre, 1934
G. Lenôtre, *La Révolution par ceux qui l'ont vue*, Paris, 1934.

Leopold et Vincent, 1993
J. Leopold et Cl. Vincent, « A Watch for Monsieur Hesselin », *Metropolitan Museum Journal*, 28, 1993, p. 103-119.

Le Pas de Sécheval, 1991
A. le Pas de Sécheval, « Les missions romaines de Paul Fréart de Chantelou en 1640 et 1642 : à propos des moulages d'antiques commandés par Louis XIII », *XVIIe siècle*, 172, juillet-septembre 1991, p. 259-274.

Le Pas de Sécheval, 1992
A. le Pas de Sécheval, *La Politique artistique de Louis XIII*, thèse dactylographiée sous la dir. d'A. Schnapper, université de Paris IV, 1992, 3 vol.

Le Pas de Sécheval, 1993
A. le Pas de Sécheval, « Aux origines de la collection Mazarin : l'acquisition de la collection romaine du duc Sannesio (1642-1644) », *Journal of the History of Collections*, 5, 1993, 1, p. 13-21.

Le Pas de Sécheval, 2000
A. le Pas de Sécheval, « Peinture et spiritualité au XVIIe siècle : l'église parisienne des Carmélites de l'Incarnation », *XVIIe siècle*, 208, juillet-septembre 2000, p. 387-406.

Leproux, 1985
G.-M. Leproux, « Une famille de peintres-verriers parisiens : les Pinaigrier », *Fondation Eugène Piot. Monuments et Mémoires*, 67, 1985, p. 77-110.

Lescure, 1995
Fr. Lescure, *Theriaca magna Andromachi senioris*, *L'Olifant*, 11, mars 1995, p. 14-15.

Lespinasse, 1886-1897
R. de Lespinasse, *Histoire générale de Paris. Les métiers et corporations de la ville de Paris*, Paris, 1886-1897, 3 vol.

Lettres et mémoires, 1964
Lettres et mémoires adressés au chancelier Séguier (1633-1649), publiés sous la dir. de R. Mousnier, Paris, 1964.

Le Vaillant de La Fieffe, 1971
O. Le Vaillant de La Fieffe, *Les Verreries de la Normandie, les gentilshommes et artistes verriers normands*, rééd. Le Portulan, 1971.

Levi, 1985
Dr H. Levi, « L'inventaire après décès du cardinal de Richelieu », *Archives de l'art français*, XXVII, 1985, p. 9-83.

L'Hermitte, 1645
Fr. L'Hermitte, dit Tristan L'Hermitte, *La Mort de Sénèque*, Paris, 1645.

Le Vieil, 1774
P. Le Vieil, *L'Art de la peinture sur verre et de la vitrerie*, Paris, 1774.

Lightbown, 1969
R. Lightbown, « Les origines de la peinture en émail sur or : un traité inconnu et des faits nouveaux », *Revue de l'art*, 5, 1969.

Lightbown, 1978
R. Lightbown, *French Silver. Victoria and Albert Museum Catalogues*, Londres, 1978.

Lindsay, 1967
M. Lindsay, *One Hundred Great Guns, An Illustrated History of Firearms*, New York, 1967.

Linsky Collection, 1984
The Jack and Belle Linsky Collection in the Metropolitan Museum of Art, New York, 1984.

Liste générale, 1700
Liste générale de tous les maistres brodeurs, découpeurs, marchands chasubliers de la Ville et Fauxbourg de Paris, Paris, imp. M. Rebuffé, 1700.

Lorgeril, 1984
Ch. de Lorgeril, *Le Château de La Bourbansais*, Rennes, 1984.

Lorin, 1892
M. Lorin, « Deux inventaires de l'hôtel de Rambouillet en 1652 et en 1666 », *Bulletin archéologique du comité des travaux historiques et scientifiques*, 1892, p. 350-358.

Lothe, 1994
J. Lothe, *L'Œuvre gravé de François et de Nicolas de Poilly*, Paris, 1994.

[Louvrier de Lajolais], 1905
[A. Louvrier de Lajolais], *Musée national Adrien Dubouché de Limoges, les émaux*, Limoges, 1905.

[Louvrier de Lajolais], 1919
[A. Louvrier de Lajolais], *Musée national Adrien Dubouché de Limoges, les émaux*, Limoges, 1919.

Lüning, 1719-1720
J. Chr. Lüning, *Theatrum ceremoniale historico-politicum*, Leipzig, 1719-1720, 2 vol.

Lunsingh Scheurleer, 1980
Th. H. Lunsingh Scheurleer, « Pierre Gole, ébéniste du roi Louis XIV », *The Burlington Magazine*, CXXII, 1980, p. 380-394.

Lunsingh Scheurleer, 1984
Th. H. Lunsingh Scheurleer, « The Philippe d'Orléans Ivory Cabinet by Pierre Gole », *The Burlington Magazine*, CXXVI, 1984, p. 332-339.

Lunsingh Scheurleer, 1993
Th. H. Lunsingh Scheurleer, « Pierre Gole in volle glorie in het Rijksmuseum », *Bulletin van het Rijksmuseum*, 1993, 2, p. 79-95.

Lyon, 1898
Musée des tissus de Lyon. Guide des collections, Lyon, 1898.

Lyon, 1906
Lyon et la région lyonnaise en 1906, Lyon, 1906.

Mabille, 1984
G. Mabille, *Orfèvrerie française des XVIe, XVIIe, XVIIIe siècle. Catalogue raisonné des collections du musée des Arts décoratifs et du musée Nissim de Camondo*, Paris, 1984.

Mabille, 1994
Gérard Mabille, *La Collection Puiforcat, donation de Stavros S. Niarchos, orfèvrerie du XVIIe au XIXe siècle*, Paris, 1994.

Machault, 1996
P.-Y. Machault, « Les ateliers de Tours : l'*Histoire de Coriolan* », *Tapisseries françaises du XVIIe siècle, Dossier de l'art*, 32, 1996, p. 56-57.

Machault, 1998
P.-Y. Machault, « Deux chefs-d'œuvre des ateliers rémois », *L'Estampille*, 324, mai 1998, p. 38-41.

Macht, 1971
C. Macht, « Elegance and Craftsmanship in Eighteenth-Century France », *Apollo*, avril 1971, p. 280-289.

Mc Nab, 1987
J. Mc Nab, « Palissy et son "école" dans les collections du Metropolitan Museum of Art de New York », *Revue de l'art*, 78, 1987.

Magendie, 1925
M. Magendie, *La Politesse mondaine et les théories de l'honnêteté en France de 1600 à 1660*, Paris, 1925, reprint Genève, 1993.

Mâle, 1932
E. Mâle, *L'Art religieux après le Concile de Trente. Étude sur l'iconographie de la fin du XVIe siècle, du XVIIe siècle, du XVIIIe siècle. Italie. France. Espagne. Flandres*, Paris, 1932.

Mann, 1931
J. G. Mann, *Wallace Collection Catalogues. Sculptures…*, Londres, 1931.

Mann, 1962
J. Mann, *Wallace Collection Catalogues. European Arms and Armour*, Londres, 1962, 2 vol.

Marbouty, 1885
C. Marbouty, « Visite aux émaux anciens et modernes de Limoges », *Bulletin de la Société archéologique et historique du Limousin*, XXXIII, 1885, p. 77-88.

Mariaux, 1927
Gal Mariaux, *Armes et armures anciennes et souvenirs historiques au musée de l'Armée*, II, Paris, 1927.

Mariette, 1750
P. J. Mariette, *Traité des pierres gravées*, Paris, 1750, 2 vol.

Markowa, 1978
W. Markowa, *Der Kreml*, Leipzig, 1978.

Marquet de Vasselot, 1903
J.-J. Marquet de Vasselot, « La collection de Madame la marquise Arconati-Visconti », *Les Arts*, no 20, août 1903, p. 2-14.

Marquet de Vasselot, 1906-1909
J.-J. Marquet de Vasselot et *alii*, *Catalogue raisonné de la collection Martin Le Roy*, Paris, 1906-1909, 5 vol.

Marquet de Vasselot, 1914 ou s. d.
J.-J. Marquet de Vasselot, *Paris, musée national du Louvre. Catalogue sommaire de l'orfèvrerie, de l'émaillerie et des gemmes du moyen-âge au XVIIe siècle*, Paris, s. d. [1914].

Marsaux, 1895
Chanoine Marsaux, « La broderie et l'orfèvrerie à l'exposition de Reims », *Bulletin monumental*, 1895.

Mauban, 1944
A. Mauban, *Jean Marot, architecte et graveur parisien*, Paris, 1944.

Mazarin, Naudé, 1991
Mazarin, Naudé et la bibliothèque Mazarine, XVIIe congrès de l'Association internationale de bibliophilie, Paris, 1991.

Mazerolle, 1892
F. Mazerolle, *Catalogue des coins du Musée monétaire*, Paris, 1892.

Mazerolle, 1902
F. Mazerolle, *Les Médailleurs français du XVe siècle au milieu du XVIIe*, II, Paris, 1902.

Mazerolle, 1904
F. Mazerolle, « Inventaire des poinçons et coins de la monnaie des médailles », *Gazette numismatique française*, 1904, p. 119-206.

Mazerolle, 1932
F. Mazerolle, *Jean Varin*, I, Paris, 1932.

Mazzini, 1982
C. Bertolotto, M. Cartesegna, M. di Macco, G. Dondi, Fr. Mazzini, R. Natta Soleri, G. Romano et C. Spantigatti, *L'Armeria reale di Torino*, sous la dir. de Fr. Mazzini, Varese, 1982.

Medallic Illustrations
Medallic Illustrations of the History of Great Britain and Ireland, Londres, 1904.

Mémoires inédits, 1854
Mémoires inédits sur la vie et les ouvrages des membres de l'Académie royale de peinture et de sculpture, éd. L. Dussieux et alii, Paris, 1854, 2 vol.

Mémoires, 1894
Mémoires de la Société Eduenne, XXII, 1894.

Mérot, 1990
A. Mérot, *Retraites mondaines*, Paris, 1990.

Mérot, 1992
A. Mérot, « Simon Vouet et la grotesque : un langage ornemental », *Rencontres de l'école du Louvre. Simon Vouet, 5-7 février 1991*, Paris, 1992, p. 563-572.

Mérot, 1994
A. Mérot, « Cormatin », *Connaissance des arts*, hors-série, 58, 1994, p. 32-52.

Mérot, 1998
A. Mérot, « L'art de la voussure », *Revue de l'art*, 122, 1998, 4, p. 27-37.

Meslay, 1994
O. Meslay, « À propos du cabinet du bord de l'eau d'Anne d'Autriche au Louvre et de quelques découvertes au palais du Luxembourg », *Bulletin de la Société de l'histoire de l'art français*, 1994, 1995, p. 49-65.

Metman, 1905
L. Metman et G. Brière, *Le Musée des Arts décoratifs. Le bois*, Paris, 1905, 2 vol.

Meunier, 1914
C. Meunier, *Cent Reliures de la Bibliothèque nationale*, Paris, 1914.

Meyer, 1979
V. Meyer, *L'Œuvre gravé de Daniel Rabel*, mémoire de maîtrise dactylographié, université de Paris IV, 1979.

Michaud et Poujoulat, 1837
J.-Fr. Michaud et J.-J.-Fr. Poujoulat, *Nouvelle Collection de mémoires pour servir à l'histoire de France depuis le XIIIᵉ siècle jusqu'à nos jours*, VI, Paris, 1837.

Michaud, 1969
Cl. Michaud, « François Sublet de Noyers, surintendant des bâtiments de France », *Revue historique*, CCXLI, avril-juin 1969, p. 327-364.

Michel, 1922
A. Michel, *Histoire de l'art depuis les premiers temps chrétiens jusqu'à nos jours*, VI, *l'Art en Europe au XVIIᵉ siècle*, seconde partie, Paris, 1922.

Michel, 1993
P. Michel, « Rome et la formation des collections du cardinal Mazarin », *Histoire de l'art*, 21-22, mai 1993, p. 5-16.

Michel, 1999(1)
P. Michel, *Mazarin, prince des collectionneurs : les collections et l'ameublement du cardinal Mazarin (1602-1661)*, Paris, 1999 (Notes et Documents des Musées de France, 34).

Michel, 1999(2)
P. Michel, « La tenture de l'histoire de Déborah du Louvre. Un rare exemple de "tapisserie de peinture" du XVIIᵉ siècle », *Revue du Louvre*, 1999, 4, p. 51-71.

Michon, 1951
L.-M. Michon, *La Reliure française*, Paris, 1951.

Migeon, 1904
G. Migeon, *Musée national du Louvre, Catalogue des bronzes et cuivres du Moyen âge, de la Renaissance et des Temps Modernes*, Paris, 1904.

Migeon, 1909
G. Migeon, *Les Arts du tissu*, Paris, 1909 (Manuels d'histoire de l'art).

Migeon, 1917
G. Migeon, *Musée national du Louvre. Catalogue de la collection Arconati Visconti*, Paris, 1917.

Mignot, 1981
Cl. Mignot, *P. Le Muet, Nouvelles Manières de bien bâtir*, éd. Cl. Mignot, Paris, 1981.

Mignot, 1985
Cl. Mignot, « Documents », *L'Hôtel de Vigny*, Paris, 1985, p. 51-61 (*Cahiers de l'Inventaire*, 5).

Mignot, 1991
Cl. Mignot, *Pierre Le Muet, architecte (1591-1669)*, thèse de doctorat, université de Paris IV, 1991.

Milet, 1898
A. Milet, *Historique de la faïence et de la porcelaine de Rouen au XVIIᵉ siècle à l'aide d'aperçus nouveaux et de documents inédits*, Rouen, 1898.

Millar, 1958-1960
O. Millar, « Abraham van der Doort's Catalogue of the Collections of Charles I », *The Walpole Society*, XXXVII, 1958-1960.

Mironneau, 1997
P. Mironneau, *Les Tapisseries du château de Pau*, Paris, 1997 (Petit Guide, 135).

Molinier, 1886
E. Molinier, *Les Bronzes de la Renaissance, les Plaquettes. Catalogue raisonné*, I, Paris, 1886.

Molinier, 1891
E. Molinier, *L'Émaillerie*, Paris, 1891.

Molinier, 1896(1)
E. Molinier, *Musée national du Louvre. Département des objets d'art du Moyen Age, de la Renaissance et des Temps Modernes. Catalogue des ivoires*, Paris, 1896.

Molinier, 1896(2)
E. Molinier, *Histoire générale des arts appliqués à l'industrie. I. Les Ivoires*, Paris, 1896.

Molinier, 1898
E. Molinier, *Histoire générale des arts appliqués à l'industrie. III. Le Mobilier au XVIIᵉ et au XVIIIᵉ siècle*, Paris, s. d. [1898].

Molinier, 1901 ou s. d.
E. Molinier, *Le Mobilier français du XVIIᵉ et du XVIIIᵉ siècle*, Paris, s. d. [1901].

Molinier, 1903
E. Molinier, *Collections du château de Goluchow, objets d'art du Moyen-Age et de la Renaissance*, Paris, 1903.

Mollet, 1652
Cl. Mollet, *Théâtre des plans et jardinages, contenant des secrets et des inventions incognues à tous ceux qui jusqu'à présent se sont meslez d'escrire sur cette matière, avec un traicté d'astrologie, propre pour toutes sortes de personnes, et particulièrement pour ceux qui s'occupent de la culture des jardins*, Paris, 1652.

Mongellaz et Hau-Balignac, 1996
J. Mongellaz et Fr. Hau-Balignac, *Le Château de Saumur*, Saumur, 1996.

Montagnon, 1987
G. Montagnon, *Histoire des fayenciers de Nevers et de leurs fabriques de 1585 à nos jours*, Nevers, 1987.

Montagu, 1963
J. Montagu, « The Unknown Charles Le Brun : Some Newly Attributed Drawings », *Master Drawings*, I, 2, 1963, p. 40-47.

Montaiglon, 1853
A. de Montaiglon, *Mémoires pour servir à l'histoire de l'Académie royale de peinture et de sculpture depuis 1648 jusqu'en 1664*, Paris, 1853, 2 vol.

Montembault et Schloder, 1988
M. Montembault et J. Schloder, *L'Album Canini du Louvre et la collection d'antiques de Richelieu*, Paris, 1988 (Notes et Documents des Musées de France, 21).

Montgolfier, 1961
B. de Montgolfier, « Deux tableaux de Claude Vignon », *Gazette des Beaux-Arts*, 1961, I, p. 315-330.

Moore, 1988
A. Moore, « The Fountaine Collection of Maiolica », *The Burlington Magazine*, CXXX, 1988.

Moreau, 1853
C. Moreau, *Choix de mazarinades*, Paris, 1853.

Mouton, 1910
L. Mouton, « Histoire d'un coin du Pré-aux-Clercs et de ses habitants – Du manoir de Jean Bouyn à l'École des beaux-arts », *VIᵉ arrondissement*, XIII, 1910, p. 40-62 et 155-215.

Motteville, 1657, 1854
Madame de Motteville, *Mémoires*, éd. J.-F. Miland et J.-J.-Fr. Poujoulat, *Nouvelle Collection de Mémoires pour servir à l'histoire de France depuis le XIIIᵉ siècle jusqu'à nos jours*, XXIV, Paris, 1854.

Müntz et Molinier, 1885
E. Müntz et E. Molinier, « Le château de Fontainebleau au XVIIᵉ siècle d'après des documents inédits », *Mémoires de la Société de l'histoire de Paris et de l'Ile-de-France*, XII, 1885.

Musée monétaire
Voir Mazerolle, 1892.

NAAF, 1896
Voir Guiffrey, 1896(1).

Nadaud, 1974
Abbé J. Nadaud, *Nobiliaire du diocèse et de la généralité de Limoges*, éd. abbé A. Lecler, Limoges, 1863-1882, 4 vol., rééd. 1974.

Needham, 1979
P. Needham, *Twelve Centuries of Bookbindings, 400-1600*, New York et Londres, 1979.

Netzer, 1999
S. Netzer, *Maleremails aus Limoges, der Bestand des Berliner Kunstgewerbemuseums*, Berlin, 1999.

Nexon, 1976
Y. Nexon, *Le Mécénat du chancelier Séguier*, thèse, École des chartes, 1976, résumé dans *Positions des thèses de l'École des chartes*, Paris, 1976, p. 121-130.

Nexon, 1982
Y. Nexon, « La Collection de tableaux du chancelier Séguier », *Bibliothèque de l'École des chartes*, CXL, 1982.

Nexon, 1983
Y. Nexon, « L'hôtel Séguier », *Bulletin archéologique du Comité des travaux historiques et scientifiques*, n. s, 16, 1980, 1983, fasc. A, p. 143-177.

Niceron, 1638
Père J.-Fr. Niceron, *De la perspective curieuse ou magie artificielle des effets merveilleux de l'optique…*, Paris, 1638.

Niclausse, 1947
J. Niclausse, « La Savonnerie », *La Tapisserie*, Paris, 1947, p. 85-92 (La Tradition française).

Niclausse, 1948
J. Niclausse, *Tapisseries et tapis de la ville de Paris*, Paris, 1948.

Nocq, 1926
H. Nocq, *Le Poinçon de Paris. Répertoire des maîtres orfèvres de la juridiction de Paris depuis le Moyen Âge jusqu'à la fin du XVIIIᵉ siècle*, Paris, 1926-1931, 5 vol.

Nocq, Alfassa et Guérin, 1926
H. Nocq, P. Alfassa et J. Guérin, *Orfèvrerie civile française*, Paris, 1926, 2 vol.

Norman, 1986
A. V. Norman, *Wallace Collection. European Arms and Armour, supplement*, Londres, 1986.

Notice, 1815
Notice des dessins, peintures, bas-reliefs exposés au musée Napoléon, galerie d'Apollon, Paris, 1815.

Notice abrégée, 1825
Notice abrégée des collections dont se compose le musée d'Artillerie, Paris, 1825.

Notice abrégée, 1828
Notice abrégée des collections dont se compose le musée d'Artillerie, Paris, 1828.

Notice abrégée, 1835
Notice abrégée des collections dont se compose le musée d'Artillerie, Paris, 1835.

Notice abrégée, 1845
Notice abrégée des collections dont se compose le musée d'Artillerie, Paris, 1845.

Notice abrégée, 1854-1855
Notice abrégée des collections dont se compose le musée d'Artillerie, Paris, 1854-1855.

Notter et Sainte Fare Garnot, 1996
A. Notter et N. Sainte Fare Garnot, *La Vierge, le roi et le ministre, le décor du chœur de Notre-Dame de Paris au XVIIᵉ siècle*, Arras, 1996.

Nougarède et *alii*, 2000
M. Nougarède et *alii*, *Les Armoires figurées du Bas-Languedoc*, Nîmes, 2000.

Olivié, 1998
J.-L. Olivié, « Acquisitions », *La Revue du Louvre*, 3, 1998.

Olivié, 2001
J.-L. Olivié, « Acquisitions », *La Revue du Louvre*, 2001.

Olivier, Hermal et Roton, 1924-1938
E. Olivier, G. Hermal et R. de Roton, *Manuel de l'amateur de reliures armoriées françaises*, Paris, 1924-1938, 30 vol.

Oman, 1961
Ch. Oman, *The English Silver in the Kremlin, 1557-1663*, Londres, 1961.

Pagnano, 1983
G. Pagnano, *L'Arte del tappeto orientale ed europeo dalle origini al XVIII secolo*, Busto Arsizio, 1983.

Panneaux de vitres-vitraux, 1996
Panneaux de vitres-vitraux. Mises en plomb XIIᵉ-XIXᵉ siècles, I, introduction de Fr. Perrot, Paris, Centre de recherches sur les Monuments historiques, 1996, p. 5-7.

Peiresc, 1888
Lettres de Peiresc aux frères Dupuy, éd. par
P. Tamizey de Larroque, I, Paris, 1888.

Pelletier, 1995
Voir cat. exp. Paris, 1995.

Pelliot, 1931
M. Pelliot, « Verres gravés au diamant »,
Gazette des Beaux-Arts, mai 1931.

Penguilly l'Haridon, 1862
O. Penguilly l'Haridon, *Catalogue des
collections composant le musée
d'Artillerie*, Paris, 1862.

Penny, 1992
N. Penny, *Catalogue of European
Sculpture in the Ashmolean Museum,
1540 to the present*, II, Oxford, 1992.

Penot, 1984
Cl. Penot, « Cabinet en ébène », *Métiers
d'art*, 26-27, octobre 1984, p. 24.

Pény, 1947
Fr. Pény, *Jean Varin de Liège*, Liège, 1947.

Pérouse de Montclos, 1994
J.-M. Pérouse de Montclos, *Vaux-le-
Vicomte*, Paris, 1994.

Perrault, 1696
Ch. Perrault, *Les Hommes illustres*,
Paris, 1696.

Perrot, 1973
Fr. Perrot, *Catalogue des vitraux du
musée de Cluny à Paris*, thèse de
3e cycle, Dijon, 1973.

Petitjean et Wickert, 1925
Ch. Petitjean et Ch. Wickert, *Catalogue
de l'œuvre gravé de Robert Nanteuil*,
Paris, 1925, 2 vol.

Picart, 1994
Y. Picart, *Michel Corneille l'Ancien 1601-
1664*, Paris, 1994.

Picquot, 1638
T. Picquot, *Livre de Diverses
Ordonnances de Feuillages Moresques,
Crotesques, Rabesques et autres inventions toutes nouvelles et non encore
usitées en France pour l'enrichissement
du fer de lacier propre aux Arquebusiers
forbisseurs horlogers et generallement a
tous ceux qui ce servent du cizeau de la
forge et de la lime. Dédié au Roy par
Thomas Picquot, peintre*, 1638.

Piganiol de La Force, 1765
Piganiol de La Force, *Description historique de la ville de Paris et de ses
environs*, II, Paris, 1765.

Pillorget, 1995
R. et S. Pillorget, *France baroque, France
classique, 1589-1715*, Paris, 1995, 2 vol.

Plat, 1945
J. Plat, « Sur le château de Montrond »,
*Mémoires de la Société des antiquaires
du Centre*, XLIX, 1941-1943, 1945,
p. 61-156.

Pollard, 1967
J. Graham Pollard et G. F. Hill,
*Renaissance Medals from the Samuel
H. Kress Collection at the National
Gallery of Art*, Londres, 1967.

Pons, 1995
Br. Pons, *Grands décors français. 1650-
1800*, Dijon, 1995.

Pornin, 1998
Cl. Pornin, *Catalogue des collections de
vitraux des musées d'art et d'histoire de
Troyes. Musée Saint-Loup. Musée de
Vauluisant*, Troyes, 1998.

Portalis, 1896
Baron R. Portalis, « Nicolas Jarry et la
calligraphie au XVIIe siècle », *Bulletin du
bibliophile*, 1896.

Portalis, 1897
Baron R. Portalis, *Nicolas Jarry et la
calligraphie au XVIIe siècle*, Paris, 1897.

Pottier, 1870
A. Pottier, *Histoire de la faïence de
Rouen*, Rouen, 1870.

Pottier, 1986
A. Pottier, *Histoire de la faïence de
Rouen*, Rouen, fac-sim. de l'éd. de 1870,
éd. C. Vaudour, 1986.

Poulet
Voir Scher.

Poumerol, 1631
F. Poumerol, *Quatrains au Roy sur la
façon des harquebuses et pistolets ensei-
gnant le moyen de reconoistre la bonté et
le vice de toutes sortes d'armes à feu et de
les conserver leur lustre et bonté par
François Poumerol, arquebusier*, 1631.

Préaud, 1989
M. Préaud, *Bibliothèque nationale.
Département des Estampes. Inventaire du
fond français. Graveurs français du
XVIIe siècle*, X, Paris, 1989.

Préaud, 1993
M. Préaud, *Bibliothèque nationale de
France, Département des estampes.
Inventaire du fonds français. Graveurs
français du XVIIe siècle*, XI, Antoine et
Jean Lepautre, Paris, 1993.

Préaud, 1999
M. Preaud, *Bibliothèque nationale.
Département des Estampes. Inventaire du
fonds français. Graveurs français du
XVIIe siècle*, XII, Jean Lepautre, Paris,
1999.

Préaud, à paraître ou 2000
M. Préaud, « Jean Lepautre dessinateur :
une première approche », actes du
colloque *Le Dessin en France*, École du
Louvre, 2000, à paraître.

Quette, 1996
A.-M. Quette, *Le Mobilier français.
Louis XIII, Louis XIV*, Paris, 1996.

Quinchon-Adam, 1993
L. Quinchon-Adam, « Le botaniste et le
graveur : « Le Jardin du Roy tres chrestien Henry IV » (1608) par Pierre Vallet,
dit le jeune », *Bulletin de la Société de
l'histoire de l'art français*, 1993, p. 9-19.

Quinchon-Adam, 1997
L. Quinchon-Adam, « Un élève français
du paysagiste Jacques Fouquières :
Étienne Rendu (Dijon ?, vers 1610 –
Paris, après 1655) », *Bulletin de la
Société de l'histoire de l'art français*,
1997, p. 85-98.

Radcliffe, 1988
A. Radcliffe, *European Bronze Statuettes*,
Londres, 1988.

Rahir, 1899
E. Rahir, *La Collection Dutuit : livres et
manuscrits*, Paris, 1899.

Rambaud, 1971
M. Rambaud, *Documents du Minutier
central concernant l'histoire de l'art
(1700-1750)*, II, Paris, 1971.

Ravelli, 1978
L. Ravelli, *Polidoro Caldara da
Caravaggio*, Bergame, 1978.

Recouvreur, 1933
A. Recouvreur, *Ville d'Angers, musée
Turpin de Crissé (hôtel de Pincé),
catalogue-guide*, Angers, 1933.

Reginster, 1996
Fr. Reginster, « Chefs-d'œuvre du
musée de Nevers », *La Faïence de Nevers,
Dossier de l'art*, 30, juin-juillet 1996.

Registres consulaires, 1884
*Registres consulaires de la ville de
Limoges, 1592-1662*, publication
commencée par É. Ruben et continuée
par L. Guibert, Limoges, 1884.

Remington, 1931
Pr. Remington, « An Ebony Cabinet of
the Seventeenth Century », *Bulletin of
the Metropolitan Museum of Art*, XXVI,
1931, p. 231-236.

Renaudin, 1851
L. Renaudin, *Études historiques et
critiques sur les médecins numismates*,
Paris, 1851.

Répertoire, 1933, 1935
Docteur Chompret *et alii*, *Répertoire de
la faïence française*, Paris, 1933-1935,
6 vol.

Retz, 1984
Retz (cardinal de), *Mémoires*, Paris,
1717, rééd. dans *Œuvres*, Paris, 1984.

Reverseau, 1979
J.-P. Reverseau, « The Classification of
French Armour Workshop Styles 1550-
1600 », *Art, Arms and Armour. An International Anthology*, I, Chiasso, 1979.

Reverseau, 1982(1)
J.-P. Reverseau, *Les Armures des rois de
France au musée de l'Armée*, Saint-
Julien-du-Sault, 1982.

Reverseau, 1982(2)
J.-P. Reverseau, *Les Armes et la Vie*,
Paris, musée de l'Armée, 1982.

Reverseau, 1985
J.-P. Reverseau, « L'hypothèse d'une
nouvelle attribution [les armes de
Richelieu au musée de l'Armée] »,
*Revue de la Société des amis du musée de
l'Armée*, 91, 1985, 2.

Reverseau, 1986
J.-P. Reverseau, « Le Cabinet des Armes
de Louis XIII. La collection Jeanne et
Robert-Jean Charles au musée de
l'Armée », *Revue de la Société des amis
du musée de l'Armée*, 92, 1986, 1.

Reverseau, 1989
J.-P. Reverseau, « La collection d'armes
du Garde-Meuble au 12 juillet 1789.
Nouvelles données relatives à son
organisation et à ses vicissitudes »,
*Marine, 1789-1989. Études historiques
publiées par l'État-major de la Marine*,
Paris, 1989.

Reverseau, 1995
J.-P. Reverseau, « L'arquebuse de Pierre
le Bourgeois, nouvelle acquisition »,
*Revue de la Société des amis du musée de
l'Armée*, 110, 1995.

Reyniès, 1987
N. de Reyniès, *Principes d'analyse scientifique. Le mobilier domestique. Vocabulaire
typologique*, I, Paris, 1987 (ministère de
la Culture et de la Communication.
Inventaire général des monuments et des

richesses artistiques de la France.
Principes d'analyse scientifique).

Reyniès, 1995
N. de Reyniès, « Vocabulaire de la
broderie de couleur », cat. exp. *Livres en
broderie, reliures françaises du Moyen
Âge à nos jours*, Paris, BnF, 1995.

Reyniès, 1996
N. de Reyniès, « Le *Pastor Fido* et la
tapisserie française de la première moitié du XVIIe siècle », *La Tapisserie au
XVIIe siècle et les collections européennes.
Actes du colloque international de Chambord, 18-19 octobre 1996*, Paris, 1999,
p. 14-30 (Cahiers du Patrimoine, 57).

Richard, 1988
R. Richard, *Potiers d'étain de l'ancien
Languedoc et du Roussillon*, Montpellier,
1998.

Richelieu et le monde de l'esprit, 1985
Richelieu et le monde de l'esprit, cat. sous
la dir. d'A. Tuilier, Paris, Sorbonne, 1985.

Richet, 1991
D. Richet, *De la Réforme à la Révolution*,
Paris, 1991.

Rideau, 1998
G. Rideau, *La Visitation Sainte-Marie
d'Orléans (1667-1792)*, mémoire
de maîtrise, université d'Orléans-
La Source, 1998.

Rietstap, s. d.
J. B. Rietstap, *Armorial général*, Gouda,
s. d., 2 vol.

Riols de Fonclare, 1925
Fr. Riols de Fonclare, *Les Verreries
forestières de Moussans (1450-1890)*,
1925, rééd., Toulouse, 1982.

Ris, 1875
Voir Clément de Ris, 1875.

Rizzini, 1892-1893
Pr. Rizzini, *Illustrazione dei civici musei
di Brescia, parte II-Medaglie*, Brescia,
1892-1893, 2 vol.

Robert, 1890, 1893
Colonel L. Robert, *Catalogue des collections composant le musée d'Artillerie en
1889*, Paris, 1890 (II), 1893 (IV).

Robert-Dumesnil, 1865
A.-P.-Fr. Robert-Dumesnil, *Le Peintre-
graveur français*, IX, Paris, 1865.

Robiquet, 1916
J. Robiquet, *Catalogue des armes et
armures des souverains*, Paris, 1916.

Rondot, 1885
N. Rondot, *Jacob Richier, sculpteur et
médailleur*, Lyon, 1885.

Rondot, 1888(1)
N. Rondot, *Claude Warin*, Paris, 1888.

Rondot, 1888(2)
N. Rondot, « Claude Warin, graveur et
médailleur », *Revue numismatique*,
1888, p. 121-151 et 266-305.

Rose-Villequey, 1971
G. Rose-Villequey, *Verre et verriers de
Lorraine au début des temps modernes*,
Paris, 1971.

Rosen, 1995
J. Rosen, *La Faïence dans la France du
XIVe au XIXe siècle*, Paris, 1995.

Rosen, 2000 (1)
J. Rosen, *La Faïence dans la France du
XIVe au XIXe siècle, histoire et technique*,
Paris, 2000.

Rosen, 2000 (2)
J. Rosen, « La Faïence française du XIIIᵉ au XVIIᵉ siècle », *Dossier de l'art*, 70, octobre 2000.

Rosen, 2001
J. Rosen (sous la dir. de), *Faïenceries françaises du Grand-Est*, Éditions du Comité des travaux historiques et scientifiques, 2001.

Rosenberg et Thuillier, 1988
P. Rosenberg et J. Thuillier, *Laurent de La Hyre 1606-1656, l'homme et l'œuvre*, Genève et Grenoble, 1988.

Roumégoux, 1991
Y. Roumégoux, « L'établissement des gentilshommes verriers italiens à Nevers à la fin du XVIᵉ siècle », *Association française pour l'archéologie du verre, actes des 4ᵉˢ Rencontres, Rouen, 24-25 novembre 1989*, 1991.

Rousset, 1953
J. Rousset, *La Littérature de l'âge baroque en France*, Paris, 1953.

Ruprich et Bajot, 1890
Ch. Ruprich et E. Bajot, *Musées du Louvre et de Cluny. Collection de meubles anciens*, Paris, 1890.

Saint-Sever, 1996
Saint-Sever, le temps des manufactures de faïence, Rouen, 1996.

Sainte Fare Garnot, 1998
N. Sainte Fare Garnot, « Le plafond à compartiments : innovation ou commodité », *Revue de l'art*, 122, 1998, 4, p. 21-26.

Sarmant, 1994
Th. Sarmant, *Le Cabinet des Médailles de la Bibliothèque nationale, 1661-1848*, Paris, 1994 (Mémoires et documents de l'École des chartes, 40).

Sarmant, 1996
Th. Sarmant, « Le cabinet des Médailles de Versailles, 1684-1741. À propos d'un médaillier de Louis XIV », *Cahiers numismatiques*, 130, décembre 1996, p. 21-29.

Saulnier, 1991
Fr. Saulnier, *Le Parlement de Bretagne, 1554-1790*, Mayenne, 1991.

Saur, 1997
K. G. Saur, *Allgemeines Künstler-Lexikon*, XV, Munich-Leipzig, 1997.

Sauval, 1724
H. Sauval, *Histoire et recherches des antiquités de la ville de Paris*, Paris, 1724, 3 vol. (écrit vers 1650).

Sauval, 1752
H. Sauval, *Histoire et recherches des Antiquités de la ville de Paris*, Paris, 1752, 3 vol., rééd. Paris, 1973.

Sauvel, 1968
T. Sauvel, « L'appartement de la Reine au Palais-Royal », *Bulletin de la Société de l'histoire de l'art français*, 1968, p. 65-79.

Sauzay, 1861
A. Sauzay, *Musée impérial du Louvre. Catalogue du Musée Sauvageot*, Paris, 1861.

Sauzay, 1863(1)
A. Sauzay, *Musée de la Renaissance. Série A. Notice des ivoires*, Paris, 1863.

Sauzay, 1863(2)
A. Sauzay, *Musée impérial du Louvre. Catalogue du musée Sauvageot*, Paris, 1863.

Sauzay, 1864
A. Sauzay, *Musée de la Renaissance. Série B. Notice des bois sculptés …*, Paris, 1864.

Sauzay, 1867
A. Sauzay, *Musée de la Renaissance. Série F. Notice de la verrerie et des vitraux*, Paris, 1867.

Savot, 1624, 1673
L. Savot, *L'Architecture françoise des bastimens particuliers*, Paris, 1624, 2ᵉ éd. augmentée par Fr. Blondel, Paris, 1673.

Scarisbrick, 1993
D. Scarisbrick, *Rings, Symbols of Wealth, Power and Affection*, Londres, 1993.

Schedelmann, 1972
H. Schedelmann, *Die grossen Büchsenmacher, Leben, Werke, Marken von 15. bis 19. Jahrhundert*, Brunswick, 1972.

Scher, 1994
St. K. Scher, *The Currency of Fame : Portrait Medals of the Renaissance*, New York, 1994.

Scherer, 1905
C. Scherer, *Elfenbeinplastik seit der Renaissance*, Leipzig, 1905.

Schnapper, 1988
A. Schnapper, *Le Géant, la licorne et la tulipe. Collections et collectionneurs dans la France du XVIIᵉ siècle. I. Histoire et histoire naturelle*, Paris, 1988.

Schnapper, 1994
A. Schnapper, *Curieux du Grand Siècle. Collections et collectionneurs dans la France du XVIIᵉ siècle. II. Œuvres d'art*, Paris, 1994.

Schuermans, 1885
H. Schuermans, « Lettre sur la verrerie à la façon de Venise », *Bulletin monumental*, 1885.

Scudéry, 1654
G. de Scudéry, *Alaric ou Rome vaincue*, Paris, 1654.

Sculptures françaises, 1998
Musée du Louvre, département des sculptures du Moyen Âge, de la Renaissance et des Temps modernes. Sculpture française. II. Renaissance et Temps Modernes, sous la dir. de J.-R. Gaborit, Paris, 1998, 2 vol.

Seelig-Teuwen, 1992
R. Seelig-Teuwen, « Barthélemy Prieur, portraitiste d'Henri IV et de Marie de Médicis », *Avènement d'Henri IV, quatrième centenaire. V. Les Arts au temps d'Henri IV, Actes du colloque de Fontainebleau, 1989*, Pau, 1992, p. 331-354.

Serlio, 1541-1547
S. Serlio, *Livre VI, Delle habitationi di tutti li gradi degli homini*, manuscrit rédigé entre 1541 et 1547 (New York, Avery Library).

Sherrill, 1995
S. B. Sherrill, *Tapis d'Occident du Moyen Âge à nos jours*, New York, Paris et Londres, 1995.

Simonet, 1994
M. Simonet-Lenglart, « Cormatin », *Connaissance des arts*, hors-série, 58, 1994, p. 53-54.

Simonin, 1684
C. Simonin, *Plusieurs Pièces Et Ornements Darquebuzerie Les plus en Usage Tire des Ouvrages de Laurent le Languedoc Arquebuziers Du Roy et Dautres Ornement Inventé et graué Par Simonin*, 1684, 12 pl.

Smith, 1979
A. Smith, *The Country Life International Dictionary of Clocks*, Londres, 1979.

Smolderen, 1990
L. Smolderen, « À propos de Guillaume Dupré », *Revue numismatique*, 1990, p. 232-253.

Sorel, 1627
Ch. Sorel, *Le Berger extravagant*, Paris, 1627.

Sorel, 1664
Ch. Sorel, *La Bibliothèque française de M. C. S.*, Paris, 1664.

Souchal, 1973
Fr. Souchal, « La collection du sculpteur Girardon d'après son inventaire après décès », *Gazette des Beaux-Arts*, juillet-août 1973, p. 1-111.

Souchal, 1977-1987
Fr. Souchal, *French Sculptors of the 17th and 18th centuries. The Reign of Louis XIV*, Oxford, 1977-1987, 3 vol.

Standen, 1973
E. A. Standen, « Mythological Scenes : A Tapestry Series after Laurent de La Hire », *The Museum of Fine Arts, Houston. Bulletin*, n. s., IV, 1, 1973, p. 10-21.

Standen, 1985
E. A. Standen, *European Post-Medieval Tapestries and Related Hangings in The Metropolitan Museum of Art*, New York, 1985, 2 vol.

Stein, 1889
H. Stein, « Les frères Anguier », *Réunion des Sociétés des beaux-arts des départements*, 1889, p. 527-609.

Der neue Stockel, 1978-1982
E. Heer, *Der neue Stockel, Internationales Lexikon der Büchsenmacher, Feuerwaffenfabrikanten und Armbrustmacher von 1400-1900*, Schwabisch Hall, 1978 (I), 1979 (II), 1982 (III).

Les Styles français, 1964
Les Styles français. Le Mobilier du Moyen Age au Modern Style, Paris, 1964.

Sutton, 1981
D. Sutton, « Aspects of British Collecting. II London as an Art Centre », *Apollo*, novembre 1981, p. 298-312.

Taburet, 1979
E. Taburet, « Les broderies du château d'Écouen », *L'Estampille*, 114, octobre 1979.

Tainturier, 1863
Tainturier, *Les Terres émaillées de Bernard Palissy inventeur des rustiques figulines*, Paris, 1863.

Tait, 1983
H. Tait, *Clocks and Watches*, British Museum, Londres, 1983.

Tallemant des Réaux, 1854
Tallemant des Réaux, *Les Historiettes*, 3ᵉ éd. par Monmerqué et P. Pâris, II, Paris, 1854.

La Tapisserie au XVIIᵉ siècle et les collections européennes, 1999
La Tapisserie au XVIIᵉ siècle et les collections européennes. Actes du colloque international de Chambord, 18-19 octobre 1996, Paris, 1999 (Cahiers du Patrimoine, 57).

Tarassuk, 1986
L. Tarassuk, « The Cabinet d'Armes de Louis XIII : some Firearms and Related Problems », *Metropolitan Museum Journal*, 21, 1986.

Tarbé, 1843
Pr. Tarbé, *Trésors des églises de Reims*, Reims, 1843.

Tardy, 1958
H. Lengelle dit Tardy, *Les Étains français*, Abbeville à Limoges, 2ᵉ partie, Paris, 1958.

Tardy, 1966
Tardy, *Les Ivoires. Évolution décorative du Iᵉʳ siècle à nos jours*, Paris, 1966.

Texier, 1842
Abbé Texier, « Essai historique et descriptif sur les argentiers et émailleurs de Limoges », *Mémoires de la Société des antiquaires de l'Ouest*, 1842, p. 77-347.

Theuerkauff, 1984
Chr. Theuerkauff, *Elfenbein. Sammlung Reiner Winkler*, Munich, 1984.

Thieme et Becker, 1914
U. Thieme et F. Becker, « Pierre Dupont », *Allgemeines Lexikon der Bildenden Künstler von der Antike bis zur Gegenwart*, X, Leipzig, 1914, p. 164-165.

Thirion, 1965
J. Thirion, « Panneaux sculptés d'après Philippe Galle aux musées de Cluny et des Arts décoratifs », *La Revue du Louvre*, 1965, 3, p. 103-110.

Thirion, 1971
J. Thirion, « Rosso et les arts décoratifs », *Revue de l'art*, 13, 1971, p. 32-47.

Thirion, 1985
J. Thirion, « L'armoire Révoil au Louvre. Bellone et les planètes d'après Spranger et De Vos », *La Revue du Louvre*, 1985, 5-6, p. 379-386.

Thomas, 1882
A. Thomas, *Inventaire sommaire des archives communales de Limoges, antérieures à 1790*, Limoges, 1882.

Thornton, 1978
P. Thornton, *Seventeenth-Century Interior Decoration in England, France and Holland*, New Haven et Londres, 1978.

Thornton, 1998
P. Thornton, *Form and Decoration in the Decorative Arts, 1470-1870*, Londres, 1998.

Thuillier, 1962
J. Thuillier, « Académie et classicisme en France : les débuts de l'Académie royale de peinture et de sculpture (1648-1663) », Actes du colloque *Il Mito del Classicismo nel Seicento* (Bologne, 1962), Florence, 1964, p. 181-209.

Thuillier, 1976
J. Thuillier, « Documents sur Jacques Blanchard », *Bulletin de la Société de l'histoire de l'art français*, 1976, p. 81-94.

Thuillier, 1978
J. Thuillier, « Propositions pour Charles Errard, peintre », *Revue de l'art*, 40, 1978, p. 151-172.

Thuillier, 1985
J. Thuillier, « Simon Vouet : documents positifs sur l'œuvre d'un peintre du XVIIe siècle : 3. La période parisienne » (résumé de cours), *Annuaire du Collège de France*, 1984-1985, p. 765-778.

TNG. Méd. Fr., 1834
Trésor de numismatique et de glyptique. Médailles françaises, Paris, 1834-1836, 2 vol.

Toulet, 1973
J. Toulet, *Introduction à l'histoire de la reliure française XVe-XVIIIe siècle*, Paris, 1973.

Tricou, 1958
J. Tricou, *Médailles Lyonnaises du XVe au XVIIIe siècle*, Paris, 1958.

Tripon, 1837
J. B. Tripon, *Historique monumental de l'ancienne province du Limousin*, Limoges, 1837.

Turckheim-Pey, 1990
S. de Turckheim-Pey, « Dupré, Guillaume », *Dictionnaire du Grand Siècle*, sous la dir. de Fr. Bluche, 1990, p. 510-511.

Turckheim-Pey, 2000
S. de Turckheim-Pey, « Paris vaut bien le Louvre : quatre jetons, quatre médailles », *Bulletin de la Société française de numismatique*, 2000, p. 128-131.

Turin, 1880
« Inventaire des ameublemens que Madame la Comtesse de Soisssons a fournis à Madame Marie de Bourbon princesse de Carignan sa fille… dixième jour d'octobre mil six cens vingt quatre », *Miscellana di storia italiana*, XIX, Turin, 1880.

Tydén-Jordan, 1984
A. Tydén-Jordan, « Karl XI's krönings-vagen : fransk lyximport med förhinder », *Livrustkammaren*, 16, 1984 (résumé en anglais : « King Charles XI's Coronation Coach : A French Luxury Import with Impediments »).

Tydén-Jordan, 1985
A. Tydén-Jordan, *Kröningvagen : Konstverk och riksklenod*, Stockholm, 1985 (résumé en anglais : « The Coronation Coach : Work of Art and National Heirloom »).

Tydén-Jordan, 1987
« Lyx och modecentra, Paris-London-Vienne », dans A. Tydén-Jordan, *Kungligt klädd, Kungligt mode*, Stockholm, 1987.

Tydén-Jordan, 1988
A. Tydén-Jordan, « Queen Christina's Coronation Coach 1650 », *Livrustkammaren*, XVIII, 1988, 1-2.

Tydén-Jordan, 2000
A. Tydén-Jordan, « Carrosses de couronnement suédois 1650-1751, une importation de luxe depuis Paris », *Voitures, chevaux et attelages du XVIe au XIXe siècle*, sous la dir. de D. Roche et D. Reytier, Paris, 2000.

Uhlmann-Faliù, 1978
O. Uhlmann-Faliù, *Jean Valdor, graveur et diplomate liégeois, marchand-bourgeois de Paris (1616-1675)*, mémoire de maîtrise dactylographié, université de Paris IV, 1978.

Van Bever, 1946
G. Van Bever, *Les « Tailleurs d'Yvoire » de la Renaissance au XIXe siècle. L'Art en Belgique*, Bruxelles, 1946.

Van Heule, 1959
Van Heule, « Les maîtres verriers italiens aux fours Bonhomme à Liège », *Annales du 1er congrès international d'étude historique du verre*, Liège, 1959.

Van Praet, 1822-1828
J. Van Praet, *Catalogue des livres impri-més sur vélin de la Bibliothèque du roi*, Paris, 1822-1828.

Vaudour, 1984
C. Vaudour, *Abrégé de la faïence de Rouen et de quelques autres céramiques*, Rouen, 1984.

Vaudour et Halbout, 1984
C. Vaudour et P. Halbout, « Fouilles d'une faïencerie du XVIIIe siècle » *Archeologia*, mai 1984.

Velde, 2000
Br. Velde, « Les verres façon de Venise à tiges ailées et en forme de serpents ; essai d'identification », *Bulletin de l'association française pour l'archéologie du verre*, 2000.

Verdier, 1967
Ph. Verdier, *The Walters Art Gallery Catalogue of the Painted Enamels of the Renaissance*, Baltimore, 1967.

Verlet, 1950
P. Verlet, « Quelques souvenirs histo-riques au département des Objets d'art », *Musées de France*, avril 1950.

Verlet, 1955
P. Verlet, *Le Mobilier français*, II, Paris, 1955.

Verlet, 1982
P. Verlet, *The Savonnerie. Its History. The Waddesdon Collection*, Londres et Fribourg, 1982 (The James A. de Rothschild Collection at Waddesdon Manor).

Véron-Denise, 1995
Véron-Denise, « Quelques aspects de la broderie en France aux XVIe et XVIIe siècles : milieux et modèles », dans cat. exp. *Livres en broderie. Reliures françaises du Moyen-Age à nos jours*, Paris, bibliothèque de l'Arsenal, 1995, p. 33-43.

Vesmes et Massar, 1971
A. de Vesme et Ph. D. Massar, *Stefano Della Bella*, New York, 1971, 2 vol.

Viatte, 1974
Fr. Viatte, *Musée du Louvre. Inventaire général des dessins italiens. II. Dessins de Stefano Della Bella*, Paris, 1974.

Villiers, 1862
De Villiers, *Journal d'un voyage à Paris en 1657-58*, éd. A.-Pr. Faugère, Paris, 1862.

Les Vitraux de Champagne-Ardenne, 1992
Recensement des vitraux anciens de la France. Les Vitraux de Champagne-Ardenne, Paris, 1992.

Les Vitraux de Paris, 1978
Recensement des vitraux anciens de la France. Les Vitraux de Paris, de la région parisienne, de la Picardie et du Nord-Pas-de-Calais, sous la dir. de L. Grodecki, Fr. Perrot et J. Taralon, Paris, 1978.

Vitraux parisiens de la Renaissance, 1993
Vitraux parisiens de la Renaissance, textes réunis par G.-M. Leproux, Paris, Délégation à l'action artistique, 1993.

Vitry et Brière, s. d.
P. Vitry et G. Brière, *Documents de sculpture française, Renaissance*, Paris, s. d., 2 vol.

Vittet, 1995
J. Vittet, « Contribution à l'histoire de la manufacture de la Savonnerie au XVIIe siècle : l'atelier de Simon et Philippe Lourdet d'après les minutes notariales », *Bulletin de la Société de l'histoire de l'art français*, 1995, p. 99-118.

Vitzthum, 1966
W. Vitzthum, « La galerie de l'hôtel de La Vrillière », *L'Œil*, décembre 1966, p. 24-31.

Wallin, 1952
S. Wallin, « Karlen och Hästen » (« The Man and the Horse »), *Livrust-kammaren*, VI, 3-4, août 1952.

Waquet, 1988
Fr. Waquet, *Le Modèle français et l'Italie savante : conscience de soi et perception de l'autre dans la république des lettres : 1660-1750*, Paris, 1988.

Wardropper, 1976
I. Wardropper, « Michel Anguier's Series of Bronze Gods and Goddesses : a Re-examination », *Marsyas*, XVIII, 1976, p. 23-36.

Waterer, 1971
J. Waterer, *Spanish Leather*, Londres, 1971.

Watson, 1966
Fr. J. B. Watson, *The Wrightsman Collection*, II, New York, 1966.

Weigert, 1939
R.-A. Weigert, *Bibliothèque nationale de France. Cabinet des estampes. Inventaire du fonds français. Graveurs français du XVIIe siècle*, I, Paris, 1939.

Weigert, 1951(1)
R.-A. Weigert, « Deux marchés passés par Simon Vouet pour les décorations de l'appartement d'Anne d'Autriche au Palais-Royal (1645) », *Bulletin de la Société de l'histoire de l'art français*, 1951, p. 101-105.

Weigert, 1951(2)
R.-A. Weigert, *Bibliothèque nationale de France. Cabinet des estampes. Inventaire du fonds français. Graveurs français du XVIIe siècle*, II, Paris, 1951.

Weigert, 1964
Abr. Bosse, *Le Peintre converty aux précises et universelle règles de son art*, Paris, 1647, éd. R.-A. Weigert, Paris, 1964.

Weigert, 1964
R.-A. Weigert, *La Tapisserie et le tapis en France*, Paris, 1964.

Weigert, 1968
R.-A. Weigert, « Graveurs et marchands d'estampes flamands à Paris sous le règne de Louis XIII », *Miscellanea Jozef Duverger*, II, Gand, 1968, p. 530-540.

Weil-Curiel, 1984
M. Weil-Curiel et I. Derens, « Répertoire des plafonds peints du XVIIe siècle disparus ou subsistants », *Revue de l'art*, 122, 1998-4, p. 74-112.

Weil-Curiel, 1997
M. Weil-Curiel, « L'hôtel Hesselin », cat. exp. *L'Ile Saint-Louis*, Paris, 1997, p. 187-195.

Whiteley, 2000
J. Whiteley, *Ashmolean Museum - Catalogue of the Collection of Drawings, VII, French School*, Oxford, 2000, 2 vol.

Wilhelm, 1958
J. Wilhelm, « Des galeries de tableaux sur mesure », *Connaissance des arts*, novembre 1958, p. 44-49.

Wilhelm, 1963
J. Wilhelm, « Les décorations de l'hôtel de La Rivière. Nouveaux documents », *Bulletin du musée Carnavalet*, novembre 1963, p. 1-19.

Wilhelm, 1975
J. Wilhelm, « Guillaume Veniat, menui-sier parisien du XVIIe siècle », *Bulletin de la Société de l'histoire de l'art français*, 1975.

Wilhelm, 1985
J. Wilhelm, « Le décor peint de la grand'salle du château de Balleroy », *Bulletin de la Société de l'histoire de l'art français*, 1985, p. 61-84.

Wilhelm, 1987
J. Wilhelm, « Portraits peints à Paris par Juste d'Egmont », *Bulletin de la Société de l'histoire de l'art français*, 1987, p. 25-44.

Williamson, 1888 ou s. d.
F. Williamson, *Les Meubles d'art du Mobilier national*, I, Paris s. d. [1888].

Williamson, 1912, 1972
G. Williamson, *Catalogue of the Collection of Watches, the Property of J. Pierpont Morgan*, Londres, 1912, 2e éd., Paris, 1972.

Wren, 1750
Chr. et St. Wren, *Parentalia, or Memoirs of the Family of Wrens, but chiefly of Sir Christopher Wren… compiled by his son Christopher. Now published by his grandson, Stephen Wren*, Londres, 1750.

Expositions

Londres, 1863
Catalogue of the Special Exhibition of Works of Art of the Mediaeval, Renaissance, and more recent Periods on Loan at the South Kensington Museum, 1862, éd. révisée, Londres, 1863.

Paris, 1865, 1867
Union centrale des Beaux-arts appliqués à l'industrie. Exposition de 1865, Paris, palais de l'Industrie, 1865. *Catalogue du musée rétrospectif*, Paris, 1867.

Paris, 1867
Exposition universelle de 1867 à Paris. Catalogue général..., Histoire du travail..., Paris, 1867.

Londres, 1875
Catalogue of the Special Loan Exhibition of Enamels on Metal held at the South Kensington Museum in 1874, Londres, 1875.

Autun, 1876
Tableaux et objets d'art d'antiquité et de curiosité, Autun, Petit Séminaire, 1876.

Limoges, 1886
Exposition rétrospective, Limoges, 1886.

Paris, 1889
Exposition universelle internationale de 1889 à Paris, exposition rétrospective de l'art français au Trocadero, Lille, 1889.

Reims, 1895
Exposition rétrospective de la ville de Reims, Reims, palais archiépiscopal, 1895.

Paris, 1900
Exposition rétrospective de l'art français, Paris, Petit Palais, 1900.

Paris, 1902(1)
Exposition rétrospective de la manufacture des Gobelins, 1601-1901, Paris, Grand Palais 1902.

Paris, 1902(2)
Salon des industries du mobilier organisé par la chambre syndicale de l'ameublement, Paris, Grand Palais, 1902.

Fontainebleau, 1920
Palais de Fontainebleau. Liste des objets exposés dans la salle du jeu de paume par les soins de la Société des amis de Fontainebleau, Fontainebleau, château, août 1920.

Uppsala, 1921
Livrustkammaren. Vägledning, Uppsala, 1921.

Rouen, 1923
Exposition d'art moderne, Rouen, 1923.

Paris, 1926
Orfèvrerie civile française du XVIe au début du XVIIIe siècle, Paris, musée des Arts décoratifs, 1926.

Paris, 1926-1927
Exposition de tapis de la Savonnerie à l'occasion du centenaire de la réunion des ateliers de Chaillot aux ateliers des Gobelins, Paris, manufacture nationale des Gobelins, 1926-1927.

Paris, 1927
Le Siècle de Louis XIV, Paris, Bibliothèque nationale, 1927.

Paris, 1929
Les Plus belles reliures de la réunion des bibliothèques nationales, Paris, Bibliothèque nationale, 1929.

Paris, 1930
Tapisseries des ateliers de Paris, Paris, musée de la Manufacture nationale des Gobelins, 1930.

Paris, 1932
La Faïence française de 1525 à 1820, Paris, musée des Arts décoratifs, 1932.

New York, 1933
Exhibition of Old French Gold and Silver Plate, XVIth and XVIIth Century, New York, galerie Seligmann, 1933.

Paris, 1936
Instruments et outils d'autrefois, Paris, musée des Arts décoratifs, 1936.

Paris, 1936-1937
Pierre Corneille et le théâtre de son temps, Paris, Bibliothèque nationale, 1936-1937.

Nevers, 1937
Rétrospective de céramiques et verreries nivernaises, Nevers, musée et chapelle Sainte-Marie, 1937.

New York, 1938
Three Centuries of French Domestic Silver, New York, The Metropolitan Museum, 1938.

Saint Louis, 1940
Firearms of Princes, Saint Louis, City Art Museum, 1940.

Lausanne, 1946
Trois Siècles de tapisseries des Gobelins, Lausanne, musée cantonal des Beaux-Arts, 1946.

Bruxelles, 1947
La Tapisserie française du Moyen Âge à nos jours, Bruxelles, 1947.

Londres, 1947
Masterpieces of French Tapestry, Londres, Victoria and Albert Museum, 1947.

Paris, 1947
Les Français au-delà du Rhin. Le retour de nos souvenirs militaires, Paris, hôtel national des Invalides, 1947.

New York, 1947-1948
French Tapestry, New York, The Metropolitan Museum of Art, 1947-1948.

Chicago, 1948
Masterpieces of French Tapestry, Chicago, The Art Institute, 1948.

Paris, 1949
Quatre Siècles de tapis français, Paris, musée des Arts décoratifs, 1949.

Paris, 1951(1)
Dessins du Nationalmuseum de Stockholm. Versailles et les maisons royales, Paris, Bibliothèque nationale, 1951.

Paris, 1951(2)
L'Art du verre, Paris, musée des Arts décoratifs, 1951.

Rouen, 1952
Trésors de la faïence de Rouen, Rouen, musée des Beaux-Arts, 1952.

Paris, 1954
Anvers, ville de Plantin et de Rubens, Paris, Bibliothèque nationale, 1954.

Anvers, 1956
Scaldis. Tentoonstelling voor oude kunst en cultuur, hedendaagse kunst, economie, Anvers, Stedelijke Feestzaal, 1956.

Amsterdam, 1957
Van Gotiek tot Empire, Amsterdam, Rijksmuseum, 1957.

Londres, 1958
The Age of Louis XIV, Londres, Royal Academy, 1958.

Lyon, 1958
Exposition du Bimillénaire. Lyon antique. Aspects de Lyon au XVIe siècle. Lyon de la Révolution à nos jours. L'urbanisme à Lyon, Lyon, 1958 (cat. par A. Joly, J.-L. Rocher, H. Joly et T. Tricou).

Paris, 1958
Le XVIIe siècle français. Chefs-d'œuvre des musées de province, Paris, Petit Palais, 1958.

Fontarabie, 1959
Catalogo de la exposicion commemorativa de la paz de los Pirineos, Fontarabie, 1959.

Blois, 1960
Gaston d'Orléans (1608-1660), Blois, château, juin-juillet 1960 (cat. par G. Dethan).

Madrid et Saint-Jean-de-Luz, 1960
Tercer centenario de la boda de Luis XIV con María Teresa de Austria, Madrid, 1960 (*Exposition commémorative du troisième centenaire du mariage de Louis XIV avec Marie-Thérèse, 1660-1960*, Saint-Jean-de-Luz, 1960).

Nevers, 1960
Collections du musée, Nevers, chapelle de la Visitation, 1960.

Paris, 1960
Louis XIV. Faste et décors, Paris, musée des Arts décoratifs, 1960.

Paris, 1961
Mazarin, homme d'État et collectionneur. 1602-1661, Paris, Bibliothèque nationale, 1961 (cat. par M. Laurain-Portemer et R.-A. Weigert).

Versailles, 1963(1)
Charles Le Brun, 1619-1690, peintre et dessinateur, Versailles, musée national du château, 1963.

Versailles, 1963(2)
Les Grandes Heures de la diplomatie française, 1598-1815, Versailles, musée national du château, 1963.

Paris, 1964-1965
Cent Ans. Cent Chefs-d'œuvre. Cent Collections, Paris, musée des Arts décoratifs, 1964-1965.

Paris, 1965(1)
Trésors des églises de France, Paris, musée des Arts décoratifs, 1965.

Paris, 1965(2)
Faïences de Nevers de la Renaissance à la Révolution, chefs-d'œuvre du musée Frédéric Blandin, Paris, musée des Arts décoratifs, 1965.

Stockholm, 1966
Christina, Queen of Sweden, a Personality of European Civilisation, Stockholm, Nationalmuseum, 1966.

Strasbourg, 1966
Tapisseries du Moyen Âge à nos jours, Strasbourg, ancienne douane, 1966.

Nevers, 1967
Art religieux du Nivernais, Nevers, chapelle Sainte-Marie, 1967.

Paris, 1967
Vingt Ans d'acquisitions au musée du Louvre, 1947-1967, Paris, Orangerie des Tuileries, 1967-1968.

Versailles, 1967
Chefs-d'œuvre de la tapisserie parisienne, 1597-1662, château de Versailles, Orangerie, 1967.

Paris, 1970
La Médaille au temps de Louis XIV, Paris, hôtel de la Monnaie, 1970.

Düsseldorf, 1971
Europäische Barockplastik am Niederrhein, Grupello und seine Zeit, Düsseldorf, Kunstmuseum, 1971.

Paris, 1972
Le Cabinet de l'Amour de l'hôtel Lambert, Paris, musée du Louvre, 1972 (cat. par J.-P. Babelon, G. de Lastic, P. Rosenberg et A. Schnapper).

Paris, 1972-1973
L'École de Fontainebleau, Paris, Grand Palais, 1972-1973 (cat. sous la dir de M. Laclotte).

Ottawa, 1974
L'Orfèvrerie en Nouvelle-France, Ottawa, Galerie nationale du Canada, 1974 (cat. par J. Trudel, clichés par R. Derome).

Paris, 1974
L'URSS et la France, les grands moments d'une tradition, Paris, Grand Palais, 1974-1975.

Florence, 1975
Grafica per orafi. Modelli del cinque e seicento, Florence, Institut hollandais d'histoire de l'art, 1975.

Bruxelles, 1977
La Sculpture au siècle de Rubens, Bruxelles, musées d'Art et d'Histoire, 1977.

Paris, 1977(1)
Broderie au passé et au présent, Paris, musée des Arts décoratifs, 1977.

Paris, 1977(2)
1610-1661. Le livre, les événements, les hommes et les tendances d'une époque, Paris, bibliothèque Mazarine, 1977.

Fontainebleau, 1978
Le Château de Fontainebleau sous Henri IV, Fontainebleau, musée national du château, 1978 (*Petit Journal*).

Paris, 1978
Trésors des rois de Danemark, Paris, Petit Palais, 1978.

Vienne, 1978
Giambologna, 1529-1608. Ein Wendepunkt der Europäischen Plastik, Vienne, 1978.

Cergy-Pontoise, 1980
Art religieux dans le pays du Val-d'Oise, Cergy-Pontoise, 1980 (cat. par R. Vasseur).

Londres, 1980
Princely Magnificence. Court Jewels of the Renaissance, 1500-1630, Londres, Victoria and Albert Museum, 1980.

Paris, 1980(1)
Trésors de la bibliothèque de l'Arsenal, Paris, bibliothèque de l'Arsenal, 1980.

Paris, 1980(2)
Faïences françaises XVIe-XVIIIe siècles, Paris, Grand Palais, 1980.

Paris, 1980-1981
Cinq Années d'enrichissement du patrimoine national, 1975-1980, Paris, Grand Palais, 1980-1981.

Autun, 1983
Mobilier et objets d'art dans les collections du musée Rolin, Autun, musée Rolin, 1983.

Genève, 1983
Montres françaises 1580-1680, Genève, musée d'Horlogerie et d'Émaillerie, 1983.

Aubusson, 1984
Poésie, roman et tapisserie, du XVe au XVIIIe siècles, Aubusson, musée de la Tapisserie, 1984.

Québec, 1984
La Renaissance et le Nouveau Monde, Québec, musée du Québec, 1984.

La Nouvelle-Orléans et Washington, 1984
The Sun King : Louis XIV and the New World, La Nouvelle-Orléans, Louisiana State Museum, Washington, Corcoran Gallery, 1984-1985.

Paris, 1984
Les Fastes de la tapisserie du XVe au XVIIIe siècle, Paris, musée Jacquemart-André, 1984.

Hartford, 1985
French Textiles from the Middle Ages through the Second Empire, Hartford (Connecticut), Wadsworth Atheneum, 1985.

Paris, 1985(1)
FRAM musées classés et contrôlés : catalogue sommaire illustré des achats réalisés de 1982 à 1984 avec l'aide des fonds régionaux d'acquisitions pour les musées, Paris, Grand Palais, 1985.

Paris, 1985(2)
Richelieu et le monde de l'esprit, Paris, Sorbonne, 1985.

Bourg-en-Bresse, 1986
FRAM en Rhône-Alpes, enrichissements récents des musées de la région Rhône-Alpes avec l'aide de l'État et de la Région, Bourg-en-Bresse, 1986 (cat. par É. Moinet et M.-Fr. Poiret).

Paris, 1986
Chefs-d'œuvre de la tapisserie du XVIe au XVIIIe siècle, Paris, Petit Palais, 1986 (cat. par J. Niclausse).

Paris, 1987(1)
Costume et coutume, Paris, Grand Palais, 1987.

Paris, 1987(2)
Le Faubourg Saint-Germain. Rue de l'Université, Paris, Institut néerlandais, 1987.

Brisbane, 1988
Masterpieces from the Louvre. French Bronzes and Paintings from the Renaissance to Rodin, Brisbane, Queensland Art Gallery, 1988.

Copenhague, 1988
Christian IV and Europe. The 19th Art Exhibition of the Council of Europe, Copenhague, 1988.

Washington et Minneapolis, 1988
Sweden Royal Treasury. 1550-1700, Washington, National Gallery of Art, Minneapolis, Minneapolis Institute of Arts, 1988-1989.

Paris, 1988
Cinquante reliures françaises à décor sur des textes importants et provenant de collections renommées, Paris, Bibliothèque nationale, 1988 (cat. par A. Charon).

Paris, 1989(1)
La Bibliothèque Mazarine : 1689, 1789, 1989, Paris, bibliothèque Mazarine, 1989.

Paris, 1989(2)
De Versailles à Paris, le destin des collections royales, Paris, mairie du Ve arrondissement, 1989.

Valenciennes, 1989
Les Saisies révolutionnaires au musée de Valenciennes, Valenciennes, musée des Beaux-Arts, 1989.

Pau et Paris, 1989-1990
Henri IV et la reconstruction du Royaume, Pau, musée national du château, Paris, Archives nationales, 1989-1990.

Paris, 1990
Nouvelles Acquisitions du département des Objets d'art, 1985-1989, Paris, musée du Louvre, 1990.

Paris, 1990-1991
Vouet, Paris, Grand Palais, 1990-1991 (cat. sous la dir. de J. Thuillier).

Paris, 1991
Marie de Médicis et le palais du Luxembourg, Paris, 1991.

Tokyo, 1991
Visages du Louvre, Tokyo, 1991.

Toulouse, 1991
Les Jésuites aux XVIIe et XVIIIe siècles, Toulouse, musée Paul Dupuy, 1991.

Bruxelles, 1992
Argenteries. Le trésor du National Trust for Scotland. Schatten in Zilver. Topstukken van de National Trust for Scotland, Bruxelles, banque Lambert, 1992.

Gien, 1992
Le Loup, Gien, musée international de la Chasse, 1992.

Limoges, 1992
Trésors d'émail, catalogue des acquisitions 1977-1992, Limoges, musée municipal de l'Évêché, 1992.

Noyon, 1992
Jacques Sarazin, sculpteur du Roi, 1592-1660, Noyon, musée du Noyonnais, 1992.

Saché, 1992
La Soie en Touraine, Saché, château, 1992.

Anvers, 1993
Een eeuw van schittering. Diamantjuwelen uit de 17 de eeuw, Anvers, Djamantmuseum, 1993.

Chambord, 1993
Fils de foi, chemins de soie, Chambord, château, 1993.

Vienne, 1993
Glas aus 5 Jahrhunderten, Vienne, galerie Kovacek, 1993.

Paris, 1993-1994
Légende dorée du Limousin, les saints de la Haute-Vienne, Paris, Orangerie du Luxembourg, 1993-1994.

Paris, Cambridge et New York, 1994-1995
Le Dessin en France au XVIe siècle. Dessins et miniatures des collections de l'École des beaux-arts, Paris, École nationale supérieure des beaux-arts, Cambridge, Fogg Art Museum, New York, The Metropolitan Museum of Art, 1994-1995.

Paris, 1995(1)
Carthage, l'histoire, sa trace, son écho, Paris, Petit Palais, 1995.

Paris, 1995(2)
Livres en broderies. Reliures françaises du Moyen Âge à nos jours, Paris, bibliothèque de l'Arsenal, 1995-1996.

Paris, 1995(3)
L'Orfèvrerie parisienne de la Renaissance. Trésors dispersés, Paris, centre culturel du Panthéon, 1995.

Paris, 1995(4)
Jean de La Fontaine, Paris, Bibliothèque nationale de France, 1995 (sous la dir. de C. Lesage).

Paris, 1995(5)
Le Globe et son image, Paris, 1995 (cat. par M. Pelletier).

Paris, 1995(6)
Nouvelles Acquisitions du département des Objets d'art 1990-1994, Paris, musée du Louvre, 1995.

Écouen 1995-1996
Le Dressoir du Prince, services d'apparat à la Renaissance, Écouen, musée national de la Renaissance, 1995-1996.

Paris et New York, 1995-1996
L'Œuvre de Limoges, Paris, musée du Louvre, New York, The Metropolitan Museum of Art, 1995-1996.

Angers, 1996
Quand l'étain brillait en Anjou, Angers, 1996.

Chambord, 1996-1997
Lisses et délices. Chefs-d'œuvre de la tapisserie de Henri IV à Louis XIV, Chambord, château, 1996-1997 (cat. sous la dir. de Br. Saunier).

Paris, 1996-1997
Tous les savoirs du monde. Encyclopédies et bibliothèques de Sumer au XXIe siècle, Paris, Bibliothèque nationale de France, 1996.

Angers, 1997
Tapisseries, broderies, décors et textiles, Angers, château, 1997.

Metz, 1997
Charles Poerson (1609-1667), Metz, musée de la Cour d'or, 1997.

Paris, 1997
Des mécènes par milliers. Un siècle de dons par les Amis du Louvre, Paris, musée du Louvre, 1997.

Strasbourg et Aix-la-Chapelle, 1997
Sébastien Stoskopff, 1597-1657, un maître de la nature morte, Strasbourg, musée de l'Œuvre Notre-Dame, Aix-la-Chapelle, Suermondt Ludwig Museum, 1997.

Tokyo, 1997
Visages du Louvre, Tokyo, 1997.

Amsterdam, 1998
Ornament in prent. Zeventiende-eeuwse ornamentprenten in de verzamelingen van het Rijksmuseum, Amsterdam, Rijksmuseum, 1998 (cat. par P. Fuhring).

Avignon, 1998
Trésors d'horlogerie. Le temps et sa mesure du Moyen Âge à la Renaissance, Avignon, palais des Papes, 1998.

Guiry-en-Vexin, 1998
Aspects méconnus de la Renaissance en Ile-de-France, Guiry-en-Vexin, musée archéologique du Val-d'Oise, 1998.

Paris, 1998
Des livres rares depuis l'invention de l'imprimerie, Paris, Bibliothèque nationale de France, 1998 (sous la dir. d'A. Coron).

Paris, 1998
François Mansart. Le génie de l'architecture, Paris, 1998 (sous la dir. de J.-P. Babelon et Cl. Mignot).

Boston, Ottawa et Paris, 1998-1999
French Prints from the Age of the Musketeers, Boston, Museum of Fine Art, 1998-1999, Ottawa, National Gallery of Canada, 1999, Paris, fondation Mona Bismarck, 1999.

Auxerre, 1999
La Faïence de Nevers au XVIIe siècle, Auxerre, 1999.

La Chaux-de-Fonds, 1999
Splendeurs de l'Émail. Montres et horloges du XVIe siècle au XXe siècle, La Chaux-de-Fonds, musée international d'Horlogerie, 1999.

Mantoue, 1999
L'Influence des ducs de Gonzague sur les arts de Nevers, Mantoue, Palazzo Té, 1999.

Nevers, 1999
Mantoue et les Gonzague de Nevers, Nevers, palais ducal, 1999.

Orléans, 1999
À l'ombre des rois. Le Grand Siècle d'Orléans, Orléans, musée des Beaux-Arts, 1999.

Paris, 1999(1)
Cent Ans d'histoire de Paris. L'œuvre de la Commission du Vieux Paris. 1898-1998, Paris, 1999 (cat. par M. Fleury et G.-M. Leproux)

Paris, 1999(2)
Les Bronzes de la Couronne, Paris, musée du Louvre, 1999.

Rouen, 1999
Peintures et sculptures de faïence. Rouen XVIIIᵉ siècle, Rouen, musée des Beaux-Arts, 1999.

Sèvres, 1999-2000, Arras, 2000
L'Art de la terre vernissée du Moyen Âge à l'an 2000, Sèvres, musée national de Céramique, 1999-2000, Arras, musée des Beaux-Arts, 2000.

Beauvais, 2000
À travers les collections du Mobilier national (XVIᵉ-XXᵉ siècles), Beauvais, galerie nationale de la Tapisserie, 2000.

Bourg-en-Bresse, 2000
Images du pouvoir, pavements de faïence en France du XIIIᵉ au XVIIᵉ siècle, Bourg-en-Bresse, musée de Brou, 2000.

Paris, 2000
Joyaux Renaissance. Une splendeur retrouvée, Paris, galerie Kugel, 2000.

Paris, 2000-2001
À l'inventaire, acquisitions du musée des Arts décoratifs 1995-1999, Paris, musée des Arts décoratifs, 2000-2001.

Compiègne, 2000-2001
Le Comte de Nieuwerkerque. Art et pouvoir sous Napoléon III, Compiègne, musée national du Château, 2000-2001.

Écouen, 2001
Hugues Sambin, un créateur du XVIᵉ siècle (vers 1520-1601), Écouen, musée de la Renaissance, 2001-2002.

Indianapolis, 2001
Gifts to the Tsars, 1500-1700 : Treasures from the Kremlin, Indianapolis, The Indianapolis Museum of Art, 2001 (cat. sous la dir. de B. Shifman).

Nevers, 2001
D'Athènes à Rome, la mythologie dans l'art, Nevers, musée municipal Frédéric Blandin, 2001.

Paris, 2001(1)
Archéologie du Grand Louvre. Le quartier du Louvre au XVIIᵉ siècle, Paris, musée du Louvre, 2001.

Paris, 2001(2)
Le Dessin en France au XVIIᵉ siècle dans les collections de l'École des beaux-arts, Paris, École nationale supérieure des beaux-arts, 2001.

Paris, 2001(3)
Figures de la passion, Paris, musée de la Musique, 2001.

Paris, 2001(4)
Diamants. Au cœur de la terre, au cœur des étoiles, au cœur du pouvoir, Paris, Muséum d'histoire naturelle, 2001.

Paris, 2001-2002
Livres en bouche, cinq siècles d'art culinaire français du quatorzième au dix-huitième siècle, Paris, bibliothèque de l'Arsenal, 2001-2002.

Reims, 2001
Vingt Siècles en cathédrales, Reims, palais du Tau, 2001 (cat. sous la dir. de C. Arminjon et D. Lavalle).

Crédits photographiques :

Publication du département de l'Édition,
dirigé par Béatrice Foulon

Coordination éditoriale
Sophie Laporte

Relecture des textes
Katia Lièvre

Iconographie
Catherine Bossis
Évelyne David
Annie Madec

Fabrication
Jacques Venelli

Conception graphique et maquette
HDL Design/Gilles Huot

Photogravure
IGS à Angoulême

Cet ouvrage a été achevé d'imprimer

en avril 2002 sur les presses de

l'imprimerie Snoeck, à Gand,

qui en a également réalisé le façonnage.

Dépôt légal : avril 2002
ISBN : 2-7118-4390-4
EC 10 4390